A long-expected party—

When N

When Bilbo, son of Bungo of the family
of Baggins, celebrated his seventieth
71st
birthday there was for a day or two some talk in the
neighbourhood. He had once had a little fleeting
... he had disappeared after breakfast one April 30th
... not reappeared until lunchtime on June 22nd in
... following year. A very odd proceeding for which
... had never given any good reason, and of which
... a nonsensical account. After that he returned
... always; and the shaken confidence of the district
... gradually restored, especially as Bilbo seemed by so...
... method to have become more than comfortabl...
... positively wealthy. Indeed it was the magni...
... the party rather than the fleeting fame that...
... caused the talk — after all that other odd busines...
... some twenty years before and was becoming—
forgotten. The magnificence of this par—

A HISTÓRIA
DA TERRA-MÉDIA
—VII—
A TRAIÇÃO
DE ISENGARD

J.R.R. TOLKIEN

A HISTÓRIA
DA TERRA-MÉDIA
—VII—
A TRAIÇÃO
DE ISENGARD

Editado por CHRISTOPHER TOLKIEN

Tradução de
EDUARDO BOHEME

Rio de Janeiro, 2024

Copyright © The Tolkien Trust e C.R. Tolkien, 1987
Edição original por George Allen & Unwin, 1986
Todos os direitos reservados à HarperCollins Publishers.
Copyright da tradução © 2024 por Casa dos Livros Editora LTDA. Todos os direitos reservados.

Título original: *The Treason of Isengard*

Todos os direitos desta publicação são reservados à Casa dos Livros Editora LTDA. Nenhuma parte desta obra pode ser apropriada e estocada em sistema de banco de dados ou processo similar, em qualquer forma ou meio, seja eletrônico, de fotocópia, gravação etc., sem a permissão dos detentores do copyright.

⊛® e TOLKIEN® são marcas registradas da The Tolkien Estate Limited.

COPIDESQUE	Jaqueline Lopes
REVISÃO	Eduardo Boheme Kumamoto, Letícia Oliveira e Camila Reis
DESIGN DE CAPA	Alexandre Azevedo
DIAGRAMAÇÃO	Sonia Peticov

Dados Internacionais de Catalogação na Publicação (CIP)
(Câmara Brasileira do Livro, SP, Brasil)

Tolkien, J.R.R. (John Ronald Reuel)
A traição de Isengard / J.R.R. Tolkien; Tradução: Eduardo Kumamoto. – 1. ed. – Rio de Janeiro, RJ: Harper Collins Brasil, 2024.

Título original: The treason of Isengard.
ISBN 978-65-55115-35-9

1. Ficção de fantasia. 2. Terra média (lugar imaginário). 3. Tolkien, J.R.R. (John Ronald Reuel), 1892-1973. Senhor dos Anéis – Crítica, textual. I. Kumamoto, Eduardo. II. Título.

05-2024/88   CDD-823.912

Índice para catálogo sistemático: 823.912
Bibliotecária responsável: Aline Graziele Benitez CRB-1/3129

HarperCollins Brasil é uma marca licenciada à Casa dos Livros Editora Ltda.
Todos os direitos reservados à Casa dos Livros Editora LTDA.

Rua da Quitanda, 86, sala 601A - Centro,
Rio de Janeiro/RJ - CEP 20091-005
Tel.: (21) 3175-1030
www.harpercollins.com.br

Sumário

Prefácio	7
1. O Atraso de Gandalf	11
2. A Quarta Fase (1):	26
3. A Quarta Fase (2):	52
4. De Hamílcar, Gandalf e Saruman	83
5. A Canção de Bilbo em Valfenda:	101
6. O Conselho de Elrond (1)	136
7. O Conselho de Elrond (2)	171
8. O Anel vai para o Sul	195
9. As Minas de Moria (1):	212
10. As Minas de Moria (2):	228
11. A História Prevista a partir de Moria	247
12. Lothlórien	259
13. Galadriel	290
14. Adeus a Lórien	315
15. O Primeiro Mapa de O Senhor dos Anéis	347
16. A História Prevista a partir de Lórien	381
17. O Grande Rio	410
18. O Rompimento da Sociedade	434
19. A Partida de Boromir	443
20. Os Cavaleiros de Rohan	456
21. Os Uruk-Hai	478
22. Barbárvore	482
23. Notas sobre Tópicos Variados	496

24. O Cavaleiro Branco	500
25. A História Prevista a partir de Fangorn	511
26. O Rei do Paço Dourado	519
Apêndice sobre as Runas	532
Índice Remissivo	548
Poemas Originais	571

Prefácio

Em "A História da Terra-média", tentei fazer de cada livro uma entidade tão independente quanto possível, e não meramente um pedaço a ser cortado toda vez que o livro atingisse certo comprimento. Contudo, na história da composição de *O Senhor dos Anéis*, isso se provou difícil. Em *O Retorno da Sombra*, consegui levar a história até o ponto em que meu pai, como ele mesmo disse, "[deteve-se] por longo tempo", quando a Comitiva do Anel se viu diante do túmulo de Balin nas minas de Khazad-dûm; mas isso me fez postergar as complexas reestruturações das partes mais antigas de *A Sociedade do Anel* que pertencem àquele período.

Neste volume, minha esperança e intenção foi chegar à segunda interrupção mais relevante na escrita de *O Senhor dos Anéis*. No Prefácio à Segunda Edição, meu pai afirmou que, em 1942, ele escreveu "os primeiros esboços do material que agora permanece como o Livro III [de "A Partida de Boromir" até "A Palantír"], e os inícios dos capítulos 1 e 3 do Livro V ["Minas Tirith" e "A Convocação de Rohan"]; e ali, com os faróis ardendo em Anórien e com Théoden chegando ao Vale Harg, eu parei. A presciência falhara e não havia tempo para pensar." Parece que foi em fins de 1942 que ele parou, e recomeçou ("obriguei-me a abordar a jornada de Frodo a Mordor") no início de abril de 1944, após um intervalo de mais de um ano.

Por essa razão, escolhi para este livro o título *A Traição de Isengard*, que foi o título que meu pai propusera para o Livro III (o primeiro de *As Duas Torres*) em uma carta a Rayner Unwin em março de 1953 (*Cartas*, n. 136). Mas repetidas vezes descobri que a história da escrita de *O Senhor dos Anéis* tende a ditar seu próprio ritmo e escala, e que acaba surgindo uma espécie de ponto crítico além do qual não é possível condensar as dificuldades da estrutura que se desenvolve sem alterar a natureza do projeto. Ao ver que

PREFÁCIO

estava ficando sem espaço e que a história não avançava rápido o bastante para chegar à grande cavalgada de Gandalf e Pippin em Scadufax, reescrevi grande parte do livro na tentativa de encurtá--la; mas descobri que, se rejeitasse algum material por julgá-lo menos essencial ou menos interessante, mais adiante eu sempre me deparava com um ponto em que a necessidade de dar explicações acabava destruindo essa vantagem. Por fim, decidi que "O Rei do Paço Dourado" configura, de fato, um ponto de interrupção muito adequado, não no que diz respeito ao avanço da composição, mas ao avanço do enredo; e mantive o título *A Traição de Isengard* porque esse era o novo elemento central dessa parte de *O Senhor dos Anéis*, ainda que o relato da destruição de Isengard e da retribuição pela traição de Saruman apareça apenas em um esboço preliminar neste livro.

Claro, seria possível encurtar consideravelmente meu relato tratando as questões de cronologia e geografia de modo muito mais superficial, mas, como bem sei, há alguns que têm grande interesse por essas questões que muitas vezes são sobremaneira complexas, e aqueles que não têm tal interesse podem simplesmente deixá-las de lado. Ou eu poderia ter omitido algumas passagens de escrita originais que não fossem muito diferentes da obra publicada; mas a minha intenção ao longo desta "História" foi fazer a voz do autor ser bastante ouvida.

O modo como *O Retorno da Sombra* foi construído fez com que, na primeira parte de *A Traição de Isengard*, fosse preciso abordar com alguma minúcia os desenvolvimentos ulteriores em *A Sociedade do Anel* até o ponto que aquele livro alcança. Assim, esta parte é, por necessidade, uma continuação do relato em *O Retorno da Sombra* e tem com ele relação próxima; mas a maior parte das referências de página feitas a ele não passam de referências e não precisam ser consultadas para acompanhar a discussão.

Mais uma vez, a intenção deste livro é em grande parte descritiva e, no geral, achei mais útil explicar por que acredito que a narrativa evoluiu da maneira que descrevo do que detalhar as minhas próprias visões acerca da importância de características particulares.

Conforme a escrita de *O Senhor dos Anéis* prossegue, os rascunhos iniciais ficam cada vez mais difíceis de ler; mas, por razões óbvias, não hesitei em tentar apresentar nem mesmo os exemplos mais formidáveis, tais como a descrição original da visão de Frodo em Amon Hen (pp. 436–7), mesmo que o texto resultante esteja salpicado de pontos de interrogação e reticências.

Ao preparar este livro, novamente devi muito à ajuda do Sr. Taum Santoski, concedida generosa e constantemente, e à do Sr. John D. Rateliff, que auxiliou com a análise dos manuscritos guardados na Universidade Marquette. Agradeço também ao Sr. Charles B. Elston, Arquivista da Biblioteca Memorial em Marquette, por fornecer fotografias dos desenhos do Portão Oeste de Moria e da inscrição no Túmulo de Balin, e à Srta. Tracy Muench, responsável por fotocopiar muitos manuscritos.

O Sr. Charles Noad muito gentilmente empreendeu uma leitura adicional e independente das provas, junto com uma checagem meticulosa de todas as referências e citações de obras publicadas. A esse respeito, preciso explicar algo que deveria ter explicado em *O Retorno da Sombra*, um artifício talvez enganoso que empreguei nesses livros: quando traço a relação entre um texto mais antigo e a versão publicada, frequentemente considero os trechos como se fossem idênticos, muito embora o fraseado na verdade seja diferente em pontos irrelevantes. Assim, por exemplo, na p. 434, "Sam interrompeu a discussão […] com 'Com suas licenças, mas não acho que estão compreendendo o Sr. Frodo nem um pouco' (SA, p. 566)", não é uma citação incorreta de *A Sociedade do Anel* (que diz: "'Com sua licença', disse Sam. 'Não acho que estão compreendendo meu patrão nem um pouco'"), mas uma "abreviação" pela qual indico o ponto exato em *A Sociedade do Anel* e, ao mesmo tempo, cito precisamente a porção do texto mais antigo. Também faço isso ao traçar a relação entre versões antigas sucessivas.

A ilustração de Orthanc no Anel de Isengard reproduzida na guarda é a primeira concepção da torre entre muitas, e pode-se considerar que representa a imagem que meu pai tinha dela na época em que os textos deste livro foram escritos. Foi desenhada no verso de um texto de prova em 1942, e encontra-se junto de outros desenhos entre os rascunhos originais de "A Estrada para Isengard". A evolução de Orthanc será descrita no Volume VIII, mas pareceu-me adequado usar esse desenho na guarda.

Assim como em *O Retorno da Sombra*, ao citar os textos eu acompanho a representação que meu pai fez dos nomes, muito inconsistente especialmente no uso de letras maiúsculas. Abrevio

PREFÁCIO

A Sociedade do Anel como SA, *As Duas Torres* como DT e *O Senhor dos Anéis* como SdA; e faço referência aos volumes anteriores desta "História" como "II. 189, V. 226", por exemplo.

Aproveito esta oportunidade para explicar um erro em *O Retorno da Sombra* (que não está presente na primeira impressão americana). Após a correção das segundas provas, as linhas 11–12 da página 32 daquele livro foram repetidas nas linhas 15–16, no lugar do texto correto, que deveria ser:

As palavras finais de Bingo, "Vou partir depois do jantar", foram corrigidas no manuscrito para "Estou partindo agora".*

---

*A frase em questão foi corrigida nas edições mais recentes em inglês de *O Retorno das Sombras*. Ao que tudo indica, optou-se por manter o parágrafo mesmo após a correção como forma de preservar o registro textual [N.T.].

1

O ATRASO DE GANDALF

Em *O Retorno da Sombra*, após citar e discutir as singulares notas e esboços de enredo datados de agosto de 1939 (Capítulo 22: "Novas incertezas e novas projeções"), voltei-me para a continuação da história em Valfenda e depois, até chegar a Moria. Contudo, nessa época (mais para o fim de 1939), meu pai também se ocupava de outra revisão substancial naquele que acabou se tornando o Livro I de *A Sociedade do Anel* (SA), despontando primariamente de uma história modificada dos movimentos de Gandalf e uma explicação para o seu atraso. Duvido que seria possível deduzir uma cronologia passo-a-passo perfeitamente clara e coerente desse período na evolução narrativa, ou relacionar com precisão o desenvolvimento dos capítulos antigos do que se tornou o Livro II ao novo trabalho no Livro I; pois meu pai movia-se para frente e para trás, testando novas concepções, abandonando-as depois, quem sabe, e produzindo tal emaranhado de modificações que nem sempre é possível desembaraçar: e, mesmo que fosse possível, exigiria um espaço imenso para torná-las compreensíveis sem os manuscritos. Contudo, compreendendo-se que muitas incertezas permanecem, não acho que elas constituam um impedimento real para entender o desenvolvimento de todos os aspectos essenciais.

A maior parte desse novo trabalho na história até Valfenda pode ser vista em termos de capítulos individuais, mas alguns rascunhos, esquemas temporais e notas ficam melhores quando coligidos, embora eu não possa determinar com certeza a ordem em que foram escritos. Eles são o assunto deste capítulo.

(1) Este retalho de papel começa com "Estado do enredo presumido após 11. (Muito da explicação em 12 e do incidente no capítulo de Bri terá que ser reescrito.)". A referência é claramente ao

O ATRASO DE GANDALF

Capítulo 12 "O Conselho de Elrond" que, nesse estágio, incluía a narrativa posteriormente separada em "Muitos Encontros" (ver VI. 494–4). Continua assim:

Bilbo dá a Festa e vai embora. Nessa época, não sabe nada sobre os poderes ou a origem do anel (além da invisibilidade). Motivo: escrever o livro (incluir sua oblíqua expressão acerca de "viver feliz até o fim de [seus] dias") — e uma inquietação: desejo de ver o Mar ou as Montanhas enquanto durarem os seus dias. Confessa uma leve relutância em deixar o anel, mesclada com um sentimento estranho de oposição. Diz a Gandalf que, às vezes, sente que é como um olho fitando[-o].

Essas duas coisas dão a Gandalf razão para pensar. Assim, ele ajuda Bilbo nos preparativos, mas fica de olho no Anel.

(Cortar muitas coisas sobre genealogia e a maior parte das coisas sobre os Sacola-Bolseiros.)

Então Gandalf parte e fica fora por 3 e 7 anos. No fim de sua última ausência (14–15 anos após o desaparecimento de Bilbo), Gandalf retorna e fica com Frodo. Então, explica o que descobriu. Mas *não* aconselha Frodo a partir ainda, embora mencione as Fendas da Perdição e a Montanha de Fogo.

Parte novamente; e Frodo se inquieta. Como Gandalf não retorna por mais de um ano, Frodo tem a ideia de *talvez* ir até as Fendas da Perdição, mas, de toda forma, até Valfenda. Lá buscará conselhos. Por fim, faz planos com seus amigos Merry e [Folco >] Faramond[1] (sem Odo) e Sam. Partem justo quando os Cavaleiros Negros chegam à Vila-dos-Hobbits.

Gandalf fica sabendo dos Cavaleiros Negros, mas se atrasa porque o Senhor Sombrio o está caçando (ou por causa de Barbárvore). Alarma-se ao descobrir que Frodo partiu e imediatamente cavalga para a Terra-dos-Buques, mas, novamente, chega tarde demais. Perde o rastro deles devido à escapada para a Floresta Velha, e acaba, na verdade, ficando à frente deles. Encontra Troteiro. Quem é Troteiro?

Ao final desse rascunho, meu pai por um momento cogitou uma resposta completamente nova para essa pergunta: Troteiro era "um Elfo disfarçado — amigo de Bilbo em Valfenda". Era um dos batedores de Valfenda, muitos dos quais foram enviados, e "finge ser um caminheiro". Isso foi excluído, provavelmente logo após ser escrito.

Se compararmos isso com a nota datada de agosto de 1939, incluída em VI. 462–3, ver-se-á que uma passagem ali tem distinta semelhança com o que se diz aqui:

Gandalf *não* diz a Frodo para deixar Condado [...]. O plano para partir era inteiramente de Frodo. Sonhos ou alguma outra causa [acrescentado: inquietação] o fizeram decidir partir em uma jornada (para encontrar Fendas da Perdição? depois de buscar conselho de Elrond). Gandalf simplesmente desaparece durante anos. [...] Gandalf está simplesmente tentando encontrá-los e fica desesperadamente preocupado quando descobre que Frodo deixou a Vila-dos-Hobbits.

Que Barbárvore era um ser hostil e manteve Gandalf em cativeiro durante o período crucial é algo que apareceu na "terceira fase", Capítulo 12 (VI. 448); ver também VI. 477, 490.

(2) Em outro retalho sem data, vê-se de fato a emergência do verdadeiro nome de "Troteiro" — tal qual Homem: *Aragorn*.

Troteiro é um homem da raça de Elrond, descendente [*riscado de imediato*: de Túrin][2] dos antigos homens do Norte, e fazia parte da casa de Elrond. Era um caçador e um viandante. Tornou-se amigo de Bilbo. Conhecia Gandalf. Ficou intrigado com a história de Bilbo e encontrou Gollum.[3] Quando Gandalf partiu em sua última demanda perigosa — na verdade, para descobrir mais sobre os Cavaleiros Negros e se o Senhor Sombrio atacaria o Condado — ele [> Gandalf e Bilbo] combinou com Troteiro (nome real [*outros nomes inacabados, riscados no momento da escrita*: Bara / Rho / Dam] Aragorn, filho de Aramir) de ele ir rumo ao Condado e vigiar a estrada do Leste (Gandalf estava indo para o Sul). Ele dá a Aragorn uma carta para Frodo. Aragorn finge que é um caminheiro e demora-se em Bri. (Também avisa Tom Bombadil.)
Razão para os sapatos de madeira — não há necessidade neste caso, pois Aragorn é um homem.[4] Daí não há necessidade de Gandalf...[5] As provisões escondidas no Topo-do-Vento são de Aragorn. Aragorn os guia para o Topo-do-Vento como um bom ponto de observação.
Mas como Troteiro poderia ter perdido Gandalf?
O que atrasou Gandalf? Cavaleiros Negros ou outros caçadores. Barbárvore.

O ATRASO DE GANDALF

Aragorn não perdeu Gandalf e combinou de encontrá-lo no Topo-do-Vento.

No final está escrito muito enfaticamente e com dois sublinhados: SEM ODO.

A semelhança entre o que se diz aqui sobre Troteiro/Aragorn (era um homem da raça e da casa de Elrond, amigo de Bilbo e "finge ser um caminheiro") e a sugestão ao final de §1 (Troteiro era "um Elfo disfarçado", um dos batedores de Valfenda, amigo de Bilbo em Valfenda, e "finge que é um caminheiro") pode sugerir que uma ideia surgiu diretamente da outra. Por outro lado, meu pai ainda não se decidira sobre o assunto, pois, no verso desse pedaço de papel e sem dúvida ao mesmo tempo, escreveu:

Função alternativa para Troteiro. Troteiro é Peregrin Boffin que Bilbo levou consigo ou que fugiu com Bilbo — mas isso deixa as coisas um tanto duplicadas — a menos que se exclua todos os amigos de Frodo.[6]

Se Troteiro for Peregrin Boffin, então Bilbo deve ir embora na surdina e Peregrin deve simplesmente sumir *mais ou menos na mesma época*.

A isso se segue um trecho curto, esboçando uma narrativa rudimentar nessa linha:

Houve paz na Vila-dos-Hobbits por muitos anos. Gandalf vinha raramente e, quando vinha, era na surdina e principalmente para visitar Bilbo. Parecia ter desistido de persuadir até [?jovens] Tûks a partirem do Condado em aventuras doidas. Então, de repente, coisas começaram a acontecer. Bilbo Bolseiro desapareceu de novo — isso é pouco preciso: ele foi embora sem dizer uma palavra, exceto a Gandalf (e, pode-se supor, aos sobrinhos Peregrin e Frodo).[7] Foi um grande baque para Frodo. Ele descobriu que Bilbo deixara tudo que tinha para ele e Peregrin. Mas Peregrin também desapareceu, deixando um testamento segundo o qual sua parte

Aqui essas notas terminam e a ideia é abandonada. Talvez tenha sido aqui que Troteiro finalmente deixou de ser um Hobbit, Peregrin Boffin.

14

(3) Uma página de notas claras, à tinta, em parcial concordância com detalhes de §1 e §2 está intitulada, de maneira otimista, como *Decisões finais. 8 Out. 1939*. Ela foi subsequentemente emendada a lápis, mas coloco-a primeiro da forma em que foi escrita.

(1) Enredo geral como está no momento. Bilbo some na festa (mas todo esse capítulo terá de ser reduzido, especialmente o assunto dos Sacola-Bolseiros). (Começar com uma conversa entre Bilbo e Frodo?)[8]

(2) Frodo *não* estava esperando Gandalf. Gandalf não tinha sido visto por 2/3 *anos*. Frodo ficou inquieto e partiu — ainda que Gandalf não desejasse realmente que ele partisse até que tivesse retornado.

(3) Quando Bilbo partiu, Gandalf *não* estava certo quanto à natureza do Anel. A longevidade de Bilbo o deixara desconfiado — e ele induziu Bilbo a *não* levar o Anel consigo. Bilbo não tinha ideia de que o Anel era perigoso — portanto, simplificar todos os motivos de Bilbo e remover a dificuldade ao passar esse fardo para Frodo.

(4) Os amigos de Frodo são Meriadoc Brandebuque e Peregrin Boffin, chamados de Merry e Perry (e só; sem Odo). Peregrin permanece em Cricôncavo. Merry, em Valfenda. Somente Sam vai até o final.

(5) Troteiro não é um Hobbit, mas um *caminheiro* de verdade que foi morar em Valfenda depois de muito vagar. Eliminar os sapatos.

Em (4), percebe-se que, apesar da decisão — realmente final — de que Troteiro era um Homem, "Peregrin Boffin" sobreviveu à perda do seu *alter ego*, tornando-se amigo íntimo do dono de Bolsão em uma geração posterior; e, por um breve momento, pode-se dizer que assumiu o lugar de Odo Bolger, visto que ele "permanece em Cricôncavo".

Emendas a lápis foram feitas em (4) e (5). Acrescentou-se primeiro em (4): "Peregrin permanece na Vila-dos-Hobbits e avisa Gandalf". Isso foi riscado, e a primeira frase da nota foi alterada para: "Os amigos de Frodo são Meriadoc Brandebuque e Ham[ílcar] Bolger e Faramir Tûk, chamados de Merry, Ham e Far", com outro acréscimo: "Ham permanece em Cricôncavo, mas Gandalf o

O ATRASO DE GANDALF

busca e o usa como chamariz. ?" (Sobre isso, ver §6 abaixo, p. 20). Portanto, mais uma vez "Odo Bolger" é recuperado, mas dessa vez com o nome de Hamílcar, do mesmo clã. "Hamílcar" apareceu até agora somente em uma nota de agosto de 1939, onde se propunha que "Odo" fosse alterado para "Hamílcar" ou "Fredegar" (VI. 462). "Peregrin Boffin" desaparece novamente, mas só por um tempo.

Em (5) acrescentou-se a lápis, depois de "um *caminheiro* de verdade": "descendente de Elendil. Tarkil." O nome *Tarkil* aparece nas *Etimologias* em V. 440 (radical KHIL "seguir"): *tāra-khil*, em que o segundo elemento evidentemente tem o sentido de "homem mortal" (*Hildi* "os Seguidores", um nome élfico para os Homens, V. 291).

(4) Uma página de notas muito mal-acabadas a lápis, coberta de emendas e acréscimos, está datada com "Outono de 1939" e intitulada *Novo Enredo*. Surge agora um desenvolvimento muito importante: um relato sobre o que causou o atraso de Gandalf muito mais explícito do que qualquer coisa que havia sido dita até então; e a figura maligna do "Gigante Barbárvore", seu captor, desaparece — mas não para sempre (ver p. 90).

Esquema Temporal não vai funcionar para Gandalf ficar à frente.

(1) Cena em Cricôncavo — somente Hamílcar [*riscado*: ou Folco][9] está lá. Ele soa a trompa e assusta as montarias dos Cavaleiros, que disparam. Eles fogem da casa e acham um caminho[10] conforme o clamor e a gritaria se ergue.

(2) Gandalf fica *para trás* em Bri. Ele conhece Troteiro (nome real Aragorn). Troteiro o ajuda a rastrear Gollum. Ele traz Troteiro de volta em abril de 1418, especialmente para vigiar o SE do Condado. Foi uma mensagem de Troteiro em julho (?) que fez com que Gandalf partisse[11] — temendo Cavaleiros Negros. Encontra Troteiro no Vau Sarn.[12] Então, conta-lhe sobre a partida planejada de Frodo em 22 de set. Suplica que vigie a Estrada Leste caso algo aconteça com o próprio Gandalf. Visita Bri no caminho de volta ao Condado em [*data ilegível*] de set. Mas é perseguido e tenta dar a volta para o oeste do Condado.

Cavaleiros Negros os [*leia-se* o] perseguem — a magia de Gandalf é insuficiente para lidar sem auxílio com os Cavaleiros Negros, cujo rei é um mago. Eles o perseguem pelo Vau Sarn e ele não consegue (ou não ousa) voltar ao Condado.

16

A TRAIÇÃO DE ISENGARD

Por fim, é cercado na *Torre do Oeste*. Não consegue fugir enquanto eles a protegem com cinco Cavaleiros. Porém, quando os Cavaleiros Negros localizam Frodo e descobrem que ele fugiu sem Gandalf, partem cavalgando. Três estão à frente. Três perseguem Frodo, mas perdem-no e adiantam-se para Bri. Três vêm atrás.[13] Gandalf segue depois — encontra Peregrin [*escrito acima*: novas do Feitor].

> O restante deste esboço é uma cronologia muito rudimentar e muito corrigida dos movimentos subsequentes de Gandalf, e é melhor considerá-la em conjunto com outras cronologias dessa época (§6).
>
> Uma característica notável desse "Novo Enredo" é a data Abril de 1418, pois é a primeira aparição de qualquer cronologia "exterior"; ademais, 1418 é o ano no SdA, Apêndice B, de acordo com o Registro do Condado, ou seja, 3018 da Terceira Era. No presente momento, de toda forma, sou incapaz de esclarecer a cronologia que subjaz a essa data, ou de fazer sugestões quanto ao processo pelo qual ela surgiu.
>
> (5) No verso da página com esse "Novo Enredo" há uma série de notas sobre tópicos desconexos.

(1) Alguma menção ao pônei de Bill Samambaia. Ele permanece em Valfenda? [A pergunta está respondida com "Sim".]

(2) Nome real de Troteiro? [A lápis, ao lado: "Aragorn". Ver §§2, 4.]

(3) Elrond deveria falar mais sobre Gilgalad?

(4) Novo nome do Vale-do-Riacho-Escuro (agora transferido para o Sul). O Rio Fontegris fluindo do ? Valegris. Nen fimred. Vale-lobo [*escrito acima*: Valentês]. A região a oeste das Montanhas Nevoentas a norte de Valfenda é chamada de Terras-dos-Ents — lar de Trols.[14]

(5) Gandalf diz que Tom Bombadil jamais deixa sua própria terra. Como então é conhecido por Carrapicho? As fronteiras de Tom vão de Bri até a Sebe Alta?[15] [Ao lado das palavras "Como então é conhecido por Carrapicho?" meu pai escreveu a lápis "Não".]

(6) Troteiro é um Caminheiro — descendente de Elendil? — é conhecido por Bilbo e Gandalf. Já esteve antes em Mordor e foi

O ATRASO DE GANDALF

torturado (capturado em Moria). Gandalf o trouxe de volta às fronteiras do Condado em abril. Foi uma mensagem de Troteiro que fez com que Gandalf partisse no verão, antes de Frodo ir embora.

(7) Observar que a espada vermelha de Frodo foi quebrada. Portanto, ele aceita Ferroada.[16]

> Uma nota final acrescentada a lápis: "(8) Não *Barnabas* Carrapicho". — Nas observações sobre Troteiro aqui, o único ponto que não havia aparecido em notas anteriores é que Troteiro foi capturado em Moria: compare com a história original do Conselho de Elrond (VI. 495): "Troteiro havia rastreado Gollum enquanto este vagava para o sul, através da Floresta de Fangorn e passando pelos Pântanos Mortos, até que ele próprio foi capturado e aprisionado pelo Senhor Sombrio". Vê-se aqui que a história da captura e tortura de Troteiro sobreviveu à sua alteração de hobbit para homem.
>
> Visto que o nome real de Troteiro ainda não era conhecido, essas notas evidentemente precederam as de §2 e §4; mas, sem dúvida, são todas da mesma época.

> (6) *Esquemas temporais.* Nesta seção, tento apresentar quatro cronologias dos movimentos de Gandalf, os quais intitulo A, B, C e D. O esquema A é a conclusão do "Novo Enredo" de §4 acima, e foi provavelmente o primeiro a ser escrito. Os esquemas variam entre si, cada um fornecendo uma cronologia levemente distinta; e é difícil ter certeza em que medida a história diferia em cada uma, visto que meu pai era mais ou menos explícito em pontos diferentes dos diversos esquemas. Eram cronologias para sua referência, muito confusas com alternativas e acréscimos e, do modo como estão, não é possível reproduzi-las de maneira útil, mas, na tabela na p. 21, disponho uma comparação das datas (finais) em cada uma, com as afirmações originais ou bem próximas a elas. As datas da jornada de Frodo da Vila-dos-Hobbits ao Topo-do-Vento mantiveram-se, é claro, inalteradas, mas repito-as aqui por conveniência:

Qui.	Set.	22	Festa de Frodo
Sex.		23	Frodo e seus amigos deixam a Vila-dos-Hobbits
Sáb.		24	Noite com os Elfos
Dom.		25	Fazendeiro Magote; chegam a Cricôncavo
Seg.		26	Floresta Velha; primeira noite com Bombadil

Ter.		27	Segunda noite com Bombadil
Qua.		28	Deixam Bombadil; Colinas-dos-túmulos
Qui.		29	Chegam a Bri
Sex.		30	Deixam Bri; na Floresta Chet
Sáb.	Out.	1	Na Floresta Chet
Dom.		2	Nos Pântanos dos Mosquitos
Seg.		3	Segundo dia nos Pântanos
Ter.		4	Acampam à beira do riacho, embaixo de amieiros
Qua.		5	Acampam nos pés das colinas
Qui.		6	Chegam ao Topo-do-Vento; ataque à noite

Notas aos Esquemas temporais (tabela na p. 21).

A cronologia relativa dos movimentos de Gandalf é bem parecida em todas as quatro, embora as datas em si sejam diferentes; mas, em C, ele demora mais para ir da Vila-dos-Hobbits até Cricôncavo e, em D, leva um dia a menos de Bri ao Topo-do-Vento. Em A e B, a data da fuga de Gandalf da Torre era inicialmente 24 de setembro, a noite que Frodo e seus companheiros passaram com os Elfos na Ponta do Bosque, e há uma sugestão riscada em B de que Frodo "teve seu sonho à noite, quando estava com os Elfos"; como se vê pelos outros esquemas, ele sonhou com Gandalf na Torre do Oeste. Em C, diz-se que Frodo sonhou com a Torre quando "estava com os Elfos perto da Vila-do-Bosque", mas ao lado disso meu pai escreveu: "Não — em Cricôncavo"; ele também observou aqui que o ataque em Cricôncavo deveria ser contado na noite no *Pônei Empinado* (daí a abertura "dupla" do Capítulo 11 de SA, "Um Punhal no Escuro"). Em D, o posicionamento da "visão de Gandalf" ou do "Sonho da Torre" de Frodo flutua entre a noite que passou com os Elfos, a noite em Cricôncavo e a primeira noite na casa de Bombadil. Sobre a notável história do sonho, ver pp. 44–7.

A menção em A e B do encontro de Gandalf com Peregrin Boffin (Perry) na Vila-dos-Hobbits depois da sua fuga pertence ao acréscimo feito às "decisões finais" de §3 acima: "Peregrin permanece na Vila-dos-Hobbits e avisa Gandalf". Foi uma ideia efêmera. De fato, já no "Novo Enredo" (§4), meu pai rabiscou aqui: "novas do Feitor": uma referência à história que aparecerá na fase seguinte do trabalho em "O Conselho de Elrond" (p. 165; SA, p. 376).

O Esquema A não menciona o que aconteceu em Cricôncavo, mas o "Novo Enredo" que o precede começa com a afirmação de

O ATRASO DE GANDALF

que somente Hamílcar Bolger estava lá, e que as montarias dos Cavaleiros dispararam quando ele soou a trompa: isso, presume-se, significa que o ataque aconteceu antes de Gandalf chegar. Um acréscimo em B (que contradiz a cronologia desse esquema) afirma:

Os Cavaleiros Negros adentram furtivamente a Terra-dos-Buques, mas tarde demais para verem Frodo partindo. Localizam-no em Cricôncavo e vigiam o lugar, e veem Gandalf entrar. Mas Gandalf (e Ham, fingindo ser Frodo) vão embora na noite de 29 de set.

Compare isso com o acréscimo a §3 acima: "Ham permanece em Cricôncavo, mas Gandalf o busca e o usa como chamariz". O esquema C diz que foi no alvorecer do dia 30 (na manhã em que os Hobbits partiram de Bri com Troteiro após o ataque na estalagem) que "Gandalf parte com Ham"; ele então "Cavalga até Tom" (qual caminho tomou?).

Uma história diferente se vê em D, em que se diz que, à meia-noite dos dias 29/30, Cavaleiros Negros cruzaram o Brandevin pela Balsa, atacaram a casa em Cricôncavo e *levaram* Ham, "perseguidos por Gandalf"; e que, no início da manhã do dia 30, Gandalf *resgatou* Ham, os Cavaleiros Negros fugiram aterrorizados para seu Rei, e Gandalf seguiu em frente e foi visitar Tom.

Ver pp. 67–70, 84–6 para esboços narrativos que refletem essas versões dos eventos em Cricôncavo.

Todos os esquemas concordam que Gandalf partiu da Terra-dos-Buques para visitar Tom Bombadil; cf. a versão original de "O Conselho de Elrond", VI. 496, em que Gandalf afirma que "Depois de perseguir os Cavaleiros saindo de Cricôncavo, voltei para visitá-lo".

O Esquema D tem uma nota dizendo que "Troteiro chega à fronteira do Condado 14 de set. e ouve dos Elfos más notícias na manhã de 25". Esse esquema também fornece um relato dos movimentos dos Cavaleiros individualmente, que são identificados por letras de A até I. Foi D quem chegou à Vila-dos-Hobbits em 23 de setembro, a noite em que Frodo partiu, e foi D e E que seguiram os Hobbits no Condado, enquanto G H I estavam na Estrada Leste e F estava no sul. No dia 25, o dia que Frodo chegou a Cricôncavo, D E G H I reuniram-se na Ponte do Brandevin; G esperou ali enquanto H e I passaram por Bri na segunda-feira, dia 26.

20

A TRAIÇÃO DE ISENGARD

Jornadas de Gandalf

	A	B	C	D
Dom. 25 set.	Escapa da Torre	Escapa da Torre no alvorecer	Deixa a Torre Branca no alvorecer	
Ter. 27 set.	Chega à Vila-dos-Hobbits; vê Perry Boffin	Chega à Vila-dos-Hobbits; vê Perry Boffin (manhã)	Chega à Vila-dos-Hobbits	
Qua. 28 set.	Cricôncavo	Chega tarde a Cricôncavo		Retorna ao Condado
Qui. 29 set.	Deixa Cricôncavo, vai até Bombadil	Parte cedo de Cricôncavo, vai até Bombadil	Chega a Cricôncavo pela Ponte, anoitecer. Cavaleiros atacam à noite	Cavaleiros atacam Cricôncavo; levam Ham, perseguidos por Gandalf (meia-noite)
Sex. 30 set.	Deixa Bombadil; chega a Bri	Deixa Bombadil, chega tarde a Bri, "muito cansado"	Alvorecer: parte com Ham e "cavalga" até Bombadil	Início da manhã: resgata Ham, vai até Bombadil
Sáb. 1 out.	Deixa Bri pela manhã	Parte cedo de Bri	Chega a Bri ao anoitecer	Deixa Bombadil cedo, chega a Bri
Dom. 2 out.			Deixa Bri	Parte cedo de Bri com Ham
Seg. 3 out.		Chega tarde ao Topo-do-Vento		Chega ao Topo-do-Vento ao anoitecer. Permanece durante a noite
Ter. 4 out.	Abre caminho pelos Cavaleiros e chega ao Topo-do-Vento	Perseguido por Cavaleiros, parte cedo do Topo-do-Vento	Chega ao Topo-do-Vento ao anoitecer. Parte durante a noite	Foge do Topo-do-Vento perseguido por Cavaleiros

O ATRASO DE GANDALF

No dia 27, D e E "entraram na Terra-dos-Buques procurando pelo Bolseiro"; no dia 28, eles o "localizaram" e foram buscar a ajuda de G. na noite do dia 29, D e G cruzaram o Rio pela Balsa; e, na mesma noite, H e I retornaram e atacaram *O Pônei Empinado*. Perseguidos por Gandalf desde Cricôncavo, D e G fugiram para o Rei. A B C D E F G "cavalgaram para o Leste atrás de Gandalf e do suposto Bolseiro" em 1º de outubro; F e G foram enviados diretamente para o Topo-do-Vento, e os outros cinco, junto com H e I, cavalgaram por Bri à noite, derrubando portões, e na estalagem (onde Gandalf estava) o ruído de sua passagem foi ouvido como o vento. F e G chegaram ao Topo-do-Vento no dia 2; Gandalf foi perseguido no rumo Norte do Topo-do-Vento por C D E, enquanto A B F G H I patrulhavam a Estrada Leste.

Desses quatro esquemas temporais, apenas D considera a cronologia completa do Topo-do-Vento até o Vau. O Esquema A menciona que Gandalf foi para o Norte "pelas Terras dos Ents" e alcançou Valfenda em 14 de outubro; dois Cavaleiros o perseguiram "rumo ao Vale Entês; foram esses que chegaram pelo flanco até o Vau".[17] B também diz que Gandalf chegou a Valfenda no dia 14, e afirma:

Mas mensagens dos Elfos do Condado chegaram rapidamente desde 24 de set. Elrond já tinha ouvido em Valfenda que o Anel partiu sozinho, e que Gandalf está desaparecido, e os Espectros--do-Anel estão por aí. Envia batedores para Norte, Sul e Oeste. Esses batedores são Elfos de poder. Glorfindel percorre a Estrada. Chega à Ponte do *Mitheithel*[18] no alvorecer de 12 de out. e rechaça os Cavaleiros Negros e os persegue para Oeste até que eles escapam. Em 14 de out., ele dá a volta e procura por rastros do grupo de Frodo por vários dias (2/3), encontra, e então vai atrás deles, alcançando-os no anoitecer de 18 de out.

No Esquema D, atinge-se a cronologia final dessa parte da história, em consonância com a do Apêndice B do SdA (exceto em um ponto), embora mais completa. Para estágios anteriores do desenvolvimento, ver VI. 273–4, 444.

A TRAIÇÃO DE ISENGARD

Outubro

Qua.	5	Acampam perto de colinas	
Qui.	6	Ataque ao acampamento no Topo-do-Vento	
Sex.	7	Frodo deixa o Topo-do-Vento	
Sáb.	8		Elrond fica sabendo das novas
Dom.	9		Glorfindel deixa Valfenda
Seg.	10	Frodo nas Terras Desalentadas	Gandalf no Fontegris (Mitheithel) Chuva. Glorfindel na Ponte do Mitheithel
Ter.	11		
Qua.	12	Frodo e Troteiro veem a Estrada e rios	
Qui.	13	Frodo atravessa a Última Ponte	
Sex.	14	Frodo nas colinas	Glorfindel encontra o rastro
Sáb.	15	Colinas (chuvoso)	
Dom.	16	Colinas (plataforma) [Ver SA, p. 299: "uma plataforma de pedra"]	
Seg.	17	Crista-dos-Trols	
Ter.	18	Trols	Gandalf e Ham chegam a Valfenda Glorfindel encontra Troteiro etc.
Qua.	19	Curva [Ver SA, p. 311: "a Estrada se curvava à direita"]	
Qui.	20	Batalha no Vau do Bruinen[19]	
Sex.	21		
Sáb.	22	Frodo inconsciente	
Dom.	23		
Seg.	24	Frodo desperta	
Ter.	25		
Qua.	26	Conselho de Elrond	

O único ponto em que essa cronologia difere da final é no dia inteiro que se passa entre o despertar de Frodo e o Conselho de Elrond, o qual, portanto, acontece aqui no dia 26 de outubro, e não 25. Mas isso não foi um lapso, pois a mesma coisa aparece em outras cronologias relacionadas desse período.

NOTAS

[1] *Faramond Tûk* substituiu *Folco Tûk* na versão original de "O Conselho de Elrond", VI. 501 e subsequentemente.

[2] Túrin, é claro, não teve descendentes. É possível que *Túrin* tenha sido um lapso e que a intenção fosse *Tuor*, avô de Elrond.

O ATRASO DE GANDALF

[3] Na versão original de "O Conselho de Elrond" aparece a ideia de que Troteiro encontrou Gollum (VI. 495 e nota 20)

[4] O sentido dessa observação muito obscura talvez seja que, quando Troteiro era um Hobbit, o ferimento nos seus pés obrigaram-no a calçar sapatos, algo muito incomum para um Hobbit, mas não se ele fosse um Homem.

[5] Pelo aspecto, a palavra ilegível bem poderia ser *ocioso*, mas não parece provável. Se for o caso, porém, "Daí não há necessidade de" deve ser uma frase solta no ar, seguida de "Gandalf ocioso" — ou seja, Gandalf não precisaria ter relação com o Topo-do-Vento. Aragorn os "guiou para o Topo-do-Vento" simplesmente porque lá era "um bom ponto de observação". Mas o trecho inteiro é muito obscuro.

[6] Isto é, se Bilbo partiu com Peregrin Boffin, haveria uma duplicidade quando Frodo, por sua vez, foi embora com companheiros mais jovens.

[7] Ver a história de Peregrin Boffin em VI. 477–8: ali, Peregrin e Frodo têm a mesma relação (primos de segundo grau) com Bilbo.

[8] Essa frase parentética foi riscada, com uma nota: "Não, porque acabaria com o suspense". Na mesma folha dessas "decisões finais", há um esboço dessa conversa, embora não haja nela qualquer sugestão de uma festa:

> "Estou saindo de férias, férias longas!", disse Bilbo Bolseiro a Frodo, seu jovem "sobrinho". "E digo mais, parto amanhã. Será 30 de abril, meu aniversário, e um bom dia para começar. E, além disso, o tempo está ótimo!"
>
> Bilbo fizera esse anúncio várias vezes antes, mas, a cada vez que o fazia e ficava mais claro que falava sério, o coração de Frodo afundava um tanto. Ele vivera com Bilbo por quase 12 anos e o conhecia há ainda mais tempo, e era-lhe devotado. "Aonde você está indo?", perguntou, mas não esperava nenhuma resposta, pois já o questionara muitas vezes antes e não obtivera resposta satisfatória.
>
> "Eu diria se soubesse ao certo — ou talvez diria", replicou Bilbo como de costume. "Para o Mar, quem sabe, ou para as Montanhas. Acho que para as Montanhas; sim, Montanhas", falou, como se para si mesmo.
>
> "Eu poderia ir junto?", perguntou Frodo. Ele nunca dissera isso antes; não tinha, na verdade, vontade alguma de deixar Bolsão, ou o Condado que amava; mas, naquela noite, com a partida de Bilbo tão próxima

Aqui termina o fragmento.

[9] *ou Folco*: ver §3 (4): "Peregrin [Boffin] permanece em Cricôncavo".

[10] *acham um caminho* está claramente escrito, mas meu pai possivelmente queria dizer *escapam*, ou *fogem*, ou algo parecido.

[11] Na versão da "terceira fase", Gandalf ainda vai embora de Bolsão "num fim de tarde úmido e escuro de maio" (VI. 399). Em SA (p. 124), ele foi embora no fim de junho.

¹² O nome *Vau Sarn* aparece aqui pela primeira vez. Ele se encontra na parte mais original do primeiro mapa do SdA (pp. 352, 360).

¹³ Os números foram inicialmente escritos como dois à frente, quatro perseguindo Frodo, três atrás. O trecho foi posto entre parênteses, com uma nota: "Não, vide os movimentos dos Cavaleiros Negros": é uma referência ao relato completo no Esquema D (ver p. 20).

¹⁴ Para a transferência do *Vale-do-Riacho-Escuro* para o Sul e para o outro lado das Montanhas Nevoentas, e sua substituição por *Valegris*, ver VI. 530–1, notas 3 e 13. A presente nota é, muito provavelmente, a primeira aparição do Rio *Fontegris* (ver VI. 240–1, 444) surgindo no *Valegris*, e das *Terras dos Ents*. Foi sem dúvida nessa época que *Valegris* foi colocado no manuscrito da primeira versão de "O Anel vai para o Sul" (VI. 530, nota 3); mas é evidente que *Vale Entês* logo o substituiu — encontra-se em um dos *Esquemas temporais* (p. 22) e foi inserido na presente nota. Ver VI. 257 para o elemento *Ent* nesses nomes com o sentido em inglês antigo de *ent* "gigante". Os *Ents* de Fangorn ainda não haviam surgido.

¹⁵ Na narrativa da "terceira fase", ainda se pensava que Tom Bomadil frequentava *O Pônei Empinado* (VI. 413), mas, na primeira versão de "O Conselho de Elrond" (VI. 496), Gandalf diz que "a maestria de Tom Bombadil só funciona em sua própria terra — e, até onde alcança minha memória, jamais pôs os pés para fora dela".

¹⁶ O fato de que Bilbo dá Ferroada de presente para Frodo é mencionado pela primeira vez no rascunho inicial de "O Conselho de Elrond" (VI. 490), e a posse de Frodo da espada, no rascunho da história de Moria (VI. 542). — Por que se diz que a espada de Frodo é "vermelha"? Em outra nota isolada, escrita muito depois, isso reaparece: "O que aconteceu com as espadas vermelhas dos Túmulos? No caso de Frodo, quebrou-se no Vau, e agora ele tem Ferroada". Na versão da "terceira fase" de "Neblina nas Colinas-dos-túmulos", eram "espadas de bronze, curtas, de lâmina em formato de folha e afiadas" (VI. 163, 406); em algum momento posterior, a frase em SA (p. 226) — segundo a qual os punhais eram "damasquinados com formas de serpentes em vermelho e ouro" — entrou no manuscrito.

¹⁷ Sobre o *Vale Entês*, ver nota 14. Na versão da "terceira fase" da história, havia seis Cavaleiros na emboscada no Vau (VI. 446); em SA, havia quatro (ver p. 78 de *A Traição de Isengard*).

¹⁸ Essa é a primeira aparição nos textos do nome élfico *Mitheithel*, o Rio Fontegris (ver nota 14) e da Última Ponte, pela qual a Estrada Leste cruzava o rio (mas eles se encontram nos mapas rascunhados que foram redesenhados no volume VI, p. 252).

¹⁹ Essa é a primeira ocorrência do nome *Bruinen* à exceção dos rascunhos de mapa mencionados na nota 18.

2

A Quarta Fase (i):
DA VILA-DOS-HOBBITS ATÉ BRI

A reconsideração e a reescrita desse período levaram a uma situação extremamente complexa nos capítulos manuscritos que de fato constituíam o livro conforme ele se encontrava. Alguns dos manuscritos da "terceira fase" estavam agora, por sua vez, cobertos de correções e exclusões, e entremeados por aditamentos inseridos, de modo que se tornaram caóticos (ver VI. 381). Neste caso, contudo, visto que porções substanciais desses manuscritos não precisavam de correção, ou apenas de poucas correções, meu pai passou a limpo apenas as partes dos capítulos que tinham sido muito revistas, e acrescentou-lhes as partes inalteradas dos textos originais da "terceira fase". Para essa "quarta" fase, portanto, alguns dos manuscritos são textualmente híbridos, enquanto outros são comuns a ambas as "fases" (sem dúvida uma concepção um tanto artificial).

As partes rejeitadas dos manuscritos da "terceira fase" foram separadas e deixadas de lado e, em certo sentido, "perdidas", de modo que, quando a série da "quarta fase" foi enviada para a Universidade Marquette uns dezoito anos depois, essas páginas já suplantadas — e um bom número de rascunhos preliminares das substituições — ficou na Inglaterra. Não foi nada fácil juntar tudo novamente e destrinchar as dificuldades de todo esse complexo que havia se separado tanto; mas não tenho dúvidas de que, no fim, a história desses textos foi corretamente determinada.[1]

Neste capítulo, quando for necessário distinguir uma revisão apressada no rascunho e a cópia manuscrita passada a limpo baseada nele, chamarei aquela de "A" e esta, de "B".

Uma grande extensão da revisão feita neste período chegou bem perto do texto publicado no Livro I de SA, embora haja algumas exceções grandes e notáveis; e, no que se segue, deve-se pressupor

26

uma miríade de alterações menores, visto que haveria pouca razão para incluir todas. De fato, é notável ver que, no final de 1939, a história até Valfenda, depois de revisões tão numerosas e tão meticulosas, havia chegado a um ponto em que seria possível ler a maior parte sem suspeitar de qualquer mudança em relação a SA, a não ser com cuidadosa comparação; mas, nessa época, meu pai não tinha nenhuma ideia clara sobre o que havia pela frente.

No meu relato capítulo a capítulo da "quarta fase", focarei nos elementos maiores da reconstrução que se deu nesse período.

Capítulo 1: "Uma Festa Muito Esperada"

A sexta versão, ou "terceira fase" deste capítulo (VI. 388–9) foi retrabalhada pesadamente em alguns trechos, trazendo o texto em quase todos os pontos praticamente à forma de SA. O acréscimo substancial no começo — apresentando a história da juventude de Peregrin Boffin ou Troteiro (ver VI. 477–9) — foi rejeitado quando se decidiu que Troteiro era um Homem, e não aprece na cópia limpa B.

Muitas mudanças refletem sugestões feitas nas notas de agosto de 1939 e incluídas em VI. 458 e seguintes, e alguns novos elementos derivam de notas e esboços do Capítulo 1 deste livro. Assim, Bilbo levou consigo "um maço embrulhado em panos velhos": sua "armadura-élfica". Agora, assim como em SA (p. 78), ele colocou o envelope sobre o consolo da lareira (mas de repente o tirou e o enfiou no bolso) e Gandalf entrou naquele momento (mudando a história anterior, em que Gandalf encontrou Bilbo no pé da colina, VI. 389). A conversa deles (ver VI. 297–300 para a forma inicial antes desta revisão) é exatamente como em SA, até "Já era hora de ele ser dono do seu nariz" (p. 79), e isso claramente deriva da nota "agosto de 1939" em VI. 462: "Nem Bilbo nem Gandalf devem saber muito sobre o Anel quando Bilbo partir. A motivação de Bilbo é simplesmente cansaço, uma inquietação inexplicável [...]". As palavras de Bilbo sobre seu livro, que segundo Gandalf não será lido por ninguém, saíram da nota incluída em VI. 459.[2] Mas aqui, a versão da "quarta fase" difere significativamente de SA: pois *não há uma discussão* entre eles ainda, embora ela esteja perto de ser criada (ver VI. 469 para o primeiro gérmen dessa discussão). Coloco o trecho conforme a cópia limpa B (bem parecida com o rascunho A):

A QUARTA FASE (1)

"Tudo?", indagou Gandalf. "O anel também?"

"Bem, há, sim, acho que sim", gaguejou Bilbo.

"Onde ele está?"

"Coloquei num envelope para ele, e deixei no consolo da lareira — ora, não! Isso não é estranho? Aqui está, no meu bolso!"

Gandalf encarou Bilbo outra vez, muito intensamente, e havia um brilho em seus olhos. "Eu penso, Bilbo", prosseguiu ele tranquilamente, "que eu o deixaria para trás. Não quer fazer isso?"

"Ora, sim — e, no entanto, parece-me de certo modo muito difícil me separar dele. Por que você quer que eu o deixe para trás?", perguntou, e uma curiosa nota de desconfiança surgiu na sua voz. "Você está sempre se preocupando com ele ultimamente, mas nunca me aborreceu sobre as outras coisas que obtive em minha viagem."

"Anéis mágicos são, ora, *mágicos*", respondeu Gandalf; "e, hoje em dia, não são muito comuns. Digamos que estou profissionalmente interessado em seu anel, e gostaria de saber onde está. Também acho que *você* o teve por tempo suficiente. Não vai mais querê-lo, Bilbo, a não ser que eu muito me engane."

"Ora, muito bem", disse Bilbo. "Seria um alívio, de certo modo, não me preocupar mais com ele. Ele tem dominado minha mente nos últimos tempos. Às vezes, senti que era como um olho me fitando;[3] e sempre quero pô-lo e desaparecer, você sabe, ou me pergunto se está a salvo, e o tiro do bolso para me certificar. Tentei trancá-lo, mas descobri que não conseguia descansar sem o ter no bolso. Não sei por quê. Bem! Agora preciso partir, ou outra pessoa vai me apanhar. Eu disse adeus e não suportaria fazer tudo de novo." Apanhou o saco e se aproximou da porta.

"Você ainda está com o anel no bolso", reiterou o mago.

"Estou sim, e meu testamento e todos os outros documentos também!" exclamou Bilbo. "É melhor eu lhe dar tudo para que você entregue a Frodo. Isso será o mais seguro." Ele estendeu o envelope, mas, quando Gandalf estava prestes a pegá-lo, sua mão se afastou e o envelope caiu no chão. Rápido como um relâmpago, o mago se inclinou e o pegou antes que Bilbo pudesse apanhá-lo. Um olhar estranho passou pelo rosto do hobbit, quase como se estivesse com raiva. De repente, ele cedeu a um olhar de alívio e um sorriso.

"Bem, é isso!", encerrou ele. "Agora me vou!"

A partir desse ponto, a revisão deixa a narrativa quase na forma final. Os anãos, que agora são três e não mais nomeados,

A TRAIÇÃO DE ISENGARD

desempenham apenas o mesmo papel de SA; e, quando Frodo retorna a Bolsão, encontra Gandalf sentado no escuro, e aí se segue a conversa dos dois em SA (pp. 83–4). Uma diferença pequena, caracteristicamente sutil, que permanece é que no trecho citado, não se diz que quando o envelope caiu ao chão, Gandalf "o pôs no lugar" no consolo da lareira; e agora Gandalf diz a Frodo: "Deixou um pacote comigo para lhe dar. Aqui está!". Frodo então pegou o envelope do mago. Em SA, Gandalf indicou o envelope no consolo; ele não esperou Frodo sentado com o envelope do Anel em mãos.

Novamente, a lista de bens etiquetados muda (ver VI. 308–9), pois Uffo Tûk agora recebe seu nome final, Adelard, enquanto o sonolento Rollo Bolger, que recebeu o edredom de pena, faz sua última aparição, tendo o nome alterado para Odovacar em A. Em B, ele desaparece.

A conversa entre Gandalf e Frodo em Bolsão no dia seguinte (ver VI. 302–4) fica idêntica à de SA, exceto, é claro, pela única diferença importante de que não há referência às histórias variantes que Bilbo contara a respeito de como conseguiu o Anel (SA, p. 89). A reescrita dessa conversa claramente deriva, de novo, da nota de agosto de 1939 (VI. 462) mencionada acima, fazendo com que Gandalf ainda não soubesse muito sobre o Anel nessa época; pois Gandalf agora sabe menos do que sabia. Ele já não aconselha Frodo a não deixar seu poder crescer sobre si, e não há agora qualquer menção, na conversa deles, sobre o estado de boa "conservação" de Bilbo, e sua inquietação, como sendo concomitantes à posse do Anel.

A revisão eliminou o Anão Lofar, que anteriormente permanecera em Bolsão após a partida de Bilbo com os outros Anãos, mas, de início, não coloca nenhum substituto claro para o ajudante--de-ordens de Frodo cuja tarefa — como se mostrou depois — era receber os Sacola-Bolseiros. Na cópia limpa B, é Merry, como em SA; mas na revisão rascunhada A, meu pai substituiu Lofar rabiscando um nome atrás do outro: "Merry" > "Peregrin Boffin" > "Folco Tûk"; em ocorrências subsequentes nesse episódio, "Peregrin Boffin" > "Folco" e uma vez "Peregrin" é mantido. "Peregrin Boffin" fora removido de seu papel de Troteiro na juventude, mas sobreviveu como um dos amigos íntimos de Frodo: já o vimos assim nas pp. 15, 19. Ver adiante, pp. 40–3.

A QUARTA FASE (1)

Capítulo 2: "História Antiga"

Este capítulo (que acabou sendo um dos mais retrabalhados em todo *O Senhor dos Anéis*) passou, nesse momento, por reescritas muito substanciais em certas passagens, mas ainda ficou bem diferente de "A Sombra do Passado" em aspectos importantes. O manuscrito da "terceira fase" (VI. 392 e seguintes) — não muito alterado no conteúdo desde a segunda versão (VI. 312 e seguintes) — foi reduzido a ruínas no processo; e aqui, outra vez, meu pai fez um novo texto (B) do capítulo, incorporando toda essa correção apressada e acrescentando coisas novas (A), mas colocou no novo manuscrito as partes do antigo que foram mantidas mais ou menos intactas, de modo que essa nova versão é, novamente, um híbrido do ponto de vista textual.

Na revisão rascunhada do início do capítulo, os "companheiros mais próximos [de Frodo] eram Folco Tŭk [*acima, a lápis*: Faramond] e Meriadoc Brandebuque (geralmente chamado de Merry), ambos alguns anos mais jovens que ele" (cf. VI. 392); em B, seus companheiros se tornam Faramond Tŭk, Peregrin Boff e Hamílcar Bolger, ao passo que seu melhor amigo era Merry Brandebuque. Compare com as notas na p. 15. Nos rascunhos (A), os nomes Folco, Faramond e Peregrin mudam e substituem um ao outro em todas as ocorrências, e mal dá para dizer se se trata dos personagens ou somente dos nomes.

Em outros aspectos, a nova versão chega à forma final por uma longa extensão, na maior parte dos elementos. A cronologia das visitas de Gandalf a Bolsão, da Festa até a época em que se passa o capítulo, é exatamente a de SA (pp. 96–7); mas o trecho (SA, p. 93) sobre os "boatos de coisas estranhas acontecendo no mundo lá fora" foi deixado praticamente inalterado nesse estágio, o que significa que ele essencialmente ainda tinha a forma da segunda versão, VI. 315.

A primeira parte da conversa entre Gandalf e Frodo agora dá um grande passo em direção à de SA (pp. 97–8; ver VI. 393–4), mas Gandalf até o momento não sabia nada da feitura dos anéis "em Eregion, muito tempo atrás", e também não fala aqui dos Grandes Anéis, os Anéis de Poder. Embora suas palavras sejam as mesmas em SA, elas só se aplicam ao anel que está com Frodo: portanto, ele diz "Os que têm posse desse anel não morrem", etc. Seu relato acerca do conhecimento e da sensação que Bilbo tinha quanto ao anel é bem parecido com SA, mas aqui ele diz que Bilbo "sabia, é

30

A TRAIÇÃO DE ISENGARD

claro, que tornava a pessoa invisível caso cingisse qualquer parte do corpo". Em rascunhos rejeitados desse trecho, há o seguinte:

Ele certamente não tinha começado ainda a ligar sua vida longa e "boa conservação" ao anel — mas começou a sentir a inquietação que é o primeiro sintoma do esticamento dos dias.

Na última noite, vi claramente que o anel estava tentando apoderar-se dele e evitar que se separassem. Mas ele mesmo ainda não tinha consciência disso. E é certo que não tinha ideia de que ele o tornaria invisível permanentemente, nem que sua vida longa e sua "boa conservação" — como essa expressão o irritava! — tinham qualquer coisa a ver com ele.

A partir pergunta de Frodo ao fim das observações de Gandalf sobre Bilbo, a nova versão mantém o texto existente (VI. 393–4) acerca das memórias de Gandalf, mas então se desenvolve de modo bem diferente, ainda que muito longe da versão em SA (p. 98):

"Por quanto tempo você soube?", perguntou Frodo novamente.

"Eu sabia bem pouco dessas coisas, no começo", respondeu Gandalf devagar, como se estivesse procurando na memória. Os dias da viagem de Bilbo, do Dragão e da Batalha dos Cinco Exércitos pareciam turvos e distantes, e muitas outras aventuras sombrias e estranhas aconteceram desde lá. "Deixe-me ver — foi depois do Conselho Branco no Sul que comecei a pensar seriamente no anel de Bilbo. Houve muitas conversas sobre anéis no Conselho: mesmo os magos têm muito a aprender enquanto vivem, mesmo que seja por muito tempo. Há vários tipos de anéis, é claro. Uns não passam de brinquedos (ainda que perigosos, acho), e não são difíceis de produzir, se você pratica essas coisas — não são a minha área. Mas o que ouvi me fez pensar um bocado, embora eu não tenha dito nada para Bilbo. Parecia tudo bem com ele. Achei que estava seguro o bastante de quaisquer males como esse. Estava quase certo, mas não certo demais. Talvez eu devesse ter desconfiado mais, e descoberto a verdade antes do que descobri — mas, se tivesse descoberto, não sei o que mais poderia ter sido feito.

"E depois, é claro, notei que ele não parecia envelhecer. Mas a coisa toda parecia tão improvável que não me alarmei seriamente, não até a noite em que ele deixou esta casa. Ele disse e fez coisas na

A QUARTA FASE (1)

ocasião que eram sinais inconfundíveis de que havia algo errado.[4] A partir daquele momento, minha maior preocupação foi fazê-lo partir e deixar o anel. E a maior parte desses anos passei tentando descobrir a verdade sobre ele."

"Então não houve nenhum prejuízo permanente, houve?", perguntou Frodo, ansioso. "Ele iria melhorar com o tempo, não iria? Quero dizer, ser capaz de descansar em paz?"

"Isso eu não sei com certeza", disse Gandalf. "Só há um [*acrescentado*: Poder] neste mundo que sabe tudo sobre o anel e seus efeitos. Mas não acho que você deva temer por ele. É claro, quando se possui o anel por muitos anos, provavelmente levaria um bom tempo para os efeitos enfraquecerem. Não se sabe realmente ao certo quanto. A pessoa poderia viver por anos. Mas não de maneira exaustiva, acho. Acredito agora que ela simplesmente pararia do modo como estava quando se separou do anel; e seria feliz, se desistisse dele por vontade própria e com boa intenção. Embora, até onde sei, isso só tenha acontecido uma vez. Eu não estava mais preocupado com o caro Bilbo uma vez que ele havia se livrado do anel. É por *você* que me sinto responsável [...]"[5]

> Não há, é claro, qualquer referência às "duas histórias" de Bilbo sobre como encontrou o Anel; e Saruman não aparece. Mas a menção de Gandalf à discussão sobre os Anéis no Conselho Branco, e sua sugestão de que há magos que, ao contrário de si mesmo, "praticam essas coisas", prepara o lugar que Saruman preencheria quando tivesse surgido — embora, como é característico, ele não tenha surgido especificamente para preencher esse lugar.
>
> A nova versão não introduziu mudanças no relato de Gandalf acerca do Anel Regente e sua história (para o texto conforme havia se desenvolvido nas três versões anteriores, ver VI. 101–2, 320–3, 394): de fato, quase toda essa parte do capítulo é constituída de páginas retiradas do manuscrito da "terceira fase" (ver pp. 26–7). Antes de a nova versão do capítulo estar completa, contudo (ver nota 12), meu pai alterou o nome original de Gollum, mudando *Dígol* (passando por *Deagol*) para *Smeagol*, e inseriu um aditamento contando a história de Deagol e seu assassinato:

Tinha um amigo chamado Deagol, de jeito semelhante, de olhos mais agudos, porém menos ágil e forte. Estavam perambulando juntos, quando na lama do barranco do rio, debaixo das raízes de um espinheiro,[6] Deagol encontrou o Anel. Smeagol veio por trás dele, justo quando ele estava lavando a lama, e o Anel rebrilhou amarelo.

"Nos dê isso, Deagol, meu querido," disse Smeagol por cima do ombro do amigo.

"Por quê?", indagou Deagol.

"Porque é meu aniversário [...]"

> O restante do texto inserido é praticamente o de SA (p. 106), palavra por palavra. Sobre essa nova história, ver pp. 36–7.

> Uma reescrita substancial começa de novo com a discussão de Gandalf acerca dos motivos de Gollum (SA, pp. 108–11; para as versões anteriores, ver VI. 103–4, 323–4, 395–6). Aqui, há mais de um rascunho antecedendo o novo manuscrito B, e a relação entre esses textos não é perfeitamente clara, embora na maior parte se diferenciem apenas pela posição de certos elementos. Incluo esse trecho na versão B, registrando nas notas algumas variantes dos rascunhos A.

"Gollum!", disse Frodo. "Quer dizer, a própria criatura que Bilbo encontrou? Essa é a história dele? Que repugnante!"

"Acho que é uma triste história", ponderou o mago, "e poderia ter acontecido a outros, até a alguns hobbits que conheci."

"Não posso crer que Gollum tivesse conexão com os hobbits, por muito distante que fosse", disse Frodo, um tanto agitado. "Que ideia abominável!"

"É verdadeira mesmo assim", prosseguiu Gandalf. "O próprio relato de Bilbo sugere isso; e, em parte, explica até os acontecimentos muito curiosos. Havia muito no fundo de suas mentes e lembranças que era bem semelhante: Bilbo e Gollum se compreendiam (se parar para pensar) melhor do que os hobbits jamais compreenderam os anões, ou os gobelins, ou até os elfos. Pense nas adivinhas que ambos conheciam, por exemplo!"

"Mas por que Gollum começou o jogo de Adivinhas, ou sequer cogitou desistir do Anel?", perguntou Frodo.[7]

"Porque ele estava desgraçado por completo e, no entanto, não conseguia chegar a uma conclusão em sua mente infeliz. Não percebe que ele possuíra o Anel por eras, e o tormento estava se tornando insuportável? Estava tão desgraçado que sabia que estava desgraçado e, por fim, compreendeu o que lhe havia causado isso. Não havia mais nada para descobrir, nada restava senão a escuridão, nada a fazer, apenas comilanças furtivas e lembranças deploráveis. Metade da sua mente queria, acima de tudo, livrar-se do Anel, mesmo se a perda o matasse. Mas odiou se separar dele tanto quanto odiava possuí-lo. Queria passá-lo para alguém, e desgraçar essa pessoa também."

"Então por que não o deu aos Gobelins?"

"Gollum não teria achado isso divertido! Os Gobelins já eram bestiais e miseráveis. E, de todo modo, tinha medo deles: naturalmente, não gostaria de topar com um gobelim invisível nos túneis. Mas, quando Bilbo apareceu, metade da sua mente viu que tinha uma chance maravilhosa; e a outra metade estava zangada e temerosa, e pensando em como pegar Bilbo numa cilada e devorá-lo. Então, tentou o jogo de Adivinhas, que poderia servir para as duas coisas: decidiria a questão para ele, como se fosse no cara ou coroa. Bem hobbitesco, eu diria. Mas, é claro, se chegasse mesmo ao ponto de ter que entregar o Anel, na hora teria desejado isso terrivelmente, e odiado Bilbo ferozmente. Bilbo teve sorte que as coisas estavam ordenadas de outro jeito."[8]

"Mas como foi que Gollum não percebeu que tinha se livrado dele, se Bilbo já estava com o Anel?"

"Simplesmente porque ele o havia perdido por umas poucas horas: nem de longe tempo o suficiente para sentir qualquer mudança em si mesmo. E, além disso, não o tinha dado de própria vontade: esse é um ponto importante. Ainda assim, sempre achei que a coisa mais estranha em toda a aventura de Bilbo foi ele achar o Anel dessa forma, simplesmente pondo a mão nele no escuro. Havia algo de misterioso nisso; acho que mais de um poder estava agindo. O Anel estava tentando voltar a seu mestre. Arruinara Gollum e não podia fazer mais uso dele: ele era demasiado pequeno e mesquinho. Já havia soltado a mão de um dono e o traído até a morte. Agora, abandonou Gollum: e isso provavelmente teria levado Gollum à morte, se quem o encontrasse não fosse criatura mais improvável que se possa imaginar: um Bolseiro do longínquo Condado! Mas por trás disso havia outra coisa em ação, além de qualquer intenção do artífice do Anel. Não posso expressá-lo mais simplesmente senão dizendo que *Bilbo estava destinado* a encontrar o Anel, e *não* por seu artífice. E nesse caso *você* também estava destinado a tê-lo, e esse pode ser um pensamento encorajador, ou pode não ser."

"Não é", disse Frodo, "no entanto, não tenho certeza se entendo você. Mas como você descobriu tudo isso sobre o Anel e sobre Gollum? Você realmente sabe tudo, ou está apenas adivinhando?"

"Eu descobri algumas coisas, e adivinhei outras", respondeu Gandalf. "Mas não vou lhe dar um relato dos últimos anos por ora. A história de Gilgalad e de Isildur e do Um Anel é bem conhecida por todos os que são versados no Saber. Eu mesmo conhecia, é claro, mas consultei muitos outros Mestres-do-Saber. Seu anel demonstra ser o Um Anel pela escrita de fogo, à parte de qualquer outra evidência."

"E quando você descobriu isso?", perguntou Frodo, interrompendo-o.

"Agora mesmo, nesta sala, é claro", respondeu Gandalf rispidamente. "Mas eu esperava encontrá-lo. Retornei de muitas escuras jornadas para fazer esse teste final. É a última prova, e agora tudo está claro. Discernir o papel de Gollum e encaixá-lo na lacuna da história exigiu algum raciocínio; mas meu palpite foi bem próximo da verdade. Sei mais sobre as mentes e histórias das criaturas da Terra--média do que você imagina, Frodo."

"Mas o seu relato não combina totalmente com o de Bilbo, até onde me lembro."

"Evidentemente. Bilbo não tinha a menor ideia da natureza do Anel e, portanto, não poderia adivinhar o que estava por trás do comportamento peculiar de Gollum. Mas, embora eu tenha começado com suspeitas e conjecturas, não preciso mais delas. Não estou mais conjecturando sobre Gollum. Eu sei. Eu sei porque o vi."[9]

"Você viu Gollum!", exclamou Frodo admirado.

"A coisa óbvia a se tentar fazer, é claro.", disse Gandalf.

"Então o que aconteceu depois que Bilbo escapou dele?" perguntou Frodo. "Você sabe disso?"

"Não tão claramente. O que lhe contei é o que Gollum estava disposto a contar — claro que não do modo como relatei. Gollum é mentiroso, e é preciso peneirar suas palavras. Por exemplo, talvez você lembre que ele disse a Bilbo que ganhou o Anel de presente de aniversário muito tempo atrás, quando anéis como esse eram menos raros.[10] A julgar pela aparência, algo muito improvável: anéis mágicos assim jamais foram comuns nessa parte do mundo. Bastante inacreditável, quando se desconfia qual anel este aqui era de verdade.[11]

A QUARTA FASE (1)

Era mentira, mas com um grão de verdade. Acho que ele já havia se decidido sobre o que falar, se necessário, para que o estranho aceitasse o Anel sem desconfiança e achasse que o presente era normal. E esse é outro pensamento hobbitesco! Presente de aniversário! Teria funcionado com qualquer hobbit. Não haveria por que mentir, é claro, depois de descobrir que o Anel tinha sumido; mas ele havia dito aquela mentira para si mesmo tantas vezes no escuro, tentando esquecer Deagol,[12] que ela escapulia sempre que falava do Anel. Ele a repetiu para mim, mas eu ri na cara dele. Então, contou-me mais ou menos a história verdadeira, mas com muita lamúria e grunhido. Ele achava que fora incompreendido e abusado [...]

> Na terceira versão deste capítulo, Gandalf havia dito (VI. 396): "Muito improvável logo de cara: incrível quando há suspeitas sobre que tipo de anel ele realmente era. É algo que foi dito simplesmente para fazer com que Bilbo se dispusesse a aceitá-lo como um tipo de brinquedo inofensivo" (ou seja — de acordo com a teoria elaborada de Gandalf —, Gollum, falando daquela parte da mente que queria se livrar do Anel, disse sem pensar que tinha sido um presente de aniversário para fazer Bilbo aceitar mais depressa). Ao rascunhar uma nova versão desse trecho, meu pai foi acometido por um pensamento perturbador. Ele parou e, através do manuscrito, escreveu: "Deve ser [isto é, Deve ter sido] um presente de aniversário, pois o presente de aniversário não foi mencionado por Gollum até depois que ele descobriu que o anel estava *perdido*".[13] Em outras palavras, se a história de que o anel era um presente de aniversário fosse pura e simplesmente uma invenção, por que Gollum só a contaria quando ela não tinha mais serventia? Aparentemente para corrigir isso, as palavras de Gandalf foram alteradas:

Era mentira, mas com um grão de verdade. Mas que hobbitesca toda essa conversa sobre presentes de aniversário! Acho que ele já havia se decidido sobre o que falar, se chegasse ao ponto de ter que dá-lo, para que Bilbo aceitasse o Anel sem desconfiança e pensasse que era só um brinquedo inofensivo. Ele repetiu esse absurdo para mim, mas eu ri na cara dele.

> A implicação disso parece ser que Gollum trouxe à tona essa história de o Anel ter sido dado de presente para ele muito tempo atrás somente quando descobriu que já o perdera, porque ela tinha

"um grão de verdade"; e foi justamente porque ela tinha "um grão de verdade" que ele se decidiu por essa história. Mas não há sugestão, no rascunho, de qual seria esse grão de verdade. Ela só aparece, e apenas por inferência, na cópia limpa B: "Não haveria por que mentir, é claro, depois de descobrir que o Anel tinha sumido; mas ele havia dito aquela mentira para si mesmo tantas vezes no escuro, *tentando esquecer Deagol,* que ela escapulia sempre que falava do Anel". Isso mostra, é claro, que a história de Deagol (pp. 32–3) já havia entrado; mas meu pai esclareceu ainda mais o ponto escrevendo a lápis na cópia limpa, depois das palavras "com um grão de verdade": *Ele matou Deagol no dia do seu aniversário.*

Ele estava sendo forçado a fazer mudanças cada vez mais intrincadas para contornar o que fora dito em *O Hobbit.* Mas parece-me muito provável que foi precisamente quando estava ponderando sobre esse problema que surgiu a história do assassinato de Deagol (e, incidentemente, a alteração do nome verdadeiro de Gollum para Smeagol). Pela história do Anel que havia tomado forma, era uma necessidade óbvia que Gollum tivesse *mentido* sobre o Anel ser um presente de aniversário; mas a teoria de Gandalf na terceira versão, de que Gollum mentiu para Bilbo para fazê-lo aceitar o Anel, tinha uma fraqueza séria: por que Gollum só mentiu *depois* de descobrir que o tinha perdido (segundo a história em *O Hobbit*)? A resposta é que foi uma invenção de Gollum em que ele passara a acreditar parcialmente, sem muita relação com a chegada de Bilbo; mas por quê?

E essa história do assassinato de Deagol no aniversário de Smeagol, a base da "mentira com um grão de verdade" de Smeagol, tornou-se um elemento permanente no conto de Gollum; e sobreviveu quando, anos depois, o enredo de "Adivinhas no Escuro" foi remodelado, eliminando (se estou certo) o próprio empecilho que tinha originado esse elemento.

Após "Ele achava que fora incompreendido e abusado" (p. 36), essa quarta versão de "História Antiga" difere pouco, em uma longa porção, da terceira, cujas páginas foram em grande medida preservadas;[14] e, visto que a terceira versão seguiu de perto a segunda, essa parte da conversa de Gandalf e Frodo preserva — salvo por detalhes de expressão — o texto em VI. 325–8. Contudo, depois da frase "Os Elfos-da-floresta o mantêm na prisão, se ainda estiver vivo, como eu espero; mas tratam-no com a bondade que conseguem

A QUARTA FASE (1)

encontrar em seus sábios corações", a nova versão chega à forma de SA (p. 115), praticamente sem diferenças até o final do capítulo. Mas as palavras de Gandalf sobre o fogo que seria capaz de fundir e consumir os Anéis de Poder (SA, p. 116) permanecem próximas à versão anterior:

Disseram que somente o fogo dos dragões poderia fundir qualquer um dos Vinte Anéis de Poder; mas já não há dragão que reste na terra em que o antigo Fogo esteja quente o bastante para causar dano ao Anel Regente. Só consigo pensar em uma maneira: alguém teria de encontrar as Fendas da Perdição nas profundezas de Orodruin, a Montanha-de-Fogo, e lançar o Anel lá dentro, se realmente quiser destruí-lo ou pô-lo além de todo alcance até o Fim.

O nome *Orodruin* aparece aqui pela primeira vez.[15] Em outro ponto, a versão anterior também é mantida: quando vai até a janela e abre as cortinas, Gandalf ainda diz (VI. 398):

"De qualquer modo [...] agora é tarde demais. Você iria me odiar e me chamar de ladrão; e nossa amizade cessaria. Tal é o poder do Anel. Mas, juntos, vamos carregar o fardo que nos é imposto."

Por fim, nessa versão Gandalf não dá a Frodo um "nome de viagem" ("Quando se for, vá como Sr. Sotomonte", SA, p. 119).

A história subsequente do capítulo, se colocada em detalhes, daria por si só quase um livro inteiro, pois além dos maravilhosos meandros do caminho pelo qual a história de Gollum e do "presente de aniversário" foi, no fim, resolvida, a conversa de Gandalf com Frodo tornou-se o veículo para o desenvolvimento da história dos Anéis de Poder, posteriormente removida desse lugar, e o capítulo não poderia ser considerado separado de "O Conselho de Elrond". Mas grande parte desse trabalho, provavelmente ele inteiro, é de uma época posterior à essa que chegamos; e, de todo modo, a tentativa de traçar de maneira "linear" a história da escrita de *O Senhor dos Anéis* não pode, ao mesmo tempo, relatar completamente as grandes construções que estavam despontando por trás do movimento progressivo do conto. No que diz respeito à história de Bilbo e Gollum, parece que a quarta versão

38

de "História Antiga", feita quando meu pai ainda estava limitado à história original de *O Hobbit*, permaneceu por algum tempo como a versão prevalecente.

Capítulo 3: *"Três não é Demais"*

A terceira versão deste capítulo, descrita em VI. 398–402, também foi revisada nessa época. O título foi agora alterado de *"Atrasos são Perigosos"* para *"Três não é Demais e Quatro Mais Ainda"* (compare com o título original, "Three's Company and Four's More", VI. 67 e nota 2); e a ordem dos trechos de abertura foi invertida, de modo que agora o capítulo começa como em SA, com "'Você precisa ir *sem alarde*, e precisa ir *logo*', disse Gandalf", e sua conversa com Frodo precede as especulações na *Moita de Hera* e no *Dragão Verde* (ver VI. 338 e nota 1). Essa reorganização e reescritura foram feitas muito descuidadamente em páginas do manuscrito da terceira fase e em aditamentos inseridos ("A"); a abertura revisada foi então passada a limpo ("B"), até o ponto da conversa do Feitor Gamgi com o Cavaleiro Negro na Rua do Bolsinho, e o restante do texto existente foi acrescentado a ela, formando um híbrido, em termos textuais, assim como nos dois primeiros capítulos.

O rascunho revisado A da partida de Gandalf de Bolsão assume esta forma:

Gandalf ficou em Bolsão por mais de dois meses. Mas certa tarde, logo depois de o plano de Frodo estar acertado, ele anunciou de repente que estava indo embora outra vez na manhã seguinte. "Preciso esticar as pernas um pouco, antes de a nossa jornada começar", disse. "Além disso, acho que devo sair e dar uma olhada nas redondezas, e ver que notícias consigo no Sul, nas fronteiras, antes de partirmos."

Falava com tranquilidade, mas a Frodo pareceu que tinha um aspecto bem sério e pensativo. "Aconteceu alguma coisa? Você ouviu algo?", perguntou.

"Bem, sim, para ser sincero", disse o mago, "ouvi algo hoje que me deixou um pouco ansioso. Mas não direi nada, a menos que descubra algo a mais com certeza. Se eu pensar que vocês devem partir de imediato, voltarei de pronto. Enquanto isso, atenha-se ao seu plano [...]"

O restante das suas palavras de despedidas está como em SA (p. 124), mas aqui ele diz "Acho que vocês vão precisar de minha

A QUARTA FASE (1)

companhia na Estrada", e não que "afinal" Frodo talvez precise dela. Conforme passado a limpo na cópia B, o trecho é o mesmo, exceto que Gandalf não mais se refere à "nossa jornada". Ele diz: "Preciso esticar as pernas um pouco. Há uma coisa ou outra de que preciso cuidar: estive ocioso mais tempo do que deveria"; e suas últimas palavras são "Acho que afinal vocês vão precisar de minha companhia na Estrada".

Os amigos de Frodo, que vieram a ficar com ele e ajudar na mudança de Bolsão, agora (assim como na reescrita de "História Antiga" da mesma época, p. 30) são Hamílcar Bolger, Faramond Tûk,[16] e seus amigos mais próximos Peregrin Boffin e Merry Brandebuque. Agora é Hamílcar Bolger que parte da Terra-dos--Buques com Merry no terceiro carroção.[17] Na revisão rascunhada A, "Peregrin Boffin foi para casa em Sobremonte após o almoço", enquanto em B, "Faramond Tûk foi para casa após o almoço, mas Peregrin e Sam ficaram para trás", e Frodo "tomou seu próprio chá com Peregrin e Sam na cozinha". No fim da refeição, "Peregrin e Sam afivelaram suas três mochilas e as empilharam na varanda. Peregrin saiu para um último passeio no jardim. Sam desapareceu."

Ao longo desses manuscritos, "Pippin" aparece como uma correção posterior de "Folco" e, no trecho mencionado acima, que nomeia os quatro amigos de Frodo que ficaram em Bolsão, "Faramond Tûk" foi subsequentemente alterado para "Folco Boffin"; "Peregrin Boffin" foi alterado para "Pippin Tûk", e "Hamílcar Bolger", para "Fredegar Bolger". Junto com Merry Brandebuque, são esses os quatro presentes na ocasião em SA (p. 124). Mas correções como essas não provam nada quanto à data: elas poderiam ter sido inseridas no manuscrito em qualquer momento posterior.

Contudo, acho que deve ter sido nesse estágio que "Peregrin Tûk" ou "Pippin", finalmente entrou. Ver-se-á mais adiante, no Capítulo 5, "Uma Conspiração Desmascarada", que numa seção do manuscrito reescrita nessa época (diferente de mera emenda ao texto da "terceira fase" já existente), não só "Hamílcar" aparece, como era de se esperar, mas "Pippin" faz sua primeira aparição *no texto conforme foi escrito*. A seção reelaborada de "Uma Conspiração Desmascarada" certamente pertence à mesma época das partes reescritas de "História Antiga" e "Três não é Demais" (isto é, da "fase quatro"). A correção de "Folco (Tûk)" para "Pippin" nesses manuscritos, portanto, é do mesmo período. Ainda que sejam textos cuidadosamente escritos, o estágio final na evolução dos "hobbits mais jovens" estava acontecendo conforme meu pai os escrevia; e, embora no começo do texto B de "Três não é Demais" o amigo de Frodo fosse Peregrin Boffin, ele talvez já fosse Peregrin Tûk na época em que saiu para um último passeio no jardim de Bolsão.

Talvez não valha a pena passar tanto tempo nessa questão, visto que agora é, em grande parte, simplesmente uma questão de nomenclatura, mas eu segui a trilha tortuosa por tempo demais para abandoná-la sem tentar fazer uma análise no fim. O que aconteceu, imagino, foi o seguinte. O Folco Tûk da "terceira fase" (que teve uma interessante e complexa gênese a partir dos "jovens hobbits" originais, Frodo (Tûk) e Odo, ver VI. 398–400) foi renomeado Faramond Tûk (p. 23, nota 1). Nesse momento, "Peregrin Boffin", que apareceu primeiro como sendo a "explicação" para Troteiro, tornou-se um dos amigos mais jovens de Frodo. Essa é a situação nas partes reescritas, ou "quarta fase", dos Capítulos 2 e 3 (pp. 30, 40). No Capítulo 3, Faramond Tûk "foi para casa após o almoço" e ele então sai da história. "Peregrin" e Sam permaneceram em Bolsão, e fica claro que eles serão os companheiros de Frodo na caminhada até a Terra-dos-Buques.

"Peregrin" (Boffin), portanto, está tomando o lugar narrativo de Folco (brevemente renomeado Faramond) Tûk; ou melhor dizendo — visto que a narrativa já chegara a uma versão finalizada — este *nome* se apossa do personagem. Mas não sei dizer ao certo por qual razão Folco/Faramond Tûk não serviria. Talvez tenha sido simplesmente uma preferência de nomes. Mas se meu pai se livrasse de Faramond Tûk e fizesse de Peregrin Boffin o terceiro membro do grupo que foi para a Terra-dos-Buques, então não haveria Tûk algum: meu pai teria ficado com um Bolseiro, um Boffin, um Brandebuque e um Gamgi. Talvez seja por isso que o Boffin se tornou um Tûk, e o Tûk se tornou um Boffin: Peregrin Boffin se tornou Peregrin (ou Pippin) Tûk, e Faramond Tûk, reassumindo seu nome antigo, Folco, tornou-se Folco Boffin (que "foi para casa após o almoço" em SA, p. 125). Essas correções ao novo texto do Capítulo 3 foram evidentemente feitas antes de meu pai reescrever o fim do Capítulo 5, em que "Pippin" aparece pela primeira vez no texto conforme escrito inicialmente, e não como uma correção posterior.

A QUARTA FASE (1)

Foi assim que Peregrin Tûk do SdA passou a ocupar o mesmo lugar na *genealogia* ocupado por Frodo Tûk nas fases iniciais (ver VI. 331, nota 4): e assim o "Folco" dos manuscritos da "terceira fase" foi corrigido para "Pippin" em todas as ocorrências.

Seria legítimo, penso, ver nisso tudo um único personagem Hobbit que aparece com vários nomes: Odo, Frodo, Folco, Faramond, Peregrin, Hamílcar, Fredegar, e o muito efêmero Olo (VI. 370) — Tûks, Boffins e Bolgers. Ainda que, sem dúvida, fosse um Hobbit muito "típico" do Condado, esse "personagem" é bem distinto em relação aos companheiros: alegre, indiferente, irreprimível, sensato, limitado, e extremamente afeito aos confortos do lar. Chamarei esse personagem de "X". Ele começa como Odo Tûk, mas torna-se Odo Bolger. Meu pai se livra dele na primeira jornada (à Terra-dos-Buques) e, como resultado, Frodo Tûk (primo de Merry Brandebuque) — que potencialmente tinha sido um personagem muito diferente (ver VI. 91) — se torna "X", mas continua com o nome Frodo Tûk. Contudo, Odo reaparece, pois ele foi com Merry Brandebuque na frente para a Terra-dos-Buques, enquanto os outros vão caminhando; ele pode ser chamado de "XX". Terá uma aventura à parte, cavalgando com Gandalf até o Topo-do-Vento e acabará reaparecendo em Valfenda, onde (por um brevíssimo período no desenvolvimento da narrativa) se juntará novamente a "X", agora chamado de "Folco Tûk" (pois Bingo Bolseiro tomou o nome Frodo para si).

Assim, nessa "terceira fase" da narrativa, "X" é Folco Tûk, primo de Merry; e "XX" é Odo Bolger. Mas agora "X" foi renomeado como Faramond Tûk, e "XX" foi renomeado como Hamílcar Bolger. Um novo personagem chamado Peregrin Boffin aparece: no início, uma figura muito mais velha, originalmente um Hobbit do Condado que se tornou muitíssimo incomum devido às suas aventuras, conhecido como "Troteiro". Ele, ou melhor, o seu nome, sobrevive em um dos jovens amigos de Frodo. "Faramond Tûk" é empurrado para o lado e fica quase sem nenhum papel, tornando-se o indistinto Folco Boffin; e "Peregrin Boffin", ao se tornar "Peregrin Tûk", ou "Pippin", vira o personagem "X" — e primo de Merry.

Olhando de volta ao início, portanto, o "Pippin" do SdA em grande parte assume as falas de "Odo"; mas, como afirmei (VI. 91), "Mas a maneira como isso aconteceu foi, na verdade, estranhamente tortuosa, e não se deu de forma alguma como simples substituição de um nome por outro." Pois Pippin é primo-irmão de Merry, e derivou do Frodo Tûk original, via Folco/Faramond: ele não surgiu de Odo, que, digamos, moveu-se para os lados, tornando-se Hamílcar (Fredegar). Mas Pippin *é* derivado de Odo no sentido de que, assim como Odo, ele é "X".

Quanto ao restante, o filho de Lobélia Sacola-Bolseiro, ainda que continue chamado Cosimo, perde as espinhas e passa a ter o cabelo "arruivado" como característica definidora. A observação do Feitor Gamgi sobre ter Lobélia como vizinha está registrada: "'Não suporto mudanças na minha idade', disse ele (tinha 99 anos),[18] 'e menos que tudo mudanças para pior.'" Em SA, a reclamação do Feitor foi reportada por Gandalf no Conselho de Elrond (p. 376).

A partir do ponto em que meu pai simplesmente manteve o manuscrito da "terceira fase", e nos capítulos subsequentes, "Folco" foi corrigido para "Pippin".

Capítulo 4: "Um Atalho para Cogumelos"

Neste caso, o manuscrito da terceira fase foi deixado intacto (exceto por "Peregrin" ou "Pippin" no lugar de "Folco"), e a forma final já fora atingida (ver VI. 402).

Capítulo 5: "Uma Conspiração Desmascarada" (com "O Sonho da Torre")

Um rascunho apressado de um retrabalho do fim deste capítulo sobrevive (ver VI. 132–3, 372–4, 402–3 para versões anteriores do trecho). Odo tornou-se Hamílcar e a conversa prossegue agora quase exatamente igual a SA, p. 177: fazia parte do plano original Hamílcar ficar para trás. Frodo não dá mais uma carta para Odo/Hamílcar (VI. 403), e diz: "Não seria seguro deixar um recado escrito: os Cavaleiros poderiam chegar aqui antes e dar busca na casa". Os únicos elementos de SA que ainda estão faltando são que a família de Hamílcar vinha do Vau Budge nos Campos da Ponte,[19] e que "até trouxera algumas roupas velhas de Frodo para ajudá-lo a desempenhar esse papel". Essa reescrita é interrompida antes do relato do sonho de Frodo naquela noite, de um mar de árvores emaranhadas e algo fungando entre as raízes (VI. 373), mas fica claro que isso permaneceu inalterado nesse estágio.

É necessário aqui desviar por um momento do final de "Uma Conspiração Desmascarada" para trazer uma breve e notável

A QUARTA FASE (1)

narrativa da época, a qual sobrevive em vários textos e que pode ser chamada de "O Sonho da Torre". No esboço narrativo com a data "Outono de 1939", na p. 17, Gandalf está "cercado na *Torre do Oeste*. Não consegue fugir enquanto eles a protegem com cinco Cavaleiros. Porém, quando os Cavaleiros Negros localizam Frodo e descobrem que ele fugiu sem Gandalf, partem cavalgando". É isso que Frodo viu no sonho.

Meu pai pensou muito sobre onde deveria colocá-lo (ver p. 19). Nos Esquemas temporais A e B, a data da fuga de Gandalf da Torre do Oeste foi, inicialmente, 24 de setembro, e sugere-se que Frodo sonhou com o acontecimento naquela noite, quando estava com os Elfos na Ponta do Bosque. A data foi então alterada para o dia 25, quando Frodo estava em Cricôncavo, e assim aparece nos esquemas A, B e C. O Esquema D não assinala a data da fuga de Gandalf, e coloca o "Sonho da Torre" diversamente nos dias 24, 25 ou 26. Contudo, por alguma razão meu pai decidiu colocá-lo depois do acontecimento, na noite do dia 29, quando Frodo estava em Bri e Gandalf, em Cricôncavo.

O texto do sonho de Frodo em Bri encontra-se em três versões, dois rascunhos preparatórios e um manuscrito finalizado.[20] Coloco aqui a terceira versão, pois a única diferença significativa em relação aos rascunhos é que, neles, o vulto que convoca os vigias da Torre é visto pelo sonhador ("outro vulto trajado com roupas escuras apareceu por cima da crista da colina: gesticulou e deu um grito estridente em uma língua estranha").

A narrativa começa quase exatamente como em SA, p. 267, quando Frodo desperta de súbito no quarto no *Pônei Empinado*, vê Troteiro sentado, alerta, na cadeira, e dorme novamente.

Frodo logo caiu no sono outra vez; mas agora começou a sonhar de pronto. Encontrava-se numa charneca escura. Erguendo os olhos, viu diante de si uma alta torre branca, posta sozinha numa crista elevada. Além dela, o céu estava pálido, e de longe chegava um murmúrio como as vozes do Grande Mar que ele nunca ouvira, nem vira, salvo em outros sonhos. Na câmara mais alta da torre brilhava debilmente uma luz azul.

De repente, viu que tinha se aproximado e a torre assomava alta acima dele. Aos pés dela havia um muro de pedras brilhando tênues, e do lado de fora do muro sentavam-se vigias em silêncio: vultos

A TRAIÇÃO DE ISENGARD

trajados de negro, em cavalos negros, fitando o portão da torre imóveis, como se houvessem se assentado ali desde sempre.

Chegou por fim a leve batida de cascos subindo a colina. Os vigias todos se mexeram e viraram-se devagar na direção do som. Olhavam na direção de Frodo. Ele não ousou se virar, mas sabia que, atrás dele, outro vulto escuro, mais alto e mais terrível, aparecera: gesticulou e chamou numa língua estranha. Os cavaleiros reavivaram-se num salto. Ergueram as cabeças escuras para a câmara no alto, e suas gargalhadas escarninhas reverberaram cruéis e frias; então, deram as costas para a torre branca e cavalgaram colina abaixo como o vento. A luz azul se apagou.

Pareceu a Frodo que os cavaleiros vinham diretamente na sua direção; mas, conforme eles passaram por cima e o derrubaram ao chão, pensou em seu coração: "Eu não estou aqui, eles não podem me machucar. Tem algo que eu preciso ver". Ergueu a cabeça e viu um cavalo branco saltar o muro e galopar em sua direção. Nele estava montado um vulto num manto cinzento: seus cabelos brancos ondulavam e sua capa enfunava-se como asas atrás dele. À medida que o cavaleiro cinzento avançava, esforçou-se para ver seu rosto. A luz cresceu no céu e, de repente, houve um ruído de trovão.

Frodo abriu os olhos. Troteiro abrira as cortinas e empurrara as venezianas com um estalo. A primeira luz cinzenta do dia entrava pelo recinto. A visão do sonho desvaneceu-se depressa, mas a mescla de medo e esperança permaneceu com ele o dia todo; e por muito tempo o som distante do Mar voltava-lhe sempre que um grande perigo estava por perto.

Assim que Troteiro acordou a todos, foi diante deles até os quartos.

O manuscrito continua por mais um trecho, quase palavra por palavra como em SA, e termina com as palavras de Carrapicho: "Hóspedes que não conseguem dormir em suas camas, bons almofadões arruinados e tudo o mais! A que ponto chegamos?".

Considerando as palavras do esboço na p. 16, dizendo que Gandalf, perseguido pelos Cavaleiros, tentou dar a volta para o oeste do Condado, somadas à menção ao som do Mar no texto, vê-se que Gandalf fugira para as Torres-élficas[21] nas Colinas das Torres para lá das marcas ocidentais do Condado — as torres que, bem no início da composição de *O Senhor dos Anéis*, Bingo diz ter visto certa vez

A QUARTA FASE (1)

reluzindo brancas no luar: "a maior era a mais distante, posta a sós sobre uma colina" (VI. 119; ver VI. 385–6 e SA, p. 45).

De volta a "Uma Conspiração Desmascarada": meu pai agora reescreveu o final, com base no rascunho já mencionado, e o acrescentou ao manuscrito da "terceira fase", rejeitando a conclusão do capítulo que já existia.[22] Nesse novo texto, ele manteve o sonho original, mas combinou-o com o "Sonho da Torre", retirando-o da noite que Frodo passou em Bri e colocando-o para trás, na noite em Cricôncavo (ver p. 44). Assim, Frodo tem a visão da fuga de Gandalf da Torre do Oeste na própria noite do acontecimento, 25 de setembro. Parte da nova versão diz o seguinte:

Quando finalmente estava na cama, Frodo não conseguiu dormir por algum tempo. Suas pernas doíam. Estava contente que iria cavalgar pela manhã. Acabou caindo num sonho vago em que parecia estar olhando por uma janela alta para um mar escuro de árvores emaranhadas. Lá embaixo, junto às raízes, havia um som de criaturas rastejando e fungando. Ele tinha certeza de que conseguiriam farejá-lo mais cedo ou mais tarde.

Então ouviu um ruído ao longe. Primeiro pensou que fosse um forte vento vindo sobre as folhas da floresta. Então soube que não eram folhas, e sim o som do Mar muito longe: um som que jamais ouvira na vida desperta, apesar de frequentemente lhe perturbar outros sonhos. De repente descobriu que estava a céu aberto. Não havia árvores afinal. Estava numa charneca escura, e havia no ar um estranho cheiro de sal. Erguendo os olhos, viu diante de si uma alta torre branca, posta sozinha numa crista elevada. Na sua câmara mais alta brilhava uma luz azul debilmente.

Conforme se aproximava, a torre assomava alta acima dele. Aos pés dela havia um muro de pedras brilhando tênues, e do lado de fora do muro sentavam-se vigias em silêncio: parecia haver quatro vultos trajados de negro, sentados em cavalos negros, fitando a torre imóveis, como se houvessem se assentado ali desde sempre.

Ouviu a leve batida de cascos subindo a colina atrás dele. Os vigias todos se mexeram [...]

A partir deste ponto, a visão é narrada praticamente nas mesmas palavras do texto anterior, e termina da mesma forma: "Uma luz cresceu no céu e houve um ruído de trovão". Quando Frodo teve o sonho em Bri, a luz no céu e o ruído de trovão estavam associados às venezianas que Troteiro abriu com um estalo e à luz da manhã entrando no recinto.

Neste texto, "Pippin" é o nome escrito inicialmente, e não uma correção de "Folco" (ver p. 40).

Mais tarde (ver p. 169, nota 36), quando a história de Gandalf foi alterada, a descrição da Torre do Oeste e o cerco dos Cavaleiros foram bastante, mas não completamente, excluídos neste manuscrito: a abertura ficou, até "Erguendo os olhos, viu diante de si uma alta torre branca, posta sozinha numa crista elevada". Ao mesmo tempo, uma nova e breve conclusão foi acrescentada:

Acometeu-o um forte desejo de subir à torre e ver o Mar. Começou a subir a crista rumo à torre, com esforço; mas, de repente, veio uma luz no céu, e houve um ruído de trovão.

Assim alterado, tornou-se o texto de SA, p. 178. E, portanto, a alta torre branca com que Frodo sonhou em Cricôncavo, precursora de Orthanc, permaneceu no texto final; e o trovão que ouviu remonta à interrupção do sonho pelo barulho das cortinas sendo fechadas por Troteiro no *Pônei Empinado*. Mas Frodo ainda haveria de sonhar com Gandalf aprisionado na torre: pois, quando dormiu na casa de Tom Bombadil, viu-o postado no pináculo de Isengard.

Capítulo 6: "A Floresta Velha"

O manuscrito da "terceira fase" que existia deste capítulo foi mantido, mas com uma boa quantidade de correções, evidentemente feitas em momentos diferentes. A alteração de "Odo" para "Hamílcar" no início do capítulo é dessa época, assim como de "Folco" para "Pippin"; eu também atribuiria a essa fase a versão final da descida dos Hobbits saindo da floresta para o Voltavime (ver VI. 404–5), e a disposição final dos papéis no encontro com o Velho Salgueiro, em que Merry e Frodo trocam de lugar: aquele fica preso na árvore e este é empurrado no rio (*ibid.*).

Capítulo 7: "Na Casa de Tom Bombadil"

Assim como no último, neste capítulo o manuscrito existente foi preservado intacto. Conforme a história estava naquele texto,

A QUARTA FASE (1)

Gandalf chegou a Cricôncavo e afugentou os Cavaleiros na noite de segunda-feira, 26 de setembro, a primeira noite que os Hobbits passaram na casa de Tom Bombadil, e o relato do ataque em Cricôncavo foi introduzido como uma breve narrativa à parte no corpo do Capítulo 7 (ver VI. 374–6, 405–6). Mas isso agora foi alterado, e o ataque dos Cavaleiros foi postergado em três dias, com o adiamento da chegada de Gandalf a Bri. Meu pai, portanto, escreveu no manuscrito, neste ponto: "Isso não aconteceu até 29 de set.", ou seja, a noite que os Hobbits passaram em Bri (ver os esquemas temporais na p. 21). O episódio estava agora no capítulo errado, e foi removido do texto aqui.

Muitas vezes é difícil ou impossível dizer com certeza quando foram feitas as mudanças nos manuscritos que não têm relação com as progressões na estrutura narrativa (ou com alterações em nomes). Assim, a introdução do sonho que Frodo teve de Gandalf em Orthanc é obviamente posterior; mas a exclusão de "Eu sou Ab-Orígine, isso é o que sou" (e a substituição pelas palavras de Tom em SA, p. 208, "Não sabe meu nome ainda? [...]") e "Viu o Sol nascer no Oeste e a Lua a segui-lo, antes que a nova ordem dos dias fosse feita" (ver VI. 406) bem poderiam ser dessa época.

Capítulo 8: "Neblina nas Colinas-dos-túmulos"

O manuscrito original foi mantido novamente, e a maior parte das alterações feitas a ele são posteriores (em particular as que introduziram Carn Dûm e Angmar, SA pp. 223, 226). A última página do manuscrito da "terceira fase", porém, foi rejeitada e substituída por uma nova conclusão do capítulo, a maior parte da qual também se encontra em um rascunho preparatório assinalado com "Final revisado de 8 para se adequar ao enredo revisado (acerca do atraso de Gandalf e do conhecimento de Troteiro acerca do nome Bolseiro)". Agora, Frodo diz: "Por favor observem — todos vocês — que o nome Bolseiro *não* pode ser mencionado de novo. Eu sou o Sr. *Verde*, se for preciso dar algum nome". Na narrativa da terceira fase, assim como na da segunda, Frodo assumiu o nome "Sr. Longes-Montes" (VI. 346, 413). "Verde" como pseudônimo (de Odo) aparece na versão original (VI. 171–2 etc.).

Nesse momento, as palavras de Tom (VI. 407) "ele [Carrapicho] conhece Tom Bombadil, e o nome de Tom vai ajudá-los. Digam 'Tom nos mandou pra cá', e ele há de ser gentil" foram rejeitadas, e surgem as palavras de despedida de Tom em SA: "Aqui acaba a terra de Tom: não passo a divisa". A esse respeito, veja a nota na p. 17 sobre os limites do domínio de Tom: ali, ao supor que as "divisas" de Tom estendiam-se até Bri, meu pai estava pensando em harmonizar a observação de Gandalf no Conselho de Elrond de que Tom nunca deixava sua terra com a história de que ele era conhecido de Carrapicho. Mas concluiu que Tom Bombadil não era, na verdade, conhecido de Carrapicho, e as alterações aqui refletem essa decisão.

NOTAS

[1] Os textos nessa situação são frequentemente muito complicados de interpretar por causa destes possíveis ingredientes ou componentes: (1) uma página do manuscrito da "terceira fase" corrigida, mas mantida; (2) uma página do manuscrito da "terceira fase" rejeitada e substituída; (3) uma ou mais versões rascunhadas para substituírem o que foi rejeitado no manuscrito da "terceira fase"; (4) uma cópia a limpo da substituição ao que foi rejeitado no manuscrito da "terceira fase" (com ou sem o rascunho precedente). Uma correção de um nome, por exemplo, feita no caso (1) estará no mesmo estágio da história textual que um nome escrito inicialmente nos casos (3) ou (4), mas esse último fornece uma indicação mais acertada quanto à data relativa.

[2] Compare a observação de Bilbo — "Pensei num bom desfecho para ele: *e viveu feliz para sempre até o fim de seus dias*" (SA, p. 79) — com o esboço §1 na p. 12. E o trecho seguinte, em que Bilbo fala sobre Frodo

> Ele viria comigo, é claro, se eu lhe pedisse. Na verdade, ofereceu-se para vir uma vez, logo antes da festa. Mas ele não quer de verdade, ainda. Quero ver as regiões ermas outra vez antes de morrer, e as Montanhas; mas ele ainda está apaixonado pelo Condado [...]

compare-o com o fragmento narrativo incluído na nota 8 do capítulo anterior (p. 24)

[3] Compare com o esboço §1 na p. 12: "Diz a Gandalf que, às vezes, sente que é como um olho fitando-o."

[4] As palavras de Gandalf — "Ele disse e fez coisas na ocasião que eram sinais inconfundíveis de que havia algo errado" — referem-se, é claro, à conversa de despedida que teve com Bilbo nessa "fase", p. 28, quando o comportamento de Bilbo ainda não estava tão violentamente fora do normal como veio a ficar depois.

[5] Essa é a versão do texto em B. O rascunho A não faz menção à discussão dos Anéis no Conselho Branco.

[6] Nesse estágio, a antiga história de como o Anel foi encontrado "na lama do barranco do rio, debaixo das raízes de um espinheiro" (VI. 102) permaneceu.

A QUARTA FASE (1)

7 Na versão posterior de "Adivinhas no Escuro" em *O Hobbit*, desistir do Anel estava fora de questão para Gollum, é claro: caso ganhasse a competição, o prêmio de Bilbo seria Gollum mostrar-lhe a saída, e Gollum só voltou para sua ilha no lago para buscar o Anel para que pudesse atacar Bilbo invisível.

8 Esse trecho, a partir de "Mas, é claro, [...]", foi inserido no texto, mas ele retoma um trecho rascunhado ao lado do qual meu pai havia escrito: "Omitir?":

E, no entanto, pergunto-me o que teria acontecido no final, se ele tivesse sido obrigado a entregá-lo. Não acho que teria ousado trapacear abertamente; mas tenho certeza de que teria tentado pegar o Anel de volta. Na hora teria desejado isso terrivelmente, e odiado Bilbo ferozmente. Teria tentado matá-lo. Ele o teria seguido, visível ou invisível, pela visão ou pelo olfato, até que tivesse a chance."

9 O rascunho ainda mantém esse trecho curioso, que remonta à terceira e à segunda versão do capítulo (VI. 325), em que Gandalf faz Frodo repetir a primeira adivinha de Gollum. Nesta versão, ele diz: "Raízes e montanhas: há muito aí da mente e da história de Gollum".

10 Isso foi dito na história original de Gollum, na primeira edição de *O Hobbit*: "ao final Bilbo concluiu que Gollum tivera um anel — um anel lindo, maravilhoso, um anel que lhe fora dado como presente de aniversário, eras e eras atrás, nos dias antigos, quando anéis como esse eram menos raros".

11 Os rascunhos mantêm o fraseado da terceira versão (VI. 396): "que *tipo de anel* ele realmente era."

12 As palavras *tentando esquecer Deagol* fazem parte do texto B conforme foi escrito, e indicam que o trecho (pp. 32–3) acerca do assassinato de Deagol foi inserido antes de esta versão estar completa.

13 Na história original de *O Hobbit*, foi só depois de Gollum voltar da ilha no lago, aonde tinha ido buscar o "presente", que Bilbo descobriu — pelo "crepitar, sussurrar e coaxar tremendos" de Gollum — sobre o anel, e que tinha sido um presente de aniversário; ver nota 10.

14 A alteração observada em VI. 395, segundo a qual Gandalf deixa de ser a pessoa que localizou Gollum, pertence a essa "quarta fase".

15 Acima de *-ruin* foi escrito *-naur* a lápis, ou seja, *Orodnaur*.

16 Na revisão rascunhada A dessa passagem, Faramond é chamado de "Faramond II e seu herdeiro legítimo"; compare com VI. 314, onde o precursor de Faramond, Frodo Tûk, é chamado de "Frodo Segundo [...] herdeiro e esperança um tanto desesperada da Toca de Tûk, como chamavam o clã".

17 Na revisão rascunhada A, neste ponto, "Ham (isto é, Hamílcar)" foi substituído por "Freddy (isto é, Fredegar)", mas Ham/Hamílcar foi então recolocado. Cf. a nota de agosto de 1939 em VI. 462: "Odo > Fredegar Hamílcar Bolger".

18 Na genealogia do SdA, Apêndice C, Feitor Gamgi tinha 92 anos, e morreu com 102.

A TRAIÇÃO DE ISENGARD

[19] Os Campos da Ponte foram inseridos depois no mapa original que meu pai fez do Condado (ver guardas do volume VI). No mapa grande que fiz do Condado em 1943 (VI. 136), ele colocou tanto os Campos da Ponte quanto o Vau Budge de leve, a lápis, sendo o Vau Budge o cruzamento do Água pela estrada (também feita a lápis ao mesmo tempo) até Escári. Ver nota 22.

[20] A segunda versão é o início de um capítulo, com o número "10" e sem título (que corresponde à "segunda abertura" do Capítulo 11 de SA, "Um Punhal no Escuro", depois do episódio de Cricôncavo); o terceiro também, mas numerado "11" (porque, naquele momento, o capítulo de "Bri" havia sido dividido, ver pp. 52–3), e com um título apagado "O Caminho para o Topo-do-Vento".

[21] Em alguns trabalhos cronológicos rudimentares, há uma referência a Gandalf cercado nas "Torres do Oeste", que é como Troteiro chamou as Torres-élficas em VI. 196, 200.

[22] A família de Hamílcar agora é dos Campos da Ponte, na Quarta Leste. Vau Budge foi acrescentado depois, talvez muito tempo depois. Ver nota 19.

3

A Quarta Fase (2):

DE BRI ATÉ O VAU DE VALFENDA

Capítulo 9: "Na Estalagem do Pônei Empinado (i)
A Vaca Saltou sobre a Lua"

A versão da "terceira fase" deste capítulo (VI. 409 e seguintes) havia se desenvolvido em duas formas. Na primeira, a história da chegada de Gandalf e Odo até Bri foi contada por Carrapicho, enquanto na segunda (que meu pai chamava de "versão vermelha"), era contada pelo narrador (VI. 425–9). Também na segunda, a chegada dos quatro cavaleiros até o portão oeste de Bri na noite de quarta-feira, 28 de setembro, foi descrita (VI. 429–30). O já complexo manuscrito foi então usado para uma remodelação drástica e rudimentar da narrativa, a "versão azul" (ver VI. 424): ela vem junto do novo enredo, e todas as referências a uma visita de Gandalf a Bri nos dias imediatamente anteriores à chegada de Frodo são excluídas. Um adendo "azul" ao manuscrito original da "terceira fase" foi escrito no verso de um calendário de setembro de 1939.

Até o ponto que alcança, era efetivamente um rascunho ("A") de uma nova versão desse capítulo sempre crucial e, nesse caso, meu pai pôs completamente de lado o então caótico manuscrito da "terceira fase" (ainda que retirando dele as páginas com o texto de *O Gato e a Rabeca*), e ele acabou ficando para trás na Inglaterra, muitos anos depois; a versão da "quarta fase" é um novo manuscrito ("B") que foi enviado a Marquette. É notável que esteja datado na primeira página: "Versão revisada out. 1939".

Nesse momento, continuava a ser um capítulo único, muito longo, que se estendia pelo Capítulo 10 de SA, "Passolargo"; mas meu pai decidiu (sem dúvida por causa do comprimento) dividi-lo em dois capítulos, "9" e "10", ambos chamados "Na Estalagem do Pônei Empinado", mas com subtítulos; e esses nomes permaneceram

A TRAIÇÃO DE ISENGARD

por um longo tempo. Esse arranjo foi aparentemente feito logo após o novo texto estar completo, e é conveniente segui-lo aqui.

A nova versão — até o ponto em que os hobbits voltaram do salão comum da estalagem após o "acidente" de Frodo — chega agora à forma final, exceto por algumas características, e variações até mesmo quanto ao fraseado preciso em SA são infrequentes. O aspecto mais notável que o diferencia é que, nesse estágio, meu pai manteve o relato dos cavaleiros negros que falaram com Harry Barba-de-Bode, o porteiro, na noite de 28 de setembro:

A neblina que envelopava as Colinas na tarde de quarta cobria profundamente a Colina-de-Bri. Os quatro Hobbits acabavam de despertar do sono ao lado da Pedra Fincada, quando da névoa quatro cavaleiros chegaram do Oeste e passaram pelos portões no ocaso. [...]

O episódio acompanha de perto o que está na "versão vermelha" da "terceira fase" (VI. 429–30), mas, é claro, Harry Barba-de-Bode não se refere mais a um "hobbit cavalgando na garupa de um velho montado num cavalo branco, na noite passada", e sua conversa com o Cavaleiro assume esta forma:

"Queremos notícias!", sibilou uma voz fria pelo buraco da fechadura.

"Do quê?", perguntou ele, com as botas tremendo.

"Notícias de hobbits, cavalgando pôneis, vindo do Condado. Eles passaram por aqui?"

Harry gostaria que tivessem passado, pois, se pudesse dizer *sim* isso satisfaria esses cavaleiros. Havia uma ameaça na voz gelada; mas ele não ousava arriscar um sim que não era verdade. "Não, senhor!", respondeu com voz trêmula. "Não passou nenhum hobbit do Condado por Bri em pôneis, e não é provável que algum apareça."

Um cicio passou pela fechadura e Harry recuou rápido, com a sensação de que algo de um frio gélido o tinha tocado. "Sim, é provável!", disse a voz com ferocidade. "Três, talvez quatro. Vai ficar de olho. Queremos o Bolseiro. Está com eles. Vai ficar de olho. Vai nos contar sem mentir! Havemos de voltar."[1]

Esse episódio foi riscado do texto, mas não sei dizer quando isso aconteceu.

53

A conversa entre Frodo e Merry e o porteiro é igual em SA. Contudo, ele ainda chama "Ned" (presume-se que seja seu irmão) para vigiar o portão por um tempo, pois tem "Tenho coisas a resolver no *Pônei*" (como em VI. 431), e o texto continua assim: "Ele só havia saído por um momento, e Ned ainda não viera, quando um vulto escuro escalou o portão rapidamente e sumiu no escuro na direção da estalagem". A referência à visita de Harry Barba-de-Bode à estalagem foi posteriormente riscada, e não aparece em SA (veja adiante).

Como era de se esperar, não se faz agora nenhuma referência a Tom Bombadil quando os Hobbits chegam no *Pônei Empinado*, e o pseudônimo de Frodo é "Sr. Verde" (ver p. 48); a referência em SA (p. 238) aos Sotomontes de Estrado está ausente, é claro. Folco ainda é Folco, corrigido para Pippin, o que mostra que este texto foi escrito antes do final revisado do Capítulo 5 (pp. 40–1, 47).[2] Frodo ainda reparava no porteiro em meio ao grupo no salão comum da estalagem, perguntando-se se era a noite de folga dele, mas isso foi riscado e não aparece em SA. Folco/Pippin agora conta a história do desabamento da "Cova Municipal" em Grã-Cava, embora o Prefeito gordo não seja nomeado. Evidentemente, Troteiro é um Homem, mas a descrição dele é a mesma das versões antigas (VI. 174, 415): como quando era um hobbit, ele ainda tem uma "aparência esquisita e rosto moreno" com um cachimbo de tubo curto debaixo do nariz comprido, e nada se diz das suas botas (SA, p. 239).

Quando Bill Samambaia e o sulista saíram do salão comum, "Harry, o porteiro, saiu bem atrás deles". Essa e outras referências anteriores à presença do porteiro na estalagem foram excluídas. Uma nota isolada dessa época sugere: "Cortar Harry — ele é desnecessário", claramente referindo-se à visita à estalagem depois da chegada dos Hobbits e sua associação vagamente sinistra com Bill Samambaia, e não à sua função como porteiro, que é certamente necessária. É curioso, portanto, que no texto datilografado que se seguiu ao presente manuscrito essa última referência tenha sido restaurada, por mais que tenha sido claramente riscada no manuscrito, e que assim apareça em SA (p.244).* Mas isso é bastante anor-

---

*Seguindo o comentário de Christopher Tolkien, a referência a Harry saindo da estalagem atrás de Bill Samambaia e do sulista estrábico foi removida das edições de *O Senhor dos Anéis* após 2004. Portanto, ela não aparece na tradução brasileira. [N.T.]

mal, pois todas as referências à sua presença na estalagem até este ponto tinham sido removidas.

Capítulo 10: "Na Estalagem do Pônei Empinado (ii) Não rebrilha tudo que é ouro"

Na remodelação da "terceira fase" da narrativa (a "versão azul", ou "A"), a história de Troteiro "espionando" na beira da Estrada chega à forma final, associada à nova conclusão do Capítulo 8 (p. 48): ele ouve os hobbits falando com Bombadil, e Frodo declarando que deve ser chamado de "Sr. Verde" (ver VI. 417 para a história anterior, em que Troteiro entreouviu Gandalf e Odo conversando). Depois de Troteiro dizer "eu o aconselharia, e a seus amigos, a terem mais cuidado com o que dizem e fazem" (SA, p. 249), segue-se em A:

"Eu não 'deixei meu nome para trás', como você diz", falou Frodo com firmeza. "Minha razão para assumir outro nome aqui é assunto meu. Não sei por que meu nome verdadeiro interessaria a qualquer um em Bri; e ainda preciso saber por que ele interessa a *você*. O Sr. Troteiro pode ter um motivo honesto para espionar e ouvir conversas alheias; mas, se for assim, eu o aconselharia a explicá-lo!"

"Assim é que se fala!", riu Troteiro. "Mas espere só até o velho Carrapicho dar uma palavrinha a sós com você — vai logo descobrir como seu nome verdadeiro poderia ser adivinhado, e por que ele pode ser interessante em Bri. Quanto a mim: eu estava procurando pelo Sr. Frodo Bolseiro, *porque me falaram para procurar por ele*. E já lhe dei pistas, as quais você entendeu bastante bem, de que sei do segredo que está carregando."

"Não fique alarmado!", exclamou quando Frodo começou a se erguer da cadeira e Sam franziu o cenho. "Vou cuidar do segredo melhor que vocês. Mas agora é melhor que eu lhes diga mais sobre mim mesmo."

Naquele momento ele foi interrompido por uma batida na porta. O Sr. Carrapicho estava lá com uma bandeja de velas [...]

Carrapicho agora só tem notícias dos Cavaleiros Negros para dar. A história que ele conta é igual à de antes (VI. 418–21), mas o primeiro Cavaleiro passou por Bri na terça-feira anterior, e não na segunda; três, não quatro, deles chegaram à porta da estalagem e, é

A QUARTA FASE (2)

claro, ele não menciona que Gandalf e "Bolseiro" (Odo) partiram para o leste. A conversa continua:

"'Bolseiro!', eu disse. "Se você está procurando por hobbits com esse nome, melhor ir ao Condado. Não há desses em Bri. A última vez que alguém com esse nome passou por aqui foi quase uma vintena de anos atrás.[3] Era o Sr. Bilbo Bolseiro, o que desapareceu da Vila-dos-Hobbits: foi para o Leste já faz bastante tempo."

"Ao ouvir o nome, ele inspirou e se aprumou. Então inclinou-se para mim de novo. 'Mas também tem Frodo Bolseiro', disse ele[4] num sussurro que parecia uma faca. 'Está aqui? Esteve? Não minta para nós!'

"Eu estava todo tremendo, posso dizer; mas com raiva, também. 'A resposta é *não*', falei; 'e não vai encontrar mentiras aqui, então é melhor falar com jeito. Se tiver algum recado para qualquer grupo, melhor deixá-lo e eu procuro por eles.' 'A mensagem é *espere*', falou ele. 'Nós retornaremos, talvez.' E com isso os três viraram os cavalos e cavalgaram neblina adentro. Agora, Sr. Verde, o que me diz disso?"

"Mas eles perguntaram por Bolseiro, você disse, e não Verde," disse Frodo cautelosamente.

"Ah!", exclamou o senhorio com uma piscadela astuta. "Mas eles queriam notícias de hobbits do Condado, e um grupo assim não vem até aqui com frequência. Seria estranho se houvesse dois grupos diferentes. E quanto a *Bolseiro*: já ouvi o nome antes. O Sr. Bilbo esteve aqui mais de uma vez, no tempo do meu pai e no meu; e umas histórias esquisitas vieram do Condado desde que ele partiu: desapareceu com um estrondo enquanto falava, é o que dizem. Não que eu acredite em todas as histórias que vêm do Oeste — mas aí falam que você desaparece no meio de uma canção, bem na minha casa. E quando tive tempo de coçar a cabeça e pensar, lembro que notei seus amigos chamando-o de Frodo, e começo a pensar se Bolseiro não deveria vir em seguida. 'Talvez aqueles homens de preto estejam certos', digo a mim mesmo. Ora, a pergunta é, o que vou dizer se eles voltarem? Talvez você queira vê-los, mas é mais provável que não. Posso apostar que eles não têm boas intenções com ninguém. Agora, você e seus amigos *parecem* boa gente apesar das suas travessuras, então achei melhor lhe contar e ver o que você deseja."

A TRAIÇÃO DE ISENGARD

"Não têm boas intenções mesmo", disse Frodo. "Não sabia que eles haviam passado por Bri, ou eu teria ficado quieto neste quarto, e queria eu ter ficado. Devia ter adivinhado, pela forma como porteiro nos recebeu — e você, Sr. Carrapicho; mas eu tinha esperança de que talvez Gandalf tivesse passado por aqui perguntando por nós. Acho que você o conhece, o velho mago. Nós esperávamos encontrá-lo aqui, ou ter notícias dele."

"Gandalf!", exclamou o senhorio. "Conhecê-lo! Pois sim. Esteve aqui não faz muito tempo, no verão. É bom amigo meu, Gandalf, e já me fez muitos favores. Se tivesse perguntado por ele antes, eu teria ficado mais contente. Farei o que puder por qualquer amigo dele."

"Fico muito grato", disse Frodo, "e ele também ficará. Lamento não poder contar a história toda, mas garanto que não estamos aprontando. Eu *sou* Frodo Bolseiro, como você supõe, e esses — er — Cavaleiros Negros estão me caçando, e estamos em perigo. Eu ficaria grato por qualquer tipo de ajuda, embora não queira que você se meta em confusão por minha causa. Só espero que esses Cavaleiros não voltem."

"Espero mesmo que não", disse o senhorio com um arrepio. "Mas sejam assombrações ou não, devem ter modos quando baterem à minha porta."

A parte seguinte dessa versão está apressadamente escrita a lápis e, logo após esse ponto, vai acabando sem desenvolvimento significativo. Obviamente, a carta de Gandalf ainda chega pelas mãos de Troteiro, não de Carrapicho.

Como eu disse, essa revisão pertence à nova concepção dos movimentos de Gandalf: ele só ficou à frente de Frodo e seus amigos porque apressou-se a cavalo para o Topo-do-Vento enquanto eles estavam labutando através dos Pântanos dos Mosquitos. No esboço da p. 16, há menção a uma visita de Gandalf a Bri antes de Frodo partir, e antes do cativeiro na Torre do Oeste; e Carrapicho diz neste rascunho que ele o viu "não faz muito tempo, no verão" (ver também a nota 1). Penso que isso levou ao retorno da história (presente em uma das versões alternativas do capítulo de "Bri" original, VI. 196–7) de que foi Carrapicho, e não Troteiro, que estava com a carta de Gandalf; e isso, por sua vez, levou ao refinamento da cena na estalagem, quando Troteiro prova que é amigo.

A QUARTA FASE (2)

Assim como no rascunho A (p. 55), no novo manuscrito B, ou "quarta fase", Troteiro diz: "eu estava procurando pelo Sr. Frodo Bolseiro, *porque me falaram para procurar por ele*". Mas surge uma importante alteração na estrutura. Em A, Troteiro acabou de dizer "Mas agora é melhor que eu lhes diga mais sobre mim mesmo" quando é interrompido pelo Sr. Carrapicho batendo à porta — a interrupção neste ponto remonta às versões anteriores: ver VI. 418 ("terceira fase"), VI. 189 (texto original). Na nova versão, Troteiro não é interrompido neste ponto. Depois de dizer que vai cuidar do segredo melhor do que eles, a história agora prossegue assim:

"[...] Mas agora é melhor que eu lhes conte mais". Inclinou--se para diante e olhou para eles. "Cavaleiros negros passaram por Bri", disse em voz baixa. "Na manhã de terça-feira veio um subindo pelo Caminho Verde; e outros dois apareceram depois. Ontem à noite, na neblina, outros três atravessaram o Portão-oeste logo antes de ser fechado. Questionaram Harry, o porteiro, e o assustaram muito. Eu os ouvi. Também foram para o Leste."

Segue-se um trecho que se aproxima bastante de SA (p. 250, começando com "Fez-se silêncio"), com o arrependimento de Frodo por ter ido ao salão comum da estalagem, e Troteiro contando que o taverneiro o impediu de ver os hobbits até que fosse tarde demais. Mas, quando Frodo observa que os Cavaleiros "parecem ter me perdido e foram embora", Troteiro responde:

"Não teria tanta certeza disso. São astutos e dividem suas forças. Eu os estive observando. Somente seis passaram por Bri. Pode haver outros. Há outros. Eu os conheço e sei quantos são". Troteiro fez uma pausa e estremeceu. "Esses que passaram provavelmente voltarão", prosseguiu. "Questionaram as pessoas da aldeia e das casas nas redondezas, até Valão [> Archet], tentando conseguir notícias com suborno e ameaça — notícias de um hobbit de nome Bolseiro. Havia outros além de Harry Barba-de-Bode no salão hoje à noite que estavam lá com um propósito. Bill Samambaia estava lá. Tem um mau nome na região de Bri, e gente esquisita visita sua casa, às vezes. Deve tê-lo visto na companhia: um sujeito moreno com expressão de escárnio. Estava bem perto de um dos estrangeiros sulistas, e saíram de fininho juntos, logo após o seu 'acidente'. Harry é um velho rabugento, e está com medo; mas não vai fazer nada a menos que eles o procurem.[5] Mas com Samambaia é outra história — ele venderia qualquer coisa a qualquer pessoa; ou causaria prejuízos só pela diversão."

A partir desse ponto (em que Frodo diz "O que Samambaia vai vender?"), chega-se praticamente ao texto de SA, até a pergunta de Troteiro: "Querem a companhia dele?". Então prossegue:

Frodo não deu resposta. Olhou para Troteiro: austero e desarranjado e malroupido. Era difícil saber o que fazer, ou ter certeza das suas boas intenções. Ele fora bem-sucedido em uma coisa, de todo modo: fez com que Frodo suspeitasse de todos, até do Sr. Carrapicho. E todos os seus alertas poderiam servir muito bem para ele próprio. Bill Samambaia, Troteiro: qual deles seria mais provável que o traísse? E se Troteiro os levasse para o ermo, para "algum lugar escuro e longe de auxílio"? Tudo o que ele dissera era curiosamente ambíguo. Tinha um aspecto sombrio e, no entanto, havia algo estranhamente atraente em seu rosto.

O silêncio cresceu, e Frodo ainda não encontrara resposta. "Há uma pergunta óbvia que você não fez", disse Troteiro em voz baixa. "Não me perguntou: 'Quem lhe pediu que nos procurasse?'. Poderia perguntar isso antes de decidir me equiparar a Bill Samambaia."

"Desculpe", gaguejou Frodo; mas nesse momento alguém bateu à porta. O Sr. Carrapicho estava lá com velas [...]

A interrupção do Sr. Carrapicho acontece estruturalmente no mesmo ponto de SA (p. 252), mas a conversa que ele interrompe é bem diferente. Troteiro agora se encolhe num canto escuro do recinto e, quando Nob vai embora com a água quente para os quartos, o senhorio começa a falar o seguinte:

"Pediram-me para esperar por um grupo de hobbits, em especial um com o nome de Bolseiro."

"E o que isso tem a ver comigo?", perguntou Frodo cautelosamente.

"Ah!", exclamou o senhorio com uma piscadela astuta. "Você é quem sabe; mas o velho Barnabás sabe somar dois e dois, se lhe derem tempo. Hoje em dia gente do Condado não vem aqui

A QUARTA FASE (2)

com frequência, mas me pediram para esperar um grupo mais ou menos por essa época. Seria estranho se não houvesse ligação, se é que me entende. E quanto a Bolseiro, já ouvi esse nome antes. O Sr. Bilbo esteve nesta casa mais de uma vez, e umas histórias engraçadas chegaram do Condado desde que ele partiu: desapareceu com um estrondo enquanto falava, é o que dizem. Não que eu acredite em todas as histórias que vêm do Oeste — mas aí falam que você desaparece no meio de uma canção, bem na minha casa. Talvez sim, ou talvez tenha sido um engano, mas me fez pensar. E quando tive tempo de coçar a cabeça, lembro que notei seus amigos chamando-o de *Frodo*; e começo a pensar se Bolseiro não deveria vir em seguida.[6] Pois foi por Frodo Bolseiro que me pediram para procurar; e recebi uma descrição que se ajusta bem a você, se me permite dizer."

"Mesmo? Vamos ouvi-la, então!", disse Frodo, um pouco impaciente com o desenrolar moroso dos pensamentos do Sr. Carrapicho.

"*Um sujeitinho gorducho de bochechas vermelhas*", respondeu o senhorio com um sorrisinho. "Me desculpe, mas foi ele que disse, não eu". Folco [> Pippin] deu uma risadinha, mas Sam parecia enfurecido.

"*Ele* que disse? E quem é ele?", perguntou Frodo rapidamente.

"Ah, foi o velho Gandalf, se sabe a quem me refiro. Um mago, dizem que ele é, mas é um bom amigo meu, seja mago ou não. Já me fez muitos favores. 'Barna', diz ele para mim, algo como um mês e pouco atrás, em agosto,[7] se me lembro bem, quando ele chegou tarde, numa noite. Estava muito cansado, e mais sedento que de costume. 'Barna', diz ele, 'quero que faça algo para mim'. 'Basta dizer', eu respondi. 'Quero que fique esperando por uns hobbits do Condado', diz ele. 'Pode haver dois, pode haver mais. Vai ser perto do fim de setembro,[8] se eles vierem. Eu espero estar com eles, e aí você não vai precisar fazer nada além de nos servir um pouco da sua melhor cerveja. Mas, se eu não estiver com eles, talvez precisem de ajuda. Um deles será Frodo Bolseiro, se for o grupo certo: grande amigo meu, um sujeitinho gorducho…'"

"Certo!", exclamou Frodo, rindo apesar da impaciência. "Continue! Já ouvimos isso."

O Sr. Carrapicho pausou, perdendo o fio da meada. "Onde eu estava?", disse. "Ah, sim. 'Se esse Frodo Bolseiro vier', falou, 'dê-lhe isto'; e me entregou uma carta. 'Mantenha-a em segurança e em segredo, e lembre-se dela, se é que a sua cabeça guarda alguma coisa por tanto tempo', diz ele. 'E não mencione nada disso a ninguém'. Fiquei com essa carta comigo dia e noite desde que ele me deu.'

"Uma carta de Gandalf para mim!", interrompeu Frodo com avidez. "Onde está?"

"Ora, ora!", exclamou o Sr. Carrapicho, triunfante. "Você não negou o nome! O Velho Barna sabe somar dois e dois. Mas que pena que não confiou em mim desde o começo". Tirou de um bolso interno uma carta selada e entregou-a a Frodo.[9] Na parte de fora, estava escrito: PARA F.B. DE G.

"Preciso dizer outra coisa", recomeçou o Sr. Carrapicho. "Acho que você pode estar em apuros, pois Gandalf não está aqui e *eles* vieram, como ele me alertou."

"O que quer dizer?", perguntou Frodo.

"Os cavaleiros negros", disse Carrapicho. "'Se você vir cavaleiros de preto', diz Gandalf para mim, 'espere por problemas! E meus amigos precisarão de toda a ajuda que você puder dar'. E eles vieram mesmo: ontem e anteontem.[10] Os cachorros estavam todos choramingando, e os gansos gritavam para eles. Sinistro, é o que digo. Andavam atrás de notícias de um hobbit chamado Bolseiro, pelo que ouvi. E aquele Caminheiro, Troteiro, ele também esteve fazendo perguntas. Tentou entrar aqui antes de você comer um bocado ou jantar, foi isso."

"Foi isso!", disse Troteiro de repente, adiantando-se para a luz. "E muitos apuros poderiam ter sido evitados se você o tivesse deixado entrar, Barnabas."

O senhorio deu um salto, surpreso. "Você!", exclamou. "Está sempre surgindo de repente. O que *você* quer?"

"Ele está aqui com minha permissão", disse Frodo. "Está nos oferecendo ajuda."

"Bom, você é quem sabe, talvez", comentou o Sr. Carrapicho, olhando para Troteiro com suspeita. "É claro, não sei o que está acontecendo, ou o que esse pessoal de preto quer com você. Mas não têm boas intenções, sou capaz de jurar."

"Não têm boas intenções com ninguém", respondeu Frodo. "Lamento não poder explicar tudo. Estou cansado e muito preocupado, e é uma longa história. Mas diga tudo a Gandalf, se ele aparecer, e ele ficará muito agradecido, e talvez possa lhe contar

A QUARTA FASE (2)

mais do que eu. Mas eu preciso pelo menos alertar você sobre o que está fazendo ao me ajudar. Os Cavaleiros Negros estão me caçando, e são perigosos. São serviçais do Necromante."

"Salve-nos!", exclamou o Sr. Carrapicho, empalidecendo. "Sabia que eram sinistros; mas essa é a pior notícia que chegou em Bri no meu tempo!"

Essa versão chega, então, à forma em SA (p. 255) quase sem diferenças até o ponto em que Carrapicho sai para mandar Nob procurar por Merry. Troteiro fala sobre "a Sombra no Sul", e não "no Leste" e, é claro, faz referência ao "Sr. Verde" e não "Sr. Sotomonte"; e depois da observação de Carrapicho de que há outros em Bri que raciocinam mais depressa do que Nob, ele acrescenta: "Bill Samambaia esteve aqui hoje à noite, e ele é um freguês feio". Ver-se-á que, com a mudança estrutural na ordem do capítulo (fazendo com que o senhorio vá ao quarto dos hobbits em um momento posterior), a informação sobre os Cavaleiros Negros (que é por si só muito breve) é atribuída agora a Troteiro, enquanto o próprio Carrapicho fica com apenas algumas palavras sobre o assunto.[11] Nas versões anteriores, o relato dele sobre a vinda dos Cavaleiros à porta da estalagem é o principal elemento na conversa; agora não há qualquer menção a isso (embora reapareça brevemente em SA, p. 254).

Nesta versão, antes de deixar o recinto, o senhorio pergunta se Troteiro vai ficar ali, ao que ele responde: "Sim. Talvez precise de mim antes de amanhecer". "Certo, então", disse o senhorio, "se o Sr. Verde quiser". Quando Carrapicho vai embora:

"Bom, agora você já deve adivinhar a resposta para a pergunta que mencionei antes de ele entrar", disse Troteiro. "Mas não vai abrir a carta?"

Frodo examinou o lacre com cuidado antes de rompê-lo. Certamente parecia ser de Gandalf. No interior, escrita na letra fina e espichada do mago,[12] havia a seguinte mensagem. Frodo a leu em voz alta.[13]

O Pônei Empinado, Bri; terça-feira, 12 de setembro.[14] *Caro F. Retornarei amanhã & devo alcançá-lo em um ou dois dias. Mas as coisas ficaram muito perigosas, e eu talvez não chegue a tempo.*

(Ele encontrou o Condado: as fronteiras estão sendo vigiadas, e eu também). Se eu não conseguir chegar, espero que isso sirva de aviso o bastante para você, & que você tenha o bom senso de deixar o Condado imediatamente. Se isso acontecer, há uma chance de você conseguir chegar até Bri. Tenha cuidado com cavaleiros de preto. *São seus piores inimigos (exceto por um): são os Espectros-do-Anel. Não O use novamente: por nenhum motivo. Não viaje no escuro. Tente encontrar* Troteiro, *o caminheiro. Ele estará à sua espera: um sujeito magro, moreno e calejado, mas um dos meus melhores amigos. Ele conhece nosso assunto. Se alguém pode ajudá-lo, é ele. Rume para Valfenda o mais rápido que puder. Ali espero que possamos nos reencontrar. Senão, Elrond vai aconselhá-lo.*
Seu, ᚷᚨᚾᛞᚨᛚᚠ ᛭

OBS: Poder confiar em Barnabas Carrapicho e em Troteiro. *Mas assegure-se de que é* realmente *Troteiro. O Troteiro de verdade estará com uma carta minha, selada, com essas palavras:*

> *Não rebrilha tudo que é ouro,*
> *Nem tudo o que é antigo é fanado,*
> *Não é eterno o duradouro,*
> *Nem tudo o que acaba é passado.*[A]

OBS2: Seria pior do que inútil tentar seguir para além de Bri sozinho. Se Troteiro *não aparecer, você precisa tentar fazer com que Carrapicho o esconda em algum lugar, e esperar que eu hei de chegar.*
OBS3: Espero que C. não se esqueça desta mensagem! Se ele se lembrar de dá-la a você, diga-lhe que estou muito grato, & ainda mais surpreso. Por onde quer que passe, que passe bem. ᚷ

"Bem, isto é de Gandalf mesmo, sem nem contar a letra e a assinatura", disse Frodo ao terminar. "E a sua carta, Troteiro?"

"Precisa dela? Achei que já tinha se decidido sobre mim! Se não, não deveria ter me deixado ficar; e certamente não a deveria ter lido em voz alta para mim."

"*Eu* não me decidi", falou Sam de repente. "E não quero ver ninguém zombando ou usando o Sr. Frodo. Vamos ver essa carta, ou vai se ver com Sam Gamgi!"

"Meu bom Sam", disse Troteiro. "Tenho uma arma debaixo da capa, igual a você! E não me importo de lhe dizer que, se eu não fosse o Troteiro de verdade, você não teria chance, e nem os três

A QUARTA FASE (2)

juntos. Mas acalme-se!", disse, enquanto Sam se erguia de um salto. "Eu *tenho* uma carta, e aqui está ela!"

Ele jogou na mesa outra carta selada, exatamente como a outra por fora. Sam e Folco [> Pippin] olharam para ela conforme Frodo a abria. No interior, havia um papelzinho com a letra de Gandalf. Dizia:

> *Não rebrilha tudo que é ouro,*
> *Nem tudo o que é antigo é fanado,*
> *Não é eterno o duradouro,*
> *Nem tudo o que acaba é passado.*[B]

> *Isso é para certificar que o portador é Aragorn, filho de Celegorn,*[15] *da linhagem de Isildur, filho de Elendil, conhecido como Troteiro em Bri; inimigo dos Nove e amigo de Gandalf.* ᚷᚪᚾᛞᚪᛚᚠ ∴ᚷ∴

Frodo fitou as palavras admirado. "Da linhagem de Elendil!", exclamou, olhando abismado para Troteiro. "Então Ele pertence a você tanto quanto a mim, e até mais!"

"Não pertence a nenhum de nós", disse Troteiro; "mas você deve mantê-lo por um tempo. Pois assim foi ordenado."[16]

"Por que não nos mostrou isso antes? Teria poupado tempo e evitado que eu e Sam nos comportássemos tão absurdamente."

"Absurdamente! De modo algum. Sam é muito sensato: desconfiou de mim até o último momento, e acho que ainda desconfia. E está certo! Se tivesse mais experiência com seu Inimigo, não confiaria nas próprias mãos, a não ser que fosse à luz do dia, tão logo soubesse que ele está atrás de você. Eu precisava ter certeza de *você* também. Foi uma das razões que me atrasaram. O Inimigo já me armou ciladas antes de hoje. Mas preciso confessar que tentei persuadi-lo a me aceitar como amigo por mim mesmo, sem provas. Às vezes um vagante caçado se cansa da desconfiança, mesmo quando ele a está pregando.[17] Mas nesse ponto eu creio que minha aparência está contra mim."

Segue-se a intervenção precipitada de Folco/Pippin — "*Bonito é quem bonito faz*, como dizemos no Condado" —, que permaneceu inalterada da observação original de Odo em VI. 195. Então prossegue:

64

A TRAIÇÃO DE ISENGARD

Folco [> Pippin] deu-se por vencido; mas Sam não se assustou, e ainda olhava duvidoso para Troteiro. "Você poderia fazer parecer que é, se estiver atuando", falou. "Que *prova* nós temos de que você é o item real, eu gostaria de saber."

Troteiro riu. "Não se esqueça da carta de Carrapicho, Sam!", falou. "Pense! Carrapicho certamente é o Carrapicho de verdade, a menos que toda Bri esteja enfeitiçada. Como as palavras *não* rebrilha tudo que é ouro poderiam aparecer na carta de Carrapicho e na minha, a não ser que Gandalf tivesse escrito ambas? Pode ter certeza que Gandalf não deu a nenhum espião a oportunidade de saber que a carta de Carrapicho existia. E, mesmo se tivesse dado, um espião não saberia quais são as palavras-chave sem ter lido a carta. Como isso teria sido feito sem Carrapicho saber?"

Sam coçou a cabeça demorada e pensativamente. "Ah!", disse, por fim. "Acho que teria sido complicado. Mas e isto aqui: você poderia ter apagado o Troteiro de verdade e roubado a carta, e então sacado ela, como você fez, depois de ouvir a de Carrapicho e de ver como estava a situação. Você parecia bem relutante em mostrá-la. O que tem a dizer sobre isso?"

"Que você é um sujeito esplêndido", disse Troteiro. "Vejo por que Gandalf escolheu você para ir com seu patrão. É bem persistente. Temo que minha única resposta a você, Sam, é esta: se eu tivesse matado o Troteiro de verdade, eu poderia matar vocês, e já os teria matado sem tanta conversa. Se eu estivesse buscando o Anel, eu poderia tê-lo — agora!" Levantou-se e pareceu tornar-se subitamente mais alto. No rosto brilhava uma luz, incisiva e imperiosa. Eles não se moveram. Até mesmo Sam ficou sentado imóvel, fitando-o emudecido.

"Mas eu sou o Troteiro de verdade, felizmente", disse ele, baixando os olhos para eles com um repentino sorriso gentil. "Eu sou Aragorn, filho de Celegorn, e se puder salvá-los por vida ou morte, eu o farei". Fez-se um longo silêncio.

Por fim Frodo falou, hesitante. "Esses versos de Gandalf se referiam a você, então?", perguntou. "Pensei de início que eram só tolices."

"Tolices, se lhe parecem", respondeu Troteiro. "Não se preocupe com eles. Fizeram o que tinham de fazer."

"Se quer saber", disse Frodo, "acreditei em você antes de Carrapicho entrar. Não estava tentando confiar em você, mas me

65

A QUARTA FASE (2)

esforçando para desconfiar, seguindo seu próprio ensinamento. Você me assustou diversas vezes esta noite, mas nunca do modo como os serviçais do Inimigo me assustariam, assim imagino. Acho que um deles iria... bem, parecer mais belo e dar impressão mais imunda. Você... bem, com você é o contrário."

"Eu pareço imundo e dou uma bela impressão, é isso?", riu-se Troteiro. "Vamos encerrar por aí, e não falar mais de barrigas gorduchas!"

"Fico contente que você será nosso guia", disse Folco [> Pippin]. "Agora que estamos começando a compreender o perigo, estaríamos em desespero sem você. Mas, de alguma forma, sinto-me mais esperançoso que nunca."

Sam nada disse.

Depois disso, meu pai abandonou esse emaranhado de argumentações derivado do fato de haver duas cartas de Gandalf, e lidou com a questão do verso de reconhecimento — *Não rebrilha tudo que é ouro* — e de como Aragorn o conhecia de modo extremamente engenhoso, fazendo o próprio Aragorn dizer as palavras (sem ter visto ou ouvido a carta de Gandalf) quando Frodo fez a observação (já presente nesta versão) sobre ser "imundo e belo" (SA, p. 259). Mas a complicação das duas cartas sobreviveu à decisão crucial de que a carta de Gandalf para Frodo foi escrita com a intenção de que fosse recebida antes de ele deixar Bolsão e que não foi entregue devido ao esquecimento de Carrapicho.

Depois que "Sam nada disse", essa versão é igual a SA (p. 260), com as palavras de Troteiro sobre deixar Bri e rumar para o Topo-do-Vento. Mas a resposta para a pergunta de Frodo sobre Gandalf é bem menor:

Troteiro assumiu uma expressão grave. "Não sei", disse. "Para falar a verdade, estou bastante preocupado com ele — pela primeira vez desde que o conheci. Ele pretendia ter chegado aqui com vocês há dois dias. Devíamos ter tido mensagens, pelo menos. Algo aconteceu. Acho que é algo que ele temia, ou ele não teria tomado toda essa precaução com as cartas."

Depois da pergunta de Frodo, "Você acha que os Cavaleiros Negros têm alguma coisa a ver com isso?", o resto do Capítulo 10 de SA foi alcançado, exceto por uns detalhes, sendo o principal deles o relato da experiência de Merry. A história agora retorna para a versão original (VI. 203–4), segundo a qual o Cavaleiro foi para o Leste pela aldeia e parou na casa de Bill Samambaia (enquanto na versão da "terceira fase", VI. 436, ele foi na direção oposta, ao Portão-oeste); mas difere de SA (pp. 261–2) porque, quando Merry estava prestes a disparar de volta para a estalagem, "outra forma negra ergueu-se diante de mim — descendo a Estrada do outro portão — e... e eu caí". Nesta versão, Troteiro diz: "Talvez eles tentem atacar, afinal, antes que deixemos Bri. Mas será no escuro. Na luz, precisam dos seus cavalos."[18]

Para a história subsequente deste capítulo, ver pp. 95–7.

Capítulo 11: "Um Punhal no Escuro"

Este capítulo foi outro daqueles que meu pai, nessa época, reconstituiu parcialmente com o texto existente da "terceira fase" (a parte final do Capítulo 10 e primeira do Capítulo 11, ver VI. 443) e parcialmente com novos manuscritos e, assim como nos capítulos em que isso aconteceu, algumas páginas rejeitadas da versão antiga se separaram e não foram enviadas para Marquette.

O novo texto começa com o ataque a Cricôncavo, que fora demovido do lugar original no Capítulo 7 com a mudança na data em que ocorreu (ver pp. 47–8). Ver VI. 405–6 para a versão anterior deste episódio; ela era quase idêntica ao texto original, VI. 374–6. Em ambas, meu pai colocou a lápis vislumbres da história de que Odo foi embora com Gandalf quando ele cavalgou atrás dos Cavaleiros Negros — uma história que parece ter entrado somente na narrativa da "terceira fase", quando o capítulo de "Bri" foi alcançado: ver VI. 416. Mas na segunda versão, Cricôncavo não estava vazia: uma cortina se moveu numa janela, pois Odo ficara para trás.

Coloco primeiro um rascunho preliminar do ataque a Cricôncavo escrito para o seu novo lugar na história.

Enquanto dormiam lá na estalagem de Bri, a escuridão jazia sobre a Terra-dos-Buques. Uma névoa errou pelos vales e ao longo da margem do rio. A casa em Cricôncavo estava silenciosa. Não muito antes, quando acabara de anoitecer, havia uma luz na janela. Um cavalo subiu rápido pela alameda e parou. Um vulto apressou-se caminho acima, envolto num grande manto, conduzindo um cavalo branco. Bateu à porta e a luz se apagou de pronto. A cortina na janela se mexeu e, logo depois, a porta foi aberta e ele entrou rapidamente. Assim que a porta se fechou, uma sombra negra pareceu se mexer sob as árvores e saiu pelo portão sem ruído.[19] Então a escuridão lentamente se aprofundou, tornando-se noite, uma noite morta e nevoenta: nenhuma estrela brilhava sobre a Terra-dos-Buques.

Veio o barulho suave de cascos, cavalos estavam se aproximando, conduzidos lenta e cautelosamente. O portão na sebe se abriu, e três vultos enfileiraram-se pelo caminho, encapuzados, envoltos de negro, e inclinando-se bem baixo ao chão. Um foi até a porta, os outros, um para cada canto da casa de ambos os lados; e ali ficaram de pé, silenciosos como sombras negras de pedras, enquanto o tempo passava devagar, e a casa e as árvores ao redor pareciam esperar sem fôlego.

Houve um leve remexer de folhas, e um galo cantou. A hora fria antes do amanhecer havia chegado.[20] De repente, o vulto junto à porta moveu-se. No escuro, sem estrelas nem luar, a lâmia sacada rebrilhou, como se uma luz gélida tivesse sido desembainhada. Ouviu-se uma pancada baixa, mas pesada, e a porta estremeceu.

"Abra em nome de Sauron!", disse uma voz fria e ameaçadora. No segundo golpe, a porta cedeu e caiu para dentro, com a fechadura rompida e o madeirame estourado. Os vultos negros entraram rapidamente.

Nesse momento, entre as árvores próximas, soou uma trompa. Ela rasgou a noite como fogo no topo de uma colina, ecoando pela terra. *Despertem! Medo! Fogo! Inimigos! Despertem!* Alguém estava dando o Toque-de-Trompa da Terra-dos-Buques, que não fora dado por cem anos, não desde que os lobos brancos haviam vindo no Fero Inverno, quando o Brandevin congelou. Ao longe,[21] ouviram-se trompas em resposta. Sons distantes de despertar e alarme vararam a noite. Toda a Terra-dos-Buques acordara.

Os vultos negros saíram rapidamente da casa. Na alameda irrompeu um barulho de cascos que se intensificou em galope e fugiu apressado na escuridão. Atrás deles corria um cavalo branco. Nele sentava-se um velho trajado de cinza, com longos cabelos prateados e barba ondulando. Sua trompa ainda soava por monte e vale. Na mão direita, um bastão chamejou e bruxuleou como um feixe de relâmpago.[22] Atrás dele, agarrando-se ao seu manto, estava um hobbit. Gandalf e Hamílcar estavam cavalgando para o Portão

A TRAIÇÃO DE ISENGARD

Norte, e os Cavaleiros Negros fugiram diante deles. Mas descobriram o que queriam saber: Cricôncavo estava vazia e o Anel se fora.

A história aqui deve ser que Gandalf e Hamílcar saíram da casa pelos fundos, como Fredegar Bolger fez em SA (p. 266), mas então aguardaram no meio das árvores que circundavam o espaço aberto em que estava a casa. Uma nota acrescentada ao esquema temporal B (p. 20), parece adequar-se a esta versão: "Os Cavaleiros Negros adentram furtivamente a Terra-dos-Buques, mas tarde demais para verem Frodo partindo. Localizam-no em Cricôncavo e vigiam o lugar, e veem Gandalf entrar. Mas Gandalf (e Ham, fingindo ser Frodo) vão embora na noite de 29 de set."

Outro texto curto, escrito no mesmo pedaço de papel e obviamente ao mesmo tempo desse anterior, conta apenas o final do episódio; e nesse texto, que foi posteriormente riscado por inteiro, não há menção a Gandalf:

Ham Bolger estava dando o Toque-de-Trompa da Terra-dos-Buques que não fora dado por cem anos [...] [*etc., como anteriormente*]. Os vultos negros saíram rapidamente da casa.

Na alameda irrompeu um barulho de cascos que se intensificou em galope e apressou-se alucinado para o Norte na escuridão. Os cavaleiros negros fugiram, pois não estavam preocupados ainda com o pequeno povo do Condado, mas apenas com o Anel. E descobriram o que queriam saber: Cricôncavo estava vazia e o Anel se fora.

Talvez isso esteja em conjunto com o esboço §4 na p. 16: "Cena em Cricôncavo — somente Hamílcar está lá. Ele soa a trompa [...]".

A versão da história que aparece no manuscrito da "quarta fase" muda novamente. Começa assim:

Enquanto dormiam lá na estalagem de Bri, a escuridão jazia sobre a Terra-dos-Buques. Uma névoa errou pelos vales e ao longo da margem do rio. A casa em Cricôncavo estava silenciosa. Uma cortina se mexeu na janela e, por um momento, uma luz escapou. Imediatamente, uma sombra negra se mexeu sob as árvores e saiu pelo portão sem ruído. A noite aprofundou-se. Veio o barulho suave de cascos [...]

A QUARTA FASE (2)

Depois, segue-se de perto o rascunho na p. 68; mas, a partir de "Os vultos negros entraram rapidamente", há uma nova história:

Os vultos negros entraram rapidamente. Em um momento, saíram outra vez; um deles carregava uma figura embrulhada num manto velho: não se debatia. Agora, saltaram nos cavalos sem cuidado; na alameda irrompeu um barulho de cascos que se intensificou em galope e fugiu martelando na escuridão.

Ao mesmo tempo, [*riscado:* da direção da Balsa,] outro cavalo veio trovejando pela alameda. Conforme passava pelo portão, uma trompa soou.[23] Rasgou a noite como fogo no topo de uma colina [...] [*etc., como anteriormente*]. Ao longe, ouviram-se trompas em resposta; o alarme se espalhava. A Terra-dos-Buques acordara.

Mas os Cavaleiros Negros cavalgaram como um vendaval para o Portão Norte. Os pequenos que toquem! Sauron lidaria com eles mais tarde. Enquanto isso, tinham conquistado sua gratidão: Bolseiro fora pego como uma raposa numa toca. Atropelaram os vigias, saltaram pelo portão e desapareceram.

E foi assim que Hamílcar Bolger cruzou a Ponte do Brandevin pela primeira vez.

Essa versão evidentemente pertence à história do esquema temporal D (p. 21), que diz que, em 29 de setembro, "Cavaleiros atacam Cricôncavo; levam Ham, perseguidos por Gandalf" — embora ali isso tenha ocorrido à meia-noite, ao passo que aqui foi na "hora fria antes do amanhecer". Gandalf chegou tarde demais e (como aparecerá depois) pensou que Frodo é quem tinha sido pego; mas a história do que aconteceu em seguida com Hamílcar Bolger precisa ser postergada brevemente (ver p. 84 e seguintes).

O "sonho da torre" de Frodo tinha sido removido da noite em Bri para a noite em Cricôncavo (ver pp. 44-7), e seu sono em Bri agora é descrito como em SA: "seus sonhos outra vez foram perturbados pelo barulho do vento e de cascos galopando [...] ao longe ouviu o toque impetuoso de uma trompa".

Um texto novo (isto é, substituindo o manuscrito da "terceira fase") continua até a partida dos hobbits com Troteiro de Bri e a chegada deles em terreno aberto. Nesse estágio, Folco ainda era Folco, e não Pippin; mas o texto de SA (pp. 267-8) foi alcançado, exceto por detalhes irrelevantes.[24] A história posterior dos pôneis de Merry aparece agora, alterada da anterior (VI. 206–7), na qual Tom Bombadil, quando os encontrou, foi à estalagem em Bri descobrir o que acontecera com os hobbits, e pagou ao Sr. Carrapicho pelos pôneis. A relação de Bombadil e Carrapicho fora abandonada (pp. 17, 48–9).

A partir do ponto em que os companheiros viram as casas e tocas de hobbits de Estrado à esquerda (SA, p. 272), o manuscrito da "terceira fase" foi mantido e corrigido de leve até a chegada de Troteiro, Frodo e Merry ao cume do Topo-do-Vento. Conforme o manuscrito estava neste momento, o texto estava bem parecido com o de SA, mas alguns acréscimos foram feitos depois: tais como a luz no céu oriental vista dos Pântanos dos Mosquitos, a relva queimada e as pedras enegrecidas no Topo-do-Vento, e o anel de antiga cantaria em volta. Aparentemente, a alteração da observação original de Troteiro, "nem todos os caminheiros são de confiança, assim como as aves e as feras." (que remonta à versão original da história, VI. 210), para "nem todas as aves merecem confiança, e existem outros espiões mais malignos que elas", também foi feita muito depois. O relato de Passolargo em SA (p. 277) sobre a grande torre de vigia no Topo-do--Vento e suas ruínas não entrou de forma alguma no manuscrito, e o texto permanece nesse ponto inalterado em relação à versão mais antiga (VI. 212, 438). A canção de Sam sobre Gil-galad foi escrita nesse momento e inserida no manuscrito.[25]

No cume do Topo-do-Vento, a história antiga sofreu uma alteração importante. A mensagem de Gandalf num papel, tremulando no montículo de pedras (VI. 213, 438), desapareceu, e o texto em SA (p. 280) é alcançado (sem qualquer menção ao fogo, como já se disse: a pedra com as marcações não era "mais chata que as outras e mais branca, como se tivesse escapado ao fogo", mas "menor do que as outras, e de cor diferente, como se tivesse sido esfregada"). As marcações na pedra eram X : IIII (a runa G anglo-saxônica ainda era empregada), com a interpretação de que Gandalf estivera ali em 4 de outubro. As marcações, contudo, foram alteradas para X : I.III, e um novo trecho foi inserido (e rejeitado em seguida):

"Mas há um ponto entre o primeiro 1 e os outros três", disse Sam examinando a pedra. "Não diz G.4, mas sim G.1.3."

A QUARTA FASE (2)

"Tem razão!", concordou Troteiro. "Então, se Gandalf fez essas marcas, talvez signifique que ele esteve aqui do dia primeiro ao dia três; ou talvez que ele e mais alguém estiveram aqui no dia três."

Isso é estranho, pois Sam tinha ficado no vale e não subiu o Topo--do-Vento; além disso, essa discussão inserida se dá no topo, então não haveria como supor que Troteiro desceu com a pedra até o vale. Depois, as marcações foram novamente alteradas para X:III.

Ao comentário de Frodo "Seria um grande consolo saber que ele estava a caminho de Valfenda", Troteiro simplesmente responde: "Seria mesmo! Mas, de toda forma, como ele não está aqui, precisamos nos ajeitar sozinhos e achar nosso próprio caminho para Valfenda, o melhor que pudermos". Respondendo à pergunta de Merry, "A que distância fica Valfenda?", Troteiro inicialmente responde como na versão original (VI. 214–5), mas faz uma distinção entre três semanas com tempo bom e um mês com tempo ruim, da Ponte do Brandevin até o Vau, e conclui: "Então temos pelo menos doze dias de jornada diante de nós,[26] e provavelmente uma quinzena ou mais". Isso foi excluído no ato da escrita, e o texto de SA entrou, no qual Troteiro fala quanto tempo levaria do Topo-do--Vento até o Vau sem fazer um cômputo muito elaborado: "doze dias daqui até o Vau do Bruinen, onde a Estrada atravessa o Ruido-ságua[27] que flui de Valfenda".

Na "terceira fase", o capítulo terminava com Troteiro, Frodo e Sam descendo do topo, e o capítulo seguinte começava com "Sam e Folco não tinham ficado ociosos" (no vale). Na nova versão, o capítulo continua e, assim como em SA, inclui o ataque dos Cavaleiros Negros. O trecho começa exatamente como em SA (p. 282), e o suprimento de *cram*, bacon e frutas secas (VI. 440) de Gandalf desaparece,[28] mas Troteiro tem coisas diferentes para relatar após examinar as pegadas no vale, e ele não afirma que os Caminheiros estiveram lá recentemente, nem que foram eles que deixaram a lenha.

"É bem como eu temia", falou ele ao voltar. "Sam e Folco [> Pippin] pisotearam o chão mole, e as marcas estão destruídas ou confusas. Alguém esteve aqui calçando *botas* recentemente, o que significa que não foi um Caminheiro, mas isso é tudo que posso dizer com certeza. Mas não gosto nada disso: parece que havia mais de um par de botas". Cada um dos hobbits pensou nos

A TRAIÇÃO DE ISENGARD

cavaleiros com capas e calçando botas. Se eles já haviam achado o vale, quanto antes Troteiro os levasse a outro lugar, melhor. Mas Troteiro ainda estava ponderando sobre o significado das pegadas.

"Há também algo ainda mais estranho", prosseguiu: "acho que há rastro de hobbit também: mas não tenho certeza agora de que há um terceiro par, diferente do de Folco [> Pippin] e Sam."

"Mas não há hobbits nesta parte do mundo, não é?", perguntou Merry.

"Há quatro deles aqui neste momento", respondeu Troteiro, "e não se pode dizer que é impossível haver outro; mas não tenho ideia do que isso quer dizer."

"Talvez que esses sujeitos de preto fizeram o pobre infeliz de prisioneiro", disse Sam. Ele via o vale desnudo com grande desgosto [...]

A observação de Sam é, evidentemente, mera suposição, e ele fala sem ter qualquer referência específica: as botas e os rastros de hobbit simplesmente sugerem a possibilidade de que os Cavaleiros poderiam estar com um hobbit. Mas, embora as observações de Troteiro sejam inconclusivas, e o são intencionalmente dentro da narrativa, fica óbvio que a história da cavalgada de Hamílcar Bolger com Gandalf está presente aqui.

A pergunta de Merry para Troteiro, começando com "Os Cavaleiros conseguem *ver*?", assume agora a mesma forma de SA (p. 283), e a resposta de Troteiro é parecida, mas menos elaborada.[29]

Neste texto, como se disse anteriormente, Troteiro não diz nada sobre ser o acampamento de Caminheiros no vale, e a lenha fica sem explicação. No ponto de SA em que ele simplesmente diz "Vamos tomar por sinal esta lenha pronta para queimar", aqui ele acrescenta "Seja lá quem a deixou, trouxe-a e a dispôs aqui com um propósito; pois não há árvores por perto. Ou pretendia voltar, ou achou que amigos necessitados talvez o seguiriam. Aqui há pouco abrigo e defesa, mas o fogo servirá para ambas as coisas. O fogo é nosso amigo no ermo".[30]

O trecho na versão anterior (VI. 441–2) que descreve os contos de Troteiro enquanto estavam junto ao fogo no vale foi alterado, presumo que nesse momento, para sua forma reduzida em SA (p. 285); e a história de Beren e Lúthien que ele conta aparece na forma de SA (p. 286–7). A canção em si está ausente, mas aparentemente chegou à forma final nessa época, pois

A QUARTA FASE (2)

encontra-se escrita apressadamente, mas terminada, entre rascunhos desse período.[31]

Capítulo 12: "Fuga para o Vau"

Este capítulo constituiu-se do texto existente, com a substituição de algumas páginas; mas, neste caso, o manuscrito todo permaneceu unido. Folco ainda é Folco nos trechos com novos escritos, mas foi corrigido em toda a extensão por Pippin ou Peregrin.

O Rio Fontegris ou Mitheithel e a Última Ponte surgiram, e a Charneca Etten e os Vales Etten[32] de SA — o(s) Vale(s) do Riacho--escuro da "terceira fase" — agora se chamam Terras dos Ents e Vales Enteses (ver p. 17 e nota 14, e p. 22 e nota 18). O "Rio da Fenda" ou "Rio de Valfenda" da "terceira fase" (VI. 444) é agora o Ruidoságua, ou Bruinen (nota 27); e Troteiro diz aos companheiros que o Fontegris conflui com o Ruidoságua lá longe no Sul. "Alguns o chamam de Griságua depois disso" (SA, p. 296).

Troteiro encontra a pedra-élfica na lama da Última Ponte, mas o trecho em que ele fala sobre a terra ao norte da Estrada permanece virtualmente igual à versão mais antiga da história (VI. 241–2; ver SA, p. 298): ele não diz que morou certa vez em Valfenda, e a história de Angmar e do Reino do Norte ainda não surgiu (ver pp. 48, 74).

A remoção dos nomes "Bert" e "William" dos Trols-de-pedra também foi uma decisão posterior; mas foi agora que a "Canção do Trol" de Sam foi introduzida (após alguma hesitação). A intenção original de meu pai era que Bingo a cantasse no *Pônei Empinado* (ver VI. 179–80, notas 11 e 12), e ele fez uma versão apressada e incompleta naquela ocasião, desenvolvida e muito alterada a partir da canção original de Leeds, *A Rota da Bota,** dos anos 20 (que aparece no volume VI. 180–2).[33]

A "Canção do Trol" encontra-se aqui em três versões distintas e escritas cuidadosamente, acompanhadas de muito trabalho apressado; a terceira versão foi incorporada ao manuscrito. A versão de "Bri", que não coloquei no volume VI, já estava bem mais parecida com a primeira delas do que *A Rota da Bota*, e meu pai removeu todas as referências como "churchyard" [campo-santo, cemitério], "aureole" [auréola] e "wore black on a Sunday" [vestia-se de preto

---

*Ver também *O Hobbit Anotado*, p. 81. [N.T.]

no domingo], etc. Coloco o primeiro texto aqui, na forma em que foi passado a limpo, a caneta; há muitas variantes a lápis que serão aqui ignoradas. Para o desenvolvimento da segunda e da terceira versão, ver nota 35.

Em *A Rota da Bota*, o oponente do Trol chamava-se Tom, cujo tio é João; na versão de "Bri", ele era João e o seu tio, Jim, e João voltou a ser Tom conforme o texto era trabalhado. Em todos os três presentes textos, os nomes são João e Jim, e assim permaneciam quando meu pai cantou a canção para o Sr. George Sayer e sua esposa em Malvern, em 1952;[34] em SA, são Tom e o tio dele, Tim.

Trol senta sozinho na pedra do caminho,
Resmungando e roendo um osso magrinho;
Já faz mais de ano, nem tem mais tutano,
E lá sentava com fome.
Não come! Some!
Já faz mais de ano, nem tem mais tutano
E lá sentava com fome.

E o João é quem vem, grandes botas tem.
Então diz ao Trol: "Mas o que é isso, hein?
É a canela, é sim, do velho tio Jim,
Que foi andar na montanha.
Apanha! Sanha!
É a canela, é sim, do velho tio Jim,
Que foi andar na montanha."

Diz o Trol: "Meu rapaz, já peguei, tanto faz.
Um osso da cova sem remorso se traz.
Era morto o tio, como pedra de rio,
Quando encontrei a carcaça.
Passa! Faça!
Era morto o tio, como pedra de rio,
Quando encontrei a carcaça."

Diz João: "Não se vê por que é que você
Vai pegando assim, sem qualquer mercê,
O osso da canela da minha parentela,
Entregue o velho osso!
Grosso! Insosso!

A QUARTA FASE (2)

Devolva a canela da minha parentela,
E entregue o velho osso!

"Na minha caverna", diz Trol com baderna,
"Eu devoro você, e roo sua perna.
Refeição principesca é carne bem fresca!
E logo verá seu tio!
Caiu! Hauriu!
Refeição principesca é carne bem fresca,
E logo verá seu tio."

Mas antes que creia ter pegado a ceia,
Das mãos lhe escapa, nem inteira nem meia.
Sentiu no traseiro um chute certeiro,
Pois por trás chegou o João.
Borrão! Atenção!
Sentiu no traseiro um chute certeiro,
Pois por trás chegou o João.

Com o solavanco, o Trol cai de flanco;
João volta pra casa manco,
Dura era a rocha pra sua galocha
Arrebenta a bota e o dedo.
Segredo! Enredo!
Dura era a rocha pra sua galocha,
Arrebenta a bota e o dedo.

Ali o Trol jaz, não se levanta mais,
De cara no chão, o assento se esfaz;
Sob o calhau está o osso frugal
Que o Trol roubara do dono.
Patrono! Abono!
Sob o calhau está o osso frugal
Que o Trol roubara do dono.[35, C]

Quando o recital termina, Frodo diz de Sam: "Primeiro era conspirador, agora é bufão. Vai acabar se tornando um mago — ou um sapo!". A pedra que assinalava o lugar onde o ouro dos Trols estava escondido ainda era marcada com as runas anglo-saxônicas

A TRAIÇÃO DE ISENGARD

G e B em um círculo, e o texto permanece como o da "terceira fase" (VI. 445).

Glorfindel não mais saúda Troteiro como na versão anterior, com *Ai, Du-finnion!*, mas com *Ai, dennad Torfir!* Um breve rascunho preparatório para o trecho começa com Glorfindel saudando Frodo (VI. 445, SA, p. 308), e diz o seguinte:

"Salve e bom encontro afinal!", disse o senhor-élfico a Frodo. "Fui enviado de Valfenda para aguardar vossa chegada. Gandalf temia que pudésseis ter seguido a Estrada até o Vau."

"Então Gandalf chegou a Valfenda?", exclamou Frodo, alegre.

"Há mais de cinco dias", respondeu Glorfindel. "Saiu a cavalo dos Vales Enteses pelas nascentes do Fontegris."

"Dos Vales Enteses!", exclamou Troteiro.

"Sim", disse Glorfindel, "e pensamos que vós talvez viésseis por aquele caminho para evitar o perigo da Estrada. Há quem vos esteja procurando naquela região. Vim sozinho por esse caminho. Cavalguei até a Ponte do

> Aqui o texto é interrompido. O fato de Glorfindel ter partido depois de Gandalf ter chegado a Valfenda está em desacordo com os esquemas temporais (p. 23) e esse breve rascunho deve ter sido feito antes deles. Abandonado no meio da frase, foi substituído por um muito parecido com o que Glorfindel diz em SA: que saiu de Valfenda havia nove dias; Gandalf não tinha chegado ainda; e Elrond o enviara de Valfenda não por causa de Gandalf, mas porque ouviu notícias do povo de Gildor — "alguns de nossa gente, viajando além do Branduin (que vós mudastes para Brandevin)". Isso foi incorporado ao manuscrito do capítulo (sem a referência ao nome que os hobbits davam ao rio: a situação era urgente demais para tais reflexões).[36] Pode ser que essa alteração na história tenha surgido das considerações de que havia muito pouco tempo para acomodar o grande desvio que Gandalf fez ao Norte, pelos Vales Enteses.
>
> De toda forma, o esquema temporal D reflete o texto revisado: Glorfindel partiu de Valfenda no dia 9 de outubro e encontrou Troteiro e os hobbits nove dias depois, no dia 18, enquanto Gandalf e Ham Bolger só chegaram a Valfenda nesse mesmo dia, levando quinze dias completos desde o Topo-do-Vento.

A QUARTA FASE (2)

Na nova versão, a ferocidade protetora de Sam quando Frodo foi acometido pela dor e titubeou é expressa de modo mais amargo: "'Meu patrão está doente e ferido, mas talvez o Sr. Troteiro não tenha lhe dito isso", disse Sam com raiva." Muito depois, essa última parte foi riscada.

No fim do capítulo, os três Cavaleiros que saem da abertura nas árvores se tornaram cinco, após uma correção no manuscrito existente, e os seis que armavam uma emboscada à esquerda tornaram-se quatro. Essa mudança, é claro, adequa-se à alteração de três Cavaleiros para cinco no ataque ao Topo-do-Vento (ver nota 31).

NOTAS

[1] O rascunho A traz também uma versão rejeitada das palavras que o Cavaleiro e o porteiro trocaram:

"Você viu Gandalf?", disse a voz após uma pausa.
"Não, senhor, não o vejo desde o meio-do-verão", disse Harry.
"Vai ficar de olho se ele vier", disse a voz devagar. "Vai ficar de olho se os hobbits vierem. Queremos o Bolseiro. Está com eles. [...]".

[2] Na cópia limpa B do final do Capítulo 5 (pp. 45–6). No rascunho A (pp. 42–3), o nome ainda é Folco.

[3] "quase uma vintena de anos atrás" se refere à passagem de Bilbo por Bri depois da Festa de Despedida, a caminho de Valfenda. Portanto, Carrapicho viu Bilbo depois que ele "desapareceu com um estrondo enquanto falava", como diz o senhorio a seguir. Ver pp. 103–4.

[4] A ideia de que os Cavaleiros estariam bem-informados sobre os Bolseiros de Bolsão não foi mantida.

[5] Para as referências de Troteiro a Harry Barba-de-Bode, ver pp. 53–4.

[6] Essa fala de Carrapicho deriva em grande parte do rascunho A (p. 56), onde, no entanto, está em um contexto diferente: ali, foi por causa das perguntas dos Cavaleiros Negros à porta da estalagem, ao passo que aqui Carrapicho não mencionou os Cavaleiros.

[7] "um mês" foi corrigido para "uma quinzena" e, ao mesmo tempo, "em agosto" foi excluído. A data na carta de Gandalf (p. 62) é 12 de setembro, o que demonstra que essas alterações foram feitas enquanto o capítulo estava em progresso.

[8] "de setembro" foi corrigido para "deste mês"; ver nota 7.

[9] A relação entre as versões a respeito da carta de Gandalf é a seguinte:

"Terceira fase" do capítulo de "Bri":
Carrapicho fala para Frodo da visita de Gandalf dois dias atrás e da mensagem para que ele se apresse atrás dele (VI. 418–9)
Troteiro está com a carta de Gandalf (VI. 424)

78

A TRAIÇÃO DE ISENGARD

Revisão rascunhada A da versão da "terceira fase":
> Carrapicho não tem nenhum recado de Gandalf, que não esteve recente-mente em Bri (pp. 55–6)
> Troteiro está com a carta de Gandalf (p. 57)

O presente texto:
> Carrapicho fala para Frodo da visita de Gandalf a Bri em (agosto >) 12 de setembro (p. 60 e nota 7)
> Carrapicho está com a carta de Gandalf (pp. 60–1)

A Sociedade do Anel:
> Carrapicho fala para Frodo da visita de Gandalf no fim de junho, quando deixou com o senhorio uma carta para ser enviada ao Condado, o que não foi feito (p. 253)

[10] "ontem e anteontem": isto é, terça e quarta-feira, 27 e 28 de setembro. De modo semelhante, em A, o primeiro Cavaleiro passou por Bri na terça-feira (pp. 55–6), e não na segunda-feira, como nas versões anteriores (VI. 191, 419). Em SA (pp. 250, 254), a primeira aparição dos Cavaleiros Negros em Bri foi novamente na segunda-feira, dia 26.

[11] Isso é, na realidade, uma volta ao texto alternativo "B" do capítulo original de "Bri" (VI. 200–1), em que Carrapicho não encontra os Cavaleiros e nada tem a dizer sobre eles.

[12] "letra fina e espichada": "letra vigorosa, mas graciosa" em SA. Nas versões ante-riores, a letra de Gandalf é "arrastada" (VI. 195, 435).

[13] Há dois rascunhos muito rudimentares da carta. O primeiro diz:

> *O Pônei Empinado* 30 de ago. Terça-feira. Caro F. Espero que não precise disto. Se chegar às suas mãos (espero que o velho Carrapicho não esqueça), é porque as coisas não estarão nada bem. Espero che-gar a tempo, mas as coisas que aconteceram põem isso em dúvida. Isso tudo é para dizer: tenha cuidado com cavaleiros de preto. Evite--os: são nossos piores inimigos (exceto por um). Não O use nova-mente, *não importa por qual motivo*. Rume para Valfenda o mais rápido que puder; mas *não viaje no escuro*. Espero que, se chegar a Bri, você encontre Troteiro, o Caminheiro: um sujeito moreno, bastante magro e calejado, mas grande amigo meu, e inimigo dos nossos inimigos. Ele conhece todo o nosso assunto. Andou vigiando as fronteiras do leste do Condado desde abril, mas, por ora, desapa-receu. Pode confiar nele: vai ajudá-lo se isso puder ser feito. Espero que possamos nos reencontrar em Valfenda. Senão, Elrond vai aconselhá-lo. Se eu não chegar, só posso esperar que isso sirva de aviso o bastante para você, e que você (e Sam também, pelo menos) deixe o Condado assim que possível.

O outro rascunho é o precursor imediato da carta no presente manuscrito, e mal difere dele, mas não tem data. Para versões anteriores da carta, ver VI. 194–5, 199, 434.

79

A QUARTA FASE (2)

[14] Acerca da data 12 de setembro (além de 30 de agosto no rascunho, nota 13), ver notas 7 e 8.

[15] "Aragorn, filho de Celegorm" é, sem dúvida, posterior a "Aragorn, filho de Aramir" (p. 13). A forma original do nome do terceiro filho de Fëanor era *Celegorm*, mas isso foi alterado para *Celegorn* no decorrer da escrita do *Quenta Silmarillion* (V. 268, 345). Depois, voltou a ser *Celegorm*.

[16] As palavras de Frodo e Aragorn foram posteriormente usadas em "O Conselho de Elrond" (ver p. 131, nota 3).

[17] Há bastante rascunho inicial, em uma forma extremamente mal-acabada, desta parte do capítulo. A primeira versão do trecho era:

> O Inimigo já me armou ciladas antes de hoje. É claro que não desconfiei realmente de vocês depois de vê-los com Tom Bombadil, e certamente não depois de escutar a canção de Frodo. Bilbo a escreveu, e eu não vejo como seria possível os serviçais do Inimigo a conhecerem. Mas preciso ensinar-lhes a precaução e convencê-los de que eu era pessoalmente confiável assim mesmo — para que vocês não tivessem dúvidas ou arrependimentos depois. E além do mais, um vagante, um velho caminheiro, deseja pelo menos uma vez ser tido como amigo por seus próprios méritos, e sem provas.

Para a origem da fala de Troteiro, ver VI. 195.

[18] Compare as palavras "Na luz, precisam dos seus cavalos" com as palavras de Passolargo no Topo-do-Vento (SA, p. 283): "Pois os cavalos negros podem enxergar, e os Cavaleiros podem usar homens e outras criaturas como espiões"; para versões anteriores disso, ver VI. 223, 441, e p. 73 e nota 29.

[19] Entendo que isso significa que o Cavaleiro que estava de sentinela sob as árvores foi buscar os outros dois.

[20] Essas duas frases substituíram a frase "Uma cortina se mexeu em uma das janelas" logo após ter sido escrita (ver VI. 405).

[21] "Far away answering horns were heard" [Ao longe, ouviram-se trompas em resposta]: em todas as variantes do "episódio Criôncavo", o texto diz "Far away" [Ao longe] (locução adverbial). O texto em SA (p. 266), "Far-away answering horns" [Trompas longínquas em resposta] (adjetivo), que aparece já na primeira impressão da primeira edição, é um erro antigo, penso eu.*

[22] A expressão *a sheaf of lightning* [um feixe de relâmpago], que remonta à versão mais antiga do episódio (VI. 376), parece não ser atestada. O *Oxford English Dictionary* registra um significado de *sheaf* como "um aglomerado de jatos de fogo ou água lançados juntos para cima", com citações do século XIX, mas duvido que isso seja relevante. É concebível que meu pai tivesse em mente um "aglomerado" ou "feixe" de relâmpagos, como em "sheaf of arrows" [feixe de setas].

---

*Esse erro foi corrigido na edição de 2004 e não aparece, portanto, na tradução brasileira. [N.T.]

A TRAIÇÃO DE ISENGARD

23 Essas frases (a partir de "Ao mesmo tempo [...]") foram uma substituição de "Lá perto, no meio das árvores, uma trompa soou", penso eu que feita no momento da composição ou logo depois.

24 Algumas correções foram feitas subsequentemente para que se atingisse o texto de SA, como se vê de pronto pelo fato de que, em um deles, "Pippin" é o nome escrito inicialmente, e não uma alteração de "Folco"; mas duvido que tenham sido feitas muito depois e essa questão não tem importância aqui.

25 Os trabalhos originais da canção de Sam sobre Gil-galad sobrevivem, com a versão original do diálogo que se deu após sua declamação:

> Os outros viraram-se admirados, pois a voz era de Sam. "Não pare!", exclamou Folco.
>
> "É só isso que sei, senhor", gaguejou Sam, enrubescendo. "Aprendi num livro velho na casa do Sr. Bilbo, quando era menino. Eu sempre gostei dos Elfos: mas nunca soube do que essa parte se tratava até ouvir Gandalf falando. O Sr. Frodo deve se lembrar daquele dia."
>
> "Lembro", disse Frodo; "e sei qual é o livro. Sempre me perguntei de onde veio, mesmo sem nunca o ter lido com atenção."
>
> "Veio de Valfenda", disse Troteiro. "É uma parte de

Aqui o texto é interrompido por diversas variantes apressadas, incluindo "Vem de 'A Queda de Gilgalad', que está numa língua antiga. Bilbo devia estar traduzindo", e "Sei de qual livro está falando (disse Frodo). Bilbo escrevia seus poemas ali. Mas nunca pensei que fossem verdade."

26 "pelo menos doze dias de jornada diante de nós": isto é, 21 menos 9 (2 da Ponte do Brandevin até Bri, 7 de Bri até o Topo-do-Vento).

27 *Bruinen* aparece no esquema temporal D, p. 23; *Ruidoságua* aparece aqui pela primeira vez (mas encontra-se também em um dos mapas rascunhados, redesenhados em VI. 252).

28 Em fragmentos rascunhados, há muitas versões do trecho sobre o problema com o mantimento que agora acometia os viajantes, e neles ainda há várias menções aos "suprimentos adicionais deixados por Gandalf".

29 Está faltando o trecho da versão final, "mas nossas formas lançam sombras em suas mentes [...] farejam o sangue de seres vivos, desejando-o e odiando-o". O texto final encontra-se no manuscrito, mas não sei dizer se foi acrescentado naquele momento ou depois.

30 A observação de Aragorn em SA sobre os Cavaleiros e o fogo ("Sauron pode fazer uso maligno do fogo [...]") foi acrescentada ao manuscrito. Em um rascunho da passagem anterior, em que examina os rastros no vale, ele diz:

> "A lenha é interessante. É de faia. Não há árvores desse tipo por muitas milhas deste lugar, então trouxeram a lenha de longe. Deve ter sido escondida aqui com um propósito: quero dizer, ou quem estava acampado queria ficar ou voltar, ou achavam que seus amigos provavelmente os seguiriam".

A QUARTA FASE (2)

[31] Duas diferenças em relação a SA que permaneceram na "terceira fase" foram corrigidas neste manuscrito: "três vultos altos" para "cinco" e o grito de Frodo Ó Elbereth! Gilthoniel! (ver VI. 442).

[32] A *Charneca Etten* e os *Vales Etten* de SA (pp. 296, 300) foram escritos neste manuscrito, mas certamente em algum momento posterior — substituindo *Terras dos Ents* e *Vales Enteses*, quando a palavra *Ent* adquiriu seu significado especial. Pode ser que *Etten-*, do inglês antigo *eoten* "gigante, trol" (em *Beowulf*, Grendel era um *eoten*), *eten* em inglês médio, tenha sido pensado pela primeira vez neste manuscrito no trecho em que Troteiro diz "Se continuarmos nesta direção vamos chegar aos Vales Enteses bem ao norte de Valfenda" (SA, p. 300), pois meu pai escreveu aqui a palavra *Thirs* antes de *Vales Etten*. Ele certamente estava pensando em usar a palavra em inglês antigo *þyrs*, que tem o mesmo significado geral de *ent, eoten — thirs* (e outras grafias) em inglês médio. Por outro lado, uma nota no Primeiro Mapa (ver p. 361) também parece mostrar *Etten-* no momento em que surgiu.

[33] Houve também uma efêmera ideia de que seria essa a canção de Bilbo em Valfenda (ver VI. 507–8, nota 6).

[34] Ver *Biografia*, de Humphrey Carpenter, p. 291; *As Cartas de J.R.R. Tolkien*, n. 134 (29 de agosto de 1952). A gravação da "Canção do Trol" feita pelo Sr. Sayer naquela ocasião pode ser ouvida no Caedmon Record (TC 1477), lançado em 1975. A versão que meu pai cantou é a terceira destes textos em questão.

[35] O segundo texto é bem mais parecido com o de SA, mas ainda diferente: na primeira estrofe, "*E lá sentava com fome*" está no lugar de "*Pois carne já não se acha*"; na terceira, "*Quando encontrei a carcaça*" em vez de "*Quando eu encontrei a canela*" e, na quinta, "*Vai ser melhor que o seu tio!*" no lugar de "*Você vai é sentir o meu dente*". Nessa versão, o quinto, sexto e sétimo versos de cada estrofe foram omitidos, mas acrescentados a lápis depois, majoritariamente como aparecem em SA.

O terceiro texto altera "*E lá sentava com fome*", na primeira estrofe, para "*Sem ver homem nem mortal*" (rimando com *Ortal! Portal!*), o que remonta ao texto *A Rota da Bota* em *Songs for the Philologists* [Canções para os Filólogos] (VI. 181), mas isso foi corrigido no manuscrito para o verso que permaneceu, "*Pois carne já não se acha*" (e assim foi cantada por meu pai em 1952; ver nota 34). A terceira estrofe mantém "*Quando encontrei a carcaça*" (e o último verso vira "*Já não lhe serve a carcaça*"), e a quinta estrofe mantém "*Vai ser melhor que o seu tio!*".

[36] Mas a informação de que o Baranduin era o Brandevin sobreviveu como uma nota de rodapé neste ponto em SA (p. 308). Essa é, sem dúvida, a primeira ocorrência do nome *B(a)randuin* na narrativa, a origem do "étimo popular" *Brandevin* entre os hobbits. Tanto *Branduin* quanto *Baranduin* aparecem em um verbete nas *Etimologias* no volume V (radical BARÁN, p. 423). Segundo o trecho no manuscrito, o nome do rio foi escrito *Branduin*, corrigido para *Baranduin* e (muito depois), para *Malevarn*.

82

∽ 4 ∽

De Hamílcar, Gandalf e Saruman

Em 5 de agosto de 1940, o Escrivão da Universidade de Oxford enviou ao meu pai papéis de prova que haviam sido recebidos de um candidato americano na Honour School of English. Isso acabou rendendo uma boa quantidade de papel que meu pai usou para a continuação da história interrompida nas Minas de Moria e para revisões da história que já tinha sido escrita; e ele ainda estava usando esses papéis quando chegou à partida da Comitiva de Lothlórien.[1] No Prefácio à Segunda Edição de *O Senhor dos Anéis*, ele afirmou que se deteve "por longo tempo" junto ao túmulo de Balin em Moria e que foi "quase um ano mais tarde" que prosseguiu e "assim, [chegou] a Lothlórien e ao Grande Rio no final de 1941". Argumentei (VI. 561) que, ao dizer isso, a memória o enganou, pois foi mais para o fim de 1939, não de 1940, que ele chegou ao túmulo de Balin; e esses papéis, recebidos em agosto de 1940 e empregados na nova retomada da narrativa, parecem corroborar essa visão.[2] É claro que ele talvez não tenha começado a usá-los até bem depois, mas isso não parece ser particularmente provável.

De todo modo, na tentativa de inferir um relato consecutivo da composição de *O Senhor dos Anéis*, esse foi um acaso muitíssimo feliz, pois o emprego de papéis facilmente identificáveis, em quantidade limitada, nos possibilita ter uma ideia muito mais clara acerca do desenvolvimento que aconteceu nessa época do que seria o caso sem esses papéis. Farei referência a eles como "papéis de prova de agosto de 1940".

De fato, não está claro se meu pai quis dizer que deixou tudo de lado durante quase um ano, ou se estava fazendo uma distinção entre a "nova narrativa" — o movimento progressivo da história a partir da Câmara de Mazarbul — e o retrabalho nos capítulos já existentes. Nos capítulos anteriores apareceram datas da segunda

DE HAMÍLCAR, GANDALF E SARUMAN

metade de 1939: as "decisões finais" de 8 de outubro de 1939 (p. 15), o "Novo Enredo" do outono de 1939 (p. 16) e a data "outubro de 1939" da versão da "quarta fase" do longo capítulo de "Bri" (pp. 52–3). Um "Novo Enredo" incluído neste capítulo traz data de agosto de 1940. Pode ser uma simplificação exagerada supor que absolutamente nada foi feito entre os últimos meses de 1939 e o fim do verão de 1940, mas é no mínimo conveniente apresentar o material dessa forma, e neste capítulo eu reúno vários textos que certamente pertencem a esse último período.

Na versão da "quarta fase" de "Um Punhal no Escuro", a história do ataque a Cricôncavo assumiu esta forma (pp. 69–70): os Cavaleiros Negros levaram Hamílcar Bolger da casa como um fardo inerte e, à medida que iam embora, "outro cavalo veio trovejando pela alameda. Conforme passava pelo portão, uma trompa soou". Observei que essa história se refere ao que foi dito no esquema temporal D (p. 21: quinta-feira, 29 de setembro: "Cavaleiros atacam Cricôncavo; levam Ham, perseguidos por Gandalf").

Um manuscrito muito rudimentar nos papéis de prova de agosto de 1940 descritos acima dão uma versão do acontecimento conforme Gandalf e Hamílcar Bolger o relatam posteriormente, em Valfenda. O texto começa no ponto em que Frodo, saindo do quarto em Valfenda, desce e encontra os amigos na varanda (ver VI. 450–1 para o estágio anterior dessa parte da história); mas acho que nada se perdeu antes deste ponto — foi um trecho específico do capítulo "Muitos Encontros" reescrito para introduzir a nova história.

Parecia haver três hobbits sentados junto com Gandalf. "Viva!", exclamou um deles, dando um salto. "Eis nosso nobre primo!". Era Hamílcar Bolger.

"Ham!", exclamou Frodo, estupefato. "Como chegou aqui? E por quê?"

"A cavalo; e representando o Sr. F. Bolseiro de Cricôncavo, anteriormente da Vila-dos-Hobbits", respondeu Ham.

Merry riu. "Sim", falou. "Nós contamos, mas ele não acreditou: deixamos o pobre e velho Ham num posto perigoso. Assim que os Cavaleiros Negros descobriram Cricôncavo, onde o povo supunha que o Sr. Bolseiro estava residindo, eles atacaram."

"Quando foi isso?", perguntou Frodo.

"Antes da madrugada, na manhã de sexta-feira,[3] quase quatro dias depois de você ir embora", disse Ham. "Eles me pegaram", fez uma pausa e estremeceu, "mas Gandalf chegou na hora certa."

"Não na hora *certa*", disse Gandalf. "Um momento ou dois depois da hora certa, receio. Dois Cavaleiros devem ter entrado furtivamente na Terra-dos-Buques, e um terceiro desceu com os cavalos à outra margem do Rio, dentro do Condado. Eles levaram a balsa da margem da Terra-dos-Buques na quinta-feira à noite, e atravessaram os cavalos. Eu cheguei tarde demais, logo que eles alcançaram a outra margem. Galeroc precisou atravessar o rio a nado. Depois disso, foi uma perseguição difícil: mas eu os alcancei dez milhas após a Ponte. Tenho uma vantagem: não há um só cavalo em Mordor ou em Rohan que seja tão rápido quanto Galeroc.[4] Quando escutaram seus cascos vindo atrás deles, ficaram aterrorizados: achavam que eu estava em algum outro lugar, bem longe. Também fiquei aterrorizado, preciso dizer: achei que era Frodo que eles tinham pegado."

"Sim!", disse Hamílcar com uma gargalhada. "Não sabia se estava aliviado ou desgostoso quando descobriu que era só o pobre e velho Ham Bolger. Na hora, eu estava atordoado demais para me importar: ele derrubou o Cavaleiro que estava me carregando. Mas agora estou bem magoado."

"Você está perfeitamente bem agora", disse Gandalf; "e ganhou uma cavalgada gratuita por todo o caminho até Valfenda, que você jamais veria se dependesse da sua preguiça. E, no entanto, você foi útil à sua maneira". Virou-se para Frodo: "Ouvi de Ham que você tinha entrado na Floresta Velha", falou; "e isso me encheu de ansiedade nova. Saí da Estrada de uma vez e fui imediatamente visitar Bombadil. Isso se provou bem-afortunado; pois creio que os três Cavaleiros relataram que Gandalf e o "Bolseiro" haviam ido para o Leste. Seu chefe estava em Amrath, bem para baixo do Caminho Verde no sul, e as notícias devem ter chegado a ele no fim de sexta-feira. Imagino que o Cavaleiro Chefe tenha ficado muitíssimo confuso quando a guarda avançada comunicou que o Bolseiro e o Anel estiveram em Bri na exata noite em que eles imaginavam que o tinham capturado em Cricôncavo! Alguns Cavaleiros parecem ter sido enviados diretamente pelos campos até o Topo-do-Vento. Cinco[5] vieram estrondeando pela Estrada. Eu estava em segurança de volta ao *Pônei* quando eles passaram por Bri na noite de sábado.

DE HAMÍLCAR, GANDALF E SARUMAN

Saltaram os portões e passaram como o vento uivante. Os habitantes de Bri ainda estão tremendo e se perguntando o que é que está acontecendo com o mundo. Deixei Bri na manhã seguinte e cavalguei dia e noite atrás deles, e chegamos ao Topo-do-Vento no anoitecer do terceiro dia."

"Então Sam estava certo!", disse Frodo. "Sim, senhor, é o que parece", disse Sam, sentindo-se bem contente;[6] mas Gandalf franziu o cenho ao ser interrompido.

"Encontramos dois Cavaleiros já vigiando o Topo-do-Vento", prosseguiu. "Outros logo se juntaram à volta, voltando da perseguição no leste, ao longo da Estrada. Ham e eu passamos uma noite bem ruim, cercados no alto do Topo-do-Vento. Mas não ousaram me atacar à luz do dia. De manhã, escapulimos para os ermos do norte. Vários nos perseguiram; dois nos seguiram Fontegris acima, rumo às Terras-dos-Ents. É por isso que eles não estavam com toda a força quando vocês chegaram, e não os notaram de pronto."

O texto termina aqui, mas é seguido por outra versão da última parte, depois de "escapulimos para os ermos do norte":

[...] mas não tão secretamente: eu queria atraí-los. Mas o Cavaleiro Chefe foi muito astuto: somente quatro vieram atrás de nós, e só dois continuaram a nos perseguir bem ao longe; e deram meia-volta quando chegamos às Terras-dos-Ents e retornaram para o Vau, imagino. Mesmo assim, é por isso que eles não estavam com toda a força quando vocês chegaram, e por isso que não [os] perseguiram de pronto no ermo/Mesmo assim, é por isso que eles não os caçaram imediatamente nas terras selvagens, nem notaram sua chegada ao Topo-do-Vento; e é por isso que não estavam com toda a força para atacá-los.

Ao comparar esse relato com o esquema temporal D (pp. 20, 21), vê-se que a narrativa encaixa-se muito bem ao esquema. Em ambos, os Cavaleiros cruzaram o Brandevin pela Balsa na noite de quinta-feira, 29 de setembro; Gandalf resgatou Ham dos Cavaleiros na manhã de sexta; dois Cavaleiros (conforme a narrativa foi escrita inicialmente, ver nota 5) foram enviados diretamente ao Topo-do-Vento e (novamente conforme inicialmente escrito) sete atravessaram Bri, derrubando portões ou saltando por eles, na noite de sábado, 1º de outubro, enquanto Gandalf e Ham estavam no *Pônei*

Empinado; dois Cavaleiros já estavam no Topo-do-Vento quando Gandalf e Ham chegaram lá no anoitecer de segunda-feira, 3 de outubro, depois de cavalgar dia e noite; e Gandalf e Ham deixaram o Topo-do-Vento na manhã seguinte.

O cavalo de Gandalf agora é chamado de *Galeroc*, substituindo o nome anterior *Narothal* (VI. 426); e surge o nome *Amrath* para o lugar em que o chefe dos Cavaleiros ficava, "bem para baixo do Caminho Verde no sul".[7]

A narrativa parece pertencer também à versão da "quarta fase" de "Um Punhal no Escuro" (p. 69): o cavalo que chegou apressado alameda acima conforme os Cavaleiros partiam com Ham Bolger estava trazendo Gandalf da Balsa, "um momento ou dois depois da hora certa", como ele disse em Valfenda. Mas há um empecilho ou, pelo menos, uma divergência. Pois a história do ataque a Cricôncavo nesta versão, assim como em todas as que a precederam, descrevia um longo período ("o tempo passava devagar") entre a chegada dos Cavaleiros ao jardim de Cricôncavo e a invasão à casa. Se Gandalf chegou à Balsa de Buqueburgo bem quando os Cavaleiros e suas montarias alcançavam a outra margem e fez Galeroc entrar no rio imediatamente, ele não poderia estar mais do que alguns minutos atrás deles.

Um novo esboço narrativo, escrito de modo rudimentar e apressado nos dois lados de uma única folha, está intitulado: "*Novo Enredo*. 26–27 de ago., 1940". Esse esboço foi subsequentemente alterado e expandido, mas coloco-o aqui da maneira que foi inicialmente escrito. Desdobrei contrações e editei o texto levemente em outros pequenos aspectos para que fique mais fácil de acompanhar.

O mago Saramond, o Branco [*escrito acima, ao mesmo tempo:* Saramund, o Cinzento] ou Saruman Cinzento manda mensagem de que há notícias importantes: Troteiro ouve dizer que os Cavaleiros Negros estão à larga e movendo-se na direção do Condado (sobre o qual andam pedindo informações). Manda mensagem para Gandalf, que deixa a Vila-dos-Hobbits no fim de junho. Vai para SE (deixando Troteiro para vigiar as fronteiras do Condado) rumo a Rohan (ou Terra-dos-Ginetes).

Gandalf sabe que 9 Cavaleiros Negros (e especialmente seu rei) são demais para ele sozinho. Ele quer a ajuda de Saramund.

DE HAMÍLCAR, GANDALF E SARUMAN

Vai então até onde ele vivia nas fronteiras de Rohan em Angrobel (ou Pátioferro).

Saramund o trai — tendo caído e passado para o lado de Sauron: (*ou*) ele diz notícias mentirosas a Gandalf sobre os Cavaleiros Negros e eles o perseguem até o topo de uma montanha; lá é deixado sozinho com uma guarda (lobos, Orques etc. por toda a volta) enquanto eles vão embora cavalgando com risos de escárnio; (*ou então*) ele é entregue a um gigante, Fangorn (Barbárvore), que o aprisiona?

Entrementes, os Cavaleiros Negros atacam o Condado, subindo o Caminho Verde e impelindo uma multidão de fugitivos, entre os quais há um ou dois homens malignos, Sauronitas.[8] O Rei dos Cavaleiros Negros monta acampamento em Amrath para guardar o Vau Sarn e a Ponte.

6 Cavaleiros (DEFGHI) vão na frente e invadem o Condado. O Cavaleiro na vanguarda (D) chega a Bolsão em 23 de set. (noite). Dois (DE) seguem, então, o rastro de Frodo etc. até a Balsa (25 de set.). FGHI estão na estrada principal. DE, despistados na Balsa (25 de set.), vão a galope até a Ponte do Brandevin e juntam-se a FGHI (amanhecer de 26 de set.).

HI então prosseguem, examinando ambos os lados da Estrada, e chegam a Bri de cima a baixo pelo Caminho Verde [*sic*] na terça-feira, 27 de set.[9]

Na noite (madrugada) de 26–27 de set., DEF atacam Cricôncavo. Levam Ham embora. G fica para trás, vigiando a Ponte, mas agora junta-se a eles.

HI passam por Bri pedindo informações, para se assegurarem de que "Bolseiro" não fugiu e está à frente. Contatam Bill Samambaia.

DEFG, com o pobre Ham, agora cavalgam pelo Caminho Verde (Harry os vê? Provavelmente não). Em Amrath, encontram o Rei (A) e BC, na quarta-feira, dia 28, deixando a Estrada deserta por um tempo. O Rei se enfurece com isso. Ele suspeita que algo está sendo tramado, pois Ham não está com o Anel. DE são enviados de volta a Bri, e chegam tarde na quinta-feira, dia 29. (Enquanto isso, os hobbits chegaram à Estalagem). FG voltam ao Condado.

DE contatam Bill Samambaia, e ouvem novas da Estalagem. [*Riscado imediatamente:* Eles atacam a Estalagem, mas fracassam

A TRAIÇÃO DE ISENGARD

(e percebem que "Verde"[10] foi embora?)] Temem "Troteiro", mas fazem com que Bill Samambaia e o Sulista arrombem a Estalagem para tentar conseguir mais informações, especialmente do Anel. (Ficam confusos com dois Bolseiros). O arrombamento dá errado; mas eles afugentam todos os pôneis.

FG trazem notícias ao Rei de que Gandalf fugiu e está no Condado (onde chegou na quarta-feira, 28 [> quinta-feira, 29, à noite], e visitou Bolsão e o Feitor).

DE retornam ao Rei e fazem seu relato (30 de set.): ele fica confuso com "Verde" e o Anel, Bolseiro e Ham, e perturbado com as informações sobre Gandalf atrás. Não mata Ham porque quer descobrir mais, e Sauron ordenou que trouxesse "Bolseiro" a Mordor. HI retornam (1º de out.), relatando que não encontraram nada na Estrada até o Topo-do-Vento, e que Verde e Troteiro deixaram Bri e sumiram. O Rei decide perseguir Verde com todas as forças, levando Ham consigo.

Gandalf vai a Cricôncavo no fim de quinta-feira, 29, e encontra a casa deserta. A velha capa de Frodo está caída. Gandalf fica aterrorizado com a ideia de Frodo cativo. (? Visita Tom Bombadil? — se for assim, fazê-lo chegar no Condado no dia 28 e visitar a Terra-dos-Buques em 29; do contrário, chegar no Condado no dia 29 e visitar a Terra-dos-Buques em 30). Visitando Tom ou não, Gandalf chega a Bri no sábado, 1º de out. (depois de os hobbits terem partido). Cavalga atrás deles. Os Cavaleiros Negros, enquanto isso, deixaram Amrath e visitaram Bri novamente para conseguir notícias de Verde, e foram pela Estrada, de ambos os lados. Gandalf subjuga DE, que estão levando Ham, e o resgata. Galopa até o Topo-do-Vento, alcançando-o em 3 de out. Vê os Cavaleiros Negros se reunindo e vai para o Norte (três Cavaleiros, DEF, perseguem-no). O restante patrulha as redondezas e vigia o Topo-do-Vento.

Temos aqui novamente a história da captura de Hamílcar Bolger, mas com uma diferença significativa. No Esquema temporal D (p. 21), e na história que Gandalf contou em Valfenda (p. 84), o ataque a Cricôncavo se deu na noite de quinta para sexta-feira, 29–30 de setembro; e a história era que Gandalf chegou assim que os Cavaleiros partiram, e conseguiu alcançá-los dez milhas a leste da Ponte do Brandevin. No presente esboço, o ataque a Cricôncavo

89

DE HAMÍLCAR, GANDALF E SARUMAN

se deu três noites antes, na de segunda para terça-feira, 26–27 de setembro (Frodo e os outros haviam partido na manhã de segunda) e, visto que Gandalf ainda chega lá no fim do dia 29 (ou 30), ele descobre que o rastro esfriou; mas também acha a capa de Frodo caída no degrau. Ele ainda resgata Ham, mas não antes de os captores terem passado por Bri. Portanto, é curioso que (embora estivesse em dúvida quanto a isso) meu pai ainda não tinha rejeitado decisivamente a visita a Tom Bombadil, pois nesse enredo Gandalf não teria ideia de que os Hobbits haviam entrado na Floresta Velha.

Essa é provavelmente a primeira aparição de Saruman (Saramond, Saramund), que aparece na narrativa bem inesperadamente — mas já entra como o Mago que Gandalf procura para pedir ajuda, e que tinha "caído e passado para o lado de Sauron"; além do mais, ele vive em *Angrobel*, ou "Pátioferro" (compare [o original *Irongarth*] com *Isengard*), "nas fronteiras de Rohan". Mas meu pai ainda estava bastante incerto sobe o que aconteceu com Gandalf, tendo rejeitado a história da Torre do Oeste: as possibilidades que sugeriu aqui mostram que o aprisionamento na torre tinha sido momentaneamente abandonado. O gigante Fangorn ou Barbárvore aparece outra vez como um ser hostil (ver p. 16).

Suspeito que a questão principal sobre a qual meu pai estava ponderando aqui era o aparecimento dos Espectros-do-Anel de Mordor, o conhecimento que Gandalf tinha sobre isso no verão, antes de Frodo deixar Bolsão, e a mensagem de Troteiro. Já se disse (p. 16) que "Foi uma mensagem de Troteiro em julho (?) que fez com que Gandalf partisse — temendo Cavaleiros Negros" e, novamente (p. 18), que "Foi uma mensagem de Troteiro que fez com que Gandalf partisse no verão, antes de Frodo ir embora". Essas notas indicam que, ao deixar Bolsão, Gandalf já tinha motivos para suspeitar do aparecimento dos Espectros-do-Anel; mas conta-se agora, no início do presente esboço, que a mensagem de Troteiro (a qual emana de Saruman) foi um relato factual de que os Nove haviam deixado Mordor e rumavam para o Condado. Isso levantaria a seguinte questão: por que, nesse caso, antes de ir embora Gandalf não instou Frodo a partir para Valfenda assim que possível? Rabiscos no manuscrito desse esboço mostram que meu pai se ocupava dessa questão: "Tanto Gandalf quanto Troteiro precisam partir *juntos*, sem temer serem capturados, do contrário Gandalf teria mandado mensagem para que Frodo partisse, ou Troteiro teria".

Segue-se uma sugestão de que Troteiro "foi apartado de Gandalf, chegando a Bri com dificuldade, na esteira dos Cavaleiros Negros". Mas isso não parece resolver inteiramente o problema. Mais tarde, meu pai observou aqui: "Deixa uma carta com Carrapicho e ele se *esquece* de enviá-la a Frodo". Esse é claramente o ponto em que essa ideia essencial surgiu.

Em SA (pp. 367–8), o problema se resolve voltando-se à história de que, quando Gandalf deixou a Vila-dos-Hobbits, ele não sabia nada com certeza, e com a introdução de Radagast. "No final de junho eu estava no Condado, mas havia uma nuvem de ansiedade em minha mente, e cavalguei até os limites meridionais da pequena terra; pois tinha presságio de algum perigo que ainda me estava oculto, mas se aproximava". Foi Radagast quem contou a Gandalf que os Nove estavam à solta, ao que Gandalf, em Bri, escreveu a carta a Frodo que Carrapicho se esqueceu de enviar.

Outro trecho narrativo breve, mas distinto, claramente se associa a esse esboço de "agosto de 1940". Substituiu na versão manuscrita da "quarta fase" do Capítulo 9 ("Na Estalagem do Pônei Empinado (i)") aquele em que os Cavaleiros Negros conversam com Harry Barba-de-Bode, o porteiro de Bri, na noite de quarta-feira, 28 de setembro (p. 53), e este mesmo trecho foi subsequentemente rejeitado.

A chuva que varreu a Floresta e as Colinas na terça ainda estava caindo longa e cinzenta em Bri quando anoiteceu. As luzes acabavam de se acender na casa de Tom,[11] quando o barulho de cavalos se aproximando desceu a Estrada vindo do oeste. Harry Barba-de-Bode, o porteiro, espiou da porta e olhou carrancudo para a chuva. Estava pensando em sair para fechar o portão quando captou o som de cavaleiros. Esperou relutante, desejando agora que tivesse fechado o portão mais cedo: não estava gostando do som. Dois cavaleiros haviam aparecido em Bri no fim do dia anterior[12] e histórias arrepiantes estavam circulando. Pessoas tinham ficado aterrorizadas; uns diziam que os cavaleiros eram sinistros: os cachorros choramingavam e os gansos gritavam para eles. E, no entanto, estavam pedindo informações sobre hobbits do Condado, especialmente por um chamado Bolseiro. Muito esquisito.

Harry achou ainda mais esquisito um minuto depois. Saiu resmungando na chuva e, olhando pela Estrada, pensou ter visto vultos

DE HAMÍLCAR, GANDALF E SARUMAN

sombrios aproximando-se rapidamente, três ou talvez quatro. Mas, de repente, viraram à esquerda na Encruzilhada,[13] logo depois do portão, e partiram para o sul, descendo o Caminho Verde; todo o som dos cascos dos cavalos foi sumindo pela trilha gramada.

"Cada vez mais esquisito!", pensou. "Esse caminho não leva a lugar nenhum. Quem é que se desviaria numa noite chuvosa bem à vista da Estalagem em Bri?". Toda a espinha arrepiou-se de repente. Ao trancar o portão, apressou-se para dentro de casa e aferrolhou a porta.

A quarta-feira ficou nevoenta depois do meio-dia; mas coisas ainda mais esquisitas continuaram acontecendo. Das névoas no Caminho Verde surgiu tal companhia que não se vira em Bri em muitos anos: homens estranhos do Sul, de aparência cansada e batida da viagem, carregando fardos pesados. A maioria tinha o olhar atormentado e pareciam exaustos ou apavorados demais para falar; mas uns eram desagradáveis e de fala rude. Causaram um belo alvoroço em Bri.

O dia seguinte, quinta-feira, estava claro e agradável outra vez, com um sol quente e um vento que ia de Leste a Sul. Nenhum viajante passou pelo portão do oeste o dia todo, mas Harry não parava de ir até o portão, mesmo depois de anoitecer.

> Esse trecho então junta-se à parte seguinte do texto, "Estava escuro e brilhavam estrelas brancas quando Frodo e seus companheiros chegaram enfim à encruzilhada do Caminho Verde e se aproximaram da aldeia" (ver VI. 430).
>
> Compare isso com o esboço de "agosto de 1940" (p. 88): "DEFG, com o pobre Ham, agora cavalgam pelo Caminho Verde (Harry os vê? Provavelmente não)". Acho que está claro que, quando Harry Barba-de-Bode viu os vultos sombrios misteriosamente desviando--se e descendo o Caminho Verde na encruzilhada, debaixo de chuva ao anoitecer, eles traziam Hamílcar Bolger consigo, levando-o ao Rei em Amrath. E compare a descrição da companhia que subiu o Caminho Verde na quarta-feira com um trecho anterior no mesmo esboço: "Entrementes, os Cavaleiros Negros atacam o Condado, subindo o Caminho Verde e impelindo uma multidão de fugitivos, entre os quais há um ou dois homens malignos, Sauronitas".
>
> Na margem da versão da "quarta fase" do ataque a Criôncavo (pp. 69–70), meu pai anotou depois:

Omitir, ou adequar à antiga versão (no meio do Capítulo 7). Ham não pode ser capturado (obviamente os Cavaleiros Negros o matariam). Provavelmente estragaria a surpresa mostrar o que Gandalf está planejando neste ponto. Gandalf pode explicar brevemente que [? ele estava em] Cricôncavo.

Há aí um tom definitivo sugerindo que foi nesse ponto que a aventura de "Odo-Hamílcar" foi finalmente abandonada; e, se for esse o caso, isso deve ser alocado, é claro, depois do esboço com a data "26–27 de ago., 1940". Presumo que foi nesse momento que a versão da "quarta fase" do "episódio Criôncavo" foi completamente excluída.

Ao rotular essa versão rejeitada como "A", meu pai parece agora ter experimentado outra versão (rotulada "B"), que segue a sua orientação de "adequar (a história) à antiga versão (no meio do Capítulo 7)" — ou seja, a versão original do episódio, que no decorrer da "segunda fase" foi inserida no Capítulo 7, "Na Casa de Tom Bombadil" (VI. 374–6). Nesse estágio, a história era a de que a casa em Criôncavo estava vazia quando os Cavaleiros chegaram, pois nenhum Hobbit ficara para trás ali. Na versão "B", não há qualquer menção a Hamílcar Bolger. O "homem de cinza", conduzindo um cavalo branco, sobe o caminho, olha pelas janelas e desaparece ao dar a volta na casa; então, os Cavaleiros Negros vêm; ao primeiro cantar do galo, eles arrombam a porta e, nesse momento, a trompa soa e os Cavaleiros fogem, com "um grito como o de feras caçadas que são atacadas sem aviso" (ver VI. 376), e Gandalf aparece empunhando trompa e bastão e parte trovejando atrás deles.

Uma página de notas está associada a essas tentativas de encontrar a forma certa para a abertura de "Um Punhal no Escuro". Ela começa assim:

Cortar Ham Bolger melhoraria as coisas. A Versão B cuidará disso. (Gandalf chega, leva Ham Bolger da casa e afugenta os Cavaleiros Negros).

Isso é obscuro, pois não há menção, na versão "B", a Gandalf entrando na casa, nem a qualquer luz na janela, e não há sugestão de que ela estava ocupada. Mas, de toda forma, meu pai claramente não quis dizer, quando escreveu "Cortar Ham Bolger melhoraria

DE HAMÍLCAR, GANDALF E SARUMAN

as coisas", que iria eliminá-lo completamente da narrativa: quis dizer apenas que Ham seria excluído de outras aventuras após o "episódio Cricôncavo" terminar. É concebível que ele tenha tido aqui uma ideia passageira de que Gandalf foi a Cricôncavo, entrou secretamente, mandou que Ham Bolger fosse embora e foi ele mesmo cuidar dos Cavaleiros Negros. Seja lá o que significam, essas notas continuam assim:

Mas isto seria melhor:
Gandalf é capturado por [Saramund >] Saruman.
Elfos mandam notícias de que ele está desaparecido, e elas chegam em Valfenda no sáb., dia 8.[14] Glorfindel é enviado e os mensageiros são mandados para as Águias. As Águias ficam sabendo mais ou menos em 11 de out. Voam por todas as terras, e encontram Gandalf por volta de sáb., dia 15. Trazem ... para Valfenda na qua., 19.
O XIII e a lenha são descobertas de Sam. Troteiro diz que é *um acampamento de caminheiros.*
O ponto fraco disso é que os Cavaleiros Negros certamente farão *alguma* tentativa em Cricôncavo. Como foi frustrada?
Ham foge, como se mostra no verso.
Então Gandalf pode chegar e encontrar a casa deserta, e só a velha capa de Frodo. Ele acha que Frodo [*riscado:* foi capt(urado)]. Parte como um trovão.

"Ham foge, como se mostra no verso" é uma referência a uma terceira versão, rotulada "C", a qual — embora a princípio organizada de modo diferente na articulação da narrativa — pouco difere de SA (em que Ham abre a porta da casa, vê uma forma escura no jardim e foge pela porta dos fundos, por sobre os campos), exceto, é claro, pelo fato de que esse é Hamílcar, e não Fredegar, e pelas palavras notáveis depois de "Ham Bolger não estivera ocioso", palavras que depois se perderam: "O terror faz com que até um Bolger tome providências". A capa hobbit que um dos Cavaleiros deixa cair ao fugir reaparece, vindo do esboço "agosto de 1940" (p. 89). No alto dessa versão, meu pai observou:

Gandalf *não segue* [isto é, não segue os Cavaleiros Negros de Cricôncavo]. Ou ele chega depois, sábado, 1º de out. ou 2 [de out., domingo] (e encontra a capa) ou então é levado pelas águias … para Valfenda.

Isso sem dúvida veio antes das notas acima. Certamente são as primeiras referências à fuga de Gandalf do cativeiro com a ajuda das Águias; e a entrada de Radagast está agora prestes a acontecer.[15]

A menção aparentemente irrelevante a Troteiro dizendo que "é um acampamento de caminheiros" deve ser associada, presumo, à ideia de que as Águias encontraram Gandalf e o levaram para Valfenda, de modo que, nessa história, ele não iria ao Topo-do--Vento. Mas não sei dizer qual é a importância de "O XIII e a lenha são descobertas de Sam". A *interpretação* de Sam acerca do "X:IIII" já apareceu, mas foi apenas um refinamento da visão de Troteiro de que eram marcações feitas por Gandalf na pedra encontrada no alto do Topo-do-Vento e que se referiam a datas: ver pp. 71–2. Ali, observei que a intervenção de Sam não se encaixa na história, porque não há sugestão de que ele estava entre os que subiram até o lugar alto em que a pedra foi encontrada; e também que "X:IIII" foi subsequentemente alterado para "X:III". É possível que a ideia passageira aqui foi que o "X III" — mantido, mas com um novo significado (uma marca de um Caminheiro?) — não foi visto na pedra do montículo, mas na lenha no vale.

Nesse momento, o Capítulo 10, "Na Estalagem do Pônei Empinado (ii)" foi mais uma vez revisado severamente.[16] Essa revisão foi feita em duas etapas, claramente não muito distantes uma da outra. A conclusão da revisão foi escrita em algumas páginas dos papéis de prova de agosto de 1940 e, com isso, o capítulo que permaneceu em SA foi alcançado em todos os pontos, exceto por uns poucos acréscimos e alterações sem importância que são certamente posteriores.

A essa altura, o nome "Pippin" já estava firmemente estabelecido. Na primeira etapa da revisão, o nome que Frodo assumia em Bri ainda era "Verde", mas tornou-se "Sotomonte" no segundo. O Sr. Carrapicho ainda é Barnabas, e não Cevado. O relato dele acerca das características marcantes de Frodo, conforme descritas por Gandalf (além de ele ser "um sujeitinho gorducho de bochechas vermelhas"), de início lhe coloca "uma mecha branca perto da orelha esquerda e uma verruga no queixo". A segunda versão o descreve como "mais

DE HAMÍLCAR, GANDALF E SARUMAN

largo que a maioria e mais bonito que alguns", e ele ainda tem uma verruga no queixo. A descrição final veio depois.

A sugestão rabiscada no manuscrito do "Novo Enredo" (p. 91), "Deixa uma carta com Carrapicho e ele se *esquece* de enviá-la a Frodo" foi incorporada nesse momento, mas foi somente após a segunda etapa de revisão que a versão do episódio ficou como em SA. De início, a versão mais antiga foi mormente preservada, especialmente na história das duas cartas (p. 62 e seguintes). O conteúdo da carta de Gandalf chega à forma de SA (agora com a data Sexta-feira, 2 de julho), mas há diferenças nas observações:

OBS: Cuidado com cavaleiros de preto. Inimigos mortais, especialmente depois de escurecer. Não viaje de noite. Não O use de novo, não importa por qual motivo.

OBS2: Assegure-se de que é o Troteiro de verdade. Seu nome verdadeiro é Aragorn, filho de Celegorn.[17]

> *Não rebrilha tudo que é ouro,*
> *nem perdidos estão os que vagam;*
> *Não fenece o antigo tesouro,*
> *nem geadas fogos apagam;*
> *Não somem todos à caída,*
> *nem todo rei usa coroa;*
> *Empunha-se a espada partida;*
> *e no Fogo o Anel se esboroa!*[18,A]

Aragorn deve conhecer esses versos. Pergunte a ele o que vem depois de Não rebrilha tudo que é ouro.

OBS3: Espero que Carrapicho mande esta mensagem imediatamente. É um homem valoroso, mas sua memória é como um depósito de trastes: o que buscamos está sempre enterrado. Se ele esquecer, hei de ter uma conversa com ele um dia.

O Troteiro de verdade há de ter uma carta lacrada (endereçada a você) com estas palavras dentro: Não rebrilha tudo que é ouro etc.

Nesse ponto, Frodo ainda lia a carta de Gandalf em voz alta; e Troteiro mostrou a segunda carta, que, depois dos versos, dizia:

Isso é para certificar que o portador é Aragorn, filho de Celegorn [> Kelegorn], conhecido como Troteiro. Quem confia em Gandalf pode confiar nele.

A TRAIÇÃO DE ISENGARD

Como agora não há menção a Elendil, o trecho que vinha a seguir na versão anterior ("Então Ele pertence a você tanto quanto a mim, e até mais!" etc., p. 64) foi removido (ver p. 131, nota 3); e, depois de "O Inimigo já me armou ciladas antes de hoje", Troteiro agora diz "Fiquei confuso, porque você não mostrou sua carta nem perguntou a senha. Só depois que o velho Barnabas confessou que eu entendi."

Não penso que isso tenha sido muito antes de meu pai abandonar a história da segunda carta e, nos papéis de agosto de 1940, o texto chega à forma de SA — em que a carta de Gandalf é lida em silêncio, Troteiro usa as palavras *Não rebrilha tudo que é ouro* de modo independente, e a Espada que foi Partida é sacada (ver p. 143). A data na carta de Gandalf se torna agora Quarta-feira, 30 de junho e, provavelmente ao mesmo tempo, os versos foram novamente alterados:

> *Não rebrilha tudo que é ouro,*
> *nem perdidos estão os que vagam;*
> *Não perece o antigo tesouro,*
> *nem geadas fogos apagam.*
> *Quiçá a débil chama renasça,*
> *e a lâmina possa cortar;*
> *Que a espada partida se refaça*
> *e o sem-coroa volte a reinar.*[19,B]

A assinatura de Gandalf permanece em runas anglo-saxônicas.

O relato de Aragorn sobre a última vez que encontrou Gandalf no Vau Sarn em primeiro de maio (SA, p. 260) aparece agora, e com as mesmas palavras.[20] A história no "Novo Enredo" (p. 87) de que "Troteiro ouve dizer que os Cavaleiros Negros estão à larga e movendo-se na direção do Condado. [...] Manda mensagem para Gandalf, que deixa a Vila-dos-Hobbits no fim de junho" presumivelmente já tinha sido abandonada, e o papel de Radagast ao contar Gandalf do aparecimento dos Espectros-do-Anel é introduzido (ver pp. 102, 160).

O novo texto caótico do capítulo, uma multidão de emendas, páginas rejeitadas e aditamentos inseridos, foi posteriormente substituído por uma cópia a limpo e datilografada: não sei dizer quanto tempo depois. Perto do fim do capítulo (SA, p. 260), Troteiro diz (no manuscrito): "Bem, com a permissão de Sam vamos considerar isso resolvido. Troteiro há de ser seu guia. *E agora acho que é hora de irem dormir e descansar o quanto puderem.* Amanhã teremos uma estrada difícil. [...]". No texto datilografado que se seguiu (cuja parte final não foi datilografada por meu pai), essas palavras em itálico foram omitidas, mas não há sugestão no manuscrito de que elas deveriam ser. De fato, as palavras "Amanhã teremos uma estrada difícil" claramente dependem dessa frase. Mas a omissão nunca foi corrigida, e a frase não aparece em SA.[*]

A série de reescrituras do início do Capítulo 11, "Um Punhal no Escuro", que levou à eliminação, no fim, da cavalgada de Ham Bolger e Gandalf, já foi considerada (pp. 92–5). Uma revisão associada a essa, feita nessa época, removeu o trecho (pp. 72–3) em que Troteiro achou que tinha encontrado pegadas de hobbit no vale sob o Topo-do-Vento que poderiam ser diferentes das de Pippin e Sam, e substituiu-o por uma forma bem parecida com a de SA, p. 282 (começando com "Caminheiros estiveram aqui ultimamente. Foram eles que deixaram a lenha"; compare isso com Troteiro diz que é um acampamento de caminheiros", p. 94).

NOTAS

[1] O nome do candidato era Richard Creswell Rowland. Os papéis foram enviados dos Estados Unidos. Inicialmente, meu pai recebeu somente os escritos das matérias que lhe diziam respeito como examinador, mas, depois, a maior parte ou tudo que o candidato escreveu foi enviado. Ele usou não apenas o verso em branco do papel, mas também as capas azuis de cada brochura, nas quais sua letra fica peculiarmente difícil de decifrar.

[2] Pode-se agora aduzir outro argumento em favor dessa datação. Em notas do outono de 1939 e 8 de outubro de 1939 (pp. 16–7), Troteiro definitivamente deixou de ser Hobbit e tornou-se um Homem, Aragorn; mas no capítulo original de "Moria", ele ainda era um hobbit (ou, pelo menos, certamente era na versão original de "O Anel vai para o Sul", que era seguido de "As Minas de Moria"). Ver p. 444 adiante.

[3] "Antes da madrugada, na manhã de sexta-feira" foi uma alteração imediata de "quinta-feira à noite"; ver p. 70.

[4] Não acho que haja aqui qualquer indício de que Galeroc era um cavalo de Rohan: ele é apenas o cavalo de Gandalf, e é essencial que seja extraordinariamente rápido.

---

[*]A frase foi restaurada na edição de 2004 e, portanto, aparece na tradução brasileira. [N.T.]

A TRAIÇÃO DE ISENGARD

5   Na frase anterior, "Alguns Cavaleiros" (os que foram enviados ao Topo-do-Vento) foi inicialmente escrito como "Dois Cavaleiros" e, neste ponto, "Cinco" (os que seguiram a Estrada até Bri) foi escrito "Sete", de acordo com o esquema D (p. 22). "Dois" foi então alterado para "Quatro", e "Sete", para "Cinco"; finalmente, "Quatro" virou "Alguns". Com "*estrondeando pela Estrada*", meu pai quis dizer que eles estavam indo em uma velocidade alucinada, também com a sugestão do grande barulho que faziam ao passar.

6   Uma referência às marcas deixadas na pedra no Topo-do-Vento, as quais (devido a uma mudança introduzida na "quarta fase" de "Um Punhal no Escuro") Sam percebeu que deveriam ser lidas não como G.4, mas como G.1.3, o que Troteiro, por sua vez, achou que pudesse significar que Gandalf e mais alguém estiveram ali em 3 de outubro; ver pp. 71–2.

7   Compare isso com *Contos Inacabados*, p. 462: "o Capitão Negro estabeleceu um acampamento em Andrath, onde o Caminho Verde passava por um desfiladeiro entre as Colinas-dos-túmulos e as Colinas do Sul". No Primeiro Mapa (p. 360), *Andrath* (muito provavelmente escrito *Amrath* de início, p. 349) está assinalado como um ponto entre o Caminho Verde, um pouco mais perto de Bri do que de Tharbad.

8   Ver o final do texto curto em pp. 91–2.

9   A data "terça-feira, 27 de set." foi subsequentemente alterada para "fim de segunda-feira, dia 26"; ver p. 79, nota 10, e nota 12 deste capítulo.

10   O codinome de Frodo, "Verde" (substituindo "Longes-Montes") já apareceu (pp. 48, 54 etc.).

11   Terça-feira, 27 de setembro, foi a segunda noite que os hobbits passaram na casa de Tom Bombadil.

12   Eram os cavaleiros H e I, de acordo com o esboço (p. 88), em que a chegada deles a Bri foi alterada de terça-feira, 27 de setembro, para segunda-feira, 26 (nota 9).

13   "viraram à *esquerda* na Encruzilhada": isto é, do ponto de vista do porteiro, que estava olhando na direção oeste.

14   Notícias do desaparecimento de Gandalf chegaram a Valfenda no sábado, 8 de outubro: ver o esquema temporal D, p. 23.

15   Radagast já foi nomeado, mas nada além disso, em textos anteriores (VI. 470, 490), e não há indicação de que papel meu pai tinha em mente para ele.

16   Um texto desenvolvido nessa época no Capítulo 9, "Na Estalagem do Pônei Empinado (i)" foi incluído em pp. 91–2.

17   *Aragorn* foi posteriormente alterado aqui para *Pedra-Élfica*, *Erkenbrand*, novamente *Pedra-Élfica*, *Ingold* e, finalmente, de volta para *Aragorn*; e, no trecho "Eu sou Aragorn, filho de Kelegorn; e se puder salvá-los por vida ou morte, eu o farei", o nome foi alterado para *Pedra-Élfica, filho de Elfhelm*. Mas essas alterações foram feitas depois de o segundo estágio de revisão estar completo. A renomeação de Aragorn e suas implicações são discutidas em pp. 326–8.

DE HAMÍLCAR, GANDALF E SARUMAN

[18] Um estágio anterior na evolução do poema, sucedendo a forma original na versão da "quarta fase" do capítulo (pp. 63–4), era:

> *Não rebrilha tudo que é ouro;*
> *nem perdidos estão os que vagam.*
> *Não perece o antigo tesouro;*
> *Nem geadas folhas estragam.*
> *Não somem todos à caída;*
> *quiçá o sem-coroa se entrone,*
> *Empunhe-se a espada partida;*
> *e a torre forte desmorone.* [C]

[19] Em todas as versões de *Não rebrilha tudo que é ouro*, incluindo a original (pp. 63–4), a estrofe no manuscrito está disposta em versos longos (isto é, quatro versos, não oito).

[20] Em SA (pp. 96–7), Gandalf chegou em Bolsão depois de sua longa ausência em uma tarde no início de abril; "duas ou três semanas" depois, ele aconselhou Frodo a partir logo (p. 121); e "ficou no Condado por mais de dois meses" (p. 124) antes de ir embora no fim de junho. Não se menciona que deixou a Vila-dos-Hobbits durante esse período.

5

A CANÇÃO DE BILBO EM VALFENDA:

VIDA ERRANTE E EÄRENDILLINWË

Voltamos agora a Valfenda, e ao Livro II de *A Sociedade do Anel*. Na "terceira fase", o capítulo que posteriormente se tornou "Muitos Encontros" foi numerado 12 e intitulado "O Conselho de Elrond" (VI. 446–7), porque nesse estágio meu pai pensava que incluiria não apenas a conversa de Frodo e Gandalf quando ele despertou em Valfenda, o banquete e seu encontro com Bilbo, mas também as deliberações do Conselho. Troteiro, é claro, ainda era um hobbit na época. Argumentei (VI. 456) que esse capítulo (e a "terceira fase" da escrita) encerrava-se abruptamente no meio da conversa de Frodo e Glóin no banquete — no exato ponto em que se encerrava na versão original da história na "primeira fase"; e o restante do capítulo nesse manuscrito foi acrescentado depois — quando Troteiro havia se tornado Aragorn. Apenas para o propósito desta discussão, chamarei a primeira parte, ou "terceira fase" deste manuscrito (VI. 446–51) de "I", e a segunda, de "II". Atrás de "II" jazem os rascunhos rudimentares incluídos em VI. 483–6 (em que Troteiro ainda era o hobbit Peregrin Boffin).

Não fui capaz de determinar quando "II" foi escrito, mas talvez tenha se originado no período de trabalho representado pelas notas e reescritas da "quarta fase", nos três primeiros capítulos deste livro. Tanto "I" quanto "II" foram emendados em momentos diferentes: os papéis de prova de agosto de 1940 foram usados para um trecho substancial de reescrita, mas muitas outras alterações menores podem ter sido feitas antes ou depois. Em face dessas incertezas, não faço aqui nada além de examinar brevemente o capítulo (agora numerado 13, visto que o capítulo de "Bri" fora dividido em dois,

A CANÇÃO DE BILBO EM VALFENDA

9 e 10) e mostrar qual parece ter sido sua forma na etapa do desenvolvimento a que chegamos agora.

Observando primeiro as mudanças feitas na seção "I" do manuscrito, o trecho na versão da terceira fase (VI. 446–9), começando com "Não é feito desprezível chegar até aqui, e através de tais perigos, ainda trazendo o Anel", em que Gandalf contou sobre seu cativeiro nas mãos do Gigante Barbárvore e atiçou a curiosidade de Frodo sobre Troteiro, foi inteiramente reescrito. Agora começa assim:

"Nunca teríamos conseguido sem Troteiro", disse Frodo. "Mas precisávamos de você. Eu não sabia o que fazer sem você."

"Fui detido", disse Gandalf; "e isso quase demonstrou ser nossa ruína. E assim mesmo não tenho certeza: pode ter sido melhor assim. Se eu soubesse do perigo, não teria ousado arriscar tanto, e talvez ficássemos presos numa armadilha no Condado, ou, se eu tivesse tentado um caminho mais longo, talvez fôssemos caçados até algum lugar ermo longe de toda ajuda. Da maneira que aconteceu, escapamos da perseguição — por ora."

Quando um espantado Frodo exclama "Você?!" ao saber que Gandalf foi mantido prisioneiro, sua resposta agora é a seguinte:

"Sim, eu, Gandalf, o Cinzento", disse o mago solenemente. "Há muitos poderes maiores que o meu, para o bem ou para o mal, no mundo. Não posso fazer frente sozinho a todos os Cavaleiros Negros."[1]

"Então você já sabia dos Cavaleiros — antes que eu os encontrasse?"

O texto então prossegue como em SA, incluindo as palavras de Gandalf "Mas ainda não sabia que haviam surgido de novo, do contrário teria fugido com você imediatamente. Só ouvi notícias deles depois que o deixei em junho" (ver p. 97). Ele diz: "Restam poucos na Terra-média como Aragorn, filho de Kelegorn.[2] A raça dos Reis de além do Mar está quase extinta", e Frodo responde dizendo: "Você realmente quer dizer que Troteiro é da raça de Númenor?"[3] E, quando Frodo diz "Pensei que ele era só um Caminheiro", Gandalf responde "indignado":

102

A TRAIÇÃO DE ISENGARD

"Só um Caminheiro! Muitos dos Caminheiros são da mesma raça, e são seguidores de Aragorn: tudo que lhe restou do reino dos seus pais. Talvez precisemos de sua ajuda antes do fim. Alcançamos Valfenda, mas o Anel ainda não está em repouso."

A partir deste ponto até o fim da seção "I", o texto no manuscrito da "terceira fase" foi pouco alterado, e as diferenças quanto a SA observadas em VI. 449–51 ainda estavam presentes em sua maioria. As palavras de Gandalf "E os Elfos de Valfenda são descendentes de seus principais inimigos" (VI. 449), foram alteradas para "E entre os Elfos de Valfenda há alguns descendentes de seus principais inimigos", e "os Sábios dizem que, no Fim, ele [o Senhor Sombrio] será condenado, embora isso ainda esteja muito distante" (*ibid.*) foi removido. Também foram removidas, é claro, as referências à chegada de Odo e, quando Frodo desce com Sam para encontrar os amigos na varanda, as falas de Odo ficam com Pippin. A frase que descreve o riso e o sorriso de Elrond (VI. 451) foi riscada, e a piscadela de Glóin (VI. 452) também desaparece: sua resposta à pergunta de Frodo sobre o que o trazia desde a Montanha Solitária assume agora a forma que tem em SA (p. 331).

Na seção "II" do manuscrito (ver p. 101), que começa com a pergunta de Frodo "E o que foi feito de Balin e Ori e Óin?", o texto de SA (p. 332 e seguintes) foi em grande medida alcançado (exceto pela ausência de Arwen), e há apenas alguns pontos específicos para observar.

Quando, no primeiro rascunho (VI. 484), Bilbo diz "Vou ter de pedir que aquele sujeito, o *Peregrin*, me ajude", ele agora diz o nome de *Aragorn*, alterado na hora para *Tarkil* (em SA, *o Dúnadan*). Nesse estágio, a ausência de Aragorn do banquete ainda era explicada por haver muita demanda nas cozinhas.

Observei no rascunho original que "A passagem inteira (SA, pp. 335–6) na qual Bilbo conta sua viagem a Valle, sua vida em Valfenda, seu interesse pelo Anel, bem como o incidente angustiante quando ele pediu para ver o objeto, estão ausentes". Nesta versão, Bilbo faz sim um relato de sua viagem, mas era a princípio diferente do que diz em SA:

Quando deixara a Vila-dos-Hobbits, vagara sem destino, ao longo da Estrada, mas de algum modo rumara sempre para Valfenda.

A CANÇÃO DE BILBO EM VALFENDA

"Cheguei aqui em um ou dois meses sem muitas aventuras", disse ele, "e fiquei no *Pônei* em Bri um pouco;[4] por algum motivo nunca fui além. Quase terminei meu livro. E faço algumas canções que eles cantam ocasionalmente [...]"

Isso foi alterado, provavelmente logo, para o texto de SA, em que Bilbo fala de sua viagem até Valle. O resto da passagem, em que Bilbo fala de Gandalf e do Anel, estava presente nesta versão desde o começo, e difere apenas porque Bilbo fala do Necromante, e não do Inimigo e, no ponto de SA em que ele diz que não conseguiu tirar muita informação de Gandalf sobre o Anel, mas que "o Dúnadan me contou mais", ele aqui o chama de *Tarkil*, e acrescenta: "Ele estava na caçada a Gollum" (o que foi posteriormente riscado).

O episódio em que Bilbo pede para ver o Anel está presente como em SA, e a única diferença é que, onde em SA está dito "Quando se vestira, Frodo percebera que durante o sono o Anel fora dependurado em seu pescoço numa nova corrente, leve, porém resistente", esta versão diz: "Quando se vestira, Frodo havia dependurado o Anel numa corrente no pescoço, sob a túnica".

Quando Aragorn se junta a Bilbo e Frodo, a conversa é igual a SA, com *Tarkil* no lugar de *Dúnadan* e *o Dúnadan*; mas a resposta de Bilbo quando Frodo pergunta "E por que você o chama de *Tarkil*?" é diferente:

"Muitos de nós o chamam assim aqui", respondeu Bilbo, "apenas para exibir nosso conhecimento do antigo idioma, e demonstrar nosso profundo respeito. Significa Homem do Oeste, de Númenor, você sabe, ou talvez não. Mas isso é outra história. Ele pode lhe contar outra hora. Agora quero a ajuda dele. Veja aqui, amigo Tarkil, Elrond diz que esta minha canção tem de estar acabada antes do fim da tarde [...]"

Isso foi alterado para:

"Aqui frequentemente o chamam assim", respondeu Bilbo. "É um título honorífico. A língua antiga é lembrada em Valfenda; e eu pensei que você soubesse o bastante para conhecer *tarkil*, pelo menos: Homem de Ociente, Númenóreano. Mas não é hora de lições. Agora quero que o seu Troteiro me ajude com algo urgentemente. Veja aqui, amigo Tarkil [...]"[5]

104

A TRAIÇÃO DE ISENGARD

O trecho que conduz à canção de Bilbo é bem parecido com SA (pp. 337–8), mas a frase que começa com "Parecia quase que as palavras assumiam formas [...]" está ausente e, onde SA diz "das palavras entrelaçadas em línguas-élficas" ("na língua élfica", segundo a Primeira Edição), este texto diz "das palavras entrelaçadas na alta língua-élfica".

A recepção da canção move-se para perto do texto de SA (p. 341), mas com algumas diferenças. Nenhum Elfo é individualmente nomeado (*Lindir* em SA). Depois das palavras de Bilbo sobre Homens e Hobbits — "São tão diferentes quanto ervilhas e maçãs" — esta versão diz:

"Não! — ervilhas pequenas e ervilhas grandes!", alguns disseram. "Todos os seus idiomas têm quase o mesmo gosto para nós, de toda forma", outros disseram.

"Não discutirei convosco", disse Bilbo. "Estou sonolento depois de tanta música e cantoria. Vou deixar-vos entregues às vossas conjecturas, se quiserdes."

"Bem, adivinhamos que tu pensaste os dois primeiros versos, e Tarkil fez todo o resto para ti", exclamaram.

"Errado! Não está nem morno; está gelado, na verdade!", disse Bilbo com uma gargalhada. Ergueu-se e aproximou-se de Frodo.

"Bem, isso está acabado!", disse ele em voz baixa. "Saiu melhor do que eu esperava. Não é sempre que me pedem uma segunda audição, por qualquer motivo. Para falar a verdade, uma boa parte é de Tarkil."

"Não vou tentar adivinhar", respondeu Frodo, sorrindo. "Eu estava meio dormindo quando começou — parecia a continuação de algo que eu estava sonhando, e não percebi que na verdade era você que estava falando até perto do fim."

O capítulo então termina como em SA, exceto que a versão antiga do cântico a Elbereth permanece (VI. 487), e o trecho seguinte, sobre Aragorn e Arwen, está ausente, é claro.

❧

Nenhum poema escrito por meu pai teve uma história tão longa e complexa quanto esse que ele chamou de *Vida Errante*. Ele se desmembrou, no fim, em dois poemas completamente diferentes, um dos quais era a canção que Bilbo cantou em Valfenda; e este é um lugar conveniente para dispor de maneira bem completa a natureza dessa divergência, essa extraordinária mutação de forma.

Meu pai descreveu a origem e a natureza de *Vida Errante* em uma carta para Donald Swann em 14 de outubro de 1966 (*Vida Errante* fora publicado em *As Aventuras de Tom Bombadil* em 1962, e musicada por Donald Swann em *The Road Goes Ever On* [A Estrada Segue Sempre Avante] em 1967: ver suas observações sobre o poema no prefácio àquele livro). Na carta, meu pai afirmou:

Com relação a *Vida Errante*: estou muitíssimo interessado na sua sugestão. Será que não é longo demais para um arranjo assim? Dei uma olhada para ver se poderia abreviá-lo; mas o esquema métrico, com suas meias-rimas trissilábicas, torna isso muito difícil. É claro que é um texto de acrobacia verbal e brincadeira métrica; e a intenção era que fosse recitado com grande variação na velocidade. Precisa de um declamador ou cantor capaz de reproduzir as palavras com grande clareza, mas, em alguns pontos, com grande rapidez. As "estrofes" conforme publicadas indicam os grupos de velocidade. De modo geral, deveriam começar rápido e desacelerar. Exceto no último grupo, que deveria começar devagar, ganhar força em "*sua missão!*" e terminar com grande velocidade para se equiparar ao começo.[6] Também, é claro, o declamador deveria passar imediatamente a repetir o começo (com velocidade ainda maior), a menos que alguém gritasse "Uma vez já basta".[7]

Esse texto teve uma história curiosa. Começou muitos anos atrás, numa tentativa de seguir o modelo que chegou sem aviso à minha mente: os primeiros seis versos dos quais, eu acho, *D'ye ken the rhyme to porringer* ['Cê sabe a rima para tigela] fazia parte.[8] Mais tarde, eu o li para um clube da graduação que costumava ouvir os membros lendo poemas ou contos inéditos e incluir alguns deles nas atas por votação. Foram eles que inventaram o nome *Inklings*, não eu e nem Lewis, embora estivéssemos entre os poucos membros "sêniores". (O clube durou um ou dois anos, típico para as sociedades da graduação; e o nome foi transferido para o círculo de C.S. Lewis quando só restaram eu e ele).[9] Foi nesse momento que *Vida Errante* iniciou sua viagem, começando com uma cópia datilografada, e perdurando devido à memória e à transmissão oral, como descobri mais tarde.

A versão mais antiga que meu pai preservou é um manuscrito rudimentar, sem título: certamente houve trabalhos preliminares, agora perdidos, pois o texto foi escrito sem hesitações ou correções, mas parece muito provável que este foi, de fato, o primeiro texto completo do poema, possivelmente o que ele leu para os "Inklings" originais no início dos anos de 1930. A página tem muitas alterações e sugestões que levam à segunda versão, mas coloco o texto aqui conforme escrito inicialmente.

Havia um alegre passageiro,
um mensageiro, era um arauto;
levou consigo uma tigela
e nela pôs laranjas, cauto;
um gafanhoto ele pegou
e o arreou pra carregá-lo;
e perseguiu uma borboleta
certa feita, pra desposá-lo.
Asas de seda fez pra si,
e, enquanto ri, ele a enovela;
e de besouros fez sapatos
cheios de ornatos só pra ela.
Mas houve então amarga briga
e, nessa intriga, ele fugiu;
em Osráige estudou magia
por muitos dias insistiu.
Escudo e um elmo sem igual
fez de coral e de marfim;
e de esmeralda fez a lança
radiância fina tem ao fim;
a espada fez de malaquita
e estalactite e, a brandi-la,
a libelinha foi peitar,
no ar agitou-a até extingui-la.
Com Abelhões trava batalhas,
co'abelha e zumbidor inseto,
ganhou áureo favo de mel,
com sol no céu, partiu direto
ao lar em nau de folha e teia
de flores cheia é a cobertura;

A CANÇÃO DE BILBO EM VALFENDA

então pôs-se a lustrar, polir,
brunir bastante a sua armadura.
Atrasa um pouco a sua rota
pra ilhotas poder saquear;
e as teias de muitas aranhas
a sanha o faz dilacerar.
Chegou em casa com seu favo
sem um centavo, e então lembrou
o seu recado e sua missão!
O fanfarrão, ele a olvidou.[10, A]

Em meio aos papéis de meu pai há outros cinco textos, todos intitulados *Vida Errante*, antes que o poema fosse publicado no periódico *The Oxford Magazine*, vol. LII, n. 5, em 9 de novembro de 1933, versão que incluo aqui. Na verdade, a forma em que publicado em 1933 tinha sido praticamente alcançada já na segunda versão, exceto pelo começo, que passou por vários estágios de desenvolvimento: esses estão incluídos após a versão da *Oxford Magazine*.

Havia um alegre passageiro,
um mensageiro, um navegante:
dourada fez a sua gôndola,
foi-se à ronda, e lá tem bastante
mingau pra comer na tigela,
laranja amarela a sazona;
há de alfazema um bom aroma,
de cardamomo e manjerona.

Chamou bons ventos de navios
que pelos rios o levariam,
por sete deles e outros dez,
reveses que o atrasariam.

Acaba que, sozinho, atraca
em meio a fraga e em meio a seixo
onde corre o rio Derrilyn
sem fim e alegre em todo trecho.
Vagou então por muitos prados,
chãos ensombrados, triste terra;

o morro sobe e o morro desce,
esmorece de tanto que erra.

Sentado canta melodia,
a errância adia num momento;
a uma borboletinha implora,
na hora a pede em casamento.
Rindo-se dele, ela o delude,
ilude-o sem qualquer ternura;
ele se empenha em ler magia,
feitiçaria e forjadura.

De etéreos fios tece uma rede
que a enrede, e dela se avizinha,
as asas traz que fez com couro
de besouro, pena e andorinha.
Ele a captura e a desnorteia
com fina teia, filiforme,
constrói-lhe então pequeno quarto
de flores farto, onde ela dorme;
sapatos faz com diamantes
brilhantes qual fossem de chama
pasmoso barco faz pra ela,
e a caravela luz derrama;
de gemas gargantilhas faz-lhe,
ela as espalha, displicente,
ao esvoaçar e ao adejar,
ao tremular, seguindo em frente.

Mas houve então amarga briga
e, nessa intriga, ele partiu;
cansado e triste se sentia,
na ventania ele fugiu.

Por arquipélagos passava,
e lá, cravo amarelo cresce,
prateadas vê incontáveis fontes,
dourados montes lá conhece.
Além do mar, começa guerras,

A CANÇÃO DE BILBO EM VALFENDA

nas terras, saqueia pra si,
ao viajar por Belmarie,
por Thellamie e por Fantasie.

Escudo e um elmo sem igual
fez de coral e de marfim;
e de esmeralda a espada faz,
rivais com isso ganha ao fim:
o regimento de Feéria,
que de Eéria e Thellamie vinha.
Sua cota, cristais compõem-na
de calcedônia é a bainha,
as lanças fez de malaquita
e estalactite, e foi brandi-las:
peitou edêneas libelinhas,
partiu pra rinha até extingui-las.

Com Abelhões trava batalhas,
co'abelha e zumbidor inseto,
ganhou Áureo Favo-de-mel,
com sol no céu, partiu direto
ao lar em nau de folha e teia
de flores cheia é a cobertura;
então pôs-se a lustrar, brunir,
polir bastante a sua armadura.

Atrasa um pouco a sua rota
pra ilhotas poder saquear;
e as teias de muitas Aranhas
a sanha o faz dilacerar.
Chegou em casa com seu favo
sem um centavo, e então foi isso!
Lembrou recado e sua missão!
O fanfarrão, dado a feitiço,
esqueceu após tanto errar,
de tanto lutar, o vagante.

Outra vez parte, e a sua gôndola,
n'água pondo-a, ela segue avante,

ainda, e sempre, um mensageiro,
um passageiro na noite alta,
qual pluma ao sabor do momento,
o vento leva o errante nauta.[11,B]

Na segunda versão, o poema começava assim:

Havia um alegre passageiro,
um mensageiro, era um errante;
para comer, pôs na tigela
laranja amarela e abundante;
dourada fez a sua gôndola,
foi-se à ronda e ela o carregou
por sete rios mais outros dez
dali através se demorou.

O solitário então atraca
na fraga, em íngreme pedreira,
por prados ele se aventura,
por terra escura e por ladeira.

Sentado canta melodia, etc.[C]

Em outros aspectos, como afirmei, o poema mal difere da versão na *Oxford Magazine*, mas os últimos quatro versos eram:

sempre na sua espera infinda,
um nauta ainda, um mensageiro
qual pluma ao sabor do momento,
o vento leva o passageiro.[12,D]

A terceira versão chega, na abertura, à forma publicada, exceto que começava com "Havia um alegre *mensageiro*, um *passageiro*, um navegante", e mantinha os versos

O solitário então atraca
na fraga, em íngreme pedreira,
anda por prados na lonjura,
em terra escura e por ladeira.[E]

A CANÇÃO DE BILBO EM VALFENDA

A quarta versão chegou à forma publicada, exceto pela terceira estrofe, que agora dizia:

O solitário então atraca
na fraga onde passavam rios:
às pressas ia o Lerion
e o Derion pelos baixios.
Vagou então por muitos prados,
cháos ensombrados, triste terra; etc.[F]

Rayner Unwin mencionou em uma carta a meu pai, datada de 20 de junho de 1952, que havia recebido uma pergunta de alguém anônimo acerca de um poema chamado *Vida Errante*, "o qual lhe causou uma impressão tão profunda que ele está ansiosíssimo para achar vestígio dele novamente". Meu pai respondeu (22 de junho de 1952, *Cartas*, n. 133) o seguinte:

Quanto a "Vida Errante": é uma coincidência muitíssimo estranha que você pergunte a respeito dele. Pois apenas há algumas semanas atrás recebi uma carta de uma senhora que não me era conhecida que fazia uma indagação similar. Disse que um amigo recentemente escrevera-lhe de memória alguns versos que lhe agradaram tanto que ficou determinada a descobrir a origem deles. Ele os adquirira de seu genro que os havia aprendido em Washington D.C. (!); mas nada era sabido da fonte deles, a não ser por uma vaga ideia de que estavam ligados a universidades inglesas. Sendo uma pessoa determinada, aparentemente ela dirigiu-se a vários Vice-chanceleres, e Bowra[13] direcionou-a até minha porta. Devo dizer que fiquei interessado em me tornar "folclore". Também foi intrigante receber uma versão oral — o que corroborou minhas visões sobre tradição oral (nos primeiros estágios, de qualquer forma): isto é, de que as "palavras duras" são bem preservadas[14] e as palavras mais comuns são alteradas, mas a métrica com frequência é desarranjada.

Nessa carta, ele se referiu a duas versões de *Vida Errante*, uma "V.A." ("Versão Autorizada"), que era o texto da *Oxford Magazine*, e uma "V.R." ("Versão Revisada"). A "V.R." — com alterações substanciais em relação à "V.A." — é o texto em *As Aventuras de Tom Bombadil*, publicado dez anos depois.

Nessa carta, ele também afirmava que o poema foi escrito

em uma métrica que inventei (que depende de assonâncias trissilábicas, aproximadas ou não, que é tão difícil que, exceto por este único exemplo, nunca mais fui capaz de usá-la — simplesmente esgotou-se em um único impulso).

Quanto a isso, Humphrey Carpenter observou (*Cartas*, nota 8 à carta 133):

Pode parecer à primeira vista que Tolkien escreveu outro poema nessa métrica, "Eärendil foi um navegante", que aparece no Livro II Capítulo 1 de *O Senhor dos Anéis*. Mas esse poema é discutivelmente um desenvolvimento de "Vida Errante" ao invés de uma composição separada.

Será possível ver que isso é verdade pelas formas mais primitivas da canção de Bilbo em Valfenda.

ഌ

Há nada menos do que quinze textos manuscritos e datilografados da "versão de Valfenda", e eles podem ser divididos em dois grupos: um mais antigo, em que o poema começa com o verso *Havia um alegre mensageiro* (ou, em um dos casos, com uma variante disso), e um mais recente, em que o poema começa com *Earendel foi um navegante* (o nome é grafado assim em todos os textos). A história textual do primeiro grupo é muito complexa no detalhe, e difícil de deslindar com certeza, pois meu pai hesitava, indo de lá para cá entre versões concorrentes em textos sucessivos.

No texto mais antigo de todos, o poema ainda estava no processo de surgimento. Os versos de abertura são aqui particularmente interessantes, pois continuam tão parecidos com a primeira estrofe de *Vida Errante* a ponto de serem pouco mais que uma variação:

> Havia um alegre mensageiro,
> um passageiro, um navegante:
> a sua barca fez dourada,
> o remo em prata fez, brilhante;
> de manjerona e cardamomo[15]

há aroma, e de alfazema o cheiro;
encheu seu barco de laranja,
mingau arranja pro veleiro.[G]

Eärendel mal está presente nele! E, no entanto, esse texto inicial prontamente se afasta de *Vida Errante*, e o novo poema dessa primeira "fase" já avança bastante neste manuscrito. Ele foi seguido, sem dúvida imediatamente, pela versão que incluo abaixo. É realmente muito difícil, até mesmo irreal, delimitar "versões" em casos assim, quando meu pai estava refinando e expandindo o poema em um processo contínuo, mas este segundo texto foi originalmente feito como se fosse uma forma finalizada, e assim eu o coloco aqui.[16]

Havia um galante passageiro
um mensageiro, um navegante,
a sua barca fez dourada,
e o remo em prata fez, brilhante;
de teias finas fez a vela
e bela flor de cerejeira,
qual pluma em suave movimento,
8 ao vento ela se foi, faceira.

Flutua então de um belo cais
de samambaias todo feito;
cascata, altivo, travessou
cruzou do Merryburn o leito;
partiu dançando sobre a espuma
e se acostuma a viajar;
Sempremanhã fica pra trás,
16 fugaz o Rio a murmurar
percorre os vales no poente,
e lentamente em travesseiro
a fronte deita, o sono o abraça,
e passa o Lago do Salgueiro.
Sussurra o vento em junco e relva,
a névoa cobre todo o prado,
impele-o apressado o Rio
24 e ao Chão Sombrio é carregado.

A TRAIÇÃO DE ISENGARD

Junto à pedrosa praia, o Mar
sempre a troar, e sob a Lua
um vento forte se ergue e o traga,
naufraga em terra além da Lua.

Desconsolado então desperta
em certa beira-mar ignota;
à Ilha Encoberta passa rente,
32   na Água Silente vai sua rota.

Por arquipélagos passava,
e cravo ali cresce amarelo,
em praias-d'Elfos ele atraca
de prata a areia, e de ouro belo,
sob a Colina de Ilmarin,
num vale ali em fulgente tom,
élfica urbe se vislumbra
40   no Lago-sombra, Tirion.

A vida errante ali ele adia,
e melodias lhe ensinaram,
portentos, lais de era passada,
harpa dourada lhe entregaram.
Sobre magia ali falaram,
palavras de feitiçaria;
de guerras com viroso Imigo,
48   e seu perigo e bruxaria.

Com os trajes de élficos Reis
de anéis de prata então o armaram;
no escudo havia élficas runas
que do infortúnio o afastaram.
O arco é de corno de dragão,
as flechas são de negro lenho,
e de aço a cota d'armas tinha
56   e na bainha, bom desenho.
A espada é feita de adamante,
e mui valente é o seu poder;
esmeraldino elmo produz
com luz atroz o faz arder.

A CANÇÃO DE BILBO EM VALFENDA

Reformam nau em Casadelfos,
o mastaréu foi salpicado
co'espuma argêntea, e então, no mastro
64   um astro ali foi colocado;
asas de cisne lhe fizeram,
e deram-lhe sina pujante:
que vá em mares de vento e ronde
até onde a lua vai, volante.[17]

Da Sempretarde de altos montes,
onde alta fonte jorra suave,
partiu pra longe, luz andeja,
72   bordeja o Muro em sua nave;
chega por fim na Semprenoite
afoito como estrela tomba:
as lanças feitas de diamante
flamantes brilham na atroz sombra.
Foi lá que Ungoliant ele viu:
nesse covil urdia a Aranha;
há tempos tece treva a sós
80   quer Sol e Lua na maranha.[18]

A espada, qual luz flamejante,
reluz brilhante ao atacá-la;
cortou seu bico venenoso
e o fio danoso que o embala.
Como alta estrela ele flameia
e da cadeia vai-se embora,
carrega-o súbita lufada
88   e, alado, ali não se demora.

Enfim divisa Sempredia,
lá havia um morro envolto em fogo,
pra Melineth ter poços áureos
exaure obreiros com seu rogo.
Nos olhos lume intenso posto,
o rosto com relâmpago arde;
voltando-se ao seu lar distante,
96   astro vagante à luz da tarde,

A TRAIÇÃO DE ISENGARD

das névoas passa muito ao alto
o nauta ao longe, labareda
levada em ventos, passa sobre
o Lago-sombra em sua vereda.
Passa por sobre Carakilian
lugar de Tirion, a Sagrada;
o mar lá embaixo alto se ouviu,
104   na praia em Chão Sombrio, nublada.

Na Sempremanhá logo se acha,
e embaixo, ao Merry-burn jaz,
todo de samambaias feito
deleita-o o porto e o belo cais.
Mas é pujante a sina sua:
enquanto lua e estrela houver,
na costa de cá dos mortais
112   jamais poderá se deter:
será pra sempre um passageiro,
mensageiro, nunca indolente,
longe levando a luz que inflama
o Porta-Chama de Ociente.[H]

As principais mudanças introduzidas nesse manuscrito foram nos versos 14–17, alterados para:

passa alguma terra de cá,
Sempremanhá fica pra trás
fugaz o Rio a murmurar
té os vales nos campos Poentes[I]

e nos versos 93–96, que foram reescritos e expandidos assim:

A Árvore-raio, sete-galhos,
farfalha da raiz nodosa
no Campo-celeste, feraz
dá fruta vivaz e fogosa.
Relâmpago ilumina o rosto,
lume posto em mecha palente,
raios no olhar, e o seu navio
brilha alvadio e intensamente.

A CANÇÃO DE BILBO EM VALFENDA

Do Fim do Mundo se afastou
e almejou, na luz matinal,
sua terra buscar e revê-la,
qual fúlgida estrela e fanal;
(das névoas passa muito ao alto, etc.)[J]

A Árvore-raio, *sete-galhos* era inicialmente *multigalhos*, e dava *fruta vivaz, luminosa*.

A terceira versão é a que está no texto de "Muitos Encontros" descrito no início deste capítulo. As páginas naquele manuscrito (em Marquette) que contêm o poema foram perdidas, mas Taum Santoski me forneceu uma transcrição das páginas feita por ele antes de a perda acontecer. O texto era notavelmente parecido com o da segunda versão (corrigida) incluída acima. A abertura agora retorna a *Havia um alegre mensageiro*;[19] *Sempremanhã fica pra trás*, no verso 15, vira *Sempremanhã ele ultrapassa*; o *Lago do Salgueiro* no verso 20 vira *Lagos* (uma volta aos trabalhos mais antigos); e os versos 67–8 se tornam:

que vá por céus de vento e mais:
por trás de Lua e Sol brilhante.[K]

Essa era, portanto, a forma do poema na época a que chegamos agora. Ver-se-á que, neste poema, o Alegre Mensageiro, o Passageiro, o Marinheiro "troca de forma" e emerge na figura de Eärendel (muito embora não seja nomeado). No início, ele parte *dançando sobre a espuma* em seu navio com velas de *teias finas* e *flor de cerejeira*; e ele ainda passava *por arquipélagos* onde o cravo *cresce amarelo*; mas é puxado para a seriedade do mito e ganha uma *sina pujante*; a dança some do poema e ele termina como *o Porta-Chama de Ociente*. Não há como voltar agora aos primórdios, muito embora a sina de Eärendel seja a mesma do Alegre Mensageiro: *será pra sempre um passageiro, mensageiro, nunca indolente* [...].

Muitos anos depois, meu pai engenhosamente fez a conexão entre os dois poemas no Prefácio de *As Aventuras de Tom Bombadil*, quando a versão de Eärendel, é claro, era aquela de SA:

[*Vida Errante*] foi evidentemente composto por Bilbo. Isso se demonstra pela óbvia relação que tem com o longo poema

118

recitado por Bilbo, como sendo de sua própria autoria, na casa de Elrond. Originalmente um "poema sem sentido", na versão de Valfenda encontra-se transformado e aplicado, de modo um tanto incongruente, às lendas alto-élficas e númenóreanas de Eärendil. Provavelmente porque Bilbo inventou seus artifícios métricos e se orgulhava deles. Não aparecem em outros poemas do Livro Vermelho. A versão mais antiga, que foi incluída aqui, deve ser dos primeiros dias após Bilbo retornar de sua jornada. Ainda que a influência de tradições élficas seja vista, elas não são tratadas com seriedade, e os nomes empregados (*Derrilyn*, *Thellamie*, *Belmarie*, *Eéria*) são meras invenções no estilo élfico e não estão na língua élfica de fato.

No entanto, os locais da jornada de Eärendel na primeira fase da versão de Valfenda não são de modo algum inteiramente identificáveis nos termos de *O Silmarillion*. Sua jornada para o Mar era uma jornada descendo o Sirion? Os *Lagos do Salgueiro* seriam Nan-tathren, a Terra dos Salgueiros? Ou ainda seriam "meras invenções no estilo de *O Silmarillion*"? E o que dizer da Árvore-raio, *sete-galhos, no Campo-celeste* e dos *poços áureos* construídos para Melineth por obreiros exaustos? Estes certamente não sugerem "mera invenção" tanto quanto *Thellamie* ou *Derrilyn*.

De toda forma, alguns nomes fazem clara referência: como *Tirion* (no *Quenta Silmarillion* ainda chamada de *Tûn* ou *Túna* sobre a colina de Kôr); *Carakilian* (no *Quenta Silmarillion* tem a forma *Kalakilya*, o Passo da Luz). A *Colina de Ilmarin* (nome que não apareceu antes) é Taniquetil, e o *Muro* que ele bordeja são as Pelóri, as Montanhas de Valinor. O *Lago-sombra* talvez remeta ao "sombrio braço d'água", a "estreita água franjada de branco" que é descrita no antigo conto da *Vinda dos Elfos* (I. 152). A *Ilha Encoberta* talvez seja a Ilha Solitária: foi subsequentemente alterada para *Ilhas Encobertas* mas então tornou-se *Ilha Solitária* antes de o verso se perder. Que Eärendel matou Ungoliant "no Sul" está registrado no *Esboço da Mitologia* (IV. 46) e no *Quenta Noldorinwa* (IV. 170, 173); ver também as antiquíssimas notas sobre as viagens de Eärendel, II. 305, 314.[20]

Mas a lenda de Eärendel, conforme se encontra em fontes existentes, não está presente aqui.[21] De fato, a impressão é que surgiu sem ser chamada e inesperadamente, conforme meu pai escrevia

A CANÇÃO DE BILBO EM VALFENDA

essa nova versão do poema: afinal, como Eärendel poderia ser chamado de *alegre mensageiro*? Anos depois, no Prefácio supracitado de *As Aventuras de Tom Bombadil*, meu pai descreveu a transformação como "um tanto incongruente" — e ele estava se referindo, é claro, à forma do poema em SA, em que a transformação já tinha sido bem mais profunda do que na presente versão. E, no entanto, havia sim uma "congruência" que tornava possível, até mesmo natural, essa transformação original. Por trás de ambas as figuras havia como sustentáculo a ideia de um errante, um espírito inquieto que busca os lugares de sua origem, mas não consegue fugir da necessidade de seguir adiante. Neste estágio, portanto, creio que não devemos tentar determinar onde era Sempredia, e nem dar outro nome ao

> *belo cais*
> [que] *ao Merry-burn jaz,*
> *todo de samambaias feito.*[L]

Eles pertencem à mesma geografia dos *arquipélagos onde o cravo cresce amarelo.*

Depois da terceira versão, perdida, mas felizmente não desconhecida, há seis outros textos na fase do "Alegre Mensageiro". Cinco deles são textos datilografados que podem facilmente ser colocados em ordem. O sexto é um belo manuscrito de pequenas dimensões, escrito em quatro pedaços de papel, o último dos quais é o verso de uma carta endereçada a meu pai e datada de 13 de dezembro de 1944. Precisamente *onde* o manuscrito se encaixa na série não está de todo claro, mas parece muito provável que tenha precedido o primeiro texto datilografado.[22] Assim, houve um intervalo de vários antos entre os primeiros três textos e os seis seguintes. A versão final dessa "fase" foi alcançada por emendas progressivas:

> Havia um alegre mensageiro,
> um passageiro, um navegante:
> a sua barca fez dourada,
> e o remo em prata fez brilhante;
> de teias finas fez a vela
> e bela flor de cerejeira
> qual pluma em brando movimento
> ao vento ela se foi, faceira.

8

A TRAIÇÃO DE ISENGARD

Flutua então de um belo cais
de samambaias todo feito;
cascata, altivo, travessou
cruzou do Merryburn o leito;
partiu dançando sobre a espuma
passa alguma terra de cá,
Sempremanhã ele ultrapassa,
16   fugaz o Rio a murmurar
té os vales nos Campos-poentes;
e lentamente em travesseiro
a fronte tomba, o sono o abraça,
e passa os Lagos do Salgueiro.

Sussurra o vento em junco e relva,
a névoa cobre todo o prado,
impele-o apressado o rio,
24   e ao Chão Sombrio é carregado.
Lamento escuta em pétreas cavas
das vagas; e uma ventania
de Tarmenel chega, tremenda.
Por senda onde mortal mal ia
o sopro o barco então arrasta,
mordaz, transporta-o a olvidado
mar que de cinza se reveste;
32   de Leste a Oeste foi levado.

Na Semprenoite então procura
em água escura além do Dia,
por Ilha Solitária passa,
o ocaso jaz sobre a Baía
de Casadelfos, Valinor,
fragor e espuma sobre as vagas;
em praias-d'Elfos ele atraca:
40   há prata e ouro nessas plagas;
sob a Colina de Ilmarin,
num vale ali em fulgente tom,
alta cidade se vislumbra,
no Lago-sombra, Tirion.

A CANÇÃO DE BILBO EM VALFENDA

A vida errante então adia,
lá, melodias lhe ensinaram,
portentos, lais de era passada,
48 harpa dourada lhe entregaram.
Sobre magia ali falaram,
palavras de feitiçaria,
de guerras com viroso Imigo,
e seu perigo e bruxaria.

Com os trajes de élficos Reis
de anéis de prata então o armaram;
no escudo havia élficas runas
56 que do infortúnio o afastaram.
O arco é de corno de dragão,
as flechas são de negro lenho,
de mithril cota d'armas tinha,
e na bainha, bom desenho.
A espada é de aço triunfante,
e de adamante o elmo é feito
asas de cisne põem no cimo;
64 e encimam co'esmeralda o peito.

Reformam nau em Casadelfos,
o mastaréu foi salpicado
com muita espuma, e sobre o mastro
um astro ali foi colocado;
asas qual de águia lhe fizeram
e deram-lhe sina pujante:
que vá por céus de vento e mais:
72 por trás de Lua e Sol brilhante.

Da Semprenoite de altos montes,
bem onde as fontes jorram prata,
partiu pra longe a luz errante
do grande Muro em sua fragata.
Do Fim do Mundo se afastou
e almejou, na luz matinal,
sua terra buscar e revê-la,
80 qual fúlgida estrela e fanal;
das névoas passa muito ao alto

o nauta ao longe, labareda
levada em ventos, passa sobre
o Lago-sombra em sua vereda.

Passa por sobre Calacirian
lugar de Tirion, a sagrada;
o Mar abaixo então se ouviu,
88   na praia em Cháo Sombrio, nublada;
Na Sempremanhã logo se acha,
e embaixo, ao Merryburn jaz,
todo de samambaias feito
deleita-o o porto e o belo cais.

Mas foi-lhe imposto grave fado:
transformado em estrela errante,
nas Costas de Cá dos mortais
96   não mais descansar um instante;
será pra sempre um passageiro,
mensageiro, nunca indolente,
longe levando a luz que inflama
o Porta-Chama de Ociente.[M]

A maior alteração no poema, que o tornou substancialmente mais curto do que antes, se deu em duas etapas. Por emendas ao segundo desses texto datilografado, os versos 25–8 originais (p. 115) se tornaram:

Junto à pedrosa praia, o Mar
sempre a troar, e ventania
em Tarmenel se ergue, tremenda,
em senda onde mortal mal ia,
em volitantes asas passa
e se alça sobre o olvidado
mar que de cinza se reveste
de Leste a Oeste assombreado.[N]

Neste texto, o restante do poema não foi afetado por nenhuma mudança importante, e permaneceu parecido com a forma original (com as alterações mencionadas nas pp. 117–8, é claro). No último desses dois textos datilografados, contudo, uma nova versão dos

A CANÇÃO DE BILBO EM VALFENDA

versos 25 e seguintes entrou, conforme postos acima: *Lamento escuta em pétreas cavas* etc.[23] Agora, a *Semprenoite* é nomeada nesse ponto e, ao mesmo tempo, toda a seção do poema no texto existente, a partir do verso 73, *Da Semprenoite de altos montes*, até *Do Fim do Mundo se afastou* (p. 116–7) foi eliminada, com o desaparecimento de Ungoliant e das misteriosas cenas de Sempredia, da "Árvore do Raio" com seus sete galhos e dos *poços áureos* de Melineth no *morro envolto em fogo*.

ᘓ

Ainda que eu não saiba com certeza, creio que é possível presumir com forte probabilidade que houve mais um longo intervalo entre as versões do "Alegre Mensageiro" e o segundo grupo, que começa com *Eärendel foi um navegante*.

O primeiro texto deste grupo, que chamarei de "A" por conveniência, colocarei na íntegra. Ver-se-á que, ainda que avance muito na direção do poema em SA, bastante coisa é mantida da versão anterior, e notavelmente, a cena em que Eärendel é armado (*Com os trajes de élficos Reis*, p. 122, verso 53 e seguintes) está posicionada no mesmo lugar de antes, durante sua estadia em Tirion, e não no lugar de SA, quando inicia sua grande viagem.

> Eärendel foi um navegante
> errante desde Arvernien;
> buscou madeira pro navio
> em Nimbrethil e foi além;
> velas de prata ele teceu,
> o farol seu de prata fez,
> qual cisne a proa foi formada,
> 8 e embandeirada a nau de vez.
>
> Sob as estrelas e a Lua
> a trilha sua sai do norte,
> confuso em encantadas vias
> além dos dias de vida e morte.
> Do Gelo Estreito a ranger,
> trevas a ver em morros frios,
> de gráos calores e deserto
> 16 fugiu esperto, por desvios,
> remotas águas sem estrelas,

A TRAIÇÃO DE ISENGARD

chegou a vê-la: noite-Nada,
passou sem nunca ver a cara
da praia clara tão buscada.
Um vento de ira o impeliu,
cego fugiu pela espuma
de Oeste a Leste, sem destino,
24   em desatino a casa ruma.

Qual ave, Elwing então voava,
faiscava o seu colar flamante;
mais claro que diamante a brilhar
é o chamejar no cor, faiscante.
A Silmaril na sua fronte ela atou
e o coroou co'a luz vivente,
sem medo, com clara coroa,
32   virou a proa, na noite em frente,
do outro-mundo além do Mar
viu levantar grande caudal,
vento possante em Tarmenel;
em trilha cruel pr'um mortal
sua nau levou com vento forte
qual morte em fúria mar afora,
perdido em solitário teste;
40   de Leste a Oeste foi-se embora.

Na Semprenoite então procura
em água escura além do Dia,
por Ilha Solitária passa,
o ocaso jaz sobre a Baía
de Casadelfos, Valinor,
fragor e espuma sobre as vagas;
em praia proibida atraca:
48   há prata e ouro nessas plagas;
luzes nas torres de Tirion
brilhando estão em vale fundo
no Lago-sombra reflexo tinham,
em Ilmarin no fim do mundo.

A vida errante então adia,
lá, melodias lhe ensinaram,

A CANÇÃO DE BILBO EM VALFENDA

portentos, lais de era passada,
56   harpa dourada lhe entregaram.
Em trajes de antigos reis,
malha de anéis, eles o armaram;
no claro escudo, élficas runas
que do infortúnio o afastaram;
no arco corno de dragão,
as flechas são de negro lenho,
e prata a cota d'armas tinha
64   e na bainha bom desenho;
a espada é de aço triunfante,
no elmo diamante se desfralda,
chama de prata no brasão
e no gibão verde-esmeralda.

Fizeram-lhe novo navio,
de mithril e elfa pedra bela
brilhava forte a Silmaril
72   no mastro esguio, como uma estrela;
asas qual de águia lhe fizeram
e deram-lhe sina pujante:
que vá por céus sem praia e mais:
por trás de Lua e Sol brilhante.

Da Semprenoite de altos montes
bem onde as fontes jorram prata,
subiu bem alto, luz errante,
80   além do Muro em sua fragata
Do Fim do Mundo se afastou,
e almejou, na luz matinal,
sua terra buscar e revê-la,
qual fúlgida estrela e fanal;
das névoas passa muito ao alto
o nauta ao longe, labareda
levada em ventos, passa sobre
88   o Lago-sombra em sua vereda.

Passa por sobre Calacirian
lugar de Tirion, a sagrada;

o Mar abaixo então se ouviu,
a praia em Chão Sombrio, nublada;
Passando sobre a Terra-média
ouviu tragédia e gemidos
de damas-élficas e humanas
96   de Dias de Antanho, tempos idos.

Mas foi-lhe imposto grave fado:
ser transformado em astro errante,
passar, sem descansar jamais
onde os mortais têm lar constante;
infesso arauto e mensageiro,
o tempo inteiro indo em frente,
longe levando a luz que inflama,
104   o Porta-Chama de Ociente.º

O texto seguinte (B) é um texto datilografado feito a partir de A, mas introduz algumas mudanças menores que foram mantidas na versão de SA (*sua nau levou co'alento forte, / furor de morte mar afora* 37–8, *torres luzentes de Tirion* 49), e o verso 25 aqui é *A ele Ave--Elwing voava*. Meu pai então usou o texto datilografado B como veículo para uma reescritura pesada, incluindo o deslocamento da "paramentação de Eärendel" para seu lugar posterior, na segunda estrofe. Um novo texto datilografado (C)[24] foi feito incorporando tudo isso, e a versão do poema de SA agora foi praticamente alcançada; pouquíssimas alterações menores foram feitas e inseridas neste texto.[25] Um exame cuidadoso desses textos mostra de maneira perfeitamente clara a evolução desde A até a versão publicada.

Mas a história deste que é o mais poliforme, na sua escala, dentre todos os trabalhos de meu pai não termina aqui. Ela termina, na verdade, da maneira mais extraordinária possível.

O texto C não foi o último, embora seja a forma da versão publicada. Outro texto datilografado (D) foi feito, sem dúvida ao mesmo tempo que C, e recebeu o título *A Balada Breve de Eärendel*. Nessa versão, um novo elemento entrou no início da quarta estrofe (*A encontrá-lo Elwing voava*): o ataque dos quatro filhos sobreviventes de Fëanor nos Portos do Sirion, Elwing atirando-se ao mar com a Silmaril e sua transformação em ave-marinha, forma na qual voou para encontrar Eärendel voltando (IV. 173–4).

A CANÇÃO DE BILBO EM VALFENDA

Em ira, os Fëanorianos,
insanos por seu juramento,
trouxeram guerra a Arvernien,
nada os detém no seu intento;
e Elwing, da escuridão fugindo,
no mar rugiente se atirou,
alçada sobre onda ruidosa,
veloz qual ave se elevou.
Encontra-o enquanto voava,
e cintilava na treva cegante,
mais claro que diamante a brilhar
é em seu colar o fogo faiscante.
A Silmaril na sua fronte ela atou (etc.)[P]

Seguiu-se então um belo manuscrito (E), com versais elaboradas para as estrofes, e o título era *A Balada Breve de Eärendel: Eärendillinwë*. Neste texto, aparece uma reformulação dos versos 5–8 que havia entrado na margem de D:

Alva qual neve fez valuma,
flui como espuma o seu pendão;
qual cisne foi formada a proa,
na Falas voa em branquidão.[Q]

Mas meu pai abandonou E no pé da primeira página — o fim da terceira estrofe — e a razão para ter abandonado é que ele já havia começado a reescrever na margem tanto os versos que acabei de citar como a segunda estrofe (*Em trajes de antigos reis*). Portanto, ele começou novamente outro manuscrito (F), muito semelhante e igualmente belo, com o mesmo título; e esse ele completou. As revisões feitas a D e a E (até onde chegou) foram incorporadas, e o manuscrito F permaneceu intacto, sem a menor alteração posterior.

De fato, foi o último estágio na evolução do poema. Esquematicamente, a história que tentei passar é assim:

$$A - B \begin{cases} -\text{ C (a versão de SA é alcançada)} \\ \\ -\text{ D } - \text{ E } - \text{ F (a última versão do poema)} \end{cases}$$

128

A TRAIÇÃO DE ISENGARD

Estudei todos esses textos detidamente e em momentos diferentes, e sempre me pareceu estranho que a cadeia de evolução levasse, por fim, a um magnífico manuscrito (F) sem qualquer desfiguração acarretada por alterações posteriores e, no entanto, ele *não* é a versão encontrada em SA. A solução foi afinal fornecida pelo texto C em Marquette, que demonstra ter havido *duas linhagens evolutivas* a partir de B.

Só posso conjecturar o que realmente aconteceu. Acredito que a explicação mais provável é que os textos D, E, F foram colocados em algum lugar de que ele se esqueceu e, na hora crucial, a versão C é que foi enviada para a editora, o que não deveria ter acontecido. A impressão também é de que esses textos perdidos não reapareceram até que muitos anos se passaram e, a essa altura, meu pai não se lembrava mais da história deles. Em notas que são obviamente muito tardias, ele chegou a analisar esses textos em relação à forma publicada, e é evidente que ficou tão confuso quanto eu: ali, sua análise contém conclusões demonstravelmente incorretas porque ele pressupôs, como eu mesmo pressupunha, que todos os textos só podiam ter *precedido* a "versão final" em SA.

Por fim, coloco a *Eärendillinwë* na forma em que deveria ter sido publicada.[26]

Estrofe 1	Eärendil foi um navegante
	errante desde Arvernien:
	buscou madeira pro navio
	em Nimbrethil e foi além.
	Velas de prata ele teceu
	coseu de prata o pavilhão;
	e como os cisnes de alvas alas
	da Falas fez a proa, então.
Estrofe 2	A cota vem de antigos reis,
	de anéis há muito foi forjada;
	Escuda-o runa, bom agouro,
	co'anânico ouro foi gravada.
	O arco é de corno de dragão,
	de ébano são flechas que tinha;
	a malha, triplo aço compõe-na,
	de calcedônia é a bainha;
	a espada é como oculta flama,

A CANÇÃO DE BILBO EM VALFENDA

no elmo uma gema se desfralda,
pluma de águia no brasão
e no gibão verde esmeralda.

Estrofe 3   Como em SA, mas com *Vento de medo* em vez de *Um vento de ira* no verso 13 da estrofe.

Estrofe 4   Em ira, os Fëanorianos,
insanos por seu juramento,
trouxeram guerra a Arvernien,
nada os detém no seu intento;
E Elwing, da escuridão fugindo,
no mar gigante se atirou,
alçada na maré raivosa,
qual gaivota se elevou.
Encontra-o enquanto voava,
e cintilava na treva cegante,
mais claro que diamante a brilhar
é em seu colar o fogo faiscante.
A Silmaril na sua fronte ela atou,
e o coroou co'a luz vivente;
sem medo, com clara coroa,
vira a proa no breu à frente.
Além do Mundo, além do Mar,
viu levantar grande caudal,
vento possante em Tarmenel;
em trilha cruel pr'um mortal,
da Terra-média, em vento inquieto,
sai como espectro mar afora
perdido em solitário teste:
de Leste a Oeste foi-se embora.

Estrofe 5   Como em SA.

Estrofe 6   Como em SA, mas com uma diferença no décimo segundo verso:[27]
no monte vira rei enfim;
Estrofe 7 Fizeram-lhe novo navio
de mithril e elfa pedra bela,
a quilha clara e nenhum remo,
freme o brilho em mastro sem vela:

130

a Silmaril qual estandarte
por toda parte fulge clara,
pura flama que Elbereth posta
a que disposta lá chegara (etc. como em SA)

Estrofe 8   Como em SA.

Estrofe 9   Como em SA, exceto pelo fim:
té o fim dos Dias errando alto,
arauto em luz seguindo em frente,
longe levando a luz que inflama,
o Porta-Chama de Ociente.[R]

Somente um nesse momento verso sobreviveu de *Vida Errante* (conforme publicado em 1933): *de calcedônia é a bainha*.

NOTAS

[1] Isso sugere que a história do cativeiro de Gandalf encontrada no "Novo Enredo" de agosto de 1940 estava presente (p. 88): "Saramund o trai [...] diz notícias mentirosas a Gandalf sobre os Cavaleiros Negros e eles o perseguem até o topo de uma montanha [...]". A história final do que aconteceu com Gandalf (posto no pináculo de Orthanc) aparece pela primeira vez nesse período da escrita (p. 160 e seguintes).

[2] Alterado a lápis depois para *Pedra-Élfica, filho de Elfhelm*; ver p. 99, nota 17. Em uma ocorrência do nome Troteiro nessa passagem, na fala de Gandalf, ele também foi alterado para *Pedra-Élfica*; nas outras duas, *Troteiro* foi mantido, pois é Frodo quem fala.

[3] Em um rascunho preliminar desse trecho, Frodo indaga "admirado": "Ele é daquela raça?". O rascunho prossegue:

"Ele não lhe contou, e você não adivinhou?", perguntou Gandalf. "Poderia ter dito ainda mais: ele é Aragorn, filho de Kelegorn, e descende, através de muitos pais, de Isildur, filho de Elendil."

"Então Ele lhe pertence tanto quanto a mim, ou mais!", disse Frodo.

"Não pertence a nenhum de vocês", disse Gandalf; "mas você, meu bom hobbit, há de mantê-lo por algum tempo. Pois assim foi ordenado."

Essa é a segunda vez que esse diálogo foi usado; ocorreu da primeira vez em Bri, entre Troteiro e Frodo (p. 64), quando Gandalf chama Aragorn de descendente de Elendil na carta, mas isso tinha sido removido nesse estágio (p. 96). Foi, por fim, usado em "O Conselho de Elrond".

A CANÇÃO DE BILBO EM VALFENDA

[4] Ver p. 56 e nota 3. As palavras "fiquei no *Pônei* em Bri um pouco" foram riscadas antes que o restante do trecho fosse alterado, talvez no momento da composição.

[5] Sobre *Tarkil*, ver p. 16. *Ociente*: Númenor.

[6] Na versão de *Vida Errante* publicada em 1962, a última estrofe não começava como na versão de 1933 da *Oxford Magazine*, mas com *Atrasa um pouco a sua rota* (p. 110).

[7] Um dos textos antigos traz a seguinte nota inicial: "Elaboração do·conhecido passatempo do Conto sem fim"; e, no final, depois do último verso, *pelos ventos levado, o nauta*, retorna para *Chamou bons ventos de navios*, na segunda estrofe (p. 108), com a nota: *da capo, ad lib, et ad naus.*

[8] Não sei explicar essa referência.

[9] Ver *The Inklings*, de Humphrey Carpenter, pp. 56–7, e também *Cartas*, n. 133 (para Rayner Unwin, 22 de junho de 1952) e n. 298 (para W.L. White, 11 de setembro de 1967).

[10] [Palavras dos poemas em inglês] *morion*: elmo. *bravery*: esplendor, decorações. *dumbledore*: abelhão. *panoply*: armadura. *attercop*: aranha (inglês antigo *attor* "veneno"; compare com *cobweb*, "cop-web" [teia de aranha]). Bilbo chamava as aranhas de Trevamata de *Attercop*.

No verso da página, aparentando ter sido escrito ao mesmo tempo, está uma parte de um diálogo dramático em verso escrito mais de vinte anos antes da publicação de *O Regresso de Beorhtnoth, Filho de Beorhthelm* em *Essays and Studies*, em 1953. Os ingleses que levam o corpo de Beorhtnoth do campo de batalha em Maldon se chamam Pudda e Tibba. *Panta* (em inglês antigo) é o nome do Rio Blackwater.*

Pudda	Vamos logo! Deve haver outros por perto da corja pirata.
Tibba	Não, não, por certo
	Não são nortistas, nem nada pior.
	Estão em Ipswich bebendo a Thor.
	Estes tiveram sua paga esta vez.
Pudda	Meu Deus, maus dias fazem um inglês
	Espreitar como um corvo carniceiro,
	Saquear sua própria gente.
Tibba	Eis um terceiro
	Nas sombras adiante. Não vai esperar,
	Esse tipo não é de se arriscar.
	Só vêm no fim da luta. Veja se arriba!
	Firme outra vez.

---

*Ver o Apêndice IV de *A Batalha de Maldon* (HarperCollins, ed. Peter Grybauskas). [N.T.]

A TRAIÇÃO DE ISENGARD

Pudda	Cadê a carroça, Tibba?
	Espero que perto! É na ponte que está?
	Estamos mais pra margem. Venha cá,
	Pra ficar longe do Panta na enchente.
Tibba	Certo! Aqui estamos.
Pudda	Como de repente
	Tomaram a ponte? Há aqui pouco rasto
	De luta. Mas na água um número vasto
	Devia haver, só que aqui no tabuão
	Há um só.
Tibba	Bom, a Deus nossa gratidão.
	Chegamos! Suba! Cuidado com o tranco.
	Chegue aqui. Há um pano aí, não tão branco.
	Mas cubra-o. Ore, que eu toco os cavalos.
Pudda	Que os céus nos guardem e possam guiá-los!
	Como range a roda! Aonde vamos, enfim?
Tibba	Ely! Onde mais?
Pudda	É longe!
Tibba	Pros fracos, sim.
	É perto pros mortos. Pode dormir.[S]

Este texto é extremamente rudimentar, e seria tido como o primeiro estágio da composição se não houvesse outro texto, ainda mais mal-acabado, mas em palavras muito parecidas (embora sem que se atribua as falas a falantes específicos) na Biblioteca Bodleiana, onde está guardado (creio eu) junto com os desenhos de meu pai. Começa em *Nas sombras adiante* e prossegue por alguns versos. Nele, meu pai escreveu: "versão antiga rimada de Beorhtnoth".

[11] *sigaldry*: feitiçaria (ver nota 14). *glamoury*: magia.

[12] Versos preliminares de uma nova conclusão foram escritas no manuscrito da primeira versão:

> Na gôndola parte outra vez,
> ao mar se fez o nauta alvar
> alegre e tolo passageiro,
> um mensageiro dado a errar,
> alegre cabeça-de-vento,
> um catavento a navegar.[T]

Outras diferenças na segunda versão em relação à publicada em 1933 são:

> pasmosa roupa fez pra ela
> vestes belas de fina trama[U]

na quinta estrofe; e "*Espada* e um elmo sem igual" na oitava (com *lança* no lugar de *espada* no terceiro verso).

[13] Maurice Bowra, então vice-reitor da Universidade de Oxford.

A CANÇÃO DE BILBO EM VALFENDA

[14] Na carta a Donald Swann citada na p. 106, meu pai deu um exemplo disso (o próprio Swann conheceu o poema por "tradição independente" muitos anos antes de sua publicação em *As Aventuras de Tom Bombadil*): "Uma característica curiosa foi a preservação da palavra *sigaldry*, que tirei de um texto do século XIII (e que foi registrada pela última vez na Peça de Chester da Crucificação)". A palavra remonta à segunda versão de *Vida Errante*; também foi usada na *Balada de Leithian*, verso 2072, escrito em 1928 (*As Baladas de Beleriand*, p. 270).

[15] [No poema em inglês] *cardamon* está assim escrito, mas, nos trabalhos preliminares, está escrito *cardamom*, assim como na versão de *Vida Errante* da *Oxford Magazine*.

[16] Eu ignoro todas as variantes — muito embora algumas, como *alegre* escrito acima de *galante* no verso 1 e *avenca* acima de *samambaia* no verso 10 talvez tenham sido feitas no momento da escrita. Algumas inconsistências na hifenação foram preservadas. Na última parte do poema, a divisão das estrofes não é perfeitamente clara. Os intervalos de 8 em 8 versos estão assinalados no original.

[17] Esse verso está ausente no primeiro texto, mas um espaço foi deixado para ele, com uma nota: "Eles encantam o seu barco e lhe dão asas".

[18] Uma estrofe de quatro versos se segue:

> Ela o apanha como a garrote,
> prende-o forte no ebâneo fio,
> sete vezes ela o aferroa,
> e escoa o seu veneno vil.[V]

Mas isso foi riscado, aparentemente de imediato, pois não entra na contagem dos versos. — *ebon* [no verso em inglês]: forma arcaica de *ebony* [ébano], aqui com o sentido de "preto, escuro".

[19] Na segunda versão (a que está impressa aqui), *alegre* foi escrito como variação de *galante*; na terceira, *galante* é variação de *alegre*.

[20] O encontro do Mensageiro com as Aranhas em *Vida Errante* era um ponto de contato com a lenda de Eärendel.

[21] Os textos encontram-se em II. 302–33; IV. 46–7, 49, 170–6; V. 389–95.

[22] O manuscrito talvez tenha se desenvolvido de uma terceira versão, paralela ao primeiro texto datilografado, pois incorpora algumas variantes (como *avencas* no verso 10, *Montes-poentes* no verso 17) nos lugares em que o primeiro texto datilografado incorporava outras (*samambaias*, *Campos-poentes*).

[23] Uma versão intermediária desses versos era:

> Lamento escuta em pétreas cavas
> das vagas que em Orfalas via;
> e em Tarmenel é forte o vento:
> por senda onde mortal mal ia,
> volita em asas, leva-o junto,

um moribundo em olvidado
mar que de cinza se reveste;
de Leste a Oeste é carregado.[W]

[24] Esse é o texto datilografado de "Muitos Encontros" que seguiu a versão descrita no início do capítulo.

[25] Essas alterações também foram feitas a B e, portanto, aparecem igualmente na outra linhagem de evolução.

[26] Seria possível argumentar, é claro, que meu pai na verdade *rejeitou* toda a evolução subsequente depois do texto C, decidindo que aquela era a versão desejável em todos os pontos. Mas isso, parece-me, seria inteiramente improvável e forçado.

[27] Este caso é um pouco diferente porque é o único ponto em que o texto C não é igual à forma de SA (*no Monte e abrigo de Ilmarin*), exibindo o verso que também se encontra em D (seguido por E e F), *no monte vira rei enfim*. Deve ter sido uma emenda final à "primeira linhagem" de evolução e poderia, é claro, ter sido adotada na "segunda linhagem" também, se estivesse disponível.

6

O Conselho de Elrond (1)

A Segunda Versão

Uma nova versão desta parte da narrativa[1] é uma "cópia limpa" característica: parecida demais com o texto precedente (VI. 493 e seguintes) para justificar o espaço necessário para colocá-la, mas diferindo constantemente na escolha das expressões. O capítulo está numerado 14 (ver p. 101), mas não tem título.

A história ainda era a de que Bilbo e Gandalf vão ao quarto de Frodo pela manhã (VI. 487–8); e os presentes no Conselho não foram alterados de modo algum (VI. 494–5). Boromir ainda é da "da Terra de Ond, no Sul distante".[2] A primeira alteração importante vem após a fala de Gandalf, em que ele "deixa claro, para todos os que já não a conheciam, a história do Anel e as razões pelas quais o Senhor Sombrio o desejava tanto". Aqui, na versão original, a história de Bilbo se seguia; mas, neste texto, a seguinte passagem entra:

Quando falou de Elendil e Gilgalad, e da sua marcha para o Leste, Elrond suspirou. "Lembro-me bem dos seus trajes", falou. "Eles me recordaram as Grandes Guerras e as vitórias de Beleriand, tantos eram os belos capitães e príncipes ali reunidos, porém não tantos, nem tão belos, como quando as Thangorodrim foram rompidas [> tomadas]."

"Vós vos lembrais?", indagou Frodo, rompendo o silêncio em sua admiração, e fitando Elrond espantado. "Mas pensei que a queda de Gilgalad aconteceu muitas eras atrás."

"Assim foi", disse Elrond, olhando com gravidade para Frodo; "mas minha memória remonta a muitas eras passadas. Fui menestrel e conselheiro de Gilgalad. Meu pai foi Eärendel, nascido em Gondolin, sete anos antes de ela cair; e minha mãe era Elwing, filha de [Dior, filho de] Lúthien, filha de Thingol, Rei de Doriath; e vi muitas eras no Oeste do Mundo. Conheci Beleriand antes de ela ser devastada nas grandes guerras."

A TRAIÇÃO DE ISENGARD

Essa é a origem do trecho em SA, p. 350, mas ela remonta, e se parece bastante, a uma parte de um escrito isolado mais antigo, incluído em VI. 269–71,[3] no qual Elrond contava a história de Gil-galad e Elendil a Bingo com muito mais detalhe, aparentemente em uma conversa apenas entre os dois; e esse texto, por sua vez, estava intimamente relacionado à segunda versão de *A Queda de Númenor* (V. 26–7).

O novo texto continua:

Eles passaram então da conquista e perda do Anel para a história de Bilbo; e mais uma vez ele contou como o encontrou na caverna das Montanhas Nevoentas. Depois, Aragorn assumiu a história, e falou da caçada a Gollum, na qual ajudara Gandalf, e da jornada perigosa dele [> deles] pelo sul de Trevamata, e adentrando a Floresta de Fangorn, e pelos Pântanos Mortos até as próprias fronteiras da terra de Mordor. Dessa forma, a historia foi trazida lentamente até a manha de primavera […] (etc., como em VI. 495).

Na primeira versão, Troteiro ainda era o hobbit Peregrin, com seus calçados de madeira (VI. 495 e nota 20).

Gandalf, respondendo à pergunta de Elrond sobre Bombadil — "Tu o conheces, Gandalf?" —, agora diz:

"Sim. E fui vê-lo de pronto, naturalmente, tão logo descobri que os hobbits tinham ido para a Floresta Velha. Ouso dizer que ele os teria mantido por mais tempo em sua casa, se soubesse que eu estava tão perto. Mas não tenho certeza — não tenho certeza de que ele não sabia, nem de que teria agido diferente, de toda forma. É uma criatura muito estranha, e segue seu próprio alvitre: e este não é fácil de compreender."

Parece que, quando meu pai escreveu isso, ele não poderia estar pensando no esboço datado de 26–27 de agosto de 1940, em que Gandalf chegou a Cricôncavo e encontrou-a deserta (p. 89), pois Gandalf só poderia ter descoberto por Hamílcar Bolger que os outros hobbits tinham ido para a Floresta Velha. Por outro lado, meu pai ainda não tinha certeza (p. 89), naquele esboço e com aquele enredo, se Gandalf tinha ou não visitado Bombadil.

137

O CONSELHO DE ELROND (1)

De todo modo, de acordo com o que aparenta ser uma alteração quase imediata, as observações do mago foram reescritas:

"Conheço-o, embora de raro nos encontremos. Sou uma pedra que rola, e ele é dessas que criam limo. Ambas têm um trabalho a fazer, mas elas não se ajudam com frequência. Talvez tivesse sido mais sábio buscar sua ajuda, mas não acho que eu teria me beneficiado muito. É uma estranha criatura [...]"

Deve ter sido neste ponto que meu pai decidiu que não houve visita a Bombadil, e a história retornou à sua versão anterior (ver VI. 509, nota 23).

A frase de Gandalf, na resposta a Erestor, "Duvido que Tom Bombadil, mesmo em seu próprio território, pudesse resistir a esse poder"[4] (VI. 496) logo foi reescrita assim (antecipando, em parte, Gandalf e Glorfindel em SA, p. 380): "Se Bombadil sozinho, mesmo em sua própria terra, poderia desafiar esse Poder está além de qualquer conjectura. Creio que não; e, no fim, se tudo o mais for conquistado, Tom cairá: último como foi primeiro, e a Noite virá. É bem provável que jogasse o Anel fora, pois tais objetos não têm lugar em sua mente."

A resposta de Glóin à pergunta de Boromir a respeito dos Sete Anéis permanece quase exatamente igual ao que era (VI. 498),[5] mas a resposta de Elrond à pergunta sobre os Três Anéis tem certas alterações: notavelmente, ele agora afirma factualmente o que Gandalf (em "História Antiga", VI. 394) diz apenas como suspeita: "Os Três Anéis existem ainda. Mas foram sabiamente levados por sobre o Mar, e não estão agora na Terra-média". Ele continua:

Deles os Reis-élficos obtiveram muito poder, mas não lhes serviram na contenda com Sauron. Pois não podem outorgar engenho ou conhecimento que ele já não possuísse quando de sua feitura. Os anéis do Senhor trazem a cada raça tal poder que cada uma deseja e consegue controlar melhor. Os Elfos não desejavam força, nem dominação, nem riqueza entesourada, mas sutileza na arte, e saber, e conhecimento dos segredos acerca do ser do mundo. Essas coisas eles obtiveram, porém com pesar. Mas tudo em sua mente e coração que derivou dos anéis voltar-se-á para seu próprio desfazimento, e será revelado a Sauron, se ele recuperar o Anel Regente, como era seu propósito."

A omissão aqui das palavras do texto original — "Pois vieram do próprio Sauron" — não mostram, creio eu, que a ideia da independência dos Três Anéis dos Elfos em relação a Sauron já surgira, devido às palavras seguintes, que foram mantidas: "Pois não podem outorgar engenho ou conhecimento que ele já não possuísse quando de sua feitura"; além disso, na sua pergunta a respeito dos Três, Boromir ainda diz que "eles também foram feitos por Sauron nos dias antigos" e ninguém o contradiz. Ver adiante, pp. 188–9.

O texto seguinte acompanha realmente bem de perto o anterior (VI. 499–502), até o ponto em que Gandalf, na tarde seguinte ao Conselho, se depara com Frodo, Merry e Faramond (ainda chamado assim, com Peregrin escrito posteriormente) andando no bosque; e aqui a nova versão diverge por certa extensão, sendo que as observações de Gandalf a respeito da composição da Comitiva são bem diferentes — e não apenas porque Troteiro agora é Aragorn: aparece aqui uma dúvida quanto à inclusão dos dois hobbits mais jovens.

"[...] Então, tenha cuidado! Todo cuidado é pouco. Quanto ao resto do grupo, é cedo demais para discutir. Mas quer algum de vocês vá com Frodo, quer não, farei outros preparativos para o suprimento de inteligência."

"Ah! Agora sabemos quem é realmente importante", riu-se Merry. "Gandalf nunca tem dúvidas quanto a isso, e não deixa ninguém esquecer. Então você já está fazendo preparativos, não é?"

"É claro", disse Gandalf. "Há muito que fazer e pensar. Mas, nesse assunto, tanto Elrond quanto Troteiro terão muito a dizer. E, de fato, Boromir, e Glóin, e Glorfindel também. Diz respeito a todos os povos livres que restaram no mundo."

"Troteiro irá?", perguntou Frodo esperançoso. "Mesmo que seja só um Homem, somaria ao cérebro da expedição."

"'Só um Homem' não é jeito de falar de um *tarkil*, menos ainda de Aragorn, filho de Celegorn", disse Gandalf. "Ele somaria astúcia e bravura a qualquer expedição. Mas, como eu disse, não é hora e nem lugar para discutir isso. Mas direi somente isto aqui em seu ouvido". A voz dele afundou num sussurro. "Creio que *eu* terei de ir com vocês."

O deleite de Frodo diante dessa revelação foi tão grande que Gandalf tirou o chapéu e fez uma mesura. "Mas só disse: *creio* que

O CONSELHO DE ELROND (1)

eu terei de ir, e talvez somente por uma parte do caminho. Não conte com nada", acrescentou. "E agora, se quiserem conversar sobre essas coisas, melhor que voltem para dentro."

Andaram de volta com ele em silêncio; mas, assim que cruzaram a soleira, Frodo fez a pergunta que estivera em sua mente desde o Conselho. "Quanto tempo terei aqui, Gandalf?", perguntou.

"Não sei", respondeu o mago. "Mas não conseguiremos fazer nossos planos e preparativos muito rapidamente. Batedores já foram enviados, e alguns talvez fiquem fora por um bom tempo. É essencial descobrirmos tanto quanto pudermos sobre os Cavaleiros Negros."

A nova versão retorna, então, à primeira e a acompanha bem de perto até o fim daquele texto ("[...] esperando que partisse", VI. 504). Mas então adentra "O Anel vai para o Sul" (VI. 511) sem interrupção ou título, e novamente acompanha a versão antiga bem de perto por certa extensão, até as palavras de Gandalf "E os caçadores terão que voltar todo o caminho até o Vau para encontrar o rastro — se formos afortunados e cuidadosos" (VI. 512). Algumas diferenças precisam ser notadas. Essa versão começa assim: "Quando os hobbits haviam passado umas três semanas na casa de Elrond, e novembro estava passando" (ver VI. 512 e nota 2); os batedores que foram para o Norte tinham ido "quase até o Valegris" (posteriormente > "até os Valesgrises"), onde, no texto original, eles tinham alcançado "os Vales-do-Riacho-Escuro" (ver p. 17 e nota 14); e diz-se do Passo Alto: "onde antes estivera a porta dos Gobelins". Rabiscos a lápis bem esmaecidos no pé da página dão os nomes élficos dos lugares mencionados no texto, assim como na versão anterior (ver VI. 530, nota 4), mas não são os mesmos nomes. A nota diz:

Em élfico *Annerchion* = Portão dos Gobelins *Ruinnel* =
Via-rubra
Nenvithim = Valesgrises *Palath-ledin* =
Campo[s] de Lis
Palath = Íris

Mas, onde na primeira versão Gandalf diz: "Agora e melhor sairmos o mais rápido e o mais silenciosamente possível.", e a história então passa quase que de imediato para o dia da partida, este texto se volta para o primeiro relato completo e claro da seleção da

140

A TRAIÇÃO DE ISENGARD

Comitiva do Anel — que ainda seria composta por sete membros (ver VI. 504–5); e a seleção agora se dá no mesmo ponto da narrativa de SA (pp. 392–3).

"[...] É hora de começarmos a fazer os preparativos a sério, e a primeira coisa a se fazer é decidir quem irá. Tenho minhas próprias ideias, mas devo consultar Elrond."

Tanto Elrond quanto o mago concordavam que o grupo não deveria ser grande demais, pois a esperança deles estava na velocidade e no segredo. "Sete, e não mais, deve haver", disse Elrond. "Se Frodo ainda estiver disposto, então Frodo como portador-do-anel deve ser a primeira escolha. E, se Frodo for, então Sam Gamgi deve ir também, pois isso foi prometido, e meu coração me diz que seus fados estão entretecidos."

"E, se dois hobbits forem, então eu devo ir", disse Gandalf, "pois meu juízo me diz que precisarão de mim; e, na verdade, o *meu* fado parece muito entrelaçado com os hobbits."

"São três, então", disse Elrond. "Se houver outros, hão de representar os outros povos livres do mundo."

"Irei representando os Homens", disse Troteiro. "Tenho algum direito de participar das aventuras do Anel; mas desejaria ir também pela amizade com Frodo e, portanto, peço permissão para ser seu companheiro."

"Eu não conseguiria escolher alguém com maior alegria", disse Frodo. "Pensei em implorar o que está me oferecendo de bom grado". Tomou a mão de Troteiro.

"Boromir também virá", disse Gandalf. "Está decidido a voltar assim que puder para sua própria terra, para o cerco e a guerra[6] de que falou. Seu caminho corre junto ao nosso. É um homem valoroso."

"Pelos Elfos, escolherei Galdor de Trevamata", disse Elrond, "e, pelos Anãos, Gimli, filho de Glóin. Se estiverem dispostos a ir contigo, mesmo que até Moria, serão de ajuda a ti. São sete, e a contagem está completa."

"E Meriadoc e Faramond [> Peregrin]?", perguntou Frodo, percebendo de súbito que seus amigos não estavam incluídos. "Merry veio até longe comigo, e sofrerá se for deixado para trás agora."

"Faramond [> Peregrin] iria por amor a você, se lhe pedissem", disse Gandalf; "mas seu coração não está nessas aventuras perigosas, por mais que o ame. Merry sofrerá, é verdade, mas a decisão

O CONSELHO DE ELROND (1)

de Elrond é sábia. É alegre de nome, e alegre de coração, mas essa demanda não lhe cabe, e nem a nenhum hobbit, a menos que o fado e o dever o escolha. Mas não se aflija: creio que pode haver outro trabalho para ele, e que não ficará ocioso por muito tempo."

Quando os nomes e o número dos aventureiros foi assim decidido, concordou-se que o dia da partida seria na quinta-feira seguinte, dezessete de novembro. Os dias seguintes ficaram ocupados com os preparativos, mas Frodo passou tanto tempo quanto pôde a sós com Bilbo. O tempo esfriara, e estava agora triste e cinzento, e eles se sentavam com frequência no quartinho do próprio Bilbo. Então, Bilbo lia trechos de seu livro (que ainda parecia bem incompleto), ou fragmentos de seus versos, e tomava nota das aventuras de Frodo.

Na manhã do último dia, Bilbo tirou debaixo da cama uma caixa de madeira e ergueu a tampa, e remexeu dentro dela. "Você tem uma boa espada, creio eu", disse a Frodo, hesitante; "mas pensei que talvez gostasse de ter essa também, ou no lugar dela, sabe?"

A partir deste ponto, o novo texto chega praticamente à forma final em SA, pp. 395–6,[7] até a frase "Gostaria de escrever o segundo livro, se eu for poupado". Era evidentemente aqui que o capítulo terminava, nesse estágio.

Por um breve período, meu pai com certeza suspeitou que Meriadoc e Faramond/Peregrin seriam supérfluos no que ele imaginava ser a última etapa da Demanda. É curioso que Elrond, ao declarar sua escolha por Galdor de Trevamata e Gimli, filho de Glóin, refira-se aqui a Moria como se a passagem pelas Minas já estivesse determinada; mas isso não pode ter sido intencional.

Alterações posteriores a lápis feitas ao nome *Ond* neste manuscrito podem ser mencionadas aqui. Na primeira ocorrência, *a Terra de Ond* foi riscada e, na margem, meu pai escreveu *Minas-tir Minas-ond Minas-berel* e, por fim, colocou *a Cidade de Minas--tirith*. Talvez tenha sido neste lugar que *Minas Tirith* (que já existia no *Quenta Silmarillion*, V. 314, 320) surgiu pela primeira vez com essa aplicação. Em uma ocorrência subsequente, *Ond* foi alterado para *Minas-berel* e, depois, para *Minas Tirith*.

A TRAIÇÃO DE ISENGARD

Um esboço muito rudimentar a lápis, escrito nos papéis de prova de agosto de 1940 descritos na p. 83, traz aspectos inteiramente novos da discussão no Conselho. No alto da página estão os seguintes nomes:

Minas Giliath   Minas rhain[8] *Othrain* = cidade ... .[9] *Minas tirith*

E então prossegue:

No Conselho
    Ascendência de Aragorn.
    A demanda de Glóin — perguntar por Bilbo. ? Novas de Balin. ??
    Boromir. Profecias foram ditas. A Espada Partida deveria ser reforjada. Nossos sábios disseram que a Espada Partida estava em Valfenda.
    Estou com a Espada Partida, disse Tarkil. Meus pais foram expulsos da tua cidade quando Sauron causou uma rebelião, e aquele que é agora o Chefe dos Nove nos expulsou.
    Minas Morgol.
    Guerra entre Ond e o Rei Mago.
    Lá os antepassados de Tarkil foram Reis. Tarkil virá e auxiliará Ond. Os pais de Tarkil tinham sido expulsos pelo mago que agora é Chefe dos Nove.
    A história de Gandalf sobre Saruman e a águia. Elrond explica que as Águias tinham sido enviadas para procurar. Isso apenas se Gandalf for diretamente para Valfenda. De outra forma, como as águias encontrariam Gandalf?

A Espada Partida aparece nas últimas revisões à história do "Pônei Empinado" (escritas no mesmo papel desse esboço), em que Troteiro a saca na estalagem (p. 97).[10] O significado das duas últimas frases do esboço é, presumo, que Gandalf foi diretamente para Valfenda quando deixou a Vila-dos-Hobbits em junho, e lá disse a Elrond que pretendia visitar Saruman. Compare com as notas na p. 94: "Gandalf é capturado por Saruman. Elfos mandam notícias de que ele está desaparecido [...] Glorfindel é enviado e os mensageiros são mandados para as Águias. [...] Voam por todas as terras, e encontram Gandalf [...]".

143

O CONSELHO DE ELROND (1)

A Terceira Versão

Conta-se mais dessa história dos "antepassados de Tarkil" e Ond em um manuscrito feito no mesmo papel, o qual incluo a seguir e que, apesar de estar tão mal-acabado e incompleto, chamarei de "a Terceira Versão". Este texto desenvolve a história de Glóin, e é seguido pelo relato de Galdor de Trevamata acerca da fuga de Gollum, que entra aqui pela primeira vez.[11] Nessas partes do texto, há um grande progresso rumo a SA (pp. 347–9, 364–7), em que, contudo, a ordem das falas no Conselho é bem diferente. Finalmente, alcançamos a história dos reinos númenóreanos na Terra-média, ainda de forma extremamente primitiva, e escrita em garranchos terríveis; muito infelizmente, uma porção dela se perdeu.

Há uma boa quantidade de alterações a lápis, mas creio que elas pertencem à mesma época em que o manuscrito foi feito (o qual termina a lápis). Incorporo-as silenciosamente quando são de pouca monta, mas, em muitos casos, indico-as no texto.

Muito se disse dos acontecimentos no mundo exterior, em especial no Sul e nas amplas terras a leste das Montanhas. De tudo isso Frodo já ouvira muitos rumores. Mas as histórias de Glóin e Boromir eram novas para ele, e as escutou atentamente. Parecia que os corações dos Anãos da Montanha estavam perturbados.

"Já faz muitos anos", disse Glóin, "que uma sombra de inquietação recaiu sobre nosso povo. De onde vinha, não sabíamos no início. Palavras começavam a ser sussurradas: diziam que estávamos restritos em um lugar estreito, e que maior riqueza e esplendor seriam encontrados no mundo mais amplo. Alguns falavam de Moria — a imensa obra de nossos pais de outrora, que em nossa língua antiga chamávamos Khazaddûm — e diziam que agora tínhamos o poder e o número de pessoas para retornarmos e lá restabelecermos nossos paços em glória e comandarmos as terras tanto a Leste quanto a Oeste das Montanhas. No fim, algo como uma vintena de anos atrás, Balin partiu, apesar de Dáin não lho permitir de bom grado, e levou consigo Óin e Ori e muitos de nosso povo, e partiram rumo ao sul. Durante algum tempo tivemos notícias, e pareciam boas: mensagens relatavam que haviam reentrado em Moria, e lá iniciaram grande obra. Depois tudo silenciou. Houve paz sob a Montanha novamente por um tempo, até que o rumor dos anéis começou a ser ouvido.

A TRAIÇÃO DE ISENGARD

"Mensagens chegaram há um ano da longínqua Mordor; e nos ofereciam anéis de poder tais quais o senhor de Mordor poderia fazer, tendo por condição nossa amizade e auxílio. E perguntaram com urgência acerca de um certo Bilbo que, parece, descobriram que foi certa vez nosso amigo. Ordenaram que obtivéssemos dele se pudéssemos, ele querendo ou não, um certo anel que possuía. Em troca disso, ofereceram-nos três dos anéis que nossos pais possuíam outrora. Até mesmo por notícias de onde ele poderia viver, prometeram-nos amizade duradoura e grande recompensa.

"Sabíamos bem que a amizade de tais mensagens era enganosa e escondiam uma ameaça, pois àquela altura muitos rumores malignos sobre Mordor também nos haviam alcançado. Ainda não lhes demos resposta; e vim, primeiramente de Dáin, para avisar Bilbo de que o Senhor Sombrio está à sua busca, e para saber (se possível) por quê. Também ansiamos pelo aconselhamento de Elrond, pois a sombra cresce. Percebemos que mensagens foram também enviadas ao Rei Brand, em Valle, e que ele tem medo de resistir. A guerra já se avizinha de suas fronteiras meridionais. Se não dermos resposta, o Senhor Sombrio moverá outros homens para assaltá-los e a nós."

"Fizestes bem em vir", disse Elrond. "Hoje ouvireis tudo do que necessitais para compreender os propósitos do Inimigo, e por que ele busca Bilbo. Não há nada que possais fazer exceto resistir, com esperança ou sem ela. Mas, como ouvireis, vossa aflição é tão somente parte da nossa [> das aflições de outros]; e vossa esperança há de se erguer e cair com as fortunas do Anel. Ouçamos agora as palavras de Galdor de Trevamata, pois são conhecidas de poucos ainda."

Galdor falou. "Não venho", disse, "para somar aos relatos de guerras que se avizinham e inquietação, embora Trevamata não esteja sendo poupada, e coisas sombrias que fugiram dela por um tempo estão retornando em tal número que meu povo está em apuros. Mas fui enviado para trazer novas: não são boas, receio; mas outros devem julgar quão más elas são. Smeagol, que agora se chama Gollum, escapou."

"O quê!", exclamou Troteiro, surpreso. "Julgo serem más notícias, e podeis escrever o que digo: havemos de lamentar por isso. Como foi que os Elfos-da-floresta falharam em sua responsabilidade?"

"Não por falta de vigilância", disse Galdor; "mas talvez por excesso de bondade, e certamente com a ajuda de outros. Vigiamo-lo dia e

O CONSELHO DE ELROND (1)

noite; mas, tendo esperança de sua cura, não tivemos coragem de mantê-lo sempre em calabouços embaixo da terra."

"Fostes menos gentis comigo", disse Glóin com um lampejo nos olhos, quando foram evocadas antigas lembranças de sua prisão nos paços do Rei-élfico.

"Ora, vamos!", disse Gandalf. "Não interrompas! Isso foi um lamentável mal-entendido."

"Em dias de bom tempo nós o levávamos através dos bosques", prosseguiu Galdor; "e havia uma árvore alta, postada a sós longe das demais, que ele gostava de escalar. Muitas vezes o deixamos subir até os ramos mais altos para que sentisse o vento livre; mas pusemos guarda ao pé. Certo dia ele não quis descer, e os guardas, que não pretendiam escalar atrás dele (ele conseguia se prender aos galhos com os pés assim como com as mãos), sentaram-se junto à árvore até o ocaso. Foi nesse mesmo anoitecer de verão sob um luar claro que os Orques nos atacaram. Rechaçamo-los após algum tempo; mas, quando a batalha terminou, descobrimos que Gollum se fora, e os guardas haviam sumido também. Parece evidente que o ataque fora feito para resgatar Gollum, e que ele sabia disso de antemão; mas de que modo não podemos imaginar. Não conseguimos recapturá-lo. Demos com seu rastro e o de alguns Orques, e ele se aprofundava longe em Trevamata, rumando para o sul e para o oeste; mas logo escapou até mesmo à nossa habilidade, e não ousamos prosseguir na caçada, pois estávamos nos aproximando das Montanhas de Trevamata, no meio da floresta, e elas se tornaram malignas, e não vamos naquela direção."

"Bem, bem!", disse Gandalf. "Ele se foi, e não temos tempo ou chance agora de procurá-lo outra vez. É evidente que o Inimigo o quer. Por qual razão, quem sabe fiquemos sabendo em boa hora ou em má hora.[12] Eu ainda tinha alguma esperança de curá-lo; mas, evidentemente, não deseja ser curado."

"Mas agora nossa história vai para longe e para muito tempo atrás", disse Elrond [> Gandalf]. [*Instrução aqui para a inserção de um adendo que não existe mais; mas ver p. 155*] "Nos dias que se seguiram aos Dias Antigos, depois da queda de Númenor, os homens de Ociente chegaram às praias das Grandes Terras, como se recorda ainda em história e lenda [> no saber]. Dentre os seus reis, Elendil era o principal, e seus navios subiram o grande rio que fluía das Terras-selváticas [*na margem, riscado a lápis:* O rio que chamam *Sirvinya*, Novo Sirion.] e encontra o Mar do Oeste na Baía de [Ramathor Ramathir >] Belfalas. Na terra em volta fizeram um reino [> Na terra em volta do seu curso inferior ele estabeleceu um reino]; e a [> sua] principal cidade era Osgiliath, o Forte das Estrelas, por cujo meio fluía o rio. Mas outros lugares fortificados foram postos nas colinas de cada lado: Minas Ithil, a Torre da Lua, no Oeste, e Minas Anor, a Torre do Sol, no Leste [> Minas Ithil, a Torre da Lua Nascente, no Leste, e Minas Anor, a Torre do Sol Poente, no Oeste].

"E essas cidades eram governadas pelos filhos de Elendil: Ilmandur [*riscado a lápis*], Isildur e Anárion. Mas os filhos de Elendil não retornaram da guerra contra Sauron, e somente em Minas Ithil [> Anor] o senhorio do Oeste foi mantido. Lá governava o filho de Isildur [> Anárion] e seus filhos depois dele. Mas, conforme o mundo empiorou e decaiu, Osgiliath caiu em ruína, e os serviçais de Sauron tomaram Minas Anor [*não alterado para* Ithil], e ela se tornou um lugar de pavor, e foi chamada Minas Morgol, a

> Todo o último parágrafo foi riscado a lápis. As últimas palavras estão no pé de uma página, e a folha seguinte se perdeu. É um infortúnio, pois parte da versão mais antiga da história se perdeu com ela. O texto, quando retomado, é complexo, e a maneira mais clara é numerá-lo em seções de (i) a (iii). Estamos agora no meio de uma fala de Boromir.

(i)

"[…] Mas dessas palavras ninguém de nós pôde entender qualquer coisa, até que descobrimos, após buscarmos longe, que *Imlad-ril* [> *Imlad-rist*] foi o nome de um vale muito ao norte, chamado pelos homens [> homens no Norte] de Valfenda, onde Elrond, o Meio-Elfo, habitava."

"Mas o restante ficará claro para ti", disse Troteiro, levantando-se. Sacou sua espada e lançou-a na mesa diante de Boromir: em dois pedaços. "Eis a Espada que foi Partida, e eu sou o portador."

"Mas quem és tu, e o que tens tu ou ela a ver com Minas Tirith?", perguntou Boromir.

"Ele é Aragorn, filho de Celegorn, e descende em linhagem direta [*acrescentado:* através de muitos pais] de Isildur de Minas

O CONSELHO DE ELROND (1)

Ithil, filho de Elendil", disse Elrond. "É *tarkil* e um dos poucos que agora restam desse povo."

> (Neste ponto, há uma marcação para a inserção de outro trecho, aqui identificado como (iii), que deveria substituir o que agora se segue, a continuação da passagem (i).)

(ii)

"E os Homens de Minas Tirith expulsaram meus pais", disse Aragorn. "Não se lembram disso, Boromir? Os homens daquela cidade nunca cessaram a guerra contra Sauron, mas não raro deram ouvidos aos conselhos que dele vieram. Nos dias de Valandur, murmuraram contra os Homens do Oeste, e ergueram-se contra eles e, quando voltaram da batalha contra Sauron, negaram-lhes entrada na cidade.[13] Então Valandur partiu sua espada diante dos portões da cidade e foi-se ao norte; e longamente os herdeiros de Elendil habitaram em Osforod, a Norfortaleza, em glória que lentamente minguava e em dias que escureciam. Mas agora toda a Terra do Norte está devastada há muito tempo; e tudo o que restou do povo de Elendil é pouco.

"O que os homens de Minas Tirith querem de mim — que retorne para ajudá-los na guerra para então me rejeitarem diante dos portões novamente?"

> O trecho (ii) foi inteiramente riscado a lápis. Despejada na página, essa narrativa é apenas um estágio além dos esboços muito provisórios que meu pai fez em vários momentos, conforme o trabalho progredia. Imagino que essa história obscura, com a notável sugestão de uma população de súditos que não era de Númenóreanos (embora as cidades tivessem sido fundadas por Elendil), foi rejeitada quase no momento em que foi escrita; talvez tenha sido a versão mais antiga dos reinos númenóreanos no exílio concebida por meu pai.
>
> O trecho que deveria substituir (ii) foi rabiscado muito rapidamente a lápis, e não foi excluído.

(iii)

"Então ele pertence a você tanto quanto a mim, e até mais!", exclamou Frodo, olhando para Troteiro abismado.

A TRAIÇÃO DE ISENGARD

"Não pertence a nenhum de nós", disse Troteiro, "mas foi ordenado que você o mantivesse por algum tempo.[14] Sim, sou herdeiro de Elendil", disse ele, voltando-se novamente para Boromir; [*tudo a seguir foi riscado no momento da composição:* "pois ouvi dizer que, há muito tempo, expulsastes os Homens do Oeste de Minas Anor. Sempre batalhastes contra Sauron, mas não raro destes atenção aos conselhos que dele vinham. Desejas que eu retorne a Minas Morgol ou Minas Tirith? Pois Valandil, filho de Elendil, foi tomado [? quando criança] Pois os Homens de Minas Ithil] "Pois Valandil, filho de Isildur, permaneceu entre os Elfos, e foi salvo, e partiu, por fim, com aqueles que dentre os homens de seu pai sobraram, e habitou no Norte, em Osforod, a Norfortaleza, que está agora devastada, de sorte que seus próprios fundamentos mal podem ser vistos sob a relva. E nossos dias têm minguado e escurecido com os anos. Mas sempre vagamos longe, sim, mesmo até as fronteiras de Mordor, fazendo guerra secreta ao Inimigo. Mas a espada nunca foi reforjada. Pois era de Elendil, e partiu-se embaixo dele quando tombou, e foi levada por seu escudeiro e guardada como tesouro. E Elendil disse: 'Esta espada não será brandida novamente por muitos anos; mas quando um clamor se ouvir em Minas Anor, e o poder de Sauron alevantar-se na Terra-média, que então a façam afiar'."

Por fim, (ii) continua a lápis, retomando a partir de "[...] para então me rejeitarem diante dos portões novamente?", e isto não foi riscado:

"Não me mandaram fazer qualquer pedido", disse Boromir, "e perguntaram apenas pelo significado das palavras. Porém somos acossados gravemente e, se Minas Tirith cair, e a terra de Ond, uma grande região terá caído sob a Sombra."

"Eu irei", disse Troteiro. "Pois o meio-alto de fato se revelou, e os dias profetizados estão próximos". Boromir olhou para Frodo e assentiu com súbita compreensão.

O texto acaba aqui. Nesses antigos trabalhos, é interessante ver que a Espada que foi Partida existia antes da história de que se partiu sob Elendil quando ele tombou: de fato, não fica claro de início que era mesmo a espada de Elendil, e nem qual era a relação

149

O CONSELHO DE ELROND (1)

dele com Valandur (a quem pertencia a espada), embora pareça claro que era descendente direto de Elendil: muito possivelmente era para ser filho de Isildur.

No trecho (iii), a história final da Espada Partida é vista no momento em que surgiu. Valandil aparece como filho de Isildur, e há um vislumbre da história posterior de que Valandil, o filho mais jovem, ficou em Imladris devido à pouca idade na época da Guerra da Última Aliança, que recebeu a espada de Elendil e que morou na cidade de Elendil, Annúminas.

Conforme meu pai escreveu o presente texto de início, ele evidentemente quis dizer (p. 147) que Ilmandur (o provável filho mais velho de Elendil) governava Osgiliath, sendo o nome da cidade adequado ao seu próprio nome (*Ilmen*, região das estrelas), assim como eram adequados os nomes das cidades aos dos irmãos que as governavam; mas Ilmandur foi removido e Osgiliath tornou-se a cidade de Elendil — pois, neste texto, Elendil navegou Grande Rio acima (que recebe o efêmero nome de *Sirvinya*, "Novo Sirion", substituindo *Beleghir*, "Grande Rio", VI. 506) e estabeleceu um reino na terra em volta do seu curso inferior. Isso está em completo desacordo com a história encontrada muito antes na conversa de Elrond com Bingo (ver p. 137; VI. 269–71), em que Elrond disse que Elendil era um "rei em Beleriand" que "fez uma aliança com o rei-élfico daquelas terras, cujo nome é Gilgalad", e que seus exércitos reunidos marcharam para o leste, e cruzaram as Montanhas Nevoentas, e passaram para as terras do interior, distantes da memória do Mar.

Esse texto estava intimamente relacionado ao fim da segunda versão de *A Queda de Númenor* (V. 26–7), e usava muitas frases iguais. Subsequentemente, um novo final para *A Queda de Númenor* o substituiu. Ele foi incluído em V. 45–6, mas eu o coloco aqui novamente:

Mas persiste uma lenda de Beleriand. Ora, aquela terra foi partida na Grande Batalha com Morgoth; e com a queda de Númenor e a mudança do feitio do mundo ela pereceu; pois o mar cobriu tudo o que restou, salvo algumas das montanhas que permaneceram como ilhas, chegando até os sopés das Eredlindon. Mas aquela terra onde Lúthien habitara perdurou, e foi chamada Lindon. Um golfo do mar a adentrava, e uma fenda foi feita nas Montanhas,

A TRAIÇÃO DE ISENGARD

através da qual o Rio Lhûn corria. Mas na terra que restou ao norte e ao sul do golfo os Elfos permaneceram, e Gil-galad, filho de Felagund, filho de Finrod, era seu rei. E eles construíram Portos no Golfo de Lhûn, de onde qualquer um de seu povo, ou qualquer um dos Elfos que fugiam da escuridão e pesar da Terra-média, podia zarpar para o Verdadeiro Oeste e não mais retornar. Em Lindon Sauron ainda não detinha domínio. E se diz que os irmãos de Elendil e Valandil, escapando da queda de Númenor, chegaram por fim às fozes dos rios que corriam até o Mar do Oeste. E Elendil (que é Amigo-dos-Elfos), que outrora amara o povo de Eressëa, chegou a Lindon e habitou lá por um tempo, e entrou na Terra-média e estabeleceu um reino no Norte. Mas Valandil subiu o Grande Rio Anduin e estabeleceu outro reino ao longe no Sul. Mas Sauron habitava em Mordor, o País Negro, e essa terra não ficava muito distante de Ondor, o reino de Valandil; e Sauron fez guerra contra todos os Elfos e todos os Homens de Ociente ou outros que os auxiliavam, e Valandil se viu em grande aperto. Portanto, Elendil e Gil-galad, vendo que a não ser que alguma resistência fosse feita Sauron se tornaria senhor de [?toda a] Terra-média, reuniram-se em conselho, e fizeram uma grande liga. E Gil-galad e Elendil marcharam Terra-média adentro [?e congregaram uma força de Homens e Elfos, e eles se reuniram em Imladrist].

Esses três relatos só podem ser colocados nesta sequência:

(I)   O relato de Elrond para Bingo (junto com o final original da segunda versão de *A Queda de Númenor*): Elendil em Beleriand.

(II) O presente texto (a "terceira versão" de "O Conselho de Elrond"): Elendil sobe o Grande Rio e funda um reino no Sul.

(III) O final revisado de *A Queda de Númenor*, citado acima: Elendil chega em Lindon; Valandil, seu irmão, sobe o Grande Rio e funda o reino de Ondor no Sul.

Demonstra-se que (I) é o mais antigo, é claro, devido ao nome Bingo; que (III) sucedeu (II) se mostra pelos nomes *Anduin* e *Ondor*. Mas isso é difícil de entender: pois a história que se vê surgindo em (II), pp. 146–8 — Isildur e Anárion são governantes de Minas Ithil e Minas Anor, e Valandil, filho de Isildur, sobrevive e

151

O CONSELHO DE ELROND (1)

mora no Norte — é a história que acabou perdurando em *O Senhor dos Anéis*.

Uma única folha manuscrita, isolada, trata dessa questão sem dar a solução. É também muito interessante em outros aspectos.

Após o "rompimento do Norte" na Grande Batalha, a forma do Noroeste da Terra-média foi mudado. Quase toda Beleriand afundou no Mar. Taur na Fuin tornou-se uma Ilha. As montanhas de Eredwethion &c. tornaram-se ilhotas (assim como Himling). Eredlindon estava agora perto do Mar (200 milhas no ponto mais distante). Um grande golfo do Mar entrou por Ossiriand e uma fenda se fez nas Montanhas, pela qual [o Branduinen fluía (mais tarde corrompido para Brandevin) >] o Lhûn fluía. No que restou entre as Montanhas e o Mar, os Elfos de Beleriand permaneceram em Lindon do Norte e do Sul; e Portos de Escape foram construídos no Golfo. O senhor era Gilgalad (filho de [*riscado:* Fin...] Inglor?). Muitos do seu povo eram Gnomos; alguns, Danianos de Doriath.

Entre Eredlindon e Eredhithui [*escrito acima:* Hithdilias] (Montanhas Nevoentas), muitos Elfos habitavam, e especialmente em Imladrist (Valfenda) e Eregion (Azevim). Em Azevim havia uma colônia de Gnomos que não se dispunham a partir. Descendo, em Harfalas (ou Falas) ...[15] as Montanhas Negras [Ered Myrn >] Eredvyrn (Mornvenniath) morava um poderoso contingente de Ilkorins.

Elendil e Valandil, reis de Númenórë, navegaram para a Terra-média e adentraram as fozes do Anduin (Grande Rio) e o Branduinen e o Lhûn (Rio Azul).

Aqui, o nome *Anduin* demonstra que esse texto seguiu (II), a presente versão de "O Conselho de Elrond". Aqui, assim como em (III), Elendil tem um irmão, Valandil (e são chamados de "reis de Númenórë"),[16] e o significado da última frase, presume-se, é que, novamente como em (III), eles vieram separadamente à Terra-média e subiram navegando rios diferentes.

A conclusão mais simples, de fato a única conclusão que parece possível, é que meu pai por algum tempo teve ideias diferentes sobre a vinda dos Númenóreanos e as desenvolveu independentemente.

Outras características desse texto devem ser notadas brevemente. Parece claro que ele precedeu (III) porque o rio é inicialmente o

A TRAIÇÃO DE ISENGARD

Branduinen (Brandevin), depois alterado para Lhûn, que fluía pelo grande desfiladeiro em Eredlindon (as Montanhas Azuis), enquanto em (III), Lhûn foi o nome escrito já de início. Isso indica também que o texto precedeu essa porção do mapa original (Mapa I, p. 356), que mostra essas regiões. Por outro lado, a afirmação de que Eredlindon agora não tinha nenhum ponto mais longe do que 200 milhas do Mar está bem de acordo com esse mapa;[17] e encontramos aqui uma referência aparentemente única às ilhas de *Tol Fuin* e *Himling*, que são mostradas nele.[18]

As Montanhas Nevoentas recebem nomes élficos pela primeira vez (*Eredhithui, Hithdilias*), assim como as Montanhas Negras no Sul, posteriormente as Montanhas Brancas, (*Eredvyrn, Mornvenniath*); e o nome *Eregion* para Azevim aparece. Não é possível interpretar o nome do pai de Gil-galad inicialmente escrito; a quarta letra parece ser um *r*, mas o nome certamente não é *Finrod*. *Inglor*, embora assinalado com uma interrogação aqui, concorda com (III), que diz *Felagund*; nos textos que chamei de (I), acima, era descendente de Fëanor.

Retorno agora para a "terceira versão" de "O Conselho de Elrond".

O poema (se é que já era um poema) que trouxe Boromir a Valfenda se perdeu na primeira versão, com a página perdida (p. 147), mas pelo que se segue fica claro que fazia referência à Espada que foi Partida, a qual estava em *Imlad-ril* e ao "meio-alto", que se "revelará" (ver SA, p. 354).

Há muitos nomes interessantes nesse texto.

Khazaddûm (p. 144) é usado pela primeira vez aqui — na narrativa — para Moria (ver V. 326, VI. 567), mas aparece no esboço original de uma página do Livro de Mazarbul: ver VI. 569 e o Apêndice deste livro, p. 539.

A cidade de *Osgiliath* no Grande Rio aparece, com as fortalezas de *Minas Anor* e *Minas Ithil* em cada lado do vale do rio, embora suas posições fossem originalmente invertidas, com Minas Ithil, a oeste, tornando-se *Minas Tirith*, e Minas Arnor, a leste, tornando--se *Minas Morgol*.

A *Baía de Belfalas* (que substituiu no momento da composição *Ramathor, Ramathir*) aparece aqui pela primeira vez (ver VI. 537, 538). Sobre o nome *Sirvinya* "Novo Sirion" para o Grande Rio, ver p. 150.

O CONSELHO DE ELROND (1)

Imlad-ril é sem dúvida a forma mais antiga e a primeira aparição do nome élfico de Valfenda; *Imlad-rist*, que entra aqui em substituição, é a forma encontrada nos textos incluídos em pp. 151–2. *Imladris* se encontra nas *Etimologias* (V. 466, radical RIS).

Compare *Osforod*, "a Norfortaleza", com a posterior *Fornost (Erain)*, "Norforte (dos Reis)".

No final do manuscrito, há algumas linhas a respeito de Bombadil: "'Eu sabia dele", respondeu Gandalf. 'Bombadil é um dos nomes. Ele se deu outros, adequando-se aos tempos. Tombombadil é para o povo do Condado. Raramente nos encontramos.'"

Rabiscos a lápis embaixo desse, difíceis de interpretar, dão outros nomes de Bombadil: *Forn para os Anãos*[19] (como em SA, p. 379); *Yárë para os Elfos*, e *Iaur* (ver as *Etimologias*, V. 487, radical YA); *Erion* para os Gnomos; *Mais-velho para os h[omens]* (ver SA, p. 208: "O mais velho, é o que sou").

A Quarta Versão

O próximo manuscrito completo do capítulo é um documento formidavelmente difícil. Contém páginas "canibalizadas" da segunda versão, sendo mantidos apenas os elementos dela que ainda eram apropriados, e também contém escritos posteriores em mais de um estágio na evolução do Conselho, com emendas adicionais por cima que foram claramente feitas em momentos diferentes. É difícil determinar como este complexo evoluiu, mas acho que seria possível argumentar em favor do relato evolutivo que coloco aqui, em que uma "quarta" e uma "quinta" versão são separadas.

Por esse raciocínio, meu pai então decidiu que a "terceira versão", extremamente difícil e incompleta, que introduzia tanto material novo, pedia um texto ordenado em um manuscrito claro. O capítulo (14) foi agora intitulado "O Conselho de Elrond", e começa (nos papéis de prova de "agosto de 1940") com uma versão revisada da abertura (ver p. 136): Frodo e Sam agora encontram Gandalf e Bilbo "num assento recortado em pedra, junto a uma curva da trilha", como em SA (p. 345). Mas não há desenvolvimentos adicionais nesse estágio quanto aos membros do Conselho: o Elfo de Trevamata ainda é Galdor. Boromir é agora "da cidade de Minas Tirith no Sul".

Desde o início do Conselho em si, a "terceira versão" — a partir das palavras "Muito se disse dos acontecimentos no mundo exterior" (p. 144) — foi majoritariamente acompanhada de perto, embora tenha havido uma progressão nos detalhes rumo à forma de SA. A fala de Glóin ainda é sucedida pelas notícias de Galdor sobre a fuga de Gollum e as observações resignadas de Gandalf quanto a isso. Mas, depois de "Mas agora nossa história vai para longe e para muito tempo atrás", Elrond acrescenta aqui:

"pois todos aqui deveriam conhecer a história completa do Anel. Eu sei", acrescentou, olhando rapidamente para Boromir, que parecia prestes a falar, "que credes ser agora a vez de vós falardes, depois de Galdor. Mas esperai, e vereis que vossas palavras serão mais adequadas depois."

Essa passagem pode muito bem representar o que estava no adendo perdido mencionado na p. 146.

O breve relato de Elrond sobre a fundação do reino de Ond não foi alterado da "terceira versão" (conforme emendada: ver pp. 146–7). Elendil permanece como seu fundador, no curso inferior do Grande Rio (que aqui não recebe nenhum outro nome), e "sua principal cidade era Osgiliath, a Fortaleza das Estrelas", enquanto Isildur e Anárion governavam Minas Ithil e Minas Anor. Mas, onde no texto anterior havia (conforme emendado), "Mas os filhos de Elendil não retornaram da guerra contra Sauron, e somente em Minas Anor o senhorio do Oeste foi mantido. Lá governava o filho de Anárion e seus filhos depois dele", esta quarta versão expande muito a fala de Elrond:

"[...] Mas Isildur, o mais velho, foi com o pai em auxílio de Gilgalad na Última Aliança. Magna era aquela hoste". Elrond fez uma pequena pausa e suspirou. "Lembro-me bem do esplendor de seus estandartes", disse ele [...]

A recordação de Elrond acerca da convocação das hostes da Última Aliança e a interrupção admirada de Frodo chegam agora à forma de SA (p. 350; ver p. 136 para as versões anteriores do trecho); mas, após "Vi muitas eras no Oeste do Mundo, e muitas derrotas, e muitas vitórias infrutíferas", o novo texto prossegue:

"[...] Assim se provou, de fato, a aliança de Gilgalad e Elendil."
Então, Elrond passou à história do assalto a Mordor que Frodo já ouvira de Gandalf / mas não tão completa ou claramente; e ele

O CONSELHO DE ELROND (1)

falou da conquista do Anel [*alterado, talvez nesse momento, para:* Mas agora tudo já fora exposto por completo, e lembranças que há muito jaziam escondidas vieram à tona. Grandes forças se reuniram, mesmo de feras e de aves; e de todas as coisas vivas havia alguns em cada uma das hostes, salvo os Elfos apenas. Somente eles não estavam divididos e seguiam Gilgalad.[20] Então, Elrond falou sobre a conquista do Anel], e a fuga de Sauron, e a paz que chegou ao Oeste da Terra-média por um tempo.

"No entanto", disse Elrond, "Isildur, que se apossou do Anel, e diminuiu grandemente o poder de Sauron, foi morto, e nunca voltou a Minas Ithil, na Terra de Ond, e ninguém de seu povo retornou. Só em Minas Anor a raça de Ociente se manteve por um tempo.[21] Mas Gilgalad estava perdido, e Elendil, morto; e, apesar da sua vitória, Sauron não foi completamente destruído, e as criaturas malignas que ele fizera ou domara estavam à solta, e multiplicavam-se. E os Homens aumentaram em número, e os Elfos se apartaram deles; pois o povo de Númenor decaiu; e o mundo empiorou. Osgiliath caiu em ruína; e homens malignos tomaram Minas Ithil, e ela se tornou um lugar de pavor, e foi chamada Minas-Morgol, a

> É neste ponto que o manuscrito anterior é interrompido, devido à perda de uma folha, e não é retomado até depois de Boromir recitar os versos com que sonhou em Minas Tirith, a respeito dos quais foi a Valfenda (p. 147).

Torre de Feitiçaria, e Minas Anor foi renomeada Minas Tirith, a Torre de Guarda. E essas duas cidades opunham-se uma à outra, e estavam sempre em guerra; e, nas ruínas de Osgiliath, sombras caminhavam. Assim tem sido por muitas vidas dos homens. Pois os homens de Minas Tirith continuam lutando, embora a raça de Elendil já há muito se tenha perdido entre eles. Mas ouvi agora Boromir, que vem de Minas Tirith, na Terra de Ond."

"É verdade que, naquela terra", disse Boromir com altivez, assumindo a história, "jamais deixamos de nos defender, e de disputar a passagem do Rio com todos os inimigos do Leste. Graças à nossa bravura alguma paz e liberdade foi assegurada nas terras a Oeste atrás de nós. Mas agora estamos pressionados, e próximos ao desespero, pois estamos cercados e a passagem do Rio foi tomada.[22]

E aqueles que defendemos se abrigam atrás de nós, dando muito louvor e pouco auxílio.

"Agora vim em missão, atravessando muitas léguas perigosas, até Elrond. Mas não busco aliados na guerra; pois o poder de Elrond não está nos contingentes, e nem os Altos-Elfos mostram sua força nos exércitos. Venho, antes, pedir conselho e que desenredem palavras difíceis. Muitos meses atrás, veio ao Senhor de Minas Tirith um sonho no meio de um sono perturbador; e depois um sonho semelhante veio a muitos outros na Cidade, até mesmo a mim. Sempre nesse sonho havia o ruído de água corrente de um lado, e de um fogo a soprar, do outro; e, no meio, ouvia-se uma voz, dizendo:

> *Busca a Espada partida:*
>   *em Imlad-rist está por enquanto,*
> *lá a palavra será proferida*
>   *maior que de Morgol o encanto.*
> *Será esta a marca exibida:*
>   *quando o meio-alto a terra deixar,*
> *a corrente será rompida,*
>   *Dias de Fogo hão de chegar.*[A]

Dessas palavras ninguém pôde entender nada,[23] até que, depois de longa procura, descobrimos que *Imlad-rist* era o nome élfico de um vale muito ao norte, chamado por Homens no Norte de *Valfenda*, onde habitava Elrond Meio-Elfo.

A terceira versão então é seguida de perto (p. 147–9, trechos (i) e (iii)), até "mas foi ordenado que você o mantivesse por algum tempo"; então há o seguinte nesta quarta versão:

"Sim, é verdade", disse, voltando-se para Boromir com um sorriso. "Não pareço adequado, talvez: tive vida dura e longa, e as léguas que medeiam daqui a Ond são poucas perto da extensão de minhas errâncias. Estive em Minas Tirith, e caminhei em Osgiliath à noite, e mesmo em Minas Morgol estive, e além". Ele estremeceu. "Mas meu lar, se é que o tenho, tem sido no Norte; pois Valandil, filho de Isildur, foi abrigado pelos Elfos naquela região após a morte do pai; e partiu por fim com quantos sobraram do

O CONSELHO DE ELROND (1)

seu povo, e morou em Osforod, a Norfortaleza. Mas ela está agora devastada, de sorte que seus próprios fundamentos mal podem ser vistos sob a relva. E nossos dias têm sempre minguado e escurecido com os anos; e tornamo-nos um povo errante, poucos, e secretos, e separados, sempre perseguidos pelo Inimigo e perseguindo-o. E a espada nunca foi reforjada. Pois era de Elendil, e partiu-se embaixo dele na sua queda; e foi levada por seu escudeiro e guardada como tesouro. Pois Elendil disse na sua última hora: 'Esta espada não será brandida novamente por muitas eras. E, quando se ouvir uma voz em Minas Anor, e a sombra de Sauron alevantar-se novamente na Terra-média, que seja então refeita'."

Parece-me extremamente provável que foi aqui, bem perto do ponto em que o rascunho da terceira versão terminava, que meu pai o abandonou em favor desta quarta versão ou, mais precisamente, revisou tudo o que tinha escrito, alterando a sequência das falas no Conselho, e introduziu muito material novo. Ele então continuou até o fim do capítulo; e essa é a quinta versão.

Na terceira e quarta versões, que por esse raciocínio terminam no mesmo lugar, a sequência tinha sido a mesma:

(1)   O relato de Glóin sobre o retorno a Moria e as mensagens de Mordor;
(2)   As notícias de Galdor sobre a fuga de Gollum;
(3)   A história de Elrond ("Mas agora nossa história vai para longe e para muito tempo atrás [...]");
(4)   Boromir e os versos sonhados em Minas Tirith;
(5)   Aragorn saca a Espada de Elendil, e Elrond proclama sua linhagem; Frodo diz "Então ele pertence a você tanto quanto a mim, e até mais!"
(6)   Aragorn fala de Valandil, filho de Isildur, e a vida dos seus descendentes no Norte.

As diferenças entre essa estrutura e a de SA são essencialmente que, na versão final, a história de (Galdor) Legolas aparece bem depois, e que, após a exclamação de Frodo em (5) e a resposta de Aragorn, Gandalf pede que Frodo mostre o Anel, ao que Elrond diz "Contemplai a Ruína de Isildur!"; isso, por sua vez, leva ao relato de Aragorn sobre si, que é seguido pela história de Bilbo e, então, a de Frodo.

158

A TRAIÇÃO DE ISENGARD

Uma única página de rascunhos mal-acabados traz ambos os desenvolvimentos: Frodo mostrando o Anel nessa conjuntura e Elrond o chamando de "Ruína de Isildur" (o que levaria à inserção do nome nos versos com que Boromir sonhou, e dos quais estava ausente no início, p. 157), e também um esquema para uma nova sequência. Nela, depois da explicação de Aragorn a Boromir sobre a Espada Partida (SA, p. 356), está escrito:

(1)   A história de Bilbo;
(2)   O relato de Gandalf sobre os Anéis, e a identificação do Anel de Bilbo como sendo a Ruína de Isildur;
(3)   A história da caçada a Gollum;
(4)   As notícias de Galdor sobre a fuga de Gollum;
(5)   A história de Frodo;
(6)   O "cativeiro de Gandalf"
(7)   "Pergunta sobre Tom Bombadil".

Embora (2) tenha sido, em SA, muito expandido, e compreenda a história (3) de Aragorn, essa é essencialmente a sequência final, com a exceção de (5): em SA, Frodo fala após Bilbo. Uma intervenção, depois da história de Frodo, por um Elfo dos Portos Cinzentos (Galdor, que ainda não estava presente) leva em SA aos dois longos relatos de Gandalf — (2) e (6) — em que (4) entra como uma interrupção.

A sequência acima encontra-se na quinta versão, que será (parcialmente) incluída em breve; e o modo como as falas no Conselho foram religadas, tornando-se a sequência final, pode ser compreendido comparando-se SA com o material presente aqui.

A História de Gandalf

Creio ser muito provável, na verdade praticamente certo, que foi nessa conjuntura, antes de começar a quinta versão de "O Conselho de Elrond", que meu pai finalmente colocou no papel a história completa do motivo pelo qual Gandalf não conseguiu retornar à Vila-dos-Hobbits antes da partida de Frodo. Apenas algumas indicações disso tinham sido escritas. Saruman apareceu pela primeira vez no esboço de 26–27 de agosto de 1940 (pp. 87–8), em que surgem as primeiras ideias sobre ele e seu papel. Ele vive em Angrobel, ou Pátioferro, nas fronteiras de Rohan; "manda mensagem de

159

O CONSELHO DE ELROND (1)

que há notícias importantes" (os Espectros-do-Anel saíram de Mordor); Gandalf quer sua ajuda contra eles; mas Saruman havia "caído e passado para o lado de Sauron". Nesse estágio, meu pai ainda estava completamente em dúvida sobre o que de fato aconteceu com Gandalf — se tinha sido perseguido pelos Cavaleiros até o topo de uma montanha da qual não conseguiu escapar, ou se tinha sido entregue a Barbárvore e por ele aprisionado; e naquele esboço, não há menção à sua fuga de qualquer aprisionamento a que tenha sido sujeitado. No breve esquema da p. 143, contudo, há menção à "história de Gandalf sobre Saruman e a águia"; e toca-se na questão aqui: como as Águias sabiam onde procurar por Gandalf? — a menos que ele tivesse ido diretamente para Valfenda quando deixou o Condado em junho, e tivesse contado a Elrond da sua intenção.

Agora, por fim, a história final emerge; e a concepção anterior sobre a Torre do Oeste, uma Torre-élfica das Emyn Beraid na qual Gandalf ficou, vigiado pelos Espectros-do-Anel imóveis em seus cavalos, como Frodo os viu no sonho (ver pp. 44–7), transforma-se em Orthanc, a torre de Saruman dentro do círculo do "Pátioferro"; e Saruman é seu captor.

O primeiro rascunho — para o qual meu pai usou as capas azuis das brochuras dos papéis de prova de "agosto de 1940" — foi escrito com sua letra mais veloz, nas quais as palavras frequentemente se reduziam a meras marcas ou linhas com leves ondulações, e não fui capaz de interpretá-la em todos os pontos. Mas este texto original da história de Gandalf é muito interessante, e coloco-o integralmente aqui, da melhor maneira que consigo. Ver-se-á que, enquanto a textura da narrativa é mais tênue do que na forma final (SA, p. 367 e seguintes), muitos elementos essenciais já estavam presentes. As páginas do manuscrito estão assinaladas com letras, começando com "b", o que mostra que a primeira se perdeu.

"Tem", disse Gandalf, "e eu estava prestes a dar um relato.[24] No final de junho uma nuvem de ansiedade chegou-me à mente, e atravessei o Condado até os limites meridionais. Há muito tinha presságio de algum perigo que ainda me estava oculto. Desci o Baranduin até o Vau Sarn, e lá encontrei um mensageiro. Descobri que o conhecia bem, pois ele saltou do cavalo quando me viu e saudou-me: era Radagast, que em certa época morou perto da fronteira Sul de Trevamata.

160

Aqui meu pai parou e, sem riscar o que escreveu, recomeçou no curso da segunda frase:

e cavalguei ao redor dos limites do Condado, pois tinha um presságio de algum perigo que ainda me estava oculto. Nada encontrei, embora tenha me deparado com muitos fugitivos, e pareceu-me que em muitos residia um medo de que não podiam falar. Vim do Sul e ao longo do Caminho Verde, e não longe de Bri topei com um viajante sentado ao lado da estrada. Seu cavalo [? cinza mosqueado] estava ao lado. Quando me viu, saltou de pé e saudou-me. Era Radagast, meu primo,[25] que em certa época morou perto da fronteira Sul de Trevamata. Eu o perdera de vista há muitos anos. 'Estou te buscando', falou. 'Mas sou estranho nesta região, e ouvi rumores de que estavas numa terra com um estranho nome: o Condado.' 'Eu estava', falei, 'e estás perto. [...] [? Rio] mas [? longe] para o Leste. O que queres de mim com tanta urgência?', pois ele nunca fora um grande viajante.

"Deu-me então notícias pavorosas e revelou a mim o que eu temia sem saber. Foi isto o que disse. 'Os Nove Espectros estão à solta', falou. 'O Inimigo deve ter algum propósito grande e urgente, mas o que o faria observar estas regiões… desoladas, onde há poucos homens e riqueza, não sei.' 'O que queres dizer?', indaguei. 'Os Nove estão vindo para cá', falou. 'Homens e feras fogem diante deles. [*Acrescentado a lápis*: Assumiram o aspecto de cavaleiros trajados de preto, como antigamente.]'

"Meu coração então faltou por um momento; pois o Chefe dos Nove foi outrora o maior de todos os magos dos Homens, e não tenho poder de fazer frente aos Nove Cavaleiros quando ele os lidera.

"'Quem te mandou?', perguntei. 'Foi Saruman, o [Cinzento >] Branco',[26] ele disse, [*acrescentado a lápis:* 'e mandou-me dizer que, embora o assunto seja grande demais para ti, ele ajudará, mas precisas buscar seu auxílio de imediato, e isso me pareceu bom'] e então tive um lampejo de esperança. Pois Saruman, o [Cinzento >] Branco é, como sabeis, o maior de nós, e era chefe do Conselho Branco. É claro que Radagast, o Cinzento [*a lápis* > Castanho], é um mestre das formas e mudanças de cor,[27] e tem grande saber sobre animais, aves e ervas; mas Saruman estudou por longo tempo as obras do Inimigo para derrotá-lo, e o saber dos anéis era seu conhecimento especial. O último dos 19 anéis ele tinha [...].[28]

O CONSELHO DE ELROND (1)

"'Irei ter com Saruman', disse eu. 'Então tens de ir agora', disse Radagast; 'pois o tempo é muito curto e, mesmo que partas agora, dificilmente chegarás até ele antes que os Nove cruzem os Sete Rios.[29] Eu mesmo hei de pegar meu cavalo e partir de pronto, pois minha missão está cumprida'. E, com isso, montou e partiu sem mais palavra — e isso me pareceu muito estranho. [*Acréscimo na margem:* e teria partido naquela hora. 'Espera um momento, Radagast', falei. 'Precisamos de ajuda de muitos tipos. Envia mensagens a todos os pássaros e animais que são teus amigos. Pede que tragam notícias a Saruman e Gandalf. Que as mensagens sejam enviadas a Orthanc.'][30] Mas não pude segui-lo. Já cavalgara longe, e Galeroc[31] estava cansado. Passei a noite em Bri e parti ao amanhecer — e se algum dia eu vir o [? taverneiro] novamente, não sobrará carrapicho nele. Vou derreter toda a gordura dele [...].[32] Mas abençoado seja, é um homem de valor e parece ter mostrado um coração determinado. Provavelmente relevarei. Contudo, por grande necessidade, confiei que ele enviaria a mensagem a Frodo, e parti ao amanhecer; e por fim cheguei à morada de Saruman, o Branco. E ela fica em Isengard, no norte das Montanhas Negras no Sul.[33] Há ali um círculo de colinas de encostas escarpadas que circundam um vale, e no meio do vale fica uma torre de pedra chamada Orthanc. Cheguei ao grande portão na muralha de pedra e disseram que Saruman me aguardava;[34] e entrei a cavalo, e o portão se fechou atrás de mim, e subitamente tive medo.

"Saruman estava lá, mas havia mudado. Usava um anel no dedo. 'Então vieste, Gandalf', disse-me, e me pareceu ver um riso mortal nos seus olhos. 'Sim, eu vim buscando teu auxílio, Saruman, o Branco'. Mas esse título pareceu enfurecê-lo. 'Por auxílio?', perguntou friamente. 'Poucas vezes se ouviu que Gandalf, o *Cinzento*, buscasse auxílio, alguém tão astucioso e tão sábio, vagando pelas terras e envolvendo-se em todos os assuntos, quer sejam dele, quer de outrem'."

"'Mas agora há coisas acontecendo', falei, 'que exigem todas as nossas forças [? em união]. O Chefe dos Nove assumiu a forma de um Cavaleiro de Preto, e seus companheiros também. Isso foi Radagast que me disse.'"

"'Radagast, o Castanho', disse ele, e estremeceu de rir. 'Radagast, o Simplório, Radagast, o Tolo. [*Acrescentado a lápis*: Mas teve esperteza o bastante para desempenhar o papel que lhe impus.] Deve ter desempenhado bem o seu papel, contudo. Pois estás aqui, [*acrescentado a lápis:* e foi esse o propósito da mensagem]. E Gandalf, o Cinzento, aqui ficarás. Pois eu sou Saruman: Saruman, o Sábio, Saruman de muitas cores. Pois o pano branco pode ser tingido, e a página branca pode ser coberta de escrita, e a luz branca pode ser fragmentada.' [*A lápis, na margem, sem indicação de onde inserir:* E então olhei e vi que suas vestes não eram brancas como costumavam ser, mas de muitos tons, e a cada movimento ele mudava de tom.]

"'E nesse caso ela não é mais branca', disse eu. 'Pois o branco pode ser a mistura de muitas cores, mas muitas cores não são o branco'. 'Não precisas falar comigo como a um dos tolos que tens por amigos', disse ele. 'Não te trouxe aqui para ser instruído, e sim para te dar uma escolha. Um novo poder se ergueu. Contra ele não há esperança. Com ele está a esperança que jamais tivemos antes. O poder vencerá. [*Acrescentado na margem, sem indicação de onde inserir:* Contra ele lutamos em vão — e, de toda forma, tolamente; pois sempre olhamos para ele de fora, com ódio, e não consideramos quais são seus propósitos mais adiante. Vimos somente as coisas feitas, amiúde por necessidade, ou causadas por resistência e tola rebelião.] Crescerei conforme ele cresce, até que todas as coisas sejam nossas. No fim, eu — ou *nós*, se te juntares a mim — poderei, no fim, acabar controlando esse Poder. E, de fato, por que não? Não poderíamos, por esse meio, realizar tudo, e mais do que tudo, que porfiávamos antes, com a ajuda dos Homens fracos e dos Elfos fugitivos?'

"'Sê breve!', falei. 'Diz quais são as escolhas! É isto, não é? Submeter-me, como tu fizeste, a Sauron [*texto alternativo:* Submeter-me a ti e a Sauron], ou o quê?'

"'Ou ficar aqui até o fim', falou.

"'Até que fim?'

"'Até que o Senhor tenha tempo de considerar que destinação para ti lhe daria mais prazer.'

"Levaram-me", disse Gandalf, "e me puseram no pináculo de Orthanc, no lugar de onde Saruman outrora costumava observar as estrelas. Não há descida senão por uma escada estreita. E o vale que outrora fora belo estava repleto de lobos e orques, pois Saruman estava reunindo ali uma grande força para o serviço do seu novo mestre.[35] Eu não tinha chance de escapar, e meus dias

O CONSELHO DE ELROND (1)

foram amargos. Pois tinha pouco espaço para andar para lá e para cá, e para ruminar a vinda dos Cavaleiros ao Norte. Mas sempre havia uma esperança de que Frodo tivesse partido como eu recomendara, e que chegaria a Valfenda antes que começasse a perseguição inescapável. Mas tanto meu temor quanto minha esperança foram enganados. Pois cometi o erro que outros já cometeram. Não compreendia ainda que, no Condado, o poder de Sauron pararia e vacilaria, e a caçada estaria perdida. E minha esperança se baseava em um taverneiro: um dos melhores do mundo, mas que não foi feito para ser instrumento em assuntos elevados."

"Quem mandou as águias?", perguntou Frodo avidamente, pois de súbito o estranho sonho que teve lhe voltou.

Gandalf olhou para ele, surpreso. "Pensei que tinha perguntado o que aconteceu comigo", falou. "Mas você parece saber, e não precisar... do meu relato..."

"Suas palavras me recordaram um sonho", disse Frodo, "que eu pensava ser só um sonho e havia esquecido."

"Bem", disse Gandalf, "seu sonho era real.[36] Gandalf foi apanhado como uma mosca numa teia de aranha; mas ele é uma mosca velha e já viu muitas aranhas. Não estava satisfeito em mandar mensagem apenas ao Condado. De início eu temia, como Saruman desejava que eu temesse, que Radagast também tivesse caído. Mas não foi assim: ele confiou em Saruman, que não lhe revelara seus propósitos. E o próprio fato de que Saruman foi tão bem-sucedido ao enganar Radagast provou ser a ruína de sua trama. Pois Radagast fez como lhe pedi.[37] E as Águias das Montanhas Nevoentas vigiaram e viram a convocação de orques, e ouviram a notícia da fuga de Gollum, e enviaram-me mensagens sobre isso a Orthanc. Assim foi que, quando a lua ainda estava crescente numa noite de outono, Gwaewar, o Senhor-dos-Ventos[38] chefe das águias, chegou até mim; e falei-lhe e ele me levou embora antes que Saruman se desse conta, e os orques e lobos que ele soltou não me encontraram.

"'Até onde podes me carregar?', disse eu a Gwaewar.

"'Muitas léguas', respondeu ele; 'mas não aos confins da terra. Se soubesse que tu desejavas voar, teria trazido ajudantes. Enviaram-me por ser o mais veloz e como portador de [? notícias].'

"'Então preciso de uma montaria', afirmei, 'e uma montaria de extrema velocidade; pois nunca tive tanta necessidade.'

A TRAIÇÃO DE ISENGARD

"'Então levar-te-ei a Rohan', disse ele, 'pois não fica muito longe. Pois em Rohan [*acrescentado:* a ?Marca-dos-Cavaleiros] os Rohiroth,[39] os mestres-de-cavalos, habitam ainda, e não há cavalos como os cavalos daquela terra.'

"'Ainda se pode confiar neles?' 'Pagam tributo ... anualmente em cavalos a Mordor', disse Gwaewar, 'mas ainda não estão subjugados;[40] e, no entanto, a sina deles não está muito longe, se Saruman caiu.'

"Cheguei a Rohan antes do amanhecer, e lá consegui um cavalo que jamais vi semelhante."

"É um excelente corcel deveras", disse [Elrond >] Aragorn; "e saber que Sauron recebe tal tributo me contrista. Pois nos corcéis de Rohan há um traço que ... descende dos Dias Antigos."

"Ao menos um está a salvo", disse Gandalf; "pois lá obtive meu cavalo cinzento; e o chamo de Grisfax. Nem mesmo o Chefe dos Nove poderia cavalgar com tal velocidade incansável; e de dia seu pelo reluz como prata, e à noite passa sem ser visto como uma sombra. Tão depressa foi minha viagem desde Rohan que cheguei ao Condado em menos de uma semana após o dia marcado, e cheguei à casa dele[41] e descobri que tinha partido. De fato, encontrei os Sacola-Bolseiros ali e [? mandaram-me embora]. Fui até o Feitor e ele mal pôde ser confortado; mas tinha eu mesmo necessidade de conforto, pois em meio à sua fala confusa, concluí que os Cavaleiros haviam chegado assim que você partiu; e cavalguei até a Terra-dos-Buques, e estava tudo em polvorosa; mas encontrei Cricôncavo arrombada e vazia e, na soleira, apanhei uma capa que era de Frodo.

"Foi meu pior momento. Cavalguei no encalço dos Cavaleiros Negros como o vento, e fui atrás deles conforme passavam por Bri. Derrubaram os portões ... e passaram como um vento. Os habitantes de Bri, imagino, ainda estão tiritando e esperam o fim do mundo. Agora sei que isso foi na noite após a sua partida. No dia seguinte, segui galopando, e em dois dias cheguei ao Topo-do--Vento, e ali já encontrei dois do Inimigo, mas recuaram diante da minha [? ira]. Mas naquela noite ... reuniram, e fui cercado no topo, mas percebi que não estavam com você.

O texto termina com as palavras: "Fugiu ao nascer do sol". Com o mínimo de previsão (ao que parece), um elemento novo e uma

O CONSELHO DE ELROND (1)

dimensão gigantescos haviam entrado na história. Ainda estavam faltando, é claro, algumas características essenciais. A mais importante é que Saruman não estava agindo de maneira independente em relação à Torre Sombria (ver nota 35); e, se a grande cavalgada de Gandalf desde Rohan em "Grisfax" aparece agora, não há sugestão de que as relações entre Rohan e Mordor viriam a ter qualquer importância essencial na história (embora essas relações sejam, nesse momento, concebidas de maneira distinta: ver nota 40), e a observação de Gandalf, "Em Rohan encontrei o mal já em ação" (SA, p. 375) está ausente.

A história da cavalgada de Hamílcar Bolger com Gandalf se foi, por fim (ver pp. 93–4), assim como a da visita de Gandalf a Tom Bombadil (ver p. 138).

Uma característica notável é a evolução das "cores" dos magos Gandalf, Saruman e Radagast, que chegou à forma final no decorrer da escrita desse rascunho. Saruman é, a princípio, "o Cinzento",[42] tornando-se de pronto "o Branco", e Radagast imediatamente assume o epíteto "Cinzento" (p. 161). Mas Gandalf então se torna "o Cinzento",[43] e Saruman chama Radagast de "o Castanho" no texto da p. 162 já de início.

NOTAS

[1] Este texto foi montado a partir de páginas usadas em uma versão subsequente que foi enviada à Universidade Marquette e outras que ficaram para trás. Muitas alterações foram feitas a ele posteriormente, mas, nas citações que faço a partir daqui, considero apenas as que foram feitas a caneta ou no momento da composição, ou perto dele.

[2] Elrond ainda diz que Boromir "traz notícias que devem ser consideradas", mas, como na versão original (VI. 504), continuamos sem saber que notícias eram essas, e não se dá nenhuma explicação para sua viagem a Valfenda. Nesta versão, contudo, Gandalf subsequentemente diz que Boromir "está decidido a voltar assim que puder para sua própria terra, para o cerco e a guerra de que falou".

[3] Demonstra-se que meu pai estava com esse texto mais antigo diante de si pela recorrência, aqui, deste erro fortuito (que eu não observei no volume VI): "Elwing, filha de Lúthien": Elwing era filha de Dior, filho de Lúthien.

[4] Na frase anterior, "Com o tempo, o Senhor do Anel descobriria o esconderijo", assim como na primeira versão (VI. 496 e nota 25), *Senhor dos Anéis* foi inicialmente escrito, mas alterado imediatamente para *Senhor do Anel*.

[5] "Thráin, pai de Thrór" (VI. 498 e nota 28), o que contradiz *O Hobbit*, foi repetido. Ver pp. 192–4.

6 Ver nota 2.

7 O fato de Bilbo dar a Frodo Ferroada e sua cota de malha aparece no esboço original de "O Conselho de Elrond", VI. 490. Aqui, Bilbo não mostra os fragmentos da espada de Frodo, como faz em SA, e, de fato, nem faz menção a ela ter se partido, embora a história de que se quebrou no Vau do Bruinen remonte ao início (VI. 247). A cota de malha (que Bilbo ainda chama de "malha-élfica") é descrita como sendo "engastada com pérolas pálidas" ("gemas brancas" em SA); cf. o texto original de *O Hobbit*, antes de a palavra "mithril" ser introduzida: "Era de aço prateado e ornamentada com pérolas" (VI. 567, nota 35) [e ver *O Hobbit Anotado*, p. 262].

8 Ver pp. 339–40, nota 3.

9 A palavra ilegível provavelmente começa com F e talvez seja "Fogo".

10 É possível que a Espada que foi Partida na verdade tenha surgido dos versos "Não rebrilha tudo que é ouro": por essa visão, na forma mais antiga dos versos em que a Espada Partida é mencionada (p. 100, nota 18), as palavras *quiçá o sem-coroa se entrone, Empunhe-se a espada partida* não passariam de mais um exemplo de princípio moral genérico.

11 A fuga de Gollum, embora esteja surgindo apenas agora, era uma necessidade da história desde que Gandalf disse a Bingo (VI. 327) que "os Elfos-da-floresta o mantêm na prisão", caso Gollum fosse reaparecer no fim, como já fora previsto há muito tempo (ver VI. 471–2).

12 Posteriormente, foi Barbárvore quem disse isso (*As Duas Torres* III. 4, p. 701): "Há algo muito grande acontecendo, isso posso ver, e quem sabe fique sabendo o que é em boa hora, ou em má hora".

13 Ver o esboço na p. 143: "Meus pais [isto é, de Aragorn] foram expulsos da tua cidade quando Sauron causou uma rebelião", e "Lá os antepassados de Tarkil foram Reis".

14 Ver pp. 64 e 131, nota 3, para os usos anteriores deste diálogo, em outros contextos.

15 A palavra ilegível é uma abreviação, talvez "ent.", que meu pai usou em outros lugares para "entre"; se for esse o caso, talvez a intenção (o manuscrito é muito apressado) fosse escrever "entre as Montanhas Negras e o Mar". *Harfalas* não está nomeado no Primeiro Mapa (p. 364, mapa III).

16 Ver p. 146: "Dentre os seus reis [ou seja, dos Homens de Oriente], Elendil era o principal".

17 O texto (III), o final revisado de *A Queda de Númenor*, diz que "o mar cobriu tudo o que restou [...] *até os sopés das Eredlindon*" (pp. 149–50), mas isso pode ser acomodado ao mapa se supusermos que esteja se referindo à extensão setentrional da cadeia (onde fazia a curva para nordeste).

18 Na Introdução a *Contos Inacabados* (p. 30), afirmei que "apesar de o fato não estar referido em nenhum lugar, fica claro que o topo de Himring erguia-se por sobre as águas que cobriam a Beleriand afundada. A alguma distância a

O CONSELHO DE ELROND (1)

oeste dali havia uma ilha maior chamada *Tol Fuin*, que deve ser a parte mais alta de *Taur-nu-Fuin*." Quando escrevi isso, não sabia da existência deste texto. A forma posterior *Himring* já aparecera no segundo texto do *Lhammas* (V. 208, 223) e no *Quenta Silmarillion* (V. 313, 319); *Himling* aqui e no mapa são surpreendentes, mas não podem ter importância para a datação.

[19] Isso é nórdico antigo, *forn* "antigo".

[20] Ver *Dos Anéis de Poder* em *O Silmarillion*, p. 384: "Todas as coisas vivas estavam divididas naquele dia, e alguns de cada espécie, até mesmo entre feras e aves, podiam ser encontrados em cada hoste, salvo os Elfos apenas. Somente eles não estavam divididos e seguiam Gil-galad."

[21] Neste texto não há referência à morte de Anárion. Fica claro que ele não foi para a Guerra da Última Aliança.

[22] Compare com SA: "Mas se as passagens do Rio forem conquistadas, o que será então?". Em SA (p. 354), Boromir descreve o assalto a Osgiliath: "Havia ali um poder que não havíamos sentido antes. Alguns diziam que ele podia ser visto como um grande cavaleiro negro, uma sombra obscura sob a lua"; "mas prosseguimos lutando ainda, ocupando toda a margem oeste do Anduin". Um acréscimo ao presente texto pode ter sido feito nessa época ou depois: "Nove cavaleiros de preto conduziram a hoste de Minas Morgul naquele dia, e não pudemos fazer oposição". Ver pp. 183–4.

[23] Neste ponto, o rascunho da "terceira versão" recomeça depois da página faltante (p. 147).

[24] Compare com a versão seguinte (p. 181): "Tem muito a ver", disse Gandalf, "e, se Elrond me permitir, farei meu relato agora."

[25] Ver *O Hobbit*, capítulo 7, "Acomodações Esquisitas", p. 144: "Eu sou um mago", continuou Gandalf. "Já ouvi falar de você, ainda que não tenha ouvido falar de mim; mas talvez tenha ouvido falar de meu bom primo Radagast, que vive perto da fronteira Sul de Trevamata?" — sobre a aparição de Radagast na história, ver p. 95 e nota 15.

[26] A mudança de *Cinzento* para *Branco* seguiu a mesma alteração na frase seguinte, que foi feita no momento da escrita. Um pouco adiante, *Saruman, o Branco* foi a expressão escrita de início.

[27] Será que isso foi sugerido pela familiaridade de Beorn com Radagast? (Ver nota 25).

[28] Não consigo entender as duas últimas palavras, embora a primeira possa ser "obtido". Mas seja lá que palavras são essas, o significado é claramente que Saruman conseguira o último dos Anéis, e o usava no dedo, como aparece subsequentemente neste texto (ver SA, p. 370). No último texto de "História Antiga", Gandalf faz menção à discussão sobre os Anéis no Conselho Branco e àqueles que "[praticam] essas coisas"; ver p. 31.

[29] Os *Sete Rios*: ver pp. 365–7.

[30] Vê-se na sequência (nota 37) que esse acréscimo foi feito enquanto a escrita do texto ainda estava progredindo; e nesse acréscimo se vê que Radagast entrou

pela primeira vez na história como um meio pelo qual Gandalf era atraído para a morada de Saruman. A pressa repentina da partida de Radagast pareceu a Gandalf algo "muito estranho", e é possível que, quando rascunhou a história inicialmente, meu pai supunha que o papel de Radagast não era o de um inocente emissário: mais tarde, em Isengard, Saruman diz (p. 163): "Deve ter desempenhado bem o seu papel, contudo". Isso não está em SA. Quando o acréscimo aqui foi feito, Radagast também se tornou o meio pelo qual as Águias sabiam onde encontrar Gandalf (ver p. 160), e esse desenvolvimento necessariamente acabou com a ideia de que Radagast tinha se corrompido — mas o temor de Gandalf de que tivesse sido permaneceu: "De início eu temia, como sem dúvida Saruman pretendia, que Radagast também tivesse caído" (p. 164; isso foi mantido em SA, p. 374). É a primeira aparição do nome *Orthanc*, embora seu primeiro uso real na narrativa seja provavelmente na descrição de Isengard imediatamente a seguir.

³¹ *Galeroc*: ver p. 85 e nota 4, e p. 87.

³² As palavras ilegíveis talvez sejam "com dedo e tudo" ("butterfingers").

³³ O nome *Isengard* ocorre aqui pela primeira vez (cf. *Angrobel*, *Pátioferro*, p. 88), e está localizada não na ponta meridional das Montanhas Nevoentas, mas no norte das Montanhas Negras.

³⁴ Essa é a primeira descrição de Isengard. Há um acréscimo esmaecido a lápis neste ponto: "Mas algo estranho no olhar e nas vozes deles me chamou a atenção; e desmontei do cavalo e deixei-o do lado de fora. E isso foi bom, porque" (aqui o acréscimo é interrompido). Isso talvez fosse uma ideia, abandonada tão logo foi escrita, para alguma outra história da fuga de Gandalf e a necessidade de um cavalo para levá-lo de volta ao Condado. A grande velocidade de Galeroc já foi enfatizada anteriormente (p. 85: "não há um só cavalo em Mordor ou em Rohan que seja tão rápido quanto Galeroc").

³⁵ Compare com SA, p. 373: "pois Saruman reunia um grande exército por sua própria conta, em rivalidade contra Sauron e não a seu serviço, ainda".

³⁶ Antes de escrever esse trecho sobre o sonho de Frodo ("'Quem mandou as águias?' [...]), meu pai colocou: "'E como você escapou?', perguntou Frodo". Portanto, foi provavelmente neste exato ponto que ele decidiu introduzir a visão que Frodo teve de Gandalf no pináculo de Orthanc, no sonho na casa de Tom Bombadil (SA, p. 202; para narrativas anteriores do sonho naquela noite, ver VI. 151–3, 405–6). A visão que teve de Gandalf aprisionado na Torre do Oeste tinha sido removida também, é claro (ver pp. 46–7).

³⁷ Vê-se por essa passagem que o acréscimo discutido na nota 30 foi colocado enquanto o rascunho estava sendo escrito.

³⁸ Sobre a forma *Gwaewar* (*Gwaihir* no SdA), ver V. 360–1.

³⁹ O nome que segue *Rohan* é muito incerto, mas dificilmente seria outra coisa além da primeira ocorrência de *Marca-dos-Cavaleiros*. *Rohiroth*, *Rochiroth* é atestado no primeiro mapa esboçado da região, VI. 537, 538

O CONSELHO DE ELROND (1)

[40] Ver VI. 519 (o texto mais antigo de "O Anel vai para o Sul"): "Os Reis-de-
-cavalos estão há muito tempo a serviço de Sauron".

[41] "dele", muito embora Frodo não tenha sido mencionado, porque "o dia marcado" substituiu "a partida de Frodo".

[42] No enredo datado de 26–27 de agosto de 1940 (p. 87), em que Saruman aparece pela primeira vez, ele era "Saramond, o Branco ou Saruman Cinzento".

[43] Ele chama a si mesmo de "Gandalf, o Cinzento" na versão da conversa com
Frodo em Valfenda citada na p. 102, mas ela não é anterior ao presente texto.

❧ 7 ❧

O Conselho de Elrond (2)

A Quinta Versão

Uma quinta versão de "O Conselho de Elrond" se seguiu, e está convenientemente alocada aqui, embora não seja necessariamente o caso que essas revisões progrediram em uma sequência ininterrupta enquanto outros escritos estavam parados. Essa versão incorporou a alteração na ordem dos falantes (pp. 158–9) e a narrativa de Gandalf, e alterou a história de Elendil e seus filhos; mas, para essa reescrita e reconstrução, meu pai fez uso de materiais existentes, daí o estado extraordinariamente complicado do manuscrito. Muitas emendas foram feitas a esta versão em momentos diferentes. Nesse caso, elas podem ser facilmente separadas em dois grupos tendo por base um texto datilografado que foi feito da quinta versão depois de alguma alteração ter sido feita.

O texto datilografado foi feito de maneira muito cuidadosa e precisa, com notavelmente poucos erros, se considerarmos que a pessoa que datilografou parecia não estar muito familiarizada com a história: o nome *Saruman* foi datilografado *Samman* em toda a extensão (pois *ru* e *m* são muito semelhantes na letra de meu pai). Nos lugares em que meu pai deixou de fazer uma alteração necessária (por exemplo *Galdor* > *Legolas*), o datilógrafo zelosamente colocou a forma do manuscrito. Essas características fazem do texto datilografado um espelho do estado do manuscrito quando foi feito. É verdade que, sem saber quando foi, isso tem serventia limitada, mas creio que ele claramente pertence a esse período.

Nas partes da quinta versão citadas aqui, indico apenas as emendas subsequentes ao manuscrito (e apenas se relevantes) que aparecem no texto datilografado inicialmente feito.

A história de Glóin foi alterada desta forma. Na terceira versão, mantida na quarta, ele dizia: "No fim, algo como uma vintena de

O CONSELHO DE ELROND (2)

anos atrás, Balin partiu, apesar de Dáin não lho permitir de bom grado, e levou consigo Óin e Ori e muitos de nosso povo, e partiram rumo ao sul" (p. 144). Isso agora foi substituído pelo seguinte, escrito em uma página dos papéis de prova de "agosto de 1940".

"[...] Pois Moria foi outrora uma das maravilhas do mundo setentrional. Conta-se que começou quando os Dias Antigos eram jovens,[1] e Durin, pai de meu povo, era rei; e, com o passar dos anos e o labor de incontáveis mãos, seus magnos paços e ruas, seus poços e infindáveis galerias penetraram as montanhas de leste a oeste, escavadas a uma profundeza imensurável. Mas, sob os fundamentos dos montes, coisas há muito enterradas foram despertadas, por fim, do sono, conforme o mundo escurecia e os dias de pavor e mal chegavam. Há muito tempo os anãos fugiram de Moria e abandonaram ali riqueza incontável; e meu povo vagou pela terra até que, no longínquo Norte, fizeram novos lares. Mas sempre nos lembramos de Moria com temor e esperança; e conta-se nas nossas canções que será reaberta e renomeada antes de o mundo acabar. Quando de novo fomos expulsos da Montanha Solitária, Erebor,[2] nos dias do Dragão, Thrór retornou para lá. Mas ele foi morto por um Orque e, embora tenha sido vingado por Thorin e Dáin, e muitos gobelins tenham sido mortos em guerra, ninguém da gente de Thrór, nem Thráin, nem seu filho Thorin, nem Dáin, filho de sua irmã, ousou passar pelos portões; até que, por fim, Balin deu ouvidos aos sussurros de que falei, e resolveu ir. Apesar de Dáin não lho permitir de bom grado, ele levou consigo Óin e Ori e muitos de nosso povo, e partiram rumo ao sul. Isso foi uma vintena de anos atrás.

Esse trecho, do qual somente um traço sobrevive em SA (p. 347), revela o desenvolvimento de novas concepções na história dos Anãos. No texto original de "O Anel vai para o Sul" (VI. 527), Gandalf dizia que *os Gobelins haviam expulsado os Anãos de Moria*, e que a maior parte dos que escaparam foram para o Norte. Isso deve ter se baseado no que se diz em *O Hobbit*: no Capítulo 3, Elrond havia dito que "há tesouros esquecidos de outrora, a serem descobertos nas cavernas desertas das minas de Moria, desde a guerra entre anãos e gobelins" e, no Capítulo 4, havia uma referência aos Gobelins que "tinham se espalhado em segredo depois do saque das

Minas de Moria". É de se presumir, portanto, que aquilo que meu pai disse na primeira versão de "O Anel vai para o Sul" era o que ele realmente tinha em mente quando escreveu esses trechos em *O Hobbit*: os Gobelins expulsaram os Anãos de Moria.

Se for o caso, foi somente agora que uma nova história surgiu, na qual os Anãos deixaram Moria por uma razão completamente diferente. No presente trecho, a causa da fuga deles é, na verdade, sugerida de maneira muito oblíqua: eles escavaram "a uma profundeza imensurável" e, "sob os fundamentos dos montes, coisas há muito enterradas foram despertadas, por fim, do sono". Compare isso com SdA, Apêndice A (III):

Os Anãos escavaram fundo nessa época [...]. Assim despertaram do sono um ser de terror que, fugido de Thangorodrim, estivera oculto nos fundamentos da terra desde a chegada da Hoste do Oeste: um Balrog de Morgoth. Durin foi morto por ele, e no ano seguinte, Náin I, seu filho; e então passou a glória de Moria, e seu povo foi destruído ou fugiu para longe.

Sobre essa questão, ver pp. 223–4 adiante.

Ao mesmo tempo, a "guerra entre anãos e gobelins" ganhou uma nova interpretação e história (e é por isso que a palavra "saque" na frase do Capítulo 4 de *O Hobbit* citada acima foi alterada para "batalha" na terceira edição (1966)). Foi o assassinato cruel de Thrór, avô de Thorin, ao retornar a Moria, que levou à guerra dos Anãos e dos Orques, terminando na espantosa vitória dos Anãos na batalha de Azanulbizar (Vale do Riacho-escuro) descrita no SdA, Apêndice A (III). O trecho no presente texto — contando que Thrór "foi morto por um Orque e, embora tenha sido vingado por Thorin e Dáin, e muitos gobelins tenham sido mortos em guerra, ninguém da gente de Thrór, nem Thráin, nem seu filho Thorin, nem Dáin, filho de sua irmã, ousou passar pelos portões [de Moria]" — sugere que os elementos essenciais da história posterior estavam agora presentes. Na história do SdA, Apêndice A (III), Thorin desempenhou um papel importante na batalha, e da sua proeza derivou o nome "Escudo-de-carvalho"; e Dáin matou Azog, assassino de Thrór, diante do Portão Leste de Moria. Esse último evento de fato derivou de *O Hobbit*, em que, no Capítulo 17, Gandalf diz que Dáin matou o pai de Bolg (líder dos Gobelins na Batalha dos Cinco Exércitos) em Moria.[3] Além disso, conta-se no Apêndice A (III) que, depois da morte de Azog, Dáin desceu do Portão com "o rosto cinzento, como alguém que sentiu grande medo"; e que disse a Thráin, pai de Thorin:

"Tu és o pai de nosso Povo, e sangramos por ti e o faremos de novo. Mas não entraremos em Khazad-dûm. Tu não entrarás em Khazad-dûm. Somente eu olhei através da sombra do Portão. Além da sombra ela ainda te aguarda: a Ruína de Durin. O mundo precisa mudar e precisa chegar outro poder que não o nosso, antes que o Povo de Durin caminhe outra vez em Moria".

Vê-se pelo Capítulo 15 de *O Hobbit* que Dáin das Colinas de Ferro era primo de Thorin Escudo-de-carvalho (e, pelo Capítulo 17, que seu pai se chamava Náin). No presente texto, Dáin é chamado de "filho da sua [de Thráin] irmã". Mas na árvore incluída no SdA, Apêndice A (III) ele não é filho da irmã de Thráin: seu pai Náin era primo-irmão de Thráin e, portanto, Thorin Escudo-de-carvalho e Dáin Pé-de-Ferro eram primos de segundo grau, com uma geração de diferença.

Depois das palavras de Elrond a Glóin, "Sabereis que vossa aflição é tão somente parte da aflição pela qual nos reunimos para ponderar" (cf. p. 145), não se segue mais a fala de Galdor de Trevamata (ver pp. 158-9), e a quinta versão diz aqui:[4]

"Pois ouvi todos!", disse Elrond numa voz clara. "Reuni-vos para que ouvísseis a história do Anel. Uma parte da história é conhecida de todos, mas a história completa, de poucos. Outros assuntos poderão ser discutidos, mas, antes de tudo acabar, ver-se-á que tudo está ligado ao Anel, e todos os nossos planos e cursos devem aguardar a nossa decisão quanto a esse grande assunto. Pois o que havemos de fazer com o Anel? Eis a sentença que devemos sentenciar antes de partirmos.

"Vede, a história começa muito longe e muito tempo atrás. Nos Anos de Trevas que se seguiram aos Dias Antigos, após a queda de Númenor, os Homens de Ociente retornaram às praias da Terra-média, como ainda se registra no saber. Dentre os seus reis, Elendil, o Alto, era o principal, e seus filhos eram Isildur e

A TRAIÇÃO DE ISENGARD

Anárion, magnos senhores de navios. Navegaram primeiro para dentro do Golfo de Lindon, onde os Portos-élficos ficavam e onde ainda estão, e lá tornaram-se amigos de Gil-galad, Rei dos Altos--Elfos daquela terra. Elendil passou para a Terra-média e estabeleceu um reino no Norte, ao redor dos rios Lhûn e Branduin, e sua principal cidade era chamada Tarkilmar [> Torfirion] (ou Morada Ocidental), que agora está há muito desolada. Mas Isildur e Anárion navegaram para o sul, e subiram com seus navios o Grande Rio, Anduin,[5] que flui das Terras-selváticas e encontra o Mar do Oeste na Baía de Belfalas. Nas terras em volta dos seus cursos inferiores, estabeleceram um reino onde estão agora os países de Rohan e Ondor.[6] Sua principal cidade era Osgiliath, a Fortaleza das Estrelas, por cujo meio fluía o rio. Outros lugares fortificados foram feitos: Minas Ithil, a Torre da Lua Nascente, para o leste, num espigão das Montanhas de Sombra; e Minas Anor, a Torre do Sol Poente, para o oeste, no sopé das Montanhas Negras. Mas Sauron morava em Mordor, o País Negro, para lá das Montanhas de Sombra, e sua grande fortaleza, a Torre Sombria, foi construída acima do vale de Gorgoroth; e ele fez guerra aos Elfos e aos Homens de Ociente, e Minas Ithil foi tomada. Então, Isildur foi-se navegando, e buscou Elendil no Norte; e Elendil e Gilgalad reuniram-se em conselho, percebendo que Sauron logo se tornaria mestre de todos eles se não se unissem. E fizeram uma liga, a Última Aliança, e marcharam Terra-média adentro congregando grande força de Elfos e Homens. Magna era aquela hoste.

Ver-se-á que nesse trecho estão os ossos de uma parte da narrativa da obra separada chamada *Dos Anéis de Poder e da Terceira Era*, publicada em *O Silmarillion* (ver pp. 373 e seguintes). No desenvolvimento posterior de "O Conselho de Elrond", o capítulo tornou-se o veículo de um relato muito mais completo dos antigos reinos númenóreanos na Terra-média, e muito dele não se encontra em *O Senhor dos Anéis*, mas em *Dos Anéis de Poder e da Terceira Era*.

Aqui entra a história posterior de Elendil (ver pp. 150–2) em que Elendil permaneceu no Norte, enquanto seus filhos navegaram para o sul, descendo as costas das Terra-média, e subiram pelo Grande Rio. A cidade de Elendil no Norte surge, posteriormente *Annúminas*, mas aqui com os nomes *Tarkilmar* ou *Morada*

O CONSELHO DE ELROND (2)

Ocidental: na porção oeste do Primeiro Mapa (pp. 358, 360), o nome élfico é *Torfirion*, para o qual *Tarkilmar* foi alterado no presente manuscrito. Em Mordor, o vale de *Gorgoroth* aparece — o nome deriva de *Ered Orgoroth (Gorgoroth)*, as Montanhas de Terror ao sul de Taur-na-Fuin nos Dias Antigos; e as *Montanhas de Sombra* são a primeira menção ao que posteriormente se chamou de *Ephel Dúath*, a grande cordilheira que cercava Mordor no Oeste e no Sul.

A partir de "Magna era aquela hoste", meu pai voltou para as páginas da versão precedente (a quarta, pp. 155–7) e as manteve. O resultado dessa combinação entre o novo trecho acima com o texto da quarta versão foi *repetir a tomada de Minas Ithil*. No relato original (pp. 146–7), Elrond disse que *depois* da guerra com Sauron, "conforme o mundo empiorou e decaiu, Osgiliath caiu em ruína", e os serviçais de Sauron tomaram a cidade oriental, de modo que "ela se tornou um lugar de pavor, e foi chamada Minas Morgol". Na quarta versão (pp. 155–6), isso foi repetido de modo mais completo e claro; e a estrutura da história de Elrond pode ser resumida assim:

- Isildur foi para a Guerra da Última Aliança
- Elrond recorda a convocação das hostes
- Ele fala da guerra
- Morte de Isildur; ele "nunca voltou a Minas Ithil [...] e ninguém de seu povo retornou. Só em Minas Anor a raça de Ociente se manteve por um tempo"
- Apesar da derrota de Sauron, o mundo piorou; os Númenóreanos decaíram e se corromperam, "Osgiliath caiu em ruína; *e homens malignos tomaram Minas Ithil*, e ela se tornou um lugar de pavor, e foi chamada Minas-Morgol"

Mas, na quinta versão, a estrutura da história de Elrond se torna a seguinte:

- *Sauron capturou Minas Ithil*. Depois disso, Isildur partiu e foi para o Norte, *e a Guerra da Última Aliança se seguiu*
  (A história volta para a quarta versão)
- Elrond recorda a convocação das hostes
  (etc., como na quarta versão)

Essa é a forma da história no texto datilografado feito a partir da quinta versão. Não está claro para mim se meu pai pretendia completamente que esse fosse o resultado. da maneira que a quinta

176

A TRAIÇÃO DE ISENGARD

versão está, Minas Ithil foi capturada por Sauron *antes* da Guerra da Última Aliança e, de fato, sua captura foi uma razão primária para a formação da liga; e, no entanto, ainda se diz que Isildur "nunca voltou a Minas Ithil", e ainda se diz que, *muito depois da guerra*, "homens malignos tomaram Minas Ithil". Evidentemente isso é perfeitamente explicável: quando Sauron foi derrubado, Minas Ithil foi retomada dos seus serviçais, e somente muito depois os "homens malignos" a reouveram. Mas era de se esperar que isso ficasse mais explícito; e permanece a impressão de um relato "dobrado" que surgiu do uso do material da quarta versão neste ponto.

Seja como for, é curioso que a história de Minas Ithil nunca tenha ficado completamente explícita. Em *Dos Anéis de Poder e da Terceira Era*, nada se diz de sua retomada depois da guerra e, de fato, nem da sua história até a época da grande peste que assolou Gondor no décimo sétimo século da Terceira Era, quando "Minas Ithil se esvaziou de seu povo" (*O Silmarillion*, p. 387).

Várias alterações foram feitas ao manuscrito comum à quarta e quinta versões nesta parte do capítulo (até o ponto "mas foi ordenado que você o mantivesse por algum tempo", p. 157). Essas alterações foram aparentemente feitas em momentos diferentes; as que foram incorporadas no texto datilografado (ver p. 171) estão registradas aqui.

Elrond agora diz que "Foi mesmo em Imladris, aqui em Valfenda, que se reuniram". *Ond* se torna *Ondor* (ver nota 6), e *Minas Morgol* torna-se *Minas-Morghul*. A frase "Só em Minas Anor a raça de Ociente se manteve por um tempo" foi cortada e o seguinte foi inserido no lugar: "E Anárion foi morto em batalha no vale de Gorgoroth" (ver p. 127 e nota 21). Nos versos oníricos acerca de Minas Tirith, *Imlad-rist* foi alterado para *Imlad-ris*, e a segunda parte do verso foi alterada para:

> *E este será o sinal*
> *de que Sina está à mão:*
> *Verás o Meio-alto afinal,*
> *Co'a ruína de Isildur na mão.*[A]

Sobre a *ruína de Isildur*, ver pp. 158–9. Em todas as ocorrências de *Troteiro* ou *Aragorn* nesse trecho, e ao longo do manuscrito, o nome

O CONSELHO DE ELROND (2)

Pedra-élfica foi inserido, e o nome se encontra no texto datilografado; e *Aragorn, filho de Kelegorn* torna-se *Pedra-élfica, filho de Elfhelm* (ver p. 99, nota 17, e para a discussão dessa questão, ver pp. 326–8).

Mas depois das palavras de Aragorn, "mas foi ordenado que você o mantivesse por algum tempo", a nova estrutura entra, com "'Mostre o Anel, Frodo!', disse Gandalf solenemente" (ver pp. 158–9), e o texto que se segue em SA (pp. 355–6) é praticamente alcançado. Significativamente, não se diz que "os olhos de Boromir lampejaram quando fitou o objeto dourado"; mas a explicação de Aragorn sobre o significado da "Espada que foi partida" e dos "versos oníricos" está como em SA, com a referência à profecia de que seria refeita quando a Ruína de Isildur fosse encontrada, e termina com "Desejas que a casa de Elendil retorne à Terra de Ond [> Ondor]?"[7] Bilbo, irritado com a desconfiança de Boromir quanto a Aragorn, "irrompe" com o poema *Não rebrilha tudo que é ouro*[8] ("'Eu compus para Tarkil [> Pedra-élfica]', cochichou para Frodo com um sorriso, 'da primeira vez que ele me contou sua longa história'"). Mas a fala de Aragorn para Boromir (ver pp. 149, 157) ainda é substancialmente diferente daquela em SA, e carece de muito que depois foi dito.

Aragorn [> Pedra-élfica] sorriu; depois voltou-se de novo para Boromir. "Não pareço adequado, é verdade", disse ele; "e sou tão somente herdeiro de Elendil, não o próprio Elendil. Tive vida dura e longa; e as léguas que medeiam daqui a Ond [> Ondor] são pequena parte da extensão de minhas jornadas. Atravessei muitas montanhas e muitos rios e pisei muitas planícies, mesmo em longínquas partes onde as estrelas são estranhas. Estive em Minas Tirith incógnito,[9] e caminhei em Osgiliath à noite; e passei pelos portões de Minas-Morgol [> Minas-Morghul]; ousei seguir até mesmo às Fronteiras Sombrias, e além. Mas meu lar, se é que o tenho, é no Norte. Pois Valandil, filho de Isildur, foi abrigado pelos Elfos nessa região quando seu pai se perdeu; e partiu por fim com quantos lhe sobraram do seu povo, e morou em Osforod [> Fornobel],[10] a Fortaleza do Norte. Mas ela agora está devastada, e os fundamentos de suas muralhas mal podem ser vistos sob a relva.

"Nossos dias têm sempre minguado e escurecido com os anos, e agora reduzimo-nos a um povo errante, poucos, e secretos, e separados, sempre perseguidos pelo Inimigo. E Espada nunca foi

A TRAIÇÃO DE ISENGARD

reforjada, pois a Ruína de Isildur está perdida. Mas agora ela foi encontrada e a hora chegou. Retornarei a Minas-Tirith."

No fim da fala de Aragorn, a quarta versão de "O Conselho de Elrond" termina (p. 158). A quinta versão continua:

"E agora", disse Elrond, "a história do Anel atravessa os anos. Caiu da mão de Isildur e se perdeu. E agora há de se contar de que estranha maneira foi encontrado. Fala, Bilbo! E se ainda não compuseste tua história em versos", acrescentou com um sorriso, "podes contá-la em simples palavras."

Para alguns ali presentes a história de Bilbo era nova, e escutaram com espanto enquanto o velho hobbit (nada contrariado) recontou a história de sua aventura com Gollum, sem omitir um só enigma.

Então Gandalf falou, e contou do Conselho Branco que fora reunido naquele mesmo ano, e dos esforços que tinham sido feitos para expulsar o Necromante de Trevamata, e como isso fracassara em conter o avanço de seu poder. Pois ele assumira novamente seu antigo nome, e estabeleceu um domínio sobre muitos homens, e entrou de novo em Mordor. "Foi naquele ano", disse Gandalf, "que nos chegou pela primeira vez o rumor de que ele buscava em todo lugar pelo Anel perdido; e nós[11] reunimos tanto saber quanto conseguimos de toda parte acerca de sua feição e propriedades, mas nunca pensamos que ele seria reencontrado para nosso grande perigo". Gandalf falou então da natureza e dos poderes do Um Anel; e de como, por fim, tornou-se claro que o anel de Gollum era de fato a Ruína de Isildur, o Anel Regente.

Ele contou como procurou por Gollum; e, então, quem assumiu a história primeiro foi Galdor [> Legolas] dos Elfos-da-floresta[12] e, no fim, Aragorn [> Pedra-élfica]. Pois naquela caçada ele empreendera uma jornada perigosa, seguindo o rastro desde as profundezas de Trevamata pela Floresta de Fangorn e a Marca-dos-Cavaleiros, Rohan, a terra dos Cavaleiros, e por sobre o Pântano Morto [> os Pântanos Mortos] até mesmo às divisas da terra de Mordor.

"E lá perdi o rastro", falou, "mas após longa busca reencontrei-o, voltando para o norte. Foi espreitando junto a uma lagoa estagnada, nas fímbrias do Pântano Morto [> dos Pântanos Mortos], que peguei Gollum; e estava coberto de limo verde. Fi-lo caminhar

179

à minha frente, pois não queria tocá-lo; e o empurrei rumo a Trevamata. Lá entreguei-o a Gandalf e aos cuidados dos Elfos, e fiquei contente de me livrar de sua companhia, pois ele fedia. Mas é bom que esteja sob custódia. Não duvidamos de que causou grande mal, e que por meio dele o Inimigo descobriu que o Anel foi encontrado; mas ele pode muito bem causar ainda mais mal. Tenho certeza de que não voltou de Mordor por vontade própria, mas foi enviado de lá para ajudar no desígnio de Sauron."

"Ai de nós!", disse Galdor [> Legolas] interrompendo, "pois tenho novas que precisam ser contadas agora. Não são boas, receio; mas outros devem julgar quão más elas são. Tudo o que ouvi aqui me alerta que talvez as recebais mal. Smeagol, que agora se chama Gollum, escapou."

"O quê!", exclamou Aragorn [> Pedra-élfica] com furiosa surpresa. "Então todo o meu esforço se reduziu a nada! Julgo serem más notícia deveras. Podeis escrever o que digo: havemos de lamentar por isso. Como foi que os Elfos-da-floresta falharam em sua responsabilidade?"

A história de Galdor, que já estava próxima (ver pp. 145–7) à de SA, agora se move ainda mais para perto nos detalhes da expressão. As observações bastante resignadas de Gandalf acerca da fuga de Gollum permanecem como estavam; mas agora ele termina dizendo: "Mas agora é hora de a história passar para Frodo" (ver p. 159 para a sequência). A história de Frodo e as observações de Bilbo sobre ela são bem parecidas com SA, onde estão num ponto diferente, p. 359: aqui, sua breve conversa com Bilbo vira a ligação para a história de Gandalf, que no manuscrito recebe um título.

A história de Gandalf

"Há capítulos inteiros de material, mesmo antes de você chegar aqui!"

"Sim, acabou sendo um relato bem longo", respondeu Frodo; "mas a história não me parece completa. Ainda quero saber muita coisa."

"E que pergunta farias?", disse Elrond, entreouvindo-o.

"Gostaria de saber o que aconteceu com Gandalf depois que me deixou, se ele estiver disposto a me contar agora. Mas talvez não tenha nada a ver com nosso presente assunto."

A TRAIÇÃO DE ISENGARD

"Tem muito a ver", disse Gandalf, "e, se Elrond me permitir, farei meu relato agora. No final de junho, uma nuvem de ansiedade chegou-me à mente [...]

A história de Gandalf nessa versão ainda é bastante parecida com o rascunho preliminar (pp. 161–5), mas a escrita desenvolveu-se bastante na direção de SA. Uma comparação detalhada entre as três tomaria muito espaço, mas observo aqui todas as principais diferenças.

Gandalf agora chama Radagast de seu "parente", e não "primo", e o nome do lugar em que habita é *Rhosgobel* (mas devido a um acréscimo ao manuscrito: ver pp. 198–9); ele ainda diz que os Nove Espectros "assumiram o aspecto de cavaleiros trajados de preto, *como antigamente*" (isso foi um acréscimo a lápis no rascunho, p. 161), mas não os chama de *Nazgûl*. Gandalf diz que o "cruel capitão dos Nove" foi "outrora um grande rei"; e, de Saruman, diz que:

[...] Pois Saruman, o Branco, como alguns de vós sabeis, é o maior do meu ofício, e era o líder do Conselho Branco. [...] Mas Saruman estudou por longo tempo as artes do Inimigo e, assim, amiúde foi capaz de derrotá-lo; e o saber dos anéis era um dos seus principais estudos. Conhecia muito da história [dos anéis de poder >] dos Nove Anéis e dos Sete, e algo até mesmo dos Três e do Um; e certa vez houve rumores de que chegara perto do segredo de sua feitura.

Radagast diz a Gandalf que "mesmo que partas deste ponto, dificilmente chegarás até ele antes que os Nove tenham cruzado o sétimo rio" (ver p. 162). O cavalo de Gandalf, antes Galeroc, agora não é nomeado.

Isengard continua sendo nas Montanhas Negras, mas é dito agora que não fica "longe do grande vale que jaz entre elas e os últimos montes das Montanhas Nevoentas, naquela região que alguns conhecem como Desfiladeiro de Rohan" (que é nomeado aqui pela primeira vez); e, sobre Orthanc, Gandalf agora diz que, no meio do vale de Isengard "fica a torre de pedra chamada Orthanc, pois foi feita por Saruman, e é muito alta, e tem muitos segredos, mas não parece ser obra de engenho. Não pode ser alcançada a não ser ultrapassando o círculo de Isengard, e nele há apenas um portão".

181

O CONSELHO DE ELROND (2)

A implicação da palavra *pois*, em "pois foi feita por Saruman", é de que a torre recebeu o nome de *Orthanc* (em inglês antigo, *orþanc*, "artifício, invento, obra de engenho") porque ela *era* obra de engenho (tinha sido feita por Saruman), mas não *parecia* ser.

Saruman não diz nada sobre Gandalf ter ocultado dele "um assunto da maior importância" (SA, p. 370); e Gandalf ainda diz, como no rascunho (p. 163): "Pois o branco pode ser a mistura de muitas cores, mas muitas cores não são o branco", e não "E aquele que quebra uma coisa para descobrir o que é abandonou a trilha da sabedoria".

O discurso declamatório e visionário de Saruman a Gandalf nesse estágio pode ser citado na íntegra:

"Então ergueu-se e começou a declamar, como se estivesse falando para muitos: 'Um novo Poder se ergueu. Contra ele não há esperança. Com ele está a esperança que jamais tivemos antes. Ninguém pode duvidar de sua vitória, que é iminente. Contra ele lutamos em vão — e tolamente. Sabíamos muito, mas não o bastante. Sempre olhamos para ele de fora e através de uma névoa de falsidade e ódio; e não consideramos seu propósito elevado e definitivo. Não enxergamos as razões, apenas as coisas feitas, e algumas delas pareciam malignas; mas foram feitas por necessidade. Houve uma conspiração para barrar e frustrar o conhecimento, a sabedoria e o governo. Os Dias Antigos acabaram. Os Dias Médios estão passando. Os Dias Recentes estão começando. O dia dos Elfos passou. Mas os Nossos Dias começaram! O Poder cresce, e eu crescerei conforme ele cresce, até que todas as coisas sejam nossas. E escuta, Gandalf, meu velho amigo', falou, aproximando--se e suavizando a voz. 'No fim, eu — ou *nós*, se te juntares a mim — nós poderemos acabar controlando esse Poder. Podemos aguardar a hora propícia. Podemos guardar nossos pensamentos nos corações. Não precisa haver qualquer mudança real de propósito — apenas de método. Por que não usar essa nova força? Com ela, poderíamos realizar tudo, e mais do que tudo, que porfiávamos com a ajuda dos fracos e dos tolos. E teremos tempo, mais tempo. Disso te posso assegurar.'[13]

"'Ouvi isso antes, mas em outros lugares,' eu disse. 'Não quero ouvir novamente. Tudo o que quero ouvir são as escolhas diante de mim. Uma delas, no mínimo, já está clara. Devo submeter-me a ti e a Sauron, ou o quê?'

A TRAIÇÃO DE ISENGARD

"'Ficar aqui até o fim', ele disse.

"'Até que fim?'

"'Até que o Poder esteja completo, e o Senhor tenha tempo de se voltar a assuntos menores: tais como o prazer de pensar em um final adequado para Gandalf, o Cinzento.'

"'Há uma chance de que eu acabe não sendo um dos assuntos menores', falei. Não sou dado a jactância vazia, mas, naquela hora, cheguei perto."

> Neste ponto, separado do texto, mas creio que pertencendo à mesma época, meu pai escreveu: "Não suponho que meu destino seria muito diferente caso eu tivesse recebido bem a sua investida; mas não tenho dúvidas de que Saruman se provará um aliado infiel; e menos dúvidas ainda de que o Senhor Sombrio sabe bem disso". Isso foi assinalado com uma interrogação e não aparece no texto datilografado (ver nota 16). Saruman, é claro, ainda estava "reunindo ali uma grande força para o serviço do seu novo mestre", como no rascunho (p. 163 e nota 35).
>
> A interrupção de Frodo para falar do sonho tem agora duas versões, marcadas como alternativas. A primeira diz:

"Eu vi você!", disse Frodo, "andando para trás e para a frente: o luar brilhava em seus cabelos."

Gandalf olhou para ele, surpreso. "Acorde, Frodo", falou, "você está sonhando."

"Eu *estava* sonhando", disse Frodo. "Suas palavras subitamente me recordaram um sonho que tive. Pensava ser só um sonho e tinha me esquecido dele. Acho que foi na casa de Bombadil. Vi uma sombra —"

"Basta!", riu-se Gandalf. "Foi um sonho, mas real, parece. Contudo, a história é minha e você não precisa arruiná-la."

> Isso foi rejeitado em favor da segunda versão, que começa da mesma forma e segue o diálogo preservado em SA (p. 374).
>
> Gandalf agora diz que as Águias das Montanhas Nevoentas viram não "os Nove Cavaleiros indo e vindo pelas terras", como em SA, mas "os Nove Cavaleiros rechaçando os homens de Minas Tirith". Isso está de acordo com o acréscimo à fala de Boromir na p. 168, nota 22, em que ele diz que os nove cavaleiros de preto

O CONSELHO DE ELROND (2)

conduziram a hoste de Minas Morgol quando a travessia do Anduin foi tomada. A Águia que chegou a Orthanc ainda é *Gwaewar* (e também *Gwaiwar*), não *Gwaihir*, mas ele agora é chamado de a "mais veloz das Grandes Águias" e não "chefe das águias", como no rascunho. Na conversa de Gandalf com Gwaewar, conforme voavam de Isengard, Rohan foi inicialmente chamada de *a Marca--dos-Ginetes*, alterado imediatamente para *a Marca-dos-Cavaleiros*; os homens de Rohan ainda são os *Rohiroth*. Gandalf continua não fazendo referência ao "mal já em ação" que encontrou em Rohan (ver p. 166). Aragorn diz que nos cavalos de Rohan há "um traço que descende dos dias de Elendil", e não "dos Dias Antigos"; e acerca do cavalo que conseguiu em Rohan, Gandalf diz: "Ao menos um está a salvo. É um cavalo cinzento e foi chamado de Halbarad,[14] mas eu o chamei de [Grisfax *alterado imediatamente para*] Scadufax. Nem mesmo os cavalos dos Nove são tão incansáveis e ágeis. [...]".

Quando Gandalf chegou a Cricôncavo, "a esperança me abandonou; até que encontrei Hamílcar Bolger. Ainda tremia feito folha, mas teve o juízo de despertar todos os Brandebuques". Isso foi alterado no momento da escrita para o texto em SA (p. 376): "e não esperei para reunir notícias, do contrário teria me consolado". O que pensa de Carrapicho é expresso assim: "Carrapicho é como o chamam", pensei; "mas só vai lhe sobrar o 'picho' quando eu o deixar, ou nem isso: e vou torrar todos os carrapichos que há nele [...]." O relato de sua visita a Bri e sua cavalgada até o Topo-do--Vento, e o cerco armado pelos Cavaleiros, chegou quase à forma final (SA, p. 378): finalmente aparece sua proteção com fogo ("tal luz e chama não devem ter sido vistas no Topo-do-Vento desde os faróis de guerra de antigamente") (ver p. 71).

Por fim, a jornada de Gandalf do Topo-do-Vento até Valfenda, "Fontegris acima, rumo às Terras-dos-Ents", levou dez dias — "eu estava apenas três dias à frente de vocês no fim da perseguição";[15] e ele não faz nenhuma outra menção a Scadufax (em SA, "Mandei-o de volta ao dono", pois ele não conseguiria cavalgar naquela jornada).

Ao final da história de Gandalf há o seguinte:

Fez-se silêncio. Por fim Elrond voltou a falar. "Essas são notícias sérias acerca de Saruman", disse ele. "Toda nossa confiança está abalada nestes dias. Mas tais quedas e traições, ai de nós, ocorreram antes.[16] De todas as histórias, a de Frodo foi para mim a mais estranha. Conheci poucos hobbits, exceto por Bilbo aqui; e parece-me agora que talvez ele não seja tão único e singular quanto eu o considerava. O mundo mudou muito desde a última vez que que estive no Oeste. Conhecíamos as Cousas-tumulares por muitos nomes;[17] e da Floresta Velha, que outrora foi anciã e muito grande, muitas histórias se contaram; mas nunca ouvira falar desse estranho Bombadil. É seu único nome? Gostaria de saber mais sobre ele. Tu o conhecias, Gandalf?"

"Eu sabia dele", respondeu o mago. "Bombadil é um dos nomes. Ele se deu outros, adequando-se aos tempos e aos idiomas. Tom-bombadil é para o povo do Condado; Erion para os Elfos, Forn para os anões, e tem muitos nomes entre os homens.[18] De raro nos encontramos. Sou uma pedra que rola, e ele é dessas que criam limo. Ambas têm trabalho a fazer, mas elas não se ajudam com frequência. Talvez tivesse sido sábio buscar sua ajuda, mas não acho que eu teria me beneficiado muito.[19] É uma estranha criatura, e segue seu próprio alvitre — se é que o tem: o acaso lhe vale mais."

"Não podemos agora mandar-lhe mensagens para obter sua ajuda?", perguntou Erestor. "Parece que tem poder até sobre o Anel."

"Não é exatamente assim", disse Gandalf. "O Anel não tem poder sobre ele, ou para ele: não lhe pode nem enganar e nem servir. É mestre de si mesmo. Mas não tem poder *sobre* o Anel, e não pode alterá-lo, nem quebrar seu poder sobre os demais. E acho que o domínio de Bombadil se vê apenas em sua própria terra e, até onde minha memória alcança, jamais pôs os pés para fora dela."[20]

A discussão sobre o que fazer com o Anel desenvolveu-se muito desde a versão original (VI. 496–7), que tinha sido pouco alterada na segunda versão. Mas está longe do debate em SA (pp. 380–2). Ainda é Gandalf, e não Glorfindel, como em SA, que expõe a inutilidade de se mandar o Anel para Bombadil, visto que ele não conseguiria refrear o ataque do Senhor Sombrio (ver p. 138); mas depois, na versão seguinte, está dito:

"Mas, em todo caso", disse Glorfindel, "sua terra está longe; e o Anel só chegou da casa dele até aqui com grande risco. Teria de passar por um perigo muito maior para voltar até lá. Se o Anel tiver de ser escondido, é aqui em Valfenda que devemos escondê-lo — se

Elrond tiver a força para conter a chegada de Sauron no fim, quando tudo o mais tiver estiver derrotado."

"Não tenho a força", disse Elrond.

"Nesse caso", disse Glorfindel, "só restam duas coisas para tentarmos: podemos enviar o Anel para o Oeste, por sobre o Mar; ou podemos destruí-lo."[21]

"Há grande perigo nos dois caminhos, mas mais esperança no primeiro", disse Erestor: "devemos enviar o Anel para o Oeste. Pois não podemos, como Gandalf revelou, destruí-lo com nossa própria perícia; para destruí-lo, precisamos enviá-lo para o Fogo. Mas, de todas as viagens, essa é a mais perigosa, e leva diretamente para a boca do Inimigo."

"Julgo diferente", disse Glorfindel. "O perigo da rota de fuga é agora maior; pois meu coração me diz que Sauron esperaria que tomássemos a estrada para o Oeste, quando souber do que aconteceu. Com demasiada frequência fugimos, e raríssimas vezes avançamos contra ele. Tão logo lhe chegassem novas de que qualquer um de Valfenda estivesse viajando para Oeste, persegui-lo-ia com rapidez, e mandaria enviados à nossa frente, e destruiria os Portos para nos impedir. Esperemos, de fato, que ele não assalte as Torres e os Portos, de todo modo, porque depois os Elfos talvez não tenham via de escape das sombras da Terra-média."

"Então há dois caminhos", disse Erestor, "e em nenhum há esperança. Quem resolverá esse enigma para nós?"

"Ninguém aqui pode fazê-lo", disse Elrond com gravidade. "Ninguém pode prever o que ocorrerá se tomarmos esta ou aquela estrada, se será boa ou ruim — se assim tiver de ser. Mas não é difícil escolher qual é agora a estrada certa. O Anel deve ser enviado para o Fogo. Tudo o mais é adiar nossa tarefa. No Um Anel está oculto muito do antigo poder de Sauron antes que fosse fragmentado da primeira vez. Mesmo que ele próprio não o tenha reconquistado ainda, esse poder ainda vive [*riscado:* e trabalha para ele, e na direção dele]. Enquanto o Anel sobreviver, em terra ou mar, ele não será sobrepujado. Terá esperança; e crescerá, e todos os homens se voltarão para ele; e o medo de que o Anel possa chegar novamente às suas mãos pesará em todos os corações, e a guerra jamais cessará.

"Mas é como Glorfindel diz: a rota de fuga é agora a mais perigosa. Mas, com velocidade e cuidado, os viajantes podem ir longe pela outra estrada sem serem notados. Não digo que há grande esperança nesse curso; mas em outros há menos esperança, e nenhum bem duradouro."

"Não compreendo tudo isso", disse Boromir. "Embora Saruman seja um traidor, ele não teve um vislumbre de sabedoria? Por que os Elfos e seus amigos não deveriam usar o Grande Anel para derrotar o Inimigo? E digo que *nem todos* os homens se voltarão para ele. Os Homens de Minas Tirith são valorosos e *jamais* se submeterão."

"*Jamais* é uma palavra comprida, Boromir", respondeu Elrond.

A partir desse ponto, a conclusão do capítulo permanece pouco alterada em relação à segunda versão, cujas páginas meu pai manteve aqui, o que quer dizer que pouco foi alterado do texto original (VI. 498 e seguintes). Contudo, a resposta de Glóin à pergunta de Boromir sobre os Anéis dos Anãos assume esta forma (e assim aparece no texto datilografado):

"Não sei", respondeu Glóin. "Foi dito em segredo que Thrór, pai de Thráin, pai de Thorin que caiu em batalha, possuía um que descendia dos seus antepassados. Uns diziam que era o último. Mas onde está agora nenhum anão sabe. Pensamos que talvez tenha sido tomado dele, antes que Gandalf o encontrasse nas masmorras do Necromante há muito tempo, ou talvez tenha se perdido nas minas de Moria. Achamos que, em parte, foi na esperança de encontrar o anel de Thráin que Balin partiu para Moria. Pois as mensagens de Sauron despertaram antigas memórias. Mas já faz tempo que tivemos quaisquer notícias: é improvável que tenha encontrado qualquer Anel."

"Deveras improvável", disse Gandalf. "Aqueles que dizem que o último anel foi tomado de Thrór pelo Necromante estão dizendo a verdade."

Esse trecho é o produto de emendas ao manuscrito da segunda versão feitas em diferentes momentos e, no resultado, acabou-se produzindo uma estranha confusão.

No rascunho mais antigo de "O Conselho de Elrond" (VI. 491), Glóin disse: "Mas Thráin outrora tinha um que lhe viera de seus ancestrais. Não sabemos agora onde está. Achamos que foi tirado dele, antes de o encontrares nas masmorras há muito tempo [ou talvez tenha sido perdido em Moria]". O mesmo se diz na primeira

O CONSELHO DE ELROND (2)

versão completa do capítulo (VI. 498), onde, contudo, a fala de Glóin começa com "Foi dito em segredo que Thráin (pai de Thrór, pai de Thorin, que caiu em batalha) possuía um anel que lhe fora legado por seus antepassados". Isso é uma contradição com o texto de *O Hobbit*, em que Thrór era pai de Thráin, não seu filho; mas foi repetido na segunda versão de "O Conselho de Elrond" (p. 166, nota 5). Sobre essa questão, ver a Nota no fim deste capítulo, pp. 192–4.

No presente texto, a genealogia foi corrigida (Thrór — Thráin — Thorin), mas agora é *Thrór* que foi encontrado nas masmorras do Necromante, e Gandalf diz que o anel foi tomado de *Thrór* ali; ao passo que, em *O Hobbit*, estava explícito que Thrór foi morto por um gobelim em Moria, e que seu filho Thráin foi capturado pelo Necromante. Por outro lado, Glóin diz aqui que os Anãos acreditavam que foi em parte na esperança de encontrar o anel de *Thráin* que Balin partiu para Moria.[22]

Na versão original do capítulo, Elrond dissera (VI. 498) que "Os Três Anéis ainda subsistem", e continuava:

"Eles conferiram grande poder aos Elfos, mas nunca lhes valeram em sua contenda com Sauron. Pois vieram do próprio Sauron e não podem outorgar engenho ou conhecimento que ele já não possuísse quando de sua feitura. E para cada raça os anéis do Senhor trazem tais poderes como os que cada uma deseja e é capaz de exercer. Os Elfos não desejavam força, dominação, nem riquezas, mas sutileza de ofício e saber, e conhecimento dos segredos do ser do mundo. Essas coisas eles obtiveram, porém com pesar. Mas elas se voltarão para o mal se Sauron recuperar o Anel Regente; pois então tudo o que os Elfos criaram ou aprenderam com o poder dos anéis tornar-se-á posse dele, como era seu propósito.".

Isso foi em grande parte mantido na segunda versão (p. 138), com a diferença que Elrond passava a afirmar que os Três Anéis tinham sido levados por sobre o Mar. Na quinta versão, ele diz:

"Os Três Anéis permanecem. Mas não tenho permissão para falar deles. Certamente não podem ser usados por nós. Deles os Reis-élficos derivaram muito poder, mas não foram usados para guerra, seja boa ou má. Pois os Elfos não desejam força, nem dominação, nem riqueza entesourada, mas sutileza na arte, e saber [...]"

A TRAIÇÃO DE ISENGARD

e continua como na segunda versão. Assim, enquanto na segunda versão as palavras originais "Pois vieram do próprio Sauron" foram removidas e "não podem outorgar engenho ou conhecimento que ele já não possuísse quando de sua feitura" foram mantidas, neste texto essa última frase também se perdeu. Contudo, *Certamente não podem ser usados por nós*, na nova versão, parece-me implicar que eles foram feitos por Sauron; e o argumento que sugeri (p. 139) em relação à segunda versão de que, quando Boromir diz que foram feitos por Sauron, ninguém o contradisse, parece se aplicar aqui com a mesma força.

Não houve mais mudanças de qualquer importância[23] a partir do texto original do capítulo (VI. 499–502, mal alterado na segunda versão); mas o capítulo agora se encerra virtualmente no mesmo ponto de SA ("Em que bela enrascada nos metemos, Sr. Frodo!"), continuando apenas com uma breve passagem adicional que remonta à versão original (VI. 502):

"Quando devo começar, Mestre Elrond?", perguntou Frodo.

"Primeiro deves descansar e recuperar tua força plena", respondeu Elrond, adivinhando o que ele estava pensando. "Valfenda é um lugar belo, e não te enviaremos até que o conheças melhor. E, enquanto isso, faremos planos para te orientar, e faremos o possível para enganar o Inimigo e descobrir o que ele pretende."

NOTAS

[1] Ver VI. 527 (o texto original de "O Anel vai para o Sul"), em que Gandalf dizia que as Minas de Moria "foram construídas pelos Anãos do clã de Durin há muitas centenas de anos, quando elfos viviam em Azevim".

[2] A primeira ocorrência do nome *Erebor*, o qual, na narrativa do SdA, não se encontra antes do Livro V, Capítulo 9 de *O Retorno do Rei*.

[3] Na edição original de *O Hobbit*, o gobelim que matou Thrór em Moria não era nomeado, assim como não é no presente trecho ("ele foi morto por um Orque"). Na terceira edição de 1966, o nome *Azog* foi introduzido (seguindo o SdA) no Capítulo 1 como o do assassino de Thrór, e uma nota de rodapé foi acrescentada no Capítulo 17 afirmando que Bolg, líder dos Gobelins na Batalha dos Cinco Exércitos, era filho de Azog. [Ver *O Hobbit Anotado*, p. 66].

[4] O novo trecho foi escrito à tinta por cima do lápis, mas o texto subjacente, que foi decifrado por Taum Santoski, foi pouco alterado. O nome *Anduin* não estava presente, embora *Ond* já fosse *Ondor* (ver notas 6 e 7); e o nome traduzido da cidade de Elendil, Tarkilmar, era tanto *Westermanton* [Morada

O CONSELHO DE ELROND (2)

Ocidental] quanto *Aldemanton* [Morada Antiga] (*Alde* provavelmente com o sentido de "antigo", isto é, "a cidade dos antigos Homens (do Oeste)").

[5] Essa é a primeira ocorrência do nome *Anduin* num escrito original dos textos narrativos do SdA — da maneira que estão aqui apresentados, mas não se encontra no texto a lápis subjacente do trecho (nota 4).

[6] Essa é a primeira ocorrência de *Ondor* no lugar de *Ond*, e está assim escrito tanto a lápis quanto na camada superior à tinta (nota 4).

[7] É curioso que aqui, em um trecho do novo manuscrito, e novamente algumas linhas depois, a forma tenha sido escrita inicialmente *Ond*, mas na p. 175 é *Ondor* (nota 6).

[8] O poema permanece igual à última versão registrada (p. 97).

[9] Na quarta versão (p. 157), Aragorn tinha dito que esteve em Minas Tirith, mas a palavra "incógnito" aqui talvez seja o primeiro indício da história do serviço de Aragorn em Minas Tirith com o nome de Thorongil (SdA, Apêndice A (I, iv, *Os Regentes*), Apêndice B (Anos 2957–80)).

[10] *Fornobel* é o nome no Primeiro Mapa (Mapa II, pp. 352, 360).

[11] Escrito acima de "nós", e provavelmente na mesma hora, mas então riscado: "Saruman, nosso chefe".

[12] Não está claro por que Galdor/Legolas contribuiria para a história de Gollum neste ponto, mas ver "História Antiga" (VI. 395), em que Gandalf diz que "foram amigos meus que acabaram por rastreá-lo, *com a ajuda dos Elfos-da-floresta*".

[13] Muitas alterações menores (expansões, em sua maioria) foram feitas ao manuscrito no discurso de Saruman e, visto que aparecem no texto datilografado (p. 171), eu as incorporei no texto. Ao falar de "mais tempo" Saruman estava se referindo à posse do Anel. Em uma mudança posterior ao texto datilografado, ele acrescenta depois de "mais tempo": "vida mais longa [> duradoura]".

[14] Posteriormente, *Halbarad* tornou-se o nome do Caminheiro que portava o estandarte de Aragorn e morreu na Batalha dos Campos de Pelennor.

[15] O fato de Gandalf levar apenas dez dias do Topo-do-Vento até Valfenda não está de acordo com as datas. Ele saiu do Topo-do-Vento no início de 4 de outubro e, se chegou a Valfenda três dias antes de Frodo, então chegou no dia 17, ou seja, pouco menos de duas semanas desde o Topo-do-Vento, e não dez dias. É exatamente isso o que ele diz no mesmo trecho de SA (p. 378): "Levei quase quatorze dias desde o Topo-do-Vento [...] vim a Valfenda somente três dias antes do Anel". Mas isso não está de acordo com o SdA, Apêndice B (e nem com o Esquema temporal D na p. 23), segundo o qual ele chegou no dia 18, apenas dois dias antes de Frodo.*

---

*Essa incongruência foi corrigida na edição de 2004 de *O Senhor dos Anéis* e, portanto, não aparece na edição brasileira, em que Gandalf levou quase *quinze* dias desde o Topo-do-Vento e chegou a Valfenda *dois* dias antes de Frodo. [N.T.]

16 Riscado aqui: "Sauron, parece, ganhou para si um aliado já infiel; no entanto, não duvido que saiba e ria-se disso". É bastante parecido com a frase incertamente atribuída a Gandalf na p. 183.

17 Em um rascunho rejeitado deste trecho, Elrond prossegue: "Há outras alhures, onde quer que os homens de Númenor buscassem conhecimento obscuro sob a sombra da morte na Terra-média, e eram aparentadas dos" [Espectros-do-Anel]. Ver VI. 151–3, 495.

18 Ver p. 154. O texto é produto de muita alteração no manuscrito. De início, meu pai escreveu: *Yárë para os Elfos, Erion para os Gnomos, Forn para os anãos*; e nomes de Bombadil entre os Homens, todos riscados, eram *Oreald*, *Orold* (inglês antigo: "muito velho"), e *Frumbarn* (inglês antigo: "primogênito"). Em SA (p. 379) era chamado *Orald* pelos "Homens do Norte".

19 O trecho em que Gandalf contrasta a sua natureza e a de Bombadil entrou na segunda versão, p. 138, substituindo a história anterior em que Gandalf, como era esperado, o visitara. Muito antes, contudo, em um rascunho isolado do trecho da conversa que Gandalf teve em Valfenda com Bingo, quando ele despertou (VI. 267–8), ele falou de Bombadil de maneira não dessemelhante às palavras dele aqui (embora a conclusão ali fosse completamente diferente):

> Nós nunca tivemos muito a ver um com o outro até agora. De algum modo, não acho que ele aprova muito o que eu faço. Bombadil pertence a uma geração muito mais antiga, e meus hábitos não são como os dele. Fica lá consigo mesmo e não acredita nesse negócio de viajar. Mas imagino que, de algum modo, todos haveremos de precisar da ajuda dele, no fim das contas — e que ele talvez tenha de se interessar um pouco pelas coisas fora de sua própria região.

20 O relato de Gandalf acerca do poder de Bombadil e suas limitações remonta, quase palavra por palavra, ao texto original de "O Conselho de Elrond", VI. 496.

21 Essa fala foi primeiro atribuída a Erestor, assim como na versão original (VI. 496). Quando meu pai em vez disso a deu para Glorfindel, ele inicialmente colocou depois dela o restante da fala original de Erestor, em que ele define os perigos opostos e conclui com "Quem poderá resolver esse enigma para nós?". Essa fala foi riscada no momento da escrita, e no lugar dela Erestor recebe a fala seguinte no texto ("Há grande perigo em qualquer um dos dois caminhos […]"), argumentando que o Anel deve ser enviado aos Portos Cinzentos e, de lá, por sobre o Mar.

22 Esta parece ser uma explicação plausível para essa situação estranha. Meu pai acrescentou a suposição de Glóin de que Balin desejava encontrar o anel de *Thráin* em Moria à versão existente (a segunda), ao mesmo tempo em que a frase "Foi dito em segredo que Thráin, pai de Thrór, pai de Thorin que caiu em batalha, possuía um" ainda estava lá. Subsequentemente, ele acrescentou a asseveração de Gandalf de que o último anel de fato tinha sido tirado do anão cativo nas masmorras do Necromante. Agora, visto que segundo a história de

O CONSELHO DE ELROND (2)

O Hobbit foi o filho (pai de Thorin) que Gandalf encontrou na masmorra, e o filho tinha recebido o mapa da Montanha Solitária do *seu* pai (avô de Thorin), ele fez com que *Thrór* fosse capturado pelo Necromante, pois a genealogia incorreta, Thráin — Thrór — Thorin, ainda estava presente. Por fim, ele percebeu o erro em relação a *O Hobbit* e alterou rapidamente as palavras de Glóin para "Foi dito em segredo que *Thrór*, pai de *Thráin* [...] possuía um", sem observar o efeito no restante da passagem; e nessa forma foi entregue à pessoa que datilografou.

Na história de Glóin no começo do capítulo, p. 173, a genealogia correta está presente.

[23] Uma correção ao manuscrito, também encontrada no texto datilografado conforme inicialmente feito, alterava a resposta de Elrond a Boromir à pergunta "O que aconteceria então, se o Anel Regente fosse destruído?". Em vez de "Os Elfos não perderiam o que já ganharam [...] mas os Três Anéis perderiam todo o poder depois disso", sua resposta agora é: "Os Elfos não perderiam o saber que já acumularam; mas os Três Anéis perderiam todo o poder depois disso, e muitas coisas belas desvaneceriam."

Nota sobre Thrór e Thráin

Não há dúvidas de que a genealogia inicialmente criada em *O Hobbit* era Thorin Escudo-de-carvalho — Thrain — Thror (sempre sem acentos). Em certo momento, contudo, Thror e Thrain foram invertidos no texto datilografado de meu pai, e isso sobreviveu na primeira prova. Taum Santoski e John Rateliff examinaram detalhadamente as provas e demonstraram de forma conclusiva que, em vez de corrigir esse único erro, meu pai decidiu estender a genealogia Thorin — Thror — Thrain para o livro inteiro; mas, tendo feito isso, ele então alterou todas as ocorrências de volta para Thorin — Thrain — Thror. É difícil acreditar que essa extraordinária preocupação não tenha conexão com as palavras no "Mapa de Thror" em *O Hobbit*: "Aqui outrora *Thrain* foi Rei sob a Montanha". Mas a solução para esse enigma, se é que pode ser encontrada, está na história textual de *O Hobbit*, e não me demorarei mais nela. Menciono-a, é claro, porque nos antigos manuscritos de *O Senhor dos Anéis* a genealogia é invertida para Thorin — Thror — Thrain, apesar da publicação Thorin — Thrain — Thror em *O Hobbit*. A única solução que consigo propor para ela é que, tendo por alguma razão hesitado tão longamente entre as alternativas, quando meu pai estava rascunhando "O Conselho de Elrond", Thorin — Thror — Thrain parecia tão "correto" quanto Thorin — Thrain — Thror, e ele não checou com *O Hobbit*.

A TRAIÇÃO DE ISENGARD

Anos depois, meu pai observou em uma nota prefacial à segunda edição (1951):

Pode-se acrescentar uma última nota, sobre uma questão levantada por diversos estudantes do saber do período. No Mapa de Thror está escrito *Aqui outrora Thrain foi Rei sob a Montanha*; mas Thrain era o filho de Thror, o último Rei sob a Montanha antes da vinda do dragão. O Mapa, no entanto, não incorre em erro. Nomes são constantemente repetidos em dinastias, e as genealogias mostram que um ancestral distante de Thror fora referido, Thrain I, um fugitivo de Moria, que primeiro descobriu a Montanha Solitária, Erebor, e lá governou por um tempo, antes de seu povo se mudar para as montanhas mais remotas do Norte.

Na terceira edição de 1966, a abertura da história de Thorin no capítulo 1 foi alterada para introduzir Thrain I dentro do texto. Até então, o texto dizia:

"Há muito, no tempo de meu avô, alguns anãos foram expulsos do Norte distante e retornaram, com toda a sua riqueza e suas ferramentas, a essa Montanha no mapa. Lá mineraram, e abriram túneis, e fizeram salões imensos e grandes oficinas [...]"

O texto atual de *O Hobbit* diz:

"Há muito, no tempo de meu avô Thror, nossa família foi expulsa do Norte distante e retornou, com toda a sua riqueza e suas ferramentas, a essa Montanha no mapa. Tinha sido descoberta por meu ancestral distante, Thrain, o Velho, mas após esse retorno eles mineraram, e abriram túneis, e fizeram salões imensos e oficinas maiores [...]"

Ao mesmo tempo, a frase seguinte, "meu avô se tornou Rei sob a Montanha" virou "meu avô se tornou Rei sob a Montanha de novo".

A história de Thráin I, fugitivo de Moria, primeiro Rei sob a Montanha e descobridor da Pedra Arken, foi incluída em *O Senhor dos Anéis*, Apêndice A (III), *O Povo de Durin*; e, sem dúvida, a nota prefacial em 1951 e o trecho no Apêndice A têm íntima relação. Mas isso foi o produto do desenvolvimento na história dos

O CONSELHO DE ELROND (2)

Anãos que chegou com *O Senhor dos Anéis* (e, de fato, a necessidade de explicar as palavras do mapa — *Aqui outrora Thrain foi Rei sob a Montanha* — evidentemente teve um papel nesse desenvolvimento). Quando *O Hobbit* foi publicado pela primeira vez, foi Thrain, filho de Thror — o único Thrain que havia naquela época — quem descobriu a Pedra Arken.

8

O Anel vai para o Sul

Os problemas intratáveis que afligiam *O Senhor dos Anéis* até aqui estavam agora resolvidos, finalmente. A identidade de Troteiro fora decisivamente estabelecida e, com o trabalho feito em sucessivas versões de "O Conselho de Elrond", seu lugar e importância na história da Terra-média já estava firmado — por mais magra que essa história ainda estivesse em comparação com a grande estrutura que posteriormente seria erigida nos seus fundamentos. Os hobbits estavam igualmente assegurados em número e nomes, e o único Bolger que jamais cavalgara para longe não mais cavalgou. Bombadil não haveria de desempenhar nenhum papel adicional na história do Anel. E, o mais intratável de tudo, a questão do que acontecera com Gandalf agora tinha uma resposta conclusiva; e com essa resposta surgiu (como se mostraria) um novo ponto focal na história da Guerra do Anel: a Traição de Isengard.

Dos escritos narrativos mais antigos, permanecia a jornada da Comitiva do Anel de Valfenda até o Passo Vermelho sob Caradras, e a passagem pelas Minas de Moria até o túmulo de Balin. Contudo, restava uma questão importante, e uma decisão precisava ser imperativamente tomada: quem seriam os membros da Comitiva?

Notas e rascunhos escritos nos papéis de prova de "agosto de 1940" mostram meu pai refletindo sobre isso. Uma página manuscrita diz o seguinte:

Capítulo 15. Cortar a conversa no jardim.[1]
Começar dizendo que os hobbits estavam descontentes com Sam.
Contar-lhes sobre os batedores que foram enviados.
Elrond então diz que *a união de forças* é impossível. Não podemos mandar ou convocar uma grande força para ajudar Frodo. Precisamos enviar mensagens a todos os povos livres para que resistam tanto tempo quanto possível, e que uma nova

O ANEL VAI PARA O SUL

esperança, ainda que tênue, nasceu. Mas com Frodo devem ir ajudantes, e devem representar todos os Povos Livres. Nove há de ser o número para se contrapor aos Nove Serviçais Malignos. Mas devemos dar apoio à guerra em Minas Tirith.

Galdor   Legolas[2]

Hobbits { Frodo	1
{ Sam (prometeu)	2
Mago Gandalf	3
Elfo Legolas	4
Meio-Elfo Erestor	5

A estrada *deve passar por Minas Tirith*, portanto, pelo menos até agora devem ir:

Homens { Aragorn	6
{ Boromir	7
Anão Gimli, filho de Glóin	8

Merry, Pippin. Eles insistem em ir. [*Riscado:* Pippin apenas se Erestor não for.] Elrond diz que pode haver trabalho no Condado, e pode acabar sendo ruim se todos eles forem. *Pippin deve retornar ao Condado?*

Então vêm os preparativos e a cena com Bilbo e Frodo, e a passagem de Ferroada etc.

Aqui atinge-se a quantidade de Nove membros da Comitiva, explicitamente em correspondência aos Nove Espectros-do-Anel;[3] mas, mesmo assim, permanece uma incerteza quanto à composição no que diz respeito aos hobbits (ver pp. 141–2), e a sensação duradoura de meu pai de que pelo menos um deveria voltar ao Condado nesse estágio ainda era um fator, especialmente porque a inclusão de Erestor, o "Meio-Elfo",[4] elevava o número para oito. Mas esse foi o último momento de indecisão. Um breve rascunho, escrito rapidamente à tinta no mesmo papel, introduz a totalidade decisiva da Comitiva do Anel. Nele, meu pai escreveu a lápis: "Esboço da redução da escolha da Comitiva".[5]

No fim, após o assunto ter sido muito debatido por Elrond e Gandalf, decidiu-se que os Nove da Comitiva do Anel seriam os quatro hobbits, auxiliados por Gandalf; e que Legolas haveria de representar os Elfos, e Gimli, filho de Glóin, os Anãos. Pelos Homens, Aragorn deveria ir, e Boromir. Pois rumavam para Minas Tirith e

A TRAIÇÃO DE ISENGARD

Aragorn aconselhou que a Comitiva deveria ir por aquele caminho, quem sabe até mesmo ir primeiro para aquela cidade. Elrond estava relutante em enviar Merry e Pippin, mas Gandalf [? apoiou].

Meu pai agora se voltou para um novo texto de "O Anel vai para o Sul"; e dos trabalhos preliminares nada sobreviveu, se é que alguma coisa existiu, além de alguns trechos rascunhados do início do capítulo. A nova versão é um manuscrito claro, à tinta, que emprega parcialmente os papéis de "agosto de 1940" usados para o rascunho dos grandes desenvolvimentos em "O Conselho de Elrond". A história agora progredia com confiança, e por longas extensões, mal diferia do texto de SA no próprio fraseado da narrativa e nas falas dos personagens. Há várias emendas posteriores, e pode-se demonstrar que um bom número delas foi feita um pouco depois, no mesmo período de composição. Conforme foi escrito, o capítulo não tinha título, e várias possibilidades foram inseridas a lápis depois: embora no texto original, quando o capítulo era uma continuação de "O Conselho de Elrond", houvesse um subtítulo "O Anel vai para o Sul" (VI. 511), meu pai agora experimentou também "A Comitiva do Anel Parte" e "O Anel Parte".

Visto que o capítulo anterior terminava agora no mesmo ponto de SA, na conclusão do Conselho, a conversa entre os hobbits, interrompida por Gandalf, foi deslocada para o começo de "O Anel vai para o Sul". Meu pai seguiu sua instrução de "cortar a conversa no jardim" (ver nota 1), e o capítulo começa agora exatamente como em SA, com os hobbits conversando no quarto de Bilbo mais tarde, naquele mesmo dia, e Gandalf espiando de fora pela janela. A nova conversa chega praticamente à forma de SA (pp. 388–90), e somente estas diferenças precisam ser mencionadas. Gandalf fala dos "Elfos de Trevamata", e não do "povo de Thranduil em Trevamata", e ele não diz que "Aragorn partiu com os filhos de Elrond" (que ainda não tinham surgido); as observações de Bilbo sobre a estação da partida deles foram escritas, de início:

"[…] agora você não pode esperar até a primavera, e não pode ir até que voltem os batedores. Então vá bem confortável logo que o inverno começar a vibrar o açoite."

"Bem ao estilo de Gandalf", disse Pippin.

"Exatamente", disse Gandalf.

197

O ANEL VAI PARA O SUL

Isso foi substituído imediatamente pelo poema de Bilbo (*Quando o inverno vibra o açoite*) em SA. Por fim, Gandalf diz: "Nesse assunto, Elrond terá [a decisão >] muito a dizer, e seu amigo Troteiro, Aragorn, o tarkil, também" (SA: "e seu amigo Passolargo").

Enquanto ainda escrevia a abertura do capítulo, meu pai hesitou quanto à estrutura. Uma possibilidade parece ter sido manter a nova conversa no quarto de Bilbo, mas colocá-la de volta ao final de "O Conselho de Elrond", terminando com a observação de Sam "E onde eles vão viver? É nisso que muitas vezes fico pensando"; outra possibilidade seria cortar quase por completo a conversa entre os hobbits e a intervenção de Gandalf à janela. Ele chegou a providenciar um breve trecho substitutivo, mas decidiu-se contra isso.[6]

A cronologia em SA, segundo a qual a Comitiva ficou mais de dois meses em Valfenda e partiu em 25 de dezembro, ainda não entrara. Na segunda versão de "O Conselho de Elrond", que adentrava um tanto na narrativa de "O Anel vai para o Sul", "os hobbits haviam passado umas três semanas na casa de Elrond, e novembro estava passando" quando os batedores começaram a retornar; e, na Escolha da Comitiva, a data de partida ficou para a "quinta-feira seguinte, dezessete de novembro" (pp. 140, 142).[7] O novo texto dizia a mesma coisa ("umas três semanas […] novembro estava passando"), mas isso foi alterado, provavelmente na mesma hora, para "Fazia quase um mês que os hobbits estavam na casa de Elrond, e a metade de novembro já se fora, quando os batedores começaram a voltar"; e, subsequentemente (como em SA, p. 394), Elrond diz: "Em sete dias a Comitiva deve partir". Nenhuma data específica da partida de Valfenda é mencionada agora, mas ela tinha sido adiada para perto do fim do mês (de fato, para 24 de novembro, ver p. 205).

O relato das viagens dos batedores progride em relação às versões anteriores (VI. 512–3 e VII. 139–40) e fica em grande parte parecido com o texto em SA, exceto por não haver, assim como no início do capítulo, menção a Aragorn ter partido de Valfenda, e nem aos filhos de Elrond. Os batedores que tinham ido para o Norte foram "além do Fontegris adentrando as Terras-dos-Ents", e os que foram para Oeste "tinham buscado longe nas terras Griságua abaixo, até Tharbad, onde a antiga Estrada do Norte atravessava o rio junto à cidade em ruínas". É aqui que *Tharbad* aparece pela primeira vez.[8] Os que escalaram o passo nas nascentes do Lis[9] haviam alcançado "o antigo lar de Radagast em Rhosgobel": é aqui que

Rhosgobel recebe o nome pela primeira vez e, na margem, meu pai escreveu "Sebe-castanha".[10]

Esses últimos "retornaram subindo a Via-rubra[11] e por cima da alta passagem que se chamava Escada do Riacho-escuro". O nome "Escada do Riacho-escuro" para a passagem sob o Caradras já aparecera em emendas posteriores à versão original de "O Anel vai para o Sul" (VI. 532–3, notas 14 e 21). No presente trecho, o nome não foi emendado em nenhum estágio; mas mais adiante no capítulo, onde neste texto Gandalf diz: "Se escalarmos *o passo que se chama a Escada do Riacho-escuro* [...] havemos de descer para o fundo vale dos Anãos", meu pai (muito depois) emendou o manuscrito para o texto de SA (pp. 402–3): "Se escalarmos *o passo que se chama Portão do Chifre-vermelho* [...] havemos de descer *pela Escada do Riacho--escuro* para o fundo vale dos Anãos" (e, portanto, Robert Foster em *The Complete Guide to Middle-earth* define *Escada do Riacho-escuro* como o "caminho que leva de Azanulbizar ao Passo do Chifre--vermelho"). O nome do passo (neste texto chamado de "Passo do Riacho-escuro" e "Escada do Riacho-escuro") foi alterado também em outras ocorrências neste capítulo, mas, neste ponto, visto que passou despercebido por meu pai no manuscrito, ele foi mantido no texto datilografado que logo o sucedeu (nota 6) e, portanto, sobreviveu em SA, p. 391, "por cima da alta passagem que se chamava Escada do Riacho-escuro" — um erro que nunca foi percebido.*

A Escolha da Comitiva encontra-se em duas versões alternativas no manuscrito em questão. Embora o conteúdo essencial seja o mesmo em ambos, e embora os dois terminem com a inclusão de Merry e Pippin após a defesa de Gandalf, a que foi escrita primeiro é um tanto mais parecida com a versão precedente (pp. 139–42): a principal diferença entre elas é que, na primeira, a formação da Comitiva é vista conforme ocorre, ao passo que, na segunda (quase idêntica à forma que se vê em SA), as deliberações já foram em grande parte feitas e Elrond anuncia a decisão aos hobbits.[12]

Há muitas diferenças dignas de nota na primeira dessas versões. Após a observação de Gandalf de que seu fado "parece muito

---

*O erro foi corrigido na edição de 2004 de *O Senhor dos Anéis* e, portanto, não aparece na tradução brasileira. [N.T.]

O ANEL VAI PARA O SUL

entrelaçado com os hobbits", Elrond diz: "Precisarão de ti muitas vezes antes do fim da jornada, Gandalf; mas talvez não estejas lá quando houver maior necessidade. Este é teu maior perigo, e não hei de ter paz até que te veja outra vez". A perda de Gandalf estava evidentemente prevista (VI. 543, 563). Aragorn, após dizer a Frodo que, como ele próprio estava indo para Minas Tirith, as estradas deles correriam juntas por muitas centenas de léguas, acrescenta: "De fato, aconselho que você vá primeiro a essa cidade". E, depois de dizer que, para as duas vagas livres necessárias para perfazer os nove, talvez conseguisse encontrar alguns "de minha própria gente e da minha própria casa", Elrond continua (mas o trecho foi imediatamente excluído): "Os senhores-élficos não posso mandar, pois embora seu poder seja grande, não é grande o bastante. Não podem andar sem serem percebidos por ira e por espírito maligno, e notícias da Comitiva chegariam a Mordor de dia ou de noite."

Nesses trechos, e pelo restante do capítulo (como intenção), *Aragorn* foi novamente alterado para *Pedra-Élfica*, e *Filho de Kelegorn* foi alterado para *filho de Elfhelm* (ver pp. 326–8), assim como *Troteiro*, exceto nos pontos em que um dos hobbits se dirige diretamente a ele.

A reforja da Espada de Elendil entra agora, e a descrição dela é de pronto idêntica à de SA (p. 394), com o "emblema de sete estrelas postas dentre a Lua crescente e o Sol raiado", mas a espada reforjada não recebe nome. Isso foi acrescentado um tempo depois: "E Pedra-Élfica lhe deu um novo nome e a chamou *Branding*" (ver p. 323 e nota 19).

Para a parte seguinte do capítulo (Bilbo e Frodo nos últimos dias em Valfenda), meu pai simplesmente tomou as páginas manuscritas da segunda versão de "O Conselho de Elrond", a partir das palavras "O tempo esfriara [...]" (p. 142); essa passagem já estava parecida com a forma em SA.[13] Depois de "Gostaria de escrever o segundo livro, se eu for poupado" (o ponto em que a segunda versão de "O Conselho de Elrond" acabava), meu pai escreveu no manuscrito "Versos?", mas a canção de Bilbo *Sentado junto ao fogo eu penso* não se encontra nesse manuscrito. Mas os trabalhos originais da canção sobreviveram, e certamente pertencem a essa época.[14]

O dia da partida era "um dia frio e cinzento perto do fim de novembro" (ver p. 198). De início, havia dois pôneis, como na versão original (VI. 513), mas "Bill", comprado em Bri, e bastante

200

A TRAIÇÃO DE ISENGARD

revigorado após a estadia em Valfenda, entrou no lugar conforme meu pai escrevia.[15] A partida, nesse momento, recebeu um tratamento muito mais breve do que em SA: não há Boromir soprando a trompa-de-guerra, nenhuma descrição das armas que cada membro da Comitiva levava ou das roupas que Elrond providenciou, e nenhuma menção a Sam repassando seus pertences — e, assim, o elemento menor, mas importante, dele descobrindo que não levou corda está ausente (ver pp. 219, 331).

A história da jornada de Valfenda até Azevim está agora muito parecida com SA, mas há diferenças na geografia e nos topônimos que se desenvolviam conforme a nova versão progredia. A jornada ainda tinha levado "uns dez dias" até o momento em que o tempo mudou (VI. 515), ao passo que, em SA, levou uma quinzena; e só havia um grande pico, não três. Um nome élfico para Azevim — "*Nan-eregdos* na fala-élfica" — foi acrescentado, aparentemente no momento da escrita.[16] Gandalf estima que eles percorreram "cinquenta léguas a voo de corvo" ("cinco e quarenta léguas a voo de corvo", SA; "oitenta léguas" na versão original). E onde, na versão original, Gandalf responde dizendo que "não, as montanhas é que tinham virado" à observação de Faramond (Pippin) de que, uma vez que as montanhas estavam à frente, eles deviam ter virado para o leste, agora ele responde "Não, foram as montanhas que viraram para oeste" (SA: "Além desses picos a cordilheira se vira para sudoeste"). Sobre essa complicada questão geográfica, ver VI. 540.

A fala de Gimli sobre as Montanhas está presente, quase palavra por palavra igual a SA, exceto que, pelo fato de os três picos ainda não terem sido criados, suas palavras "lavramos a imagem dessas montanhas em muitas obras de metal e de pedra, e em muitas canções e histórias" parecem ter uma importância mais genérica. Mas ele continua (como em SA): "Só uma vez antes de hoje eu os vi de longe, desperto, mas eu os conheço e os seus nomes, pois embaixo deles fica Khazad--dûm, a Covanana, que agora se chama o [Precipício >] Abismo Negro,[17] Moria na língua élfica", e parece que ele está falando aqui de certos picos notáveis e proeminentes, distintivos na cordilheira das Montanhas Nevoentas, sob os quais jazia Moria. (De todo modo, as três grandes Montanhas de Moria estavam prestes a entrar na fala seguinte de Gimli). Aqui ele diz, como em SA, "Ali está Barazinbar, o Chifre-vermelho, o cruel Caradhras", sendo que "cruel" foi uma alteração, no momento da escrita, de "o ventoso", que por sua vez foi alterado de "o alto", e também *Caradhras* foi alterado de *Caradras*.[18] E ele fala também de "Azanulbizâr, o Vale-do-Riacho-escuro, que os Elfos chamam de Nanduhirion".[19]

A resposta de Gandalf, e as palavras de Gimli sobre o Espelhágua, formam um complexo difícil de rápidas alterações no manuscrito, quando se veem novos elementos no momento em que surgem. Com alguma dúvida quanto à sequência exata de correções, o trecho parece ter se desenvolvido assim:

"É para o Vale-do-Riacho-escuro que estamos rumando", comentou Gandalf. "Se escalarmos o passo que se chama Escada do Riacho-escuro, embaixo do lado vermelho de Caradhras, havemos de descer para o fundo vale dos Anãos.[20] Ali o Rio [Via-rubra nasce na negra ág(ua) do Morthond Raiz Negra >] Morthond, o gélido, nasce no Espelhágua."

"Escura é a água de Kheledzâram", disse Gimli, "e reflete apenas o céu distante e três picos brancos; e fria é a água de Buzundush. Meu coração estremece ao pensar que logo poderei vê-las."

> Obviamente, foi conforme meu pai começou a escrever as palavras que queria: "o Rio Via-rubra nasce na negra ág[ua do Espelhágua]" que ele alterou o nome do rio para *Morthond*, "Raiz Negra"; e penso que foi aqui também que os três picos sobre Moria entraram, refletidos na água.[21] Ele então escreveu um novo trecho, sem dúvida para substituir parte do que foi incluído acima, mas o riscou, provavelmente na hora:

Ali está Kheledzâram, o Espelhágua, profundo e escuro, no qual se vê apenas o céu distante e três picos brancos. Dele nasce o Buzundush, o Rio Raiz Negra, Morthond gélido e rápido. Meu coração estremece ao pensar que logo poderei vê-los."[22]

> Gandalf responde dizendo: "[...] pelo menos nós não podemos nos demorar nesse vale. Precisamos descer o Morthond até os bosques de Lothlórien [...]" (SA: "até os bosques secretos"). Foi aqui, parece, que o nome *Lothlórien* apareceu pela primeira vez. E, quando Merry perguntou: "Sim, e depois aonde?", o mago respondeu: "Ao final da jornada — no fim. Pode ser que vocês passem por Fangorn, que uns

chamam de Floresta-sem-Copa. Mas não podemos olhar muito à frente. [...]". A referência a Fangorn foi excluída.

Várias versões das palavras de Legolas sobre os Elfos esquecidos de Azevim foram escritas antes de alcançar a forma final. A primeira diz:

"Isso é verdade", assentiu Legolas. "Mas os Elfos desta terra eram de uma raça estranha, e o espírito que habita aqui é alheio a mim que sou do povo silvestre. Aqui moraram Noldor, os Sábios-élficos, e todas as pedras em volta exclamam para mim com muitas vozes: edificaram altas torres rumo ao céu, e escavaram fundo na terra, e eles se foram. Eles se foram. Em busca dos Portos há muito tempo."

A história do grande silêncio sobre toda a terra de Azevim, as revoadas de corvos negros, o desapontamento de Pippin diante das novas e a dificuldade de Sam em entender a geografia, a misteriosa passagem de algo diante das estrelas, e a visão de Caradhras bem perto à frente deles, na terceira manhã desde Azevim, tudo isso é contado em palavras que ficaram praticamente inalteradas em SA, exceto por uns detalhes. Troteiro diz que os corvos "não são nativos deste lugar", mas não acrescenta que "são *crebain* de Fangorn e da Terra Parda"; e, depois de dizer que vislumbrou muitos falcões voando bem alto, ele diz: "Isso explicaria o silêncio de todos os pássaros", o que foi riscado imediatamente (ver VI. 517 e nota 17). Sam chama Caradhras de "esse Chifre-rubro, ou seja lá qual for o nome", como fazia na versão original (VI. 518), mas *Chifre-rubro* era o nome inglês então aceito (VI. 515 e nota 11).

Conforme a Comitiva andava pela antiga estrada de Azevim até o Passo, a lua nascia sobre as montanhas "quase cheia"; assim como na versão original, afirma-se que a luz não era bem-vinda para Troteiro e Gandalf, e "ficaram aliviados quando afinal, no fim da noite, a lua se pôs e os deixou entregues às estrelas". No texto original, a lua era crescente (VI. 518 e nota 19), e "Brilhou só um pouco"; em SA, a lua estava cheia e ainda estava baixa no céu ocidental quando a sombra passou diante das estrelas.

Na versão original, foi Troteiro que defendeu a passagem por Moria, e Gandalf defendeu o Passo, e o que eles disseram foi colorido por suas opiniões. Ainda era assim quando meu pai chegou à nova versão, embora o que se diga seja virtualmente igual a SA (p. 407):

O ANEL VAI PARA O SUL

"O inverno ficou para trás", disse [Gandalf] baixinho para Troteiro. "Os picos ao norte estão mais brancos do que estavam; a neve se estende baixa em suas encostas."

"Esta noite", disse Troteiro, "havemos de estar a caminho, bem alto rumo à Escada do Riacho-escuro. Se não formos vistos por vigias naquela trilha estreita e atocaiados por algum mal, o tempo poderá demonstrar ser um inimigo tão mortal quanto qualquer outro. O que acha de nosso trajeto agora?"

Frodo ouviu essas palavras por acaso [*etc., como em SA*]

"Não gosto de nenhuma parte do nosso trajeto do começo ao fim, como você bem sabe, Aragorn", respondeu Gandalf, seu tom afiado pela ansiedade. "Mas precisamos avançar. Não é bom retardar a passagem das montanhas. Mais ao sul não há passos, até que se chegue ao Desfiladeiro de Rohan. Não confio nesse caminho desde a queda de Saruman. Agora quem sabe a que lado servem os marechais dos Senhores-de-cavalos?"

"Quem sabe deveras!", disse Troteiro. "Mas existe outro caminho, e não é pelo passo sob Caradhras: o caminho escuro e secreto de que falamos."

"E não falarei dele outra vez. Ainda não. Não diga nada aos outros, eu peço. E nem você, Frodo", disse Gandalf, voltando-se subitamente para ele. "Você ouviu nossa conversa, como é do seu direito, sendo o Portador-do-Anel. Mas não direi mais nada enquanto não for evidente que não há outro caminho."

"Temos de decidir antes de avançarmos mais", disse Gandalf.

"Então vamos pesar o assunto em nossa mente enquanto os outros descansam e dormem", respondeu Troteiro.

Como os falantes nas duas últimas falas estão fora de ordem em relação à conversa que veio antes, foi nesse momento que meu pai "percebeu" que era Troteiro, e não Gandalf, quem tinha especial temor de Moria, e imediatamente alterou o texto de acordo com isso.

As palavras de Gandalf para a Comitiva ao fim de sua discussão com Troteiro, e todo o relato da nevasca, são bem parecidas com SA (pp. 408–10), embora, na última parte do capítulo, o fraseado em si tenha passado por mais desenvolvimento depois para alcançar a forma de SA do que tinha acontecido até então. Boromir diz que nasceu nas Montanhas Negras (ver VI. 534, nota 31); e a referência a Bilbo como sendo o único dos hobbits a se lembrar do Fero

Inverno de 1311 está ausente. Outro emprego de nomes vindos das lendas dos Dias Antigos, rejeitado de pronto, aparece nas palavras de Boromir sobre a nevasca: "Pergunto-me se o Inimigo tem algo a ver com isso. Em minha terra dizem que ele consegue governar as tempestades das [*riscado:* Montanhas de Sombra Daedeloth Deldúath] Montanhas de Sombra que se erguem nos limites de Mordor".[23]

No sonho de Frodo, conforme afundava num sono-nevado, a voz de Bilbo dizia *Tempestade de neve em nove de dezembro* (na versão original, 2 de dezembro, VI. 522; em SA, 12 de janeiro). A viagem de Valfenda até Azevim levara "uns dez dias" (p. 201); e o esquema cronológico que parece claramente derivar desse período e ajustar-se a essa narrativa marca a partida de Valfenda como tendo sido ao anoitecer de quinta-feira, 24 de novembro. Segundo esse esquema, a Comitiva chegou a Azevim em 6 de dezembro, e a viagem de Valfenda, portanto, levou onze dias (e doze noites) e a "Neve em Caradhras" foi em 9 de dezembro.

O licor que Gandalf dá à Comitiva do frasco ainda é chamado de "um dos cordiais de Elrond", como em VI. 522, e o nome *miruvor* não aparece. Gandalf, conforme o fogo jorrava da madeira, diz: "Escrevi *Gandalf está aqui* em sinais que até as rochas cegas poderiam ler", mas ele não diz, ao enfiar o cajado no feixe, *naur an edraith ammen!*[24]

O relato da descida permanece bastante diferente da história em SA, e mais perto do original (VI. 523–4), apesar do fato de que Troteiro ali ainda era um hobbit, e Gimli e Legolas não estavam presentes.

"Quanto antes nos movimentarmos e descermos melhor", disse Gandalf. "Ainda há mais neve para cair aqui."

Por mais que todos desejassem descer outra vez, era mais fácil falar do que fazer. Além do refúgio deles, a neve já estava a alguns pés de profundidade e, em alguns lugares, empilhara-se em grandes montes de neve; e era úmida e macia. Gandalf só conseguiu prosseguir com grande labuta, e só atravessara algumas jardas na descida quando afundou na neve acima da cintura. A situação deles parecia desesperadora.

Boromir era o mais alto da Comitiva, com mais de seis pés de altura e também ombros muito largos. "Vou descer, se puder", falou. "Pelo que pude discernir do nosso curso na noite passada,

O ANEL VAI PARA O SUL

o caminho dá uma volta à direita naquela encosta rochosa ali embaixo. E, se me lembro direito, a um oitavo de milha ou algo assim após a curva, havia um espaço plano no topo de uma encosta íngreme e comprida — caminhada muito difícil quando subimos. Daquele ponto, talvez consiga observar e ter uma ideia de como está a neve mais para baixo."

Ele esforçou-se adiante lentamente, mergulhando na neve que em toda parte estava acima dos joelhos e, em alguns lugares, erguia-se quase à altura do ombro. Com frequência parecia não estar caminhando, e sim nadando ou escavando com os grandes braços. Por fim, desapareceu de vista e fez a curva. Já partira havia um bom tempo, e eles começaram a sentir-se ansiosos, temendo que tivesse sido engolfado em algum monte ou cavidade cheia de neve, o que tivesse caído pela beirada oculta para dentro da ravina.

Quando mais de uma hora havia passado, ouviram-no chamar. Ele reapareceu na curva e labutava na direção deles, "Estou exausto", falou, "Mas trouxe de volta alguma esperança. Há um monte de neve profundo logo atrás da curva, e quase fui sepultado nele, mas por sorte não é muito largo. Do outro lado a neve subitamente diminui. No topo da encosta mal chega a ter um pé e, mais para baixo, por mais branca que pareça, parece não ser mais do que um cobertor leve: em alguns lugares, apenas um salpico."

"É a má vontade de Caradras", grunhiu Gimli. "Ele não gosta de anãos, nem de elfos. Lançou sua neve em nós com propósito específico. Esse monte foi criado para interromper nossa descida."

"Então Caradras felizmente esqueceu que temos conosco um montanhista que conhece seus parentes distantes, os picos das Montanhas Negras", disse Gandalf. "Foi a boa fortuna que nos deu Boromir como membro da nossa Comitiva."

"Mas como *nós* vamos passar pelo monte de neve, mesmo se chegarmos até a curva?", perguntou Pippin, expressando o pensamento de todos os hobbits.

"É uma pena", disse Legolas, "que Gandalf não possa ir à nossa frente com uma chama luminosa, e derreter uma trilha para nós."

"É uma pena que os Elfos não possam voar acima das montanhas e buscar o Sol para salvá-los", respondeu Gandalf. "Mesmo eu preciso de alguma coisa sobre a qual possa agir. Não consigo queimar neve. Mas poderia transformar Legolas em uma tocha ardente, se for servir: arderia luminoso enquanto durasse."

A TRAIÇÃO DE ISENGARD

"Poupa-me!", exclamou Legolas. "Receio que um dragão esteja oculto na forma do nosso mago. Mas um dragão amansado seria útil nesta hora."

"Será um dragão selvagem se não ficares quieto", disse Gandalf.

"Bem, bem! *Quando as cabeças estão perplexas os corpos precisam trabalhar*, como dizemos em meu país", disse Boromir. "Ainda me resta alguma força; e Aragorn também. Precisamos empregá-la enquanto dura. Carregarei um da Gente Pequena, e ele, outro. Dois serão postos no pônei e conduzidos por Gandalf."

De pronto, começou a descarregar Bill. "Aragorn e eu voltaremos quando tivermos atravessado a Gente Pequena", falou. "Vós, Legolas e Gimli, podeis esperar aqui, ou seguir na nossa trilha, se conseguirdes". Ergueu Merry e o colocou nos ombros. Troteiro pegou Pippin. Frodo foi colocado no pônei, com Sam agarrado atrás. Foram abrindo caminho.

Finalmente alcançaram a curva e deram a volta, e chegaram à beira do monte de neve. Frodo admirou-se com a força de Boromir, vendo a passagem que já abrira sem melhor instrumento que não sua espada e seus grandes braços.[25] Mesmo agora, carregado como estava com Merry agarrado às costas, jogava neve para frente e para os lados, alargando a passagem para os que vinham atrás. Atrás dele, Troteiro labutava. Estavam no meio do monte, e Boromir e Merry já tinham quase atravessado, quando uma pedra rugiente caiu da encosta acima e, chocando-se perto da cabeça de Frodo, afundou na neve com um baque. Mas, ao atirar aquela última pedra, a malícia da montanha pareceu esvair-se, como se estivesse satisfeita que os invasores batiam em retirada e não ousariam voltar. Não houve mais incidentes.

Na plataforma plana sobre a íngreme encosta, viram, como Boromir relatara, que a neve era rasa. Lá aguardaram enquanto Troteiro e Boromir retornavam com o pônei para buscar os pacotes e fardos e dar alguma ajuda para Legolas e o anão.

Quando estavam todos reunidos novamente, a manhã já avançara bastante.

Era a resposta de Gandalf aqui ("É uma pena que os Elfos não possam voar acima das montanhas e buscar o Sol para salvá-los") para a observação de Legolas (originalmente de Boromir, VI. 524) quanto a derreter um caminho que levava à fala de Legolas em SA,

O ANEL VAI PARA O SUL

"Vou em busca da Sol!", e foi muito provavelmente (creio) a origem da ideia de que o Elfo, nem um pouco isolado e impotente como Gimli, Gandalf e os hobbits, podia correr sobre a neve. É notável que o mau humor real de Gandalf na versão original é atenuado aqui, enquanto que em SA ele provavelmente desapareceu.

O restante do capítulo é igual a SA, mas termina assim:

O vento soprava severo outra vez pelo passo que estava oculto em nuvens atrás deles; alguns flocos de neve já espiralavam e se acumulavam. Caradras os derrotara. Deram as costas para a Escada do Riacho-escuro e tropeçaram, exaustos, descendo a encosta.

NOTAS

[1] Isso se refere à história — vista pela primeira vez na versão original de "O Conselho de Elrond" (VI. 502) e mantida na segunda (p. 139) — de que Gandalf se deparou com os hobbits andando no bosque na tarde seguinte ao Conselho.

[2] Este é provavelmente o ponto em que meu pai se decidiu sobre a mudança de *Galdor* para *Legolas* (ver p. 171). Legolas Verdefolha, de olhar aguçado, reaparece assim após muitos anos do antigo conto *A Queda de Gondolin* (II. 229 etc.); ele era da Casa da Árvore em Gondolin, da qual Galdor era senhor.

[3] De fato, nove tinha sido o número original, no primeiro esboço de "O Conselho de Elrond" (VI. 490): Frodo, Sam; Gandalf; Glorfindel; Troteiro; Burin, filho de Balin; Merry, Folco, Odo. É curioso ver quão parecida era a concepção da totalidade da Comitiva no começo e na versão final, ainda que tivesse sido rejeitada de pronto.

[4] Sobre o "Meio-Elfo" Erestor, ver VI. 494 e nota 17.

[5] A palavra "redução" talvez implique, contudo, que a primeira das duas versões alternativas da "Escolha da Comitiva" final já tinha sido escrita; ver nota 12.

[6] Essa segunda opção sobreviveu em um texto que foi datilografado não muito depois (e provavelmente por mim mesmo), em que as aberturas longa e breve do capítulo estão dispostas uma após a outra como variantes.

[7] Para os dias da semana em relação às datas, ver p. 23. A fuga de Frodo pelo Vau do Bruinen se deu em 20 de outubro, quinta-feira. Se forem contadas exatamente três semanas desse dia, chegamos a 10 de novembro, quinta-feira.

[8] *Tharbad*: ver as *Etimologias*, V. 477, radical THAR; e ver o Mapa II na p. 360.

[9] Na versão original do trecho (VI. 513) e na da segunda versão de "O Conselho de Elrond", assim como no presente texto, meu pai escreveu "as *nascentes* do Lis". Isso foi obviamente baseado no Mapa das Terras-selváticas de *O Hobbit*, em que o Lis, evidentemente sem nome ali, surge em vários cursos que descem das Montanhas Nevoentas (essas não são mostradas no Primeiro Mapa (Mapa II, p. 360), mas a escala ali é muito menor). No texto datilografado que

A TRAIÇÃO DE ISENGARD

se seguiu ao presente texto, o datilógrafo colocou *nascente*, e meu pai corrigiu para *nascentes*. Desconfio, portanto, que *nascente* em SA seja um erro.[*]

[10] *Rhosgobel* já apareceu antes, mas como um acréscimo posterior à quinta versão de "O Conselho de Elrond" (p. 181); o presente trecho é claramente o ponto em que o nome foi criado. Em *Brownhay* [Sebe-castanha], a palavra *castanha* claramente deve ser associada a Radagast, "o Castanho", e "hay" [sebe] é a palavra antiga com o sentido de "cerca viva", como em *Sebe Alta* e *Anel-da-Sebe* (= Criôncavo, VI. 369). Para a etimologia de *Rhosgobel*, ver V. 467, noldorin *rhosc* "castanho" (radical RUSKĀ), e V. 461, noldorin *gobel* "propriedade cercada", como em *Tavrobel* (radical PEL(ES)).

[11] *Via-rubra*: o nome original do Veio-de-Prata.

[12] O breve relato da "Escolha" (p. 196) pode ser comparado: "No fim, *após o assunto ter sido muito debatido por Elrond e Gandalf*, decidiu-se [...]". É possível que esse texto tenha seguido a primeira e precedido a segunda das versões alternativas: meu pai fez referência à segunda como a "versão curta" (embora ela não seja tão mais curta que a outra), o que talvez explique por que ele anotou no breve rascunho que era um esboço de uma "redução" da escolha da Comitiva. Assim como as aberturas variantes do capítulo (nota 6), ambas as alternativas foram mantidas no texto datilografado.

[13] Algumas alterações menores foram introduzidas (mas não a menção à balada de Beren e Lúthien que os hobbits ouviram no Salão do Fogo); Bilbo agora menciona o fato de que a espada de Frodo tinha sido quebrada (ver p. 167, nota 7), mas ele não mostra os fragmentos (e a cota de malha permanece sendo a "malha-élfica", e não "malha-anânica").

[14] Nesses trabalhos, a última estrofe (para a qual há uma nota preparatória: "Ele encerra: mas a todo momento pensa em Frodo") diz:

> *Mas lá, sentado a pensar,*
> *à porta estou atento*
> *e espero ouvir de novo as vozes*
> *que ouvia a todo momento.*[A]

Essa é a forma do poema no texto datilografado, onde a canção aparece pela primeira vez no capítulo.

[15] Um estágio intermediário encontra-se num rascunho do trecho: aqui ainda há dois pôneis de carga, mas um deles era a besta comprada em Bri; Sam se dirige a essa como "Samambaia", embora também a chame de "Bill". Ver a observação sobre o pônei de Bill Samambaia na p. 17: "Ele permanece em Valfenda? — Sim."

[16] *Eregion* foi inserido subsequentemente (o nome aparece no texto isolado da p. 152). Nenhum nome élfico aparece no texto datilografado.

---

[*]Erro esse corrigido na edição de 2004 do *Senhor dos Anéis* e que, portanto, não aparece na edição brasileira. [N.T.]

209

[17] Essa é a primeira ocorrência do nome *Covanana*. Ver a carta de meu pai a Stanley Unwin, 15 de outubro de 1937 (*Cartas*, n. 17: "O verdadeiro plural 'histórico' de *dwarf* [...] é *dwarrows* [ananos], de qualquer modo: sem dúvida uma bela palavra, mas um tanto arcaica demais. No entanto, gostaria que eu tivesse usado a palavra *dwarrow*" — "Precipício Negro" como tradução de *Moria* é encontrado várias vezes na versão original de "O Anel vai para o Sul", uma vez como correção de "Abismo Negro" (VI. 533–4, nota 24).

[18] Essa é a primeira ocorrência do nome anânico *Barazinbar*, acerca do qual meu pai escreveu muito tempo depois (em notas mencionadas em VI. 567–9, notas 36, 39) que o khuzdul *baraz* (BRZ) provavelmente = "vermelho, ou rubro", e *inbar* (MBR) um chifre, sendo o sindarin *Caradhras* < *caran-rass* uma tradução do nome anânico. Subsequentemente, tanto *Caradhras* quanto *Caradras* ocorrem no manuscrito conforme feito originalmente, mas o segundo nome é muito mais frequente.

[19] Sobre *Azanulbizâr*, ver VI. 567–8, nota 36. *Nanduhirion* ocorre aqui pela primeira vez, mas a forma *Nanduhiriath* encontra-se como emenda ao texto da versão original do capítulo. VI. 531, nota 13.

[20] Sobre a *Escada do Riacho-escuro* como sendo o nome do Passo do Chifre-vermelho, ver p. 199.

[21] Contudo, os nomes das outras Montanhas de Moria não foram criados de uma vez só, visto que, embora inseridos no manuscrito, ainda estão ausentes no texto datilografado, onde meu pai os inseriu à mão. Conforme inicialmente concebidos, os nomes dos outros picos eram *Chifre-de-Prata*, *Celebras* (*Kelebras*), *o Branco* (em SA, *Pico-de-Prata*, *Celebdil*), e o *Chifre de Nuvem*, *Fanuiras*, *o Cinzento* (em SA, *Cabeça-de-Nuvem*, *Fanuidhol*); os nomes anânicos são como em SA, *Baraz*, *Zirak*, *Shathûr* (mas *Zirak* foi momentaneamente *Zirik*). Nas notas mencionadas na nota 18, meu pai disse que, uma vez que *Shathûr* era o nome anânico básico, o elemento provavelmente se referia à "nuvem", e era provavelmente o plural "nuvens"; *Bund(u)*, no nome completo *Bundu-shathûr* "deve, portanto, significar 'cabeça' ou algo semelhante. Possivelmente, *bund* (BND) – *u* – *Shathûr* 'cabeça nas/de nuvens'". Sobre *Zirak* e a forma extensa *Zirakzigil*, ver nota 22.

[22] Quando *Veio-de-Prata* suplantou *Raiz Negra*, como fazia antes de o texto original da história de "Lothlórien" estar completo, o trecho foi alterado para sua forma em SA: "'Escura é a água de Kheled-zâram', disse Gimli, 'e frias são as nascentes de Kibil-nâla'." O nome *Kheledzâram* aparece pela primeira vez nesses trechos variantes; ver VI. 568–9, nota 39, onde cito a nota muito posterior de meu pai, explicando o significado do nome como "lagoa-de-vidro". Nas mesmas notas, discutiu a palavra anânica para "prata":

> *Zirak-zigil* deveria significar "Espigão-de-Prata" (ver "Pico-de-Prata" e *Celebdil* < sindarin *celeb* "prata" + *till* "pico, espigão, ponta"). Mas "prata" é evidentemente KBL em *Kibil-nâla* — KBL parece ter alguma

conexão com o quenya *telep-* "prata". Mas todos esses povos pareciam ter várias palavras para metais preciosos, alguns referindo-se ao material e suas propriedades, alguns à sua cor e outras associações. De modo que *zirak* (ZRK) é provavelmente outro nome para "prata", ou para sua cor cinzenta. *Zigil* é evidentemente uma palavra para "espigão" (menor e mais delgado do que um "chifre"). Caradhras parece ter sido uma grande montanha que se afunilava (como o Matterhorn), enquanto Celebdil era simplesmente coroado por um pináculo menor.

Notas ainda posteriores a lápis inverteram essa explicação, sugerindo que *zigil* (ZGL) significava "prata", e *zirak* significava "espigão". — Sobre o *Kibil-nâla*, meu pai observou que "o significado de *nâla* não é conhecido. Se corresponde a *rant* [em *Celebrant*] e *veio* [em *Veio-de-Prata*], provavelmente deve significar 'caminho, curso, leito ou curso de rio'." Ele acrescentou depois: "É provável que os Anãos de fato encontraram prata no rio".

23 *Deldúath*: "Sombra Mortal da Noite", Taur-na-Fuin; *Dor-Daedeloth*: "Terra da Sombra do Terror", o reino de Morgoth. Ver referências no Índice do volume V, verbetes *Deldúwath*, *Dor-Daideloth*.

24 Literalmente: "o fogo seja para nossa salvação".

25 O trecho seguinte deve ter sido rejeitado assim que foi escrito:

Conforme caminhava, Boromir subitamente tropeçou em alguma ponta oculta da pedra, e caiu de cabeça. Troteiro, que estava bem atrás, foi pego de surpresa e caiu por cima dele. Merry e Pippin foram lançados dos ombros deles e desapareceram fundo na neve.

Embora alterado para se adequar à história da descida, isso derivou da versão antiga, VI. 525.

9

As Minas de Moria (1):
O SENHOR DE MORIA

Parece muito provável, ainda que não realmente demonstrável, que uma nova versão da primeira parte da história de Moria (correspondente a SA, Livro II, Capítulo 4, "Uma Jornada no Escuro") precedeu o primeiro rascunho de sua continuação e, portanto, incluo os textos na sequência narrativa. O rascunho original de "As Minas de Moria" (VI. 545–61) havia terminado com a Comitiva diante do túmulo de Balin e, nessa época, a narrativa de *O Senhor dos Anéis* não avançou — exceto por um esboço preliminar dos eventos que se seguiriam em Moria, VI. 541–3 e 563–4. Este, portanto, é o último capítulo para o qual existia uma narrativa formada de uma fase anterior.

Em um manuscrito notavelmente parecido em estilo com o da nova versão de "O Anel vai para o Sul", descrito no capítulo anterior, meu pai agora reescreveu a primeira parte da história da jornada através das Minas. Assim como no último capítulo, há algumas páginas de rascunhos iniciais rudimentares para trechos específicos, mas (a menos que outras tenham se perdido) o desenvolvimento da nova versão foi em grande parte atingido durante a própria execução do manuscrito, que é um sem-fim de correções (na maioria pequenas) feitas no momento da composição. Não há muitas emendas subsequentes a lápis, pois o texto de SA II. 4 foi efetivamente alcançado aqui: em grande parte do capítulo, as únicas diferenças em relação à forma final são pontos extremamente pequenos de estrutura frasal e escolha de palavras, sem importância para a narrativa e, em trechos substanciais, ambos os textos são idênticos. Contudo, há algumas características em que isso não acontece.

O capítulo, numerado 16, recebeu um título: "As Minas de Moria (i)". Títulos foram escritos a lápis do lado: "O Senhor de Moria" e "O Túmulo"; o segundo foi riscado, e o texto datilografado que se seguiu ao manuscrito foi intitulado "As Minas de Moria (1): O Senhor de Moria". A versão original incluía o debate da Comitiva depois da descida do Passo de Cris-caron e a discussão acerca de Moria em "O Anel vai para o Sul" (VI. 526–8), e "As Minas de Moria" começava em "No dia seguinte o tempo mudou outra vez" (VI. 545; SA, p. 424). Agora é claro, o novo capítulo 16 prossegue do fim do novo capítulo 15, e a divisão é como em SA.

Aragorn é chamado de *Troteiro* em todo o texto, e *Troteiro* foi posteriormente alterado em toda parte, a lápis, para *Pedra-Élfica* (ver pp. 326–8).

No debate da Comitiva, as referências de Boromir à geografia das terras do sul são muito curiosas (ver SA, p. 419):

"É um nome de mau agouro", afirmou Boromir. "E tampouco vejo necessidade de irmos para lá. Se não pudermos atravessar as montanhas, vamos tomar a estrada para minha terra, a qual segui vindo para cá: por Rohan e o país das Sete Torrentes. Ou poderíamos prosseguir bem para o Sul, dando a volta, por fim, nas Montanhas Negras e, atravessando os rios Isen e Veio-de-Prata,[1] chegar a Ond pelas regiões próximas do mar."

"As coisas mudaram desde que vieste para o norte, Boromir", disse Gandalf. "Não ouviste o que vos contei sobre Saruman? Não podemos chegar perto de Isengard e nem do Desfiladeiro de Rohan. Quanto à estrada mais longa, não temos esse tempo para gastar. [...]"

O restante da resposta de Gandalf é bem parecido com SA, exceto que ele diz a Boromir: "és livre para nos deixar e retornar a Minas Tirith por qualquer estrada que escolhas".

Os "Sete Rios" já foram mencionados na primeira versão da história de Gandalf ao Conselho de Elrond, na qual relatava as palavras de Radagast para ele (p. 162): "mesmo que partas agora, dificilmente chegarás até ele [Saruman] antes que os Nove cruzem os Sete Rios" (na versão seguinte, isso se torna "antes que os Nove tenham cruzado o sétimo rio", p. 181).

Características da geografia muito mais ao Sul já existiam. Antes de a história avançar muito, fica claro que "a Terra das Sete Torrentes" ficava "entre as montanhas [ou seja, as Montanhas

AS MINAS DE MORIA (1)

Negras, posteriormente Montanhas Brancas] e o mar" (ver p. 322); mas as palavras de Boromir aqui parecem permitir apenas uma interpretação bem diferente sobre "o país das Sete Torrentes". As opções que ele coloca são essencialmente como em SA: através de Rohan pelo Oeste (ou seja, passando pelo Desfiladeiro de Rohan) e então para Minas Tirith, ou prosseguir para o Sul, atravessando o Isen, e chegando a Minas Tirith pelas terras entre as montanhas e o mar; mas eles haveriam de cruzar "o país das Sete Torrentes" se escolhessem a *primeira* opção, e passariam a norte das montanhas. Não consigo explicar isso, a não ser presumindo que foi um mero deslize ou então que a situação da geografia dessas regiões ainda era mais fluida do que seria de se supor.

O rio Isen aparece pela primeira vez na narrativa aqui,[2] e também o "Veio-de-Prata", que posteriormente virou o "Raiz Negra" — os dois nomes foram transpostos (ver p. 280). Nesse trecho também estão as primeiras ocorrências de um nome élfico para a moradia de Sauron no sul de Trevamata e do nome *Barad-dûr*:

"Dentre vós só eu já estive nos calabouços do Senhor Sombrio, e apenas em sua moradia mais antiga e menor, em Dol-Dúgol no sul de Trevamata. Os que passam pelos portões de Barad-dûr, a Torre Sombria na Terra da Sombra, não retornam."

A confusão sobre Thrór e Thráin já não está presente: "Porém não será a primeira vez que estive em Moria: por longo tempo lá busquei Thráin, filho de Thrór, depois que ele se perdeu". E Troteiro dá seu aviso a Gandalf (ver p. 203 para a inversão de papéis de Gandalf e Troteiro quanto à disposição de cada um sobre a passagem de Moria).

O episódio do ataque de Wargs entra neste texto, e já chega quase à forma final, com relativamente pouca correção no curso da escrita;[3] e o relato da jornada da Comitiva da pequena colina onde o ataque aconteceu até a chegada de Gandalf, Gimli e Frodo no alto dos degraus junto à Cachoeira da Escada atinge a forma de SA em quase todos os pontos.[4] Mas as palavras de Gandalf ao verem o que aconteceu com o Riacho-do-portão mudaram muito. De início, ele não fazia referência à(s) Porta(s); então, o trecho seguinte foi inserido:

"É ali que ficava antigamente a Porta", disse Gandalf, apontando para o outro lado da água, no penhasco à frente. Mas Frodo não podia ver nada que marcasse o local, a menos que fossem uns arbustos na base do paredão, e uns caules apodrecendo e galhos que se erguiam da água perto da margem oposta.

Isso foi, por sua vez, rejeitado e substituído por:

"É ali que ficavam antigamente as Portas", disse Gandalf, apontando para o outro lado da água. "Ali estava a Porta--élfica no fim da estrada vinda de Azevim, pela qual chegamos, [*riscado:* e a Porta-anânica mais ao sul]. Precisamos atravessar [*riscado:* para a Porta-élfica] assim que pudermos. Este caminho está bloqueado. [...]"

A ideia de que havia duas entradas oeste distintas para Moria aparecia na versão original, em que Gandalf dizia (VI. 527): "Havia dois portões secretos no lado oeste, embora a entrada principal ficasse no leste". As palavras de Gandalf no presente trecho de SA (p. 427) — "E ali ficava antigamente o Portão, *a Porta Élfica* no fim da estrada vinda de Azevim, pela qual chegamos" — derivam disso, mas, no contexto de SA, onde não há "Porta Anânica", a "Porta Élfica" é entendida em relação ao que Gandalf diz depois: "a Porta Oeste foi feita mormente para uso deles [dos Elfos] em seus negócios com os Senhores de Moria" (uma ideia que, de fato, remonta à versão original, VI. 548: "os portões do oeste foram feitos principalmente para o uso deles, em seu comércio com os anãos". Ver adiante p. 230 e nota 3.

As muitas referências à Lua nessa parte do capítulo foram quase todas removidas por emendas ao texto datilografado que se seguiu ao manuscrito, e não aparecem em SA. Todas as referências à hora do dia e ao pôr do sol são exatamente como em SA até este ponto da história, mas, depois das palavras "O dia estava se aproximando do fim" (SA, p. 427), meu pai escreveu: "e a lua já estava brilhando nas fímbrias do pôr do sol", onde em SA está dito "e estrelas frias reluziam no céu muito acima do pôr do sol". Conforme Pippin, o último da Comitiva (Sam em SA), pisou na terra seca depois de passar pela poça "verde e estagnada" (segundo a versão antiga; em SA, "um arroio estreito") na ponta norte do lago, e houve "um silvo, seguido de um estalo" na água distante, "naquele momento, sombras cobriram os últimos raios do ocaso, e a lua que se erguia ficou envolta em uma nuvem que passava". "Que se erguia" só

AS MINAS DE MORIA (1)

pode ser um deslize irrelevante, mas aqui, SA diz: "O crepúsculo aprofundou-se, e os últimos raios do ocaso ficaram envoltos em nuvens". Sob o penhasco, havia dois grandes pés de azevinho "rijos, escuros e silenciosos, projetando sombras fundas na lua", onde SA diz "projetando em torno de suas bases fundas sombras noturnas". Portanto, em SA não há qualquer referência à lua até Gandalf passar as mãos no espaço liso na parede do penhasco: "A Lua já brilhava sobre a face cinzenta da rocha".

Depois desse ponto, outras referências à Lua foram igualmente removidas. Quando os encantos de Gandalf não surtem efeito, dizia-se aqui que "a lua brilhava pálida, o vento soprava frio, e as portas permaneceram firmes"; em SA, "as incontáveis estrelas se acenderam" etc. Quando as portas finalmente se abriram, "podia-se ver uma escada sombria que subia íngreme. O luar recaía sobre os degraus inferiores, mas além deles a treva era mais profunda que a noite"; em SA, não há referência ao luar nos degraus. Um dos tentáculos do Vigia na Água "retorceu-se e transpôs a soleira, reluzindo à lua" onde SA (p. 436) diz "reluzindo à luz das estrelas". Mas, dentro de Moria, quando Gandalf hesita diante do arco com três passagens, ele diz no presente texto "Aqui dentro é sempre noite; mas lá fora a lua já se escondeu há muito e a noite está passando [> a lua está se escondendo e as horas escuras estão passando]", em SA ele diz: "lá fora a Lua tardia ruma para o oeste e a meia-noite passou".

Meu pai havia dito que seis noites antes, a primeira noite da marcha da Comitiva desde Azevim (p. 203), a Lua estava "quase cheia" ("cheia" em SA); e, na noite anterior, quando os Wargs atacaram novamente, "a noite estava avançada, e no oeste a lua minguante se punha" (assim como em SA). Meu pai se esqueceu disso e, conforme escrevia a presente versão, ele evidentemente visualizou uma lua crescente no Oeste ("brilhando nas fímbrias do pôr do sol"). Quando percebeu que a lua agora deveria estar quase no último quarto e erguendo-se tarde, ele alterou o texto conforme descrito acima; mas, certamente, a referência à lua brilhando na face do penhasco deveria ter sido removida com todas as outras, não?[5]*

---

*Na edição de 2004 de *O Senhor dos Anéis*, os editores Wayne G. Hammond e Christina Scull, consultando Christopher Tolkien, decidiram não corrigir essa inconsistência por julgar que isso destruiria a visão que o autor tinha da cena, com a lua brilhando na face da rocha. Essa decisão editorial foi mantida, portanto, na tradução brasileira. [N.T.]

A TRAIÇÃO DE ISENGARD

Um elemento narrativo que desapareceu é visto em alguns trechos rejeitados. Enquanto Gandalf estava "fitando a parede nua do penhasco" (SA, p. 430), afirma-se que Legolas (que, em SA, estava "encostado ao rochedo, como quem escuta"), "explorando ao sul ao longo da margem do lago, perdeu-se no ocaso" e, quando as ondulações na água chegaram perto da beirada, "a voz de Legolas estava chamando; seus pés correndo apressados até eles". Conforme Bill, o pônei, fugiu escuridão adentro, "Legolas correu sem fôlego com o punhal na mão; falava confusamente na língua élfica" — mas isso foi evidentemente rejeitado assim que escrito devido ao que se diz em seguida, quando Gandalf conduziu a Comitiva pelo portal: "Legolas, por fim, chegou correndo, ofegando" e pulou sobre os tentáculos que já tateavam a parede do penhasco; "Gimli o agarrou pela mão e arrastou-o para dentro". Foi neste ponto que meu pai abandonou a ideia.[6]

Conforme escrita inicialmente, a descrição do desenho que Gandalf revelou mal havia se desenvolvido a partir do relato original (VI. 549–50). Sob o arco de letras entrelaçadas "em caracteres élficos", havia "o contorno de uma bigorna e um martelo encimados por uma coroa e uma lua crescente. Mais claramente que tudo o mais brilhavam três estrelas de muitos raios". Agora é Gimli, e não Gandalf, que diz "Eis os emblemas de Durin!", e Legolas diz "E eis as insígnias estelares dos Altos-Elfos!". Gandalf ainda diz que "eles são feitos de alguma substância prateada que só é vista quando tocada por alguém que conhece certas palavras", mas acrescenta: "e acho também que brilham somente ao luar" (no texto original, quando a história era de que o sol estava brilhando na parede do penhasco, ele dizia "à noite, sob a lua, é quando brilham mais intensamente"). Suas palavras foram alteradas, aparentemente na mesma hora, para o texto de SA: "São lavrados em *ithildin*,[7] que só reflete a luz das estrelas e o luar e dorme até ser tocado por quem fale palavras já há muito esquecidas na Terra-média".

A descrição do desenho em si foi alterada para:

[...] o contorno de uma bigorna e um martelo encimados por uma coroa com sete estrelas. Abaixo destes estavam duas árvores carregando uma lua crescente. Mais claramente que tudo o mais brilhava, no meio da porta, uma única estrela de muitos raios.

217

AS MINAS DE MORIA (1)

"Eis os emblemas de Durin!", exclamou Gimli.
"E eis a Árvore dos Altos-Elfos!", disse Legolas.
"São lavrados em *ithildin*", disse Gandalf [...]

A menção de Gandalf à "Estrela da Casa de Fëanor" em SA está, portanto, ausente.

Nesse manuscrito, integrando o texto, está o desenho mais antigo do arco com os símbolos embaixo (reproduzido na p. 220).[8] Ver-se-á que esse desenho é o da descrição *revisada*, na qual a coroa é acompanhada por sete estrelas, há duas árvores encimadas por luas crescentes, e uma única estrela no centro, e não três, como na primeira descrição. A suposição natural seria que a mudança na descrição no texto, que está na página anterior ao desenho, foi feita de imediato; mas, nesse caso, é muito estranho que um pouco depois, nessa versão, quando Gandalf disse a palavra *Mellon*, "as *três estrelas* brilharam brevemente e apagaram-se outra vez" (o que não foi corrigido).

Taum Santoski forneceu a explicação para esse característico impasse textual. Os borrões acima das árvores foram causados ao se apagar com força; e ele sugere que, no desenho original, que acompanhava a primeira descrição no texto, havia três estrelas: a do meio foi mantida, mas as outras duas, uma em cada lado, foram apagadas e substituídas por árvores. Não tenho dúvida alguma de que essa é a solução correta. A descrição revisada no texto, portanto, está adequada ao desenho revisado e, na época, meu pai simplesmente deixou de notar a referência subsequente às três estrelas, quando Gandalf disse a palavra *Mellon*.

Um apagado acima da coroa mostra que aí havia originalmente uma lua crescente, como na primeira versão da descrição. Taum Santoski também conseguiu ver que, em um estágio preliminar da introdução das duas árvores, elas eram maiores, e cada uma tinha tanto um círculo (um sol, ou uma lua cheia) e uma lua crescente em cima.[9]

Quando Gandalf estava se esforçando para descobrir o encantamento que abriria as portas, ele diz que já conheceu "todos os encantamentos, em todas as línguas, de Elfo ou Anão ou Gobelim" (SA "dos Elfos ou Homens ou Orques") algum dia usados para tal finalidade. Ele não diz "não hei de pedir a Gimli as palavras da língua secreta dos Anãos que não ensinam a ninguém"; e afirmava que "a palavra de abertura era élfica" (SA: "as palavras de abertura eram élficas") — antecipando a solução do enigma. As palavras do primeiro encantamento que Gandalf tentou permanecem exatamente

218

como na versão original (VI. 551); mas, como já indicado, a palavra de abertura agora é *Mellon*, como em SA, e não o plural anterior, *Mellyn*.

Quando Frodo pergunta a Gandalf o que ele achava do monstro na água do lago (SA, p. 437), ele inicialmente respondia: "Não sei. Nunca vi ou ouvi falar de tal criatura". Isso foi riscado e substituído pelas palavras de SA: "mas todos os braços eram dirigidos por um propósito". Possivelmente ligado a isso há uma nota a lápis neste ponto do manuscrito: "? Inserir palavras de Gimli dizendo que havia tradições entre os Anãos que falavam de dedos estrangulando no escuro". — "Gobelins" aparecem outra vez, como na versão antiga, onde SA traz "Orques", quando Gandalf diz "Há seres mais antigos e mais imundos que gobelins nas profundas do mundo".

No relato das duas longas marchas por Moria, não há quase nenhuma diferença a se notar. São "os hobbits" (e não Pippin) que hesitaram em saltar sobre a grande brecha (SA, p. 440); e a referência que Sam faz a corda ("Eu sabia que ia precisar se não tivesse!) está ausente — assim como o trecho em que ele repassa seus pertences antes de deixar Valfenda e descobre que não tem corda ("Bem, vou precisar. Não posso arranjar agora", SA, p. 399) está ausente do capítulo anterior (p. 201).[10]

Quando a Comitiva chega ao amplo salão em que passaram a segunda noite (o qual, segundo Gandalf, ficava muito mais alto do que o "Portão do Riacho-escuro", como em SA), Gimli responde assim à pergunta de Sam "Com certeza não moravam nesses buracos escuros e nojentos?":

"Não eram buracos nojentos, e mesmo agora não são, a menos que outros além dos anãos aqui os tenham transformado nisso. Como você teria atravessado, e respirado, e sobrevivido se não fosse pelo engenho dos construtores do passado? Embora muitos canais, sem dúvida, estejam bloqueados e arruinados com os anos, o ar ainda flui e é bom, na maior parte. E outrora os salões e minas não eram escuros.

Aqui o texto é interrompido, e toda a fala de Gimli foi riscada e substituída pelas palavras de SA: "Não são buracos. Este é o grande reino e cidade de Covanana. E antigamente não era escura, e sim cheia de luz e esplendor, como [cantarei em uma canção >] ainda é recordada em nossas canções". Há um rascunho isolado para essa fala de Gimli

AS MINAS DE MORIA (1)

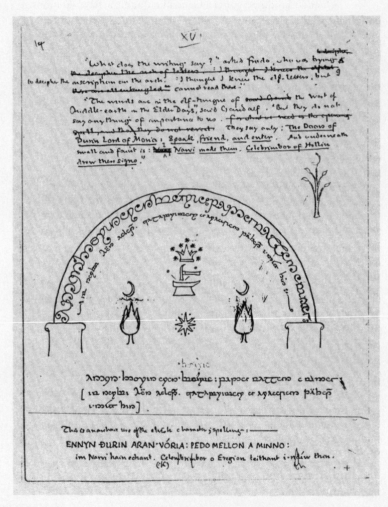

O Portão Oeste de Moria:
O desenho mais antigo da inscrição e dos emblemas

em que ela termina assim: "E antigamente não eram escuros: eram iluminados com muitas luzes e faiscavam com metais polidos e gemas".

A canção de Gimli aparece aqui (em um adendo ao manuscrito) passada a limpo na forma final (mas com *Mil lâmpadas feitas de cristal* em vez de *Em* lâmpadas feitas de cristal na terceira estrofe; e *Rubi, berilo, opala em chama* em vez de *Berilo, pérola, opala em chama* na quarta). Há algumas páginas de rascunho rudimentar (uma das quais começa com o rascunho das recém-mencionadas palavras de Gimli em louvor a Moria), mas elas não desenvolvem muito a canção; outros trabalhos devem ter se perdido. Apenas a estrofe inicial — *O mundo era jovem, verde a montanha* — aparece aqui, e resta pouca coisa além de versos fragmentários e rejeitados. Há também um rascunho (sem dúvida o mais antigo) de uma versão em estrofes de quatro versos com o esquema de rimas *aaba* e uma rima interna no terceiro verso. Desse poema, três quadras estão completas:

> *O mundo era jovem, alta a montanha,*
> *Sem marca a Lua cuja luz nos banha,*
> *Durin chega num dia, e nomes cria*
> *Em toda terra que era antes estranha.*
> > *terra inominada e estranha.*

> *O mundo era belo, a montanha era alta*
> *Nos seus salões, brilho de ouro não falta,*
> *Durin sentado em seu trono entalhado*
> *Detrás dos muros nada o sobressalta.*

> *O mundo é sombrio, a montanha é antiga,*
> *Em sombra o ouro empilhado se abriga,*
> *De Durin no paço amansa-se o maço,*
> *Na forja o fogo já nada fustiga.*

Entre muitos outros versos ou dísticos incompletos, encontram-se:

> *Quando Durin estava, enfim, desperto,*
> *ao ouro deu nome, primo e secreto*

> *Quando Durin até Azanûl chegou,*
> *o lago encontrou sem nome e o nomeou*[11,A]

AS MINAS DE MORIA (1)

Há também as palavras isoladas *Onde o frio Nenechui* > *Onde o frio Echuinen verte*. *Nen Echui* já ocorreu como o nome noldorin de *Cuiviénen*, as Águas do Despertar (V. 442, 496); aqui, meu pai estava refletindo sobre sua aplicação ao Espelhágua (para o muito posterior nome élfico *Nen Cenedril*, "Espelhágua", ver VI. 568–9, nota 39).

Em uma das páginas de rascunho para a canção de Gimli, meu pai escreveu: "Gandalf sobre *Ithil Thilevril*[12] *Mithril*" (ou seja, Gandalf falaria sobre o assunto). Essa é a primeira ocorrência do nome *Mithril*, em substituição aos efêmeros *Thilevril*, *Ithil*, e ao *Erceleb* original (ver VI. 559 e notas 34–5); e uma página isolada de rascunho mostra meu pai desenvolvendo o relato de Gandalf sobre ele. O texto começa com várias versões da resposta de Gandalf à pergunta de Sam "Ainda tem montes de joias e ouros jogados por aqui?". Muitas respostas para essa pergunta foram ensaiadas. Em uma, Gandalf dizia: "Talvez tenha. [...] Pois a fortuna de Durin era muito grande: não apenas de coisas que se achavam nas próprias Minas. Havia grande comércio em seus portões do Leste e Oeste". Em outra, ele dizia: "Não. Os anãos levaram muita coisa embora; e, ainda que o pavor de seus labirintos sombrios tenha protegido Moria de Homens e Elfos, não a defendeu dos gobelins, que frequentemente invadiram-na e a saquearam". Ao lado dessas notas, meu pai escreveu: "Agora quase todo mithril acabou. Os Orques o saquearam e deram em tributo a Sauron, que o está recolhendo — não sabemos por qual razão — para algum propósito secreto de suas armas, não pela beleza."[13]

A versão final aqui, escrita em um garrancho apressado com acréscimos e alterações a lápis, diz o seguinte:

"Ninguém sabe", disse Gandalf. "Ninguém se atreveu a fazer buscas nas armarias e câmaras de tesouro dos lugares profundos desde que os anãos fugiram. Exceto por orques saqueadores. Conta-se que foram cobertas com encantamentos e maldições quando os anãos fugiram."

"Foram", disse Gimli, "mas os orques frequentemente saquearam dentro Moria mesmo assim [*acrescentado:* e nada resta nos salões superiores]."

"Vieram aqui por causa do Mithril", disse Gandalf. "Principalmente por ele é que Moria ganhou renome outrora, e era o fundamento da fortuna e poder de Durin: somente em Moria

A TRAIÇÃO DE ISENGARD

encontrava-se mithril, a não ser que fosse rara e escassamente alhures. Prata-de-Moria, ou prata-vera, como alguns a chamaram. Mithril era o nome élfico: os anãos têm um nome que não contam. Seu valor era três vezes o do ouro, e agora não tem preço. Era quase tão pesado quanto chumbo, maleável como cobre, mas os anãos sabiam, por algum segredo seu, torná-lo tão duro quanto [> mais duro] do que aço. Superava a prata comum em tudo, menos na beleza, e mesmo nisso a igualava. [*Acrescentado:* Era usado pelos Elfos, que o amavam muito — entre várias outras coisas, [? trabalharam-no] para fazer *ithildin*. *Talvez para ser colocado aqui também:* ... os senhores-anânicos de Khazad-dûm eram mais ricos do que todos os Reis dos Homens, e o comércio nos Portões trazia-lhes joias e tesouros de muitas terras do Leste e do Oeste.] Bilbo tinha um colete de anéis-de-mithril que Thorin lhe deu. Pergunto-me o que fez com ele. Eu nunca disse a ele, mas seu valor era maior que o do Condado inteiro e de tudo o que ele contém."[14]

[*Acrescentado:* Frodo pôs a mão por baixo da túnica e tocou os anéis de sua cota de malha, e sentiu-se um tanto atordoado em pensar que estivera caminhando com o preço [do] Condado [...]]

Esse trecho, conforme aparece no manuscrito completo, é bem parecido com o de SA. Ainda se diz que *mithril* não era encontrado apenas em Moria: "Só aqui em todo o mundo — a não ser que fosse rara e escassamente em montanhas distantes do Leste — encontrava-se a prata-de-Moria". A menção a Bilbo ter doado o seu colete para o "Museu de Grá-Cava" (e não à "Casa-mathom") aparece.

Mas há uma diferença importante. Este texto diz: "Os anãos não contam nenhuma história, mas, assim como o *mithril* foi o fundamento de sua riqueza, foi também sua destruição: escavaram com demasiada ganância e demasiado fundo, e perturbaram aquilo de que fugiram".[15] Isso está exatamente igual em SA, mas sem as quatro últimas palavras: *a Ruína de Durin.* Também a esse respeito, onde Gandalf diz em SA: "E, desde que os anãos fugiram, ninguém se atreve a fazer buscas nos poços e tesouros dos lugares profundos: estão submersos na água — ou em uma sombra de pavor", meu pai escreveu inicialmente no manuscrito: "[...] alguns estão submersos na água, e alguns estão repletos do mal de que os anãos fugiram, e do qual não falam". Isso foi alterado para "[...] estão submersos em água — ou em sombra".

223

A ausência das palavras "Ruína de Durin" não prova, é claro, que a ideia da "Ruína de Durin" ainda não tinha surgido; e a sensação de que "alguns estão *repletos do mal* de que os anãos fugiram" não são palavras realmente apropriadas para o Balrog é muito vaga para se trabalhar. O fato de que havia um Balrog em Moria aparece no esboço original da história em VI. 563–4. Mesmo assim, creio ser provável que, neste estágio, não tinha sido o Balrog a causar a fuga dos Anãos da grande Covanana, muito tempo antes. A evidência mais contundente para isso vem da versão original da história de Lothlórien, em que há no mínimo uma forte sugestão (apresentada como a opinião do Senhor e da Senhora de Lothlórien) de que o Balrog tinha sido enviado de Mordor não fazia muito tempo (mais sobre essa questão na p. 293 e nota 11). Além disso, nos textos da história da Ponte de Khazad-dûm dessa época, Gimli não grita "A Ruína de Durin!" (pp. 236, 242–3).

Penso também que o próprio Gandalf não demonstra saber qual era o mal do qual os Anãos fugiram (não é possível dizer, é claro, o que meu pai sabia).[16]

Nada mais há para se observar no restante do capítulo, exceto a inscrição rúnica no túmulo de Balin (sobre a qual, ver o Apêndice sobre as Runas, pp. 537–8). As palavras de Gandalf sobre a inscrição diferem das que diz em SA: "Estas são runas-anânicas, como se usam no Norte. Aqui está escrito na língua antiga e na nova: *Balin, filho de Fundin, Senhor de Moria*". Em SA, ele diz: "Estas são Runas de Daeron, como se usavam antigamente em Moria", disse Gandalf. "Aqui está escrito nas línguas dos Homens e dos Anãos [...]".

A inscrição está escrita em uma tira de papel azul[17] e, como não seria possível reproduzi-la em preto e branco, no lugar dela está reproduzida aqui a versão do texto datilografado que se seguiu ao manuscrito, sendo ela muito parecida com a primeira no desenho, e idêntica em todas as formas.

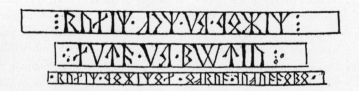

A inscrição diz:

BALIN, FILHO DE FUNDIN
SENHOR DE MORIA
Balin Fundinul Uzbad Khazaddūmu

NOTAS

[1] *Veio-de-Prata* foi alterado a lápis para *Raiz Negra*; ver p. 280. Ao mesmo tempo, *Ond* foi alterado para *Ondor*.

[2] No Primeiro mapa, o nome era inicialmente *Iren*, alterado para *Isen*; ver p. 349.

[3] O grito de Gandalf ao atirar a tocha ardente no ar (SA, p. 424) é aqui "*Naur ad i gaurhoth!*".

[4] Estão ausentes as referências ao "poder que agora desejava ter luz clara para ver de longe os seres que se movessem no ermo" e à observação de Gandalf de que "Aragorn não pode nos guiar; poucas vezes ele caminhou nesta terra". Ao mesmo tempo, um comentário é feito neste texto sobre o lugar em que Gandalf buscou o Sirannon, o Riacho-do-portão, que era "deserto e seco": "nenhum floco de neve parecia ter caído ali".

[5] A alteração no presente texto de "lá fora a lua já se escondeu há muito" para "lá fora a lua está se escondendo" implica na visão corrigida da fase da lua, mas nenhuma das referências anteriores foram emendadas no manuscrito.

[6] Este é um lugar conveniente para mencionar um detalhe textual. Gimli diz que, quando fechadas, as Portas-anânicas são invisíveis, "e seus próprios construtores [*makers*] não conseguem encontrá-las nem abri-las se o seu segredo for esquecido". A palavra *makers* é certa (mas poderia ser lida incorretamente), e parece bem mais adequada e provável do que *masters* [mestres]. Essa palavra, que aparece no primeiro texto datilografado do capítulo, foi claramente um erro perpetuado em SA (p. 430).*

[7] O nome *ithildin* foi criado aqui. Inicialmente, meu pai escreveu *lua-estrela* ou *thilevril* (acerca de *thilevril*, ver p. 222 e nota 12).

[8] Ele foi reproduzido anteriormente por Humphrey Carpenter na *Biografia*, p. 301. A escrita no arco, mas nada além disso, aparece na versão original do capítulo (ver guardas de O Retorno da Sombra).

[9] As árvores no desenho reproduzido na p. 220 são de uma forma altamente estilizada vista com frequência nos desenhos de meu pai (por exemplo, na ilustração da Cidade-do-Lago em *O Hobbit*). Essas árvores podem, ademais, ser moldadas em formas geométricas, ou ter a superfície cortada em planos

---

*A palavra *masters* foi corrigida para *makers* na edição de 2004 de *O Senhor dos Anéis* e, portanto, está correta na tradução brasileira. [N.T.]

(de modo a se parecerem com rochas erguendo-se dos troncos). A árvore feita a lápis acima do arco, com galhos distintos, folhas únicas e grandes, e uma lua crescente no ramo mais alto, foi o modelo para uma segunda versão do desenho (também na Universidade Marquette), que difere da primeira somente no formato das árvores. Talvez fosse a esse desenho que o manuscrito corrigido fazia referência, pois está dito que as árvores *carregavam* uma lua crescente. Em uma terceira versão (na Biblioteca Bodleiana), as árvores, muito maiores, ainda carregam uma lua crescente no topo, mas os galhos também se enrolam no formato crescente (assim como na versão final). Uma quarta versão, também na Bodleiana, difere da final apenas porque os galhos passam por trás dos pilares, e não se entrelaçam neles.

No trecho narrativo escrito acima da primeira versão do desenho, é possível ver que o nome *Narvi* foi inicialmente grafado *Narf[i]*, como no texto original (VI. 550). O risco cortando o primeiro *m* de *Celebrimbor*, na transcrição das *tengwar* no pé da página, remove uma letra *m* errônea; o risco que corta o segundo, remove uma letra *m* necessária. — A segunda *tengwa* na penúltima palavra da inscrição, transliterada como *i·ndíw*, é usada nas palavras *ennyn* e *minno* para representar *nn*, e não *nd*. Talvez ligada a isso está a forma da oitava *tengwa* em *Celebrimbor*, que seria naturalmente interpretada como *mm*, e não *mb*.

[10] A origem da espada de Gandalf, Glamdring, ainda é mencionada aqui, assim como em VI. 554, pois o trecho em que ocorre em SA (p. 398), o relato das armas portadas pelos membros da Comitiva, ainda não fora acrescentado ao capítulo anterior.

[11] Ver VI. 567–8, nota 36.

[12] *Thilevril* foi, portanto, uma possibilidade rejeitada tanto para *ithildin* quanto para *mithril* (ver nota 7).

[13] Outro rascunho diz isso de forma um pouco mais completa: "Eles o dão em tributo a Sauron, que há muito recolhe e entesoura tudo o que consegue encontrar. Não se sabe por qual razão: não pela beleza, mas para algum propósito secreto na fabricação de armas de guerra".

[14] Esse é o ponto (pelo menos registrado) em que foi feita uma conexão entre *mithril* ou "prata-de-Moria" e a cota de malha de Bilbo, o que levou, por fim, a uma alteração no texto de *O Hobbit*, Capítulo 13: ver VI. 567–8, notas 35, 38. A cota de malha não será mais chamada de "malha-élfica" (Ver p. 209, nota 13).

[15] Um rascunho final para esse trecho termina ilegível: "Os anãos não contam o que aconteceu; mas o mithril só é abundante bem fundo e ao norte, na direção das raízes de Caradras, e alguns … [? acham] que eles perturbaram algum [? guarda]". — *Caradras* está grafado assim também no trecho do manuscrito completo; ver p. 210, nota 18.

[16] Na quinta versão de "O Conselho de Elrond" (p. 173), Glóin diz que os Anãos de Moria escavaram "a uma profundeza imensurável" e que "sob os fundamentos dos montes, coisas há muito enterradas foram despertadas, por fim, do sono".

Em SA, parece haver uma ambiguidade em relação ao que Gandalf sabia. Ele diz que os Anãos fugiram da Ruína de Durin, mas, quando o Balrog apareceu e Gimli exclamou "A Ruína de Durin!", ele murmurou "Um Balrog. Agora compreendo." (Essas palavras, assim como as de Gimli, estão ausentes nas versões da cena dessa época, pp. 236, 242–3). O que Gandalf quis dizer? Que ele agora entendia que a criatura que havia entrado na Câmara de Mazarbul e disputara com ele em poder através da porta fechada era um Balrog? Ou que entendia, por fim, o que havia destruído Durin? Talvez quisesse dizer as duas coisas, pois, se soubesse o que era a Ruína de Durin, ele não teria suposto, horrorizado, o que estava do outro lado da porta? — "Jamais senti tal desafio", "encontrei um adversário à altura, e quase fui destruído".

[17] O papel azul é da capa de uma das brochuras dos papéis de prova de "agosto de 1940", que meu pai ainda usava para rascunhar. A tira foi colada na página manuscrita, cobrindo uma versão anterior da inscrição rúnica; sobre ela, ver o Apêndice sobre as Runas, p. 538.

10

AS MINAS DE MORIA (2):
A PONTE

Chegamos afinal ao ponto em que meu pai retomou a narrativa, ao lado do túmulo de Balin em Moria. Um rascunho para a luta na Câmara de Mazarbul já existia (VI. 542–3), remontando ao período em que escreveu o texto original de "Moria (i)", e agora ele seguiu esse esboço de perto, em grande medida. Também havia um esboço do mesmo período (VI. 563–4) da disputa de Gandalf na ponte e de sua queda, quando o oponente seria um Cavaleiro Negro.

O novo capítulo, numerado 17, foi intitulado "As Minas de Moria (ii)", e corresponde ao Livro II, Capítulo 5 de SA, "A Ponte de Khazad-dûm". O manuscrito original está a lápis, à caneta, e caneta sobre lápis, e foi escrito nos mesmos papéis de prova de "agosto de 1940" usados para muito do trabalho anterior. É um rascunho deveras rudimentar: porções dele estariam bem além dos limites da legibilidade, não fossem as pistas em textos posteriores. Alguma alteração editorial muito pequena foi feita aqui quanto à pontuação e à quebra de frases, aumentando a fluência da leitura e a compreensibilidade do texto, ainda que disfarçando a pressa furiosa com que foi escrito.

Imediatamente se vê que este manuscrito seguiu o novo texto de "O Anel vai para o Sul" pela ocorrência do nome *Raiz Negra* (o posterior *Veio-de-Prata*) no Livro de Mazarbul; pois *Raiz Negra* substituiu *Via-rubra* conforme o texto era escrito (p. 202). Ver nota 3 para a evidência de que ele seguiu a segunda versão de "Moria (i)".

Duas notas estão escritas no alto da primeira página: "2 Portões Oeste" (ver nota 3), e "Sem datas no Livro".

AS MINAS DE MORIA (ii)

A Comitiva do Anel postou-se por algum tempo em silêncio junto ao túmulo de Balin. Frodo pensava em Bilbo e sua amizade com o anão, e na visita de Balin a Bilbo, muito tempo atrás.

Passado um momento, olharam ao redor da câmara para ver se conseguiam descobrir alguma notícia ou sinal do povo de Balin. Havia outra porta do lado oposto, embaixo do poço. Agora podiam ver que muitos ossos jaziam na poeira junto a ambas as portas, e no meio deles havia espadas e lâminas de machado quebradas, e escudos e elmos partidos. Algumas das espadas eram recurvas: armas-órquicas com lâminas negras.

Havia reentrâncias e prateleiras talhadas na parede, e nelas estavam grandes arcas com amarras de ferro: todas tinham sido arrombadas e saqueadas; mas ao lado da tampa despedaçada de uma delas jaziam os fragmentos surrados de um livro. Fora talhado com uma espada e perfurado, e estava tão manchado com marcas escuras como sangue seco que pouco se podia ler nele. Só uma capa [*sic*][1] e muita coisa estava faltando ou em pedacinhos. Gandalf o depositou cuidadosamente na laje e o estudou; fora feito em escrita anânica e élfica, por muitas mãos diferentes.

"É um registro da sina do povo de Balin", disse o mago, "e parece começar com sua vinda ao Grande Portão, há 20 anos. Escutai!

"*Expulsamos Orques do ... primeiro salão. Matamos muitos sob o sol claro no Vale. Flói foi morto por uma flecha. Ele matou ... Ocupamos* [> *Tomamos*] *o Vigésimo Primeiro Salão da extremidade Norte* [acrescentado: *para habitar*]. *Há ali ... poço é ... Balin estabeleceu seu assento na Câmara de Mazarbul ... ouro ... machado de Durin. Balin é Senhor de Moria ... Encontramos prata-vera ... Bem-forjado ... (A)manhã Óin ... buscar* [> *Óin para buscar*] *os arsenais superiores e o tesouro da Terceira Profunda ... mithril.*

"Há mais uma ou duas páginas do mesmo tipo, assim mal escritas e muito danificadas. E deve haver algumas faltando, e algumas eu não consigo ler. Deixai-me ver. Não, está queimada e cortada e manchada. Não consigo ler isso. Esperai! Ah, eis aqui uma mais recente, bem escrita. Quinto ano da colônia deles. Vede: uma letra grande e apressada, empregando caracteres élficos!

"*Balin, Senhor de Moria, tombou no Vale do Riacho-escuro. Foi a sós olhar no Espelhágua. um orque o alvejou de trás de uma pedra.*

Matamos o orque, porém muitos ... do Leste subindo o Raiz Negra ... Aqui duas linhas se perderam. *Trancamos os Portões.* Nesta página nada mais está claro. O que é isto? A última página escrita — o restante parece estar em branco [> grudado na capa]. *Não podemos sair. Não podemos sair. A Lagoa chegou até a Muralha no Oeste. Lá está o Vigia na Água. Apanhou Óin. Não podemos sair.*

"*Tomaram os Portões. Frár e Lóni e Nálí*[2] *tombaram ali ... barulho nas Profundas.* Pobres deles. Não puderam sair por nenhum dos Portões. Talvez tenha sido bom para nós que a água baixou um pouco, e que o Vigia estava guardando a Porta-anânica, e não a Porta-élfica quando passamos.[3] A última coisa escrita", disse Gandalf, "é um rabisco apressado em letras-élficas: *Eles estão chegando.*"

Ele olhou em volta. "Parece que fizeram a última defesa junto às duas portas desta câmara", falou. "Mas não havia restado muitos àquela hora. Assim acabou a tentativa de retomar Moria. Foi corajosa, mas tola. A hora ainda não chegou. Seu fim deve ter sido desesperador. Mas receio que agora precisemos nos despedir de Balin, filho de Fundin: era um nobre anão. Que possa aqui jazer nos salões de seus pais. Vamos levar este livro, e depois consultá-lo mais cuidadosamente. É melhor guardá-lo, Frodo, e dá-lo a Bilbo. Ele lhe interessará, porém receio que o entristecerá.[4] Acho que sei onde estamos agora. Esta deve ser a Câmara de Mazarbul e aquele salão deve ser o 21º Salão da extremidade Norte. Portanto, deveríamos partir ou pelo arco sul ou pelo arco leste no salão, ou talvez por essa outra porta leste aqui. Acredito que retornaremos ao Salão. Vinde, vamos embora! A manhã está passando."

Naquele exato momento houve um grande ruído, um grande *bum* ribombante que parecia vir de muito abaixo e estremecer a pedra aos pés deles. Saltaram na direção da porta, alarmados. Mas, assim que o fizeram, veio um clangor ecoante; uma grande trompa soava no salão, e em resposta ouviram-se trompas e gritos estridentes nos corredores; ouvia-se o som da correria de muitos pés.

"Que tolo eu fui!", exclamou Gandalf, "por me demorar aqui. Fomos pegos exatamente como eles foram antes. Mas daquela vez eu não estava aqui: vamos ver o que..."

Bum veio o barulho estremecedor de novo, e as paredes sacudiram.

"Batei as portas e entalai-as!", gritou Troteiro. "E ficai com as mochilas: poderemos ter a oportunidade de forçar uma saída."

"Não!", disse Gandalf. "Entalai-as, mas deixai-as entreaberta. Não podemos nos trancar. Vamos pela porta do outro lado se tivermos uma chance."

Ouviram-se outro toque de trompa estridente e gritos esganiçados pelo corredor. Houve um tinido e um fragor quando a Comitiva sacou as armas. [*Acrescentado:* Glamdring e Ferroada brilhavam com chamas esbranquiçadas, reluzindo nos gumes.] Boromir meteu cunhas feitas de lâminas quebradas e lascas de arcas de madeira debaixo da porta ocidental, pela qual tinham entrado. Então, Gandalf postou-se atrás dela. "Quem vem aqui para perturbar o repouso de Balin, Senhor de Moria?", exclamou em voz alta.

Houve um repente de risadas roucas como a queda de pedras deslizando para dentro de um abismo, mas, em meio ao clangor, havia uma voz grave. *Bum, bum, bum* continuaram os ruídos na profundeza. Rapidamente, Gandalf foi até a abertura e empurrou o cajado para a frente. Produziu-se um lampejo cegante que iluminou a câmara e a passagem além dela. Por um instante Gandalf olhou para fora. Flechas zuniram e assobiaram, vindas pelo corredor, enquanto ele saltava para trás.

"Há gobelins: muitíssimos", afirmou ele. "Parecem malignos, e grandes: Orques negros.[5] No momento estão contidos, mas há algo mais ali. Penso que é um trol, ou mais de um. Não há esperança de escapar por ali."

"E não há esperança nenhuma se entrarem pela outra porta também", disse Boromir.

"Mas não há ruído do lado de fora", disse Troteiro, que estava parado junto à entrada oriental, escutando. "A passagem aqui desce por uma escada: [ela [? prov(avelmente)] não dá no salão de jeito nenhum. Nossa única chance é nos juntarmos aqui. Causar tanto dano quanto pudermos aos atacantes e depois fugir descendo estes degraus. Seria bom se pudéssemos bloquear a porta enquanto passamos: mas as duas se abrem para dentro."

Ouviram-se pés pesados no corredor. Boromir chutou as cunhas da porta oeste e a empurrou.[6] Eles recuaram para a porta oriental, ainda aberta, primeiro Pippin e Merry, depois Legolas, e então Frodo com Sam ao lado, Boromir, Troteiro e, por último, Gandalf. Mas ainda não tinham chance de fugir. Veio um golpe pesado na porta e ela chacoalhou; e imediatamente começou a se abrir para dentro, atritando nas cunhas e empurrando-as para trás.

AS MINAS DE MORIA (2)

Um enorme braço e ombro com pele de escamas verde-escuras (ou então vestida com alguma malha horrenda) insinuou-se pela abertura crescente. Depois, também meteram para dentro um grande pé com três dedos. Lá fora havia um silêncio de morte.

Boromir saltou para frente e golpeou o braço com a espada,[7] mas ela resvalou e lhe caiu da mão abalada: a lâmina tinha um entalhe.

Súbita e muito inesperadamente, Frodo sentiu uma grande ira palpitar no coração. "O Condado!", exclamou ele, e correu com Ferroada, golpeando o pé hediondo. Ouviu-se um berro e o pé recuou com um solavanco, quase arrancando a lâmina da mão dele: gotas pingavam dela e fumegavam na pedra.

"Um para o Condado!", exclamou Troteiro satisfeito. "Você tem uma boa lâmina, Frodo, filho de Drogo". Pela primeira vez pareceu que Sam gostava mesmo de Troteiro. Houve um estrondo, seguido por outro: rochas estavam sendo atiradas com força imensa contra a porta. Ela cedeu e a abertura se alargou. Flechas entraram assobiando, mas atingiram a parede norte e caíram no chão. As trompas soaram novamente, houve um correr de pés, e orques saltaram para dentro um após o outro. Legolas então disparou o arco. Dois tombaram, varados na garganta. A espada de Elendil golpeou outros.[8] Boromir golpeava em toda parte e os orques [? temiam] sua espada. Um que mergulhara sob seu braço foi talhado ... pelo machado de Gimli. Treze orques eles mataram, e os outros fugiram. "Se há uma hora, é esta!", disse [Troteiro >] Gandalf. "Antes que aquele o Trol-chefe ou outros voltem. Vamos!"

Porém, bem quando estavam recuando, mais uma vez um enorme chefe-órquico, quase da altura de um homem, trajando cota de malha negra da cabeça aos pés, pulou pela porta. Atrás dele, mas sem ainda se atreverem a avançar, estavam muitos seguidores. Tinha olhos como brasas. Empunhava uma grande lança. Boromir, que estava atrás, virou-se, mas, com um empurrão no escudo o orque desviou do golpe e, com força imensa, arrojou-o para trás e o lançou ao chão. Então, saltando com a velocidade de uma cobra, investiu e arremeteu com a lança direto contra Frodo. O golpe atingiu-o do lado direito. Frodo foi jogado contra a parede e imobilizado. Sam, com um grito, golpeou a lança, e ela se partiu. ... mas, no momento em que o orque lançou fora o bastão e sacou a cimitarra, a espada de Elendil desceu sobre seu elmo. Houve um lampejo como uma chama, e o elmo se partiu. O chefe-órquico

tombou com a cabeça partida. Seus seguidores que estavam ...
junto à porta agora quase aberta gritaram e fugiram apavorados.
Bum, bum continuava o barulho na Profunda. A grande voz voltou
a ribombar.

"Agora!", gritou Gandalf. "Agora é a última chance!'. Ele apanhou Frodo e correu pela porta oriental. Os outros seguiram. Troteiro, o último a sair, puxou a porta atrás de si. Tinha um grande
anel de ferro de cada lado, mas não se via fechadura.

"Estou bem", arfou Frodo. "Ponha-me no chão!"

Gandalf quase o derrubou de tão admirado.

Sem riscar esse último trecho, meu pai imediatamente o reescreveu:

"Agora!", gritou Gandalf. "Agora é a última chance!'. Troteiro
apanhou Frodo e correu pela porta oriental. Mesmo no calor da
batalha, Gimli curvou-se ao túmulo de Balin. Boromir puxou a
porta: tinha um grande anel de ferro de cada lado, mas a chave
sumira e a fechadura fora quebrada.

"Estou bem", arfou Frodo. "Ponha-me no chão!"

Troteiro quase o derrubou de tão admirado. "Pensei que você
estivesse morto!", exclamou. "Ainda não", disse Gandalf, virando-
-se. "Mas não há tempo [*riscado:* para contar (*isto é,* contar ferimentos)].[9] Ide embora descendo a escada e estai atentos! Esperai
por mim um momento e então correi: mantende-vos à direita e
no rumo sul."

Conforme desciam as escadas escuras, viram brilhar a luz
pálida do cajado do mago. Ele ainda estava postado junto à porta
fechada. Frodo, apoiado em Sam, parou por um momento e espiou
para trás. Gandalf parecia estar colocando a ponta do cajado na
antiga fechadura.

Subitamente viu-se um lampejo mais cegante ... [do que]
qualquer outro que jamais haviam imaginado. Todos se viraram.
Houve um estrondo ensurdecedor. As espadas que empunhavam
pularam e torceram-se nos dedos, e eles tropeçaram e caíram de
joelhos quando a grande rajada passou escadaria abaixo. Gandalf
caiu no meio deles.

"Bem, é isso", disse ele. "Foi tudo o que consegui fazer. Acho
que encobri Balin. Mas lamento por meu cajado: teremos de adivinhar o caminho no escuro. Gimli e eu lideraremos."

AS MINAS DE MORIA (2)

Eles seguiram espantados e, conforme tropeçavam atrás, ele deu algumas informações, ofegante. "Perdi meu cajado, parte da barba e uma polegada de sobrancelhas", falou. "Mas destruí a porta e derrubei o teto, e se a Câmara de Mazarbul não for agora uma pilha de ruínas atrás dela, então não sou um mago. Todo o poder do meu cajado se exauriu [? num lampejo]: rachou em pedacinhos."

> Aqui o texto à tinta foi interrompido. Meu pai imediatamente reescreveu bastante a lápis o trecho que começa com "Subitamente viu-se um lampejo [...]" e então continuou, ainda a lápis, do ponto que tinha alcançado (ver nota 4). Não há, é claro, qualquer dúvida de que a história estava surgindo nessas páginas, e a letra é tão veloz que chega a ser praticamente um código: há palavras faltando ou imprecisas, de modo que devemos tentar deslindar não só o que meu pai de fato escreveu como também a intenção dele.

Subitamente ouviram-no gritar palavras estranhas em tom trovejante, e houve um lampejo mais cegante ... [do que] qualquer outro que jamais haviam imaginado: foi como se um relâmpago tivesse passado bem diante dos seus olhos e os chamuscado. As espadas que empunhavam pularam e torceram-se nos dedos. Houve um estrondo ensurdecedor, e tropeçaram ou caíram de joelhos quando uma rajada de vento passou escadaria abaixo. Gandalf caiu no meio deles.

"Bem, é isso", disse ele. "Encobri o pobre e velho Balin. Foi tudo o que consegui fazer. Quase me matei. [*Riscado assim que foi escrito:* Levará anos até que eu recupere minha força e magia.] Avante, avante! Gimli, vem comigo à frente. Precisaremos ir no escuro. Apressai-vos agora!"

Eles seguiram espantados, tateando as paredes e, conforme tropeçavam atrás, ele deu algumas informações, ofegante. "Perdi parte da barba e uma polegada de sobrancelhas", falou. "Mas destruí a porta e derrubei o teto, e se a Câmara de Mazarbul não for agora uma pilha de ruínas atrás dela, então não sou um mago. Mas exauri toda a minha força, por ora. Não consigo mais criar luz para vós."

Os ecos da explosão de Gandalf pareciam ir de lá para cá, ... ndo nos lugares ocos de pedra acima deles. Por trás, ouviam *bum*, *bum*, como a batida e o pulsar de um tambor. Mas não havia som

A TRAIÇÃO DE ISENGARD

de pés. Por uma hora eles [? se apressaram, guiados pelo nariz de Gandalf]; Ainda não havia ruído de perseguição. Quase começavam a crer que conseguiriam escapar.

"E quanto a você, Frodo?", perguntou Gandalf, assim que pararam para tomar fôlego. "Isso é muito importante."

"Estou contundido e dolorido, mas inteiro", disse Frodo, "se é isso que está perguntando."

"De fato estou", disse Gandalf. "Pensava que Aragorn tivesse apanhado um hobbit heroico, mas morto."

"… parece que os hobbits, ou este hobbit é feito de um material tão duro que jamais vi coisa parecida", disse Troteiro. "Se eu soubesse, teria falado mais macio na Estalagem em Bri. Aquele golpe de lança teria transpassado um javali."

"Bem, não me transpassou", disse Frodo, "apesar de eu me sentir como quem foi apanhado entre um martelo e uma bigorna". Não disse nada mais. Respirava com dificuldade, e achava que as explicações poderiam esperar.

A partir deste ponto ("Logo seguiram em frente", SA, p. 467), uma porção do texto original está bastante irrecuperável, pois meu pai escreveu por cima (e em grande medida apagou antes), como parte de uma versão revisada, mas algo pode ser lido no fim desse trecho:

Não havia tempo a perder. De longe, além dos pilares na [? escuridão] profunda da extremidade oeste do salão, à direita, vieram gritos e toques de trompa. E, bem ao longe, ouviram novamente *bum, bum*, e o chão sacudiu [? às batidas pavorosas de tambor]. "Agora é a última corrida!", disse Gandalf. "Segui-me!"

O restante do texto original está escrito à tinta, e inicialmente é bastante legível, mas, perto do fim, é impossível de decifrar em alguns lugares, tamanha a velocidade com que foi escrito, com palavras pequenas indicadas por simples marcações, sufixos omitidos e quase nenhuma pontuação.

Virou para a esquerda e dardejou pelo chão do salão. Era mais comprido do que parecera. Ao correr, ouviram a batida e o eco de muitos pés correndo no chão.[10] Ergueu-se um berro estridente:

235

AS MINAS DE MORIA (2)

tinham sido vistos. Houve um retinir e estrépito de aço: uma flecha assobiou por cima da cabeça de Frodo.

Troteiro riu. "Eles não esperavam por isto", disse ele. "O fogo os encurralou por ora. Estamos do lado errado!"

"Atenção à ponte!", exclamou Gandalf por sobre o ombro. "É perigosa e estreita."

De repente, Fordo viu à sua frente um precipício negro. Logo antes do fim do salão o piso desaparecia e caía num abismo. A porta de saída só podia ser alcançada por uma delgada ponte de pedra sem corrimão que transpunha o abismo em um único salto curvo de uns cinquenta pés. Só podiam atravessá-la em fila única. Chegaram ao abismo agrupados e pararam na extremidade da ponte por um momento. Mais flechas assobiaram por cima deles. Uma perfurou o chapéu de Gandalf e ali ficou, espetada como uma pena negra. Olharam para trás. Lá longe, além da fissura de fogo, Frodo viu os vultos negros de muitos orques enxameando. Brandiam lanças e cimitarras que brilhavam rubras como sangue. *Bum, bum* rolavam os toques de tambor, avançando agora cada vez mais alto e ameaçadores. As silhuetas escuras de dois grandes trols podiam ser vistas [? elevando-se] entre os orques. Avançavam para a beira do fogo.

Legolas retesou o arco. Então disparou. Deu um grito de aflição e pavor. Duas grandes formas escuras de trols haviam aparecido; mas não foram elas que o fizeram gritar.[11] As fileiras dos orques se abriram como se eles próprios estivessem aterrorizados. Um vulto apressava-se em direção à fissura, não era mais alto que um homem, mas um terror parecia vir diante dele. Conseguiam ver de longe o fogo como o de uma fornalha dos seus olhos amarelos; os braços eram muito compridos; tinha uma [? língua] vermelha. Pelo ar, saltou por cima da fissura de fogo. As chamas pularam para saudá-lo e se enroscaram nele. Seu cabelo ondulante parecia pegar fogo, e a espada que segurava tornou-se chama. Na outra mão, segurava um açoite de muitas correias.

"Ai, ai!", lamentou-se Legolas. "[Os Balrogs chegaram >] Um Balrog chegou."

"Um Balrog", disse Gandalf. "Que má sorte — e meu poder já quase se exauriu."

O vulto ardente correu pelo chão. Os orques berraram e atiraram muitas flechas.

A TRAIÇÃO DE ISENGARD

"Por cima da Ponte", gritou Gandalf. "Avante! Avante! Este é um adversário maior que qualquer um de vós. Defenderei a Ponte. Avante!

Quando chegaram à porta eles se viraram, apesar do seu comando. Os vultos dos trols abriam caminho pelo fogo, atravessando orques. O Balrog apressou-se para a extremidade da Ponte. Legolas [? ergueu] o arco, e [uma] flecha o atingiu no ombro. O arco caiu inutilmente. Gandalf estava de pé, no meio da ponte. Na mão, Glamdring reluzia. Na esquerda, segurava o cajado no alto. O Balrog avançou e parou, encarando-o.

Subitamente, com um jorro de chama, ele saltou na Ponte, mas Gandalf manteve-se firme. "Não podes passar", disse ele. "Volta [*riscado, provavelmente assim que foi escrito:* para as profundezas de fogo. É proibido aos Balrogs saírem sob o céu desde que Fionwë, filho de Manwë, arruinou Thangorodrim]. Sou mestre do Fogo Branco. A chama vermelha não pode passar por aqui". A criatura não deu resposta, mas, aprumando-se alto a ponto de assomar sobre o mago, avançou e o golpeou. Uma parede de chama branca irrompeu diante dele [? como um escudo], e o Balrog caiu para trás, sua espada se despedaçou em fragmentos derretidos e voou, mas o cajado de Gandalf se rompeu e lhe caiu da mão. Com um sibilo arfante, o Balrog saltou de pé; parecia estar [? meio cego], mas avançou e tentou agarrar o mago. Glamdring decepou a mão direita vazia, mas, no instante em que [? dava o golpe], o Balrog [? vibrou] o açoite. As correias se enrolaram nos joelhos do mago e ele cambaleou.

Agarrando o arco de Legolas, Gimli disparou, [mas] a flecha caiu ... Troteiro correu de volta pela ponte com a espada. Mas, naquele momento, um grande trol avançou do outro lado e saltou na ponte. Ouviu-se um estalo terrível e a ponte quebrou. Toda a extremidade oeste desabou. Com um grito terrível, o trol caiu depois dela, e o Balrog [? tombou] de lado com um grito e caiu no abismo. Antes que Troteiro pudesse alcançar o mago, a ponte desabou diante dos seus pés e, com um enorme grito, Gandalf caiu na escuridão.[12]

Troteiro [? recuou]. Os outros estavam enraizados de horror. Ele os reanimou. "Pelo menos podemos obedecer ao seu último comando", falou. Eles [? passaram] pela porta e desordenadamente subiram às pressas pela grande escadaria adiante, e além dela

AS MINAS DE MORIA (2)

[? no alto] havia uma ampla passagem ecoante. Atravessaram-na aos tropeços. Frodo ouviu Sam ao seu lado, chorando enquanto corria, e então [? percebeu] que ele também chorava. *Bum, bum, bum* retumbava o eco de ... atrás deles.

Seguiram correndo. A luz aumentou. Brilhava através de grandes poços. Entraram em um salão amplo, iluminado por altas janelas no Leste. [? Através dele] correram, e de súbito estavam diante dos Grandes Portões, com pilares entalhados e magnas folhas — abertas.

Havia orques junto ao portal, mas, espantados por verem que não eram aliados que corriam, fugiram aterrados, e a Comitiva não lhes deu atenção.

O rascunho original do capítulo acaba aqui, e não relata a chegada da Comitiva ao Vale do Riacho-escuro. Há uma nota a lápis no manuscrito, ao lado da descrição do Balrog: "Alterar a descrição do Balrog. Ele parecia ter a forma de um homem, mas não era possível discernir com clareza sua silhueta. Dava a *sensação* de ser maior do que aparentava". Após as palavras "Pelo ar, saltou por cima da fissura de fogo", meu pai acrescentou: "e uma grande sombra pareceu escurecer a luz". E, no fim do texto — antes de tê-lo finalizado, pois o trecho de conclusão foi escrito em volta das palavras —, ele escreveu: "Não: Gandalf quebra a ponte e o Balrog cai, mas o enlaça".

Ver-se-á que, em grande parte, este capítulo estava bastante formado desde o começo; ainda que quase nenhuma frase tenha permanecido inalterada em SA, e que muitos detalhes de falas e acontecimentos tenham sido alterados, não restava grande distância a percorrer. Mas, em certos trechos, esse rascunho inicial passou por desenvolvimentos substanciais na narrativa.

O primeiro é o relato de Gandalf bloqueando a porta leste que levava para fora da Câmara de Mazarbul (SA, pp. 464–6), em que ainda não havia indício de um poder maior do que qualquer orque ou trol entrando na câmara, e em que a destruição da porta e o colapso do teto não foi causado por encantos de grande poder competindo, mas por um ato deliberado de Gandalf para impedir que a Comitiva fosse perseguida escada abaixo.

Não se pode dizer exatamente como era a história no trecho perdido (p. 235), mas, devido a algumas palavras ainda decifráveis

A TRAIÇÃO DE ISENGARD

aqui e ali, é possível saber que Gimli viu uma luz vermelha à frente deles, e que Gandalf lhes disse que haviam alcançado a Primeira Profunda sob os Portões, e haviam chegado ao Segundo Salão. Claramente, portanto, os elementos essenciais da narrativa final já estavam presentes.

O segundo trecho em que o rascunho original passaria por grande desenvolvimento é a narrativa do ataque final aos fugitivos e a batalha na Ponte de Khazad-dûm (SA, pp. 468–71). Desde o esboço original (VI. 563–4), já estava previsto que haveria uma ponte em Moria, que Gandalf a defenderia sozinho contra um único adversário de grande poder, e que ambos cairiam em um abismo quando a ponte se quebrasse debaixo deles; mas a forma final da famosa cena não foi atingida de uma só vez. Aqui, os trols não trazem grandes lajes para servirem de passadiços por cima da fissura de fogo, mas atravessam eles mesmos os orques (pode-se notar, a propósito, que "orques", e não "gobelins", difunde-se neste texto: ver nota 5); a forma do Balrog é percebida claramente; não há toque na trompa de Boromir; Legolas é atingido no ombro por uma flecha quando tenta atirar; e Aragorn e Boromir não permanecem com Gandalf na extremidade da ponte. O embate físico entre Gandalf e o Balrog é concebido de modo diferente: o cajado de Gandalf se quebra quando a espada do Balrog se despedaça em fragmentos derretidos na "parede de chama branca", e embora o açoite lace Gandalf nos joelhos, não é esse o motivo da sua queda. Aqui, é o grande trol que, ao pular na ponte, faz com que ela se quebre, levando junto trol, Balrog e mago. Mas, mesmo antes de terminar o primeiro rascunho do capítulo, meu pai viu "o que aconteceu de verdade": "Gandalf quebra a ponte e o Balrog cai, mas o enlaça". Com isso, ele removeu a "parede de chama branca" e o rompimento do cajado do início do embate entre os adversários e colocou no ponto em que Gandalf quebra a ponte.

Fica claro que meu pai imediatamente se pôs a passar o rascunho original a limpo — e demonstra-se que ele fez isso imediatamente, antes de continuar a história, pelo fato de que o ferimento de Sam na luta dentro da Câmara de Mazarbul só aparece na nova versão, mas está presente no início de "Lothlórien".

A nova versão (um manuscrito claro, à tinta, com pouca hesitação no curso da escrita e sem muitas alterações subsequentes

AS MINAS DE MORIA (2)

a lápis) ainda se chamava "As Minas de Moria 2"; um subtítulo a lápis foi acrescido: "A Ponte". O texto progride por certa extensão com característico aperfeiçoamento e leve elaboração do rascunho, deixando-o bem parecido com SA, o qual tomo aqui como a base para comparação com o presente texto.

O Livro de Mazarbul não é descrito como "parcialmente queimado", e diz-se que suas páginas foram escritas "tanto em runas-anânicas quanto em escrita élfica" no ponto em que SA faz uma distinção entre as runas de Moria e de Valle. O texto da primeira página que Gandalf leu dizia:

"*Expulsamos Orques ... de guarda alguma coisa e primeiro salão. Matamos muitos sob o sol claro no Vale. Flói foi morto por uma flecha. Ele matou ...* depois consigo ler apenas palavras soltas por muitas linhas. Então vem *Tomamos o Vigésimo Primeiro Salão da extremidade Norte para habitar. Há ...* não consigo ler o quê: mencionam um *poço.* Depois *Balin estabeleceu seu assento na Câmara de Mazarbul.*"

"A Câmara dos Registros", disse Gimli. "Creio que é onde estamos agora."

"Bem, por um longo trecho não consigo ler mais nada, exceto a palavra *ouro*", disse Gandalf; "e, sim, *Machado de Durin* e *elmo* alguma coisa. Depois *Balin é Senhor de Moria.* Depois de algumas estrelas há *Encontramos prata-vera* e mais tarde a palavra *bem-forjado*; e depois alguma coisa, descobri! Óin para buscar os arsenais superiores e o tesouro da Terceira Profunda e ... mas não consigo entender mais nada na página, a não ser *mithril, oeste* e *Balin.*"

Este texto corresponde quase com exatidão ao terceiro desenho da página (ver o Apêndice, p. 541).

O texto da segunda página que Gandalf leu, em "uma caligrafia grande e confiante empregando escrita élfica", agora identificada por Gimli como sendo de Ori, mal difere do texto nas pp. 229–30, exceto que, após *Trancamos os Portões,* Gandalf supõe que esteja escrito *horrível* e *sofrer: tudo está.* Assim, o trecho que incluía a data (10 de novembro) da morte de Balin no Vale do Riacho-escuro ainda está ausente. O desenho mais antigo, ou o mais antigo que restou, da página de Ori, foi feito ao mesmo tempo que o terceiro desenho da primeira página (ver o Apêndice, p. 540–1), e obviamente acompanha a presente versão da narrativa.

O texto da última página do livro permanece exatamente igual à versão das pp. 229–30; e o desenho mais antigo que restou (que acompanha o terceiro da primeira página e o primeiro da página de Ori) adequa-se a ele com exatidão.

Nesta versão, Gandalf não faz mais menção ao Vigia na Água e às duas Portas, mas Gimli diz: "Tivemos sorte de a lagoa ter baixado um pouco e de *termos chegado à Porta-élfica que estava fechada*. O Vigia estava dormindo, aparentemente, lá na extremidade sul da lagoa". As palavras em itálico foram riscadas, provavelmente de imediato, de modo que a ideia de duas entradas separadas para Moria no Oeste foi finalmente abandonada. Gandalf anda dá o Livro de Mazarbul a Frodo, para que ele entregue a Bilbo "se tiver uma chance".

Nas suas últimas palavras antes de o ataque na Câmara de Mazarbul começar, Gandalf diz que "o Vigésimo Primeiro Salão deve estar no sétimo nível, ou seja, cinco níveis acima daquele dos Portões" (em SA, seis). Ele ainda diz "Há gobelins [...] são malignos e grandes: Orques negros", mas o trol se torna "um grande trol-das-cavernas", como em SA, e o pé de três dedos foi alterado no manuscrito para um pé sem dedos.[13] Sam agora recebe um ferimento na luta, "um corte no braço", que, como mencionado acima, aparece no rascunho original de "Lothlórien" ("O corte no braço estava doendo", p. 263). Um adendo ao presente texto alterou isso para "um corte oblíquo no ombro". "A espada de Elendil" continua sem outro nome, e isso foi substituído por *Branding* depois, a lápis (ver p. 200 e p. 323 e nota 19).

Na narrativa da fuga da Comitiva da Câmara de Mazarbul, a nova versão seguiu o rascunho original bem de perto. Conforme Frodo e Sam espiaram pelos degraus, ouviram Gandalf murmurando, e pensaram ter ouvido o som do cajado batendo de leve. O lampejo abrasante como relâmpago, o retorcer das espadas nas mãos, e a grande rajada de vento descendo as escadas, pondo-os de joelhos, ainda estavam presentes (e a destruição da Câmara ainda era um ato deliberado), e Gandalf ainda diz "Perdi parte da barba e uma polegada das sobrancelhas". A longa descida pelos lanços escuros de escada agora surge, e Gandalf sondando o chão com o cajado, "como um cego"; mas, depois das palavras "Quase

AS MINAS DE MORIA (2)

começavam a crer que conseguiriam escapar" (SA, p. 466), essa nova versão acaba, e toda essa parte da história, a partir da morte do chefe-órquico na Câmara, foi rejeitada.[14]

O desenvolvimento do capítulo a partir deste ponto exigiu muita elucidação, mas parece claro que meu pai decidiu, nesse momento, que precisava rascunhar mais antes de poder continuar a cópia limpa de que se ocupava. Portanto, escreveu agora um novo rascunho rudimentar, conduzindo a história da fuga da Comitiva desde à Câmara de Mazarbul até o escape final de Moria; e, tendo feito isso, voltou à cópia limpa e a continuou, seguindo o rascunho bem de perto. Creio que tudo isso foi um trabalho contínuo, que é possível mostrar que a história do capítulo "A Ponte de Khazad-dûm" chegou quase à versão final antes de a história de Lothlórien começar (ver p. 244 e nota 20). Por clareza, no restante deste capítulo chamarei o novo rascunho de "B", o manuscrito passado a limpo de "C", e o rascunho original, que foi incluído na íntegra, será "A".[15]

Esse novo rascunho B da parte conclusiva do capítulo foi escrito bem rápido, mormente com lápis macio, e é difícil de ler, mas, em uma grande extensão, a forma final foi quase alcançada, sem praticamente nenhuma diferença de conteúdo. Gandalf ainda diz "Quase me matei", e não diz "encontrei um adversário à altura, e quase fui destruído"; ele conhece "um ou dois (encantos de fechamento) que seguram, mas não impedem a porta de ser rompida caso venha uma grande força"; e diz que os Orques do outro lado da porta "pareciam falar na sua secreta língua horrenda, da qual nunca aprendi mais do que uma ou duas palavras". Na cópia limpa C, essas frases são: "Deparei-me com algo inesperado que jamais encontrei antes"; "Conheço muitos que seguram"; e "falar na sua secreta língua hedionda".

A escrita sobrejacente ao trecho apagado no texto primário A (p. 235) perfaz uma parte do novo rascunho, e o novo texto (a partir de "Logo seguiram em frente" até "'Agora é a última corrida!', gritou Gandalf") é tão parecido com a forma final em SA (pp. 467–8) que dispensa comentários.

Na última parte do capítulo (a partir de "Virou para a esquerda e correu pelo chão liso do salão"), o rascunho da nova versão é tão rudimentar quanto o texto original (A) que substituiu nesse ponto, a linguagem é mal-acabada e a conclusão mal é legível. Contudo, a narrativa em si de SA (pp. 468–72) está presente, exceto por estes pontos. O Balrog, quando visto pela primeira vez detrás da fissura de fogo, é descrito como tendo "talvez em forma de homem, e não muito maior" (ver pp. 236, 238). A cópia limpa C diz aqui, igualmente "e não muito maior" (SA: "em forma de homem, porém maior").[16] O grito de Gimli, "A Ruína de Durin!" e as palavras de Gandalf "Agora compreendo" ainda estavam ausentes em B e C, e (apenas) as palavras de Gimli foram acrescentadas a lápis em C. Sobre isso, ver pp. 222–4 e a nota 16 do capítulo anterior.

Depois do lamento de Legolas, "Ai! Ai! Um Balrog chegou!", conta-se em B que "ele se virou para fugir e uma flecha o atingiu no ombro. Ele tropeçou e começou a se arrastar de gatas pela Ponte". Na versão original da história (p. 237) dizia-se que Legolas tinha sido flechado no ombro. Em B, meu pai riscou o incidente, e então o ticou para que fosse mantido; mas está ausente em C. O toque de trompa de Boromir está ausente em ambos os textos, embora meu pai o tenha acrescentado a lápis em C, inicialmente colocando-o depois de "Um Balrog chegou!", mas então decidindo colocá-lo mais cedo, antes de "Legolas virou-se e pôs uma flecha na corda", de modo que foram os Orques, e não o Balrog, que pararam momentaneamente com o som da trompa. Em nenhum dos textos Aragorn e Boromir permanecem na extremidade da ponte e, portanto, afirma-se subsequentemente que Troteiro "correu de volta pela ponte" e "correu para a Ponte", ou seja, do portal em que estava junto com os outros.

Em B, afirma-se apenas que o Balrog "parou, encarando-o": em C, "o Balrog parou, encarando-o, e a sombra ao redor dele estendeu-se como duas grandes asas".[17] Imediatamente depois, onde em SA se diz que o Balrog "ergueu-se a grande altura, e suas asas se expandiram de parede a parede", nem B e nem C diz "a uma grande altura" e nem fala de "asas". As palavras de Gandalf para o Balrog permanecem em B muito parecidas com o rascunho original (p. 237), com "de Fogo Branco" no lugar de "do Fogo Branco"; em C, isso foi alterado no momento da escrita: "Não podes passar. Sou o mestre de Chama Branca. [Nem Fogo Vermelho e nem Sombra Negra podem >] O Fogo Vermelho não pode passar por aqui. Volta para a Sombra!".

Tanto B quanto C continuam um pouco além do ponto em que "A Ponte de Khazad-dûm" termina em SA, sendo que B inclui

AS MINAS DE MORIA (2)

primeiro uma descrição do Vale do Riacho-escuro e do Espelhágua, omitido em C.

Ao norte ele subia para uma ravina de sombras entre dois grandes braços das montanhas, acima da qual assomavam três picos brancos. Diante deles (oeste) [leia-se leste],[18] as montanhas atingiam um fim súbito. À direita (sul), afastavam-se infindas na distância. A menos de uma milha de distância (e abaixo deles, onde estavam nas beiras das montanhas) estendia-se um lago — além da sombra, sob o céu ensolarado. Mas suas águas pareciam escuras, de um azul profundo como o céu noturno visto através de uma janela iluminada. Sua superfície era absolutamente imóvel. Um relvado liso o circundava, descendo íngreme de todos os lados até a beira nua e ininterrupta. Ali jazia o Espelhágua. No alto das margens acima havia uma coluna tosca e quebrada. A Pedra de Durin.

Esse trecho foi sobrescrito à tinta, mas o texto a lápis embaixo, visível aqui e ali, foi escrito continuamente a partir do texto precedente (a Comitiva olhando para trás para o Portão de Moria), e é certamente a versão mais antiga da descrição do Espelhágua. Ao lado disso, meu pai escreveu *Ainda não utilizado*. Ele o utilizou, na verdade, no rascunho original de "Lothlórien" (p. 262): uma demonstração clara de que o novo rascunho B da última parte do presente capítulo precedeu o trabalho em "Lothlórien" (ver nota 20).

B então continua até o fim desta maneira:

"Assim atravessamos Moria", disse Troteiro, por fim, passando a mão sobre os olhos. "Não sei o que pôs estas palavras em minha boca, mas eu não disse a Gandalf 'Se passares pelos Portões de Moria, toma cuidado!'?[19] Ai de mim que falei a verdade. Nenhum acaso poderia ter sido tão ruim quanto esse: mal ... tivessem todos morrido. Mas agora precisamos nos arranjar sem nosso amigo e guia. Pelo menos ainda poderemos nos vingar. Aprestemo-nos. É melhor golpearmos forte do que nos lamentarmos demais."

Com alguma alteração pequena no fraseado, isso foi usado como conclusão do capítulo também na cópia limpa C.[20]

Ao longo de C, *Troteiro* (como ele é chamado em todas as ocorrências, exceto por um lugar em que Gandalf diz seu nome) foi depois alterado para *Pedra-Élfica* (ver pp. 326–8).

244

NOTAS

[1] Apesar de as palavras "só uma capa" parecerem claras, a intenção de meu pai não pode ter sido dizer "só tinha uma capa", como mostra a sequência do texto.

[2] Um anão *Frár*, companheiro de Glóin, apareceu nos primeiros rascunhos de "O Conselho de Elrond" (VI. 490, 508), onde foi substituído por Burin, filho de Balin. Os três nomes-anânicos, *Frár*, *Lóni*, *Náli*, mantidos em SA, foram também retirados da *Edda Poética* em nórdico antigo — ao passo que *Flói* (morto no Vale do Riacho-escuro) não.

[3] Sobre a concepção de duas entradas distintas a Moria pelo Oeste, que remonta à versão original de "O Anel vai para o Sul", ver p. 215. A exclusão (provavelmente imediata) da referência no capítulo anterior (*ibid.*) à "Porta-anânica mais ao sul" (isto é, ao sul da Porta-élfica no fim da estrada de Azevim) poderia ser vista como um indício de que o presente texto na verdade precedeu a nova versão de "Moria (i)". Por outro lado, se fosse esse o caso, seria difícil entender por que meu pai colocaria a indicação "2 Portões Oeste" no início do presente texto (p. 228), visto que as duas entradas já estavam presentes na versão mais antiga da história de Moria. O mais provável, parece-me, é que ele tenha escrito "2 Portões Oeste" exatamente porque agora tinha mudado de ideia outra vez; esse detalhe, portanto, é na verdade uma evidência de que a escrita inicial de "Moria (ii)" realmente sucedeu a nova versão de "Moria (i)". Além disso, no texto passado a limpo do presente capítulo, Gimli diz (p. 241) que "tivemos sorte [...] de termos chegado à Porta-élfica que estava fechada", embora isso tenha sido rejeitado na hora ou pouco depois.

[4] Em SA, Gandalf deixou o livro com Gimli para que fosse entregue a Dáin. A primeira página do manuscrito, que termina aproximadamente neste ponto, foi escrita a lápis, mas meu pai escreveu com caneta por cima a partir do ponto em que Gandalf inicia a leitura do livro e, depois, continuou o texto à tinta. Portanto, o rascunho original e as palavras e frases que Gandalf conseguiu interpretar no Livro de Mazarbul estão parcialmente obliterados; mas a maior parte do texto a lápis subjacente pode ser decifrado, e percebe-se que o texto aqui incluído (ele mesmo emendado) não diferia muito do que foi substituído.

[5] Meu pai escreveu inicialmente aqui: "Orques genuínos". Ver o esboço original do capítulo em VI. 542: "Gandalf diz que há gobelins – de tipos muito malignos, maiores que o normal, orques reais", e a minha discussão sobre "gobelins" e "orques" em VI. 535–6, nota 35. Em SA, nesse ponto, Gandalf diz: "Há Orques, muitíssimos. E alguns são grandes e malignos: Uruks negros de Mordor".

[6] Em SA, foi neste ponto que Boromir, ao fechar a porta oeste da câmara, entalou-a com cunhas feitas de lâminas de espada e lascas de madeira. É estranho que, no presente texto, conta-se que Boromir chutou as cunhas da porta e a empurrou, mas, imediatamente depois, a porta "começou a se abrir para dentro, atritando nas cunhas e empurrando-as para trás".

[7] Essa frase substituiu: "Gandalf saltou para frente e golpeou o braço com Glamdring".

AS MINAS DE MORIA (2)

8 Conta-se que a Espada de Elendil foi reforjada na nova versão de "O Anel vai para o Sul" (p. 200).

9 Em uma versão subsequente do trecho, Gandalf diz: "Não há tempo para contar ferimentos".

10 Essa frase foi inicialmente escrita assim: "Ao correr, gritos e o barulho de muitos pés entraram pela outra extremidade atrás deles".

11 Esse trecho, com duas referências à aparição dos Trols, está fora de ordem. Embora tudo tenha sido escrito ao mesmo tempo, frases foram acrescentadas e as que foram rejeitadas permaneceram, e a intenção de meu pai é, em alguns lugares, impossível de determinar.

12 Escrito na margem, no momento da composição: "Ide... Estou lutando em vão? Correi!". Ver as palavras de Troteiro, "Pelo menos podemos obedecer ao seu último comando" no texto imediatamente a seguir.

13 A singularidade da história original (ver p. 231 e nota 6) quanto às cunhas na porta ocidental foi removida agora, pois, quando Boromir chuta as cunhas e empurra a porta, ele então recoloca as cunhas. Todos os trechos relacionados foram corrigidos, provavelmente na mesma hora, chegando à história conforme contada em SA.

14 A parte rejeitada do manuscrito (uma única folha, escrita em ambos os lados) estava no meio dos papéis de meu pai; o resto fora enviado a Marquette.

15 A sequência do desenvolvimento neste capítulo pode ser expressa assim:

A → C (C interrompido); B → C (C continuado).

16 Em um acréscimo a lápis a C, na cena da queda do Balrog da Ponte, meu pai alterou "a pedra onde ele estava" (o texto de SA) para "a pedra sobre a qual *a vasta forma* estava".

17 [No texto em inglês] O segundo "*him*" [ele] é Gandalf, não apenas por causa da sintaxe, mas também porque a referência ao Balrog é sempre feita com "*it*". Em SA, "the shadow about *it*" [a sombra ao seu redor].

18 Ver p. 282, nota 5.

19 As palavras de Aragorn para Gandalf — *Se passares pelas portas de Moria, toma cuidado!* — haviam entrado em "Moria (i)", p. 214.

20 Com essa revisão, o trecho se encontra no início do primeiro rascunho de "Lothlórien" (p. 261). Na cópia C do presente capítulo, meu pai subsequentemente o riscou e escreveu ao final do texto que o precede: *Fim do Capítulo*. Por isso, fica claro que não apenas o rascunho B como também a cópia passada a limpo de "As Minas de Moria (ii): A Ponte" estavam completos antes que "Lothlórien" fosse iniciado.

∾ 11 ∾

A História Prevista
a partir de Moria

Por volta dessa época, e ainda usando o verso e as capas azuis dos mesmos valiosos papéis de prova, meu pai escreveu um esboço muito mais elaborado do que qualquer outro que havia feito até então sobre a história que viria. Não é possível demonstrar precisamente quando ele foi escrito em relação à narrativa já que tinha se formado, mas a época mais provável, a julgar pelo início do esboço, seria quando "As Minas de Moria (ii)" já tinha sido pelo menos rascunhado (e, provavelmente, já estava até mesmo completo na cópia passada a limpo) e "Lothlórien" tinha sido imediatamente contemplada. Portanto, coloco esse esboço aqui.

É particularmente interessante observar que elementos neste novo enredo derivam de esboços anteriores, e ver como essas ideias tinham evoluído a essa altura, conforme a escrita da narrativa em si se aproximava. Esses esboços são: (1) uma página isolada que hesitantemente datei de agosto de 1939; (2) uma página realmente datada de agosto de 1939 (VI. 472); (3) um esboço escrito no momento em que "O Conselho de Elrond" foi inicialmente rascunhado (VI. 505–7).

O novo texto foi escrito de maneira muito rápida e rudimentar, majoritariamente a lápis e, em alguns lugares, é difícil de decifrar. Desdobrei contrações e, pelo bem da clareza, fiz algumas outras modificações editoriais muito pequenas. Ver-se-á que, apesar de sua completude, ele não representa, em absoluto, uma sequência claramente definida, passo a passo: as ideias foram surgindo e evoluindo à medida que meu pai escrevia.

Esboço do Enredo

Chegam a Lothlórien 15 de dez.[1] Fazem refúgio no alto das Árvores. Elfos os ajudam. 15, 16, 17 de dez. viajam até o Ângulo entre o

A HISTÓRIA PREVISTA A PARTIR DE MORIA

Anduin e o Raiz Negra.[2] Ficam lá por longo tempo. (Enquanto estão sobre as árvores, orques passam — Gollum também).

No Ângulo, debatem sobre o que será feito. Frodo sente que é seu dever ir diretamente para a Montanha de Fogo. Mas Aragorn e Boromir desejam ir a Minas Tirith e, se possível, reunir forças. Frodo percebe que isso não ajudará. Pois Minas Tirith ainda fica a grande distância da Montanha de Fogo e Sauron só ficará ainda mais alerta. (Boromir planeja em segredo usar o Anel, *já que Gandalf se foi*).

Boromir afasta-se com Frodo e conversa com ele. Implora para ver o Anel novamente. O mal entra em seu coração e ele tenta intimidar Frodo e, depois, tomá-lo à força. Frodo é obrigado a colocá-lo para escapar. (O que ele vê depois — nuvens à toda sua volta se fechando e muitas vozes terríveis no ar?)

Frodo, vendo que o mal se infiltrou na Comitiva, não ousa ficar e não quer colocar os hobbits ou outros em perigo. Ele foge. Seu sumiço não é percebido por algum tempo, por causa das mentiras de Boromir. (Boromir diz que ele escalou uma árvore e que logo voltará?). No fim, a busca acaba fracassando porque Frodo andou invisível por um longo trecho.

A busca. Sam some. Tenta rastrear Frodo e se depara com Gollum. Ele segue Gollum e Gollum o leva até Frodo.

Frodo ouve pés seguindo-o. E foge. Mas Sam aparece também, para sua surpresa. Os dois são demais para Gollum. Gollum fica *intimidado* com Frodo — que tem um poder sobre si, sendo o Portador-do-Anel. (Mas o uso do Anel acaba se mostrando ruim, pois ele reestabelece o poder do Anel sobre Frodo depois da sua cura. No fim, ele não consegue se separar dele por vontade própria).

Gollum implora por perdão e finge ter se regenerado. Eles o fazem guiá-los pelos Pântanos Mortos. (Rostos esverdeados nas lagoas). Lithlad Planície de Cinzas. O Olho Penetrante de Barad-dur (uma única luz em uma janela alta).

⋆ No ponto em que Sam, Frodo e Gollum se encontram, retornar para os outros — para cujas aventuras, ver adiante. *Mas elas precisam ser contadas neste ponto*.

A Brecha de Gorgoroth não é muito longe da Montanha de Fogo. Há torres-de-guarda dos orques de cada lado de Gorgoroth.[3] Eles veem uma hoste maligna conduzida por Cavaleiros Negros. Gollum trai Frodo. Ele apanha, mas foge aos gritos para os

A TRAIÇÃO DE ISENGARD

Cavaleiros Negros. Os Cavaleiros Negros agora assumem a forma de águias demoníacas e voam diante da hoste ou tomam [? aves aquilinas] abutres como montarias.

Frodo labuta Montanha acima para encontrar a Fenda.

O rumor da Batalha já alcançou Frodo, Sam e Gollum. (É por isso que a hoste de Mordor estava saindo).

Enquanto Frodo está se esforçando para subir a Montanha, olha para trás e vê a Batalha se avolumando. Ouve sons débeis de trompas nos montes. Uma grande poeira por onde os Cavaleiros estão vindo. Trovão de Baraddur e uma tempestade negra vem no vento Leste. Frodo se pergunta o que está acontecendo, mas não tem esperança de que ele mesmo pode ser salvo. Os Espectros-do-Anel se precipitam de volta. Ouviram os gritos de Gollum.

Orodruin [*escrito acima:* Monte da Perdição] tem três grandes fissuras nas encostas: Norte, Oeste, Sul [> Oeste, Sul, Leste]. São muito profundas e, a uma profundeza insondável se vê um brilho de fogo. De vez em quando, o fogo rola do coração da montanha e desce pelos canais pavorosos. A montanha assoma sobre Frodo. Ele chega a um lugar plano na encosta da montanha, onde a fissura está repleta de fogo — o poço de fogo de Sauron. Os Abutres estão vindo. Ele *não consegue* jogar o Anel. Os Abutres estão vindo. Tudo fica escuro aos seus olhos e ele cai de joelhos. Nesse momento, Gollum chega e luta com ele, e toma o Anel. Frodo cai de borco.

Talvez aqui Sam chega, afugenta um abutre e se arremessa com Gollum no precipício?

Função de Sam? Ele morre? (Ele disse "Tenho algumas coisas para fazer antes [de morrer >] do fim.").[4]

Sam poderia pegar o Anel. Frodo traído por Gollum e levado por orques (?) para Minas Morgol.[5] Eles levam o anel e veem que não tem serventia; colocam-no numa masmorra e ameaçam mandá-lo para Baraddur.

Como Sam consegue pegar o Anel? Ele fica vigiando à noite e ouve Gollum murmurando para si mesmo palavras de ódio a Frodo. Saca a espada e salta em Gollum, [? arrastando]-o para longe. Ele tenta [*inserir* pronunciar] palavras horrendas por sobre Frodo — encantamento do sono. Um encanto de aranha, ou Gollum busca ajuda das aranhas? Há uma ravina, um covil de aranhas, pela qual precisam passar na entrada de Gorgoroth. Gollum faz com que as aranhas coloquem um encantamento de sono em

A HISTÓRIA PREVISTA A PARTIR DE MORIA

Frodo. Sam as afugenta. Mas não consegue acordá-lo. Tem então a ideia de pegar o Anel. Senta-se ao lado de Frodo. Gollum entrega Frodo para o guarda-órquico. São dominados e Sam é desnorteado por um golpe de clava. Ele põe o Anel e segue Frodo. (Um anel de Mazarbul seria útil).[6]

Sam chega e *usa* o Anel. Passa para Morgol e encontra Frodo. Frodo sente raiva de Sam e o vê como um orque. Mas, de repente, o orque fala e estende o Anel, dizendo: Pegue-o. Frodo então vê que é Sam. Eles se esgueiram para fora. Frodo não consegue .... Sam se veste de orque.

Eles escapam, mas *Gollum segue*.

É *Sam* quem luta com Gollum e o [? atira] finalmente no pre-cipício.

Como Sam e Frodo são salvos da erupção?[7]

> Um trecho acrescentado, mas contemporâneo do restante, está assinalado para ser inserido nessa parte do esboço.

Quando o Anel *derrete*, a Torre Sombria colapsa ou fica coberta em cinzas. Uma grande nuvem negra e uma sombra passam para o Leste num *vento Oeste que se ergue*. (O cheiro e o som do Mar?)

Erupção. As forças de Mordor fogem e os Cavaleiros de Rohan vão atrás.

Frodo ao lado da Montanha de Fogo ergue a espada. Ele agora comanda os Espectros-do-Anel e ordena que vão embora. Eles caem ao chão e desaparecem como fiapos de fumaça com um grito terrível.

Como Frodo (e Sam) se salvam da Erupção?

A história se desvia um pouco — depois do primeiro encontro de Sam, Frodo e Gollum — para os outros.

Por causa da traição de Boromir e porque Frodo colocou o Anel, a busca fracassa. Merry e Pippin se distraem com o sumiço de Sam e Frodo. Eles mesmos se perdem seguindo ecos. Chegam ao Entágua e à Floresta-sem-Copa,[8] e se deparam com Barbárvore e seus Três Gigantes.

Legolas e Gimli também se perdem e são capturados por Saruman.?

Boromir e Aragorn (que nota uma mudança em Boromir — que está ávido por interromper a busca e ir para casa) chegam a Minas Tirith, cercada por Sauron, exceto na parte de trás. ?

O cerco é contado brevemente do ponto de vista dos vigias nas ameias. O mal agora se apossou de Boromir, que inveja Aragorn. O Senhor de Minas Tirith é morto[9] e elegem Aragorn. Boromir deserta e vai furtivamente até Saruman pedir ajuda para se tornar Senhor de Minas Tirith.

Como Gandalf reaparece?

> Toda essa seção a respeito da "história ocidental" foi riscada e substituída imediatamente por uma versão mais completa e alterada, na qual a ideia de que Legolas e Gimli foram capturados por Saruman é rejeitada, e a nova história deles está ligada ao reaparecimento de Gandalf.

A história se volta por um tempo para os outros — ? após o primeiro encontro de Sam, Frodo e Gollum.

(um capítulo) Por causa da traição de Boromir e porque Frodo colocou o Anel, a busca fracassa. Aragorn é dominado pela tristeza, por achar que falhou na confiança que recebeu como sucessor de Gandalf. Merry e Pippin se distraem pelo sumiço de Sam e Frodo e, vagando longe (confundidos por ecos), também se perdem. Merry e Pippin sobem o Entágua para dentro de Fangorn e aventuram-se com Barbárvore. Barbárvore se mostra um gigante decente. Contam-lhe sua história. Fica muito perturbado com as notícias de Saruman, e mais ainda com a queda de Gandalf. Ele não se dispõe a aproximar-se de Mordor. Oferece-se para carregá-los até Rohan, e talvez até Minas Tirith. Eles partem.

(um capítulo) Boromir, Aragorn, e Legolas e Gimli.

Legolas sente que a Comitiva está rompida, e Gimli não tem mais ânimo. Os quatro se separam. Aragorn e Boromir para Minas Tirith, Legolas e Gimli para o norte. Legolas pretende juntar-se aos Elfos de Lothlórien por um tempo. Gimli pretende voltar pelo Anduin para Trevamata e, de lá, para casa. Vão juntos. Legolas e Gimli entoam lamentos. De repente, encontram Gandalf!

A história de Gandalf. Venceu o Balrog. O precipício não era muito profundo (apenas uma espécie de fosso e estava cheio de água parada). Seguiu o canal e desceu para as Profundas. ?? Vestiu-se com uma cota de Mithril e lutou para sair, matando muitos trols.

A HISTÓRIA PREVISTA A PARTIR DE MORIA

[Será que] Gandalf *brilha* no sol. Ele tem um novo poder após vencer o Balrog? *Está agora trajado de branco.*

Gandalf fica terrivelmente abatido com as notícias do sumiço de Frodo. Apressa-se para o sul novamente com Legolas de Gimli.

(um capítulo) Dentro de Minas Tirith. Aragorn começou a suspeitar de Boromir assim que Frodo sumiu. Uma mudança súbita parece operar em Boromir. Está ansioso para partir de volta para casa imediatamente, sem procurar por Frodo.

Minas Tirith está cercada pelas forças de Sauron, que atravessou o Anduin em Osgiliath, e por Saruman, que chegou por trás. Parece não haver esperança. O mal agora se apossou completamente de Boromir. O Senhor de Minas Tirith é morto. Elegem Aragorn como chefe. Boromir sente inveja e fúria — deserta e vai furtivamente até Saruman, pedindo ajuda para tomar o mando.

Nesse ponto, o cerco deve ser rompido por Gandalf, com Legolas e Gimli, e por Barbárvore (mas não deve haver muita luta, ou estragará a última batalha de Gorgoroth). Gandalf poderia simplesmente atravessar as fileiras andando, ou então lutar com Saruman. Barbárvore atravessa. Veem uma árvore imensa andando pela planície.

Saruman se tranca em Isengard.

Surtida de Minas Tirith. Gandalf rechaça os Cavaleiros Negros e toma a travessia do Anduin em Osgiliath. Cavaleiros vão atrás dele até Gorgoroth. Ouvem um grande vento e veem chamas irrompendo da Montanha de Fogo.

De um jeito ou de outro, Frodo e Sam devem ser encontrados em Gorgoroth. Provavelmente por Merry e Pippin. (Se algum dos hobbits for *morto*, deve ser o covarde Pippin fazendo algo heroico. Por exemplo

> Aqui o esboço é interrompido, mas, depois de uma grande lacuna, recomeça mais para o fim da mesma página, e agora com os capítulos numerados, começando em "26". Como "Moria (ii)" era o 17, meu pai havia pensado em outros oito capítulos até este ponto.

Depois da queda de Mordor. Eles retornam para Minas Tirith. Banquete. Aragorn vem ao encontro deles. A lua se ergue [? em] Minas Morgol.

A TRAIÇÃO DE ISENGARD

26 Aragorn olha para fora e vê a lua se erguendo sobre Minas Morgol. Fica para trás — e se torna Senhor de Minas *Ithil*. E Boromir? Ele se arrepende? [*Escrito depois, na margem:* Não — morto por Aragorn].

Gandalf vai até Isengard (ver acréscimo). [*Esse acréscimo está em um pedaço de papel à parte:* No caminho de casa: montam cavalos de Rohan. Visita[m] Isengard. Gandalf bate à porta. Saruman sai, muito afável. "Ah, meu caro Gandalf. Que bagunça está o mundo. De fato, precisamos consultar um ao outro — homens como nós são necessários. Ora, e quanto às nossas esferas de influência?"

Gandalf olha para ele. "Eu sou o Mago Branco agora", disse — "olha as tuas muitas cores". Saruman está [? vestido] em uma imunda cor lodosa. "Parecem ter ido embora". Gandalf toma seu cajado e o quebra no joelho. [? Ele dá um grito agudo]. "Vai, Saruman", falou, "e implora dos caridosos um lugar para passar a noite."

Isengard é entregue aos Anãos. Ou a Radagast?]

Cavalgam para Valfenda.

27 Canção da Sombra Banida.

Valfenda. Encontro com Bilbo.

28 O que acontece com o Condado?

Última cena. *Elfos indo embora navegando* [*acrescentado bem fraco:* Bilbo com eles] e o [*sic*]

29 Sam e Frodo vão para uma terra verde junto ao Mar?

Algumas dessas ideias narrativas já tinham aparecido antes, nos rascunhos de enredo mencionados nas pp. 247–8, tais como o cerco de Minas Tirith, a separação de Frodo da Comitiva e Sam procurando por ele, a aparente regeneração de Gollum e a orientação que dá até a Montanha de Fogo, o Olho Penetrante, a "hoste maligna" conduzida por Cavaleiros Negros, a traição de Gollum, a incapacidade de Frodo de atirar o Anel no Fogo, e a erupção da Montanha. Contudo, a estrutura agora fica mais sólida e segura.

Observando esse novo esboço na sequência: o fato de que nada se diz sobre Lothlórien aqui (embora seu povo seja mencionado: "Elfos os ajudam" e, depois, fala-se da intenção de Legolas de se juntar "aos Elfos de Lothlórien por um tempo") não sugere que a história de Lothlórien fora escrita, mas que meu pai estava prestes

A HISTÓRIA PREVISTA A PARTIR DE MORIA

a escrevê-la e não tinha necessidade de rascunhar muito sobre ela. Se já tivesse sido escrita, ele certamente não a teria sequer incluído no esboço; e as palavras "Enquanto estão sobre as árvores, orques passam — Gollum também" parecem ser a primeira aparição escrita desse elemento na história. Mas o nome *Lothlórien* em si já aparecera antes nos papéis do SdA, na nova versão de "O Anel vai para o Sul", p. 202.

O "ângulo" entre o rio que corria do Vale do Riacho-escuro (Via-rubra, Raiz Negra, Veio-de-Prata) e o Grande Rio (ver o mapa esboçado original em VI. 537) agora se chama Ângulo. Aqui a Comitiva ficou por "longo tempo", mas não há indicação de que os Elfos de Lothlórien estavam presentes. É no Ângulo que uma característica importante da estrutura do SdA aparece. Num esboço anterior (VI. 505–6), Frodo se separa da Comitiva, aparentemente de forma involuntária, por medo de Gollum; mas agora (estando já determinado a ir diretamente para Mordor em vez de passar por Minas Tirith), ele acaba fugindo sozinho por causa de Boromir, que deseja se apossar do Anel para os objetivos de Minas Tirith. Meu pai já previa que Boromir, falando a sós com Frodo, pediria para ver novamente o Anel, que (como fica implícito) Frodo recusaria e que Boromir então tentaria tomá-lo à força, obrigando Frodo a colocá-lo para fugir dele — explicando agora como foi que Frodo afastou-se bastante sem ser encontrado, apesar de o buscarem. Por outro lado, como tudo isso acontece no Ângulo, não há *jornada Anduin abaixo*, não se fala de barcos — e não há nenhuma menção até mesmo à necessidade de Frodo cruzar o rio. Toda a história de como Sam acabou acompanhando Frodo na jornada à Montanha de Fogo seria completamente alterada (não sem antes, contudo, ter passado por mais desenvolvimentos a partir deste esboço).

No relato dessa jornada, vários nomes novos aparecem. *Lithlad*, a Planície de Cinzas, aparece uma vez no SdA (*As Duas Torres* IV. 3: as "tristonhas planícies de Lithlad e de Gorgoroth"), embora, por alguma razão, o nome não tenha entrado em nenhum dos mapas publicados no SdA; encontra-se, contudo, no Primeiro Mapa (p. 364) e subsequentemente. A planície de Lithlad ficava ao sul das Ered Lithui, as Montanhas de Cinza, a leste de Barad-
-dûr; não haveria, portanto, qualquer razão para Frodo e Sam irem até lá, como parece estar implícito neste esboço. O vale de Gor-
goroth, sobre o qual foi construída a Torre Sombria, aparece na

quinta versão de "O Conselho de Elrond" (p. 175), e a Brecha de Gorgoroth (com "torres-de-guarda dos orques de cada lado") neste esboço é a primeira sugestão de uma passagem entre os paredões das montanhas que cercam Mordor a norte e oeste (posteriormente Udûn, entre o Morannon e a Boca-ferrada).

Os Nazgûl alados — Cavaleiros Negros montados agora em abutres — aparecem, mas, aqui, no papel de líderes da hoste de Mordor conforme ela avançava para a batalha. O papel de Sam nos acontecimentos finais continua bastante nebuloso e especulativo, mas já aparece a ideia de que Gollum (cujas motivações internas parecem ter sido bem menos complexas em relação a Frodo do que se tornaram depois) trairia Sam e Frodo, entregando-os para as aranhas em uma ravina ou covil "na entrada de Gorgoroth". Nesse estágio, como se verá mais tarde, a entrada a Mordor pelas Escadarias de Cirith Ungol não existia e, quando esse nome aparece, é com um sentido geográfico diferente. As aranhas parecem ter surgido no contexto da explicação de como Sam veio a pegar o Anel de Frodo; e características da história posterior começam a tomar forma: Sam afugentando a(s) aranha(s), a traição de Gollum, entregando um inconsciente Frodo aos orques, sua captura e aprisionamento (mas, aqui, em Minas Morgol), a entrada de Sam na fortaleza usando o Anel, o súbito ódio de Frodo por Sam, que ele enxerga como orque, e sua fuga.

O Rompimento da Sociedade impôs a meu pai a necessidade de seguir duas trilhas narrativas diferentes, mas ele ainda haveria de acompanhar os caminhos de Frodo e Sam um pouco além antes de retornar para os outros (visto que a reunião de Sam e Frodo, envolvendo a primeira vez que Sam se depara com Gollum, aconteceu bem mais lentamente do que em SA).

A segunda narrativa novamente dá um grande passo adiante neste ponto, mas ainda há um longo caminho a percorrer. O mais importante é que Merry e Pippin agora assumem uma posição central na história, e são eles (e não Frodo, como num esboço anterior, VI. 506) que encontram Barbárvore — embora a narrativa inteira do ataque dos Orques ao acampamento sob Amon Hen, a morte de Boromir, a marcha forçada por Rohan e a batalha entre os Rohirrim e os Orques nas fímbrias de Fangorn estejam ausentes. Merry e Pippin simplesmente se perdem buscando Frodo e Sam e, vagando ao longo do rio Entágua (que aparece aqui pela

A HISTÓRIA PREVISTA A PARTIR DE MORIA

primeira vez), chegam à Floresta de Fangorn sem qualquer relação com a história mais ampla; mas, por meio deles, Barbárvore (agora finalmente estabelecido como uma criatura "decente", ver p. 88) desempenha um papel no rompimento do cerco a Minas Tirith.

Por outro lado, meu pai tinha, nesse momento, um plano quase que inteiramente diferente para Aragorn e Boromir se comparado ao que logo iria surgir. Partindo juntos para Minas Tirith, a Comitiva original se fragmentaria ainda outra vez, pois Legolas e Gimli (escapando do destino momentaneamente projetado para eles: serem capturados por Saruman, pp. 250–1) vão juntos para o norte. De fato, Legolas e Gimli é que presenciam o retorno de Gandalf, agora trajado de branco e com novos poderes, e dão meia-volta com ele, apressando-se para o sul; mas não há indício aqui do lugar em que o encontraram (exceto que foi ao sul de Lothlórien), e, de fato, não há qualquer indicação geográfica de nenhum desses eventos. Rohan não tem papel nenhum na história (além das muitas menções aos Cavaleiros investindo contra Mordor), e o Cerco a Minas Tirith é (misteriosamente) "rompido por Gandalf, com Legolas e Gimli, e por Barbárvore". Boromir desempenharia um papel vergonhoso, fugindo deslealmente até Saruman (um tênue prenúncio de Língua-de-Cobra?) em seu ódio por Aragorn, que foi eleito sucessor do senhor morto de Minas Tirith. Isengard permanece inviolada, e os Ents não aparecem[10] — mas a visita de Gandalf a Saruman em sua fortaleza e sua humilhação estão presentes, aqui dispostas na viagem de volta.

Pode-se dizer que muito do "material" narrativo estava agora montado. Mas a estrutura dessa narrativa nas terras a oeste do Anduin, conforme meu pai agora previa, seria inteiramente alterada, e alterada sobretudo pela emergência do Reino de Rohan sob a luz plena da história, e pelas suas relações com Gondor e Isengard.[11]

NOTAS

[1] "Chegam a Lothlórien 15 de dez": isso não está de acordo com a cronologia, o que é surpreendente. O esquema cronológico mencionado na p. 205, que claramente acompanhava esta etapa da narrativa, continua assim a partir de "9 de dezembro Neve em Caradras" (uma data que efetivamente aparece no texto):

Dez. 10 Recuam. Lobos à noite.

11 Partem para Moria. Chegam às Portas ao pôr do sol. Viajam nas Minas até a meia-noite (15 milhas) [*c.* 24 quilômetros].

A TRAIÇÃO DE ISENGARD

12 Câmara-do-poço. O dia todo em Moria (20 milhas) [*c.* 32 quilômetros]. Noite no 21° Salão.

13 *Mazarbul.* Batalha da Ponte. Fuga para Lothlórien.

Esse esquema foi feito quando a história de "Lothlórien", de toda forma, já tinha sido iniciada, mas o esboço mais antigo da marcha da Comitiva desde o Vale do Riacho-escuro (p. 260) exige a data 13 de dezembro.

2 O nome *Anduin,* assim escrito de pronto, não resultante de uma correção subsequente, corre na quinta versão de "O Conselho de Elrond" (p. 190, nota 5). O nome *Raiz Negra* mostra que esse esboço foi escrito após a nova versão de "O Anel vai para o Sul" (ver p. 202).

3 Essa frase foi posta como uma reflexão posterior em um ponto diferente do manuscrito, mas parece apropriado inseri-la aqui.

4 Sam disse isso a Frodo depois da noite que passaram com os Elfos na Ponta do Bosque (SA, p. 150).

5 Essa parte do texto foi escrita a lápis, mas essas poucas linhas foram sobrescritas à tinta depois (ao que parece, simplesmente por clareza) e, da maneira que foi escrita por cima, a forma é na verdade *Morgul;* nos outros pontos deste esboço, contudo, a forma é *Morgol.*

6 O "anel de Mazarbul" evidentemente se refere ao que foi dito antes: "Eles levam o anel [de Frodo] e veem que não tem serventia".

7 Um pedaço isolado de papel rasgado contém as seguintes notas a lápis, escritas com pressa:

> Será que Sam poderia *roubar o Anel* para salvar Frodo do perigo?
> Os Cavaleiros Negros capturam Frodo e ele é levado a Mordor — mas não tem Anel nenhum e é aprisionado
> Sam foge — mas é perseguido por Gollum.
> É Sam quem luta com Gollum na Montanha.
> Frodo é salvo pela queda da Torre.

Parece muito provável que essas notas sejam da mesma época que o presente esboço. No mesmo pedaço de papel há notas fazendo referência ao Condado no fim da história, quando Frodo e Sam, ao retornarem, veem que "Cosimo [Sacola-Bolseiro] o industrializou. Fábricas e fumaça. Os Ruivões têm uma fábrica de biscoitos. Encontram ferro". As últimas palavras são: "Vão para Oeste e içam velas para a Groenlândia".* *Groenlândia* está claro, por mais improvável que pareça; mas veja as últimas palavras do presente esboço (p. 253): "Sam e Frodo vão para uma *terra verde* junto ao Mar".

8 Fangorn é chamada de "a Floresta-sem-Copa" em uma frase rejeitada na nova versão de "O Anel vai para o Sul", pp. 202–3.

Greenland, literalmente "Terra verde", é o nome inglês do território que, em português, chamamos de *Groenlândia.* [N.T.]

A HISTÓRIA PREVISTA A PARTIR DE MORIA

[9] No esboço de VI. 506–7, o Rei de Ond era pai de Boromir.

[10] Como no esboço de enredo em VI. 506 os "gigantes-árvores" atacaram aqueles que cercavam Ond, pode ser que a presença deles também estivesse subentendida neste esboço; mas isso não é de modo algum sugerido.

[11] Vista nos termos dos movimentos dos personagens principais, parece que a ideia crucial, mesmo que rejeitada de pronto, acabaria sendo a captura de Legolas e Gimli por Saruman (pp. 250–1). Meu pai talvez estivesse convencido de que Saruman realmente tinha desempenhado um papel no rompimento da Comitiva do Anel; e as andanças sem rumo de Merry e Pippin pelo Entágua, levando-os ao domínio de Barbárvore, foram transformadas na marcha forçada dos cativos até Isengard — pois Isengard era perto da Floresta de Fangorn. Assim entrou também a morte de Boromir, e Aragorn deixa de partir imediatamente para Minas Tirith.

LOTHLÓRIEN

Na primeira narrativa completa, os capítulos 6 e 7 do Livro II de SA ("Lothlórien" e "O Espelho de Galadriel") são um só, embora sejam aqui tratados separadamente. Este texto é extremamente complexo porque, apesar de constituir uma narrativa praticamente completa, a forma em que existe não resulta de escrita em uma sequência simples; partes dele são tardias, com nomes tardios, e foram escritos por cima de uma versão parcial ou totalmente apagada. Outras porções não foram reescritas e nomes antigos aparecem, ora corrigidos, ora não; e o texto original foi muito emendado em toda a sua extensão.

De fato, parece-me certo que o texto todo, incluindo alguns retalhos com rascunhos iniciais e esboços em páginas isoladas, pertence à mesma época e ao mesmo impulso. Os papéis de prova de "agosto de 1940" foram novamente usados para todo o complexo textual. O manuscrito varia muito em termos de dificuldade: algumas seções são bem claras e legíveis e outras, muito ao contrário. Em alguns lugares, as palavras são tão reduzidas, e as formas das letras são tão transformadas que é possível se chegar à palavra correta e, mesmo assim, não reconhecê-la, se não houver pistas suficientes no contexto ou em textos posteriores. Os sufixos estão escritos incorretamente ou omitidos, formas sucessivas de uma frase permanecem lado a lado, e constantemente falta pontuação. Esse é um caso em que a aparência real do manuscrito é muitíssimo diferente da sua interpretação impressa.

Apresentar satisfatoriamente um texto assim não é realmente possível. Se forneço a versão mais antiga da história e ignoro as alterações posteriores, então surgem dificuldades como as seguintes. No trecho em que Legolas relata aos demais sua conversa com os Elfos no mallorn (SA, p. 485), a narrativa original, à tinta, dizia:

LOTHLÓRIEN

Agora pedem-nos para subir, três em cada uma destas árvores que estão aqui juntas. Vou primeiro.

Isso foi corrigido (a lápis) para uma forma parecida com a de SA:

Agora pedem-me que eu suba com Frodo, de quem parecem ter ouvido. Pedem que o restante espere um pouco, e que vigiem ao pé da árvore.

Mas a narrativa primária então continua (a lápis) na folha seguinte com a história revisada, em que Legolas e Frodo são os primeiros a subir (com Sam atrás). Por outro lado, se todas as alterações posteriores — que, de todo modo, estão longe de atingir uma consistência generalizada — forem incluídas, chega-se perto da forma de SA e os estágios anteriores são ignorados. Portanto, adotei o primeiro método, e procuro esclarecer as complexidades conforme vão surgindo. As notas a este capítulo constituem um comentário ao texto e fazem parte de sua apresentação.

Algumas notas breves sobre a estadia da Comitiva em Lothlórien dão início à longa sinopse preparatória incluída no capítulo anterior (p. 247). Não há indício de Galadriel e Celeborn; e é "no Ângulo", entre o Raiz Negra e o Anduin, que Boromir aborda Frodo e tenta tomar o Anel. A primeira marcha a partir de Moria é esboçada de modo mais completo nas seguintes notas.

Eles passam para o Vale do Riacho-escuro. É uma tarde dourada, mas escura no Vale.
Espelhágua. Relvado liso. Azul profundo como o céu noturno.
[*Notas inseridas depois:* Orques não saem de dia. Troteiro cuida dos ferimentos de Frodo. Pesar de Gimli. Vê as nascentes negras do Morthond;[1] segue-o.
Encaminham-se para Lothlórien. Descrição de Legolas. É inverno na floresta, mas ela ainda tem folhas que ficaram douradas. Elas não caem até a primavera, quando nascem as verdes e grandes flores douradas. Era um jardim dos Elfos-da-floresta há muito tempo — antes de os anãos perturbarem as coisas malignas sob as montanhas, falou (Gimli não gosta). Viviam em

casas nas árvores antes de o mundo que escurecia levá-los para baixo da terra.[2]

Ao pôr do sol, Frodo novamente ouve pés, mas não consegue ver nada a segui-los. Marcham ocaso adentro.

Refugiam-se nas árvores, e veem Orques marchando lá embaixo. Muito depois, Frodo vê um vulto de costas arqueadas movendo-se rapidamente. Funga embaixo da árvore, olha para cima e então desaparece.

> A passagem dos Orques sob as árvores e a vinda de Gollum foram mencionadas pela primeira vez no esboço da p. 248.
>
> Volto-me agora para a narrativa. O capítulo está numerado 18, e paginado de modo contínuo (com uma lacuna), mas não tem título. Como afirmei, incluo (tanto quanto possível) a versão mais antiga do texto e, como regra, não indico pequenas emendas subsequentes que o conduzem para a versão em SA, embora muitas, ou todas, sejam da mesma época.

"Ai de nós, receio que não podemos esperar mais aqui!", comentou Aragorn. Olhou para as montanhas e ergueu a espada. "Adeus, Gandalf!", exclamou. "Eu não te disse: *se passares pelas portas de Moria, toma cuidado*? Não sei o que pôs essas palavras em minha boca, mas ai de mim que falei a verdade. Nenhum acaso poderia ter sido tão ruim. Que esperança temos sem ti?". Voltou-se para a Comitiva. "Precisamos nos arranjar sem esperança!", disse ele. "Pelo menos ainda podemos nos vingar. Aprestemo-nos e não choremos mais! É melhor golpearmos forte do que nos lamentarmos demais![3] Vinde! Temos uma longa estrada e muito que fazer!"

Levantaram-se e olharam em torno. Ao norte o Vale subia para uma ravina de sombras entre dois grandes braços das montanhas, acima da qual assomavam três picos altos e brancos.[4] Muitas torrentes desciam brancas pelas encostas íngremes adentrando o vale. Uma névoa de espuma pairava no ar.

A oeste [*leia-se* leste][5] as montanhas atingiam um fim súbito, e além delas era possível divisar terras distantes, vagas e amplas. Ao sul, as montanhas afastavam-se infindas até onde a vista alcançava. A menos de uma milha de distância, e um pouco abaixo delas (visto que ainda estavam nas beiras das montanhas), estendia-se um lago: era longo e oval, em forma de uma grande ponta de lança que penetrava fundo na ravina ao norte. A extremidade sul estava além da borda da sombra, sob o céu ensolarado. Porém suas águas eram escuras: de um azul profundo como o céu noturno visto através de uma janela iluminada. Sua superfície era imóvel e imperturbada. Um relvado liso o circundava, descendo em camadas por todos os lados até a beira nua e ininterrupta.[6]

"Ali jaz o Kheledzâram,[7] o Espelhágua!", disse Gimli tristemente. "Eu esperava olhar para ele com alegria e ficar um tempo aqui. Lembro-me de que ele disse: 'Que tenhas a alegria da visão, mas seja lá o que fizeres, não posso me demorar'. Agora sou eu quem preciso partir às pressas, e é ele quem precisa ficar."

A Comitiva desceu pela estrada, que se desfazia, destruída, mas ainda revelando que aqui uma grande estrada calçada outrora subira das terras baixas até o portão. Passava rente ao relvado do Espelhágua, e ali, não longe da estrada, na beira da água, erguia-se uma coluna isolada, agora com o topo quebrado.

"Essa é a Pedra de Durin", disse Gimli. "Não [podemos >] posso passar sem me deter aí por um minuto para contemplar a maravilha do Vale."

"Então sê breve", disse Troteiro, olhando para o Portão atrás dele. "O sol se põe cedo. Os Orques não sairão até o entardecer, mas temos de estar bem longe antes do cair da noite. A lua aparecerá pela última vez hoje à noite, e estará escuro."

"Vem comigo, Frodo", disse o anão, "e quem mais desejar". Mas apenas Sam e Legolas seguiram.[8] Desceu correndo a relva e olhou para o pilar. As runas sobre ele estavam desgastadas. "Esta pedra marca o local onde Durin olhou pela primeira vez no Espelhágua", disse o anão. "Olhemos nós". Inclinaram-se sobre a água.

Por um momento, nada puderam ver. Nenhuma sombra de si mesmos recaía na água. Lentamente, nas beiras, viram as formas das montanhas circundantes se revelando, espelhadas em um azul profundo e, no meio, havia um espaço de céu. Ali, como joias no abismo, resplandeciam estrelas luzentes, apesar de o sol brilhar em cima no céu. Não se via nenhuma sombra de si mesmos.

"Belo Kheledzâram", disse Gimli. "Ali jaz a coroa de Durin até que ele desperte. Adeus." Fez uma mesura, virou-se e subiu às pressas pelo gramado até a estrada outra vez.

Ela agora descia rapidamente serpenteando para sudoeste [leia-se sudeste],[9] saindo do meio dos braços das montanhas. Pouco abaixo

A TRAIÇÃO DE ISENGARD

do Lago toparam com um fundo poço de água escura, quase negra; dele uma torrente caía sobre uma borda de pedra e descia balbuciando por um canal rochoso. "Esta é a nascente de onde provém o Raiz Negra", disse Gimli. "Não bebei dela: é fria como gelo."

"Logo", disse Troteiro, "ela se transforma em um rio veloz, alimentado por muitas outras torrentes de [? toda a terra]. Nossa estrada o ladeia. E precisamos ir mais rápido do que ele corre. Lá está nossa trilha". Lá adiante deles puderam ver o Raiz Negra serpenteando na terra baixa até se perder na distância que fulgia como ouro pálido, no limiar da visão.

"Ali ficam as florestas de Lothlórien", disse Troteiro. "Suas fímbrias ainda estão a muitas milhas de distância (quatro léguas ou mais), mas precisamos alcançá-las antes de anoitecer."

[Seguiram agora em silêncio][10] durante algum tempo, mas cada passo ficava mais doloroso para Frodo. Apesar do sol brilhante [? de inverno], o ar parecia mordente depois da morna escuridão de Moria. Sam ao [seu] lado também vacilava. O corte no braço estava doendo.[11] Os dois ficaram juntos para trás. Troteiro olhou ansioso. "Tanta coisa aconteceu", disse ele, "que me esqueci de vocês, Frodo e Sam. Desculpem-me: estão feridos e nada fizemos para aliviá-los ou para ver quão sérios são seus ferimentos. O que faremos? Não há nada que possamos fazer nesta região vazia, com o portão e nossos inimigos tão perto atrás de nós."

"Quanto falta ainda?", perguntou Frodo.

Fazem uma primeira refeição 2½ horas depois do meio-dia. Ao lado de uma pequena e bela cascata no Raiz Negra, onde outra torrente vinda do oeste fluía e ambas caíam em algumas pedras esverdeadas. Troteiro limpa a ferida de Sam. "O corte parece ruim — mas por sorte não está (como podem estar os cortes-órquicos) envenenado". Troteiro o banha em água e coloca uma folha de *athelas* sobre ele.

Depois, volta a atenção para Frodo. Relutantemente ele tira a jaqueta e a túnica e, de repente, o colete de mithril brilha e fulgura ao sol. Troteiro o retira e o ergue. Descrição de sua radiância.

"Eis uma bela pele de hobbit!", disse Troteiro. "Se soubessem que os Hobbits vestem couro assim, todos os caçadores do mundo estariam se apinhando no Condado."

"E todos os caçadores do mundo flechar[iam] em vão", disse Gimli, contemplando admirado. "Bilbo salvou sua vida — foi um presente generoso e tempestivo."

LOTHLÓRIEN

Havia um grande ferimento escuro no flanco e no peito de Frodo, os anéis forçados através da camisa, chegando à carne ... seu flanco esquerdo também fora contundido contra a parede. "Nada quebrado", disse Troteiro.

O texto se torna, por certa extensão, muito irregular, pois a história está na forma mais primitiva de sua escrita, e logo vira um rascunho mal-acabado da narrativa que se seguiria.

Acendem fogo água morna banhado em *athelas*. Chumaços presos sob a malha, que é recolocada.

Apressam-se novamente. O sol afunda atrás das montanhas. As sombras descem rastejando pela encosta das montanhas e por sobre a terra. O ocaso cresce à volta deles, mas há um brilho na terra a leste. ... amarelo pálido no poente.[12] Andaram 12–14 milhas [*c.*19–22 quilômetros] desde o Portão e já estão quase encerrando o dia. Legolas descreve Lothlórien.

Perto do portão da floresta, outro arroio vem da direita (oeste) atravessando caminho. A ponte não está mais lá. Atravessam-no e param do outro lado, tendo a água por defesa. Escalam árvores.

Orques ... à noite. Mas uma [? aventura] agradável com os Elfos-da-floresta no dia seguinte. São escoltados até as casas dos Elfos-da-floresta nas árvores no ângulo do Raiz Negra com o Anduin em caminhadas leves (nenhum orque se aproxima). Vários (2–3) dias agradáveis. 40 milhas [*c.* 64 quilômetros]. Tristeza de todos pelas notícias da queda de Gandalf. Agora estão a quase 100 léguas (300 milhas [*c.* 483 quilômetros]) ao sul de Valfenda.[13]

Uma página isolada de esboço muito rudimentar retoma com a resposta de Frodo à pergunta de Gimli ("'O que foi?', disse o anão", SA, p. 479):

"Não sei", disse Frodo. "Pensei ter ouvido pés, e pensei ver uma luz — como olhos. Muitas vezes pensei desde que entramos em Moria."

Gimli pausou e se agachou no chão. "Não ouço nada senão a fala noturna das plantas e pedras", disse ele. "Vem! Vamos apressar-nos! Os outros já estão fora de vista."

O vento noturno soprava gelado do vale ao encontro deles. Passaram por muitas árvores esparsas, altas com troncos pálidos.

A TRAIÇÃO DE ISENGARD

À frente erguia-se uma larga sombra, e um interminável farfalhar de folhas, como álamos na brisa.

"Lothlórien", disse Legolas. "Lothlórien. Chegamos aos [? portões] da floresta dourada. É pena que seja inverno."

Aqui a narrativa formada recomeça.[14]

Sob a noite, as árvores se erguiam altas diante deles, formando arcos sobre o córrego e a estrada que corria subitamente embaixo dos seus ramos espalhados. À débil luz das estrelas, seus troncos eram cinzentos, e as folhas trêmulas tinham um quê de ouro não cultivado.

"Lothlórien!", exclamou Aragorn. "Alegro-me de ouvir as folhas! Mal chegamos a cinco léguas dos Portões, mas não podemos ir mais longe. Esperemos que haja alguma virtude dos Elfos que nos proteja esta noite — se deveras ainda habitam Elfos aqui, no mundo que se obscurece."[15]

"Muito tempo faz que alguém do meu povo voltou para cá", comentou Legolas; "pois agora moramos muito longe; mas conta-se que, embora uns tenham partido para sempre, uns permanecem ainda em Lothlórien, mas habitam na profundeza das matas a muitas léguas daqui."[16]

"Então temos de nos defender sozinhos esta noite", disse Aragorn. "Prossigamos ainda um pouco até que a floresta esteja em toda a nossa volta, e então nos desviaremos da estrada."

Uma milha floresta adentro toparam com outro riacho, que descia depressa das encostas cobertas de árvores que se estendiam para trás na direção das Montanhas. Ouviram-no borrifando por cima de uma cascata entre as sombras do lado direito. Suas velozes águas escuras cruzavam a trilha à frente deles e juntavam-se ao [Raiz Negra >] Morthond em um redemoinho de lagoas obscuras entre as raízes das árvores.

"Eis o [Taiglin >] Linglor", disse Legolas. "Dele os elfos-da-floresta fizeram muitas canções, recordando o arco-íris de suas cascatas cantantes e as flores douradas que flutuavam em sua espuma. Agora está tudo escuro, e a Ponte do Linglor que os elfos fizeram está derrubada. Mas não é fundo. Vamos passar a vau. Há uma cura nas suas águas [geladas >] frescas / Mas vou banhar meus pés nele — pois dizem que suas águas curam. Na margem

LOTHLÓRIEN

oposta podemos repousar, e o som da água correndo poderá nos trazer o sono."[17]

Seguiram o elfo e, um a um, desceram a íngreme ribanceira e banharam suas [seus pés][18] na corrente. Por um momento, Frodo parou na margem e deixou a água correr pelos pés cansados. Era fria, mas seu toque era limpo e, conforme lhe subia até os joelhos, sentiu que a nódoa da viagem e toda a exaustão dos seus membros eram lavadas.

Quando toda a Comitiva tinha atravessado, sentaram-se e descansaram, e comeram algum alimento, enquanto Legolas lhes contava histórias de Lothlórien antes que o mundo ficasse cinzento.

Aqui há um espaço no manuscrito com as palavras *inserir canção*. Há muitas páginas de rascunhos da canção de Legolas sobre Amroth e Nimrodel, e conduzem a uma versão que, embora com certeza seja da mesma época, é por um grande trecho muito parecida com a versão de SA (pp. 482–3). O nome da donzela é *Linglorel* (em uma ocorrência, *Inglorel*), tornando-se *Nimladel*, *Nimlorel* (ver nota 17) e, na versão final encontrada aqui, *Nimlothel* (corrigido para *Nimrodel*). Seu amado é *Ammalas* (como aparece na narrativa que se segue), e é possível ver a forma *Amroth* surgindo conforme meu pai escrevia o primeiro verso da nona estrofe: "Ammalas olha a costa ao léu", com o nome *Amaldor* aparecendo momentaneamente até o verso se tornar "Quando *Amroth* viu a costa ao léu".

Associada aos textos da canção há uma versão das palavras de Legolas que a precedem (SA, p. 481):

"Cantar-vos-ei uma canção", disse ele. "É uma bela canção na língua da floresta: mas é assim que soa na fala comum, como alguns em Valfenda a verteram." Em uma voz suave, que mal se ouvia em meio ao farfalhar das folhas acima deles, ele começou.

Ao que parece, essa é a primeira ocorrência do termo *fala comum*. A versão final encontrada aqui é virtualmente igual à de SA pelas primeiras seis estrofes (mas com o nome *Nimlothel*). Então prossegue.

Um vento então desperta ao Norte
  soprou livre e rugiente,
nau-élfica levou à sorte
  por sobre o mar fulgente.

266

A TRAIÇÃO DE ISENGARD

Cinzenta praia além da vaga,
  os montes vão sumindo;
com sal qual pranto a espuma afaga
  e o vento vai vagindo.

Quando Amroth viu a costa ao léu
  lavada em onda vasta,
maldisse então a nau infiel
  que Nimlothel afasta.

Rei-élfico ele foi outrora,
  Homem nenhum havia,
E o ouro que a ramada enflora
  Lothlórien atavia. [A]

Uma variante dessa estrofe diz:

Rei-élfico de era passada
  inda em jovem floresta,
Lothlórien cobre-se dourada
  da cor que a rama empresta. [B]

A décima primeira estrofe e a última são como em SA, mas a décima segunda diz o seguinte:

A espuma cobre seu cabelo,
  à volta, uma luz forte;
veem longe a vaga a recebê-lo
  qual cisne indo pro Norte. [C]

Sugestões escritas a lápis nas margens, sem dúvida no mesmo período, fazem as estrofes ficarem um pouco mais parecidas com a versão final; e, no fim da canção, meu pai observou: "Se tudo isso for incluído, Legolas terá de dizer que são apenas algumas das estrofes do original (por exemplo, a partida de Lórien foi omitida)".

Um esboço para a parte seguinte da história pode ser incluído aqui. Ele é realmente muito rudimentar, e fiz uma ou duas correções óbvias.

LOTHLÓRIEN

Legolas canta a canção de Linglorel.

Legolas descreve as casas dos Galadrim.

Gimli diz que as árvores seriam mais seguras.

Aragorn decide escalar para passar a noite.

Encontram um grupo de grandes árvores perto das cascatas (à direita). Legolas está prestes a escalar uma com vários ramos baixos quando uma voz falando em élfico chega de cima. Ele teme flechadas. Mas, depois de uma conversa na fala élfica, diz que está tudo bem. Alertas sobre coisas que estão acontecendo chegaram ao povo de Lórien desde os Campos de Lis, quando os mensageiros de Elrond vieram para o Leste. Postaram guardas. (Viram muitos orques passando a oeste de Lórien rumo a Moria: colocar isso depois, quando os Elfos falarem com a Comitiva). [Ver pp. 271–2.]

Eles não atacaram e nem dispararam pois ouviram a voz de Legolas — e, depois, o som de sua canção. Têm uma grande plataforma em 2 árvores junto às cascatas.

Legolas, Sam e Frodo sobem na plataforma com 3 elfos. Os demais em outra plataforma, e Aragorn e Boromir na base forquilhada de uma grande árvore.

Orques vêm a Linglorel à noite. Os Elfos não disparam pois são demasiados: mas um deles sorrateiramente vai avisar o povo na floresta, e preparam uma emboscada.

Depois que tudo está novamente quieto, Frodo vê Gollum espreitando na mata. Ele olha para cima e começa a escalar, mas justo quando os Elfos colocam flechas no arco, Frodo os detém. Gollum sente o perigo e vai embora.

No dia seguinte, os Elfos os levam para o Ângulo.

Depois da canção de Legolas, a narrativa continua:

Sua voz vacilou e silenciou. "Não me lembro de todas as palavras", disse. "É uma bela canção, e isso é apenas o começo; pois é longa e triste. Conta como o pesar acometeu Lothlórien, Lórien das flores, quando o mundo escureceu e os anãos despertaram o mal nas Montanhas."

"Mas os anãos não fizeram o mal", disse Gimli.

"Eu não disse isso", respondeu Legolas com tristeza. "Porém o mal veio. E conta-se que Linglorel[19] se perdeu. Pois esse era o nome daquela donzela, e deram o mesmo nome ao riacho montês que ela amava: cantava ao lado das cascatas, tocando uma harpa. Lá, na primavera, quando o vento sopra nas folhas novas, o eco de sua voz ainda pode ser ouvido, conta-se. Mas os elfos da sua gente partiram, e ela se perdeu nos passos das montanhas,[20] e ninguém agora sabe onde ela pode estar. Conta-se na canção que o navio-élfico esperou por ela nos portos longamente, mas um vento se ergueu na noite e o levou para o Oeste; e quando Ammalas,[21] seu amado, viu que a terra estava distante, pulou no mar, mas se algum dia chegou nas Costas de Cá e encontrou Linglorel, isso não se diz.

"Contam que Linglorel tinha uma casa construída nos ramos de uma árvore; pois era esse o costume dos Elfos de Lórien, e quem sabe ainda seja assim; e, por isso, são chamados de Galadrim, o Povo-das-árvroes.[22] Na profundeza da floresta as árvores são muito altas e fortes. E o nosso povo não escavava o solo e nem construía fortificações antes que viessem as Sombras [leia-se viesse a Sombra]."

"E mesmo assim, nestes dias recentes, pode-se pensar que uma habitação nas árvores é mais segura do que sentar-se no chão", disse Gimli. Olhou para o outro lado da água, para a estrada que levava de volta ao Vale do Riacho-escuro, e depois ergueu os olhos para o teto de ramos escuros acima deles.

"Tuas palavras trazem bom conselho, Gimli", disse Aragorn.[23] "Não temos tempo para construir, mas esta noite nos tornaremos Galadrim e buscaremos refúgio nas copas das árvores, se pudermos. Já ficamos sentados aqui à beira da estrada por mais tempo que o recomendável."

Então a Comitiva abandonou a trilha e penetrou na sombra das matas mais profundas a oeste, afastando-se do Raiz Negra. Não longe das cascatas do Linglorel encontraram um grupo de árvores altas e fortes, algumas das quais se inclinavam sobre o riacho.[24]

"Vou escalar", disse Legolas, "pois entre as árvores, ou nos seus ramos, estou em casa; apesar de estas árvores serem de uma espécie que me é estranha. *Mallorn* elas se chamam, as que dão flor amarela, mas jamais escalei uma. Agora verei qual é sua forma e tamanho". Saltou leve do solo e apanhou um galho que saía do tronco muito acima de sua cabeça. Enquanto pendia, uma voz falou das sombras acima deles.

"*Daro!*",[25] disse ela, e Legolas deixou-se cair, surpreso e temeroso. Encolheu-se ao tronco da árvore. "Ficai imóveis", cochichou para os demais, "e não falai!"

LOTHLÓRIEN

Ouviu-se um som de risos sobre suas cabeças, e outra voz clara falou na língua-élfica. Frodo pouco conseguiu entender do que foi dito, pois a fala do povo silvestre a leste das montanhas, como a que estavam usando entre si, era estranha.[26] Legolas ergueu os olhos e respondeu na mesma língua.

"Quem são eles e o que dizem?", perguntou [Pippin >] Merry.

"São elfos", disse Sam. "Não está ouvindo as vozes deles?"

"Dizem", falou Legolas, "que respiras tão alto que poderiam te alvejar no escuro. Mas que não precisas temer. Faz tempo que estão nos observando. Ouviram minha voz do outro lado do Linglorel e souberam de que povo eu venho, por isso não obstaram nossa travessia. E ouviram minha canção e os nomes de Linglorel e Ammalas. Agora pedem-nos para subir, três em cada uma destas árvores que estão aqui juntas. Vou primeiro."

A última parte das observações de Legolas foi alterada a lápis para o texto de SA: "Agora pedem-me que eu suba com Frodo, de quem parecem ter ouvido. Pedem que o restante espere um pouco, e que vigiem ao pé da árvore". O manuscrito então continua por uma breve extensão a lápis, e claramente segue essa alteração, pois Legolas e Frodo são os primeiros a subir.

Das sombras foi baixada uma escada de corda prateada — parecia muito delgada, mas demonstrou ser bastante forte para suportar muitos homens. Legolas escalou veloz, seguido mais vagarosamente por Frodo, e atrás dele foi Sam, tentando não respirar alto. A árvore era muito alta [*escrito acima:* um mallorn], e seu grande tronco era belo redondo e tinha uma casca lisa e lustrosa. Os galhos cresciam quase retos a princípio e depois se viravam para cima; mas junto ao topo o caule principal diminuía até se tornar uma coroa, e ali descobriram uma plataforma de madeira [*acrescentado:* ou "eirado", como tais coisas eram chamadas naqueles dias: os elfos chamavam aquilo de *talan*. Era] feita de madeira cinzenta, com veios estreitos — a madeira do mallorn.

Três elfos estavam sentados ali. Trajavam cinza, e não podiam ser vistos entre os caules da árvore a não ser que se mexessem. Um deles destapou uma pequena lâmpada que emitiu um estreito facho prateado e ergueu-a, olhando-os no rosto. Depois voltou a fechar a luz e falou palavras de boas-vindas na língua élfica. Frodo respondeu hesitante.

270

"Bem-vindo", repetiram no falar ordinário. Então um deles falou devagar. "De raro falamos qualquer outra língua que não a nossa", disse ele; "pois agora habitamos no coração das matas e não lidamos de bom grado com qualquer outro povo. Alguns dentre nós deixam nossa terra para saber de notícias e para nossa proteção. Eu sou um deles. Hathaldir é meu nome. Meus irmãos, Orfin e Rhimbron, pouco falam de vossa língua. Ouvimos falar de vossa vinda, pois os mensageiros de Elrond passaram por Lothlórien a caminho de casa pela Escada do Riacho-escuro.[27] Não tínhamos ouvido falar de hobbits antes, nem jamais visto um até agora. Não pareceis malvados, e vindes com Legolas, que é de nossa gente nortista. Estamos dispostos a fazer como Elrond pediu e amparar-vos. Mesmo não sendo nosso costume, conduzir-vos-emos por nossa terra. Mas deveis ficar aqui esta noite. Quantos sois?"[28]

"Oito", disse Legolas. "Eu, quatro hobbits, dois homens (um deles é Aragorn, um amigo-dos-elfos, amado por Elrond), e um anão. [E ainda estamos agravados de pesar, pois nosso líder se perdeu. Gandalf, o mago, perdeu-se em Moria.]"[29]

"Um anão!", disse Hathaldir. "Não gosto disso. Não lidamos com os anãos desde os dias malignos. Não podemos consentir que ele passe."

"Mas é um amigo-dos-elfos e conhecido de Elrond", disse Frodo. "Elrond o escolheu para ser de nossa comitiva, e tem sido bravo e fiel."

Os Elfos confabularam em voz baixa, e questionaram Legolas em sua própria língua. "Pois bem", respondeu Hathaldir. "Faremos isso, apesar de ser a contragosto. Se Aragorn e Legolas o vigiarem e responderem por ele, há de passar vendado por Lothlórien.

"Mas agora há necessidade de pressa. Vossa comitiva não pode permanecer por mais tempo no solo. Estivemos vigiando os rios desde que vimos uma grande tropa de orques rumando ao norte, ao longo dos sopés das montanhas na direção de Moria, muitos dias atrás. Os lobos uivam nos limites da floresta. Se deveras viestes de Moria, o perigo não pode estar muito atrás. Amanhã deveis percorrer muito. Os hobbits hão de subir aqui e ficar conosco — não os tememos! Há outro refúgio de guarda > eirado >] *talan* na árvore ao lado. Os demais devem ir para lá. Tu, Legolas, deve ser nossa garantia. E chama-nos se algo houver de errado. Mantém os olhos nesse anão!"

LOTHLÓRIEN

Legolas desceu novamente levando a mensagem de Hathaldir; e logo depois Merry e Pippin subiram até a [? plataforma] alta. "Aí está", disse Merry, "alçamos seus cobertores para vocês. O resto de nossa bagagem Aragorn escondeu em um monte alto de folhas velhas."

"Não havia necessidade", disse Hathaldir. "Nos topos das árvores faz frio no inverno, apesar de o vento estar ao sul; mas temos bebida e comida para vos dar que afastarão a gelidez noturna, e temos peles e capas de sobra conosco."

Os hobbits aceitaram contentes o segundo jantar, e logo, enrolando-se tanto quanto puderam para se aquecer, tentaram pegar no sono. Por muito que estivessem exaustos, não foi fácil para eles, pois os hobbits não gostam de alturas e não dormem no andar de cima (mesmo quando há um andar de cima, o que é raro). O eirado não lhes agradava nem um pouco. Não tinha parapeito e nem corrimão, só uma tela de um lado, que podia ser movida e fixada em diferentes lugares. "Espero que, se eu realmente adormecer, não role para fora", disse Pippin. "Uma vez que eu adormecer, Sr. Pippin", disse Sam, "vou continuar dormindo, quer role para fora ou não."

Frodo ficou algum tempo deitado e olhou as estrelas que brilhavam vez ou outra através do fino teto de folhas trêmulas e pálidas acima dele. Sam roncava ao seu lado antes de ele próprio, embalado pelo vento nas folhas lá em cima e pelo doce murmúrio das cascatas do Nimrodel[30] lá embaixo, adormecer com a canção de Legolas ainda rodando em sua mente. Dois dos elfos estavam sentados com os braços em torno dos joelhos, falando em sussurros; um deles descera para assumir seu posto em um dos ramos inferiores.

Tarde da noite, Frodo acordou. Os outros hobbits dormiam. Os elfos haviam ido embora. A última casca fina da lua minguante reluzia fraca nas folhas. O vento parara. A pouca distância ouviu um riso áspero e as pisadas de muitos pés. Então, um retinir de metal. Os sons desapareceram pouco a pouco rumo ao sul, entrando fundo na floresta.

O capuz cinzento de um dos elfos apareceu de repente pela borda do eirado. Ele olhou para os hobbits. "O que é?", disse Frodo, sentando-se.

"Yrch!", disse o Elfo num sussurro chiado, e jogou no eirado a escada de corda enrolada.

"Orques", disse Frodo, "o que estão fazendo?". Mas o Elfo se fora.

A TRAIÇÃO DE ISENGARD

Não houve mais ruído; até as folhas estavam em silêncio. Frodo não conseguia dormir. Por mais grato que estivesse por não terem sido apanhados no chão, sabia que as árvores proporcionavam pouca proteção, salvo como esconderijo, se os orques descobrissem onde estavam, e tinham o faro apurado como o de cães de caça. Sacou Ferroada e viu que brilhava como uma chama azul, e apagou-se lentamente.

[Logo Hathaldir voltou ao eirado e sentou-se perto da borda com o arco a postos e a flecha na corda. Frodo se levantou e engatinhou até a borda do eirado e espiou.][31] Apesar disso, a sensação de perigo imediato não o abandonou. Na verdade, ficou mais profunda. Engatinhou até a borda do eirado e espiou. Tinha quase certeza de que ouvia o ruído macio de movimentos furtivos nas folhas ao pé da árvore, bem abaixo. Não eram os elfos, temia, pois o povo da floresta era completamente silencioso em seus movimentos (tão quietos e hábeis a ponto de despertar admiração até mesmo dos hobbits). E parecia haver um som de fungada. Algo estava arranhando a casca da árvore. Ficou parado, olhando para baixo, segurando a respiração. Algo estava escalando, e respirando com um som chiado, baixinho. Então, achegando-se ao caule, viu dois olhos pálidos. Eles pararam e olharam para cima, sem piscar. De repente viraram-se, e um vulto sombrio deslizou em torno do tronco e desapareceu do outro lado. Pouco depois, Hathaldir subiu.

"Havia algo nesta árvore que nunca vi antes", disse ele. "Não um orch [*sic*]. Mas [não] atirei porque não tinha certeza, e não ousamos nos arriscar ao combate. Fugiu assim que toquei o caule da árvore. Passou uma forte companhia de orques. Atravessaram o Nimrodel (malditos sejam por conspurcarem nossa água) e continuaram — mas parecia que seguiam algum faro, e pararam um momento esquadrinhando os dois lados da trilha onde vos sentáreis na noite passada. Não ousamos nos ariscar num combate, três contra uma centena, e não atiramos, mas Orfin voltou por trilhas secretas até nosso povo, e não havemos de deixá-los sair de Lórien se pudermos evitar. Haverá muitos elfos ocultos [? junto ao] Nimrodel antes que a noite se vá. Mas agora nós também devemos tomar a estrada assim que amanhecer."

A madrugada chegou pálida do Leste. À medida que a luz aumentava, era filtrada pelas folhas douradas do mallorn e, apesar de o vento matinal soprar frio, parecia ensolarado como uma manhã de início de verão. O céu azul-claro espiava por entre as folhas em movimento. Subindo em um galho esguio do eirado, Frodo olhou e viu todo o vale ao sul, a leste da escura sombra das montanhas, estendendo-se como um mar de ouro não cultivado ondulando de leve na brisa.

[Depois de terem comido o doce alimento dos elfos, poupando suas próprias provisões que minguavam,] A manhã ainda era jovem e fria quando / a Comitiva partiu outra vez, guiada por Hathaldir. Rhimbron permaneceu de guarda no eirado. Frodo olhou para trás e vislumbrou um lampejo de branco entre os caules cinzentos das árvores. "Adeus, Nimrodel!", exclamou Legolas. "Adeus", disse Frodo. Parecia-lhe que nunca ouvira água corrente tão musical: sempre mudando suas notas e, no entanto, sempre na mesma música infinda.

Prosseguiram um tanto pela trilha a leste [leia-se oeste][32] do Raiz Negra, mas logo Hathaldir se desviou entre as árvores e parou na margem sob a sombra delas. "Ali está um do meu povo na outra margem", disse ele, "apesar de não poderdes vê-lo. Mas vejo o brilho dos seus cabelos nas sombras". Emitiu um chamado como o assobio baixo de uma ave, e dos troncos das árvores saiu um elfo, trajando cinza, mas com o capuz jogado para trás. Habilmente Hathaldir lançou por cima do rio um rolo de corda cinzenta e resistente. Ele a apanhou e amarrou num tronco perto da margem.

"O rio já é vigoroso aqui", comentou Hathaldir. "Não é largo; mas é fundo demais para vadear. E é muito frio. Não pomos os pés no Morthond, a não ser que precisemos. É assim que atravessamos! Segui-me!". Prendendo sua ponta da corda em outra árvore, subiu nela e atravessou-a correndo de leve, como se estivesse em uma trilha firme.

"Eu consigo andar nessa trilha", disse Legolas, "mas apenas com cuidado, pois não temos essa habilidade em Trevamata; mas os outros não conseguem. Precisarão nadar?"

"Não", disse Hathaldir. "Lançaremos mais duas cordas. Prende-as na árvore, na altura de um homem e a meia altura e, com cuidado, eles conseguirão atravessar". Os Elfos esticaram as fortes cordas cinzentas através da torrente. Então, Aragorn atravessou primeiro, devagar, segurando a corda de cima. Quando chegou a vez dos hobbits, Pippin foi primeiro. Tinha os pés leves e atravessou com certa velocidade, segurando-se com uma mão apenas na corda de baixo. Merry, tentando rivalizá-lo, escorregou por um momento e ficou pendendo sobre a água. Sam passou se arrastando lenta e cautelosamente atrás de Frodo, olhando a água escura em redemoinhos sob seus pés como se fosse um precipício com muitas braças de profundidade. Gimli e Boromir foram por último.

Quando todos haviam atravessado, Rhimbron[33] desamarrou as pontas das cordas e jogou duas de volta. Então, enrolando a outra, ele voltou ao Nimrodel para vigiar em seu posto.

"Agora", disse Hathaldir, "entrastes no Gomo, Nelen[34] o chamamos, que fica no ângulo entre o Raiz Negra e o Anduin, o Grande Rio. Não permitimos que estrangeiros andem aqui se pudermos evitar, e nem que adentrem muito o ângulo onde [ficam nossas moradas >] moramos. Como combinamos, aqui hei de vendar os olhos de Gimli, o anão; os demais andarão livres por algum tempo, até que nos aproximemos de nossas moradas escondidas."

Isso não agradou a Gimli nem um pouco. "A combinação foi feita sem meu consentimento", disse ele. "Não caminharei vendado como um prisioneiro ou traidor. Meu povo sempre ofereceu resistência ao Inimigo, e nunca tratou com orques ou qualquer um dos seus serviçais. Nem causamos mal aos Elfos. Não é mais provável que eu traia vossos segredos do que Legolas, ou quaisquer outros da Comitiva."

"Falas a verdade, não duvido", disse Hathaldir. "No entanto é esta nossa lei. Não sou mestre da lei e não posso pô-la de lado segundo meu próprio alvitre. Fiz tudo o que me atrevia ao deixar--te pôr os pés no [Nelen >] Gomo."

Mas Gimli estava obstinado. Plantou os pés no chão, firmes e afastados, e pôs a mão no cabo do machado. "Irei em frente livre, ou voltarei sozinho para o norte, por muito que pereça no ermo", falou.

"Não podes partir", disse Hathaldir sombriamente. "Não podes atravessar o Morthond, e atrás de ti, ao norte, há defesas ocultas e guardas ao longo dos braços abertos do Ângulo entre os rios. Serás morto antes mesmo de te aproximares deles". O outro elfo ajustou uma flecha no arco assim que Gimli sacou o machado do cinto.

"Uma praga sobre os anãos e sua obstinação!", murmurou Legolas.

"Ora!", exclamou Aragorn. "Se tenho de liderar a Comitiva, deveis fazer o que vos peço. Seremos vendados todos, até Legolas. Isso será o melhor, por muito que torne a jornada lenta e monótona."

LOTHLÓRIEN

Gimli riu-se de repente. "Vamos parecer uma bela tropa de tolos!", exclamou. "Mas estarei contente se apenas Legolas compartilhar minha cegueira."

Isso pouco agradou a Legolas.

"Ora!", disse Aragorn. "Que não exclamemos 'uma praga sobre a sua obstinação' também. Mas não sereis nossos reféns. Partilharemos todos da necessidade igualmente."

"Hei de reivindicar plena restituição por cada queda e topada, se não nos conduzirdes bem", disse Gimli quando lhe amarraram um pano nos olhos.

"Não será necessário", disse Hathaldir. "Havemos de vos conduzir bem, e as trilhas são lisas e verdejantes."

"Ai de nós pela loucura destes dias", disse Legolas por sua vez. "Todos aqui são inimigos do único Inimigo, e mesmo assim tenho de caminhar cego enquanto o sol brilha na mata sob as folhas de ouro!"

"Pode parecer loucura", disse Hathaldir. "E deveras o mal do Inimigo em nada se vê mais claramente do que nas desavenças que dividem a todos nós. Porém agora resta tão pouca fé e confiança que não ousamos arriscar nossas moradas. Vivemos agora em um perigo crescente, e nossas mãos mais frequentemente pegam a corda do arco que a harpa. Os rios nos defenderam por muito tempo, [porém] não são mais proteção segura. Pois a Sombra se esgueirou rumo ao norte em toda a volta de nossa terra. Alguns [? já] falam em partir, mas já parece demasiado tarde para isso, talvez. As montanhas a oeste têm para nós um nome maligno. A leste, as terras são ermas. Há boatos de que não podemos passar a salvo rumo ao sul das montanhas através de Rohan, e que mesmo se passássemos para as terras do oeste, as praias do mar não são mais seguras. E ainda se diz que há portos no norte, além da terra dos meios-altos,[35] mas onde pode ser isso não sabemos."

"Poderias pelo menos adivinhar agora", disse Pippin. "Os portos ficam a oeste a minha terra, o Condado."

O elfo o olhou com interesse. "Um povo feliz são os hobbits", disse ele, "por viverem perto dos Portos de Escape. Conta-me deles, e como é o mar de que cantamos, mas de que mal nos lembramos."

"Não sei", disse Pippin. "Eu nunca o vi. Nunca antes estive fora de minha terra. E se soubesse como era o mundo aqui fora não acho que teria tido coragem de deixá-la."

A TRAIÇÃO DE ISENGARD

"Sim, o mundo está cheio de perigo e lugares escuros", disse Hathaldir. "Mas ainda existe muita coisa bastante bela, e por muito que o amor já esteja mesclado ao pesar, não é menos profundo. E há alguns dentre nós que cantam que a Sombra recuará de novo e a paz há de vir. Porém não creio que o mundo volte outra vez a ser como foi outrora, ou a luz do sol como era antigamente. Para os Elfos, receio que será apenas uma paz na qual poderão passar para o Mar sem impedimento e abandonar a terra-média para sempre. Ai de Lórien! Seria uma vida longe dos *mellyrn*. Mas, se há árvores mallorn além do Mar, ninguém o relatou."

Enquanto falavam assim, a Comitiva andava devagar ao longo das trilhas da floresta. Hathaldir os conduzia e o outro elfo caminhava atrás. Como Hathaldir dissera, sentiam que o solo sob seus pés era liso e macio, e caminhavam devagar, mas sem temer ferimento nem queda.[36] Logo encontraram muitos elfos trajados de cinza rumando para os postos avançados no Norte.[37] Traziam notícias, algumas das quais Legolas interpretou. Os orques haviam sido emboscados e muitos, destruídos; os remanescentes fugiram para o oeste, rumo às montanhas, e estavam sendo perseguidos até mesmo às nascentes do Nimrodel. Os elfos agora se apressavam para guardar as divisas do norte contra novos ataques.

Interrompo o texto aqui para apresentar uma página de notas terrivelmente mal-acabadas que mostram meu pai pensando acerca do curso que a história seguiria a partir desse ponto aproximadamente. Elas começam com referências a *Cerin Amroth* e a "um galanto verde", com as palavras élficas *nifred* e *nifredil*. É bem possível que aqui seja o lugar em que o nome *nifredil* surgiu (tanto *nifred* "palidez" quanto *nifredil* "galanto" são incluídos no radical NIK-W nas *Etimologias*, V. 458). Então prossegue:

Notícias. H[athaldir] diz que falou muito dos Elfos. E quanto aos Homens? A mensagem falava de 9. Gandalf. Consternação diante das notícias.

Compare isso com a p. 271 e nota 29. Meu pai estava pensando em postergar a revelação da queda de Gandalf até a pausa em Cerin Amroth, antes de finalmente decidir que não deveria ser mencionada até chegarem a Caras Galadon.

LOTHLÓRIEN

Há então uma frase, posta entre colchetes, que infelizmente — visto que é provavelmente a primeiríssima referência feita por meu pai a Galadriel — é decifrável apenas em parte: "[? Senhor] dos Galadrim [? e ? uma] Senhora e . . . . [? foram] ao Conselho Branco". As notas remanescentes são as seguintes:

Escalam Cerin Amroth. Frodo diz [leia-se vê] o Anduin lá longe um vislumbre de Dol Dúgol.[38] H[athaldir] diz que foi reocupada e uma nuvem jaz ali.

Viajam a Nelennas.[39]

O Senhor e a Senhora trajados de branco, com *cabelos brancos*. Olhos aguçados como uma lança à luz das estrelas.[40] O Senhor diz que sabe de sua demanda, mas não falará dela.

Falam [de] Gandalf. Canção dos Elfos.

Do [? acolhimento] a Legolas e ajuda a Gimli. Beornings.[41]

Deixam Lothlórien. Separação nas Colinas-de-pedra.

Retorno agora ao texto rascunhado.

"Também", comentou Hathaldir, "trazem-me uma mensagem do Senhor dos Galadrim. Podeis todos caminhar livres. Ele recebeu mensagens de Elrond, que implora por ajuda e amizade a cada um de vós e a todos". Removeu a bandagem dos olhos de Gimli. "Teu perdão", disse ele, curvando-se. "Mas olha-nos agora com olhos amigáveis. Olha e sê contente, pois és o primeiro anão a contemplar o sol nas árvores de Nelen-Lórien desde o dia de Durin!"

Quando a bandagem caiu de seus olhos, Frodo olhou para cima. Estavam de pé em um espaço aberto. À esquerda erguia-se um grande morro, coberto por um gramado, verde como se fosse primavera. Sobre ele, como dupla coroa, cresciam dois círculos de árvores: as exteriores tinham casca branca como a neve e estavam sem folhas, mas belas em suas esguia e formosa nudez; as interiores eram árvores mallorn de grande altura, ainda enfeitadas de ouro. Bem no alto, em meio aos ramos havia um eirado branco. Aos pés delas e por todos os flancos do morro a grama estava semeada de florezinhas douradas em forma de estrela e, entre elas, balançando em caules delgados, flores de um verde tão pálido[42] que reluzia branco contra o intenso verde da grama. Por cima de tudo o céu era azul, e o sol da tarde inclinava-se em meio aos troncos das árvores.

"Chegastes a Coron [*escrito acima:* Kerin] Amroth.[43] Pois este é o morro de Amroth, e aqui em dias mais felizes foi construída sua casa. Aqui florescem as flores do inverno na grama imarcescível: a *elanor*[44] amarela e a pálida *nifredil*. Aqui repousaremos por um tempo, e chegaremos às casas dos Galadrim[45] ao anoitecer."

Deixaram-se cair na grama macia ao pé do morro;[46] mas, depois de um tempo, Hathaldir chamou Frodo e foram-se ao cimo da colina, e subiram o alto eirado. Frodo olhou para o Leste e, não muito longe, viu brilho do Grande Rio que era a divisa de Lórien. Além dele o terreno parecia plano e vazio, até que, na distância, voltava a se erguer escuro e lúgubre. O sol que brilhava sobre todas as terras no meio parecia não atingir aquele lugar.

"Ali está a fortaleza de Trevamata Meridional", disse Hathaldir. "A maior parte é uma floresta de pinheiros escuros e abetos densos — mas ali no meio ergue-se a colina negra de Dol-Dúgol, onde por muito tempo o Necromante teve seu [? forte]. Receamos que agora esteja habitado de novo e represente ameaça, pois seu poder está agora septuplicado. Frequentemente jaz uma nuvem negra sobre ele. [?? O medo agora é] de guerra nas nossas divisas orientais."

O rascunho continua ("O sol se pusera atrás das montanhas") sem interrupção, ao passo que, em SA, um novo capítulo — "O Espelho de Galadriel" — começa agora. Também faço uma pausa na narrativa aqui (não se passou muito tempo até meu pai introduzir essa divisão). Há de se notar que, na conclusão do material mais antigo de "Lothlórien" que coloquei até aqui, a narrativa avança menos em direção à forma final, e uma ausência notável é a visão que Frodo tem ao olhar para o sul desde Cerin Amroth: "uma colina com muitas árvores enormes, ou uma cidade de torres verdes", Caras Galad(h)on (SA, p. 497).

O texto seguinte de "Lothlórien" é um manuscrito claro, assim intitulado, com uma quantidade significativa de alterações feitas no processo de composição; mas não é possível separá-lo inteiramente do rascunho inicial, como se fosse uma "fase" distinta na escrita da história, pois parece certo que, no início do capítulo, o rascunho e a cópia limpa se sobrepunham (ver nota 14). Não parece haver nada que demonstre, contudo, que o restante do novo texto de fato se sobrepunha aos rascunhos e, de toda forma, é muitíssimo conveniente tratá-lo separadamente.

LOTHLÓRIEN

O texto de "Lothlórien" agora se aproxima muito, na maior parte, de SA, e as diferenças principais de conteúdo são a ausência de todos os trechos que mencionam ou sugerem o conhecimento prévio que Aragorn tinha de Lothlórien,[47] e o encontro da Comitiva com os Elfos que chegaram do sul logo após o repouso deles ao meio-dia, no primeiro dia da jornada desde o Nimrodel (ver nota 37). A história original ainda era seguida em vários pontos menores, como no fato de que era Pippin, e não Merry, quem falava com Haldir (que substituiu o Hathaldir do rascunho, ver nota 28) sobre os Portos (p. 276); Sam não menciona seu tio Andy (SA, p. 491), e o ferimento de Moria ainda era no braço dele (p. 241).[48]

Por meio de um acréscimo, aparentemente contemporâneo da primeira composição do manuscrito, a *Escada do Riacho-escuro* adquire seu significado posterior (ver p. 199): "'Ali está a Escada do Riacho-escuro', disse Aragorn, apontando a cachoeira. 'Deveríamos ter descido pelo caminho profundamente entalhado que vem pelo flanco da torrente, se tivesse sido mais clemente a sorte'" (SA, p. 473).

O Veio-de-Prata foi inicialmente chamado de Raiz Negra ou Morthond, mas, no decorrer da escrita, o nome se tornou Veio--de-Prata (o nome élfico *Kelebrant* foi acrescentado depois). A Comitiva "manteve-se na velha trilha na margem oeste do Raiz Negra" (SA, p. 490; ver nota 32); mas, dez linhas depois, Haldir diz, no texto conforme escrito inicialmente, "O Veio-de-Prata já é um rio vigoroso aqui". Presumo que tenha sido nessa conjuntura que meu pai decidiu transpor os nomes dos rios ao norte e ao sul (ver nota 36), transposição essa que já tinha ocorrido no rascunho inicial de "Adeus a Lórien" (p. 330).

Um dos irmãos de Haldir ainda se chama *Orfin*, como no rascunho original; em uma ocorrência apenas foi alterado para *Orofin* e, no rascunho de "Adeus a Lórien", ele é *Orofin* (p. 330; SA *Orophin*). O outro — *Rhimbron* no rascunho — agora é *Romrin*, tornando-se *Rhomrin* no decorrer da escrita.

O nome élfico para "o Gomo" é aqui *Narthas*, onde o texto original (p. 275) dizia *Nelen* (substituindo *Nelennas*): "entrastes no Narthas, ou no Gomo, como poderíeis dizer, pois é a terra que fica como uma ponta de lança[49] entre os braços do Veio-de-Prata e de Anduin, o Grande", e "Fiz muito ao deixar-te pôr os pés no Narthas". Mas Haldir aqui diz também: "Os demais podem andar

A TRAIÇÃO DE ISENGARD

livres por algum tempo, até que nos aproximemos do Ângulo, *Nelen, onde moramos"*, onde o rascunho original dizia "até que nos aproximemos de nossas moradas escondidas"; e, quando eles chegam a Kerin Amroth (como é grafado agora), ele diz a Gimli que é o "primeiro anão a contemplar as árvores de *Nelen-Lórien* desde o Dia de Durin!", onde o rascunho original também diz *Nelen-Lórien* (p. 278).

Isso parece demonstrar que, no primeiro estágio, a intenção de meu pai era que *Nelen, Nelen-Lórien,* "o Gomo" e "o Gomo de Lórien" fossem o nome de Lórien entre os rios, sem criar um nome élfico para a região ao sul onde os Elfos de Lórien moravam de fato; ao passo que, no estágio representado aqui, *Narthas*, "o Gomo", é a região maior, e *Nelen,* "o Ângulo", a menor, a ponta do triângulo, ou da lança. Se for esse o caso, quando Hathaldir/ Haldir falou pela primeira vez das "árvores de Nelen-Lórien", o nome tinha um sentido diferente em relação ao que ele quis dizer com as mesmas palavras no presente manuscrito.[50]

Na primeira frase deste capítulo neste manuscrito, *Troteiro* é assim nomeado, como era por toda a extensão do anterior (p. 244); isso foi de pronto alterado para *Aragorn,* e ele é *Aragorn* até a Comitiva chegar nas fronteiras da Floresta Dourada, onde ele se torna *Pedra-Élfica* no texto conforme inicialmente escrito.[51] Depois, até onde o texto vai, *Aragorn* foi alterado para *Ingold,* e *Pedra-Élfica* foi igualmente alterado para *Ingold.* Depois, *Ingold* foi revertido para *Pedra-Élfica.*[52]

Restam algumas notáveis observações a lápis que ocorrem em páginas deste manuscrito. A primeira está no verso da página (marcada como um adendo ao texto) com a Canção de Nimrodel, e diz:

O Balrog não poderia ser Saruman? Fazer com que a batalha na Ponte seja entre Gandalf e Saruman? E depois Gandalf ... trajado de branco.

A palavra ilegível poderia concebivelmente ser *sai.* Isso foi riscado e não tem posterior importância ou consequência, mas segue sendo um vislumbre extraordinário das reflexões que subjazem à evidência escrita da história de *O Senhor dos Anéis* (e a ideia, expressa de maneira igualmente abrupta, reapareceria: p. 497).

281

Uma segunda nota rejeitada foi escrita algum tempo depois, ao lado das palavras de Haldir "trazem-me uma mensagem do Senhor e da Senhora dos Galadrim":

Senhor? Se Galadriel estiver sozinha e for esposa de Elrond.

Uma terceira nota, novamente riscada, foi escrita no verso de uma página adida que traz uma revisão do relato das percepções que Frodo teve de Lothlórien:

Anéis-élficos
. . . . [*palavra ou nome ilegível*]
O poder dos Anéis-élficos precisa *minguar* se o Um Anel for *destruído*.

NOTAS

[1] Sobre as "nascentes negras do Morthond", ver p. 202.

[2] Neste ponto, portanto, meu pai concebia os Elfos de Lothlórien como se morassem no subterrâneo, com os Elfos de Trevamata. Ver as palavras de Legolas mais adiante (pp. 268–9): "Contam que Linglorel tinha uma casa construída nos ramos de uma árvore; pois era esse o costume dos Elfos de Lórien, e quem sabe ainda seja assim [...] E o nosso povo [ou seja, os Elfos de Trevamata] não escavava o solo e nem construía fortificações antes que viesse a Sombra".

[3] Esse trecho foi usado inicialmente no fim do capítulo anterior, "Moria (ii)": ver p. 244 e nota 20.

[4] Acerca do surgimento dos três picos (as Montanhas de Moria) na nova versão de "O Anel vai para o Sul", ver p. 202.

[5] A palavra *oeste* está perfeitamente clara, mas só pode ser um deslize. SA, é claro, diz *leste*. O mesmo deslize ocorreu quando esse trecho surgiu da primeira vez, no final de "Moria (ii)" (p. 244), e novamente na cópia limpa de "Lothlórien".

[6] Esse trecho, a partir de "Ao norte o Vale subia para uma ravina de sombras" foi usado inicialmente no fim de "Moria (ii)": ver p. 244.

[7] Ver p. 202 para a primeira ocorrência de *Kheledzâram*.

[8] Em SA, Legolas não desceu com Gimli para olhar o Espelhágua.

[9] A palavra *sudoeste* está clara (e ocorre outra vez na cópia limpa de "Lothlórien"), mas é obviamente um deslize. Ver nota 5.

[10] As palavras *Seguiram agora em silêncio* foram riscadas enfaticamente, mas são obviamente necessárias.

[11] Não se diz no texto original de "Moria (ii)" (p. 232) que Sam foi ferido na Câmara de Mazarbul; essa história aparece pela primeira vez na cópia passada a limpo daquele capítulo (ver p. 241).

A TRAIÇÃO DE ISENGARD

12 O texto fica ilegível por algumas linhas, mas é possível discernir elementos de uma descrição da floresta.

13 Esse trecho possivelmente sugere que, neste estágio, a Comitiva não havia encontrado Elfos na primeira noite. Os "vários (2–3) dias agradáveis" são claramente os dias de sua jornada através de Lothlórien, não os dias que passaram no "Ângulo" (ver o esboço de enredo, pp. 247–8: "15, 16, 17 de dez. viajam até o Ângulo entre o Anduin e o Raiz Negra. Ficam lá por longo tempo").

O fato de estarem agora a quase 300 milhas ao sul de Valfenda está precisamente de acordo com o Primeiro Mapa: ver Mapa II na p. 360, em que a distância de Valfenda até a confluência do Veio-de-Prata com o Anduin, na escala original (quadrados com laterais de 2 cm, sendo que 2 cm = 100 milhas [*c.* 161 quilômetros]), é de pouco menos de 6 centímetros em linha reta. O cálculo de Aragorn quando chegam no beiral da Floresta Dourada — "Mal chegamos a cinco léguas dos Portões" — não está de acordo com o Primeiro Mapa, mas esse mapa dificilmente poderia ser usado como parâmetro para distâncias assim pequenas.

14 Parece que meu pai começou uma cópia limpa do capítulo quando a narrativa esboçada não ultrapassava o ponto em que Frodo e Sam começaram a ficar para trás conforme a Comitiva descia o Vale do Riacho-escuro. Quando ele chegou nesse ponto, parou de escrever o novo manuscrito à caneta, mas continuou-o a lápis no mesmo papel, até as palavras de Legolas "É pena que seja inverno!". Depois, escreveu esse trecho seguinte por cima, à caneta, e apagou o lápis; e depois passou a esboçar novamente em papel de rascunho — e é por isso que há essa lacuna na narrativa inicial, e por isso que ela retoma nas palavras "Sob a noite, as árvores se erguiam altas diante deles […]". A sobreposição de rascunho e manuscrito passado a limpo — muitas vezes escrevendo o rascunho preliminar a lápis no manuscrito limpo, e depois apagando-o ou escrevendo com caneta por cima — se torna um modo muito frequente de composição em capítulos seguintes.

15 Em SA, essas últimas palavras são de Gimli, pois na história posterior Aragorn tinha, é claro, bons motivos para saber que os Elfos ainda moravam em Lothlórien.

16 Em um rascunho preliminar, as palavras de Legolas assumem esta forma:

> Isso é o que se diz entre nós em Trevamata, embora há muito não vimos tão longe. Mas, se for assim, habitam na profundeza das matas no Ângulo, *Bennas* entre o Raiz Negra e o Anduin.

O nome *Bennas* só ocorre aqui na narrativa, mas encontra-se nas *Etimologias*, V. 424, radical BEN "canto, ângulo": noldorin *bennas* "ângulo". O segundo elemento é o noldorin *nass* "ponta; ângulo" (V. 454).

17 O trecho que começa com "Uma milha floresta adentro […]" (cujo primeiro gérmen se encontra na p. 264) aparece também em um rascunho suplantado:

LOTHLÓRIEN

Uma milha floresta adentro eles toparam com outro riacho descendo depressa das encostas cobertas de árvores que se estendiam para trás na direção das Montanhas para se juntar ao Raiz Negra (à esquerda) e sobre suas escuras águas velozes não havia ponte.

"Eis o Taiglin", disse Legolas. "Vamos atravessá-lo a vau, se conseguirmos. Aí teremos a água atrás de nós e no leste, e só do oeste na direção das Montanhas é que devemos ter muito a temer."

Na narrativa seguinte, neste ponto, o nome *Taiglin* (de *O Silmarillion*: afluente do Sirion em Beleriand) passou por muitas mudanças, mas fica claro que todas essas formas pertencem à mesma época — ou seja, o nome final foi decidido antes de o primeiro rascunho completo do capítulo estar feito (ver nota 30). *Taiglin* foi imediatamente substituído por *Linglor* e, depois, *Linglor* foi alterado para *Linglorel*, que é a forma escrita inicialmente logo depois, no manuscrito, e encontrada nos esboços da canção de Legolas. Foi sucedido por *Nimladel*, *Nimlorel* e, finalmente, *Nimrodel*.

[18] A palavra de fato escrita foi águas.

[19] *Linglorel* foi alterado a lápis, primeiro para *Nimlorel* e, depois, para *Nimrodel* (ver nota 17). Não farei mais observações quanto às alterações nesse caso, e incluirei o nome da forma que foi escrito inicialmente.

[20] *das montanhas* alterado para *das Montanhas Negras* (em SA, *das Montanhas Brancas*).

[21] *Ammalas* alterado para *Amroth* a lápis; ver p. 266.

[22] Em um rascunho à parte desse trecho, o texto diz: "Por isso o povo de Lórien era chamado de *Galadrim*, a Gente-das-árvores (*Ornelië*)".

[23] *Aragorn* foi alterado posteriormente para *Pedra-Élfica* aqui e em algumas ocorrências subsequentes. Ver p. 281 e nota 52.

[24] Escrito na margem, aqui: "Nome da árvore é *mallorn*". Esse é o lugar em que meu pai escreveu o nome pela primeira vez, e ele entra na narrativa imediatamente a seguir.

[25] Acerca de *daro!* "alto!", ver as *Etimologias*, V. 426, radical DAR.

[26] Um rascunho à parte (mais antigo) descreve os acontecimentos de modo diferente:

Abandonando a estrada, penetraram nas sombras da mata mais profunda a oeste do rio, e lá, não longe das cascatas do Linglorel, encontraram um grupo de árvores altas e fortes. Os ramos mais baixos ficavam fora do alcance dos braços de Boromir; mas eles tinham cordas. Jog[ando] uma ponta em volta de um galho da maior das árvores, Legolas ... e escalou escuridão adentro.

Não ficou muito tempo no alto. "Os galhos da árvore formam uma grande coroa perto da copa", disse, "e há uma cavidade em que até mesmo Boromir conseguiria encontrar repouso. Mas, na árvore ao lado, creio ter visto uma plataforma coberta. Quem sabe os elfos ainda vêm até aqui."

A TRAIÇÃO DE ISENGARD

Naquele momento, uma voz clara acima deles falou na língua-
-élfica, mas Legolas rapidamente se moveu para [? perto] do
tronco. "Ficai parados", disse ele, "e não falai, nem vos movei".
Então falou de volta para as sombras acima, [? respondendo] em
sua [? própria] língua.

Frodo não entendeu as palavras, pois [a fala dos elfos-da-floresta
a leste das montanhas era muito diferente da] a língua era o antigo
idioma das matas, e não o dos elfos ocidentais que, naqueles dias,
era usado como fala comum entre muitos povos.

Há uma orientação na margem para alterar a história para uma versão em que
a voz fala desde as árvores assim que Legolas salta. O trecho que coloquei entre
colchetes não está assinalado de modo algum no manuscrito, sendo um exemplo da prática comum de meu pai, quando escrevia com pressa, de abandonar
uma frase e reformulá-la sem riscar a primeira.

Para uma referência anterior à "fala comum", ver p. 266; agora se diz, além
disso, que a fala comum era a língua "dos elfos ocidentais".

27 As palavras *pela Escada do Riacho-escuro* aqui se referem ao passo (posteriormente o Passo do Chifre-vermelho, ou Portão do Chifre-vermelho): ver p. 199.
SA (p. 486) diz *subindo pela Escada do Riacho-escuro*.

28 Em um rascunho rejeitado deste trecho, de outro modo muito parecido com o
que foi exposto, nenhum dos três Elfos de Lórien fala outra língua além da sua
própria, e Legolas tem de traduzir. Os três Elfos são aqui chamados *Rhimbron*,
[*Rhimlath* >] *Rhimdir* e *Haldir*: quando esse nome substituiu *Hathaldir*, isso
foi, portanto, uma reversão. *Hathaldir, o Jovem* era o nome de um dos companheiros de Barahir em Dorthonion (V. 336).

29 Esse trecho foi colocado entre colchetes no manuscrito e subsequentemente
riscado. Fica explícito depois (p. 292) que não se falou da perda de Gandalf
nesse momento.

30 O nome *Nimrodel* aparece no texto agora de início; ver notas 17 e 19.

31 Essas duas frases não estão assinaladas de modo algum no manuscrito, mas,
mesmo assim, foram obviamente rejeitadas de pronto. Na narrativa que se
segue, Hathaldir não subiu ao eirado até Gollum ter desaparecido (como em
SA, p. 489); repete-se a afirmação de que Frodo espiou pela borda; e "Apesar
disso, a sensação de perigo imediato não o abandonou" precisa vir depois de
Ferroada se apagar no fim do parágrafo anterior.

32 "Voltaram à velha trilha na margem oeste do Veio-de-Prata", SA, p. 490 (na
segunda edição: "Voltaram à trilha que ainda prosseguia ao longo da margem
oeste do Veio-de-Prata"). Visto que o Nimrodel vinha fluindo da direita, e que
precisaram atravessá-lo, a estrada ou a trilha de Moria estava à direita (ou a
oeste) do Raiz Negra (Veio-de-Prata), que estava a esquerda deles, como afir-
mado expressamente (ver nota 17). A palavra *leste* aqui, embora perfeitamente
clara, é, portanto, um mero deslize (ver notas 5 e 9).

285

LOTHLÓRIEN

[33] Anteriormente (p. 274), Rhimbron tinha ficado no eirado, e a Comitiva era guiada apenas por Hathaldir; agora, Rhimbron, assim como Rúmil em SA (pp. 490–1), vai junto com Hathaldir até a travessia do rio e retorna depois. Pelo manuscrito se vê que meu pai percebeu aqui a necessidade da presença de Rhimbron na travessia.

[34] Uma forma rejeitada aqui era *Nelennas*; ver *Bennas* "Ângulo", na nota 16, e o radical NEL "três" nas *Etimologias*, V. 456. Acerca de *Nelennas*, ver nota 39.

[35] Contraste com as palavras de Hathaldir anteriormente (p. 271): "Não tínhamos ouvido falar de hobbits antes" (isto é, antes de receberem notícias da Comitiva pelos mensageiros de Elrond). No ponto correspondente de SA (p. 486), Haldir diz: "Não tínhamos ouvido falar dos... hobbits, dos pequenos, por muitos longos anos, e não sabíamos que ainda habitavam na Terra-média".

[36] Um trecho isolado, rabiscado numa folha do mesmo papel usado em toda a extensão e claramente do mesmo período, mostra a primeira versão do trecho em SA, p. 494: "Assim que pusera os pés na outra margem do Veio-de-Prata, assaltara-o uma sensação estranha [...]":

> Assim que atravessam o Veio-de-Prata e chegam ao Ângulo, Frodo tem uma curiosa sensação de estar andando em um mundo mais antigo — sem sombra. Mesmo que "os lobos uivassem nas bordas da mata", eles não entraram. O mal fora ouvido ali, os Orques tinham até mesmo pisado nas matas, mas isso não havia ainda maculado ou turvado o ar. Havia algum poder secreto de limpeza e beleza em Lórien. Era inverno, mas nada estava morto, apenas em uma fase da beleza. Jamais viu um galho quebrado, ou doença, ou fungo. As folhas caídas desbotavam-se prateadas, e não havia cheiro de decomposição.

Uma parte disso aparece um pouco depois em SA, p. 496, onde, contudo, a natureza "imarcescível" de Lothlórien é expressa em termos menos imediatos: "Aqui, no inverno, nenhum coração poderia lamentar-se pelo verão ou pela primavera. Nenhum defeito, nem doença, nem deformidade era visível em qualquer coisa que crescesse na terra". Ver nota 46.

Veio-de-Prata aqui substituiu *Raiz Negra*: ver p. 280. Na mesma página que essa estão as seguintes notas:

> Transpor os nomes *Raiz Negra* e *Veio-de-Prata*. *Veio-de-Prata* anânico *Kibilnâla* élfico *Celeb(rind)rath*.

O significado disso se vê nas palavras de Boromir na nova versão de "Moria (i)", p. 213: "Ou poderíamos prosseguir bem para o Sul, dando a volta, por fim, nas Montanhas Negras e, atravessando os rios Isen e *Veio-de-Prata*, chegar a Ond pelas regiões próximas do mar". Uma vez transpostos os nomes dos rios, *Veio-de-Prata* —nessa fala de Boromir do capítulo 9 — foi alterado, nesse momento, para *Raiz Negra* (p. 225, nota 1); e, na nova versão de "O Anel vai para o Sul", o nome anânico do rio ao norte foi alterado de *Buzundush* para *Kibil-nâla* (p. 202 e nota 22).

A TRAIÇÃO DE ISENGARD

No texto original de "O Anel vai para o Sul", ocorre, como substituição posterior, a forma *Celebrin* (VI. 532, nota 15). Para *rath* em *Celeb(rind)rath* (e também *rant*, no nome posterior *Celebrant*), ver as *Etimologias*, V. 465, radical RAT.

[37] O trecho a seguir foi reescrito várias vezes. Na forma original, ocorre este diálogo:

"O que é isso?", perguntou um dos Elfos, olhando espantado para Legolas. "Pelo traje verde e castanho, [? ele é um] Elfo do Norte. Desde quando levamos nossa gente como prisioneiros, Hathaldir?"

"Não sou prisioneiro", disse Legolas. "Só estou mostrando ao anão como andar em linha reta sem a ajuda dos olhos."

Depois, um trecho foi inserido, tornando a marcha deles vendados mais longa:

Por todo aquele dia eles marcharam em estágios moderados. Frodo podia ouvir o vento farfalhando nas folhas e o rio lá longe, à direita, murmurando às vezes. Sentira o sol no rosto quando passaram por uma clareira, segundo adivinhou. Após repousarem e comerem ao meio-dia, recomeçaram, virando, ao que parecia, para longe do rio. Depois de um tempo, ouviram vozes em sua volta. Uma grande companhia de elfos se aproximara em silêncio e agora falavam a Hathaldir.

No trecho correspondente de SA (pp. 494–5), eles passaram um dia e uma noite vendados, e era meio-dia do segundo dia quando encontraram os Elfos vindo do Sul e tiveram as vendas retiradas.

[38] *Dol Dúgol* ocorre em "Moria (i)", p. 214.

[39] "Viajam a Nelennas": em uma ocorrência anterior de *Nelennas* (ver p. 275 e nota 34), o nome foi alterado para *Nelen*, "o Gomo". Visto que estão agora bem no interior do Gomo, talvez *Nelennas* esteja se referindo aqui à cidade (Caras Galadon); ver p. 309, nota 1.

[40] É notável que a Senhora de Lothlórien, a princípio, tinha cabelos brancos; e ainda era assim nas primeiras narrativas em si da estadia da Comitiva em Caras Galadon (pp. 292, 303).

[41] Para uma explicação dessas referências, ver p. 294 e nota 15.

[42] O texto real aqui é sobremaneira confuso, e eu o coloco como um exemplo característico, ainda que extremo, do jeito com que meu pai escrevia quando estava compondo uma narrativa nova (nada além do indicado foi excluído):

[...] a grama estava semeada de pequenas [*riscado:* flores] douradas em forma de estrela e com [? folhas] inclinadas e em forma de estrela e entre elas em delgados balançando em caules delgados flores de um verde tão pálido [...]

[43] Nas *Etimologias* (V. 441), radical KOR, tanto *coron* quanto *cerin* aparecem como palavras noldorin, a segunda equivalente ao quenya *korin* "local circular cercado" (compare com o *korin* de olmeiros onde Meril-i-Turinqi morava em *O Livro dos Contos Perdidos*. Ali, a palavra está definida (I. 27) como "um

LOTHLÓRIEN

grande é cercado circular, seja de pedra ou espinheiros ou mesmo árvores, que contorna um relvado verdejante"). Mas o significado de *cerin* em *Cerin Amroth* é certamente "morro" e, de fato, muito tempo depois meu pai traduziu a palavra como "morro circular ou colina artificial". *Amroth* agora substitui *Ammalas* no texto inicialmente escrito; ver nota 21.

[44] Essa é a primeira aparição do nome *elanor* que, no momento da escrita, substituiu outro nome, *yri* (ver nota 45).

[45] Depois de "casas dos Galadrim", meu pai escreveu *Bair am Yru* (ver nota 44), mas riscou.

[46] Uma página inserida no manuscrito (mas obviamente contemporânea do texto à sua volta) dá o rascunho inicial do trecho em SA, p. 496, que começa com "Os demais se deixaram cair na grama perfumada" e continua até as palavras de Sam acerca da "elficidade" de Lórien. A parte final é extremamente mal-acabada, mas incluo o adendo integralmente, como um exemplo adicional da verdadeira natureza dos rascunhos muito preliminares:

> Os demais se deixaram cair na grama perfumada, mas Frodo ficou um tempo em pé perdido em pasmo. Novamente, parecia-lhe ter transposto uma alta janela que dava para um mundo desaparecido. Era um inverno que não se lamentava pelo verão ou pela primavera, mas reinava em sua própria estação, belo, e eterno, e perene. Não havia sinal de defeito nem moléstia, doença nem deformidade em qualquer coisa que crescesse na terra, e nem viu nada parecido no [Nelen >] coração de Lórien.
>
> Sam também estava parado ao seu lado, com expressão perplexa, esfregando os olhos como quem não tem certeza de que está desperto. "Tem luz do sol e é dia claro", murmurou. "Eu pensava que os Elfos eram mais chegados à lua e às estrelas, mas isto aqui é mais élfico do que qualquer coisa de qualquer conto."
>
> e tomou fôlego pois a visão era bela em si mesma, mas tinha uma qualidade diferente de qualquer outra que já sentira antes [*variante:* tinha além disso uma beleza que a fala comum não era capaz de nomear]. A forma de tudo o que viu   Tudo o que viu era formoso, mas suas formas pareciam a um só tempo nítidas e como se recém-concebidas e desenhadas com ágil habilidade ágil e [? vivente] e antigo como se tivessem resistido desde sempre. Os tons eram de verde, dourado e azul branco mas frescos como se só naquele momento ele os tivesse percebido e lhes dado nomes.

[47] Assim, todo o trecho de SA (p. 480) em que Boromir faz objeção quanto a entrar na Floresta Dourada e é repreendido por Aragorn está ausente, assim como a conclusão do capítulo em SA, a partir de "No sopé do morro Frodo encontrou Aragorn, parado imóvel e silencioso [...]" (p. 498).

Este é um ponto conveniente para mencionar uma pequena corruptela textual na versão publicada deste capítulo (SA, p. 488). No manuscrito passado a

A TRAIÇÃO DE ISENGARD

limpo, Pippin diz: "Espero que, se eu realmente adormecer neste poleiro [*bird-loft*], não role para fora"; mas, no texto datilografado que se seguiu, o qual não foi feito por meu pai, a palavra *bird-loft* se tornou *bed-loft*, e assim permaneceu.*

48 Alguns outros detalhes dignos de nota são coligidos aqui:

elfos-da-floresta (p. 265) permanece onde SA (p. 481) diz *Elfos Silvestres*.

fala comum (p. 266) permanece onde SA (p. 481) diz *fala 'westron*.

no falar ordinário (p. 271) se torna *na língua ordinária*, alterado depois para *no idioma comum* (*na língua comum*, SA, p. 486).

As palavras de Hathaldir sobre os hobbits (p. 271) mal foram alteradas: *Não tínhamos ouvido falar de... hobbits antes, nem jamais visto um até agora*; ver nota 35.

e que mesmo se passássemos para as terras do oeste, as praias do mar não são mais seguras no rascunho original (p. 276) se torna *e que as fozes do Grande Rio estão tomadas pelo Inimigo* (*são vigiadas pelo Inimigo*, SA, p. 493)

que portos ainda podem ser encontrados, muito ao norte e oeste, além da terra dos meios-altos (compare com a p. 276 e a nota 35), onde SA (p. 493) diz *portos dos Altos Elfos [...] além da terra dos Pequenos*.

perto dos Portos de Escape (p. 276) foi inicialmente mantido, mas alterado em seguida para *perto das costas do Mar*, como em SA.

49 "Narthas, ou no Gomo, como poderíeis chamar, *pois* é a terra que fica como uma ponta de lança": a palavra *pois* (mantida em SA, p. 491) é usada porque *gomo* [no original, *gore*], em inglês antigo *gāra* (no sentido corrente, um pedaço de tecido triangular, mas, em inglês antigo, uma ponta de terra com esse formato), era cognata de *gār* "lança", e a relação está no formato da ponta da lança.

50 Posteriormente, *Narthas* e *Nelen-Lórien* foram alterados para *o Naith (de Lórien)*, muito embora na frase "do Ângulo, Nelen, onde moramos", *Nelen* tenha permanecido. *Dol Dúgol*, mantido do rascunho original, com a referência ao Necromante (p. 279), foi posteriormente alterado para *Dol Dúghul*.

51 Isso deve ser relacionado à interrupção na composição do manuscrito passado a limpo (nota 14).

52 Na verdade, há uma boa dose de variação, visto que, ao fazer essas alterações no nome, meu pai passou pelos manuscritos rapidamente e algumas ocorrências passaram despercebidas. Assim, neste manuscrito, além de *Aragorn > Ingold > Pedra-Élfica* e *Pedra-Élfica > Ingold > Pedra-Élfica*, também se vê: *Aragorn > Pedra-Élfica*; *Pedra-Élfica > Ingold*; *Pedra-Élfica > Ingold > Aragorn*; *Pedra-Élfica > Aragorn*. Essa aparente confusão sem qualquer padrão pode ser explicada: ver pp. 326–8. O nome *Ingold* para Aragorn já foi visto antes, em uma emenda tardia ao texto da carta de Gandalf em Bri (p. 80 e nota 17).

---

*"Bed-loft" teria mais ou menos o sentido de "cama-beliche". O erro foi corrigido na edição de 2004 de *O Senhor dos Anéis*, base da tradução brasileira. [N.T.]

289

13

GALADRIEL

Dividi o rascunho da história de "Lothlórien" em duas partes, muito embora, neste estágio, meu pai tenha continuado sem interrupção até o fim de SA, Livro II, Capítulo 7, "O Espelho de Galadriel"; e retorno agora ao ponto em que o deixei nas pp. 278–9. A partir da chegada da Comitiva a Cerin Amroth, o rascunho foi escrito com lápis macio de ponta grossa, e é muito difícil de ler.

O sol se pusera atrás das montanhas, e as sombras caíam na floresta, quando seguiram em frente outra vez. Agora suas trilhas entravam fundo em densa mata onde uma penumbra cinzenta já se avolumara. Era quase noite sob as árvores quando saíram de repente num pálido céu vespertino perfurado por algumas estrelas precoces. Diante deles havia um amplo espaço sem árvores fazendo um grande círculo. Além dele estava um profundo dique gramado, e um alto muro verde do outro lado. O solo [? que se erguia] dentro do círculo estava [?? denso com] árvores mallorn, as mais altas que já haviam visto naquela terra. A mais alta devia ter quase 200 pés de altura, e era de grande circunferência. Elas não tinham galhos abaixo de 3 braças a contar das raízes. Nos galhos mais altos entre as folhas, centenas de luzes, douradas e brancas e verde pálido, reluziam.

"Bem-vindos a Caras Galadon", disse ele, "a cidade do Nelennas que [? porventura] em vosso idioma chama-se Ângulo.[1] Mas devemos dar a volta; os portões não dão para o norte."

Havia uma estrada calçada branca que rodeava o círculo das muralhas. No lado sul havia uma ponte sobre o dique que levava a grandes portões, postos no lado em que as extremidades da muralha se sobrepunham. Eles passaram para dentro de uma sombra profunda onde os dois muros verdes terminavam [? em uma] vereda. Não viram ninguém de guarda,[2] mas havia muitas vozes suaves vindo de cima e, na distância, ele [*isto é*, Frodo] ouviu uma voz caindo claramente do ar acima.

O texto original a lápis continua por certa extensão a partir deste ponto, mas meu pai parcialmente sobrescreveu a caneta e (na maior parte) apagou-o completamente antes de colocar o novo texto no lugar. Aqui e ali restaram pedacinhos do texto original e, nos lugares em que não foi apagado, apenas sobrescrito, um ou outro nome ou frase podem ser discernidos. Não houve um longo intervalo entre as duas versões do texto; de toda forma, meu pai talvez tenha reescrito essa seção principalmente porque ela estava à beira da ilegibilidade.

Percorreram muitas trilhas e subiram muitos lanços de escada até verem à sua frente, em meio a um amplo gramado, uma fonte. Ela jorrava alto e a água caía em uma ampla bacia de prata da qual uma torrente branca corria colina abaixo. Bem rente estava uma grande árvore. Ao pé dela estavam três elfos altos. Trajavam cotas de malha cinzentas, e de seus ombros pendiam longos mantos brancos. "Aqui habitam Keleborn e Galadriel,[3] o Senhor e a Senhora dos Galadrim", disse Halldir.[4] "É desejo deles que subais e faleis com eles."

Então um dos guardiões-élficos soprou uma nota límpida numa pequena trompa, e uma escada foi baixada. "Eu irei primeiro", disse Haldir. "Que o hobbit principal vá depois, e Legolas com ele. Os demais podem seguir como desejarem. É uma longa escalada, mas podeis descansar a caminho."

À medida que subia, Frodo viu muitos eirados menores de um lado ou de outro, alguns com aposentos construídos sobre eles; mas, a cerca de cem pés acima do solo, chegaram a um eirado que era muito amplo, como o convés de um grande navio. Sobre ele estava construída uma casa, tão grande que quase teria servido de paço aos homens sobre a terra. Entrou atrás de Haldir e viu-se em um salão de forma oval, no meio do qual passava o tronco da grande árvore. Estava repleto de uma suave luz dourada. Muitos elfos estavam assentados ali. O teto era de ouro pálido, e as paredes, de verde e prata. Em dois assentos na extremidade oposta estavam sentados lado a lado o Senhor e a Senhora de Lothlórien. Pareciam altos mesmo sentados, e seu cabelo era branco e comprido.[5] Não disseram palavra, nem se moveram, mas seus olhos reluziam.

GALADRIEL

Haldir conduziu Frodo e Legolas diante deles, e o Senhor lhes deu boas-vindas, mas a Senhora Galadriel não disse palavra, e fitou-lhes o rosto por muito tempo.

"Senta-te agora, Frodo do Condado", disse Keleborn. "Aguardaremos os outros". Saudou cortesmente, pelo nome, cada um dos companheiros à medida que entravam. "Bem-vindo, Ingold, filho de Ingrim!",[6] disse. "Teu nome me é conhecido, muito embora jamais, em tuas andanças, tenhas buscado minha casa. Bem-vindo, Gimli, filho de Glóin! Já quase foge à memória a última vez que vimos alguém do povo de Durin em Calas Galadon. Mas hoje quebramos nossa longa lei: que seja um sinal de que, apesar de o mundo estar escuro, coisas melhores virão e a amizade crescerá de novo entre nossos povos."

Quando toda a Comitiva havia entrado e estava sentada diante dele, o Senhor os olhou de novo. "Isso é tudo?" perguntou. "Deveríeis ser nove. Pois assim diziam as mensagens secretas de Valfenda. Há um ausente de quem sinto falta e que muito esperava ver. Contai-me, onde está Gandalf, o cinzento?"[7]

"Ai de nós!", exclamou Ingold. "Gandalf, o cinzento, desceu às sombras. Permanece em Moria, pois tombou lá da Ponte."

Diante dessas palavras todos os Elfos clamaram em alta voz, de pesar e espanto. "Essas são notícias deveras malignas", disse Keleborn, "as mais malignas que foram ditas aqui por anos incontáveis. Por que nada disto nos foi contado antes?", perguntou, voltando-se para Haldir.

"Não falamos disso a [vosso povo >] Haldir", disse Frodo. "Estávamos exaustos e o perigo estava muito perto, e depois fomos dominados por maravilhamento.[8] Quase nos esquecemos de nosso pesar e desalento caminhando nas belas trilhas de Lothlórien. Mas é verdade que Gandalf pereceu. Foi nosso guia e nos conduziu através de Moria; e quando nossa fuga parecia estar além da esperança ele nos salvou e tombou."

"Conta-me toda a história", disse Keleborn.

Então Ingold relatou tudo o que ocorrera no passo de Caradras e depois; e falou de Balin e seu livro, e do combate na Câmara de Mazarbul, e do fogo, e da ponte estreita, e da vinda do Balrog.

"Um Balrog!", exclamou Keleborn.[9] "Desde os Dias Antigos não ouço que um Balrog esteve à solta no mundo. Pensávamos que alguns talvez estivessem escondidos em Mordor [? ou] perto da Montanha de Fogo, mas nada foi visto deles desde a Grande

292

Batalha e a queda de Thangorodrim.[10] Duvido muito que esse Balrog estivesse escondido nas Montanhas Nevoentas — e temo que, em vez disso, tenha sido enviado por Sauron desde Orodruin, a Montanha de Fogo."

"Ninguém sabe", disse Galadriel, "o que pode jazer escondido nas raízes dos montes antigos. Os anãos entraram novamente em Moria e estavam novamente buscando em lugares escuros, e talvez tenham instigado algum mal."[11]

Fez-se silêncio. Por fim, Keleborn falou de novo. "Não sabia", disse ele, "que vosso apuro era tão maligno. Farei o que puder para auxiliar-vos, a cada um conforme sua necessidade, mas especialmente àquele do povo pequeno que leva o fardo."

"Tua demanda me é conhecida", disse Galadriel, [? vendo] o olhar de Frodo, "mas aqui não falaremos mais abertamente dela. Eu estava no Conselho Branco, e de todos os que ali se reuniam não havia quem eu amasse mais do que Gandalf, o Cinzento. Amiúde nos encontramos e falamos de muitas coisas e propósitos. O senhor e a senhora de Lórien são considerados sábios além da medida dos Elfos da Terra-média e de todos os que não passaram para além dos Mares. Pois habitamos aqui desde que as Montanhas foram erguidas e o Sol era jovem.[12]

"Agora vos daremos conselhos.[13] Pois não é na feitura ou na trama, nem na escolha deste ou daquele caminho que está meu engenho, mas no conhecimento do que foi e do que é, e em parte do que há de ser. E digo que vosso caso ainda não está sem esperança; mas se ele for um pouco para este ou aquele caminho, fracassará miseravelmente. Mas há esperança ainda, se toda a Comitiva permanecer fiel". Ela olhou um a um, mas nenhum se esquivou. Somente Sam enrubesceu e deixou a cabeça pender antes de o olhar da Senhora se afastar dele. "Eu me senti como se não estivesse usando nenhuma roupa", explicou depois. "Não gostei disso — ela parecia que estava olhando dentro de mim e me perguntando se eu gostaria de fugir de volta para o Condado". Todos eles tinham tido uma experiência parecida, e sentiram que lhes fora apresentada uma escolha entre a morte e algo que desejavam intensamente, paz, sossego [*escrito acima:* liberdade], riqueza ou poderio.

"Suponho que tenha sido apenas um teste", comentou Boromir. "Parecia quase como uma tentação. É claro que rejeitei imediatamente. Os homens de Minas Tirith, de todo modo, são sinceros".[14] O que lhe fora oferecido ele não disse.

GALADRIEL

"Esta é a hora de partir ou voltar qualquer um que sinta que já fez o bastante, e que auxiliou a Demanda conforme sua vontade ou seu poder. Legolas pode morar aqui com meu povo pelo tempo que desejar, ou pode retornar para seu lar se o acaso permitir. Mesmo Gimli, o anão, pode permanecer aqui, muito embora eu pense que não ficaria satisfeito por muito tempo em minha cidade, no que lhe parecerá uma vida de indolência. Se ele desejar ir para seu lar, ajudá-lo-emos tanto quanto pudermos; até os Campos de Lis e além. Assim, ele pode esperar encontrar a terra dos Beornings, onde Grimbeorn, o Velho, filho de Beorn, é senhor de muitos homens resolutos. Por enquanto, nem lobo e nem orque vão àquela terra."

"Sei bem disso", falou Gimli. "Não fosse pelos Beornings, a passagem entre Valle e Valfenda não seria possível.[15] Meu pai e eu tivemos ajuda de Grimbeorn no caminho para o oeste, no outono."

"Tu, Frodo", disse Keleborn, "não posso te auxiliar ou aconselhar. Mas, se prosseguires, não te desesperes — mas tem com o lado direito o mesmo cuidado que tens com o esquerdo. Há também um perigo que te persegue, o qual não vejo com clareza e nem compreendo. Vós outros do povo pequeno, quisera eu que nunca tivésseis vindo tão longe. Pois agora, a menos que viveis aqui em exílio enquanto mundo afora muitos anos se passam, não vejo o que podeis fazer senão seguir adiante. Seria vão tentar voltar para casa ou para Valfenda a sós."

> Todo esse trecho depois de "Esta é a hora de partir" está assinalado com as instruções "A ser colocado depois" e "No começo do capítulo seguinte, antes de partirem". No alto da página, e sem dúvida inserido depois de essa decisão ter sido feita, há o seguinte:

"Agora conversamos por longo tempo, e, no entanto, labutaram e sofreram muito, e viajaram longe", disse Keleborn. "Mesmo que vossa demanda não dissesse profundo respeito a todas as terras livres, deveríeis ter refúgio aqui por um tempo. Nesta cidade podereis habitar até que estejais curados e descansados. Ainda não pensaremos na continuação de vossa estrada."

> A feição do manuscrito agora muda outra vez. Escrito de maneira muito rudimentar à tinta, é evidentemente a continuação do texto original a lápis que foi sobrescrito ou apagado na seção anterior

A TRAIÇÃO DE ISENGARD

(ver p. 291). No alto da primeira página desta parte, há notas sobre os nomes do Senhor e da Senhora de Lothlórien. Em trechos a lápis visíveis na última seção, seus nomes originais *Tar* e *Finduilas* foram alterados para *Aran* e *Rhien* (nota 3), e depois para *Galdaran* e *Galdri(e)n* (nota 9) — *Galadriel*, na p. 291, faz parte do texto posterior, escrito por cima. Seus nomes agora mudam outra vez:

Galathir = *Galað-hîr* senhor-das-árvores

Galadhrien = *Galað-rhien* senhora-das-árvores

O nome do Senhor não aparece na parte final deste capítulo, mas o nome da Senhora é *Galadrien* (*Galdrien* na primeira ocorrência apenas), em alguns casos corrigido a lápis para *Galadriel*.

Este é um lugar conveniente para colocar o esquema original de meu pai para a parte seguinte da história. Foi escrito em velocidade furiosa, mas, por sorte, acabou se mostrando quase inteiramente decifrável.

Eles passam 15 dias em Caras Galadon.

Elfos cantam para Gandalf. Eles observam a urdidura e a confecção da corda de prata feita da fibra sob a casca do mallorn. O [? desbaste] de flechas.

O espelho do Rei Galdaran mostrado a Frodo. O espelho é de prata, preenchido com a água da fonte ao sol.

Vê o Condado ao longe. Árvores sendo derrubadas e um edifício alto sendo feito onde ficava o velho moinho.[16] Feitor Gamgi despejado. Transtornos manifestos, quase guerra, entre Pântano e a Terra-dos-Buques, de um lado — e o Oeste. Cosimo Sacola--Bolseiro muito rico, comprando terras. (Tudo/Uma parte disso é o futuro).

Rei Galdaran diz que o espelho mostra o passado, presente e futuro e a habilidade necessária para decidir qual.

Vê uma figura cinzenta como Gandalf [? andando] no crepúsculo, mas parece estar trajada de branco. Talvez seja *Saruman*.

Vê uma montanha jorrando fogo. Vê Gollum?

Partem. Na partida, os Elfos lhes dão comida de viagem. Descrevem as Colinas de Pedra, e pedem que tenham cuidado com a Floresta de Fangorn sobre o *Ogodrûth* ou Entágua. Ele é um Ent ou gigante grande.

Percebe-se que foi enquanto meu pai escrevia a história de "Lothlórien" *ab initio* que a Senhora de Lothlórien surgiu (p. 278);

295

e também se vê que a figura de Galadriel (Rhien, Galadrien) como um grande poder na Terra-média se aprofundava e se expandia no decorrer da escrita. Nesse esboço das suas ideias, feito depois de a história ter chegado a Caras Galadon, como demonstrado pelo nome *Galdaran* (nota 9), o Espelho pertence ao Senhor (aqui chamado de Rei).

Também é interessante notar que as visões do Condado violado mostradas no Espelho seriam de Frodo. As Colinas de Pedra no fim do esboço são mencionadas também nas notas de enredo (p. 278), segundo as quais a "separação" se daria "nas Colinas-de--pedra". O Entágua (mas não o nome élfico *Ogodrûth*) foi mencionado por nome no elaborado esboço que seguia a conclusão da história de Moria (p. 251): "Merry e Pippin sobem o Entágua para dentro de Fangorn e aventuram-se com Barbárvore". Aqui, o nome *Entágua* claramente implica que Barbárvore é um *Ent*, e ele é assim chamado especificamente (pela primeira vez) no rascunho que acabei de colocar; mas, visto que Barbárvore ainda estava aguardando nos bastidores como um ingrediente potencial da narrativa, talvez isso fosse apenas uma leve alteração no desenvolvimento da palavra. As terras dos Trols ao norte de Valfenda eram as *Terras dos Ents* e os *Vales Enteses* (do inglês antigo *ent* "gigante"); e somente quando Barbárvore e os outros "Ents" tinham sido completamente concretizados foi que as terras dos Trols foram renomeadas para *Vales Etten* e *Charneca Etten* (ver p. 82, nota 32).

Retorno agora para a narrativa, que, como eu disse, recomeça aqui na sua versão primária (e, portanto, vemos outra vez os nomes *Gal(a)drien*, *Hathaldir* e *Pedra-Élfica*, que haviam sido suplantados na seção reescrita do rascunho).

"Mas não deixai vossos corações se afligirem", disse a Senhora Galdrien. "Aqui haveis de descansar esta noite e em outras noites que virão."

Naquela noite eles dormiram no chão, pois estavam seguros dentro dos muros de Caras Galadon. Os Elfos abriram para eles um pavilhão entre as árvores, não muito longe da fonte, e ali dormiram até a luz do dia se espalhar.

Durante todo o período que passaram em Lothlórien, o sol brilhava e o tempo era claro e fresco como se fosse o começo da primavera, e não alto inverno. Pouca coisa faziam senão repousar e

A TRAIÇÃO DE ISENGARD

caminhar entre as árvores, e comer e beber das boas coisas que os Elfos dispunham diante deles. Pouco conversavam com qualquer um, pois poucos falavam a língua da floresta. Hathaldir voltara às defesas do Norte. Legolas passava o dia todo fora entre os Elfos. [*Acréscimo na margem da mesma época do texto:* Apenas Frodo e Pedra-Élfica ficavam muito entre os Elfos. Viram-nos trabalhando na urdidura de cordas de fibra prateada da casca de mallorn, no [? desbaste] de flechas, no bordado e carpintaria.]

Falavam muito de Gandalf e, à medida que se curavam da dor e do cansaço, o pesar da sua perda parecia mais amargo. Até mesmo os Elfos de Lothlórien pareciam sentir a sombra daquela queda. Muitas vezes ouviram os elfos cantando perto deles, e sabiam que faziam canções e lamentos para o viajante cinzento [*escrito acima:* peregrino], como o chamavam, *Mithrandir.*[17] Mas quando Legolas estava por perto, ele não interpretava, dizendo que estava além de sua habilidade. Muito doces e tristes soavam as vozes e, tendo palavras, falavam de pesar aos seus corações, embora suas mentes não as compreendessem.[18]

Na tardinha do terceiro dia, Frodo andava na penumbra fresca, sem os demais. De repente, viu a Senhora Galadrien vindo em sua direção, reluzindo em branco entre as árvores. Não disse palavra, mas lhe acenou que viesse. Voltando, ela o levou rumo ao lado sul da cidade e, passando por um portão em um muro verde, eles chegaram a um cercado como um jardim. Ali não crescia nenhuma árvore, e ele estava aberto para o céu, que estava agora pontilhado com muitas estrelas.[19] Descendo por um lanço de degraus brancos, passaram para um côncavo verde pelo qual corria um riacho de prata, descendo da nascente na colina. Sobre um pedestal entalhado como uma árvore, havia uma bacia de prata rasa e um jarro ao lado. Com a água do riacho ela encheu a bacia, e soprou nela, e quando a água voltou a se aquietar ela falou.

"Eis o Espelho de Galadrien", disse ela. "Olha nele!"

De repente, Frodo foi acometido por pasmo e medo. O ar estava tranquilo, e o côncavo, escuro, e a Senhora-élfica ao seu lado era alta e pálida. "O que hei de buscar e o que hei de ver?", perguntou.

"Ninguém", respondeu ela, "que não saiba tudo o que está no teu coração, na tua memória e na tua esperança pode dizer. Pois este espelho pode mostrar tanto o passado quanto o presente, e isso que chamam de futuro, até onde alguém consegue vê-lo na

Terra-média.[20] Mas sábio é o que consegue discernir [a] qual [desses] três pertencem [as] coisas que vê."

Por fim, Frodo inclinou-se sobre a bacia. A água parecia dura e preta. Estrelas brilhavam nela. E então sumiram. O véu escuro foi parcialmente retirado, e uma luz cinzenta brilhou; havia montanhas ao longe, uma longa estrada fazia curvas até se perder de vista. À distância, um vulto vinha devagar: de início pequeno, mas lentamente se aproximou. De repente, Frodo viu que era como o vulto de Gandalf. A visão era tão clara que quase chamou o nome do mago em voz alta. Depois, viu que o vulto estava todo vestido de branco, não de cinza, e tinha um cajado branco. Desviou-se e deu a volta em uma curva da estrada com a cabeça tão inclinada que ele não podia ver o rosto. A dúvida tomou conta dele: seria uma visão de Gandalf em uma de suas muitas viagens de outrora, ou seria Saruman?[21]

Muitas outras visões passaram sobre a água, uma após a outra. Uma cidade com altos muros de pedra e sete torres, um largo rio correndo através de uma cidade de ruínas e, depois, assombrosos e estranhos e, no entanto, reconhecidos de pronto: uma praia pedregosa e um mar escuro no qual um sol vermelho-sangue afundava em meio a nuvens negras, uma nau de contorno escuro próxima do sol. Ouviu o débil suspiro das ondas na praia. Então ... praticamente escuro e viu um pequeno vulto correndo — sabia que era ele próprio, e atrás dele [? inclinado ao chão] veio outro vulto preto de braços longos, movendo-se rápido como um cão na caçada.[22] Virou-se de medo e não se dispôs a olhar mais.

"Não julgues essas visões", disse Galadrien, "até que se mostrem verdadeiras ou falsas. Mas não creias que é só pelas canções sob as árvores [? e a sós], nem mesmo pelas esguias setas de [? muitos] arcos, que defendemos Lothlórien dos nossos inimigos que a circundam. Eu te digo, Frodo, que neste momento em que falo percebo o Senhor Sombrio e conheço parte de sua mente — e ele sempre tateia para ver meu pensamento: mas a porta está fechada." Ela estendeu as mãos e as ergueu como se em negação para o Leste.[23] Um raio da Estrela Vespertina brilhou claro no céu, tão claro que o pilar sob a bacia lançou uma fraca sombra. O raio iluminou o anel em seu dedo e lampejou. Frodo contemplou-o, tomado de súbito por pasmo. "Sim", disse ela, adivinhando seu pensamento. "Não é permitido falar nele, e Elrond [? nada disse].

A TRAIÇÃO DE ISENGARD

Mas deveras é em Lothlórien que permanece um deles: o Anel da Terra, e sou eu quem o guarda.[24] Ele suspeita, mas não sabe. Não vês agora por que tua vinda é para nós como a chegada da Condenação? Pois se fracassares estaremos revelados ao Inimigo. Porém se tiveres sucesso, nosso poder diminuirá e Lothlórien lentamente minguará."[25]

Frodo curvou a cabeça. "E o que desejais?", disse ele por fim.

"Que seja aquilo que deva ser",[26] disse ela. "E que tu deverias completar com toda a tua força esta que é a tua tarefa. Pela sina de Lothlórien tu não respondes; e sim apenas pela realização de tua própria tarefa."

> Aqui a narrativa termina (e, na última página do manuscrito, meu pai escreveu "O capítulo termina com as palavras da Senhora a Frodo" — querendo dizer, é claro, toda a história a partir do Vale do Riacho-escuro), mas o texto continua sem interrupção com a visão de Sam no Espelho (ver nota 19), que meu pai não integrou, nesse estágio, com o que acabara de escrever. O que Sam viu na água já aparecia no esboço preliminar (p. 295), embora ali tivesse sido atribuído a Frodo.

(Inserir a visão *de Sam* do Condado antes da cena do anel.)

Sam viu árvores sendo derrubadas no Condado. "É aquele Ted Ruivão", disse ele, "cortando árvores que não deveriam ser. Veja só se ele não está derrubando elas na avenida perto da estrada para Beirágua onde elas só servem para fazer sombra. Queria pegar ele. Eu derrubaria *ele*". Então Sam viu uma grande construção vermelha com uma chaminé alta onde ficava o velho moinho. "Tem alguma crueldade acontecendo no Condado", disse ele. "Elrond sabia das coisas quando disse que o Sr. Brandebuque e Pippin deveriam voltar."[27]

De repente, Sam soltou um grito e se afastou com um salto. "Não posso ficar aqui", disse ele, agitado. "Preciso ir para casa. Estão escavando a Rua do Bolsinho, e ali está o pobre velho Feitor descendo a colina com suas tralhas num carrinho de mão. Preciso ir para casa!"

"Não podes ir para casa", disse a Senhora. "Tua trilha jaz adiante. Não deverias ter olhado se fosses permitir que qualquer coisa que visses te desviasse da tua tarefa. Mas isto direi para tua

GALADRIEL

esperança: lembra-te de que o espelho mostra muitas coisas, e nem todas as que vês já aconteceram. Algumas coisas que ele mostra não acontecem jamais, a não ser que se abandone a trilha [? e] se desvie para impedi-las."

Sam sentou-se na grama e murmurou. "Queria nunca ter vindo aqui."

"Olharás agora, Frodo?", perguntou a Senhora. "Ou já ouviste o bastante?"

"Vou olhar", disse Frodo ... O medo mesclava-se com o desejo.

Aqui o manuscrito termina com as seguintes notas rabiscadas no pé da página: "O capítulo termina com as palavras da Senhora a Frodo. O capítulo seguinte começa com a partida de Lothlórien no Dia de Ano-Novo, dia do meio-do-inverno, logo antes de o sol mudar para o Ano-Novo e logo depois da Lua Nova."[28]

Em um pedaço de papel separado, certamente dessa época, à tinta sobre o lápis, está escrito o trecho em que Frodo vê no Espelho o Olho buscando (ver nota 23). É quase palavra por palavra o texto de SA (p. 514), exceto por estas frases: "a fenda negra de sua pupila se abria num abismo de malícia e desespero. Não estava parado, mas vagueando em perpétua busca. Frodo soube com certeza e horror [...]".

No verso desse pedaço de papel está rabiscado o esboço original das falas de Galadriel e Frodo ao lado do Espelho em SA pp. 515–7:

Frodo oferece o Anel a Galadriel. Ela *ri*. Diz que ele está vingado pela tentação causada por ela. Confessa que o pensamento lhe ocorreu. Mas ela só há de manter o Anel imaculado. Há maldade demais no Anel Regente. Não é permitido usar nada que Sauron tenha feito.

Frodo lhe pergunta por que ele não pode *ver* os outros anéis. Tentaste? Já consegues ver um pouco. Penetraste meu pensamento mais fundo do que muitos do meu próprio povo. Também penetraste o disfarce dos Espectros-do-Anel. E não viste o anel em minha mão? Consegues ver meu anel? perguntou, voltando-se para Sam. Não, Senhora, respondeu ele. Fiquei me perguntando do que é que estavam falando.

Neste trecho emerge, afinal e claramente, a concepção fundamental de que os Três Anéis dos Elfos não foram feitos por Sauron:

300

A TRAIÇÃO DE ISENGARD

"ela só há de manter o Anel imaculado. Há maldade demais no Anel Regente. Não é permitido usar nada que Sauron tenha feito."

Compare isso com o trecho da versão original de "O Conselho de Elrond" (VI. 498) citada na p. 188: "Os Três Anéis ainda subsistem. [...] Eles conferiram grande poder aos Elfos, mas nunca lhes valeram em sua contenda com Sauron. Pois vieram do próprio Sauron e não podem outorgar engenho ou conhecimento que ele já não possuísse quando de sua feitura.". Na quinta versão desse capítulo (p. 156), as palavras de Elrond se tornam: "Os Três Anéis permanecem. Mas não tenho permissão para falar deles. Certamente não podem ser usados por nós. Deles os Reis-élficos derivaram muito poder, mas não foram usados para guerra, seja boa ou má". Nesse mesmo lugar, argumentei que, embora não mais explícita, a concepção devia ser a de que os Três Anéis vieram de Sauron, tanto porque Boromir afirmava isso sem que o contradissessem e porque parece estar implícito em "Certamente não podem ser usados por nós". Se for esse o caso, há pelo menos uma aparente ambiguidade: "não podem ser usados por nós", mas "deles os Reis-élficos derivaram muito poder" — muito embora com "não podem ser usados por nós" Elrond esteja, é claro, falando expressamente do seu uso para a guerra. Mas qualquer ambiguidade que possa haver foi agora removida pela afirmação de Galadriel: *nada* que Sauron tenha feito pode ser usado, donde se conclui que os Três Anéis dos Elfos tinham outra origem.

Uma página inteiramente isolada de outros manuscritos de *O Senhor dos Anéis* traz um esboço mais desenvolvido da recusa de Galadriel em relação ao Anel. Essa página já tinha sido usada para outros escritos acerca da origem dos Anéis de Poder; mas não tenho dúvida alguma de que os dois elementos (em alguns lugares, um foi escrito por cima e mesclado ao outro) pertencem à mesma época. Esse outro texto consiste em várias aberturas distintas para uma fala, sucessivamente abandonadas — uma fala que, penso, era para ser de Elrond no Conselho em Valfenda, pois as palavras seguintes, a lápis e muito esmaecidas, são discerníveis nesta página: "'Não', disse Elrond, 'isso não é completamente verdade. Os anéis foram feitos pelos Elfos do Oeste, e tomados deles pelo Inimigo...'".

A primeira dessas aberturas diz o seguinte, impressa exatamente como está:

GALADRIEL

Em Dias Ancestrais, os Anéis de Poder foram feitos muito tempo atrás nas terras além do Mar. Conta-se que foram primeiro concebidos por Fëanor, o maior de todos os artífices entre os Elfos. Seu propósito não era maligno e, no entanto, em   foi o Grande Inimigo   Mas foram roubados pelo Grande Inimigo e trazidos para a Terra-média. Três Anéis ele fez, os Anéis da Terra, do Mar e do Céu.

Isso foi imediatamente substituído por:

Em Dias Ancestrais, antes de se voltar completamente para o mal, Sauron, o Grande, que agora é o Senhor Sombrio que alguns chamam de Necromante, fez e concebeu muitas coisas de maravilha. Fez Anéis de Poder

Segue-se então, reescrita, a frase de abertura da primeira versão; e depois:

Em Dias Ancestrais, o Grande Inimigo veio às terras além do Mar; mas seu propósito maligno foi, por um tempo, ocultado, mesmo dos governantes do mundo, e os Elfos aprenderam dele muitas coisas, pois seu conhecimento era grande e seus pensamentos, estranhos e maravilhosos.

Naqueles dias, os Anéis de Poder foram feitos. Conta-se que foram criados primeiro por Fëanor, o maior de todos os artífices entre os Elfos do Oeste, cujo engenho ultrapassava o de toda a gente que existe ou existiu. O engenho era dele, mas o pensamento era do Inimigo. Três Anéis ele fez, os Anéis da Terra, do Mar e do Céu. Mas, secretamente, o Inimigo fez Um Anel, o Anel Regente, que controlava todos os outros. E, quando o Inimigo fugiu sobre o Mar e chegou à Terra-média, roubou os Anéis e os levou embora. E outros ele fez à semelhança deles, mas falsos.

E muitos outros ele fez de poderes menores, e os Elfos os usaram e tornaram-se poderosos e soberbos

Interrompendo aqui, meu pai recomeçou: "Em Dias Ancestrais, o Grande Inimigo e Sauron, seu serviçal, vieram"; e, penso que neste ponto, ele abandonou definitivamente essa ideia.

Esses vestígios extraordinários mostram-no ponderando sobre o modo pelo qual ele haveria de retirar os Três Anéis dos Elfos da

A TRAIÇÃO DE ISENGARD

maldade inerente e fazer com que não derivassem do Inimigo. Por um momento fugaz, a criação deles foi colocada nas eras remotas de Valinor e atribuída a Fëanor, ainda que inspirado por Morgoth: ver o *Quenta Silmarillion*, V. 270, §49, "Mais belo de todos era Morgoth aos Elfos, e eles os auxiliava em muitas obras, caso deixassem. [...] os Gnomos tinham deleite nas muitas coisas de conhecimento oculto que era capaz de lhes revelar". E Morgoth roubou os Anéis de Fëanor, assim como roubou as Silmarils.

Depois do rascunho primário, o manuscrito passado a limpo do "Capítulo 18, Lothlórien" (p. 279) continuou sem interrupção adentrando o relato da chegada da Comitiva a Caras Galadon e a história do Espelho de Galadriel. A decisão de meu pai de dividir o longo capítulo em dois parece, contudo, ter sido tomada no ponto em que Galadriel silenciosamente perscrutou a mente de cada um dos membros da Comitiva;[29] e ela foi certamente tomada em um estágio inicial da escrita de "Adeus a Lórien" (p. 321). O novo capítulo (19) foi intitulado "Galadriel", nome que adotei aqui, e ele avança em uma só passada até quase chegar ao texto de SA pela maior parte de sua extensão, embora ainda permaneçam algumas passagens notáveis diferentes da forma final de "O Espelho de Galadriel".

Quando a Comitiva chegou à cidade dos Galadrim, Haldir disse, "Bem-vindos a Caras Galadon, a cidade do Ângulo" (ver p. 290 e nota 1), alterado no ato da escrita para "Bem-vindos a Caras Galadon, a cidade de Lothlórien", continuando com "onde habitam o Senhor Arafain e Galadriel, a Senhora dos Elfos". Visto que o presente texto é, evidentemente, sucessor do texto (escrito por cima do rascunho original, ver p. 291 e nota 3) em que *Keleborn* e *Galadriel* aparecem pela primeira vez, *Arafain* deve ter sido uma substituição efêmera de *Keleborn*, o qual foi imediatamente restaurado e é o nome conforme escrito ao longo do restante do manuscrito. A jornada em torno do círculo de muralhas de Caras Galadon parece ter sido diferentemente concebida em relação à representação anterior, a julgar pelo pequeno diagrama inserido no manuscrito (ver nota 2), que dá a impressão de que a Comitiva, vinda do norte, passaria pelo lado ocidental — como acontece em SA (p. 499). Aqui, por outro lado, a cidade se erguia "como uma nuvem verde à direita deles", e os portões da cidade "davam para o leste".

GALADRIEL

Tanto Galadriel quanto Keleborn continuam a ter longos cabelos brancos (pp. 278, 291), embora isso tenha sido logo alterado para tornar dourados os cabelos de Galadriel. Assim como na porção reescrita do primeiro rascunho, "Aragorn" é saudado por Keleborn como "Ingold, filho de Ingrim" (p. 292 e nota 6), e Ingold é seu nome no texto conforme escrito em ocorrências subsequentes do capítulo.[30] Keleborn lhe diz as mesmas palavras do primeiro rascunho: "Teu nome me é conhecido, muito embora jamais, em tuas andanças, tenhas buscado minha casa até este momento"; e aqui nenhuma saudação a Legolas é relatada ainda, coisa que acontece em SA, em que ele é chamado de "filho de Thranduil".

Na fala de abertura de Keleborn à Comitiva, ele diz aqui: "Deveríeis ser nove: assim diziam as mensagens. Será que as interpretamos errado? Estavam esmaecidas e difíceis de ler, pois Elrond está longe e a treva se acumula entre nós: mesmo neste ano ela se aprofundou". Galadriel então intervém: "Não, não houve erro [...]" (ver nota 7). Mas o mais notável é que aqui a história e a importância do Balrog de Moria aparecem pela primeira vez (Ver p. 224, e p. 293 e nota 11). O trecho na presente versão é o seguinte:

Então Ingold relatou tudo o que ocorrera no passo de Caradras e nos dias que se seguiram; e falou de Balin e seu livro e do combate na Câmara de Mazarbul, e do fogo, e da ponte estreita, e da vinda do Balrog. "Pelo menos foi esse o nome que Legolas lhe deu", disse Ingold. "Não sei o que era, salvo que era ao mesmo tempo escuro e chamejante, e era terrível e forte."

"Era um Balrog", disse Legolas: "dentre todas as ruínas dos Elfos a mais mortífera, exceto pelo Um que se assenta na Torre Sombria."

"Um Balrog!", exclamou Keleborn. "Vossas notícias ficam cada vez mais dolorosas. Desde os Dias de Fuga não ouço que uma dessas coisas atrozes estava à solta. Temíamos que houvesse um dormindo sob Caradras. Os Anãos nunca me contaram a história daqueles dias, mas acreditávamos que foi um Balrog que eles despertaram há muito, sondando fundo demais sob as montanhas."

"Deveras vi sobre a ponte aquilo que assombra nossos mais sombrios sonhos, vi a Ruína de Durin" disse Gimli em voz baixa, e tinha pavor nos olhos.

"Ai de nós!", disse Keleborn. "Soubesse eu que os Anãos haviam instigado esse mal em Moria outra vez, ter-te-ia proibido ultrapassar as fronteiras do norte, a ti e a todos os que vinham contigo. [...]".

A TRAIÇÃO DE ISENGARD

O restante do trecho é virtualmente igual ao de SA (pp. 503–4). As palavras de Galadriel depois de "Mas aqui não falaremos mais abertamente dela" foram inicialmente mantidas, exatamente como no primeiro rascunho (p. 293), mas foram alteradas de pronto para:

"[…] O Senhor e a Senhora dos Galadrim são considerados sábios além da medida até mesmo dos Elfos da Terra-média e de todos os que não passaram para além dos Mares. Pois habitamos aqui desde que as montanhas foram erguidas e o sol era jovem. Não fui eu quem primeiro convocou o Conselho Branco? E se meus desígnios não tivessem malogrado, ele teria sido governado por Gandalf, o Cinzento; e então talvez as coisas tivessem se passado de outro modo. Mas mesmo agora resta esperança. […]".[31]

O relato dos pensamentos e sensações dos membros da Comitiva quando Galadriel olhou um a um inicialmente seguia de perto o texto do rascunho original (p. 293), mas foi alterado, provavelmente de pronto, para a forma em SA (pp. 505–6), com estas diferenças, contudo: na primeira versão, "nenhum se esquivou" do olhar dela e, em SA, "nenhum exceto Legolas e Aragorn pôde suportar seu olhar por muito tempo" (alterado depois para "nenhum dos hobbits"); e os seus sentimentos foram assim descritos: "Todos eles, ao que parecia, tinham tido experiências parecidas, e sentiram que lhes davam a opção entre uma sombra repleta de pavor e algo que desejavam intensamente, que estava diante de sua mente, iluminado com uma luz fascinante". As observações de Boromir sobre o assunto, e a resposta de Ingold, eram assim:

"A mim pareceu deveras estranho", comentou Boromir, "e não estou muito convencido quanto a essa senhora élfica. Quem sabe fosse apenas um teste, e ela buscava ler nossos pensamentos por diversão; mas eu quase diria que ela nos tentava e nos oferecia o que tinha o poder de dar. Nem é preciso dizer que me recusei a escutar, visto que o presente não era oferecido a todos igualmente. Os Homens de Minas Tirith, pelo menos, são fiéis aos seus amigos". Mas Boromir não contou o que pensava que a Senhora lhe oferecera.

"Bem, seja lá o que penses da Senhora", disse Ingold, "era amiga de Gandalf, ao que parece. Embora esse fosse um dos segredos

GALADRIEL

dele que não me contou. Esta noite hei de dormir sem medo pela primeira vez desde que deixamos Valfenda [...]".

Nada se diz ainda da experiência de Frodo.[32]

Um detalhe curioso surge aqui, pois na conversa da Comitiva no pavilhão próximo à fonte, antes de começarem a discutir o encontro com Galadriel, "eles falaram da noite anterior nas copas das árvores". Neste estágio da evolução da narrativa, eles encontraram os Elfos que rumavam para o norte em Cerin Amroth e suas vendas foram removidas no mesmo dia em que deixaram Nimrodel (ver pp. 277, 279); toda a jornada até Caras Galadon levou um único dia e, de fato, foi "a noite anterior" que eles passaram nas copas das árvores. Em SA (p. 495) a jornada foi estendida, e eles passaram a primeira noite depois de deixarem Nimrodel nas matas: "Então repousaram e dormiram sem medo no chão; pois seus guias não permitiam que desvendassem os olhos, e não eram capazes de escalar". À luz disso, o trecho de SA (pp. 505–6) necessitava de uma revisão que nunca recebeu: as palavras "os viajantes falaram da noite anterior nas copas das árvores" sobrevive na presente edição, assim como as palavras de Aragorn "Mas esta noite hei de dormir sem medo pela primeira vez desde que deixei Valfenda".

O restante do capítulo neste manuscrito é realmente muito parecido com SA. A Comitiva ficou "muitos dias em Lothlórien, na medida em que conseguiam saber ou recordar", onde SA diz "alguns dias"; mas o encontro com Galadriel agora se deu no último anoitecer que passaram lá, e não "na tardinha do terceiro dia" (p. 297).[33] Inicialmente, meu pai seguiu o rascunho original da resposta de Galadriel às perguntas de Frodo "O que havemos de buscar e o que havemos de ver?" (*ibid.*)., e então alterou-a para: "Ninguém que não conheça completamente a mente do observador pode dizer. O Espelho mostrará coisas que foram, e coisas que são, e coisas que ainda poderão ser. Mas qual delas ele vê, mesmo o mais sábio não pode sempre saber. Desejas olhar?". Isso foi depois trabalhado até chegar ao texto de SA em um aditamento inserido que, acredito, pertence à época em que o manuscrito foi feito.

No verso dessa página inserida há o seguinte, riscado:

Em Dias Ancestrais, Sauron, o Grande, concebeu muitas coisas de maravilha. Por um tempo, seu propósito não se voltava

A TRAIÇÃO DE ISENGARD

completamente para o mal, ou estava oculto; e caminhou muito entre os Elfos da Terra-média e soube dos seus conselhos secretos; e dele aprenderam muitas coisas, pois seu conhecimento era muito grande. Naqueles dias, os Anéis de Poder foram feitos por artífices-élficos, mas Sauron estava presente na sua feitura: era dele o pensamento e dos outros era o engenho; pois esses Anéis (dizia ele) dariam aos Elfos da Terra-média poder e sabedoria como os dos Elfos do Oeste. [*Riscado assim que escrito:* Fizeram muitos anéis, mas o Um, os Três, os Sete e os Nove eram anéis de especial potência. Somente o Um Sauron tomou por recompensa]; mas ele os enganou. [*Riscado assim que escrito:* Pois, sabendo do segredo dos anéis, ele] Os Elfos fizeram muitos anéis a seu pedido: Três, Sete e Nove de especial potência, e outros de menor virtude. Mas, descobrindo o segredo de sua feitura, secretamente Sauron fez Um Anel, o Anel Regente que governava todos os outros, e seu poder estava atado ao dele, para que durasse apenas enquanto ele também durasse. E assim que ele o fez e o pôs na mão, os Elfos perceberam que ele era o mestre de tudo o que tinham criado; e encheram-se de medo e raiva. Então Sauron procurou tomar todos os Anéis, pois viu que os Elfos não se sujeitariam facilmente a ele. Mas os Elfos fugiram e se esconderam, e os Três Anéis eles salvaram; e estes Sauron não pôde encontrar pois os Elfos os ocultaram e nunca mais os usaram enquanto o senhorio de Sauron perdurou. A guerra e a inimizade nunca cessou entre Sauron e os Elfos desde aqueles dias.

Parece que foi nessa página (em vista das palavras rejeitadas "Somente o Um Sauron tomou por recompensa") que surgiu a concepção final da relação entre os Anéis de Poder e Sauron, pelo menos nessa característica essencial: os Anéis de Poder foram feitos pelos artífices-élficos sob orientação de Sauron, mas ele fez o Um em segredo para reger todos os demais. (Já se havia aproximado dessa ideia em um dos trechos nas pp. 300–1, mas ali foi o próprio Fëanor quem fez os Anéis de Poder, e Morgoth quem fez o Anel Regente em segredo). No trecho acima, não se diz que Sauron não teve papel na criação dos Três, que não foram maculados por sua mão, mas isso está muito claramente implícito no rascunho original da recusa de Galadriel à oferta que Frodo lhe faz do Um (p. 300).

Assim como nos trechos anteriores desse tema, não creio que foi escrito para ser incluído no capítulo "Galadriel", mas sua associação

GALADRIEL

com esse capítulo não é acidental: pois aqui as questões da relação entre os Três e o Um, e a natureza dos Três, foram finalmente — por meio da revelação do Anel da Terra no dedo de Galadriel — postas de modo a exigir necessariamente uma resposta. No fim, esse trecho prefigura o texto *Dos Anéis de Poder* em *O Silmarillion* (pp. 373–7); meu pai, nesse estágio, provavelmente tinha a intenção de colocá-lo em "O Conselho de Elrond" (ver p. 301).

As visões de Sam no Espelho, a resposta de Galadriel diante da sua agitação, e as visões de Frodo do mago e de Bilbo prosseguem quase palavra por palavra como em SA; mas as cenas seguintes que apareceram para Frodo são as do manuscrito, incluídas na nota 21, sem o misterioso "vasto vulto de um homem" escorado numa árvore. Ele não mais vê Gollum (p. 298); e a visão do Olho chega à forma de SA, assim como todo o restante, com estas diferenças: a pedra branca no anel de Galadriel não é mencionada e, como no texto original, ela ainda o chama de "o Anel da Terra"; em resposta à oferta que Frodo lhe faz do Um Anel, Galadriel ri "com uma súbita e clara risada de puro contentamento". A palavra "puro" foi logo riscada e, depois, "de contentamento". E, da forma que meu pai escreveu inicialmente, suas palavras eram: "E agora ele vem por fim, o teste final".[34]

Um outro texto deste capítulo pode ser mencionado aqui. Trata-se de um texto datilografado inacabado feito a partir do manuscrito passado a limpo. Algumas emendas iniciais feitas ao manuscrito foram incorporadas, mas não há qualquer variação no fraseado (sempre um sinal claro de que determinado texto não foi feito por meu pai). Observei (p. 304 e nota 30) que, no manuscrito, Aragorn era "Ingold" em toda a extensão, alterado uma vez para "Aragorn" e outra para "Pedra-Élfica", mas nas outras três ocorrências, permaneceu inalterado. O texto datilografado traz "Ingold" em todas as ocorrências, exceto naquela em que, no manuscrito, o nome foi alterado para "Pedra-Élfica". Por isso, julgo que ele pertence ao estágio a que chegamos, ou seja, antes de "Aragorn" ser restaurado (ver pp. 326–8). Mas esse texto datilografado é interrompido no pé da sexta página, nas palavras "O ar era fresco e suave como se fosse" (SA, pp. 506–7); e o texto continua até o fim do capítulo em um manuscrito muito cuidadoso que eu mesmo fiz quando tinha dezessete anos, começando no alto da "página 7" com as palavras

308

A TRAIÇÃO DE ISENGARD

seguintes: "o começo da primavera, no entanto sentiam em torno a quietude profunda e pensativa do inverno". É óbvio, portanto, que o meu manuscrito simplesmente continuou a partir do ponto em que o texto datilografado foi interrompido. O texto por mim copiado não mostra nenhum desenvolvimento adicional em relação ao manuscrito de meu pai: o anel de Galadriel continua a ser o Anel da Terra, e ela ainda ri "com uma súbita e clara risada de contentamento". No final, eu escrevi a data 4 de agosto de 1942.

Seja lá qual for a data da porção datilografada deste texto compósito, a minha continuação manuscrita foi feita certamente bem depois de meu pai ter completado o trabalho na história de "Lothlórien". Ele mesmo afirmou, muitos anos depois, que chegou a Lothlórien e ao Grande Rio no final de 1941, e ver-se-á subsequentemente que estava escrevendo "O Rompimento da Sociedade" e "A Partida de Boromir" no meio do inverno daquele ano (p. 444).

NOTAS

[1] Meu pai escreveu aqui "Bem-vindos a Nelennas", imediatamente riscando *Nelennas* e substituindo por *Caras Galadon* (que aparece aqui pela primeira vez), e continua com "a cidade do Nelennas que [? porventura] em vosso idioma chama-se Ângulo". Isso parece demonstrar que *Nelennas* foi brevemente o nome da cidade, como sugeri (p. 287, nota 39) ser nas notas de enredo da p. 278: "Viajam a Nelennas". Mas a alteração reverte o sentido de *Nelennas* para "Gomo", ou "Ângulo", substituindo *Nelen* (ver p. 275 e nota 34).

[2] Um pequeno diagrama rudimentar no corpo do texto mostra uma figura circular, feita como um anel de uma espiral, com uma sobreposição muito significativa em cada uma das extremidades: a abertura exterior (a entrada para Caras Galadon muralha adentro) está no lado esquerdo da figura, e a abertura interior (a abertura da "vereda" para dentro da cidade) está na parte de baixo (ou seja, os muros se sobrepõem por um quarto do círculo ou mais).

Não se menciona como eles passaram pelos portões (compare com SA, p. 500). O que meu pai realmente escreveu aqui foi: "Eles viram ... elfos de guarda no portão não viram ninguém de guarda [...]", sem riscar nenhuma palavra.

[3] Essa é a primeira aparição de Celeborn e Galadriel. Mal visível no texto a lápis subjacente há outros nomes: *Tar* e *Finduilas* foram riscados, e depois *Aran* e *Rhien*. *Rhien* talvez deva ser igualado a *Rían* (nome da mãe de Tuor); ver as *Etimologias*, V. 465, radical RIG: "*Rhian* nome de uma mulher = 'dádiva--coroada', *rīg-anna*". Ver notas 5 e 9.

[4] A primeira ocorrência de *Halldir* [sic] no lugar de *Hathaldir*; algumas linhas abaixo, o nome foi grafado *Haldir* e assim permaneceu. *Haldir* era o nome

309

GALADRIEL

original deste Elfo; ver p. 285, nota 28. No texto subjacente é possível ver o nome suplantado, *Hathaldir*.

5 Esse trecho (a partir de "O teto era de ouro pálido") foi mantido (ou seja, não foi nem sobrescrito à tinta e nem apagado) do texto original a lápis, e aqui reaparecem (após as palavras "lado a lado") os nomes *Aran* e *Rhien* (ver nota 3), subsequentemente riscados. Sobre os cabelos brancos de Galadriel, ver as notas de enredo na p. 278.

6 *Ingold, filho de Ingrim*, usado para Aragorn, substituiu *Pedra-Élfica* (ver p. 284, nota 23), pois esse nome ainda é discernível no texto a lápis subjacente. Quando apareceu neste manuscrito pela última vez (p. 276), ele ainda era *Aragorn*; e é aqui, portanto, que *Pedra-Élfica* surge pela primeira vez *ab initio* (assim como *Ingold* no texto secundário).

7 Há o seguinte escrito aqui, aparentemente da mesma época, mas separado da narrativa:

> "Não, não houve nenhum erro", disse Galadriel, falando pela primeira vez. Sua voz era mais grave, mas límpida e musical / límpida e musical, mas profunda, e parecia carregar um conhecimento profundo demais para ter alegria.

Isso depende de alguma coisa dita por Keleborn, mas de que não há vestígio neste manuscrito. Ver p. 304.

8 Ver p. 271 e nota 29.

9 No texto subjacente a lápis, *Aran* foi alterado aqui, conforme meu pai escrevia, para *Galdaran*. E, no alto da página, estão escritos os nomes *Galdaran* e *Galdrin* (talvez uma grafia incorreta de *Galdrien*; ver pp. 295–6).

10 Acerca da sobrevivência de Balrogs dos Dias Antigos, ver V. 403, §16.

11 Partes do texto subjacente a lápis neste trecho são discerníveis, e o sentido das palavras de Keleborn era bem parecido, exceto pelo fato de que foi o próprio Keleborn (Galdaran), e não Galadriel, quem levantou a dúvida:

> "Um Balrog", disse [Aran >] Galdaran. "Deles não ouvia desde os Dias antigos … escondidos em Mordor, mas nada foi visto deles desde a queda de Thangorodrim. Duvido muito que esse Balrog estivesse … e temo que, em vez disso … Orodruin, em Mordor, por Sauron. Mas quem sabe o que jaz escondido nas raízes dos montes antigos […]"

No pé da página há uma variante, acrescentada ao texto revisado, mas pertencente ao mesmo período, em que é Galadriel que expressa a opinião anteriormente atribuída a Keleborn, e de modo mais decisivo:

> "Nenhum Balrog se escondeu nas Montanhas Nevoentas desde a queda de Thangorodrim", disse Galadriel. "Se verdadeiramente havia um ali, como se contou, então chegou de Orodruin, a Montanha de Fogo, e foi enviada pelo Senhor a quem não nomeamos nesta terra."

A TRAIÇÃO DE ISENGARD

Em SA, é claro, não há lugar para a visão expressa aqui por Keleborn ou Galadriel, de que o Balrog, enviado de Mordor, entrou em Moria não muito tempo antes (*"chegou* de Orodruin"). No SdA, o Balrog de Moria veio de Thangorodrim no fim da Primeira Era e "estivera oculto nos fundamentos da terra desde a chegada da Hoste do Oeste" (ver p. 173).

Eu sugeri (p. 224) que, embora um Balrog apareça no rascunho original da história de Moria, sua conexão com a fuga dos Anãos de Moria ainda não fora feita. O presente trecho é a principal evidência disso. É verdade que, na versão do texto principal, Galadriel mostra-se menos confiante do que Keleborn, mas, na variante subsequente, ela nega enfaticamente que um Balrog poderia estar escondido "nas Montanhas Nevoentas desde a queda de Thangorodrim" (não que algum dos presentes tivesse sugerido isso). Devia ser essa a visão de meu pai, visto que seria realmente estranho dizer que o Senhor e a Senhora de Lothlórien são "considerados sábios além da medida dos Elfos da Terra-média" logo depois de emitirem uma opinião incorreta.

[12] As frases "O senhor e a senhora de Lórien são considerados sábios *além da medida dos Elfos da Terra-média*" e "Pois habitamos aqui *desde que as Montanhas foram erguidas e o Sol era jovem*" sugerem fortemente que meu pai os imaginava como sendo Elfos de Valinor, Noldor exilados que não retornaram no fim da Primeira Era. Os Noldor chegaram à Terra-média exilados na época da criação do Sol e da Ocultação de Valinor, quando as Montanhas do Oeste foram erguidas "a alturas de vertigem e terror" (V. 287). depois, quando meu pai retornou a *O Silmarillion*, Galadriel entrou nas lendas da Primeira Era como filha de Finarfin e irmã de Finrod Felagund.

[13] [No texto em inglês] A primeira palavra da frase poderia ser "Nor" [nem] ou "Now" [agora], mas, na verdade, precisa ser "Now", pois é seguida de "we will" e não de "will we".* Mas, em SA, Galadriel diz "Não vos darei conselhos", e a explicação dela para o fato de que não dará conselhos é praticamente igual, palavra por palavra, que ao que ela diz aqui. Penso, portanto, que meu pai deve ter mudado de ideia quanto à fala de Galadriel conforme escrevia, mas deixou de alterar suas palavras iniciais.

[14] Um garrancho no pé da página faz as palavras de Boromir avançarem rumo à forma em SA (p. 506): "ela estava me tentando, e ofereceu algo que tinha o poder de dar. Nem é preciso dizer que me recusei a escutar". Ver p. 305.

[15] Uma primeira sugestão da oferta de Keleborn a Legolas e Gimli aparece nas notas de enredo na p. 278. As últimas duas frases da fala de Keleborn e a primeira parte da resposta de Gimli foram subsequentemente usadas na conversa

---

*Nas frases em inglês que começam com uma palavra negativa (como *nor*), a posição do sujeito e do verbo auxiliar é invertida. Daí a convicção de Christopher de que a palavra não pode ser "Nor": se fosse, seria seguida de "will we", o que não acontece. [N.T.]

de Glóin e Frodo em Valfenda (SA, pp. 331–2): "Frodo ficou sabendo que Grimbeorn, o Velho, filho de Beorn, era agora senhor de muitos homens resolutos, e nem orque nem lobo se atreviam a ir às suas terras entre as Montanhas e Trevamata. 'De fato,' disse Glóin, 'não fosse pelos Beornings, a passagem entre Valle e Valfenda ter-se-ia tornado impossível'".

[16] A fábrica de biscoito de Ruivão & Filho (p. 257).

[17] Essa é a primeira aparição do nome *Mithrandir* (ver V. 415).

[18] Notas rabiscadas neste ponto dizem que Merry e Pippin deveriam falar de Gandalf e que falariam da "tentação de Galadriel"; também há uma referência à "Canção de Frodo e Sam" (SA, p. 508). Uma página de trabalhos preliminares dessa canção encontra-se no meio desses papéis, embora sem nenhuma moldura narrativa. A primeira e a terceira estrofes são praticamente iguais à versão final. A segunda dizia, nesse estágio:

> *Quando a manhã brilhava na Colina,*
> *ainda outra vez, cruzou a torrente;*
> *junto à lareira à noite se reclina,*
> *e o fogo então chamejava contente.* [A]

A segunda estrofe em SA, *Das Terras-selváticas ao mar do Ocidente*, foi então inserida, aparentemente para que ficasse entre as estrofes 2 e 3. A quarta dizia:

> *Brilhante espada na implacável mão,*
> *andante encoberto em longas estradas,*
> *no monte um fogo arde acima do chão,*
> *as costas com fardo, sempre curvadas.* [B]

A quinta estrofe era praticamente igual à de SA; a sexta dizia:

> *De Khazaddûm, de Moria, a mina escura,*
> *dirão os povos que aquele lugar*
> *de Gandalf será sempre a sepultura:*
> *lá viu-se a esperança à Sombra tombar.* [C]

[19] O encontro com Galadriel foi alterado no momento da composição para essa forma que coloquei. Inicialmente, meu pai não dizia que era a *tardinha* do terceiro dia e, quando eles chegaram a "um côncavo verde sobre o qual não havia dossel e nem árvores", o sol, que estava no sul, incidia ali; ver o rascunho na p. 295: "O espelho é de prata, preenchido com a água da fonte ao sol".

Uma nota na margem diz que Sam deveria estar presente também, e outra diz: "Resposta às observações de Sam e Frodo de que esses elfos parecem um simples povo da floresta, habilidosos, mas não especialmente mágicos" (ver SA, p. 509).

[20] Neste ponto foi inserido o seguinte, à parte no manuscrito: "Ouviram Frodo (Sam?) dizendo a Pedra-Élfica: "Os Elfos parecem quietos, e comuns. Eles têm magia como se relata?". Ver nota 19.

[21] Ao lado desse trecho, meu pai escreveu na margem: *Bilbo*. Em um rascunho isolado que desenvolve essa passagem, a visão de Bilbo em seu quarto em Valfenda

A TRAIÇÃO DE ISENGARD

(SA, p. 513) encontra-se praticamente como na versão final. Nesse rascunho, a visão de "uma fortaleza com altos muros de pedra e sete torres" é seguida por "um vasto vulto de um homem que parecia estar se escorando em uma árvore que só lhe chegava à altura do peito"; isso foi colocado entre colchetes e é seguido por "um largo rio correndo através de uma cidade populosa" (como em SA) e, depois, pela visão do Mar e do navio escuro, como no texto primário.

[22] Ver o esboço das visões no Espelho, p. 295: "Vê Gollum?".

[23] É notável que, nessa versão mais antiga da história, as visões de Frodo no Espelho não façam referência a Sauron e, no entanto, Galadriel prontamente fala dele, e de sua disputa mental, assim revelando que é a guardiã do Anel da Terra. Em SA (p. 514), como Galadriel sabe que Frodo viu o Olho, ela imediatamente lhe fala do Senhor Sombrio, e a revelação do seu Anel está diretamente relacionada à visão dele: "não pode ser ocultado do Portador-do-Anel e de alguém que viu o Olho".

[24] Para "o Anel da Terra", ver VI. 322, 333, 394.

[25] Ver a nota isolada acerca do desvanecer do poder dos Anéis-élficos se o Um Anel for destruído, p. 282.

[26] Aqui a palavra poderia ser tanto "deve" quanto "deva"; no manuscrito seguinte, "deva" (assim como em SA).

[27] Ver pp. 141–2, 196. Em SA, Sam diz aqui que "Elrond sabia o que estava fazendo quando quis mandar o Sr. Merry de volta"; anteriormente, (SA pp. 393–4), Elrond disse que pensava em mandar Merry e Pippin de volta para o Condado, mas, depois de Gandalf apoiar a inclusão deles na Comitiva, ele expressou incerteza especificamente acerca de Pippin.

[28] No esboço da p. 295, "Eles passam 15 dias em Caras Galadon". Contando a partir de 15 de dezembro como data da chegada em Lothlórien, ainda que pareça haver uma diferença de dois dias (ver pp. 256–7, nota 1), e visto que, na história original, houve apenas um dia de jornada da noite que passaram no eirado próximo às cataratas do Nimrodel até a chegada a Caras Galadon ao anoitecer, pode-se calcular que a data da partida foi 1 de janeiro.

[29] Até esse ponto, a paginação está dobrada, por exemplo: "18.34 / 19.8"; desse ponto em diante, apenas a paginação do capítulo 19 foi inserida.

[30] Em três ocorrências, *Ingold* nunca chegou a ser alterado; em uma, foi posteriormente alterado para *Pedra-Élfica* e, em outra, para *Aragorn*. Ver pp. 326–8.

[31] Um acréscimo ao manuscrito, depois das palavras "Pois habitamos aqui desde que as montanhas foram erguidas e o sol era jovem" diz: "E eu habitei aqui com ele desde os dias do amanhecer, quando passei por sobre os mares com Melian de Valinor; e sempre juntos combatemos a longa derrota". Isso não foi incorporado ao texto datilografado seguinte (p. 308), embora tenha sido inserido nele de forma manuscrita, e sem dúvida pertence a um momento posterior. Sobre a vinda de Melian à Terra-média em uma era muito remota do mundo, ver IV. 311, V. 136.

[32] Há acréscimos a lápis no manuscrito depois das palavras "Mas Boromir não contou o que pensava que a Senhora lhe oferecera": "Inserir aqui o que Frodo

313

GALADRIEL

pensou?" e "Nem Frodo. Se tinha sido uma tentação ou uma revelação que lhe foi feita acerca da via de escape de sua tarefa, o que ele já tinha secretamente considerado, não conseguia dizer. Mas agora que o pensamento fora exposto às claras ele não conseguia esquecê-lo". Ao lado disso, meu pai escreveu "(melhor assim:) E, quanto a Frodo, ele não quis falar, embora Boromir o pressionasse com perguntas. 'Por muito tempo ela te manteve preso ao seu olhar, Portador--do-Anel', disse ele. 'Sim', assentiu Frodo, 'mas nada direi além disto: a mim nenhuma escolha foi dada'. Curvou-se e colocou a cabeça nos joelhos".

A resposta de Frodo a Boromir foi então riscada, com a nota: "Não! Pois isso não está de acordo com a cena no Espelho", e o seguinte substituiu: "'Sim', assentiu Frodo, 'mas aquilo que então me veio à mente eu vou manter lá'" (como em SA, p. 506).

Nada disso aparece no texto datilografado que veio depois (embora as duas últimas versões tenham sido escritas nele, uma de cada vez) e, assim como o trecho citado da nota 31, deve ser visto como uma revisão posterior. Mas o que sugerem as palavras "a via de escape de sua tarefa, o que ele já tinha secretamente considerado"? Creio que meu pai quis dizer que Frodo, sob o olhar de Galadriel, cogitou entregar o Anel Regente a ela (ver o trecho citado na p. 300).

[33] Sobre a canção de Frodo a Gandalf, conta-se: "porém ao tentar repeti-la para Sam só restavam fragmentos que diziam pouco do que pretendera". Neste ponto há um grande espaço na página manuscrita e uma anotação a lápis: "Inserir a Canção de Frodo?". As estrofes encontram-se em uma das páginas dos familiares papéis de prova, intitulada "A Canção de Frodo", e foram evidentemente escritas antes de se chegar a esse ponto no manuscrito. Para a versão mais antiga da canção, ver nota 18. Ela tinha agora 8 estrofes, visto que incluía tanto a que começava com *Quando a manhã brilhava na Colina* quanto a iniciada por *Das Terras-selváticas ao mar do Ocidente*, e a última estrofe em SA, *Sozinho esteve na ponte aprumado*, aqui aparece como sendo a penúltima (o quarto verso dela é aqui *a capa cinzenta longe atirou*), e a última estrofe era a mesma da versão inicial, *De Khazaddûm, de Moria, a mina escura*.

[34] "*Eärendil*, a Estrela Vespertina" está assim grafado, e não *Eärendel* (ver p. 343, nota 22). Na pergunta de Frodo, "por que eu não posso ver todos os demais e conhecer os pensamentos dos que os usam?" (SA, p. 516), "eu" deveria estar em itálico; e, na resposta de Sam à pergunta de Galadriel no fim do capítulo — "Tu viste meu anel?" — ele deveria dizer "Vi uma estrela através de vossos dedos", e não "vosso dedo".*

---

*O itálico em *eu* e o plural de *dedos* estão presentes na edição de 2004 de *O Senhor dos Anéis* e, portanto, foram incorporados à tradução brasileira. [N.T.]

14

Adeus a Lórien

Nos materiais mais antigos para este capítulo (sem título), meu pai não completou um texto primário contínuo, mas, como poderíamos descrever, dava continuamente dois passos para frente e um para trás. Ele parava abruptamente em certos pontos da narrativa, até mesmo no meio de uma frase, e voltava para revisar o que havia escrito, frequentemente mais de uma vez; o resultado é uma grande quantidade de quase repetições e uma sequência muito complexa. Por outro lado, muito (ainda que não tudo) desses rascunhos está escrito à tinta em uma letra veloz, mas clara e organizada, em papel bom (os papéis de prova de "agosto de 1940" agora já estavam praticamente esgotados).

O motivo dessa situação é claro. O primeiro texto consecutivo do capítulo, um manuscrito "limpo" e esmerado, tem relação muito próxima com os rascunhos. A essa altura, meu pai adotara como método começar uma cópia limpa antes de avançar muito em uma nova porção da narrativa: vimos em "A Ponte de Khazad-dûm" (p. 242) e em "Lothlórien" (pp. 264–5 e nota 14) que o rascunho e a cópia limpa em certa medida se sobrepõem. Esse também era o caso aqui (portanto, os excertos da descrição que Keleborn faz do Grande Rio, p. 334, eram rascunhos do texto que está na cópia limpa, e precedem imediatamente esse ponto na escrita daquele texto), mas em um grau muito mais alto: pois, neste caso, creio que a cópia passada a limpo foi construída em estágios, conforme as diferentes seções do rascunho eram finalizadas.

Contudo, antes de me voltar para o texto (ou textos) original deste capítulo, exponho alguns esboços a lápis muito complicados, os quais chamarei de (*a*), (*b*) e (*c*). Entendo que (*a*) foi o primeiro pois nele o nome *Toll-ondren*, que também ocorre nos outros, é visto no momento em que surge. O lápis está agora esmaecido a ponto de sumir, e as primeiras linhas (até "as Pontes de Osgiliath"),

ADEUS A LÓRIEN

que foram escritas antes e, ao que parece, de maneira desconectada da porção seguinte, estão parcialmente ilegíveis.

(*a*)

Os viajantes precisam escolher qual lado do Anduin [? percorrerão] em [? Naith] Lórien. O rio é estreito, mas ... nas Colinas de Pedra.[1] Não é possível atravessar sem barco até as Pontes de Osgiliath.

Keleborn diz que devem [? viajar] de manhã. Embora seu povo não saia com frequência das fronteiras, vai enviá-los de *barco* até [*riscado: Toll-ondu Toll-onnui*] *Toll-ondren*, a Grande Carrocha.[2] A margem leste é perigosa para os Elfos. O rio meandra entre as Colinas da Fronteira [*riscado: Duil*] *Emyn Rain*.[3] Devem decidir ali pois o Campo Alagado *Palath Nenui*[4] jaz diante delas e, para chegar a Minas Tirith, devem ir pelo oeste, dando a volta e atravessando [*acrescentado:* ao longo das colinas e depois atravessando] o Entágua. Mas, para ir pelo outro caminho, devem cruzar os Pântanos Mortos.

(*b*)

Este esboço também está extremamente esmaecido. Ele se encaminha para o fim da narrativa deste capítulo e a ultrapassa, mas foi escrito em uma etapa inicial do desenvolvimento da história, pois há menção à presença de Elfos acompanhando os viajantes, e esse elemento logo foi abandonado.

Este é o Naith, ou Ângulo.[5] Calendil ou Pontal Verde.
    [*Riscado:* Nelen] Calennel[6]
Viemos diante de vós para preparar tudo, disse a Senhora Galadriel, e agora, por fim, devemos dizer-vos adeus. Aqui, afinal, chegastes ao fim de nosso reino, a Calendil, o pontal-verde língua. Ponta-verde.[7] Três barcos esperam por vós com remadores.

Sobem nos barcos. Arqueiros élf[icos] vão em um atrás e à frente. Comitiva 2 no primeiro, Ingold, Boromir. Hobbits no meio. Legolas, Gimli atrás.

Dádivas de despedida.

A TRAIÇÃO DE ISENGARD

Alerta contra o Entágua (Ogodrûth) e Fangorn[8] — não é necessário para Boromir e Ingold, mas provavelmente Gandalf não disse a todos.

Benção de Galadriel a Frodo.

Canção de Adeus dos Elfos.

Rapidamente descem o Rio.

Descrição das [? Ravinas Verdes].

Tollondren.

Cena com Boromir e a perda de Frodo.

Fim do Capítulo.

Neste esboço, os nomes *Galadriel* e *Ingold* aparecem *ab initio*.

(*c*)

Este terceiro esboço, novamente escrito muito fraco a lápis, é da mesma época dos outros; uma seção adicional lhe foi acrescida, mas creio que não significativamente depois.

Discussão no pavilhão à noite.

Adiam a decisão até chegarem a Tolondren, a Grande Carrocha.

Navegam em [*números alterados entre* 2, 3, 4 número final provavelmente 3] barcos. 1 com arqueiros à frente e atrás.

Despedida de Galadriel.

Passam para as colinas de Rhain[9] onde o rio serpenteia em ravinas fundas.

Algumas flechas do Leste.

Elfos dão aos viajantes alimento especial e mantos e capuzes cinzentos.

Despedem-se em Tol Ondren e deixam aos viajantes [*riscado:* um barco > 2 pequenos barcos].

A Comitiva desembarca e adentra as Colinas de Rhain em busca de um lugar seguro. O debate. Depois vem a tentativa de Boromir de se apossar do Anel e a fuga de Frodo.

Flechas da margem leste conforme descem o rio?

A Comitiva desembarca em Tollondren. Depois o debate. Frodo (e Sam) querem prosseguir com a Demanda e terminá--la. Boromir é contra (veementemente?). Imploram aos Elfos para esperarem enquanto decidem. Atravessam para a margem

ADEUS A LÓRIEN

Leste e adentram as Colinas Verdes (ou Emyn Rhain?) para olhar ao redor.

A jornada por barco descendo o Anduin entra no esboço (*a*) (ver p. 254); em (*b*), a "Cena com Boromir e a perda de Frodo" foi removida do "Ângulo" (ver pp. 247–8, 254) e acontece depois da jornada rio abaixo, enquanto em (*c*) ela acontece nas "Colinas de Rhain".

A geografia dessas regiões estava se formando. Meu pai sabia que, nesse estágio, o Grande Rio serpenteava em ravinas (seriam as "Ravinas Verdes" que aparecem, incertas, no esboço (*b*)?) através de uma cadeia de colinas (Colinas de Pedra; Emyn Rhain, Colinas de Rhain, Colinas da Fronteira; Colinas Verdes — nomes que não eram simplesmente alternativas, como se verá no capítulo seguinte); e que havia uma grande rocha ou ilha alta (a Grande Carrocha; *Tolondren*, grafada de modos diversos) no meio do Anduin. Isso foi associado às colinas, pois a Comitiva desembarca na ilha e sobe para as Emyn Rhain, ou as Colinas Verdes. No trecho adicional em (*c*), eles atravessam o rio para fazer isso. O Campo Alagado aparece agora, obviamente, ainda que não explicitamente, associado à confluência do Anduin com o Entágua (ou *Ogodrûth*), que corre de Fangorn (p. 250).

Volto-me agora para os primeiros textos narrativos de "Adeus a Lórien", nos quais há indícios de que o manuscrito passado a limpo de "Galadriel" já existia (notas 10 e 21). A porção de abertura do capítulo, em que a Comitiva fica diante de Keleborn e Galadriel na véspera da partida e depois retorna ao pavilhão para discutir o trajeto, sobrevive em muitas versões diferentes. A mais antiga começa de modo claro, mas depois se deteriora na letra mais mal-acabada de meu pai; foi escrito a tinta por cima de um texto esmaecido a lápis que pode em alguma medida ser lido (ver nota 12).

(i)

Naquela noite,[10] a Comitiva foi outra vez convocada à sala de Keleborn, e o Senhor e a Senhora dos Galadrim olharam-nos no rosto. Após um silêncio, Keleborn lhes falou.

"Esta é a hora", disse ele, "em que os que desejam prosseguir na Demanda devem se empedernir para partir. E esta é a hora

A TRAIÇÃO DE ISENGARD

de dizerem adeus à Comitiva os que sentem que chegaram tão longe quanto sua força lhes permitiu. Os que não desejam avançar podem ficar aqui até que haja uma chance de voltarem aos seus próprios lares.[11] Pois agora estamos à beira da sina; e logo as coisas ficarão melhores, ou ficarão tão malignas que todos deverão lutar e tombar onde quer que estejam. Não haverá mais lar para buscar, salvo o longínquo lar dos que tombam em combate. Aqui podeis aguardar a chegada da hora, até que os caminhos do mundo se abram outra vez ou vos convoquemos para auxiliar na última defesa de Lórien."[12]

"Todos estão resolvidos a ir adiante", disse Galadriel.

"Quanto a mim", disse Boromir, "meu caminho do lar está à frente."

"Isso é verdade", respondeu Keleborn. "Mas toda a Comitiva vai contigo a Minas Tirith?"

"Não decidimos isso ainda", disse Ingold.

"Mas logo deveis decidir", disse Keleborn. "Porque depois que deixardes Lothlórien, não é fácil atravessar o Rio novamente até que chegueis a Ondor,[13] caso a travessia do rio no Sul não esteja de fato tomada pelo Inimigo. Ora, o caminho para Minas Tirith jaz deste lado do Rio, na margem oeste, mas o caminho reto da Demanda está do outro lado, na margem leste. Deveis escolher antes de partirdes."

"Se eles aceitarem meu conselho, será a margem oeste", respondeu Boromir, "mas não sou eu o líder."

"Será como vós escolherdes. Mas, como ainda pareceis estar em dúvida, e talvez não desejais apressar vossa escolha, isto é o que farei. Há de acelerar um tanto vossa jornada, e mostrar-vos minha boa vontade — pois não envio meu povo com frequência para lá das minhas fronteiras e somente por [? grande] necessidade. Equipar-vos-ei com barcos que usamos nos rios. Alguns da minha gente irão convosco até as Colinas Verdes, onde o rio serpenteia fundo em meio a encostas [? arborizadas]. Mas além de Toll-ondren, a ilha que está posta no meio da torrente, eles não irão. Mesmo até ali há perigos para os Elfos na margem leste; além dali não é seguro para ninguém ir pela água."

As palavras de Keleborn aliviaram um pouco seus corações que estavam sobrecarregados com o pensamento da partida. Despediram-se do Senhor e da Senhora e voltaram a seu pavilhão. Legolas

ADEUS A LÓRIEN

estava com eles. Por longo tempo debateram, mas não chegaram a nenhuma decisão. Ingold estava evidentemente dividido entre duas coisas. Seu próprio plano e desejo era ter ido até Minas Tirith; mas, agora que Gandalf se perdera, sentia que não poderia abandonar Frodo se não conseguisse persuadi-lo a ir junto. Aos outros havia pouca escolha, pois nada sabiam da ... da terra no Sul. Boromir falou pouco, mas manteve os olhos sempre fixos em Frodo, como se aguardasse sua decisão. Por fim, falou. "Se for para *destruir o Anel*", disse ele, "então de pouco servem armas, e Minas Tirith não vos pode ajudar muito. Mas se quiserdes *destruir o Senhor*, então de pouco serve entrar sem forças em seu domínio. Assim me parece."

        Esse texto termina aqui.

(ii)

A versão seguinte é uma cópia limpa de (i) até onde ele alcança, e segue-o bem de perto, aperfeiçoando o fraseado, mas com poucas alterações significativas. No entanto, avança mais para dentro do capítulo.

Keleborn agora fala com maior certeza sobre as travessias de Osgiliath: "conta-se que o Inimigo tomou as travessias [> pontes]." Os Elfos de Lórien irão com a Comitiva "até as Colinas Verdes, onde o rio serpenteia em meio a ravinas fundas"; aqui, *Rhain* está escrito a lápis sobre *Verdes*. "Há uma ilha arborizada ali, Toll--ondren, no meio das águas que se bifurcam. Pelo menos ali, no meio da torrente, deveis decidir vossos cursos, para a esquerda ou direita". Acima de (*Toll-*)*ondren* está escrito a lápis *Galen?*, ou seja, *Tol Galen*: outro uso de um nome das lendas dos Dias Antigos (a Ilha Verde no rio Adurant em Ossiriand, lar de Beren e Lúthien após seu retorno, e ainda outro exemplo de uma ilha no meio das "águas que se bifurcam" de um rio — característica essa que, de fato, rendeu ao *Adurant* seu nome, V. 319–20).

Na parte dessa versão que ultrapassa o ponto alcançado em (i), ela fica bem parecida com o texto de SA (pp. 521–3). Boromir agora se detém nas palavras "e não há sentido em lançar fora…", terminando a frase de modo canhestro depois de uma pausa com "não há sentido em lançar vidas fora, quero dizer". Assim como em SA, Ingold estava imerso em seu próprio pensamento enquanto Merry e Pippin já estavam dormindo.

A TRAIÇÃO DE ISENGARD

O trecho que descreve os Elfos trazendo os biscoitos élficos e o deleite de Gimli ao descobrir que não eram *cram* já é de início quase exatamente igual a SA; a única diferença é que não há as palavras "Mas nós o chamamos *lembas*, ou pão-de-viagem". A descrição dos mantos, contudo, é bem mais curta do que em SA — e não há menção aos broches em formato de folha que os prendiam.

A cada membro da Comitiva providenciaram um capuz e um manto cinzentos, feitos de acordo com seu tamanho, do material leve, mas quente, que os Galadrim usavam.

"Não há magia tecida nestes mantos", disseram, "mas devem servir-vos bem. São leves no uso, e bastante quentes, ou bastante frescos, conforme necessário […]".

Posteriormente, meu pai fez com que os Elfos não introduzissem a ideia de mantos "mágicos", e é Pippin quem usa a palavra, a qual o líder dos Elfos acha difícil de interpretar. O restante da passagem está como em SA, exceto pelo final: "Nunca antes vestimos estrangeiros nos trajes de nosso próprio povo, e certamente jamais um anão". Com essas palavras, o segundo texto termina abruptamente.

(iii)

O texto seguinte, ainda uma vez voltando ao início do capítulo, tem a numeração 20, o que mostra que a história do Espelho de Galadriel fora separada, assim como o capítulo 19, "Galadriel", tinha sido separado do 18, "Lothlórien" (ver p. 303). O manuscrito rapidamente se torna muito complexo por um processo que se poderia chamar de "falsos começos sobrepostos". Fica muito parecido com SA até o ponto em que Keleborn diz "Vejo que não decidistes este assunto" (compare com SA, p. 519). Há que se notar que *Ingold* foi subsequentemente alterado em ambas as ocorrências do diálogo de abertura, primeiro para *Pedra-Élfica* e depois para *Troteiro* (ver pp. 326–8). Keleborn agora diz: "E não estão derrubadas as pontes de Osgiliath, e tomadas agora pelo Inimigo, desde seu último assalto, as travessias do rio?"[14] Mas, a partir do ponto mencionado, a história se desenvolve assim:

"Vejo que não decidistes este assunto, nem fizestes ainda nenhum plano", disse Keleborn. "Não é papel meu decidir por

ADEUS A LÓRIEN

vós, mas ajudar-vos-ei como puder. Há algum dentre vós que sabe manejar barcos num rio forte?"

Boromir riu. "Nasci entre as montanhas e o mar, nas fronteiras da Terra das Sete Torrentes",[15] falou, "e o Grande Rio corre através de Ondor."

"Viajei de barco em muitos rios", disse Ingold;[16] "e Legolas aqui é do povo-élfico de Trevamata, que usa tanto balsas quanto barcos no Rio da Floresta. Pelo menos um dos hobbits é do povo ribeirinho que vive às margens do Baranduin. O restante pode, no mínimo, sentar-se parado. Todos agora passaram por perigos tamanhos que, creio, uma jornada de barco não parecerá tão terrível como poderia ter parecido certa vez."

"Isso é bom", disse Keleborn. "Então equipar-vos-ei com dois pequenos barcos. Precisam ser pequenos e leves, pois se fordes longe pelo rio existem lugares onde sereis obrigados a carregar as embarcações: há as cachoeiras de Rhain onde o Rio corre para fora das ravinas nas Colinas Verdes,[17] e outros lugares onde barco nenhum consegue passar. [*O seguinte foi riscado tão logo foi escrito:* Isto farei para mostrar-vos minha boa vontade. Dois Elfos vos guiarão por um curto trajeto, mas muito longe não posso permitir que meu povo vague nestes dias malignos. Mas, quando deixardes o Rio, como deveis fazer seja lá que caminho tomeis ao fim, peço apenas que não destruais meus barcos, a menos que seja para que não caiam nas mãos dos orques, e que os arrasteis até a margem e] Dessarte vossa jornada se tornará menos laboriosa por algum tempo, ainda que talvez não menos perigosa. Quem agora pode dizer quão longe podeis ir pela água? E a dádiva dos barcos não decidirá vosso propósito: pode adiar vossa escolha, mas no fim deveis deixar o Rio e ir para leste ou oeste."

Ingold agradeceu muitas vezes a Keleborn em nome de toda a Comitiva. O presente dos barcos muito o confortou e, de fato, alegrou a maioria dos viajantes. Seus corações estavam pesados com a ideia de deixar Lothlórien, mas agora, por um tempo, os labores da estrada pelo menos seriam diminuídos, embora os perigos sem dúvida permaneceriam. Somente Sam sentiu um pequeno temor. Apesar de todos os perigos pelos quais passara

(iv)

Aqui o terceiro texto é interrompido, e tudo a partir de "Há algum dentre vós que sabe manejar barcos num rio forte?" foi

322

rejeitado e recomeçado. A narrativa agora fica parecida com a forma em SA: "Há pelo menos alguns dentre vós que sabem manejar barcos: Legolas, cujo povo vai em balsas e barcos no Rio da Floresta; e Boromir de Ondor, e Ingold [> Pedra-Élfica], o viajante". Os Elfos que os acompanhariam Rio abaixo desapareceram; e *as cachoeiras de Rhain,* "onde o Rio corre para fora das ravinas nas Colinas Verdes" tornam-se *as Cachoeiras de Rosfein* (com o mesmo comentário).

Depois de Ingold (> Pedra-Élfica > Troteiro) ter agradecido a Keleborn, e depois que se fala dos corações aliviados de todos os viajantes,[18] o novo texto continua com as palavras de Keleborn "Tudo há de ser preparado para vós, e vos aguardará no porto antes do meio-dia de amanhã" (SA, p. 519). Contudo, enquanto nos textos (i) e (ii) — assim como em SA — a oferta que Keleborn faz dos barcos é seguida da retirada da Comitiva ao seu pavilhão, e não há menção a presentes, nesta nova versão Galadriel diz: "Boa noite, belos hóspedes! Mas, antes de irdes, tenho aqui dádivas de despedida que vos imploro aceitar, e que lembreis os Galadrim e o seu Senhor e Senhora". O esboço (*b*) nas pp. 316–7, obviamente anterior ao estágio a que chegamos agora, pois são mencionados Elfos que acompanhariam a Comitiva em barcos, alocava as Dádivas de Despedida no momento final da partida Rio abaixo, e essa deve ter sido a intenção original de meu pai, e que ele temporariamente alterou agora. Nessa versão (iv), segue-se a narração dos presentes dados a cada membro da Comitiva.

A dádiva de Galadriel para Ingold (o nome não foi alterado aqui) é uma bainha feita para se ajustar à sua espada, cujo nome é *Branding*:[19] imbricada de prata e com runas de ouro declarando o nome da espada e seu dono. Nada mais se diz, e não há menção à grande pedra verde (SA, p. 528). O cinto de ouro de Boromir, os cintos de prata para Merry e Pippin, e o arco dos Galadrim dado a Legolas aparecem e são descritos nas mesmas palavras de SA. A dádiva de Galadriel a Sam e as palavras que lhe dirige são quase exatamente iguais às de SA. A caixa contendo terra do seu jardim não tinha "adornos, exceto por uma única runa florida na tampa" (em SA, "uma única runa de prata"). Na página manuscrita, meu pai desenhou uma runa G anglo-saxônica ("X") na forma de dois ramos floridos, cruzados um sobre o outro.[20]

A palavra "florida" foi riscada posteriormente, e outra elaboração puramente formal da runa foi desenhada no alto da página seguinte:

Contudo, a dádiva a Gimli difere da de SA, e da forma mais notável possível.

"E que dádiva um anão pediria aos Elfos?", indagou a Senhora para Gimli.

"Nenhuma, Senhora", respondeu Gimli. "Basta-me ter visto a Senhora dos Galadrim e ter conhecido sua graciosidade. Guardarei como tesouro a memória de suas palavras em nosso primeiro encontro."[21]

[*Rejeitado, mas não riscado no momento da escrita:* "Ouvi todos, Elfos!", exclamou a Senhora, voltando-se aos que a cercavam. "E não faleis que os anãos são todos rudes e descorteses, sôfregos por dádivas e / ouvi dizer que os anãos têm as mãos abertas — para receber; e são comedidos nas palavras — quando é para agradecer"]

"Seria bom se todos à minha volta ouvissem tuas belas palavras", disse Galadriel, "e que nunca voltem a dizer que os anãos são possessivos e descorteses. Que este pequeno penhor seja dado como sinal de que a boa-vontade pode ser refeita entre anãos e elfos se dias melhores chegarem". Ela pôs a mão no pescoço e desenganchou um broche, e deu-o a Gimli. Nele havia uma esmeralda de

A TRAIÇÃO DE ISENGARD

verde profundo, engastada em ouro. "Colocá-lo-ei perto do coração", disse ele, inclinando-se ao chão, "e Pedra-Élfica há de ser um nome de honra na minha [? parentela] para sempre, e como uma folha [? em meio] … ouro."

Mais uma vez o texto foi interrompido abruptamente, antes de se chegar ao presente de Frodo. Embaixo das últimas palavras, meu pai escreveu: *Pedra-Élfica, Elfhelm* e depois:

"Salve, Pedra-Élfica", ela disse. "É um belo nome que merece uma dádiva para combinar."

Foi claramente neste ponto que "a Pedra Élfica" surgiu pela primeira vez, como uma gema verde engastada em um broche usado por Galadriel e dado a Gimli como presente de despedida; e parece igualmente claro que meu pai imediatamente o adotou (ou mais precisamente o readotou) como o nome de verdade de Troteiro. Voltarei a essa questão em um instante.

(v)

Ele agora recomeçou com as palavras de Keleborn "Tudo há de ser preparado para vós, e vos aguardará no porto antes do meio-dia de amanhã" (p. 323), e repetiu o que havia escrito sobre os presentes de Boromir, Merry, Pippin e Sam, mas omitindo Ingold; e agora o pedido de Gimli e a sua dádiva (uma mecha do cabelo de Galadriel) são descritos palavra por palavra como em SA (pp. 529–30), com a única diferença de que, no final, após "e mesmo assim o ouro não terá domínio sobre ti", Galadriel disse: "Escuras são as águas de Kheledzâram, mas lá talvez tu algum dia hajas de ver uma luz". O frasco em que estava presa a luz da estrela de Eärendel[22] — sua dádiva a Frodo — aparece agora, e esse trecho também está praticamente palavra por palavra como em SA.

A impressão é a de que a dádiva a Ingold foi omitida inadvertidamente; ou talvez meu pai tenha tido a breve intenção de colocá-la por último. Há quatro versões que a descrevem, sendo a última delas um aditamento assinalado para inserção no começo da distribuição dos presentes.

Vimos que a Pedra Élfica foi inicialmente a dádiva de Gimli, e que Gimli, ao aceitá-la, tomou-a também como nome; mas, assim

ADEUS A LÓRIEN

que colocou isso, meu pai escreveu: "'Salve, Pedra-Élfica', ela disse. 'É um belo nome que merece uma dádiva para combinar'"; e isso foi obviamente dirigido a Troteiro. As versões variantes da descrição da dádiva de Galadriel ao líder da Comitiva se desenvolveram a partir disso; e as páginas em que se encontram estão cobertas de nomes: *Pedra-Élfica*; *Pedra-Élfica, filho de Elfhelm*; *Elfstan*; *Eledon*; *Aragorn*; *Eldakar*; *Eldamir*; *Qendemir*. Não há necessidade de citar essas variantes consecutivas, exceto suas frases de abertura. A última, no entanto, coloco na íntegra.

(1) "Eledon!", exclamou ela para Troteiro. "Pedra-Élfica és chamado; é um belo nome e minha dádiva há de combinar com ele." (Ela então lhe dá uma gema verde).

(2) "Pedra-Élfica", disse ela. "É um belo nome [...]" (como em 1, exceto que aqui ela desprende a gema do pescoço).

(3) "Eis a dádiva de Keleborn ao líder da Comitiva", disse ela a Troteiro [...]" (continuando como na versão final 4).

(4) (A versão inserida no texto)

"Eis a dádiva de Keleborn ao líder de vossa Comitiva", disse ela a Pedra-Élfica [> Troteiro], e deu-lhe uma bainha que fora feita para se ajustar à sua espada. Era imbricada com um rendilhado de flores e folhas, lavradas em prata e ouro, e sobre ela estavam postos, em runas formadas de muitas gemas, o nome Branding e a linhagem da espada. "A lâmina que for sacada desta bainha não há de se manchar nem romper, mesmo na derrota", disse ela. "Pedra-Élfica é teu nome, Eldamir na língua dos teus pais de outrora, e é um belo nome. Acrescentarei por mim mesma esta dádiva para combinar com ele".[23] Ela pôs a mão no pescoço e desprendeu de uma fina corrente uma gema que pendia no peito. Era uma pedra de um verde claro, engastada em uma tira de prata. "Todas as coisas que vires através disto", falou ela, "tu as verás como eram na sua juventude e primavera. É uma dádiva que mescla alegria e pesar; no entanto, muitas coisas que agora parecem repugnantes parecer-te-ão diferentes daqui por diante."

O aparente enigma dos desnorteantes movimentos nos nomes que substituíram "Aragorn" nesta fase da obra deve agora ser confrontado.

Apesar de todas as mudanças aparentemente contraditórias — pelas quais *Aragorn* se torna *Pedra-Élfica*, mas *Pedra-Élfica* também

A TRAIÇÃO DE ISENGARD

se torna *Aragorn*, e *Pedra-Élfica* transforma-se em *Ingold*, e *Ingold* também vira *Pedra-Élfica* —, na verdade é perfeitamente claro que a primeira mudança foi de *Aragorn* para *Pedra-Élfica*. Essa alteração se deu no decorrer da escrita do rascunho original do longo capítulo "Lothlórien" (ver p. 310, nota 6) e na cópia passada a limpo (p. 281). Isso se confirma e se explica por uma nota em um dos papéis de prova de "agosto de 1940":

> N.B.: Visto que Aragorn [> Troteiro] é um *homem*, e a fala comum (especialmente dos mortais) é representada pelo inglês, então ele não pode ter um nome élfico. Mudar para *Pedra-Élfica*, filho de *Elfhelm*.

Ao lado disso estão escritos outros nomes: *Amigo-dos-Elfos, Lança-Élfica, Lago-Élfico*. Foi nesse momento que o nome *Aragorn* (ou *Troteiro*) foi alterado para *Pedra-Élfica* em capítulos anteriores;[24] mas, nesse estágio, o nome "*Pedra*-Élfica" não teria especial importância ou associação.

Demonstra-se que *Ingold* foi uma substituição de *Pedra-Élfica* porque aparece *ab initio* (ou seja, não como correção de um nome anterior) na porção sobrescrita do rascunho original da história de "Lothlórien", onde *Pedra-Élfica* pode ser lido no texto primário a lápis que está por baixo (p. 310, nota 6). Essa mudança é assunto de outra nota escrita no mesmo papel da primeira:

Em vez de Aragorn, filho de Kelegorn *e* em vez da variante posterior *Pedra-Élfica*, filho de *Elfhelm*, usar *Ingold, filho de Ingrim*; como Troteiro é um *homem*, ele não deveria ter um nome élfico-gnômico como Aragorn.[25] O elemento *Ing-* aqui pode representar o "Oeste".

Alguns textos, portanto, chamam-no de *Ingold* desde o início; e, ao mesmo tempo, *Ingold* substituiu (em princípio) *Pedra-Élfica* em textos que já haviam permanecido nessa época.

Quando meu pai escreveu a primeira versão do trecho das Dádivas de Despedida (pp. 324–5), o presente de Galadriel a Gimli, a gema verde engastada em ouro, estava totalmente imprevisto, assim como Gimli tomando o nome de *Pedra-Élfica* como "um nome de honra" na sua parentela. Naquele mesmo momento

327

ADEUS A LÓRIEN

surgiu de súbito uma nova possibilidade e conexão. Troteiro tinha sido *Pedra-Élfica* por um tempo — um nome escolhido por razões linguísticas; ele tinha sido rejeitado e substituído por *Ingold*; mas, no fim, *Pedra-Élfica* acabou se mostrando o nome correto. A Pedra-Élfica foi a dádiva da Senhora para ele, e não para Gimli; e, ao dá-la a ele, fez um jogo de palavras com seu nome.

O passo seguinte, portanto, e a principal causa da aparente confusão, foi a *reversão* do efêmero *Ingold* para *Pedra-Élfica*, de modo que agora a cadeia de mudanças se torna:

Aragorn (ou *Troteiro*) > *Pedra-Élfica* > *Ingold* > *Pedra-Élfica*

A outra emenda, desse novo *Pedra-Élfica* para *Troteiro* (pp. 321–2, 325–6), não significa necessariamente que *Pedra-Élfica* como seu nome verdadeiro tinha sido outra vez abandonado, mas sim que meu pai agora desejava fazer com que *Troteiro* fosse seu nome de uso geral na narrativa mais imediata (portanto, é chamado de *Troteiro* ao longo do manuscrito passado a limpo de "Adeus a Lórien", ver pp. 345–6). Por fim, *Aragorn* retornou e a série circular foi completada:

Aragorn (ou *Troteiro*) > *Pedra-Élfica* > *Ingold* >
Pedra-Élfica (> *Troteiro*) > *Aragorn*

A série aparece de forma mais ou menos fragmentária nos manuscritos (ver p. 289, nota 52) por várias razões, mas principalmente porque meu pai fez as correções aos textos que permaneceram de cada estágio de maneira bem fortuita. Em alguns casos, apenas partes da série se encontram, porque, nesses casos, a sucessão de mudanças já estava mais ou menos adiantada; em alguns casos, a alteração esperada não é feita porque o texto foi rejeitado antes que surgisse a oportunidade de fazê-la (nota 16). Junto dessa série, e atravessando-a, está o nome *Troteiro*, que poderia ser alterado ou mantido de acordo com a visão cambiante de meu pai sobre quando ele deveria ser empregado.

Posteriormente, é claro, quando Galadriel deu a Pedra-Élfica a Aragorn, ela lhe *conferiu* o nome que "foi vaticinado" para ele (SA, p. 528); Aragorn se tornou *Elessar, a Pedra-Élfica* naquela hora. Sobre a história e as propriedades da Pedra-Élfica, ou Elessar, ver *Contos Inacabados*, p. 338 e seguintes, especialmente "Pois diz-se que aqueles que olhavam através dessa pedra viam coisas que haviam murchado ou queimado novamente sãs, ou tais como eram na graça de sua juventude". Em SA nada se diz das propriedades da pedra.

A TRAIÇÃO DE ISENGARD

O texto (v) continua — visto que a distribuição dos presentes se deu na noite anterior, na sala de Keleborn e Galadriel — com uma outra versão do debate da Comitiva e, na manhã seguinte, o presente dos mantos-élficos e de comida para a viagem. Aproxima--se ainda mais do texto de SA em muitos detalhes de palavra; mas, quanto aos pensamentos de Troteiro sobre o que deveriam fazer agora, isto é o que se diz:

Pedra-Élfica [> Troteiro] tinha ele mesmo a mente dividida. Seu próprio plano e desejo fora o de ir com Boromir e ajudar a libertar Ondor com sua espada. Pois acreditava que a mensagem nos sonhos era uma convocação, e que lá em Minas Tirith se tornaria um grande senhor, e quem sabe restauraria o trono da linhagem de Elendil, e defenderia o Oeste contra ataques. Mas em Moria, o fardo de Gandalf fora imposto a ele [...]

O restante do debate está agora praticamente igual a SA (pp. 520–1); a única diferença é que a frase "Ele [Boromir] dissera algo semelhante no Conselho, mas depois aceitara a correção de Elrond" está ausente aqui. O trecho a respeito dos mantos permanece como no rascunho anterior (p. 321), exceto que agora os Elfos acrescentam que "Todos os que vos virem assim trajados saberão que sois amigos dos Galadrim", e as palavras "certamente jamais um anão" foram omitidas. Assim, continua não havendo menção ao detalhe, posteriormente importante, de que cada manto era preso por um broche em forma de folha. Mas a frase que antes estava ausente (p. 320) — "Mas nós o chamamos *lembas*, ou pão-de-viagem" — aparece agora.

(vi)

Na parte seguinte do capítulo, a partir de "Depois da refeição matutina, eles se despediram do gramado junto à fonte" (SA, p. 523), a forma do texto muda, embora a escrita em si tenha sido claramente contínua em relação ao que vem antes. Houve primeiro um rascunho escrito muito fraco a lápis, que prosseguia até as instruções que os Elfos lhes dão sobre o manejo dos barcos, e então se torna um esboço dos acontecimentos seguintes na narrativa:

Eles se dispuseram deste modo. Pedra-Élfica, Frodo e Sam em um; Boromir, Merry e Pippin em outro e, num terceiro, Legolas

329

ADEUS A LÓRIEN

e Gimli (… anão se tornaram mais amigáveis).[26] O último barco, tendo menos passageiros, armazenou mais pacotes. São movidos e dirigidos com remos de lâminas largas. Seguindo o conselho dos Elfos, eles praticam e, mesmo que vão apenas descer o rio, praticam subindo o Veio-de-Prata.

Assim, encontram o Senhor e a Senhora em sua barca *em forma de cisne*. Pescoço encurvado e olhos de joias, e asas meio elevadas. Fazem uma refeição no gramado e, depois, um último adeus. Aqui entra o aconselhamento de Keleborn e o último adeus de Galadriel.

Frodo olha para trás e vê, sob o sol que se encaminhava para o oeste, no atracadouro, uma figura alta, esguia e triste com a mão erguida. Última visão do Anel da Terra. (Ele nunca mais o vê?) Canção de Galadriel.

> Por cima do rascunho a lápis, meu pai escreveu um novo texto à caneta, de modo que quase tudo — exceto o esboço acima, que ficou intacto — foi obliterado. Ele então continuou esse novo texto, e a escrita logo se deteriorou e foi sumindo na parte em que Keleborn os convida para o banquete. Como esse texto foi, por sua vez, suplantado por uma nova versão que o seguiu bem de perto até o ponto que alcança, nada se perde se nos voltarmos imediatamente para ela.

(vii)

> O texto está escrito com lápis macio em folhas grandes e agora muito surradas, mas está legível. A história conforme contada em SA aparece completamente formada, até mesmo em grande parte do palavreado, e não a incluirei na íntegra. Contudo, há muitas características interessantes quanto aos nomes e à geografia.
>
> Junto com Haldir, que voltava das "divisas setentrionais" para guiar a Comitiva desde Caras Galadon, veio seu irmão Orofin. Conta-se que "Haldir trouxe notícias": "'Há coisas estranhas acontecendo lá', disse ele. "Não sabemos o que significam. Mas o Vale do Riacho-escuro está cheio de nuvens de fumaça e vapor [...]'" (ver nota 11).
>
> A Língua é assim descrita (ver SA, p. 523):

O gramado acabava em uma língua estreita de relva entre margens claras: à direita e a oeste rebrilhavam as águas mais estreitas e velozes do Veio-de-Prata e, à esquerda e a leste, as águas mais largas

A TRAIÇÃO DE ISENGARD

e verdes do Grande Rio. Nas margens distantes as matas ainda marchavam rumo ao sul até onde conseguiam ver, mas, além do Naith, ou Ângulo (como os elfos chamavam esse relvado verde) e no lado leste do Grande Rio, todas as ramagens estavam nuas. Nenhum mallorn crescia ali.[27]

> Sobre o "Naith, ou Ângulo" como nome da Língua, ver nota 5. Essa frase foi corrigida, provavelmente de pronto, para "mas, além da Língua (*Lamben* como os elfos chamam esse relvado verde)"; e então as palavras "*Lamben* como os elfos chamam esse relvado verde" foram riscadas. Sobre os nomes élficos da Língua, ver p. 316 e nota 6.
>
> A passagem em SA a respeito das cordas e do interesse de Sam pela cordoaria está ausente de todo, assim como o trecho em que percebe, tarde demais, que saiu de Valfenda sem corda (p. 201) e seu desapontamento em Moria por não ter nenhuma (p. 219) também estão ausentes.[28] O texto antigo diz aqui:

Três pequenos barcos cinzentos já tinham sido aprontados para os viajantes, e neles os elfos arranjaram seus pertences.

"Deveis ter cuidado", disseram. "Os barcos são de construção leve, e estarão mais carregados do que deveriam quando embarcardes. Seria de bom alvitre vos acostumardes a entrar e sair deles aqui onde há um atracadouro, antes de partirdes rio abaixo."

> No primeiro rascunho (vi) desse trecho, Troteiro é aqui chamado de *Pedra-Élfica*, e conta-se que "Troteiro subiu com eles pelo Veio-de-Prata"; nessa segunda versão (vii), ele é *Eldamir* em ambas as ocorrências, substituído (no momento da escrita) por *Troteiro*. *Eldamir* ("Pedra-Élfica") aparece na fala de Galadriel a ele na cena das dádivas de despedida (p. 326); como se verá em breve, meu pai estava prestes a deslocar a distribuição dos presentes da noite anterior à sua partida para a despedida final na Língua, e isso, mais do que qualquer outra consideração, provavelmente explicaria por qual motivo removeu *Eldamir* deste ponto na história.
>
> Um detalhe curioso na descrição da nau-cisne foi subsequentemente removido:

Dois elfos, trajados de branco, guiavam-na com remos negros projetados de tal forma que as lâminas se dobravam para trás, como uma pata de cisne, quando eram impelidos para frente na água.

ADEUS A LÓRIEN

Talvez meu pai tenha visto isso como um exagero de "inventividade", um assunto demasiadamente dentro do âmbito da carpintaria engenhosa. — Não há sugestão de que a canção de Galadriel dentro da nau-cisne foi ou seria incluída, muito embora seja mencionada nas mesmas palavras de SA.

No lugar em que SA diz "Ali, no último extremo de Egladil, sobre a grama verde" (ver nota 5), essa versão mais antiga dizia "Ali, no verde Ângulo", alterado para "Ali, na Língua de Lórien"; essa mudança foi feita no momento da composição. A descrição de Galadriel, conforme Frodo a viu naquela hora, está quase exatamente igual a SA; mas, da forma em que meu pai a escreveu, estava incluída uma frase notável que ele riscou (não sei se na hora ou depois):

Não parecia mais perigosa nem terrível, nem repleta de poder oculto; mas era élfico-bela além do desejo do coração. Já lhe parecia (desde a sua recusa no jardim)[29] assim como os elfos por vezes são vistos pelos homens dos tempos posteriores: presente e, no entanto, remota, uma visão viva daquilo que já passou nas correntezas do tempo.

Cito na íntegra o texto do aconselhamento de Keleborn à Comitiva:

Conforme comiam e bebiam, sentados na grama, Keleborn outra vez lhes falou de sua viagem, e erguendo a mão apontou ao sul, para as matas além da Língua. "Ao descerdes pela água", disse ele, "vereis que, por um tempo, as árvores continuam. Pois outrora a Floresta de Lórien era muito maior [*acrescentado:* do que o pequeno reino que ainda mantemos entre os rios].[30] Mas mesmo agora o mal de raro vem sob as árvores que permanecem [*acrescentado:* de dias antigos]. Mas vereis que, por fim, as árvores vão rarear, e então o rio vos carregará por uma região nua e árida / antes de fluir [*substituído por:* serpenteando entre as Colinas da Fronteira antes de cair] na indolente região de Nindalf. O Campo Alagado, como chamam os homens, uma terra pantanosa onde os rios são tortuosos e muito divididos: ali o Rio Entágua conflui vindo do Oeste. Mais além estão [*riscado:* as Emyn Rhain, as Colinas da Fronteira e] as Terras-de-Ninguém, a medonha Uvanwaith que jaz

332

diante dos passos de Mordor. Quando as árvores acabarem, deveis viajar apenas no ocaso e no escuro, e mesmo então, com cautela. As flechas dos orques são mordazes e voam reto. Se ireis prosseguir pelo rio depois das cachoeiras, não sei. Mas além do Entágua pode ser que [Ingold >] Pedra-Élfica[31] e Boromir conheçam as terras bem o suficiente para não precisarem de conselho. Se decidirdes partir para oeste, rumo a Minas Tirith, fareis bem em deixar o rio onde a ilha de Toll-ondren se ergue na torrente acima das cachoeiras de Rosfein e cruzar o Entágua acima dos pântanos. Mas tereis o bom senso de não subir muito longe por esse rio nem de vos arriscar a ficar enredados na Floresta de Fangorn. Mas dificilmente eu precisaria dar esse alerta a um homem de Minas Tirith."

"De fato ouvimos falar de Fangorn em Minas Tirith", disse Boromir. "Mas o que ouvi me parecem ser mormente histórias de anciãs, como as que contamos a nossas crianças. Pois agora tudo o que fica ao norte de Rohan nos parece estar tão longe que a fantasia pode vagar livremente por ali. Outrora Fangorn estava na fronteira [do reino de Anárion >] de nosso reino; mas agora faz muitas vidas de homens que algum dentre nós a visitou para provar ou refutar as lendas que sobreviveram. Eu mesmo não estive lá. Quando fui enviado como mensageiro, tendo sido escolhido por ser audaz e acostumado às trilhas das montanhas, dei a volta pelo sul, pelas Montanhas Negras, e subi o Griságua — ou o Sétimo Rio, como o chamamos.[32] Uma jornada longa e extenuante [*riscado:* mas, na época, ainda não tinha grandes perigos além da sede e da fome]. Calculo que fossem quatrocentas léguas, e levou-me muitos meses, pois perdi meus cavalos na travessia do Griságua em Tharbad.[33] Depois dessa jornada e da estrada que trilhei com esta Comitiva, não tenho muitas dúvidas de que hei de encontrar um caminho através de Rohan, e de Fangorn também, se necessário."

"Então nada mais direi", disse Keleborn. "Mas não esqueças de todo as histórias das anciãs!"

Então se segue: "Remover a cena das dádivas e alocá-la neste ponto, logo antes de beberem em despedida".

Em uma página isolada há duas outras versões da descrição que Keleborn faz do Grande Rio, em preparação imediata para o trecho no manuscrito passado a limpo, e ambas começam no meio da

ADEUS A LÓRIEN

frase. A primeira delas foi imediatamente substituída pela segunda, e basta que suas frases iniciais sejam citadas:[34]

(i) [Pois outrora a Floresta de Lórien] era maior do que hoje é, e mesmo agora o mal de raro vem sob as árvores nas beiras do Rio. Mas, depois de umas nove léguas, sereis levados a uma região nua e árida de urze e pedra, e o rio serpenteará em fundas ravinas até se dividir em volta da alta ilha de Tolondren. [...]

(ii) [vereis que] as árvores vão rarear e chegareis a uma região árida. Ali o rio flui em vales pedregosos entre altas charnecas, até chegar, por fim, à alta ilha de Tolondren. Em volta das costas rochosas da ilha ele lança os braços e depois cai com ruído e fumaça sobre as cataratas de Rhosfein [*escrito acima, a lápis:* Dant-ruin] em direção a Nindalf — o Campo Alagado, como o chamam em vossa língua. É uma região ampla de pântanos indolentes, onde o rio se torna tortuoso e muito dividido; ali o rio Entágua conflui por muitas fozes desde o Oeste. Mais além, deste lado do Grande Rio, está Rohan. Do lado oposto ficam as colinas desertas de Sarn-gebir [*na versão (i)* Sarn > Sern Gebir]. Lá o vento sopra do Leste, pois elas dão para os Pântanos Mortos e as Terras-de-Ninguém [*na versão (i)* as Terras-de-Ninguém (de Uvanwaith) até os passos de Mordor: Kirith Ungol.

Este trecho, nas formas variantes, é o relato mais completo da geografia dessas regiões encontrado até agora, e vou adiar essa discussão até o capítulo seguinte, conectando-a ao primeiro mapa de *O Senhor dos Anéis*.

Apesar da sua instrução de colocar a cena das dádivas "logo antes de beberem em despedida" (p. 333), meu pai agora mudou de ideia, e introduziu a taça do adeus aqui, no mesmo lugar de SA (p. 527) e com as mesmas palavras, exceto que Galadriel dizia inicialmente "por muito que a hora da sombra tenha chegado no tempo designado", e depois "por muito que as sombras há muito preditas se aproximem", até que as palavras dela em SA aparecem: "por muito que a noite deva seguir-se ao meio-dia e já se aproxime nosso entardecer". Depois de "Então chamou cada um por sua vez",

334

meu pai colocou: "Colocar aqui a cena das dádivas (na forma breve ou longa)". A "forma breve" da cena encontra-se encabeçada com "Se a cena das dádivas for cortada, ou reduzida, poderia ser assim:"

A cada um dos convivas ela deu um pequeno broche com a forma de uma flor dourada com três folhas de joia verde. "Isto há de ser em lembrança de Lothlórien", disse ela, "e todos os elfos que as virem hão de saber que sois amigos. Para os dois de vós", falou, virando-se para Frodo e Sam, "tenho também pequenas dádivas de mim mesma em lembrança do nosso último encontro. Para ti, pequeno jardineiro e amante das árvores, dou isto, muito embora possa parecer pequeno de se olhar. Fez sinal para Sam e pôs-lhe na mão (… para o fim de Sam …)
"E para ti, Frodo, preparei isto," disse ela…

(A última parte desse texto está escrita assim mesmo no original).

(viii)

A conclusão do capítulo na versão mais antiga que restou está à tinta, numa escrita clara e com pouca hesitação no fraseado, chegando bem perto de SA (apesar de muitas diferenças pequenas nas palavras em si). O sentimento da Comitiva conforme o Rio os levava embora de Lórien é expresso assim (e há aí a primeira sugestão da ideia de que Lórien existia em um modo de Tempo distinto daquele do mundo fora de suas fronteiras, a menos que estivesse presente nas palavras de Keleborn na p. 294):

Lórien deslizava para trás, como uma embarcação verde com árvores por mastro, navegando rumo a costas esquecidas, enquanto eles eram lançados outra vez na cinzenta e incessante água do tempo.

A canção de Galadriel ouvida na distância conforme os barcos desciam o Anduin não está registrada; de fato, há uma clara sugestão de que, quando escreveu esse trecho de conclusão pela primeira vez, meu pai não pretendia que ela fosse registrada (embora as palavras "Canção de Galadriel" no esboço da p. 330 talvez sugiram o contrário):

Mas cantava [na antiga língua élfica >] em alguma antiga língua oculta, e ele não ouviu as palavras. [*Acrescentado:* A música era

ADEUS A LÓRIEN

bela, mas não trazia consolo ao coração.] Repentinamente o rio circundou uma curva, e as margens subiram de ambos os lados. Eles nunca mais a viram. Agora os viajantes voltaram os rostos para a jornada, o sol estava à sua frente [...]

Os trabalhos iniciais para as canções de Galadriel, contudo, encontram-se com os manuscritos mais antigos deste capítulo, tanto a canção dela dentro da nau-cisne (da qual também há um texto finalizado) como o *Namárië*. A versão completa da primeira canção diz:

> *De folhas canto, folhas d'ouro, e folhas d'ouro vêm:*
> *De vento canto, um vento chega, nos ramos se detém.*
> *Além do Sol, além da Lua, espuma sobre o Mar,*
> *Junto à praia em Tirion, árvore d'ouro a medrar.*
> *Em Semprenoite, em Eldamar sob astros que lá vão,*[35]
> *Em Eldamar junto às muralhas da élfica Tirion.*
> *E muito além dos Lagos-sombra, em longínquo recanto,*
> *As folhas d'ouro sobre os anos crescem, entretanto.*
> *E Lórien, Ó Lórien! Tão longe o rio se vai*
> *E leva na corrente toda folha que ali cai;*
> *Ó Lórien! Na Costa de Cá demais eu já fiquei*
> *E a elanor dourada em grinalda inerte atei.*
> *Se agora eu cantasse de naus, que nau iria chegar,*
> *Que nau me restituiria por tão amplo Mar?*[A]

Alterações a lápis conduzem a canção, em todos os pontos, para a versão de SA. Meu pai estava trabalhando ao mesmo tempo na canção élfica, que chegara a esta forma:

> *Ai! laurie lantar lassi sūrinen*
> *inyalemīne rāmar aldaron*
> *inyali ettulielle turme mārien*
> *anduniesse la mīruvōrion*
> *Varda telūmen falmar kīrien*
> *laurealassion ōmar mailinon.*
>
> *Elentāri Vardan Oiolossëan*
> *Tintallen māli rāmar ortelūmenen*

336

arkandavä-le qantamalle tūlier
e falmalillon morne sindanōrie
no mīrinoite kallasilya Valimar.

Mencionei anteriormente (p. 314) a relação muito próxima entre a escrita dos rascunhos e a da cópia manuscrita limpa que os seguiu; e o resultado desse modo de composição é que há pouquíssimo que precisa ser dito acerca do novo texto (numerado 20, mas sem título: "Adeus a Lórien" foi escrito depois a lápis).

Nas palavras de Keleborn para a Comitiva na última noite (ver p. 323), ele ainda fala das "grandes cachoeiras de Rosfein, onde o Rio corre para fora das ravinas em meio às Colinas Verdes", mas isso foi alterado, antes de o manuscrito estar completo, para "onde o Rio despenca trovejando de Sarn-gebir". Seu aconselhamento no momento de despedida no dia seguinte, na Língua, naturalmente mal difere do texto (pp. 334) que foi escrito para essa posição na cópia limpa (nota 34); mas as "cataratas de Rhosfein" se tornam as "cataratas de Dant-ruinel" (*Dant-ruin* foi escrito a lápis acima de *Rhosfein* no rascunho) e, no fim do trecho, Keleborn não diz "os passos de Mordor: Kirith Ungol", mas "até Kirith Ungol e os portões de Mordor".

Alterações a lápis neste trecho da cópia manuscrita passada a limpo transformaram *Tolondren* em *Eregon*, depois para *Brandor* e depois para *a Rocha-do-Espigão, que chamamos Tol Brandor*; e *Dant-ruinel* para *Rauros* (com as notas marginais *Rauros* = "Chuva-veloz" ou "Chuva-rugidora"). Nesse momento, *Rosfein* na fala anterior de Keleborn foi alterado para *Rauros*.[36]

O relato muito mais completo em SA (p. 522) dos mantos-élficos dados aos membros da Comitiva (ver p. 321) foi acrescentado, provavelmente não muito depois (ver p. 403 e nota 35), e as palavras dos Elfos "Não há magia tecida nestes mantos" foram removidas com a introdução da pergunta de Merry (em SA, de Pippin): "Estas são vestes mágicas?". Os broches em formato de folha foram outro acréscimo subsequente (ver p. 466).

Quando Haldir reapareceu para guiá-los de Caras Galadon (agora sem seu irmão Orofin) ele disse, assim como no rascunho desse trecho, "Há coisas estranhas acontecendo lá. Não sabemos o que significam" (ver p. 330). Isso foi subsequentemente riscado na cópia limpa, mas então assinalado *Stet* [ficar, manter]; o qual

ADEUS A LÓRIEN

também foi, por sua vez, riscado depois, e as palavras de Haldir não aparecem no texto seguinte do capítulo e nem em SA (p. 523). É muito difícil entender por qual motivo meu pai as removeu, e por que hesitou entre mantê-las e removê-las até finalmente eliminá--las. Aparentemente como um comentário a isso, ele escreveu a lápis uma observação no manuscrito: "Isso não serve — caso Lórien seja atemporal, pois aí *nada* terá acontecido desde que entraram". Só posso interpretar isso como sendo que, dentro de Lórien, a Comitiva existia em um Tempo diferente — com suas manhãs e noites e dias que se passaram — enquanto no mundo fora de Lórien nenhum tempo se passou: eles haviam deixado aquele Tempo "externo" e voltariam a ele no mesmo momento em que o haviam deixado. Essa questão é discutida posteriormente (pp. 430–3). Mas não me parece explicar por que apenas as primeiras palavras de Haldir foram removidas. A sua afirmação — que permaneceu — de que o Vale do Riacho-escuro estava cheio de nuvens de fumaça e que havia ruídos na terra, meramente explica quais eram as "coisas estranhas" que os Elfos não compreendiam; e essas "coisas estranhas" obviamente só começaram *depois* de a Comitiva ter entrado na Floresta Dourada.

Assim como no rascunho (pp. 331–2), as palavras da canção de Galadriel dentro da nau-cisne não foram registradas, mas meu pai subsequentemente colocou uma marcação para que fossem inseridas no manuscrito, com a palavra "Canção". No texto completo de sua canção, encontrado nos rascunhos e colocado na p. 336, ele então escreveu: "Canção de Galadriel para 20.8", sendo que 8 é o número da página no presente manuscrito. Igualmente, não há sugestão de que a canção de despedida de Galadriel ("em alguma língua antiga do Oeste, de além da borda do mundo") deveria ser colocada, embora a frase "e ele não ouviu as palavras" tenha sido alterada no manuscrito para "e ele não compreendia as palavras", assim como em SA; mas aqui, outra vez, meu pai subsequentemente colocou na margem uma marcação para que fosse inserida, e a palavra "Canção".

"Eles nunca mais a viram", no rascunho (p. 336) se torna agora "Nunca mais Frodo viu a Senhora Galadriel", onde SA diz "Àquela bela terra Frodo nunca mais voltou".

A TRAIÇÃO DE ISENGARD

O seguinte esboço encontra-se em um pequeno pedaço de papel isolado. A única evidência de data que consigo discernir é uma menção à "caixa de Sam" (ou seja, o presente que ganhou de Galadriel) e, portanto, seguiu-se ao presente capítulo. Mas este parece ser um bom lugar para colocá-lo, em relação ao fim do esboço maior que intitulei "A História Prevista a Partir de Moria" na p. 253.

Os Três Anéis devem ser *libertados*, e *não* destruídos com a destruição do Um. Sauron não pode novamente se erguer em pessoa, apenas operar por meio dos homens. Mas Lórien está a salvo, e Valfenda, e os Portos — até que eles se cansem e até que os Homens (do Leste) "devorem o mundo". Depois, Galadriel e Elrond vão embora navegando. Mas Frodo salva os Anéis.

Frodo salva o Condado; e Merry e Pippin se tornam importantes.

Sacola-Bolseiros são expulsos (viram criados de estalagem em Bri).

A caixa de Sam restaura Árvores.

Quando idosos, Sam e Frodo zarpam para a ilha do Oeste e [*sic*] Bilbo termina a história. Por gratidão, os Elfos os adotam e lhes dão uma ilha.

No alto da página está escrito: "Saruman se torna um mágico itinerante e um enganador".

NOTAS

[1] As Colinas de Pedra foram nomeadas em esboços incluídos em pp. 278, 296. A última palavra na frase ilegível, antes de "nas Colinas de Pedra" possivelmente é "caem". Em conjunto com a nota no esboço da p. 278, dizendo que a "separação" se daria "nas Colinas-de-pedra", isso talvez sugira que aqui está o primeiro indício das grandes cachoeiras no Anduin.

[2] A palavra *Carrocha* está muito indistinta. Ela ocorre novamente no esboço (*c*), mas está igualmente indistinta ali. Contudo, creio que certamente deve ser *Carrocha*, especialmente porque parece muito adequada: pois Tolondren é a origem de Tol Brandir e, portanto, a "Grande Carrocha" se contraporia à "Pequena Carrocha", ou "Carrocha Menor" de Beorn, que também se erguia em meio às águas do Anduin, mas bem para o Norte; *ondren* sem dúvida deriva do radical GOND "pedra" (*Etimologias*, V. 433).

[3] Compare a palavra rejeitada *Duil* com *Duil Rewinion*, nome dos Morros dos Caçadores (a oeste do rio Narog) no primeiro mapa do *Silmarillion*, IV. 266.

ADEUS A LÓRIEN

Emyn Rain foi subsequentemente grafado *Rhain* (ver nota 9); ver as *Etimologias*, V. 465, radical REG, noldorin *rhein, rhain*, "fronteira", e também *Minas rhain* (Minas Tirith), p. 143.

[4] Esta é a primeira ocorrência de *Campo Alagado*. A segunda palavra no nome élfico *Palath Nenui* é ligeiramente incerta, mas parece provável. Ver as *Etimologias*, V. 461, radical PAL, noldorin *palath* "superfície"; também *palath* "íris", VI. 530, VII. 140. *Palath Nen[ui]* ocorre também no Primeiro Mapa (ver pp. 351, 363).

[5] A palavra *Naith* "Ângulo" (ver as *Etimologias*, V. 470, radical SNAS, noldorin *naith* "gomo") parece, no contexto deste esboço, ser um nome para o "pontal verde" ou "Língua", onde a Comitiva embarcou em Lórien na jornada pelo Anduin (ver também *Naith Lórien* no esboço (*a*)); e subsequentemente (p. 331), isso é dito explicitamente: "[o] Naith, ou Ângulo (como os elfos chamavam esse relvado verde)".

O nome Ângulo é usado de forma variada. Na primeira menção na história de Lórien, pp. 247–8, os membros da Comitiva "viajam *até o Ângulo* entre o Anduin e o Raiz Negra. *Ficam lá por longo tempo*"; e "*no Ângulo*, debatem sobre o que será feito". Como isso foi escrito antes da própria história de Lothlórien ter começado, talvez não se deva exigir um uso preciso das palavras; e, no texto original do primeiro capítulo de "Lothlórien", o significado não parece nada ambíguo. Assim que haviam cruzado o Raiz Negra, Hathaldir lhes disse que entraram "no Gomo, Nelen o chamamos, que fica no ângulo entre o Raiz Negra e o Anduin" (p. 275), e disse a Gimli que, no norte, havia "defesas ocultas e guardas *ao longo dos braços abertos do Ângulo entre os rios*". As outras referências naquele texto não contradizem a conclusão óbvia desses dois trechos de que, seja lá qual poderia ter sido a extensão das matas de Lothlórien, o Ângulo, ou Gomo (*Bennas, Nelen, Nelennas*) era "o coração de Lórien" (ver p. 288, nota 46), Lórien-entre-os-Rios, sendo que a base do triângulo era as fímbrias da floresta no Norte.

Portanto, o "Naith, ou Ângulo" deste esboço — e novamente no texto do presente capítulo, referindo-se expressamente à "Língua" (o vértice do triângulo) — representa ou uma mudança no sentido de Ângulo ou talvez esteja sendo empregado tanto para o triângulo maior ("Lórien-entre-os-Rios") quanto para o pequeno triângulo (a Língua) que formava a ponta do maior.

Por outro lado, no manuscrito passado a limpo de "Lothlórien", a distinção se dá entre *Narthas*, "o Gomo", a região maior, e *Nelen*, "o Ângulo", a região no sul, onde os Elfos habitavam (ver p. 281). Duvido que seja possível chegar a uma formulação claramente correta e consecutiva em meio a tanta fluidez.

Em SA (pp. 491–2), "o Naith de Lórien, ou o Gomo" é o triângulo maior no qual se entra após a travessia do Veio-de-Prata; e, no mesmo trecho, Haldir fala sobre as moradas dos Elfos *lá embaixo em Egladil, no Ângulo entre as águas*. *Egladil* ocorre uma vez mais em SA, p. 526, "Ali, no último extremo de Egladil,

340

sobre a grama verde, foi festejado o banquete de partida". No *Complete Guide to Middle-earth*, Robert Foster define *Naith* como "A porção de Lórien entre o Celebrant e o Anduin", acrescentando: "O Naith incluía Egladil, mas era mais extenso"; e define *Egladil* como "O coração de Lórien, a área entre o Anduin e o Celebrant próximo à sua confluência. Chamado em westron de Ângulo".

6 Presume-se que *Nelen* (com aplicação alterada) e *Calennel* eram outros nomes possíveis — além de *Naith* (ver nota 5) e *Calendil* — para o "pontal verde" ou a "Língua", que não recebe nome élfico em SA.

7 *Green-tine* [Ponta-verde]: tradução de *Calendil*; inglês antigo *tind* (compare com *Tindrock* [Rocha-do-Espigão], Tol Brandir), posteriormente *tine*, ponta, forcado, dente de garfo; hoje em dia provavelmente mais empregado para as pontas na galhada dos veados. Compare com *Silvertine* [Pico-de-Prata], uma das Montanhas de Moria (*Celebdil*).

8 Ver o esboço na p. 295: pedem que a Comitiva tenha "cuidado com a Floresta de Fangorn sobre o *Ogodrûth* ou Entágua".

9 No texto original do capítulo, a palavra está claramente grafada *Rhain*, enquanto *Rain* está clara no esboço (*a*). Neste esboço (*c*), parece ser *Rhein* na primeira ocorrência, com *Rhain* escrito acima, mas *Rhan* na segunda e terceira. Contudo, a escrita é muito obscura e coloco *Rhain* aqui também.

10 A cena do Espelho agora acontecia na última noite em Lothlórien: ver p. 306. Muito provavelmente, a cópia limpa do manuscrito de "Galadriel" já existia nesse momento.

11 Obviamente escrito ao mesmo tempo que o restante do texto nessa página, há um trecho à parte que parece se adequar bem aqui:

> Neste momento, isso não é possível. A Oeste, os serviçais de Sauron estão à larga e estão … a terra … o Baranduin e o Griságua. No Norte, há coisas estranhas acontecendo que nós [não] compreendemos com clareza. O [Vale do] Riacho-escuro está repleto de cinza e fumaça, e as montanhas estão inquietas. Vós, Gimli e Legolas, teríeis dificuldade em retornar mesmo com uma grande comitiva.
>
> "E os Beornings?", perguntou Gimli.
>
> "Não sei", disse Keleborn. "Eles estão muito longe. Mas não creio que agora poderias alcançá-los".

O trecho ilegível (supondo que a palavra *estão* fosse rejeitada) talvez possa ser "e tomaram a terra entre o Baranduin e o Griságua". Ver nota 12 adiante. — Uma parte da fala de Keleborn aqui foi depois atribuída a Haldir, que voltara das fronteiras setentrionais de Lórien para guiar a Comitiva desde Caras Galadon: pp. 330, 337.

12 Compare essa fala de Keleborn com a que está no capítulo anterior (p. 294), assinalada para que fosse transferida para o começo deste capítulo. O trecho era mesmo bem diferente, pois Keleborn parecia quase pressupor que pelo menos Gimli e Legolas não continuariam a Demanda, e ofereceu a ambos a

ADEUS A LÓRIEN

hospitalidade de Lórien, ao mesmo tempo em que dizia a Gimli que ele talvez conseguiria voltar pela terra dos Beornings. Agora (aproximando-se do texto em SA, p. 518), ele faz um convite geral para que qualquer um da Comitiva que desejar permaneça. Mas, a julgar pelo que se pode ler do texto subjacente a lápis, vê-se que meu pai manteve o trecho transferido do capítulo anterior de forma bem parecida. O trecho da nota 11 mostra uma mudança de ideia: Gimli e Legolas teriam poucas chances se quisessem retornar.

[13] A forma *Ondor* (conforme escrita *ab initio*) ocorre na quinta versão de "O Conselho de Elrond" (p. 175 e nota 6).

[14] Em uma versão rejeitada desse trecho, Keleborn fala após a observação de Ingold de que duvidava que Gandalf tinha um plano claro:

"Talvez", respondeu Keleborn. "Mas ele sabia que teria de escolher entre Leste e Oeste em breve. Pois o Grande Rio jaz entre Mordor e Minas Tirith, e ele sabia, assim como pelo menos os Homens desta Comitiva sabem, que não pode ser atravessado a pé, e que as pontes de Osgiliath estão derrubadas ou nas mãos do Inimigo desde seu último assalto".

[15] Sobre a "Terra das Sete Torrentes", ver pp. 213-4 e 365-7.

[16] Aqui, e novamente abaixo ("Ingold agradeceu muitas vezes a Keleborn"), *Ingold* não foi alterado para *Pedra-Élfica*, pois o trecho foi rejeitado antes que meu pai decidisse abandonar o nome *Ingold* (ver pp. 326-8).

[17] Essa é a primeira menção às grandes cachoeiras no Anduin (além da indicação muito duvidosa de sua existência mencionada na nota 1).

[18] Conforme o texto foi escrito, a atitude de Sam em relação aos barcos ficou diferente da versão anterior (em que ele "sentiu um pequeno temor") e do que se tornou em SA:

Nem mesmo Sam sentiu temor. Não muito antes, atravessar um rio de balsa lhe parecera uma aventura, mas, desde então, fizera marchas exaustivas demais e passara por perigos demais para se preocupar com uma jornada num barco leve e com o risco de se afogar.

Isso foi subsequentemente alterado para o trecho de SA.

[19] O nome da Espada de Elendil reforjada, *Branding*, foi pensado pela primeira vez aqui, e só depois escrito no capítulo "O Anel vai para o Sul", quando foi reforjada em Valfenda: "e Pedra-Élfica lhe deu um novo nome e a chamou *Branding*" (p. 200). *Branding* é obviamente um nome "inglês" (inglês antigo *brand* "espada"), e harmoniza-se com *Ingold* e *Pedra-Élfica*: ver as observações de meu pai sobre o assunto citadas nas pp. 326-8.

[20] O desenho, feito a lápis, está agora muito desbotado. Eu reforcei o traço em uma fotocópia, e a reprodução se baseia nela.

[21] No relato original do primeiro encontro da Comitiva com o Senhor e a Senhora dos Galadrim (p. 291 e seguintes), Galadriel não dirige palavra alguma a Gimli.

Elas aparecem primeiro na cópia manuscrita limpa de "Galadriel", em que ela diz, assim como em SA (p. 503), "Escura é a água de Kheled-zâram, e frias são as nascentes de Kibil-nâla [...]": outro indício de que esse texto já existia.

22 Embora *Eärendil* apareça no manuscrito passado a limpo de "Galadriel" (p. 314, nota 34), a grafia aqui é *Eärendel*, tanto no rascunho quanto na cópia limpa. Nas cópias que eu fiz desses capítulos em 1942, escrevi *Eärendil* no Capítulo 19 e *Eärendel* no Capítulo 20.

23 O significado das palavras de Galadriel a Troteiro claramente é o de que *Pedra-Élfica* era seu nome real. O fato de a versão final do trecho começar com "'Eis a dádiva de Keleborn ao líder de vossa Comitiva', disse ela a Pedra-Élfica" — antes de a gema verde, a Pedra-Élfica, ser mencionada — é decisivo.

24 Essa alteração foi mencionada com frequência em capítulos anteriores deste livro. Os primeiros exemplos de *Aragorn > Pedra-Élfica* estão na p. 99, nota 17 (em Bri) e na p. 177 e seguintes (a quinta versão de "O Conselho de Elrond"). Ela foi feita nos manuscritos passados a limpo de "O Anel vai para o Sul" (p. 200; incluindo *Troteiro > Pedra-Élfica*), e dos dois capítulos de "Moria" (pp. 213, 244, em que a alteração era sempre *Troteiro > Pedra-Élfica*).

25 Compare a afirmação em ambas as notas — dizendo que o nome real de Troteiro não deve ser "élfico" ou "élfico-gnômico" ("como Aragorn") — com SdA, Apêndice F ("Dos Homens"): "Só os Dúnedain, entre todas as raças dos Homens, conheciam e falavam uma língua élfica; pois seus antepassados haviam aprendido o idioma sindarin, e eles o repassaram aos filhos como tema de saber, pouco mudando com a passagem dos anos", juntamente com a nota a esse trecho: "A maior parte dos nomes dos demais homens e mulheres dos Dúnedain [ou seja, aqueles cujos nomes não eram em quenya], como *Aragorn, Denethor, Gilraen* são de forma sindarin [...]".

26 No primeiro rascunho depois desse esboço, conta-se que Gimli e Legolas "haviam se tornado cada vez mais amigos durante sua estadia em Lothlórien"; a versão seguinte (vii) diz que eles "estranhamente haviam se tornado amigos ultimamente". Em SA, eles "àquela altura eram bons amigos". O complemento acerca de cada barco está agora como em SA, e não como no esboço (*b*) deste capítulo (pp. 316–7), embora lá Gimli e Legolas tenham sido colocados juntos no terceiro barco.

27 Na cópia manuscrita limpa de "Adeus a Lórien", o texto aqui é:

> Na beira oposta as matas ainda marchavam rumo ao sul até onde a vista alcançava; mas, para lá da Língua e no lado leste do Rio, todas as ramagens estavam nuas. Nenhum mallorn crescia ali.

O que se quis dizer aqui parece claro: na margem oeste, além da confluência do Veio-de-Prata e do Anduin, e por toda a margem leste do Anduin, ainda havia floresta, mas, como as árvores não era mallorns, estava sem folhas. Portanto, Keleborn diz que, conforme eles descerem as águas, "as árvores vão rarear", e chegarão a uma região árida. No manuscrito seguinte, feito por mim (sem

ADEUS A LÓRIEN

data, mas claramente seguindo minha cópia de "Galadriel" feita em 4 de agosto de 1942, p. 309), a frase diz "todas as *margens* estavam nuas". Isso, portanto, deve ter sido um simples erro (assim como [no texto em inglês], "the eye could see" no lugar de "eye could see", que permaneceu em SA), pois — em relação às matas que "ainda marchavam rumo ao sul" — "margens nuas" é obviamente uma expressão menos bem escolhida e um tanto ambígua: ela sugere margens sem árvores, e não margens arborizadas no inverno. *

Provavelmente para corrigir isso, mas sem consultar o manuscrito anterior e, portanto, sem ver que havia aí um erro, meu pai em algum momento alterou "beira oposta" para "beira oposta a oeste" na minha cópia, mas isso ainda resulta em uma imagem confusa. O texto em SA (p. 523) remove completamente a referência às beiras a oeste do Anduin, mas mantém as "margens nuas", e isso deve ser interpretado, portanto, como "margens arborizadas no inverno".

28 No rascunho mais antigo para a cena no primeiro capítulo de "Lothlórien", quando a Comitiva encontra os batedores élficos perto das cataratas do Nimrodel (pp. 284–5, nota 26), os ramos mais baixos "ficavam fora do alcance dos braços de Boromir; mas eles tinham cordas. Jogando uma ponta em volta de um galho da maior das árvores, Legolas [...] escalou escuridão adentro".

29 Não há nada além de um brevíssimo esboço da "recusa no jardim" de Galadriel no capítulo original de "Lothlórien" (p. 300), ao passo que, na cópia limpa, a cena está completamente formada (pp. 307–8).

30 Essa referência à extensão outrora muito maior da Floresta de Lórien não se encontra em SA (ver nota 34). Talvez deva ser comparada a *Contos Inacabados*, p. 321: "o reino nandorin de Lórinand [Lórien] [...] era povoado por aqueles Elfos que renunciaram à Grande Jornada dos Eldar desde Cuiviénen e se estabeleceram nas florestas do Vale do Anduin; e se estendia às florestas de ambos os lados do Grande Rio, incluindo a região onde mais tarde foi Dol Guldur".

31 *Ingold* aqui só pode ter sido um erro no lugar de *Pedra-Élfica*.

32 O *Sétimo Rio* foi mencionado na quinta versão de "O Conselho de Elrond", p. 181. Ver pp. 365–7.

33 *Tharbad* foi mencionada na segunda versão de "O Anel vai para o Sul", p. 198 e nota 8.

34 Na verdade, esses trechos foram escritos quando a cópia limpa chegara nesse ponto. Na cópia limpa, uma página termina com as palavras "vereis que, por um tempo, as árvores continuam. Pois outrora a Floresta de Lórien". Foi nesse ponto que meu pai escreveu a primeira das duas passagens, que era, na verdade,

---

*Na edição de 2004, Wayne G. Hammond e Christina Scull restauraram a expressão "as far as eye could see" [até onde a vista alcançava]. No entanto, entenderam que restaurar "boughs" [ramagens] no lugar de "banks" [margens], introduziria uma redundância e, portanto, deixaram o texto como estava em edições anteriores. [N.T.]

A TRAIÇÃO DE ISENGARD

simplesmente a parte de cima da página seguinte na cópia limpa. Contudo, quando decidiu cortar a referência à extensão muito maior que Lothlórien tivera, ele riscou essas palavras no pé da página anterior da cópia limpa, e então escreveu o segundo rascunho incluído aqui.

35 Nos trabalhos originais, o quarto verso era À lagoa de Tirion, a árvore d'ouro a medrar. Outra versão do quinto verso era Sob a Colina de Ilmarin jaz o Aelinuial — Aelinuial, "Lagos do Crepúsculo", é o nome da região de grandes lagoas na confluência dos rios Aros e Sirion em Beleriand; compare com os Lagos-sombra no sétimo verso. Em uma das versões da canção de Bilbo em Valfenda (p. 115) ocorrem os seguintes versos:

> sob a Colina de Ilmarin,
> num vale ali em fulgente tom,
> élfica urbe se vislumbra
> no Lago-sombra, Tirion.[B]

e também Da Semprenoite de altos montes (p. 122; ver p. 116 [Sempretarde]; SA, pp. 338–41).

36 As palavras de Boromir, "Eu mesmo não estive lá" (referindo-se a Fangorn), p. 333, foram alteradas para "Eu mesmo jamais atravessei Rohan".

Notas Adicionais sobre o nome Pedra-Élfica

Um detalhe intrigante na cópia manuscrita passada a limpo deste capítulo é que, apesar de Troteiro ser chamado de Troteiro por toda a narrativa (ver pp. 326–8), nas duas ocasiões em que Keleborn o chama pelo nome, ele usa Ingold. De acordo com a explicação em p. 328, a essa altura, se fosse chamado por seu nome verdadeiro, ele deveria ser Pedra-Élfica. Além disso, quando chegamos à cena das Dádivas de Despedida nesse manuscrito, as palavras de Galadriel a Troteiro permanecem exatamente como no rascunho da p. 326 ("Pedra-Élfica é teu nome [...] e é um belo nome. Acrescentarei por mim mesma esta dádiva para combinar com ele"). Como então Keleborn poderia chamá-lo de Ingold?

Estou certo de que a resposta é (como sugeri na p. 315) que a própria cópia manuscrita limpa desenvolveu-se em relação próxima com os rascunhos, nos quais os nomes não eram estáveis; e também que o manuscrito não foi revisado cuidadosamente nesse ponto. No primeiro caso, perto do começo do capítulo, onde no rascunho Keleborn menciona "Boromir de Ondor, e Ingold, o viajante" como dois da Comitiva acostumados com barcos, Ingold foi em seguida alterado para Pedra-Élfica (pp. 322–3), mas, na cópia limpa, "Ingold, o viajante" permaneceu inalterado. No segundo caso também, mais para o fim do capítulo, onde no rascunho Keleborn dizia "pode ser que Ingold e Boromir conheçam as terras bem o suficiente para não precisarem de conselho" — o que só pode ter sido um descuido fortuito, nota 31 — Ingold foi corrigido para Pedra-Élfica no rascunho, mas não na cópia limpa.

345

ADEUS A LÓRIEN

Mais tarde, meu pai corrigiu o segundo *Ingold* na cópia limpa para *Aragorn*, mas não notou a primeira ocorrência. Sem conhecimento dos textos anteriores, essa revisão apressada e incompleta dos nomes pode produzir emaranhados incompreensíveis depois, quando amanuenses como eu simplesmente copiaram o que viram diante de si: portanto, no texto deste capítulo que se seguiu, um manuscrito feito por mim mesmo (nota 27), escrevi *Ingold* na primeira ocorrência e *Aragorn* na segunda.

As palavras de Galadriel na distribuição dos presentes, "Pedra-Élfica é teu nome, Eldamir na língua dos teus pais de outrora, e é um belo nome", foram riscadas na cópia passada a limpo, com o curioso resultado de que, no manuscrito que eu fiz em 1942, Galadriel diz: "A lâmina que for sacada desta bainha não há de se manchar nem romper, mesmo na derrota. Acrescentarei por mim mesma esta dádiva para combinar com ele". Mais tarde, meu pai escreveu na sua cópia manuscrita passada a limpo (mas não na que foi feita por mim), ao lado da descrição da dádiva de Galadriel e das palavras dela a respeito (que foram mantidas exatamente como no rascunho da p. 326): *Fazer com que essa seja a razão para ele assumir o nome Pedra-Élfica*; e, depois das palavras "no entanto, muitas coisas que agora parecem repugnantes parecer-te-ão diferentes daqui por diante", ele acrescentou: "E [Eldamir >] Elessar há de ser um nome para ti daqui para frente, Pedra-Élfica [nas línguas de fala comum >] na tua fala. Que seja longamente lembrado."

15

O Primeiro Mapa de O Senhor dos Anéis

Dos vários mapas em escala pequena das regiões ocidentais da Terra-média que meu pai fez, vê-se muito facilmente que um deles é o mais antigo; e não tenho dúvida alguma de que este não é apenas o mais antigo dos mapas que restaram, mas também, de fato, o primeiro mapa que ele fez (excetuando-se os esboços apressados de regiões particulares publicados no volume VI).

O "Primeiro Mapa" é um documento estranho, surrado, fascinante, extremamente complicado e muito característico. Para compreendê-lo, deve-se primeiro descrever como foi construído. Ele consiste em diversas folhas coladas lado a lado e em cima de outras folhas de suporte, com uma nova seção significativa do mapa colada por cima de uma parte mais antiga e, em cima dela, ainda outras porções pequenas mais recentes. A cola que meu pai usou para grudar essa nova porção grande era forte, e não é possível separar as folhas; além disso, as dobras constantes fizeram o papel se rasgar e se separar ao longo dos vincos, os quais não coincidem com as juntas reais das diferentes seções do mapa. Portanto, foi difícil entender como o todo foi montado, mas estou confiante de que o relato a seguir está correto. Nesse relato, faço referência à figura na p. 350, "Constituição do Mapa Original de O Senhor dos Anéis". Trata-se de um diagrama, e não de um mapa, mas inseri alguns elementos importantes como guias (o litoral, o Anduin, Trevamata, os rudimentos das regiões montanhosas).

Os constituintes originais do mapa eram duas páginas coladas pelas bordas verticais, e é o retângulo grande, emoldurado com um tracejado branco e preto com a letra **A**. A Leste da fileira vertical 22 de quadrados, há três outras fileiras, mas estas foram deixadas em branco.

O PRIMEIRO MAPA DE O SENHOR DOS ANÉIS

Uma nova seção (constituída de três partes coladas) expandia o mapa original a Norte e Oeste. (Chamo de "nova seção" pois o papel é ligeiramente diferente e porque foi obviamente acrescentada à que já existia). Essa seção está assinalada com a letra **B** na figura e emoldurada com uma linha dupla. Ele continua na direção norte do que está mostrado na figura por mais cinco fileiras horizontais de quadrados (A–E, 1–17).

Como já foi dito, uma terceira seção, assinalada com **C** na figura e emoldurada com linha dupla (quadrados O–W, 9–19), foi sobreposta a uma parte do mapa original "A", cobrindo a maior parte da metade sul. Essa nova seção "C" ultrapassa "A" na parte sul por mais três fileiras horizontais de quadrados (U–W, 9–19). Felizmente, uma boa parte dessa seção não está colada a nenhum papel de suporte e, atravessando-a com uma luz forte, foi possível discernir alguns nomes e características geográficas na parte meridional "perdida" de "A". Essa foi uma operação difícil e confusa, e os resultados são muito incompletos, mas suficientes para mostrar os elementos essenciais que estão embaixo de "C". Tudo o que eu consegui discernir depois de muito examiná-lo está no mapa numerado III^A (p. 363).

O pequeno retângulo com a letra **D** na figura, e emoldurado por uma linha pontilhada, foi substituído repetidas vezes, e é de longe a parte mais complexa do mapa, visto que a região ali contemplada também é crucial na história: do Desfiladeiro de Rohan e Isengard até Rauros e as fozes do Entágua.

O elemento original no Primeiro Mapa

O Primeiro Mapa foi, por um bom tempo, o mapa de trabalho de meu pai e, portanto, da maneira que foi deixado — que é como se encontra agora — ele representa uma evolução, e não um estado fixo da geografia. Determinar a sequência em que o mapa foi construído não demonstra, é claro, que os nomes ou características de "A" sejam necessariamente mais antigos do que em "B" ou "C", pois quando "A" + "B" + "C" existiam, o mapa era uma entidade única. Contudo, há algumas pistas quanto à datação relativa. A camada mais antiga de nomes é identificável pelo estilo das letras e, em alguma medida, pelo fato de que meu pai usou tinta vermelha para certos nomes nesse estágio, principalmente no caso de alternativas (por exemplo, *Ruidoságua* em tinta preta e *Bruinen* ao lado, em

A TRAIÇÃO DE ISENGARD

vermelho). Na parte diretamente visível de "A", da qual praticamente tudo está mostrado no Mapa II (p. 360), todos os nomes são "originais", com exceção dos seguintes: *Torfirion* (*Morada Ocidental*); *Colinas do Norte, Fornobel* (*Norteforte*); *Forodwaith* (*Terra-do--Norte*); *Enedwaith* (*Marco-do-Meio*); *Caradras*; *Nimrodel, Veio-de--Prata*; *Trevamata, a Grande*; *Trevamata Meridional, Rhovanion*; *Rhosgobel, Dol Dúghul* (mas *Dol Dúgol* em tinta vermelha, riscado, em M 15–16, estava lá originalmente); *Bardings*; *Mar de Rhûnaer* e *Rhûn*. O caso do *Veio-de-Prata* é notável: aqui, o nome original era *Via-rubra*, riscado e alterado na mesma letra para *Raiz Negra*, e essa mudança está documentada de maneira muito precisa na segunda versão de "O Anel vai para o Sul", p. 202.

Nessa "camada original" de nomes estão alguns outros que não incluí no mapa redesenhado (II), pois não consegui encontrar espaço para incluí-los sem confundi-los desnecessariamente por causa da escala muito pequena: são eles *Floresta Chet*; [*Pântanos*] *dos Mosquitos*; *Rio da Floresta, Homens-da-Floresta, Elfos-da-Floresta* e *Valle. E.A.* (assim escrito no original), na Estrada a leste de Bri significa *Estalagem Abandonada*. Sobre o *Rio Corredio* (*Rhimdad*) ver V. 466, VI. 256, onde a forma é *Rhimdath* (também *Rhibdath*).

Três dos nomes originais foram alterados, e eu incluí a forma posterior. São eles o rio *Isen*, inicialmente escrito *Iren* em P 8 (palavra em inglês antigo para "ferro", que variava com *Isen*); *Andrath* em L 8, onde a forma original está obscura pois um vinco rasgado do mapa passa por ela, mas que parece ter sido *Amrath* (assim como em um rascunho de um trecho do capítulo "Muitos Encontros", ver pp. 86–7 e nota 7); e *Anduin* (M–N 13, Mapas II e IV[A]), inicialmente escrito *Andon* (ver p. 352).

Das características geográficas, a maior parte do que está representado na parte diretamente visível de "A" remonta ao início e, é claro, uma parte substancial disso deriva do Mapa das Terras--selváticas em *O Hobbit*. Os elementos não "originais" são as regiões elevadas no Noroeste do Mapa II (I 8–9, J 7–8); as marcações representando as Colinas de Ferro (embora o nome em si estivesse originalmente presente); o Mar de Rhûnaer, a região montanhosa a sudoeste dele, o rio que deságua nele vindo das Colinas de Ferro e o curso inferior do (não nomeado) Rio Rápido, que, conforme o mapa foi feito inicialmente, mal se estendia para além da borda oriental do Mapa das Terras-selváticas em *O Hobbit*.

O PRIMEIRO MAPA DE O SENHOR DOS ANÉIS

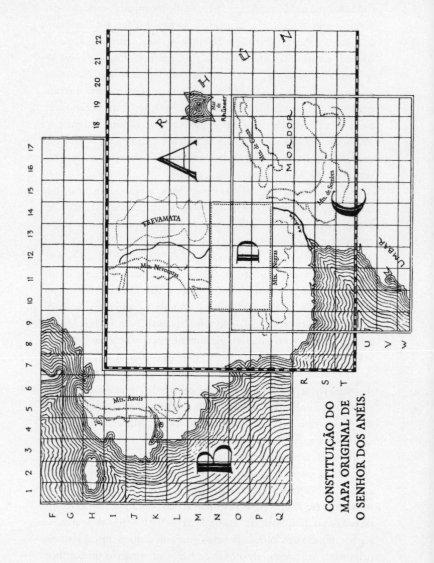

CONSTITUIÇÃO DO MAPA ORIGINAL DE O SENHOR DOS ANÉIS.

Algumas outras características geográficas são ligeiramente duvidosas, mas o braço ocidental das Montanhas Nevoentas que percorre os quadrados I 10–11 foi provavelmente um acréscimo posterior, e a vasta região de elevações entre Trevamata e o Mar de Rhûnaer, além das torrentes que correm de lá até os Pântanos Mortos (N 16), quase certamente são posteriores. A localização original do nome *Dol Dúgol* (M 15; ver p. 349) provavelmente não tinha nada a ver com essas elevações (na primeira ocorrência do nome na p. 214, Gandalf fala da "moradia mais antiga e menor [de Sauron] em Dol-Dúgol no sul de Trevamata"): traços desbotados de cor verde me sugerem que, originalmente, Trevamata se estendia muito mais para o Sudeste, cobrindo L 15 e uma boa parte de M–N 15–6, e que essa região de floresta foi apagada. As colinas que avançam em N 15 vindas da área que deixei em branco no Mapa II também são um acréscimo: essa região será discutida mais adiante neste capítulo.

O rio Isen é um pouco duvidoso porque embora o nome, conforme originalmente escrito (*R. Iren*, ver acima), claramente pertença à primeira camada de nomes, o litoral, da forma que foi desenhado, não tinha a foz de nenhum rio em frente à ilha costeira em P 7, e uma reentrância foi feita posteriormente a lápis. A mesma coisa se aplica ao rio sem nome (o posterior Lefnui) ao sul do Isen, cuja foz foi acrescentada em R 8 (Mapa III).

Na parte do mapa original "A" que foi obliterada quando a porção "C" foi colada, alguns nomes e características podem ser vistos, como já foi dito (pp. 348–9; Mapa III[A]). Fica claro que, naquele estágio, relativamente pouca coisa foi inserida no mapa. O que está em preto pode ser facilmente visto, e não acho que houve nada além de *Terra de Mor-dor*, *Minas Morgol* (com *Ithil* em tinta vermelha), *Osgiliath*, *Minas Tirith* (com *Anor* em tinta vermelha), *Raiz Negra > Veio-de-Prata* (ver discussão do Mapa II na p. 359) *Tolfalas*, *Baía de Belfalas* e *Ethir-andon* (como parece ter sido escrito antes de ser alterado para *-anduin*, assim nomo na porção setentrional de "A"). *Pântanos Mortos* está em tinta vermelha; outros nomes parecem ter sido inseridos em giz vermelho (*Terra de Ond*) ou lápis. Não é possível ver a localização real de Minas Morgol e da Torre Sombria, e nem se veem as últimas letras de *Palath Nen*[*ui*] (sobre o qual, ver p. 316 e nota 4); e as cadeias de montanhas são extremamente difíceis de discernir. Os pedaços das montanhas de Mordor

351

O PRIMEIRO MAPA DE O SENHOR DOS ANÉIS

no Noroeste que fui capaz de distinguir com certeza sugerem, contudo, uma disposição essencialmente igual à de "C". A ocorrência de *Dol* [? *Amroth*] neste estágio é notável.

Portanto, fica claro que, seja lá quando o Primeiro Mapa de fato foi iniciado, ele atingira o estágio visto na "camada" original da porção "A" antes da época a que agora chegamos nos textos, e também fica claro que muito dessa camada é contemporâneo desse período de trabalho: muitos desses nomes originais no mapa aparecem pela primeira vez nos textos deste livro — por exemplo *Vau Sarn* (p. 16), *Terra dos Ents* (p. 17), *Mitheithel* (p. 22), *Bruinen* (p. 23), *Minas Tirith* (p. 142), *Minas Morgol* (p. 143), *Minas Anor, Minas Ithil* (p. 147), *Baía de Belfalas* (p. 147), *Tharbad* (p. 198) etc. *Andon* (*Ethir-andon*), uma forma que precedeu *Anduin*, nunca ocorreu nos textos: *Anduin* aparece na quinta versão de "O Conselho de Elrond", e o nome *Sirvinya* "Novo Sirion", aparece na terceira (pp. 147, 175).

O Mapa de 1943

Em 1943 (ver *Cartas*, n. 74 e 98), fiz um grande mapa elaborado com lápis e giz colorido, que fazia par com um semelhante do Condado (ver VI. 136, 251). Era o Primeiro Mapa que eu tinha à minha frente quando o fiz. Meu mapa, portanto, tem valor histórico por mostrar em que estado o Primeiro Mapa se encontrava naquela época — especialmente no que diz respeito aos nomes, pois, embora eu tenha sido tão fiel aos cursos dos rios e às linhas costeiras como tentei ser 45 anos depois, usei formas pictóricas para as montanhas e colinas que são menos precisas.[1]

Os mapas redesenhados neste livro

Em *Contos Inacabados* (p. 30), chamei os mapas que meu pai fez para *O Senhor dos Anéis* de "mapas esboçados"; mas foi uma escolha ruim de palavra e, no que diz respeito ao Primeiro Mapa, um nome seriamente incorreto. Todas as partes do Primeiro Mapa foram feitas com grande cuidado e delicadeza até um estágio muito tardio de correção, e ele tem um ar muitíssimo "élfico" e arcaico. As dificuldades de interpretação não decorrem de nenhuma falta de acabamento na execução original, mas, em parte, de alterações subsequentes feitas em um espaço muito pequeno e, em parte, de sua condição atual: está amassado, vincado e rachado pelo uso constante, de modo que as conexões se perderam e muitos nomes e marcações acrescentadas a lápis estão tão borradas e esmaecidas a ponto de estarem quase invisíveis. Meu pai usou bastante lápis e giz colorido: cadeias de montanha estão sombreadas em cinza; os rios (na maior parte), representados por giz azul; regiões de pântano e floresta estão em tons de verde (Trevamata está indicada por pequenas marcações arredondadas em giz verde que sugerem copas de árvores); e as cores estão esfregadas e desbotadas (é frequentemente muito difícil ter certeza quanto aos cursos dos rios). Nas regiões em que a evolução da história causou alterações substanciais na geografia — notavelmente onde as colinas e as montanhas foram muito alteradas e sobrepostas por novas representações — há tantas linhas, e traços, e pontos que fica impossível ter certeza da intenção de meu pai, ou mesmo de entender o que está no papel.[2]

Inevitavelmente, a tentativa de redesenhar o mapa envolve mais do que meramente copiá-lo (e, como precisa ser apresentado em preto e branco, uma simbolização diferente, em particular para regiões de floresta, precisa ser empregada até certo ponto, ou então dispensada); num caso assim, redesenhar significa interpretar. Os meus novos desenhos, portanto, são em certa medida mais simples, menos sutis, e, nos detalhes, mais firmes do que o original; é claro, são também mais uniformes na aparência, pois foram feitos todos de uma só vez e com as mesmas canetas. Assim, esses mapas por si só são bem insuficientes como substitutos do original, e a discussão acerca dos mapas reelaborados são parte integral de minha tentativa de apresentar este documento notável.

A principal questão a se resolver, contudo, surgiu do fato de que este mapa resultou de um desenvolvimento constante, evoluindo nos termos da narrativa que o acompanhava e reagindo sobre ela. Redesenhá-lo envolveu uma decisão sobre o que incluir e o que excluir. Mas tentar limitar seu conteúdo aos nomes e às características que seria possível supor que estivessem presentes em um momento particular (em termos de narrativa) envolveria inúmeras complexidades e decisões dúbias ou arbitrárias. Mostrou-se claramente muito melhor apresentar o mapa em uma forma desenvolvida e, exceto no caso do Mapa III^A (no qual uma grande parte do

O PRIMEIRO MAPA DE O SENHOR DOS ANÉIS

mapa original "A" foi logo abandonada) e dos mapas IV^{A-E} (em que há seis versões sucessivas e distintas), tomei o meu mapa de 1943 como um ponto definitivo fixo conveniente, embora tenha havido um certo número de exceções. Em toda a discussão a seguir, deve ficar entendido que tudo o que está nas minhas versões redesenhadas deste livro aparecem dessa mesma forma no mapa de 1943, a menos que se diga algo em contrário. Contudo, muitas das alterações subsequentes feitas ao Primeiro Mapa ou ao mapa de 1943, ou a ambos, são mencionadas.

Os quadrados no mapa original têm 2 centímetros de lado (no meu mapa de 1943, os quadrados foram ampliados para 4 centímetros). Nenhuma escala foi fornecida, mas um mapa posterior e muito mais rudimentar, também com uma grade de quadrados desse tamanho, diz que 2 centímetros = 100 milhas [160,9 quilômetros], e essa é claramente a escala do Primeiro Mapa também.

Mapas I e I^A

O Mapa I, cujo extremo Norte e Nordeste estão em I^A, mostra virtualmente toda a porção "B" acrescentada (ver a figura na p. 350): assim, "B" se estende de A até H 1–17, e de I até Q 1–6 e uma porção de 7. A seção destacada à direita do Mapa I corresponde à parte esquerda da porção original em "A", e encontra-se duplicada no Mapa II.

A porção "B" não recebeu nenhuma emenda após ser desenhada pela primeira vez, exceto em um ponto menor. As grandes regiões elevadas (posteriormente chamadas de Colinas de Vesperturvo) entre o rio Lûn e as Colinas do Norte certamente pertencem ao restante de "B", e foram ampliadas para o quadrado J 7 de "A", que já existia; e as Colinas do Norte foram inseridas em "A" ao mesmo tempo (ver a discussão do Mapa II para os topônimos).

Esse é o único mapa que mostra a costa setentrional extrema e a vasta baía com o formato de uma cabeça e um rosto humano (E–G 7–9 no mapa I^A). Tendo em vista o Apêndice A (I. iii) de *O Senhor dos Anéis*, onde há uma referência ao "grande Cabo de Forochel que fecha a noroeste a imensa baía do mesmo nome", fica claro que essa é a "Baía-de-Gelo de Forochel" (ver *Contos Inacabados*, p. 29 e nota de rodapé) — embora, em um mapa subsequente feito por meu pai, a baía muito menor ao sul (H 6–7) está muito

A TRAIÇÃO DE ISENGARD

claramente rotulada como "a Baía-de-Gelo de Forochel", e assim ela consta no meu mapa publicado com *O Senhor dos Anéis*.[3] Não se fornecem nomes nesta região do Primeiro Mapa, mas subsequentemente meu pai escreveu a lápis *Mar do Norte* através de G 4–5, e isso entrou no meu mapa de 1943, embora tenha sido inadvertidamente omitido no Mapa I.

Sobre as ilhas de *Tol Fuin* e *Himling*, ver p. 153 e nota 18. As hachuras que representam o mar não estão presentes no original, mas aparecem em partes de "A" e "C" e, portanto, usei-as em toda a parte. Não consigo explicar a linha ondulada que se estende mais ou menos paralelamente à costa, indo de H 4 até K 3.[4]

Ver-se-á no Mapa I que a distinção entre os Portos do Norte e do Sul (aqui *Forlorn* e *Harlorn* no lugar dos posteriores *Forlond* e *Harlond*), situados em baías do Golfo de Lûn, e *Mithlond*, os Portos Cinzentos, situados na ponta do Golfo, já estava presente (mas ver p. 498).

Compare essa primeira representação das Ered Luin, as Montanhas Azuis, no contexto de *O Senhor dos Anéis* com a revisão feita ao final de *A Queda de Númenor* citada em pp. 265–6. É muito notável a aparição de *Belegost* (L 5), que também está assinalada no mapa de 1943, mas em nenhum outro que se seguiu. As Cidades-anânicas nas Montanhas Azuis não estavam originalmente assinaladas no segundo *mapa do Silmarillion* (V. 499, 501), mas foram apressadamente colocadas depois: Belegost situava-se no lado oriental das montanhas, um tanto ao norte do Monte Dolmed e do passo pelo qual a Estrada-dos-Anãos o atravessava. Ver *Contos Inacabados*, p. 319:

Havia, e sempre ali permaneceram, alguns Anãos do lado oriental das Ered Lindon, onde outrora se encontravam as antiquíssimas mansões de Nogrod e Belegost — não longe de Nenuial; mas eles haviam transferido a maior parte de suas forças para Khazad-dûm.

As Torres Brancas nas Colinas das Torres estão representadas por três pontos alinhados (K 6). A letra F no quadrado M 7 do Mapa I e as letras ITH no quadrado H 11 do Mapa I[A] são de *Forodwaith*, sobre o qual ver a discussão no Mapa II.

— O PRIMEIRO MAPA DE O SENHOR DOS ANÉIS —

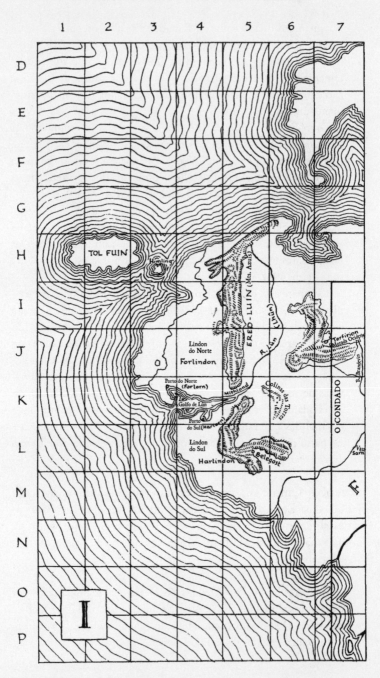

A TRAIÇÃO DE ISENGARD

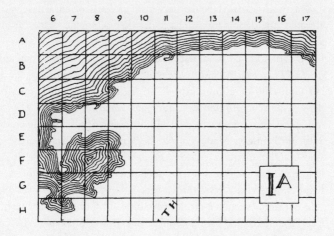

O PRIMEIRO MAPA DE O SENHOR DOS ANÉIS

Mapa II

Essa reelaboração, como se pode ver comparando com o diagrama na p. 350, contempla praticamente toda a parte visível de "A". As únicas áreas de "A" não incluídas são os quadrados praticamente em branco I–T 20, a Leste, e Q–T 7–8, a Sudoeste, que é majoritariamente de mar (e aparece no Mapa III). Também cobre as duas fileiras de quadrados da parte de cima da porção "C" sobreposta (O–P 9–19), e o retângulo "D", que foi aqui deixado em branco exceto pela continuação de alguns nomes. Na esquerda, o Mapa II se sobrepõe ao Mapa I e, na parte de baixo, com o Mapa III.

Na discussão do Mapa I, observei que a porção oriental das regiões elevadas que depois foram chamadas de Colinas de Vesperturvo e as Colinas do Norte foram ampliadas para a porção "A" (I 8–9, J 7–8) quando "B" foi acrescentado. Os nomes *Torfirion* (alterado de *Tarkilmar*) *ou Morada Ocidental* ocorrem na quinta versão de "O Conselho de Elrond" (p. 175); no Primeiro Mapa, meu pai depois rabiscou *Annúminas* aqui, mas *Torfirion* (*Morada Ocidental*) aparece no meu mapa de 1943. O nome originalmente escrito aqui, no Primeiro Mapa, era *Fornobel*, na verdade, mas parece ter sido imediatamente alterado, e *Fornobel* (*Norteforte*) foi escrito ao lado da habitação nas Colinas do Norte. O nome anterior desse lugar era *Osforod, a Norfortaleza* (pp. 148, 158), mas *Fornobel* aparece em uma emenda à quinta versão de "O Conselho de Elrond" (p. 178). Aqui, meu pai rabiscou o nome posterior *Fornost*, mas, no mapa de 1943, o nome ainda era *Fornobel* (*Norteforte*).

A maior parte dos nomes e elementos na parte "A" do Mapa II é original, e já foram comentados anteriormente (pp. 348–9). Sobre a importância de *Griságua ou Sétimo Rio*, ver pp. 365–7. *Gwathlo* é certamente um nome originalmente escrito, embora não tenha aparecido em nenhum texto.

Os vários acréscimos em "A" (listados na p. 349) foram feitos na mesma escrita delgada e com o traço fino característico da seção "C" sobreposta. O nome *Enedwaith* (*Marco-do-Meio*) foi escrito através-sando "A" e "C" depois que "C" tinha sido colado, e *Forod-*(*waith*) (*Terra-do-Norte*) também é desse momento (embora -*waith* tenha sido um acréscimo posterior e mais descuidado). *Enedwaith* denota aqui uma região muito maior do que se tornou depois (as terras entre o Griságua e o Isen): a concepção original, percebe-se, era de uma grande "tríade": *Forodwaith*, ou *Terra-do-Norte*, limitada

358

A TRAIÇÃO DE ISENGARD

no Sudeste pelo Griságua; *Enedwaith*, ou *Marco-do-Meio*, entre o Griságua e o Anduin; e *Haradwaith*, ou *Meridião* (no Mapa III), limitado a Noroeste pelo Anduin (ou pelo rio Harnen). Tudo isso permanece no mapa de 1943, mas meu pai escreveu naquele mapa, ao lado de Forodwaith: (*ou Eriador*).

Sobre os nomes alterados *Iren* > *Isen*, *Amrath* (?) > *Andrath* (que não entrou de forma alguma no mapa de 1943), e *Andon* > *Anduin*, ver p. 349.

Observei anteriormente (p. 351) que a grande região de elevações entre Trevamata e o Mar de Rhûnaer quase certamente não era um elemento original de "A", e as torrentes que descem de lá até os Pântanos Mortos (N 16) foram traçadas continuamente para dentro de "C" (O 16), que já tinha sido colado. (Não há vestígio dessa região montanhosa no meu mapa de 1943: toda essa área foi deixada em branco, embora as torrentes em N 16 apareçam). Dentro do delineado dessas áreas montanhosas, há marcações a lápis mostrando colinas altas ou montanhas que agora estão extremamente desbotadas e interrompidas por um grande vinco rachado que atravessa o mapa na coordenada M; e um nome a lápis em M 16 está ilegível, exceto pelo elemento ... *Leste*.

O nome *Espelhágua* (L 11) foi originalmente escrito. As Montanhas Nevoentas não estão nomeadas, e nem as Montanhas de Moria além de *Caradras* (que foi um acréscimo); no mapa de 1943 também aparece *Kelebras* (p. 210, nota 21), mas não o terceiro pico (*Fanuiras*). Posteriormente, meu pai escreveu no Primeiro Mapa os nomes finais *Celebdil* e *Fanuidol* (assim grafado). Como já foi dito (p. 349), *Veio-de-Prata* foi uma correção (no estilo da porção "C") de *Raiz Negra*, que, por sua vez, substituiu *Via-rubra*; e o rio *Raiz Negra* no sul aparece na parte ocultada de "A" (Mapa III[A]) — onde, contudo, ele também foi alterado para *Veio-de-Prata*! A mudança aqui deveria ter sido ao contrário: pois os nomes dos dois rios foram transpostos, o "Raiz Negra" do norte tornando-se "Veio-de-Prata", e o "Veio-de-Prata" do sul tornando-se "Raiz Negra" (ver p. 213 e nota 1, e p. 286, nota 36). Mas não há dúvidas de que o primeiro nome escrito ao lado do rio no sul era *Raiz Negra*, e isso foi então alterado para *Veio-de-Prata*. Subsequentemente, meu pai riscou *Veio-de-Prata* e escreveu *stet* ao lado de *Raiz Negra*: portanto, suponho que isso foi uma hesitação passageira, quando ele cogitou por um momento voltar atrás na sua decisão anterior de alterar os nomes, ou então foi um descuido.

O PRIMEIRO MAPA DE O SENHOR DOS ANÉIS

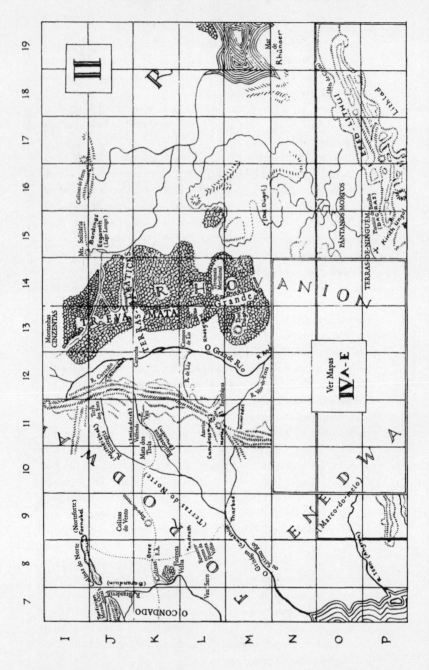

360

Terra dos Ents (J 11) estava lá originalmente, mas está ausente no mapa de 1943; uma nota posterior ao lado, no Primeiro Mapa, diz: "Alterar *Terras dos Ents* para [*Morros-dos-Trols* > *Bergristerra* >] *Charneca Etten*". Esse pareceria ser o lugar em que a(s) *Charneca*(s) *Etten* foi criada pela primeira vez, mas ver p. 82, nota 32. *Bergristerra* vem do nórdico antigo *berg-risi* "gigante-da-colina".

Sobre as duas localizações de *Dol Dúgol* (*Dol Dúghul*), ver p. 351. Para o surgimento de *Rhosgobel*, ver pp. 198–9.

Ao lado de *Mt. Solitária* está escrito *Dolereb* a lápis, e também *Erebor* com um ponto de interrogação (nenhum desses nomes aparece no mapa de 1943). *Erebor* ocorre pela primeira vez na quinta versão de "O Conselho de Elrond", p. 172 e nota 2. As Montanhas Cinzentas e as Colinas de Ferro foram originalmente assinaladas apenas pelos nomes, mas meu pai desenhou posteriormente as colinas, e também alguns traços muito vagos a lápis mostrando uma região montanhosa a oeste e sudoeste do Mar de Rhûnaer; essas características aparecem no mapa de 1943, assim como o rio fluindo das Colinas de Ferro e a extensão oriental do Rio Rápido que se junta a ele (K 16–17), embora no mapa de 1943 o Rio Rápido seja basicamente o principal e o que se junta a ele vindo das Colinas de Ferro seja um afluente menos caudaloso. *Rhûn* foi um acréscimo no estilo de "C". O nome *Rhûnaer* (ou seja, "Mar Oriental"), também um acréscimo em "A" (assim como o próprio Mar), está obscuro no Primeiro Mapa por causa de uma rachadura no papel, mas é confirmado pela sua aparição no mapa de 1943 e em um mapa posterior de meu pai, no qual, embora o Mar em si não esteja incluído, há uma instrução escrita de que o Rio Rápido deságua no *Mar de Rhûnaer*. No mapa publicado em *O Senhor dos Anéis*, é o *Mar de Rhûn*, e há três referências ao *Mar de Rhûn* no Apêndice A (ver também p. 391 no capítulo seguinte). A floresta que faz fronteira com o Mar de Rhûnaer (L 19) se estende, no Primeiro Mapa, dando a volta pelo nordeste do Mar e descendo pela costa oriental (L–M 20), e ao lado dela meu pai escreveu *Neldoreth*. Não há nenhum nome para a floresta no mapa de 1943, que termina no mesmo ponto a leste que o Mapa II neste livro.[5] A ilha no Mar está colorida de verde no Primeiro Mapa e, no de 1943, aparece arborizada.

O nome *Bardings* em J 15 foi um acréscimo a lápis que aparece no mapa de 1943; o acréscimo, também a lápis, de *Eotheod*

O PRIMEIRO MAPA DE O SENHOR DOS ANÉIS

em I 12, contudo, não aparece (sobre as regiões onde os Éothéod habitavam, inicialmente entre a Carrocha e os Campos de Lis e, depois, na região dos nascedouros do Anduin, Cinzalin e Fontelonga, ver *Contos Inacabados*, pp. 386, 396).

Para os elementos assinalados no canto sudeste do Mapa II, O–P 15–19, ver a discussão do Mapa III.

Mapas III[A] e III

A fileira de quadrados P 7–19 se sobrepõe à do Mapa II. O Mapa III não contém nenhuma porção do mapa original "A" exceto por duas fileiras de quadrados à esquerda, P–T 7–8, onde o rio (posteriormente o Lefnui) em Q 8–9, P 9 parece certamente um acréscimo posterior. O Mapa III[A] mostra os nomes e características geográficas do mapa original "A" que eu pude discernir por baixo da sobreposição (pp. 351–2). Dada a dificuldade de se enxergar o que estava ali, creio que, quando essa parte de "A" foi feita, a história em si não avançara para essas regiões, e apenas alguns nomes e características tinham sido colocados. A comparação entre os Mapas III[A] e III mostra que, na segunda versão, Ethir Anduin foi deslocado para sul e leste, tornando-se um vasto delta, e o curso do Anduin foi inteiramente alterado, fluindo em uma grande curva vinda do leste, entre Nindalf e as Fozes, ao passo que o curso original era quase uma linha reta de sul a sudoeste. Concomitantemente, Minas Tirith e Osgiliath foram deslocadas quase 200 milhas para leste. Apenas o nome e não a localização em si de Minas Morgol pode ser vista no mapa subjacente, mas parece que ficava a uma boa distância para leste de Osgiliath em relação ao lugar em que ficou depois.[6] Sobre outras características do Mapa III[A], ver pp. 351–2 e, sobre *Raiz Negra > Veio-de-Prata*, ver p. 359.

A respeito da porção "C" colada por cima do Primeiro Mapa (porção da qual a fileira horizontal de quadrados mais ao alto, O 9–19, encontra-se no Mapa II), como eu disse, o estilo da letra e a representação dos acidentes geográficos foram feitos aqui com uma caneta de ponta excepcionalmente fina; e, ao mesmo tempo, mal é possível distinguir os elementos mais antigos dos mais recentes por esse meio — por exemplo, *Harondor* (*Gondor M.*) é obviamente mais recente do que *Ondor*, mas não há nada no aparência da letra que indique isso. (*Ondor* aqui substitui *Ond*, do mapa subjacente; para a primeira aparição de *Ondor* nos papéis *O Senhor dos*

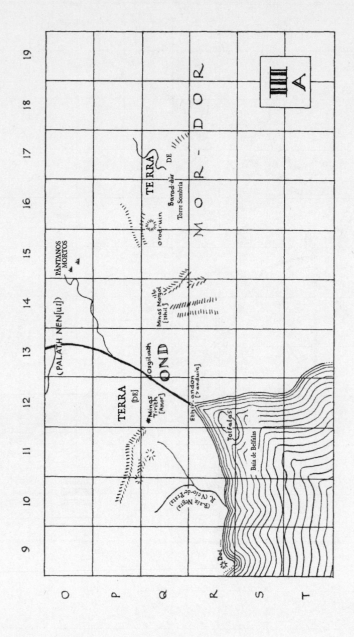

O PRIMEIRO MAPA DE O SENHOR DOS ANÉIS

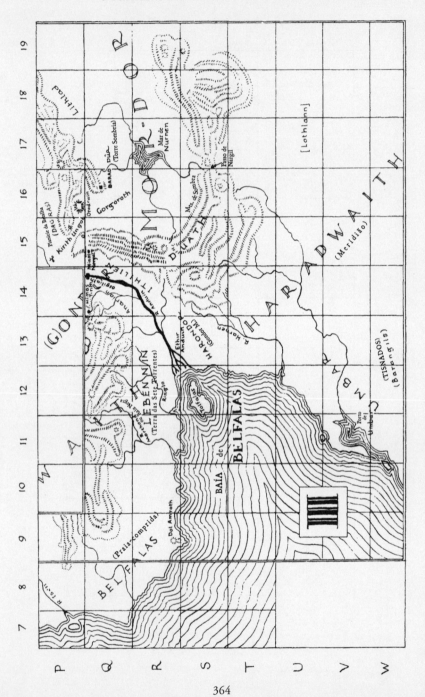

Anéis, ver p. 175). Meu mapa de 1943, contudo, é efetivamente idêntico ao Primeiro Mapa em quase todos os detalhes, e apenas alguns pontos precisam ser especificamente observados aqui.

Adiarei a discussão dos *Pântanos Mortos* e das *Terras de Ninguém* para as notas acerca da evolução do Mapa IV. O nome original da Planície da Batalha, *Dagras*, foi substituído a lápis por *Dagorlad*, que aparece no mapa de 1943, mas foi omitido nesta reelaboração por falta de espaço. *Kirith Ungol* ainda aparece em 1943 como sendo o nome da entrada principal de Mordor, mas coloquei *Minas Morgul* (Q 15) mais para o norte, tão ao norte quanto Minas Tirith, bem perto do extremo norte das Montanhas de Sombra (P 15). Essa mudança cumpre uma instrução na forma de uma seta a lápis no Primeiro Mapa (no qual, a propósito, o nome era originalmente grafado *Minas Morgol*, assim como na porção de "A" que ficou por baixo). Entre muitas alterações que meu pai fez ao mapa de 1943 nessas regiões, ele substituiu Minas Morgol na sua posição original em Q 15. Outra foi o acréscimo de *Ephel* em *Duath* em ambos os mapas. Para a importância dos dois pequenos círculos de cada lado da letra *n* em *Kirith Ungol*, em P 15, ver p. 409, nota 41.

O *Passo de Nargil* (S 17) está representado e escrito de maneira clara no mapa de 1943, ao passo que, no Primeiro Mapa, ele foi rabiscado de modo muito apressado e mal está legível (mas aparentemente diz *Passo de Narghil*). O *Monte Mindolluin* foi semelhantemente posto de modo apressado entre Minas Tirith e a montanha original no canto nordeste de Q 13, mas aparece de forma cuidadosa no meu mapa (ver nota 1); o nome não aparece na reelaboração por falta de espaço.

Apenas no mapa de 1943, meu pai deslocou *Dol Amroth* de R 9 para R 11 (ao sul da foz do rio Morthond); em ambos os mapas, alterou *Belfalas* para *Anfalas*; no Primeiro Mapa apenas, alterou *Anarion* em Q 14 para *Anórien*, e alterou a *Terra das Sete Torrentes* para *Terra das Cinco Torrentes*; e, no mapa de 1943, riscou *Anarion* e *Lebennin* (*Terra das Sete Torrentes*) e reinseriu *Lebennin* no lugar de *Anarion* em Q 14.

A questão dos rios meridionais é muito curiosa. No rascunho do relato de Gandalf acerca de suas aventuras, no Conselho de Elrond (p. 162), Radagast lhe disse que ele dificilmente chegaria à morada de Saruman "antes que os Nove cruzem os Sete Rios", frase que, na versão seguinte (p. 181), se torna "antes que os Nove tenham cruzado o sétimo rio". Em "O Senhor de Moria" (p. 213), Boromir aconselha que a Comitiva tome "a estrada para minha terra, a qual segui vindo para cá: *por Rohan e o país das Sete Torrentes.* Ou poderíamos prosseguir bem para o Sul, dando a volta, por fim, nas Montanhas Negras e, atravessando os rios Isen e Veio-de-Prata [> Raiz Negra], chegar a Ond pelas regiões próximas do mar". Observei ali que isso só pode significar que a Comitiva passaria pelo "país das Sete Torrentes" se fossem a Minas Tirith via Rohan, a norte das Montanhas Negras. Por outro lado, em "Adeus a Lórien" (p. 333), Boromir diz sobre sua jornada para Valfenda: "dei a volta pelo sul, pelas Montanhas Negras, e subi o Griságua — ou o Sétimo Rio, como o chamamos". E, anteriormente no mesmo capítulo (p. 322), ele diz que nasceu "entre as montanhas e o mar, nas fronteiras da Terra das Sete Torrentes".

A descrição do Griságua como *o Sétimo Rio* é um elemento original da porção mais antiga, "A", do Primeiro Mapa, e deve certamente estar associado à *Terra das Sete Torrentes*, especialmente em vista da alteração — nos rascunhos mencionados acima da história de Gandalf no Conselho de Elrond — de "os Sete Rios" para "o sétimo rio". Mas então quais eram esses rios? Estou certo de que, na porção oculta de "A" (Mapa III[A]), exceto pelo Raiz Negra (com um afluente), não há nenhum rio a oeste de Ethir Anduin. Mesmo se o próprio rio Anduin e o afluente do Raiz Negra forem contados, e se supusermos que o rio sem nome (posterior Lefnui) foi um acréscimo muito antigo, o Isen acaba sendo o quinto e o Griságua, o sexto rio. Não fui capaz de encontrar nenhuma solução para esse enigma.

Com a porção "C" que veio em substituição, a natureza do enigma se altera. *Lebennin* (*Terra das Sete Torrentes*) é uma região pequena e é notável que os sete rios sejam de fato mostrados aqui (Mapa III, Q–R 11–14): o Morthond e um afluente sem nome; Ringlo e um afluente sem nome; um rio sem nome que deságua no Anduin acima das Fozes e outro rio sem nome que deságua no Anduin mais na região do curso superior (R 14), formado por dois afluentes, um dos quais vem de Minas Tirith.[7] Mas o Griságua, umas 450 milhas a noroeste do mais ocidental desses sete rios, continua sendo *o Sétimo Rio*.[8] Uma outra guinada nesse problema surge pelo fato de que *Lebennin* não significa "Sete Torrentes" de forma alguma, mas "Cinco Torrentes". A palavra original em quenya para "cinco" era *lemin* (I. 297); e, nas *Etimologias* (V. 446), é possível encontrar a palavra em quenya *lempe* "cinco" e a palavra noldorin *lheben* (compare com quen. *lepse*, nold. *lhebed*, "dedo"). *Ossiriand* era a Terra dos Sete Rios (ver as *Etimologias*, V. 460, quenya *otso*, noldorin *odog* "sete"). Como observei acima, meu pai posteriormente alterou "Sete" para "Cinco" no Primeiro Mapa e, em *O Senhor dos Anéis*, o nome *Lebennin* significa "Cinco Torrentes/Rios": ver *O Retorno do Rei*, V. 1 (p. 1093): "na bela Lebennin com seus cinco rios velozes".

Um mapa posterior de meu pai não soluciona esses problemas, mas tem uma nota a esse respeito que é muito interessante. Quando esse mapa foi feito, *Lebennin* havia sido deslocada para sua posição final. A nota diz:

Rios de Gondor

Anduin

Do Leste

Ithilduin ou *Duin Morghul*

Poros Fronteira

Do Oeste

Ereg   Primeiro

Sirith

Lameduin (de Lamedon) com afluentes,

Serni (L.) e *Kelos* (O.)

} Os 5 rios de Lebennin

Ringlo, Kiril, Morthond e *Calenhir*, todos

os quais correm para o Porto de Cobas

Lhefneg   Quinto

Na contagem, apenas as fozes são contadas: *Ereg* 1, *Sirith* 2, *Lameduin* 3, *Morthond* 4, *Lhefneg* 5, *Isen* 6, *Gwathlo* 7

Portanto, em relação à geografia final da região:

- *Ereg* (o rio sem nome no Primeiro Mapa, que deságua no Anduin em R 14) tornou-se *Erui*.
- *Sirith* (o rio sem nome no Primeiro Mapa que deságua no Anduin em R 13) permaneceu.
- *Lameduin* aqui tem como afluentes o *Serni* e o *Kelos*, os quais evidentemente formam o Lameduin a partir de sua confluência. No Primeiro Mapa, o Lameduin é o *Ringlo*, com afluentes sem nome. Na forma final, Lameduin tornou-se *Gilrain*, tendo o *Serni* por afluente, enquanto *Kelos* foi deslocado e tornou-se afluente do Sirith.[9]

O PRIMEIRO MAPA DE O SENHOR DOS ANÉIS

- Dos quatro rios — *Ringlo, Kiril, Morthond* e *Calenhir* — "todos os quais correm para o Porto de Cobas", apenas os três primeiros estão nomeados nesse mapa posterior, mas o *Calenhir* não: ele aparece sem nome, o mais ocidental dos quatro, descendo no rumo leste de Pinnath Gelin. Esses quatro rios se juntam não muito longe da costa e desaguam (como *Morthond*, segundo a lista acima das fozes dos rios) no mar, na baía a norte de Dol Amroth, que é chamada de *Porto de Cobas*.[10] Na geografia final, essa configuração permanece, embora o *Calenhir* desapareça.
- *Lhefneg* tornou-se *Lefnui*.
- *Isen* permaneceu.
- *Gwathlo ou Griságua* recebeu nesse mapa posterior um nome alternativo, *Odotheg*, alterado para *Odothui* (ou seja, "sétimo").

Acerca da primeira aparição, nos textos, das *Montanhas de Sombra* e do *Vale de Gorgoroth*, ver p. 175; ver também a *Brecha de Gorgoroth*, p. 248. *Kirith Ungol* ("os passos de Mordor") aparece em "Adeus a Lórien', p. 334. Para *Lithlad* ("Planície de Cinzas"), ver pp. 248, 254 e, para a primeira ocorrência de *Orodruin*, p. 38. *Lothlann* (U 17–18) era provavelmente um nome original da porção "C" do Primeiro Mapa, mas foi riscado; não é possível dizer se aparecia no mapa de 1943, pois o canto inferior direito desse mapa foi rasgado. *Lothlann* ("vasta e vazia") deriva de *O Silmarillion*: ver o Índice Remissivo do Volume V.

Sobre *Haradwaith* (*Meridião*), ver p. 359. O nome *Tisnados* aparece em *As Duas Torres*, IV. 3 (p. 929), quando Sam fala do "povo grande lá longe nas Terras-do-Sol. Nós os chamamos Tisnados em nossas histórias". *Barangils* aparece posteriormente como um nome usado em Gondor para os homens do Harad.

Mapas IV^A a IVE

Chegamos agora à parte que é, de longe, a mais complexa do Primeiro Mapa, o retângulo de quinze quadrados (N–P 10–14) com a letra "D" na figura da p. 350, e deixado em branco no Mapa II. Essa seção foi redesenhada e substituída muitas vezes.

IV^A

No Mapa IV^A, a fileira de quadrados mais ao alto, N 10–14, é parte da porção "A" original do Primeiro Mapa, ao passo que

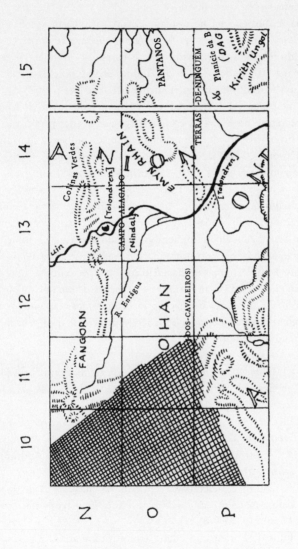

O PRIMEIRO MAPA DE O SENHOR DOS ANÉIS

as coordenadas O e P pertencem à porção "C" sobreposta; mas acredito que a maioria das características e nomes mostrados na coordenada N foram inseridos depois de a porção "C" ter sido colada, e que não há necessidade de nos atribularmos com essa distinção. O pouco que se pode ver (e pouquíssima coisa parece ter sido inserida) nas coordenadas O e P da porção original "A" está no Mapa III^A, onde o curso do Anduin abaixo do Palath Nenui (Campo Alagado) era completamente diferente (ver p. 362).

A fileira vertical de quadrados N–P 15, do lado direito do Mapa IV^A, se repete no Mapa II, e foi acrescentada apenas para tornar a conjunção mais fácil de acompanhar (ela inclui também a continuação do nome *Colinas da Fronteira*, que foi posteriormente riscado). A área sombreada em N–P 10–11 está invisível devido a uma camada colada depois por cima (ver a discussão no Mapa IV^D abaixo).

Acredito que, certamente, as colinas assinaladas como *Colinas Verdes* e aquelas marcadas como *Emyn Rhain* (*Colinas da Fronteira*) foram desenhadas ao mesmo tempo, quando a porção "C" foi feita; mas não acho que foram nomeadas de uma vez só. Esse assunto é bastante complexo, mas revela, creio eu, um aspecto interessante da relação entre a escrita da narrativa e os mapas de meu pai. Coloco inicialmente as muitas afirmações feitas nos textos mais antigos do capítulo "Adeus a Lórien" sobre a região através da qual o Anduin corria, ao sul de Lothlórien.

(i)   O Rio *meandra entre as Colinas da Fronteira, Emyn Rain*. Eles precisam decidir o caminho ali, *pois o Campo Alagado jaz diante delas* (p. 316).

(ii) Eles passam para *as colinas de Rhain onde o rio serpenteia em ravinas fundas* (p. 317).

(iii) A Comitiva desembarca (em Tolondren, a ilha no Anduin) e *adentra as Colinas de Rhain* (p. 317).

(iv) A Comitiva desembarca em Tolondren. [...] Atravessam para a margem Leste e *adentram as Colinas Verdes (ou Emyn Rhain?)* (p. 317–8).

(v)   Elfos de Lórien irão com a Comitiva *até as Colinas Verdes, onde o rio serpenteia em meio a ravinas fundas* (com *Rhain* escrito sobre *Verdes*) (p. 320).

(vi) Keleborn fala das *cachoeiras de Rhain onde o Rio corre para fora das ravinas nas Colinas Verdes* (p. 322).

370

A TRAIÇÃO DE ISENGARD

(vii) Keleborn diz que o Rio passará por *uma região nua e árida antes de fluir na indolente região de Nindalf*, onde o Entágua conflui. *Mais além estão as Emyn Rhain, as Colinas da Fronteira* [...] A Comitiva deve deixar o rio *onde a ilha de Tolondren se ergue na torrente acima das cachoeiras de Rosfein* e cruzar o Entágua acima dos pântanos (pp. 332–3).

(Aqui as Colinas da Fronteira foram deslocadas para o sul, *além* de Tolondren e de Nindalf. As palavras de Keleborn foram reescritas:

(viii) o Rio passará por uma *região nua e árida, serpenteando entre as Colinas da Fronteira antes de cair na indolente região de Nindalf* (p. 332).

Claramente, há uma dúvida ou confusão aqui em relação às Colinas Verdes e às Colinas da Fronteira, e visões diferentes de como as Colinas da Fronteira estão relacionadas a Tolondren, às cachoeiras e ao Nindalf, ou Campo Alagado. Não acho que se possa tirar qualquer conclusão definitiva por esses textos apenas, mas creio que, pelo Mapa IV^A, essa evolução pode ser toleravelmente bem compreendida.

As cadeias de colinas que se erguem de cada lado do Anduin (N 12–14) e as colinas que se erguem a leste e a sudeste delas (N–O 14–15) foram desenhadas ao mesmo tempo e com o mesmo estilo característico da porção "C", ou seja, o contorno delas é marcado por risquinhos. A parte escrita, tenho certeza, foi acrescentada subsequentemente. Minha opinião é a de que essas cadeias eram um dado preexistente, exemplificando as palavras de meu pai na sua carta a Naomi Mitchison de 25 de abril de 1954 (*Cartas* n. 144): "Tive a prudência de começar com um mapa *e fiz a história adequar-se a ele*"; e as afirmações confusas nos papéis mais antigos de "Adeus a Lórien" mostram-no se movendo rumo a uma relação satisfatória entre a narrativa que evoluía, sua visão das terras do entorno do Anduin nessas região e aquilo que estava desenhado no mapa (ou seja, essas cadeias de colinas).

Em determinado estágio, ele decidiu que as colinas deveriam ser, respectivamente, as Colinas Verdes e as Colinas da Fronteira. Escreveu esses nomes e, ao mesmo tempo, expandiu essas últimas (de modo mais rudimentar e com contorno pontilhado) para sudoeste, de modo a abraçar ambos os lados do Anduin (O 14, P 13–14). Isso talvez sirva de ilustração às palavras de Keleborn no trecho (vii)

O PRIMEIRO MAPA DE O SENHOR DOS ANÉIS

acima, em que as Colinas da Fronteira estão ao sul de Tolondren e Nindalf. Mas, na margem do Primeiro Mapa, ele observou: "Colocar [? Tolondren um pouco mais para o sul] e *combinar as Colinas Verdes com as Colinas da Fronteira*, e colocar Nindalf, ou Campo Alagado, em volta das fozes do Entágua". Essa última observação provavelmente se refere à curiosa característica do Mapa IV^A, em que o Campo Alagado se situa distintivamente a norte das fozes; a observação sobre Tolondren sem dúvida explica o nome riscado em N 13 e sua reinserção em uma posição mais ao sul (P 13, onde um rio que corre das Montanhas Negras deságua no Anduin), onde foi novamente riscado. Esse pedacinho do mapa claramente passou a necessitar de um novo desenho.

A propósito, pode-se notar que a torrente que sai das Montanhas Negras surge em um lago oval em P 11; e parece perfeitamente claro que o Morthond também nasce nesse lago: ver Mapa III, Q 11.

Mapa IV^B

O que aconteceu agora com a geografia está claro. No trecho (viii) acima, Keleborn diz que o Rio passará por uma "região nua e árida, serpenteando entre as Colinas da Fronteira antes de cair na indolente região de Nindalf". No rascunho (ii) da p. 334, ele diz que "as árvores vão rarear e chegareis a uma região árida. Ali o rio flui em vales pedregosos entre altas charnecas, até chegar, por fim, à alta ilha de Tolondren" (mormente preservado em SA, p. 526). Assim surgem as *Terras Castanhas*, no lugar das Colinas Verdes originais, no Mapa IV^B, um retalho destacado de 9 quadrados que nunca foi colado. Aqui, Tolondren (não mais chamada assim) está definitivamente na posição mais ao sul e, em conexão com isso, o curso do Entágua foi muito alterado, fazendo uma curva ampla para o sul, *de modo que o Campo Alagado ainda está ao sul de Tolondren e das cachoeiras* (aqui chamadas de *Dant Ruinel*, mas esse nome foi riscado e depois *Rauros* foi acrescentado a lápis).[11] Na verdade, o novo curso do Entágua em parte incorpora o do rio sem nome do Mapa IV^A que nasce nas Montanhas Negras (P 12–13). A extensão das Emyn Rhain a sudoeste, inseridas tenuemente em IV^A, agora se chama *Sarn Gebir* e o traço foi bem reforçado (ver a referência de Keleborn às "colinas desertas de Sarn-gebir", p. 334), mas isso foi feito de maneira muito grosseira, claramente depois que o pequeno pedaço de papel foi desenhado inicialmente; devido às linhas fortes que marcam essas colinas, outras

372

A TRAIÇÃO DE ISENGARD

marcações são difíceis de interpretar, mas é possível ver que agora há um grande lago (de cor azul) e uma grande ilha no lago chamada de *Ilha de Emris*,[12] e em cada margem há pontos escuros, sem dúvida representando Amon Hen e Amon Lhaw.

O nome [*Pétreaterra*] embaixo de *Ond*(*or*) foi inserido a lápis. O Descampado de Rohan está colorido de verde, assim como as colinas em N 12–13. O rio Limclaro aparece agora (N 12–13), embora o nome tenha sido acrescentado somente depois, a lápis.

Mapa IV^C

Esse é outro retalho destacado com os mesmos 9 quadrados, sem grandes diferenças em relação a IV^B, exceto na representação de Sarn Gebir a oeste do Anduin, onde a cadeia de colinas agora corre de Norte a Sul. Os nomes *Tolbrandir*,[13] *Rauros* e *Rio Limclaro* foram inseridos agora (os últimos dois foram colocados a lápis em IV^B), e as corredeiras, aqui chamadas de *Sarn-Ruin*, a norte do lago. Foram acrescentados os nomes a lápis *Westemnet*, *Eastemnet* e *Vau Ent*, que não aparecem no meu novo desenho. *G* foi acrescentado na frente de *Ondor*, e uma seta deslocou o *Descampado de Rohan* para N 12, a norte das colinas (novamente coloridas de verde) em N 12–13. O nome (*Rhov*)*annion* está grafado assim, com dois *n*. O nome *Eodor* foi acrescentado a lápis em P 12, mas riscado e (aparentemente) movido para Oeste, para P 11 (os seis quadrados N–P 10–11, nessa época, existiam na forma em que estavam no Mapa IV^A, onde, contudo, estão muito obliterados por camadas colocadas posteriormente em cima).

Mapa IV^D e IVE

O Mapa IV^D é uma seção de doze quadrados (N–P 10–13) que foi colada no mapa quando ele estava no estágio representado pelo Mapa IV^A, mas, aqui, a cola aderiu apenas à parte esquerda e, por isso, muito de IV^A se revela. A fileira vertical de quadrados N–P 14 foi recortada de IV^C, e IV^D foi desenhado para se juntar (mais ou menos) a essa tira. Depois, os quatro quadrados O–P 10–11 receberam ainda outra seção por cima (IVE), e aqui a porção correspondente de IV^D está completamente oculta.

Em IV^D, alterações que tinham sido feitas a IV^C foram incluídas: *Gondor* no lugar de *Ondor*, o *Vau Ent*, *Eastemnet* e *Westemnet* e o

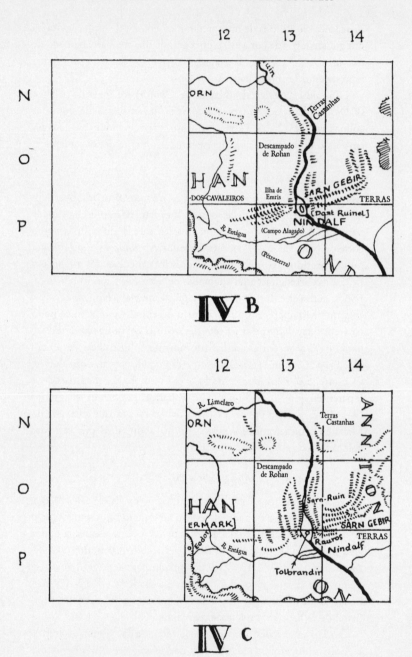

A TRAIÇÃO DE ISENGARD

deslocamento do *Descampado de Rohan* para o norte. As duas grandes curvas no Anduin em N 13 (posteriormente chamadas de Meandros Norte e Sul: ver *Contos Inacabados*, p. 352 e Índice, verbete *Meandros*) aparecem,[14] ao passo que o curso do Limclaro é alterado. Não há nome para as corredeiras no Anduin — *Sarn* não foi escrito para completar *Ruin* na tira de papel cortada de IV^C; *Sarn Gebir* foi escrito aqui subsequentemente a lápis. Os nomes *Anarion* em Q 14 (Mapa III) e *Ithilien* defronte, na margem oriental do Anduin, foram inseridos ao mesmo tempo que *Anarion* aqui em P 13. No Primeiro Mapa, meu pai alterou *Anarion* para *Anórien* em Q 14; no meu mapa de 1943, ele alterou *Anarion* para *Anórien* em P 13, ao passo que, em Q 14, alterou *Anarion* para *Lebennin* (p. 365). No lado ocidental das Montanhas Nevoentas, *Terra Parda* foi inserido (N 10) e, ao lado do vale ao sul, foi escrito *Westfolde*, que foi riscado.

Parece que, quando o Mapa IVE foi colado, muito da região adjacente em IV^D foi desenhado por cima de maneira bem rudimentar, e essa é uma porção muito difícil de interpretar e apresentar; mas, como essa parte da geografia ainda não foi alcançada pelos textos, não vou considerá-la aqui. A extensão ocidental das Montanhas Negras em P 8–9 (Mapa III) faz parte desse retalho.[15] O Mapa IVE tem a primeira representação de Isengard e do Desfiladeiro de Rohan que se pode discernir (visto que IV^A e IV^D estão invisíveis). Aqui aparecem o *Abismo de Helm*, *Tindtorras* (nome anterior de *Thrihyrne*), o *Vau do Isen*, o *Fano-da-Colina* e *Methedras*. *Eodoras* aparece em P 11 (ver acima, na discussão do Mapa IV^C); o *Eastfolde* parece estar representado por um ponto, que, contudo, talvez não seja nada além de uma marca no papel; e o *Westfolde* está escrito a lápis ao longo dos sopés setentrionais das Montanhas Negras. As letras finais em O–P 9–10 são uma continuação de *Marco-do-Meio* (ver Mapa II).

Em IV^{D-E} (mas não no mapa de 1943), há algumas estradas ou trilhas que não inseri nos novos desenhos. A cerca de 12 milhas a nor-noroeste de Eodoras, há uma encruzilhada: uma estrada vai para o Vau do Isen, mantendo-se perto dos sopés, mas atravessando os limites externos do Vale do Westfolde; outra corre para nordeste, rumo ao Vau Ent, e depois norte, ao longo da margem leste do Entágua, passando entre o rio e as colinas; e uma terceira corre pelo sudeste e leste até Minas Tirith, cruzando as torrentes que desembocam no Entágua.

375

O PRIMEIRO MAPA DE O SENHOR DOS ANÉIS

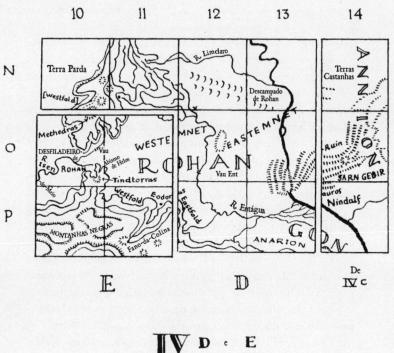

A TRAIÇÃO DE ISENGARD

Aqui, o mapa de 1943 é anômalo e não consigo relacioná-lo à série de substituições feitas ao Primeiro Mapa. O meu mapa foi obviamente feito quando o Primeiro Mapa havia chegado à sua condição atual (ou seja, depois que IV^D tinha sido colado e IVE, colado por cima de uma parte de IV^D), pois ele concorda em todas as características e nomes ao representar o Desfiladeiro de Rohan e o Abismo de Helm; a Terra Parda, Methedras, Tindtorras, o Fano--da-Colina etc., todos eles aparecem. Por outro lado, os cursos do Anduin e do Limclaro em N 12–13, muito notavelmente, estão como no Mapa IV^C. Visto que o curso do Entágua no quadrado abaixo (O 12) está representado muito cuidadosamente na versão posterior de IV^D, isso é inexplicável, a não ser que suponhamos que os cursos do Anduin e do Limclaro em N 12–13 (introduzindo os Meandros) foram alterados depois que o mapa de 1943 foi feito; mas não consigo detectar nenhum sinal de alteração ou apagamento em IV^D. No mapa de 1943, as corredeiras no Anduin se chamam *Sarn Ruin*, e as colinas, *Sarn Gebir*.

Meu pai posteriormente alterou *Montanhas Negras* para *Montanhas Brancas*, somente no mapa de 1943.

As Terras de Ninguém e os Pântanos Mortos

Em "Adeus a Lórien" (pp. 332–3), Keleborn diz que para além do Campo Alagado estão as *Terras-de-Ninguém, a medonha Uvanwaith que jaz diante dos passos de Mordor*; e, em um rascunho subsequente desse trecho (p. 334), ele fala das colinas desertas de Sarn-gebir, onde o vento sopra do Leste, *pois elas dão para os Pântanos Mortos e as Terras-de-Ninguém até os passos de Mordor: Kirith Ungol*. Com os nomes posteriores *Emyn Muil* e *Cirith Gorgor*, isso foi mantido em SA (p. 526): "Do lado oposto ficam as colinas desertas das Emyn Muil. Lá o vento sopra do Leste, pois eles dão para os Pântanos Mortos e as Terras-de-Ninguém até Cirith Gorgor e os portões negros de Mordor". É essa a terra descrita em *As Duas Torres*, IV. 2 (p. 909):

O ar já era mais claro e frio, e, apesar de ainda distantes, as muralhas de Mordor não eram mais uma ameaça nebulosa no limite da visão, mas olhavam carrancudas, como soturnas torres negras por sobre um ermo sinistro. Os pântanos haviam terminado, desfazendo-se em turfas mortas e amplas planícies de lama seca

O PRIMEIRO MAPA DE O SENHOR DOS ANÉIS

e rachada. O terreno à frente erguia-se em longas encostas rasas, áridas e implacáveis, rumo ao deserto que se estendia diante do portão de Sauron.

E, quando Sam e Frodo finalmente se aproximam do Portão Negro (*ibid.*, pp. 909–10):

Frodo olhou em torno horrorizado. Por mais pavorosos que fossem os Pântanos Mortos e as charnecas áridas das Terras-de--Ninguém, era ainda mais repugnante a região que o dia rastejante já revelava, lentamente, aos seus olhos contraídos.

Ver-se-á que, quando as fozes do Entágua e o Campo Alagado foram deslocados para o sul (Mapas IV^B, IV^C), a "Terra de Ninguém" ficava entre o Campo Alagado e os Pântanos Mortos. O meu mapa de 1943 está em total harmonia com isso. Nos mapas posteriores de meu pai, quando as relações geográficas nessa região tinham sido um pouco alteradas, o Campo Alagado e os Pântanos Mortos são contínuos, e nenhum mapa depois do de 1943 mostra as *Terras-de-Ninguém*. Contudo, por esse trecho de *As Duas Torres*, fica claro que essa região de "longas encostas rasas, áridas e implacáveis", de "charnecas áridas", que vinham depois dos pântanos ainda jaziam entre Frodo e Sam e a passagem para dentro de Mordor (ver o mapa em escala ampliada de Gondor e Mordor que acompanha *O Retorno do Rei*).

Depois dessa jornada implacável através do Primeiro Mapa, podemos voltar para as terras em si, e, no capítulo seguinte, acompanhar o destino (inesperado, como pode parecer) de Sam e Frodo.

NOTAS

[1] Resta uma observação de meu pai sobre este mapa:

Este mapa foi feito antes de a história estar completa. Está incompleto e muita coisa foi omitida.

Os principais erros estão em Gondor e Mordor. As Montanhas Brancas não estão de acordo com a história. Lebennin deveria ser Belfalas. O Mindolluin deveria estar imediatamente atrás de Minas Tirith, e a distância através do vale do Anduin, *muito* reduzida, de modo que Minas Tirith ficasse perto de Osgiliath, e Osgiliath, mais perto de Minas Morgul. Kirith Ungol está fora de lugar.

A TRAIÇÃO DE ISENGARD

[2] O estilo com que as características naturais foram representadas variava. Em particular, enquanto desenhava as Montanhas Negras, meu pai as circundou com uma linha fina e contínua (ao passo que, nas Montanhas de Sombra e Ered Lithui, empregou pequenos riscos para definir os sopés), e isso pode confundir muito em relação a traços semelhantes usados para representar rios que correm das montanhas (ver nota 7). Para tornar minha reelaboração o mais clara possível, substituí por linhas pontilhadas ou risquinhos ao representar os sopés das Montanhas Negras (ver nota 15).

[3] No mapa revisado, publicado pela primeira vez em *Contos Inacabados*, uma seta indica que o nome *Baía-de-Gelo de Forochel* se aplica à grande baía da qual a baía meridional é somente uma pequena parte.

[4] Na ausência de hachuras representando o mar, essa linha interior poderia por si só ser interpretada como a costa; mas, no meu mapa de 1943, o litoral segue o traço exterior do Primeiro Mapa (e nem essa linha ondulada interior, nem a pequena área circular estão presentes). Isso sem dúvida foi feito sob instrução de meu pai.

[5] Para outro uso de *Neldoreth*, nome oriundo das lendas da Primeira Era, em *O Senhor dos Anéis*, ver VI. 476.

[6] As três cidades ainda eram relativamente distantes na porção "C" redesenhada do Primeiro Mapa, que foi repetida no mapa de 1943; ver nota 1.

[7] Não está perfeitamente claro no Primeiro Mapa que esse rio vinha de Minas Tirith, devido a uma dificuldade em distinguir os traços finos que assinalam os contornos externos das montanhas dos traços que assinalam rios (ver nota 2); mas, no meu mapa de 1943, mostra-se claramente que o rio flui para fora da cidade (e assim eu o redesenhei no Mapa III).

[8] Esse ainda é o caso não apenas no mapa de 1943, mas em um que meu pai fez depois (p. 368).

[9] Esse é um lugar conveniente para observar que a versão redesenhada do mapa do SdA, publicada pela primeira vez em *Contos Inacabados*, contém um erro, pois mostrei o Sirith como o braço d'água à esquerda, e o Celos, seu afluente, à direita, mas deveria ser o inverso (como no mapa ampliado de Mordor, Gondor e Rohan em *O Retorno do Rei*).

[10] *Porto de Cobas*: compare com *Kópas Alqaluntë* no *Livro dos Contos Perdidos* (I. 310 e Índice Remissivo). Nas *Etimologias* (V. 441), quenya *kópa* "porto, baía" aparece no radical KOP, mas esse verbete foi substituído por um radical KHOP, donde o quenya *hópa*, noldorin *hobas*, como em *Alfobas = Alqualondë*.

[11] Para *Dant-ruin*, *Dant-ruinel* e *Rauros*, ver pp. 334, 337.

[12] Na verdade, só é possível compreender esse nome à luz de um esquema temporal desse período (ver p. 430), no qual o nome *Ilha de Emris* aparece, alterado para *Eregon* e, esse, por sua vez, para *Tolbrandir*. Na cópia manuscrita limpa de "Adeus a Lórien", *Tolondren* foi alterado para *Eregon* (p. 337).

[13] Para as formas antigas *Brandor*, *Tol Brandor*, ver p. 337.

O PRIMEIRO MAPA DE O SENHOR DOS ANÉIS

[14] O curso dividido do Anduin em O 13 está muito claro no mapa.

[15] Representei a extensão das Montanhas Negras em P 8–9 com pontilhados e riscos para deixá-la consistente com a representação de montanhas em outros lugares do Mapa III (ver nota 2); no desenho original, os contornos são linhas contínuas, assim como no Mapa IVE.

ᴐ◯ 16 ◯ᴐ

A História Prevista
a partir de Lórien

(i)
A Dispersão da Comitiva

Parece certo que, *antes* de meu pai escrever a conclusão de "Adeus a Lórien" — isto é, a partir do ponto em que a Comitiva voltou ao embarcadouro e partiu descendo o Grande Rio —, ele começou a escrever um novo e muito substancial esboço do caminho à frente. As páginas de abertura desse esboço são complexas e, no começo, o texto foi muito alterado, embora fique claro que meu pai estava alterando a história embrionária conforme escrevia e que as camadas de texto são contemporâneas. As notas apresentadas aqui são, novamente, parte essencial da elucidação.

No alto do texto ele escreveu, em um segundo momento, "21", e então alterou para "Continuação de 20" e, depois das palavras de abertura "A Comitiva deixa a Língua", inseriu "21". Sobre a disposição dos capítulos neste esboço, ver pp. 387–8.[1]

A Comitiva deixa a Língua.
São atacados com flechas.[2]
Chegam à Ilhota-de-pedra [*riscado:* Pedregosa] [*riscado:* Tolharn] Tollernen[3] [*acrescentado:* escarpada, exceto no Norte, onde [há] uma prainha de cascalho. Ela se ergue numa alta colina castanha, mais alta do que as baixas colinas castanhas em cada uma das margens. Desembarcam e acampam na ilha]. Discutem se devem ir para Leste ou Oeste. Frodo sente no coração que deve ir para Leste e atravessa com Sam para a margem Leste e escala um morro, e olha para sudeste, na direção dos Portões de Mordor. Diz a Sam que quer ficar sozinho um momento e pede-lhe que volte [e] vigie o barco no qual haviam saído da Ilha. Entrementes,

A HISTÓRIA PREVISTA A PARTIR DE LÓRIEN

Boromir, pegando outro barco, atravessou. Ele esconde seu barco nos arbustos. [*Esse trecho foi alterado para:* Discutem se devem ir para Leste ou Oeste. Frodo sente no coração que deve ir para Leste e escala a alta colina no meio da ilha. Sam vai com ele, mas, perto do cimo, Frodo lhe diz que vai se sentar no topo do morro sozinho, e pede-lhe que o aguarde. Frodo se senta sozinho e olha na direção de Mordor, por cima de Sarn Gebir e da Terra de Ninguém.[4] Entrementes, Boromir se esgueirou para longe da Comitiva e escalou o morro pelo lado oeste.]

Enquanto Frodo está sentado no cimo, Boromir chega de súbito e fica parado, olhando para ele. Frodo repentinamente fica alerta, como se algo inamistoso estivesse olhando para ele por trás. Ele se vira e vê apenas Boromir sorrindo com um rosto amigável.

"Estava com medo por ti", disse Boromir, "só com o pequeno Sam. É ruim ficar sozinho na margem leste do Rio.[5] Além disso, meu coração está apreensivo, e gostaria de conversar um pouco contigo. Onde há tantos, toda fala se transforma em debate sem fim no conflito de vontades hesitantes."

"Meu coração também está apreensivo", disse Frodo, "pois sinto que, aqui, as dúvidas precisam ser resolvidas; e prevejo o rompimento de nossa bela comitiva, e isso é um pesar para mim."

"Muitos pesares tivemos", disse Boromir, e ficou em silêncio. Não havia som, a não ser o sussurrar frio do gélido vento Leste na urze ressequida. Frodo estremeceu.

De súbito, Boromir falou novamente.

"É uma coisa pequena que jaz tão pesada em nossos corações e confunde nossos propósitos", disse Boromir. [Incluir aqui a conversa escrita anteriormente, levando à tentativa de Boromir de se apossar do Anel.]

> Em relação ao texto que a precede, essa última frase foi escrita de maneira contínua. A conversa mencionada está em duas páginas dos papéis de prova de "agosto de 1940", escrita tão tenuemente e tão depressa a lápis que meu pai a repassou à caneta de modo mais claro, embora tenha seguido quase exatamente o texto que jaz embaixo, até onde se pode discerni-lo. Isso obviamente precedeu o novo rascunho ao qual foi inserido, e foi um desenvolvimento da cena no Enredo anterior ("A História Prevista a partir de Moria", p. 248), em que a discussão, a intervenção de Boromir e a fuga de Frodo usando o Anel acontecem "no Ângulo": aqui, a cena se dá

382

A TRAIÇÃO DE ISENGARD

"nas Colinas de Pedra, de onde as Eredwethion[6] podem ser vislumbradas" (essas palavras estão visíveis no texto subjacente também). Nas notas incluídas na p. 278, a "separação" se dá nas "Colinas-de-pedra"; em esboços de "Adeus a Lórien" (pp. 317–8), o debate e a "cena com Boromir" seguem o desembarque em Tolondren e a subida para as Colinas Verdes, ou as Emyn Rhain.

Conversa de Boromir e Frodo nas Colinas de Pedra, de onde as Eredwethion podem ser vislumbradas como um borrão de cinza e, atrás delas, uma vaga nuvem é iluminada por baixo ocasionalmente por uma luz vacilante.

"É por uma coisa pequena que sofremos tanta aflição", disse Boromir. "Eu o vi apenas por um instante na casa de Elrond. Não poderia dar-lhe uma olhadela de novo?"

Frodo olhou para cima. Seu coração esfriou de repente. Vislumbrou um curioso brilho no olhar de Boromir, embora em outros aspectos seu rosto ainda estivesse amistoso e risonho.

"É melhor que permaneça oculto", respondeu.

"Como quiseres. Não me importa", comentou Boromir. "No entanto, devo confessar que é do Anel que desejo falar. (No entanto, oculto ou à mostra, desejo agora falar contigo do Anel?) … [sic]

Boromir diz que Elrond etc. são todos tolos. "É tolice não usar o poder e os métodos do Inimigo: impiedoso, destemido. Muitos elfos, meio-elfos e magos poderiam ser corrompidos por ele — mas não um Homem leal. Esses que lidam com magia o usarão pelo Poder oculto. Cada um faz com os seus. Tu, Frodo, por exemplo, sendo um hobbit e com desejo de paz: tu o usas pela invisibilidade. Vê o que um guerreiro poderia fazer! Pensa no que eu — ou Aragorn, se preferires — poderia fazer! Como ele não lidaria com o inimigo e afugentaria os Cavaleiros Negros! Ele daria o poder do comando.

"E, no entanto, Elrond nos manda não apenas jogá-lo fora e destruí-lo — isso é compreensível (embora não para minha mente sábia, visto que ponderei sobre isso à noite, durante nossa jornada). Mas que caminho — entrar na rede do inimigo e oferecer-lhe toda a chance de recapturá-lo!"

Frodo se mantém impassível.

"Pelo menos vem para Minas-tirith!", disse Boromir. Pôs a mão amistosamente no ombro de Frodo, mas Frodo sentiu o braço tremer de ansiedade reprimida. Frodo afastou-se e ficou longe.

A HISTÓRIA PREVISTA A PARTIR DE LÓRIEN

"Por que és tão hostil?", disse Boromir. "Sou um homem valente e fiel", disse ele. "E dou-te minha *palavra* de que não o guardaria — quero dizer, não o guardaria se mo emprestasses. Apenas para fazer um teste!"

"Não! Não!", gritou Frodo. [*Acrescentado:* "Pelo fado, é só meu o dever de portá-lo."]

Boromir fica mais furioso e muito mais descuidado (ou, na verdade, um propósito maligno agora começa a crescer dentro dele). "És um *tolo*!", exclamou. "Indo para a morte e arruinando nossa causa. E, no entanto, o Anel não é teu senão por acaso. Poderia ter sido de Aragorn — ou meu. Dá-o a mim! Então estarás livre dele e de toda a responsabilidade. Estarias livre" (ardilosamente) "Podes pôr a culpa em mim se quiseres, dizendo que eu era forte demais e o tomei à força. Porque *sou* forte demais para ti, Frodo", disse ele. E agora um aspecto feio lhe acometeu de súbito o rosto belo e agradável. Ergueu-se e saltou na direção de Frodo.

Não havia outra coisa para Frodo fazer. Pôs o Anel no dedo e desapareceu no meio das rochas. Boromir praguejou e tateou entre as rochas. Depois, subitamente, o acesso o deixou e ele chorou. "Que tolice me possuiu!", exclamou. "Volta, Frodo!", chamou. "Frodo! O mal me acometeu o coração, mas deitei-o fora."

Mas Frodo agora estava amedrontado, e escondeu-se até que Boromir tivesse retornado ao acampamento. Em cima das rochas, não viu nada ao redor além de uma névoa cinzenta e informe, e bem longe (mas negras, e nítidas, e rijas) as Montanhas de Mordor: o fogo parecia muito vermelho. Vozes cruéis no ar. Sente o Olho buscando e, mesmo não o encontrando, sente que a atenção dele é subitamente capturada (por si mesmo).[7]

Aqui o texto inserido termina e o novo Enredo continua:

Frodo então aconselhou-se consigo mesmo, e percebeu que o mal do Anel já estava agindo na própria Comitiva. (O mal também estava novamente sobre ele, visto que o colocara de novo). Disse a si mesmo: isso me foi incumbido. Sou o Portador-do-Anel e ninguém pode me ajudar. Não colocarei os outros hobbits e nenhum dos meus companheiros em perigo. Irei sozinho.

Ele se esgueira sem ser visto e, chegando nos barcos, toma um deles e atravessa para o Leste.

A TRAIÇÃO DE ISENGARD

O próprio Boromir está agora temeroso e, embora (meio) arrependido por sua própria cobiça pelo Anel, a maldição não o deixou completamente. Ele pensa em que história contar para os outros. Apressando-se de volta ao Rio, depara-se com Sam, que, ansioso pela longa ausência de Frodo, está subindo ao cimo do morro para encontrá-lo.

"Onde está meu patrão?", perguntou Sam.

"Deixei-o no cimo do morro", respondeu Boromir, mas algo selvagem e estranho em seu rosto causou um medo súbito em Sam. "O que fizeste com ele?" "Não fiz nada", disse Boromir. "Trata-se do que ele fez consigo mesmo: pôs o anel e desapareceu!"

"Que bom que a ilha não é muito grande", disse Sam, muito alarmado, mas também pensou: "E o que o levou a fazer isso, eu gostaria de saber. Que brincadeira esse grande tolo andou aprontando?". Sem mais palavra para Boromir, correu de volta para o acampamento para encontrar Troteiro. "Meu patrão Frodo desapareceu!", gritou.

Consternação. A caçada. Alguns deles esquadrinham a ilha. Mas Sam descobre que há um barco faltando. Frodo foi para Leste ou Oeste? Troteiro decide que não podem ter esperança de resgatar Frodo contra sua vontade, mas eles devem *segui-lo* se puderem. Por qual caminho?

[Ou então tornar a Ilha inacessível: margens escarpadas. Pássaros negros voando em círculo sobre os altos despenhadeiros e o cume central. Barulho distante das cachoeiras de Dantruinel.[8] Acampam na margem *oeste*. Daí que, quando Frodo se perde, todos vão atrás dele. Assim, Pippin e Merry se separam.[9] Sam se senta sozinho e descobre o barco faltando. Toma outro barco e vai atrás de Frodo.] [*Ao lado dessa passagem entre colchetes está escrito* Sim.]

> Fica claro que meu pai imediatamente acatou a própria sugestão nesse último trecho: a Comitiva acampou na margem oeste, e não na ilha no rio, pois o trecho contém as palavras "Sam [...] descobre o barco faltando. Toma outro barco e vai atrás de Frodo", e esse, como se verá em um instante, é um elemento necessário na história que se segue.

Boromir é a favor do Oeste. De toda forma, diz que está com medo — o Anel agora quase com certeza cairá nas mãos do

385

A HISTÓRIA PREVISTA A PARTIR DE LÓRIEN

Inimigo. "Essa loucura foi posta [nele] para esse propósito".[10] Ele deseja agora ir a Minas-Tirith o mais rápido possível. Sam vai para Oeste [*leia-se* Leste], e os outros, para Leste [*leia-se* Oeste].

Sam encontra o rastro de Frodo.[11] Como? Encontra um barco batendo na margem.[12] Um pouco adiante, encontra um retalho de tecido cinzento em um espinheiro — precisa atravessar um grande trecho de espinheiros. Sam logo descobriu que estava perdido numa terra sem trilhas e atenta. Mas tinha certeza de que seu patrão se encaminharia para a Mt. de Fogo. As cachoeiras rugiam lá longe, na sua direita. Ele desceu para o Campo Alagado. A luz do dia chegou. Dormiu em cima de uma árvore. Ouviu Gollum no pé e tentou *rastreá-lo*, achando que ele estava atrás de Frodo. Mas Sam não é esperto o bastante para Gollum, que logo se dá conta dele e, virando-se, descobre-o. Confessa a Gollum que está tentando encontrar Frodo.

Gollum ri. "Então a sorte dele é melhor do que ele merece, sim", disse Gollum, "pois Gollum andou seguindo ele: Gollum consegue ver pegadas onde ele não consegue ver nada, não!"

Gollum estava tão concentrado na trilha — murmurando para si mesmo "Pegadas, Gollum vê elas e sente o cheiro delas: Gollum é cuidadoso" — que não parecia estar ciente dos esforços (relativamente) desajeitados de Sam ao perseguir o perseguidor.[13]

Foi perto do fim do anoitecer do segundo dia que Frodo, com todos os sentidos aguçados, subitamente se deu conta do som de passos. Coloca o anel, mas Gollum se aproxima e anda em círculos. Para a grande surpresa de Frodo, Sam aparece. Para igual surpresa de Sam e Gollum, Frodo subitamente tira o anel e fica diante deles.

Gollum é o mais surpreso: pois, entre Frodo e Sam, é superado em força. Ele se submete: pois, como Portador-do-Anel, Frodo tem um poder sobre ele (embora seja, na verdade, alvo de grande ódio). Gollum implora por perdão, e promete ajudar e, sem ter ao que recorrer, Frodo aceita. Gollum diz que os levará pelos Pântanos Mortos até Kirith Ungol.[14] (Rindo para si mesmo ao pensar que era bem por esse caminho que desejava que eles fossem).

Aqui termina o Capítulo.

Nesse estágio, meu pai estava seguindo o Enredo anterior (p. 248): "No ponto em que Sam, Frodo e Gollum se encontram, retornar para os outros — para cujas aventuras, ver adiante. Mas elas precisam ser contadas neste ponto". Creio que ele decidiu nesse momento que ainda não deveria contar nem mesmo esse tanto da história de Frodo e Sam a leste do Anduin, e colocou entre colchetes tudo o que vem depois de "Sam encontra o rastro de Frodo", escrevendo ao lado "Colocar depois capítulo 24" (alterando subsequentemente "24" para "25": ver p. 388).[15] Ao mesmo tempo, ele riscou "Aqui termina o Capítulo" e prosseguiu com a história dos outros membros da Comitiva.

Desânimo na caçada por não achar sinal de Frodo. Boromir, Legolas, Gimli, Troteiro voltam ao acampamento e agora descobrem que Sam também está desaparecido, e Pippin e Merry também.

Troteiro é dominado pelo pesar, pensando que fracassou em suas obrigações como sucessor de Gandalf. Ele imagina que os hobbits estão todos juntos; e espera no acampamento até o amanhecer.[16]

Pela manhã, não encontram nenhum sinal deles. A Comitiva está agora rompida. Troteiro não vê alternativa além de ir para o sul, para Minas-Tirith, com Boromir. Mas Legolas e Gimli não têm mais ânimo para a Demanda, e sentem que já há léguas demais entre eles e seus lares. Partem para o norte novamente: Legolas pretende se juntar aos Elfos de Lothlórien por um tempo, e Gimli espera voltar à Montanha.[17]

Aqui termina o Capítulo 20.

("Capítulo 20" foi subsequentemente alterado para "21", e os números nas sinopses seguintes foram também alterados, como se explicará em um instante).

21   O que aconteceu com Gimli e Legolas. Eles encontram Gandalf?
22   O que aconteceu com Merry e Pippin. Perderam-se — desviaram-se seguindo ecos — na caçada, e vagam subindo o Rio Entágua, e chegam a Fangorn. Aqui, encontram o Gigante Fangorn, ou Barbárvore. Ele os leva para Minas Tirith.
23   O que aconteceu em Minas Tirith. Cerco de Sauron e Saruman. Traição de Boromir. Súbita chegada de Gandalf — que agora se tornou *um mago branco*. Barbárvore rompe o cerco. O inimigo é rechaçado pelo Anduin. Cavaleiros de Rohan vêm em auxílio.
24   O que aconteceu com Frodo e Sam.

A HISTÓRIA PREVISTA A PARTIR DE LÓRIEN

Uma comparação com o Enredo anterior (pp. 251–2) mostra que essas sinopses repetem, muito mais concisamente, o que foi disposto ali, e não mostram nenhum desenvolvimento além desses. Nessa conjuntura, meu pai fez várias alterações na estrutura dos capítulos e no esboço de enredo. No começo, como já se observou (p. 381), ele indicou que "A Comitiva deixa a Língua" seria a conclusão do Capítulo 20 ("Adeus a Lórien"), ao passo que tudo o que se seguisse constituiria o 21 (exceto pela história de Sam rastreando Frodo e o encontro com Gollum, que seriam alocados para um capítulo posterior, como já decidira: pp. 386–7). As breves sinopses incluídas ao lado foram agora renumeradas e ligeiramente reordenadas: 22 (Merry e Pippin); 23 (Gimli e Legolas); 24 (Minas Tirith); 25 (Frodo e Sam).[18]

(ii) *Mordor*

Ainda que meu pai pareça nunca ter tido dúvidas de que, após o rompimento da Comitiva, as narrativas "ocidentais" precisariam vir em seguida, a narrativa "oriental" de Frodo e Sam estava irrompendo em vida e expressão; e, nesse momento, ele imediatamente prosseguiu com o esboço dessa história a partir do ponto em que a havia deixado (p. 387), observando: "25: continuação depois da parte acima".

Dormem em pares, para que um esteja sempre acordado com Gollum.[19]

Gollum o tempo todo está tramando como trair Frodo. Ele os conduz habilmente pelos Pântanos Mortos. Há rostos mortos esverdeados nas lagoas estagnadas; e os juncos ressecados sibilam como cobras. Conforme prosseguem, Frodo sente a força do olho buscando.

À noite, Sam fica de vigia, apenas fingindo estar adormecido. Ele ouve Gollum murmurando para si mesmo palavras de ódio a Frodo e de cobiça pelo Anel.

Os três companheiros agora se aproximam de Kirith Ungol, a pavorosa ravina que leva para dentro de Gorgoroth. Kirith Ungol significa Vale da Aranha: ali habitavam grandes aranhas, maiores que as de Trevamata, como as que havia outrora na terra de Elfos e Homens no Oeste que agora está sob o mar, como as que Beren enfrentou nos cânions sombrios das Montanhas de Terror acima

A TRAIÇÃO DE ISENGARD

de Doriath. Gollum já conhecia bem essas criaturas. Ele vai embora furtivamente. As aranhas vêm e tecem seus fios por cima de Frodo enquanto Sam dorme: aferroam Frodo. Sam desperta e vê Frodo jazendo, pálido como a morte — esverdeado: recorda-se dos rostos nas lagoas dos pântanos. Não consegue instigá-lo ou despertá-lo.[20]

Subitamente, Sam tem a ideia de prosseguir com o trabalho, e tateou em busca do Anel. Não conseguiu soltar o fecho, nem cortar a corrente, mas retirou a corrente pela cabeça de Frodo. Assim que o fez, imaginou ter sentido um tremor (suspiro ou estremecimento) atravessar o corpo; mas, quando pausou, não conseguiu sentir nenhuma batida de coração. Sam colocou o Anel em volta do próprio pescoço.

[Subitamente, o guarda-órquico do Passo, guiado por Gollum, depara-se com eles. Sam pega o presente de Galadriel para Frodo — o frasco de luz. Sam escorrega o Anel no dedo e tenta lutar sem ser visto para defender o corpo de Frodo; mas é nocauteado e quase pisoteado até a morte. Os Orques, regozijando-se, apanham Frodo e o levam embora, depois de procurar em vão (mas por pouco tempo) pelo "outro hobbit" que Gollum relatou.]

> Esse último parágrafo, que eu coloquei entre colchetes, foi completamente riscado com a instrução de que deveria ser substituído pelo trecho a seguir, muito mais longo, em uma página separada. Fica claro, contudo, que esse trecho de substituição não foi escrito significativamente depois.[21]

Então, ele se sentou e fez um *Lamento para Frodo*. Depois disso, enxugou as lágrimas e pensou no que poderia fazer. Não podia deixar seu querido patrão a jazer no ermo para as feras cruéis e as aves carniceiras; e pensou em tentar construir um teso de pedras ao redor dele. "A cota prateada de anéis de mithril será sua mortalha", falou. "Mas vou colocar o frasco da Senhora Galadriel sobre o peito dele, e Ferroada ficará do lado."

Deitou Frodo de costas e cruzou-lhe os braços no peito, e depositou Ferroada ao seu lado. E quando retirou o frasco, ele resplandeceu. Iluminou o rosto de Frodo, e ele parecia pálido agora, mas belo, com [uma] beleza élfica, como de quem há muito tempo ultrapassou as sombras. "Adeus, Frodo", disse Sam; e suas lágrimas caíram nas mãos de Frodo.

A HISTÓRIA PREVISTA A PARTIR DE LÓRIEN

[Mas] nesse momento houve um som de passos pesados subindo na direção da plataforma rochosa. Chamados e gritos ásperos ecoavam nas rochas. Orques estavam a caminho, evidentemente guiados até o local.

"Maldito Gollum", disse Sam. "Eu devia saber que não era a última vez que o veria. Esses são alguns dos seus amigos."

Sam não tinha tempo a perder. Certamente não tinha tempo de se esconder ou cobrir o corpo de seu patrão. Sem saber mais o que fazer, pôs o Anel, e então pegou também o frasco, para que os Orques imundos não o tomassem, e colocou Ferroada na própria cintura. E esperou. Não precisou esperar muito.

Na treva, Gollum chegou primeiro, farejando o rastro, e atrás dele vieram os orques negros: cinquenta ou mais, ao que parecia. Com um grito, avançaram para cima de Frodo. Sam tentou armar uma luta sem ser visto, mas, quando estava prestes a sacar Ferroada, foi derrubado e pisoteado pelo ímpeto dos Orques. Perdeu completamente o fôlego. [*Acrescentado a lápis:* A coragem lhe faltou.] Com grande alegria, os Orques apanharam Frodo e o ergueram.

"Tinha outro, sim", ganiu Gollum. "Onde ele está, então?", perguntaram os Orques. "Está por perto. Gollum sente ele, Gollum fareja ele."

"Bem, então encontre ele, resmungão", disse o chefe-órquico. "Ele não pode ir muito longe sem se meter em encrenca. Já temos o que queremos. Portador-do-Anel! Portador-do-Anel!", gritavam em júbilo. "Rápido. Rápido. Mandem alguém rapidamente até Baraddur, ao Grande. Mas não podemos esperar aqui — precisamos voltar ao posto de guarda. Levem o prisioneiro para Minas Morgul." [*Acrescentado a lápis:* Gollum corre atrás deles, resmungando que o Precioso não está ali.]

Aqui o trecho substitutivo termina.

Ao fazerem isso, Frodo parece despertar, e dá um grito alto, mas eles o amordaçam. Sam fica dividido entre a alegria de saber que está vivo e o horror de vê-lo sendo carregado pelos Orques. Sam tenta seguir, mas eles vão muito rápido. O poder do Anel parece crescer nessa região: ele vê claramente no escuro e parece compreender a fala dos orques. [Teme o que pode acontecer se encontrar um Espectro-do-Anel — o Anel não confere coragem: o pobre Sam treme o tempo todo.][22] Sam conclui que eles estão indo para Minas Morgul: visto que não têm permissão para deixar seus postos — mas um mensageiro foi despachado imediatamente para anunciar ao Senhor Sombrio a captura do Portador-do-Anel, e para voltar com suas ordens.[23] "O Poderoso tem grandes negócios em progresso", diz um deles. "Tudo o que aconteceu antes é escaramuça comparado à guerra que está prestes a se incendiar. Dias bons, dias bons! Sangue na espada e fogo na colina, fumarada no céu e lágrimas na terra. Clima alegre, meus amigos, trazendo um Ano-Novo de verdade!"

Os Orques vão tão rápido que Sam logo se cansa e fica para trás; mas ele vai se arrastando atrás, na direção de Minas Morgul, lembrando tanto quanto conseguia dos mapas. A trilha subia para as montanhas — o chifre setentrional das Montanhas de Sombra que separava o vale de cinzas de Gorgoroth do vale do Grande Rio. Olhando longe, Sam viu toda a planície repleta de exércitos, cavalaria e infantaria, penachos negros, estandartes vermelhos e negros. Incontáveis hostes dos povos selvagens de Rhûn e a gente maligna de Harad precipitavam-se para fora de Kirith Ungol rumo à guerra. Fumaça e poeira ao longe sugeriam que, no Leste, havia mais chegando. [De fato havia — muito além da visão de Sam, os exércitos cavalgavam e marchavam: o Senhor Sombrio determinou que atacassem. Desde além do Mar Interior de Rhûn[24] subindo os rios a leste de Trevamata, ao redor das torres de Dol Dúghul derramavam-se por brejo e mata até as margens do Grande Rio. Lothlórien estava cercada por chamas. Das Montanhas Nevoentas, de Moria — Khazaddûm e muitas cavernas ocultas os orques saíam aos montes para encontrá-los; de Harad e Mordor eles investiam contra Ondor, e buscavam as muralhas de Minas-Tirith; e de Isengard, vendo os faróis de guerra flamejando ao longe em Mordor, veio o traidor Saruman com muitos lobos.][25]

Sam chega tão perto por trás que vê, por baixo, a hoste-órquica entrando pelos portões da Cidade[26] [*riscado:* — e eles não têm tempo de despojar Frodo].

Por fim, Sam viu diante dele a cidade murada que fora certa vez a Cidade do Sol [> da Lua]: Minas Anor [> Ithil] nos dias de outrora (Elendil).[27] No meio erguia-se uma torre alta — de longe, parecia bela. Mas Sam entrou na cidade e viu que tudo fora aviltado: e em cada pedra e esquina havia figuras entalhadas, e rostos,

A HISTÓRIA PREVISTA A PARTIR DE LÓRIEN

e símbolos de horror. Pavor semelhante corria por todas as ruas a ponto de ele mal conseguir arrastar as pernas ou se forçar a seguir em frente.

"Em todo esse buraco diabólico, onde foi que colocaram meu pobre patrão", pensou Sam. Ele se sente atraído para a Torre Alta. Sobe por uma escadaria tortuosa aparentemente sem fim, sem janelas; encolhe-se em reentrância[s] fétidas quando Orques sobem e descem rosnando. No alto há quatro portas trancadas, Norte, Sul, Leste, Oeste. Qual delas seria? E, de toda forma, como entrar: todas estão trancadas.

De repente, Sam tomou coragem e fez algo ousado — o anseio por seu patrão estava mais forte do que todos os outros pensamentos. Sentou-se no chão e começou a cantar. "Canção do Trol" — ou alguma outra canção hobbit — ou, possivelmente, parte da canção dos Elfos *O Elbereth*. (Sim).

Ouvem-se gritos de fúria e guardas chegam das escadas acima e abaixo. "Tape a boca dele — o cão imundo", gritam os Orques. "Queria que essa mensagem do Grande voltasse, e que pudéssemos começar o Interrogatório [ou levá-lo para Baraddur! He he! Eles têm um método bom lá. Tem Um que vai logo descobrir onde o pequeno trapaceiro escondeu seu Anel.][28] Tape a boca dele". "Cuidado!", gritou o capitão, "não use força demais antes de chegar mensagem do Grande". Com este truque, Sam encontrou a porta, pois um Orque destrancou a porta Leste e entrou com um chicote. "Segure a língua imunda", disse ele, e Sam ouviu o chicote estalar.

Rápido como um raio, Sam escorregou para dentro. Queria apunhalar o Orque, mas sabiamente se conteve. À luz [do archote >] da pequena janela Leste, viu Frodo deitado na pedra nua — os braços sobre o rosto, [? protegendo-se] da chicotada. Resmungando, o orque saiu e fechou a porta.

Frodo grunhiu e virou-se, descobrindo o rosto — ainda pálido por causa do veneno. "Por que os sonhos me enganam?", perguntou-se. "Pensei ter ouvido uma voz cantando a canção de Elbereth!"

"Não estava sonhando!", disse Sam. "Sou eu, patrão". Ele tirou o Anel.

Mas Frodo sentiu um grande ódio inchar no coração. Diante dele estava um pequeno orque, de pernas tortas, olhando de esguelha para ele com semblante de vil satisfação. Recordava-o vagamente de alguém que certa vez conhecia e amava — ou odiava. Levantou-se. "Seu ladrão!", gritou. "Dê-o a mim."

Sam ficou muito surpreso: e deu um passo para trás de tão abrupto e sinistro que o rosto do seu patrão ficou. "O pobrezinho ainda está azoinado",[29] pensou.

"Claro, Sr. Frodo. Segui tão rápido quanto pude só para entregá-lo a você". E, com isso, colocou o anel na mão de Frodo que agarrava, e tirou a corrente do pescoço. [Fora Portador-do-Anel por apenas dois dias, mas sentiu um curioso arrependimento ao se afastar dele.][30]

"Sam!", gritou Frodo. "Sam! Meu caro e velho Sam. Como você chegou até aqui? Eu pensei…" e recostou-se em Sam e chorou longamente. "Eu pensei", falou de novo, por fim. "Bem, não importa. Pensei que eu estava perdido e que tinham levado o Anel, e que tudo estava arruinado. Como você o pegou — conte-me."

"Não foi roubando", disse Sam, esforçando-se para sorrir. "Pelo menos não exatamente. Peguei quando achei que você tinha partido, Patrão. Sim, pensei que estava morto de verdade lá atrás naquela tal de Kirith, com aqueles horrores rastejantes. Foi uma hora sombria, Sr. Frodo, mas me pareceu que Sam precisava continuar — se pudesse". Então contou a história do ataque e de como tinha seguido. "E é num lugar chamado Minas Morgul que estamos", falou, "e por pequena mercê não estamos na própria Torre Sombria, pelo menos ainda não. Mas seja lá que Minas for, precisamos sair daqui rápido. Mas não sei como."

Conversaram longamente sobre isso em sussurros. "O Anel não vai cobrir dois", disse Sam; "e não acho que você vá querer se separar dele outra vez. De todo modo, o Anel é seu, patrão", disse Sam. "Uma vez fora daqui, é bem fácil de fugir, contanto que nenhum dos Espectros-do-Anel ou Cavaleiros Negros apareça, ou alguma coisa pior. Tem uns olhos vis nesta cidade, ou então esse formigamento na pele é só arrepio do frio chegando. Meu conselho para você é ir correndo o mais rápido que der".

"E você?", perguntou Frodo.

"Ah, eu", disse Sam. "Isso não tem jeito. Talvez eu ache uma saída, talvez não. De todo modo, fiz o serviço que vim fazer."

"Creio que ainda não", disse Frodo. "Ainda não. Não acho que vamos nos separar aqui, meu querido amigo."

"Ora, patrão, então me diga como."

A HISTÓRIA PREVISTA A PARTIR DE LÓRIEN

"Deixe-me pensar", disse Frodo. "Tenho um plano", falou, por fim. "Arriscado, mas talvez funcione. Ainda está com sua espada?"

"Sim", disse Sam, "e com Ferroada também, e seu vidro de luz. Eu ia deixá-los ao seu lado, debaixo das pedras", gaguejou, "quando os Orques assassinos nos encontraram. Pensei que estava morto — até você gritar quando eles o apanharam."

Frodo sorriu e pegou de volta seus tesouros. Tirou Ferroada da bainha pela metade, e a luz azul pálida tremulou da lâmina. "Não surpreende", falou, "que Ferroada esteja brilhando em Minas Morgul! Bem, agora fique ali, Sam — onde você esteja atrás da porta quando ela se abrir. Saque a espada. Vou me deitar no chão, como eu estava. Aí você pode começar a sua canção outra vez — e isso há de atrair um orque bem rápido. Esperemos que não muitos mais do que um."

"Mas os chicotes, patrão, os cães assassinos vão buscar um para você por minha causa, e não posso suportar isso."

"Não vai ter de suportar se for rápido com a espada", disse Frodo. "Mas não precisa se preocupar! Eles não tiveram tempo de me revistar — não que os Orques ousem tocar no Anel que não é para ninguém menos que os serviçais do Anel ou para o próprio Sauron. Eles se certificaram de que eu estava sem nenhuma espada e me atiraram ao chão. Então, ainda estou com meu colete de mithril. Aquela açoitada que você ouviu quando entrou foi bem através do meu flanco e das costas — mas acho que você não vai encontrar nenhum vergão."

Sam ficou muito aliviado. "Muito bem, qual é o plano, Sr. Frodo?", perguntou.

"Você precisa se esforçar ao máximo para matar o Orque que entrar", disse Frodo. "Se houver mais do que um, vou precisar me levantar e ajudar, e talvez tenhamos que tentar sair lutando. Mas conseguir que alguém entre parece nosso único meio de sair."

Frodo agora começou a cantar novamente *O Elbereth* (alguns versos). Com uma imprecação, abriram a porta com violência e um capitão-órquico entrou estalando o chicote. "Fique quieto, cão", gritou, e ergueu o chicote. Mas, assim que o fez, Sam pulou de trás da porta e o apunhalou na garganta. Ele tombou com um gorgolejo. Frodo saltou de pé, empurrou a porta gentilmente e se agachou, esperando qualquer outro orque que pudesse vir. Chegava-lhes o som distante de vozes ásperas das escadarias acima, mas nenhum outro som.

"Essa é nossa chance", disse Frodo. "Coloque os petrechos dele o mais rápido que puder". Rapidamente despiram o orque, tirando sua cota de malha semelhante a escamas, desafivelando a espada e desamarrando o pequeno escudo redondo das suas costas. O boné negro de ferro era grande demais para Sam (pois os orques têm cabeças grandes para seu tamanho), mas entrou na cota de malha. Ela pendeu um tanto frouxa e longa. Jogou em volta de si a capa negra e encapuzada, pegou o chicote e a cimitarra e amarrou o escudo vermelho. Eles arrastaram o corpo para trás da porta e se esgueiraram para fora. Frodo foi primeiro.

Ficou escuro do lado de fora quando a porta se fechou outra vez. Frodo pegou o vidro de luz. Eles se apressaram escada abaixo. No meio do caminho, toparam com alguém subindo com uma tocha. Frodo colocou o Anel e foi para o lado, mas Sam continuou ao encontro do gobelim. Eles se chocaram e o gobelim falou na sua língua áspera; mas Sam respondeu apenas com um rosnado raivoso. Isso pareceu suficiente. Evidentemente Sam foi confundido com alguém importante. O gobelim se afastou para o lado para deixá-lo passar, e eles se apressaram. [*Riscado:* Eles não desconfiavam que era o mensageiro voltando de Baraddur!]

Saíram agora da Torre Repugnante. A noite estava caindo: lá no Oeste, por sobre o vale do Anduin, havia alguma luz. Bem ao longe assomavam as Montanhas Negras e a torre de Minas Tirith, se eles soubessem o que eram. Mas, no Leste, o céu estava escuro, com nuvens negras e baixas que pareciam quase repousar sobre a terra. Um crepúsculo inquieto jazia nas ruas ensombradas. Gritos agudos vinham como se do subsolo, formas estranhas passavam depressa ou espiavam de viela[s] e buracos nas casas [? escancaradas]; havia vozes [?? abatidas] e débeis ecos de música monótona e infeliz. Todos os rostos entalhados olhavam de soslaio, e seus olhos brilhavam com um fogo em grande profundeza.

Os hobbits estremeceram e se apressaram. Parecia que pés os seguiam, e eles dobraram muitas esquinas, mas nunca os despistavam. Roçando e tamborilando nas pedras, vinham obstinados atrás deles.

Chegaram aos portões. Os portões principais estavam fechados; mas uma portinha ainda estava aberta. Havia sentinelas dos dois lados e, na abertura, estava um guarda armado fitando a escuridão que se avolumava. Os Orques estavam esperando pelo mensageiro de Baraddur.

A HISTÓRIA PREVISTA A PARTIR DE LÓRIEN

"Fique aqui", sussurrou Frodo, conduzindo Sam para a sombra de um pilar logo antes do portão. "Enquanto uso o Anel, consigo entender muito da fala deles, ou do pensamento por trás da fala — não sei qual dos dois. Se eu gritar, venha correndo e passe pela porta se conseguir."

[*O seguinte foi riscado, provavelmente assim que escrito:* Ele se adiantou. O guarda junto à porta aberta estava resmungando. "Poderiam pensar que não capturamos nada além de um elfo desgarrado", ele falou. "Será que [? o] Portador-do-Anel [*escrito acima:* Ladrão] não importa agora para eles lá na Torre Sombria? Era de se esperar que Ele enviasse pelo menos um Cavaleiro. Certamente, nem mesmo a guerra que agora está começando teria diminuído o valor do Um Tesouro."

Repentinamente, Frodo o golpeou com Ferroada. O guarda tombou. Mas Frodo escorou-se contra a porta para que um guarda não conseguisse forçá-la e chamou. As sentinelas se ergueram. Sam chegou correndo, mas, a princípio, elas o tomaram por um gobelim correndo para ajudar. Ele derrubou uma delas antes que se dessem conta de que era inimigo, e correu pela porta]

"Não", disse Sam, "não vai dar certo. Se tivermos uma luta no portão, passar por ele não vai servir muito. Todo o ninho de vespas virá zumbindo atrás de nós antes de termos atravessado muitas jardas: e eles conhecem essas montanhas sórdidas tão bem quanto eu conheço Bolsão. Com seu perdão, Sr. Frodo, a única esperança é bravatear."

"Muito bem, meu bom Sam", disse Frodo, "tente bravatear."

Com a menor vontade de "bravatear" que já tivera na vida, Sam caminhou tão despreocupado quanto conseguiu até a sombra do portal escuro. As sentinelas de cada lado olharam para ele sem se mover. Chegou ao lado do guarda e olhou. O guarda se sobressaltou e olhou com raiva para ele.

Frodo veio por trás, cauteloso. Viu a mão do orque pegar no cabo da cimitarra. "Quem é você e quem você acha que está importunando?", perguntou. "Sou eu que estou cuidando do portão ou não?" Sam tentou o truque de novo. Rosnou com raiva e deu um passo para fora do portão. Mas o truque não funcionou tão bem da segunda vez. O guarda pulou atrás dele e o agarrou pela capa. "A hora de fechamento [? passou *leia-se* foi?] há meia hora", disse ele, "e você sabe disso. Ninguém a não ser os mensageiros do Senhor podem entrar ou sair, e você sabe muito bem disso. Se eu tiver mais problema, vou dar parte de você para o Capitão [*riscado:*

de Morgul]". Sam se preparou para revidar com luta. Virou o rosto para o guarda, agarrando o cabo da espada, e girou o escudo. Era um escudo vermelho, e no meio estava pintado um único olho preto. O guarda foi para trás rapidamente. "Seu perdão", falou, "ó Capitão de Morgul. Não o reconheci. Só estava cumprindo meu dever como achei certo." Sam, adivinhando algo do que tinha acontecido, rosnou outra vez e acenou com um gesto de dispensa e foi descendo pela trilha no ocaso. O guarda ficou olhando, balançando a cabeça. Estava bloqueando a porta de modo que Frodo não conseguia passar.

Sam agora desaparecera pela trilha descendente, e Frodo ainda estava esperando por uma oportunidade de se esgueirar sem luta, antes de fecharem a porta. Subitamente, ouviu-se um estrondo. Dong Dong Dong. Um grande sino badalava na Torre Repugnante: soaram o alarme. Frodo ouviu gritos distantes. Logo conseguiu ouvir vozes dizendo: "Fechem os portões. Barrem a porta. Vigiem os muros. O Portador escapou da Torre."

O guarda segurou a porta e começou a fechá-la. Pés chegaram correndo. Frodo aproveitou a única oportunidade. Inclinando-se, agarrou as pernas do guarda e o derrubou, e disparou para fora. Conforme corria, ouviu gritos e imprecações. "Mas o Capitão está morto e despojado na Torre, eu digo", ouviu. "Isso que é uma idiotice. Vocês deixaram o portador fugir. Isso que é uma idiotice". Ouviu-se um golpe e um grito. Orques saíram aos montes do portão, e o sino ainda badalava.

Escurecendo subitamente no alto, uma forma negra apareceu voando baixo do leste: um grande pássaro, parecia, como uma águia, ou mais como um abutre. Os orques pararam, tagarelando com voz aguda: mas Frodo não esperou. Adivinhou que alguma mensagem urgente sobre si mesmo chegara da Torre Sombria.

Aqui termina o texto à tinta, mas é seguido por algumas notas a lápis:

Encontra Sam
Escapam — e, como eles na verdade estão indo *na direção* de Mordor, isso atrasa a caçada, que se dá na direção do Anduin, Norte e Oeste.
Fim do Capítulo 25
Gorgoroth
Como Frodo chegou à Montanha de Fogo. Ver esboço (b) (c).

A HISTÓRIA PREVISTA A PARTIR DE LÓRIEN

Essa última referência é às páginas do Enredo anterior — neste livro, pp. 248–9, a partir de "A Brecha de Gorgoroth não é muito longe da Montanha de Fogo" até "se arremessa com Gollum no precipício?"

Toda essa história da fuga de Minas Morgul foi desenvolvida a partir das breves palavras no Enredo anterior (p. 250):

Sam [...] passa para Morgol e encontra Frodo. Frodo sente raiva de Sam e o vê como um orque. Mas, de repente, o orque fala e estende o Anel, dizendo: Pegue-o. Frodo então vê que é Sam. Eles se esgueiram para fora. [...] Sam se veste de orque.

Não há nenhuma dúvida de que o texto que acabei de incluir, começando como esboço no tempo presente e quase imperceptivelmente se transformando em uma narrativa plena, foi o surgimento real, no papel, daquele que acabou se tornando o capítulo "A Torre de Cirith Ungol" em *O Retorno do Rei* (VI. 1). Foi escrito com muita rapidez (mas de modo legível, surpreendentemente), com praticamente nenhuma correção feita com base na adequação de fraseado, e passa a impressão de ter sido uma composição ininterrupta, quem sabe até mesmo em uma única assentada. Tendo sido escrito neste estágio,[31] sua relação com a versão publicada da história de "A Torre de Cirith Ungol" é muito mais remota do que aconteceu em todas as outras partes e, embora apareçam agora certos novos elementos (que não estavam no Enredo anterior) que seriam preservados — notavelmente a canção de Sam, que o ajuda a descobrir onde Frodo estava —, a história passaria por uma reformulação radical em todos os pontos — na geografia, nos motivos, na estrutura dos eventos — de modo a se tornar quase uma nova concepção.

Alguns dos desenvolvimentos adicionais, na verdade, parecem ter acontecido bem cedo. Junto desse texto estão alguns papéis que datam do mesmo período, mas são inteiramente distintos em aspecto e no modo da escrita. Aqui, a história de Frodo e Sam é rapidamente esboçada, e a fuga de Minas Morgul é reconsiderada e reescrita. Na verdade, creio que esse material adicional seja da mesma época, ou quase, do texto primário. Há vários indicativos disso. A sugestão aqui de que "poderia ser Merry e Pippin que têm uma aventura em Minas Morgul, caso Barbárvore seja

A TRAIÇÃO DE ISENGARD

cortado" mostra que a narrativa completamente formada não tinha avançado além do Rompimento da Sociedade; e ainda se refere ao capítulo como sendo o "25", o que traz a mesma implicação: meu pai ainda estava seguindo os capítulos "21–24" conforme esboçados em p. 387, e ainda não tinha embarcado na escrita das aventuras "ocidentais".

O texto está escrito à tinta de maneira bem legível, mas, conforme termina, torna-se um rabisco a lápis, formidavelmente difícil de decifrar aqui e ali.

Cap. 25

É preciso fazer Minas Morgul horrível. As coisas "gobelinescas" usuais não bastam aqui.

O Portão tem o formato de uma boca escancarada com dentes e uma janela como um olho de cada lado. Conforme Sam atravessa, ele sente um tremor horrível.[32] Há duas formas silenciosas sentadas de cada lado, como sentinelas.

Substituir ´pp. 395–6 por alguma coisa deste tipo:

Os portões principais de fora estavam agora fechados. Mas uma portinha no meio de um deles estava aberta. (Dava para o sul). O túnel da casa de guarda estava escuro como a noite, e a luz pálida do céu aparecia como um retalho pequeno no final do túnel. Conforme Sam e Frodo se arrastaram mais para perto, viram ou perceberam a forma agourenta das Sentinelas de cada lado: ainda sentadas silenciosas e imóveis: mas delas parecia emanar uma ameaça inominável.

"Fique aqui!", sussurrou Frodo, conduzindo Sam para a sombra de um muro não muito longe do portão. "Enquanto uso o Anel, consigo entender muito da fala dos inimigos, ou o pensamento por trás da fala: não sei qual dos dois. Vou me adiantar e tentar descobrir alguma coisa. Se eu chamar, venha correndo: e passe pela porta se conseguir."

"Não", disse Sam, "não vai dar certo. Se tivermos uma luta no portão, ficar do lado de dentro é igual ou melhor. Todo o ninho de vespas — orques e bichos-papões e tudo o mais — viria zumbindo atrás de nós antes de termos atravessado sequer uma dúzia de jardas: e eles conhecem essas montanhas horríveis tão bem quanto eu conheço Bolsão. Com seu perdão, Sr. Frodo, a única esperança é bravatear."

A HISTÓRIA PREVISTA A PARTIR DE LÓRIEN

"Muito bem, meu bom Sam", disse Frodo, "tente bravatear!"

Com a menor vontade de "bravatear" que já tivera na vida, Sam avançou, tão arrojado e despreocupado quanto conseguia parecer, tremendo todo até os joelhos como estava e com um aperto estranho na respiração. Cada passo para frente ficava mais difícil. Era como se alguma vontade negando-lhe passagem surgisse como cordas invisíveis através do caminho. Sentiu a pressão de olhos invisíveis. Parecia ter passado uma era quando chegou sob a sombra do arco do portão, e sentiu-se cansado, como se tivesse nadado contra uma maré forte. As Sentinelas estavam sentadas ali: sombrias e imóveis. Não mexeram as mãos semelhantes a garras, postas sobre os joelhos, não mexeram as cabeças veladas [*riscado:* olhando rígidas] nas quais nenhum rosto se podia ver; mas Sam sentiu um súbito arrepio na pele, percebeu que estavam vivas e repentinamente alertas. Quando chegou entre elas, pareceu encolher [e] se contrair, nu como um inseto rastejando para o buraco sob o olhar de aves gigantescas. Chegou à porta aberta: logo depois dela, o caminho dava num lance de escadas que levava à estrada descendente. Um passo apenas e estaria do lado de fora — mas não conseguiu passar: foi como se o ar diante dele tivesse se enrijecido. Teve que reunir sua força e sua vontade. Como chumbo, levantou o pé e forçou-o, pouco a pouco, pela soleira, e de cada lado sentia a escuridão olhando-o de esguelha e arreganhando os dentes. Lentamente, pôs o pé para baixo, para baixo. Tocou o degrau do lado de fora: e então alguma coisa pareceu estalar. Ficou imóvel. Pensou ter ouvido um grito, mas não conseguia dizer se foi bem ao seu lado ou ao longe, em alguma remota torre de vigia. Ouviu-se um súbito choque de ferro. Um Orque saiu correndo da sala da guarda.

Frodo, arrastando-se com cautela por trás, também estava agora sob o arco. Ouviu o guarda gritando em tom áspero. "Ei, aí: quem é você, e o que acha que está fazendo?" Pegou Sam pela capa. Sam rosnou com raiva, mas o truque não funcionou tão bem da segunda vez. O guarda o segurou. "A hora de fechar já passou, foi meia hora atrás", resmungou. "Ninguém a não ser os mensageiros do Senhor podem entrar ou sair, e você sabe disso. A porta aguarda o trazedor de notícias de Baraddur e ninguém mais."

De tudo isso, Sam entendeu apenas que estava proibido de passar. Não conseguia ir para frente, então foi para trás de repente,

A TRAIÇÃO DE ISENGARD

pisando nos pés do Orque atrás. Frodo viu a mão do guarda pegar no cabo da cimitarra. "Ei, sabe em quem está pisando?" disse. Sam se preparou para revidar com luta. Virou etc. como anteriormente.

[*Riscado:* Uma alternativa seria fazer o portão impassável. Soam o alarme. A Cidade desperta. O Abutre (Cavaleiro Negro) chega na praça principal. Frodo imediatamente percebe que o Anel é inútil. Ele quase sente que foi descoberto. O mensageiro diz que o Anel ainda está na cidade: ele o sente.]

Relato alternativo

Fazer a luz ir diminuindo na janela enquanto Sam e Frodo conversam na Torre Repugnante. Eles tentam o truque de fazer um orque abrir a porta conforme o crepúsculo se aprofunda. *Não se disfarçam.* Arrastam-se para a cidade. Algo alerta Frodo a *não* usar o Anel. Os capuzes-élficos se mostram melhores na Cidade de Feitiçaria do que o Anel — os dois hobbits (auxiliados por alguma graça de Galadriel que estava nas vestes) passam pelas ruas como névoa. O portão está fechado — as sentinelas são descritas: três de cada lado.[33]

Os muros são altos e se fosse possível subir neles sem serem vistos — não é: os poucos lugares de subida estão guardados — não conseguiam descer. Estão encurralados.

Um grito em uma torre de vigia. A lua minguante se ergue no Leste. Uma forma escura vem voando do Leste, uma mancha preta contrastando com nuvens. Abutre levando um Espectro-do--Anel pousa na praça principal. O Espectro-do-Anel veio buscar Frodo para levá-lo à Torre Sombria. Naquele momento *bum*, o alarme soa na Torre Repugnante. O Espectro-do-Anel diz que o Anel não deixou a Cidade: consegue senti-lo. Caçada na cidade. Fuga dos hobbits por um triz. Apesar do Espectro-do-Anel, uma hoste de orques se reúne para esquadrinhar as montanhas (? Frodo e Sam encurralam dois orques em um beco e pegam suas capas e petrechos. ?) Saem atrás da companhia. Descrever a sensação relutante, e as sentinelas imóveis. Conforme passam, as sentinelas se movem: e dão um grito cruel, horrível e distante. A lua subitamente se nubla. Um vento frio e feroz do Leste. Chuva? Os hobbits se atiram ao chão em meio às rochas. Orques passam por

Esboço do Portão de Minas Morgul

A TRAIÇÃO DE ISENGARD

cima deles. A caçada os perde porque eles estão indo *na direção* de Mordor. A caçada vai para Oeste e Norte.

Agora, continuar com a descrição da jornada à Montanha de Fogo. Passos vêm atrás deles. Gollum achou o rastro.

Frodo e Sam viajam à noite, descendo as encostas de Duath e entrando na pavorosa desolação de Gorgoroth.[34]

[É preciso fazer com que os mantos cinzentos de Lothlórien sejam mais mágicos e eficazes. "Estas vestes são mágicas?", pergunta Frodo. "Não sabemos o que queres dizer com 'mágicas'", eles responderam. "Têm virtudes: pois são élficas". Eram verdes e cinzentas: sua propriedade é mesclar-se perfeitamente com todas as ambientações *naturais*: folhas, arbustos, grama, água, pedra. A menos que a luz plena do sol incidisse sobre elas e o usuário estivesse parado ou se movendo contra o céu, não eram invisíveis, mas *imperceptíveis*.][35]

Ao longe, viram a encosta inferior das Montanhas manchada de vermelho com o brilho de Amarthon [*escrito acima:* Dolamarth]: o Monte da Perdição: a Montanha de Fogo.[36] Há um constante rugido de trovão. Frodo sente o Olho. Descem por uma longa ravina que se abre em Gorgoroth, para lá da extremidade sudeste de Kirith Ungol: é o fim da estrada de Barad-dûr até Morgul.[37] Grandes e horrendos pilares de caverna.[38] Eles espiam [? para fora ? ao redor] de Gorgoroth no dia cinzento. O Monte da Perdição está soltando fumaça e ardendo à esquerda. Uma nuvem negra jaz sobre Baraddur. Milhões de pássaros — [? liderados por abutres]: a planície parece estar infestada de insetos — uma grande hoste reunida — todos partindo na direção de Kirith. À noite, toda a planície está silenciosa e vazia. Cinzas caem na planície. A lua se ergue tarde. Muito escuro. Começam a travessia perigosa. Ruído suave de pés seguindo. Viajam por toda a noite.

As distâncias são grandes demais — seria mais fácil se Orques levassem Frodo para a Torre de Guarda de R... [? Leste] — Repugnante e Sinistra [*escrito acima:* Cruel e Horrenda]. Eles então conseguiriam ver a hoste mais facilmente e não teriam que cruzar Kirith Ungol.[39]

[*Riscado:* Poderia ser Merry e Pippin que têm uma aventura em Minas Morgul, caso Barbárvore seja cortado.][40]

Partindo do Castelo-horrendo Gorgos (e Nargos), seria apenas 70 milhas. Eles poderiam ir furtivos pelas fímbrias das Eredlithui.[41]

A HISTÓRIA PREVISTA A PARTIR DE LÓRIEN

Sam precisa sair de alguma maneira. Tropeça e quebra a perna: acha que é uma fenda no chão — na verdade é Gollum. [? Faz ? Fazer] Frodo ir sozinho.

Frodo sobe com dificuldade o Monte da Perdição. A terra treme, o chão está quente. Há um caminho estreito serpenteando para cima. Três fissuras. Próximo ao cume está o Poço-de-fogo de Sauron. Uma abertura na encosta da montanha leva para uma câmara cujo chão está fendido.[42]

Frodo se vira e olha para Noroeste, vê a poeira da batalha. Ruído débil de uma trompa. Trata-se de Lançavento, a Trompa de Elendil, que é soada apenas em necessidade extrema.[43]

Aves circundam. Pés atrás.

É, portanto, na noite anterior à subida do Monte da Perdição que Frodo vê o olho solitário, como uma janela que não se move e, no entanto, procura em Baraddur.

Descrição de Baraddur vista ao longe.

Incluo aqui a parte final do esquema temporal desse período que cobre os eventos nesse esboço de enredo. Para a estrutura cronológica deste esquema, ver p. 430 ("esquema I").

Dez.	25	Chegam a Tolbrandir no anoitecer.
	26	Fuga de Frodo.
Jan.	3	Gollum foge.
	5	Frodo, Sam [*riscado:* e Gollum] chegam a Kirith Ungol.
	6	Frodo capturado.
	8	Sam resgata Frodo em [Minas Morgul >] Gorgos.
	9	Sam e Frodo percorrem Duath.
	10	Sam e Frodo veem a hoste em Gorgoroth e se escondem.
		[*Essas duas datas foram alteradas para:* 9, 10, 11 de jan. Sam e Frodo percorrem Eredlithui (veem hostes indo para a guerra).]
	12, 13	Subida do Monte da Perdição.
	14	[? Trompas] ... Queda de Mordor.
	15	Vitória e retorno a Minas Tirith
		[*Acrescentado:* 25 de jan. Chegam a Minas Tirith. 26 de jan. Grande Banquete.]

Pontos notáveis nesse esquema temporal são a corroboração à afirmação no texto de que Sam tinha sido Portador-do-Anel por dois dias (ver p. 393 e nota 30); a alteração do local de aprisionamento de Frodo de Minas Morgul para Gorgos (ver p. 403 e notas 39, 41); e a menção ao grande banquete que se seguiu à vitória (ver p. 252).

NOTAS

[1] No verso da primeira página deste esboço estão alguns trabalhos rudimentares para uma revisão de *A Balada de Aotrou e Itroun*, que, na forma original, estava completa em 1930. Essa página extraviada talvez mostre meu pai voltando a atenção novamente para ela nessa época. Foi publicada em 1945, por fim, em uma versão muito revisada que resultou desses trabalhos.

[2] Ver o esboço (*c*) de "Adeus a Lórien", p. 317: "Flechas da margem leste conforme descem o rio?".

[3] *Tolharn* e *Tollernen* foram substitutos passageiros de *Tolondren*. Subsequentemente, *Ilhota-de-pedra* e *Tollernen* foram riscados a lápis (todas as outras alterações dessa seção introdutória foram feitas à tinta) e substituídos por *Eregon* (= *Pináculo de pedra*). Sobre *Eregon*, ver p. 379, nota 12.

[4] Sarn Gebir e a Terra de Ninguém (Terras-de-Ninguém) surgiram no decorrer da composição de "Adeus a Lórien" (pp. 332, 334).

[5] É ruim ficar sozinho na margem *leste do Rio*: essa frase foi deixada inalterada quando o texto imediatamente anterior foi alterado, dizendo que Frodo e Sam não haviam cruzado a margem leste, mas escalaram o morro na ilha onde estavam acampados. — No esboço (*c*) de "Adeus a Lórien" (pp. 317–8), conta-se que "eles" atravessaram para a margem leste e adentraram as colinas "para olhar ao redor". Nesse caso, "eles" poderia se referir a toda a Comitiva ou somente a Frodo e Sam.

[6] O nome *Eredwethion*, "Montanhas de Sombra", deriva de *O Silmarillion*.

[7] Compare essa cena com a do Enredo anterior (p. 248):

> Boromir afasta-se com Frodo e conversa com ele. Implora para ver o Anel novamente. O mal entra em seu coração e ele tenta intimidar Frodo e, depois, tomá-lo à força. Frodo é obrigado a colocá-lo para escapar. (O que ele vê depois — nuvens à toda sua volta se fechando e muitas vozes terríveis no ar?)

Naquele Enredo, não há menção ao Olho — mas ver o rascunho muito mais antigo, de agosto de 1939 (VI. 473): "Sensação horrível de um Olho procurando por ele".

[8] Sobre o nome *Dantruinel* para Rauros, ver pp. 337, 372.

[9] Parece muito provável que o motivo para que o lugar onde a Comitiva acampou fosse alterado para a margem oeste do rio, e para que a ilha se tornasse inacessível, era possibilitar a separação e perda de Merry e Pippin — um desenvolvimento que já estava concebido no Enredo anterior (ver nota 16).

[10] Entendo que essas palavras entre aspas sejam de Boromir, referindo-se enganosamente ao fato de que Frodo colocou o Anel.

A HISTÓRIA PREVISTA A PARTIR DE LÓRIEN

[11] O relato que se segue de Sam rastreando Frodo foi desenvolvido a partir do Enredo anterior (p. 248):

> A busca. Sam some. Tenta rastrear Frodo e se depara com Gollum. Ele segue Gollum e Gollum o leva até Frodo.
> Frodo ouve pés seguindo-o. E foge. Mas Sam aparece também, para sua surpresa. Os dois são demais para Gollum. Gollum fica *intimidado* com Frodo — que tem um poder sobre si, sendo o Portador-do-Anel [...].
> Gollum implora por perdão e finge ter se regenerado. Eles o fazem guiá-los pelos Pântanos Mortos.

[12] Sam está agora na margem leste do Anduin, e o barco "batendo na margem" é o barco no qual Frodo atravessou.

[13] Esse parágrafo ("Gollum estava tão concentrado na trilha [...]") evidentemente substituiu a história que o antecede, muito embora ela não tenha sido riscada.

[14] Kirith Ungol era, nessa época, o nome do grande passo que adentrava Mordor no Noroeste (pp. 334, 337 e Mapa III na p. 364).

[15] Em algum momento posterior, meu pai riscou tudo isso e escreveu a lápis:

> Lugar escarpado onde Frodo precisa escalar um precipício. Sam vai primeiro, de modo que, se Frodo cair, vai atingir Sam antes. Veem Gollum descendo ao luar *como uma mosca*.

Foi aqui que a história em *As Duas Torres* (IV. 1, "A Doma de Sméagol", p. 884) apareceu pela primeira vez.

[16] Compare com o Enredo anterior, p. 251. Pela sinopse do capítulo que imediatamente se segue (p. 387), contando o que aconteceu com Merry e Pippin, percebe-se que meu pai ainda não tinha ideia de que qualquer coisa pior acontecera com eles.

[17] O conteúdo desse trecho permanece virtualmente inalterado em relação ao Enredo anterior (p. 251).

[18] Em um estágio posterior, meu pai colocou a lápis vários desenvolvimentos aos Capítulos 22 e 23 (conforme renumerados). Alterou a sinopse do 22 assim: "Orques negros das Montanhas Nevoentas capturam Merry e Pippin, levam-nos para Isengard. Mas os orques são atacados pelos Rohiroth nas fímbrias de Fangorn e, na confusão, Merry e Pippin escapam sem serem notados". Também acrescentado aqui há: "Troteiro extravia-se ao [? encontrar] pegadas-órquicas. Segue os orques acreditando que Frodo, Sam etc. foram capturados. Encontra Gandalf". Depois de "O que aconteceu com Gimli e Legolas", ele acrescentou: "Foram com Troteiro resgatar Merry e Pippin".

[19] Anotado ao lado dessa frase: SG — F dormindo. FG — S dormindo. SF — G dormindo.

[20] A origem desse trecho está no Enredo anterior (pp. 249–50): "Há uma ravina, um covil de aranhas, pela qual precisam passar na entrada de Gorgoroth.

A TRAIÇÃO DE ISENGARD

Gollum faz com que as aranhas coloquem um encantamento de sono em Frodo. Sam as afugenta. Mas não consegue acordá-lo". Kirith Ungol ainda não era o nome do lugar quando isso foi escrito: naquele esboço, menciona-se a Brecha de Gorgoroth, claramente o passo que leva para Mordor (pp. 248, 255), mas as palavras "uma ravina pela qual precisam passar" talvez sugira que o "covil das aranhas" conduzia para fora da Brecha. No presente Enredo, contudo, Kirith Ungol, a ravina de aranhas, é o passo em si.

21 Sem dúvida, foi inserido quando a história havia passado um tanto desse ponto, visto que sua forma é abertamente de uma narrativa, e não de um esboço (tempo presente).

22 Essa frase está posta entre colchetes no original.

23 No alto da página está escrito: "No entanto, todo o povo de Sauron sabe que, se o Portador-do-Anel for capturado, deve ser guardado como se fosse a vida deles, mas de outra forma não deve ser tocado ou despojado, e deve ser trazido intacto ao Senhor". Isso foi riscado.

24 Sobre o Mar de Rhûn ou Rhûnaer, ver p. 361.

25 Esse trecho está entre colchetes no original.

26 Para a localização de Minas Morgul, ver Mapa III, p. 364. Os Orques parecem ter vindo de lá, pois "Sam conclui que eles estão indo para Minas Morgul: visto que não têm permissão para deixar seus postos"; e "a trilha subia para as montanhas" sugere que o caminho para Minas Morgul era por uma trilha que subia e saía de Kirith Ungol; por isso Sam vê "por baixo" os Orques entrando na Cidade.

27 A menos que meu pai tivesse decidido restaurar a concepção original de que Minas *Anor*, no Leste, se tornou Minas Morgul, e Minas *Ithil*, no Oeste, se tornou Minas Tirith — o que parece extremamente improvável — essa só pode ter sido uma confusão momentânea. Mas ocorre de novo: p. 429, nota 19.

28 Esse trecho está entre colchetes no original.

29 [No texto em inglês] *mithered*: "confuso, azoinado, desnorteado". Meu pai frequentemente usava essa palavra em inglês dialetal, embora, da maneira que me lembro, sempre na forma *moithered*. Mas *mithered* é atestada em Staffordshire e Warwickshire e nos condados vizinhos das regiões centrais da Inglaterra.

30 Esse trecho está entre colchetes no original. Dois dias parece muito tempo para ter se passado desde que Sam pegou o Anel de Frodo em Kirith Ungol, e não se sugere isso de forma nenhuma na narrativa; por outro lado, no Mapa III (p. 364), Minas Morgul ficava a pelo menos 30 milhas da beira oriental das Montanhas de Sombra em Kirith Ungol. Ver também o esquema temporal na p. 404.

31 Deve-se enfatizar a clareza e a certeza do fato de que esse texto foi escrito neste estágio da história de *O Senhor dos Anéis*, e não depois.

32 Isso se refere, é claro, a quando Sam entrou em Minas Morgul sozinho.

33 Compare com "A Torre de Cirith Ungol" em *O Retorno do Rei*, p. 1294: "Eram como grandes efígies sentadas em tronos. Cada uma tinha três corpos unidos

407

A HISTÓRIA PREVISTA A PARTIR DE LÓRIEN

e três cabeças dando para fora, para dentro e para o lado oposto do portal. As cabeças tinham caras de abutre e nos grandes joelhos repousavam mãos semelhantes a garras". Um pequeno esboço diagramático foi incluído neste ponto do manuscrito:

34 *Duath* (em substituição a *Eredwethion*, p. 383) é o nome das Montanhas de Sombra no Primeiro Mapa e no mapa que fiz em 1943; meu pai acrescentou *Ephel* na frente de *Duath* em ambos os mapas subsequentemente (pp. 364, 365). — A frase foi alterada a lápis para: "Frodo e Sam viajam à noite em meio às encostas e ravinas a N. de Duath rumo à pavorosa desolação de Gorgoroth."

35 Os colchetes estão no original. Esse trecho notável é a origem da descrição muito expandida dos mantos de Lothlórien que aparece como acréscimo à cópia passada a limpo de "Adeus a Lórien" (p. 337), embora expresso de maneira completamente diferente. A pergunta "Estas vestes são mágicas?", feita aqui por Frodo, foi então atribuída a Merry e, finalmente (SA, p. 522) a Pippin ("Estes são mantos mágicos?").

36 É a primeira concepção de um nome élfico para o Monte da Perdição (posteriormente *Amon Amarth*).

37 Meu pai escreveu aqui, inicialmente: "Descem por uma longa ravina que se abre em Kirith Un(gol)", riscando esse nome imediatamente e escrevendo, no lugar, "que se abre em Gorgoroth" etc. É difícil ter certeza, mas parece provável que ele visualizava uma trilha subindo até Minas Morgul, saindo de Kirith Ungol (o passo para Moria), perto da qual Frodo foi apanhado, e outra mais para o Sul, uma estrada que corria para oeste desde a Torre Sombria e subia para Minas Morgul pela "longa ravina" que Sam e Frodo desceram ao fugir (ver Mapa III, p. 364).

38 [No texto em inglês] a palavra *cavern* [caverna] está claramente escrita, e não *carven* [entalhados, esculpidos].

39 Esse parágrafo curto está muito difícil de ler e não é fácil de interpretar, mas no mínimo fica claro que aqui está o primeiro indício de que meu pai estava em dúvida se era para Minas Morgul que Frodo foi levado. A palavra que interpretei como *Leste* começa com *Le*, mas não se parece nada com *Leste*; mas parece ter o sentido apropriado (ver nota 41 adiante). O nome da torre talvez seja *Rame* ou *Raine*, entre outras possibilidades. As palavras "não teriam que cruzar Kirith Ungol" são confusas à primeira vista, pois acabou de ser dito que eles saíram da longa ravina "para lá da extremidade sudeste de Kirith Ungol"; mas acho que meu pai quis dizer que eles não teriam que atravessar a planície aberta entre as Montanhas de Sombra e as Montanhas de Cinza (Ered Lithui), quer ela fosse chamada, nesse ponto, de Kirith Ungol, quer de Gorgoroth.

A TRAIÇÃO DE ISENGARD

[40] Ver pp. 398–9; e, para uma sugestão anterior de que Merry e Pippin poderiam acabar eles mesmos em Mordor, ver p. 251.

[41] No primeiro mapa, há dois pequenos círculos de cada lado de Kirith Ungol (no meu novo desenho, coordenada P 15 no Mapa II, p. 360). Eles reaparecem no meu mapa de 1943 como duas pequenas torres. Em nenhum dos mapas são nomeadas, mas parece claro que representam uma torre-de-guarda ocidental e outra oriental — presumivelmente Nargos e Gorgos aqui nomeadas (cf. "Há torres-de-guarda dos Orques de cada lado de Gorgoroth", p. 248). Creio que as palavras "Partindo do Castelo-horrendo Gorgos (e Nargos), seria apenas 70 milhas" signifiquem "Partindo da torre oriental Gorgos (e, no caso, também da torre ocidental Nargos) seria apenas 70 milhas até o Monte da Perdição".

[42] As três fissuras e o poço de fogo de Sauron aparecem no Enredo anterior (p. 249), mas esse é o primeiro vislumbre das Sammath Naur.

[43] *Lançavento*: se esse nome ocorre em qualquer outro escrito de meu pai, não o encontrei, exceto na Última Carta do Papai Noel, onde ele a chama de Grande Chifre,* e diz que não precisou soprá-la por mais de quatrocentos anos (compare com "apenas em necessidade extrema" neste texto) e diz que seu som vai tão longe quanto sopra o Vento Norte. (Compare com o inglês antigo *bēme* (*bēam*) "trompete").

---

*A Última Carta do Papai Noel foi a de 1943. Contudo, na edição de 1976 do livro — a que Christopher Tolkien tinha em mãos aqui — a "Última Carta" era um compósito das cartas de 1941 e de 1943 (Wayne G. Hammond e Christina Scull, *The J.R.R. Tolkien Companion and Guide: Reader's Guide*. HarperCollins, 2017, p. 423).

Na edição usada para a tradução brasileira mais recente, ambas as cartas aparecem integralmente em seus respectivos anos, e o leitor encontrará a referência a Lançavento na carta de 1941 — e uma menção em 1942 —, e não na de 1943, que é a Última Carta de fato. [N.T.]

ᘓᗢ 17 ᗢᘚ

O Grande Rio

Vimos (pp. 381, 388) que, tendo escrito um esboço da história da partida de Lórien até a "Dispersão da Comitiva" em "Tollernen", meu pai decidiu que o primeiro elemento do esboço, "A Comitiva deixa a Língua", deveria, na verdade, ser a conclusão do Capítulo 20 ("Adeus a Lórien") e o 21 deveria começar no ponto em que "São atacados com flechas".

Como mencionei (p. 335), o rascunho original para a última parte de "Adeus a Lórien" (isto é, "A Comitiva deixa a Língua") foi escrito à tinta, com uma letra clara e pouca hesitação. Aquele rascunho termina com as palavras "Fim do Cap. 20", mostrando que a disposição dos capítulos que acabei de mencionar já fora concebida. A característica tinta muito pálida usada para esta seção também foi usada para o texto "A História Prevista a Partir de Lórien" e para a primeira parte do novo capítulo 21: os três textos têm uma forte semelhança geral, e foram obviamente escritos na mesma época.

O rascunho da última seção de "Adeus a Lórien" termina no meio de uma página, e é seguido por "21: A Dispersão da Comitiva"; nesse estágio, meu pai supunha que a narrativa esboçada em pp. 381–5, 386–7 (ou seja, excluindo a história em que Sam segue o rastro de Frodo) constituiria um único capítulo. Para a viagem descendo o Rio até chegarem a "Tollernen", ele não colocou nada além, em termos de acontecimentos, de "São atacados com flechas". Incluo agora o rascunho de abertura do novo capítulo conforme foi escrito inicialmente.[1]

Sam o despertou. Estava deitado em um leito de cobertores e peles debaixo de altas árvores de tronco cinza perto da margem do rio. O cinzento da manhã passava indistinto entre os ramos desnudos. Gimli estava ocupado com uma pequena fogueira ali perto.

Dormira toda a primeira noite de viagem pelo rio. Partiram outra vez antes de o dia avançar. Não que a maior parte da Comitiva estivesse ávida para se apressar rumo ao sul: contentavam-se com o fato de que a decisão, que tinham de tomar quando chegassem a Rauros e à Ilha de Eregon,[2] ainda estava alguns dias à frente, e queriam menos ainda correr em direção aos perigos que certamente ficavam mais além, não importando o curso que tomassem, mas Troteiro sentia que o tempo era urgente e que, querendo ou não, deveriam se apressar.

À medida que o segundo dia da viagem avançava, o terreno mudava lentamente: as árvores escassearam e depois desapareceram por completo: na margem leste, à esquerda, viram longas encostas informes que se erguiam em direção ao céu; pareciam pardas como se o fogo tivesse passado por elas sem deixar viva qualquer coisa de verde; um ermo inóspito sem mesmo uma árvore seca ou uma pedra destacada que quebrasse o vazio. Haviam chegado às Terras Castanhas, o Descampado Seco que se estendia em uma vasta desolação entre Dol Dúghul, em Trevamata Meridional, e as colinas de Sarn-Gebir: que pestilência de guerra ou feito cruel do Senhor de Mordor havia arruinado toda a região daquele modo eles não sabiam.[3] Na margem oeste, à sua direita, o terreno era sem árvores e bem plano, mas verde: havia florestas de juncos que em alguns lugares eram tão altos que bloqueavam a vista conforme os barquinhos margeavam farfalhando suas beiras palpitantes: seus grandes corutos mirrados e floridos inclinavam-se nos ares claros e frios, chiando com som fraco e ondulando como funéreos penachos. Aqui e ali, em espaços abertos, eles podiam ver colinas longínquas através dos amplos prados ondulantes, ou, na margem da visão, uma linha escura onde ainda marchava a falange mais meridional das Montanhas Nevoentas.

"Agora estais olhando através dos grandes pastos de Rohan, a Marca-dos-Cavaleiros, terra dos Mestres-de-cavalos", disse Troteiro; "mas nestes dias malignos eles não habitam perto do rio nem cavalgam com frequência até suas margens. O Anduin é largo, no entanto os arcos-órquicos facilmente atiram uma flecha através da correnteza."

Os Hobbits olhavam de uma margem para a outra, inquietos. Se antes as árvores lhes pareciam hostis, como se abrigassem perigos secretos, agora sentiam que estavam descobertos demais:

O GRANDE RIO

flutuando em barquinhos em meio a amplas terras desnudas, num rio que era a fronteira da guerra. À medida que avançavam, a sensação de insegurança cresceu neles. O rio alargou-se e se tornou mais raso: a leste ficavam praias pedregosas e desertas, havia baixos de cascalho na água e eles precisavam manobrar com cuidado. As Terras-castanhas ergueram-se em áridos descampados por cima dos quais fluía um ar gelado do Leste. Do outro lado os prados haviam se transformado em morros ondulados de capim cinzento, uma paisagem de pântanos e moitas. Eles se arrepiaram ao pensar nos gramados e fontes, no sol brilhante e na chuva suave de Lothlórien: havia pouca fala e nenhum riso entre eles. Cada um estava ocupado com seus próprios pensamentos. Há muito tempo Sam decidira que, apesar de talvez os barcos não serem tão perigosos quanto sua criação o fizera crer, eram muito mais desconfortáveis. Estava apertado e infeliz, sem nada para fazer senão encarar as terras invernais que passavam se arrastando e a água escura e cinzenta, pois a Comitiva usava os remos principalmente para manobrar e, de toda forma, não teriam confiado um remo a Sam. Merry e Pippin, no barco do meio, estavam desconfortáveis. [*Acrescentado e então excluído:* Merry estava na popa, de frente para Sam e manobrando.] Boromir estava sentado resmungando para si mesmo, às vezes mordendo as unhas, como se o consumisse alguma inquietação ou dúvida. Com frequência, Pippin, sentado à proa olhando para trás, viu de relance um estranho brilho no seu olho quando ele espiava adiante, fitando o barco à frente onde Frodo estava.

Assim o tempo passou até o fim do sexto [> sétimo] dia. As margens ainda eram nuas, mas de ambos os lados nas encostas acima deles havia moitas esparsas, atrás deles e mais para o sul, cristas de abetos retorcidos podiam ser vislumbradas: estavam se aproximando da região de morros cinzentos de Sarn-Gebir: a divisa sul das Terras-selváticas, além das quais ficava a Terra-de-Ninguém e os pântanos repugnantes que se estendiam por muitas léguas até os passos de Mordor. No alto havia bandos de aves escuras. Troteiro os observava com inquietação.

"Receio que tenhamos sido demasiado lentos e confiantes", disse ele. "Talvez tenhamos ido longe demais de dia e, antes disso, deveríamos ter passado a viajar entre o ocaso e o amanhecer e nos escondido durante o dia."

A TRAIÇÃO DE ISENGARD

Ele deteve o barco com o remo e, quando os outros o alcançaram, ele lhes falou, aconselhando que deveriam prosseguir noite adentro e adiar o descanso até que a noite estivesse avançada e o amanhecer, próximo. "E, se percorrermos mais duas ou três léguas", disse ele, "chegaremos, se minha memória estiver certa, a Sarn Gebir, onde o rio começa a correr em canais profundos: lá talvez encontremos abrigo melhor e mais sigilo."

O crepúsculo já estava ao redor. Pelo menos os Hobbits tinham tido esperança de logo ter o calor de uma fogueira para os pés gelados e a sensação de terra firme debaixo deles. Mas parecia não haver nenhum lugar naquela região sem abrigo que os convidasse a parar; e uma sonolência fria os acometia, entorpecendo o pensamento. Não responderam nem que sim, nem que não. Troteiro impeliu o remo na água e novamente os conduziu adiante. [*Acrescentado:* As estrelas irromperam acima. O céu [estava] claro e frio. Era quase noite quando][4] Bem à frente, rochas assomavam no meio da correnteza, mais perto da margem oeste. A leste havia um canal mais amplo, e viraram para esse lado: mas descobriram que a correnteza era veloz. No ocaso, puderam ver a pálida espuma e a água açoitando as rochas à direita.

"Essa é uma hora maligna do dia para atravessar um braço perigoso assim", disse Boromir. "Ei, Troteiro", gritou ele, fazendo uma concha com as mãos e chamando o barco da frente numa voz mais alta do que o ruído das águas — já estava escuro demais para ver se estava perto ou longe. "Ei!", chamou. "Não vamos por aqui hoje à noite!"

"Não mesmo", disse Troteiro, e viram que ele tinha virado o barco e voltado até quase se emparelhar, sem que o notassem. "Não: não sabia que tínhamos vindo tão longe: o Anduin corre mais depressa do que eu calculei. As corredeiras de Pensarn[5] estão à frente. Não são muito longas e nem muito ferozes, mas são perigosas demais para aqueles que conhecem o Grande Rio pouco ou só pelos contos enfrentarem no escuro. Vede", falou ele, "a correnteza nos atirou bem para a margem leste: logo estaremos nos baixios. Vamos virar e voltar para a margem oeste, acima das rochas."

Conforme falava, ouviu-se um zunido de cordas de arco, e flechas assobiaram por cima e no meio deles. Uma atingiu Frodo entre os ombros, mas resvalou, frustrada por sua cota de malha oculta; outra atravessou os cabelos de Troteiro; e uma terceira se cravou na amurada do barco do meio, perto da mão de Merry.

O GRANDE RIO

"Para a margem oeste!", bradaram Boromir e Troteiro juntos. Eles se inclinaram para frente, fazendo força nos remos — o próprio Sam agora deu uma mão, mas não era tão fácil. A correnteza passava forte. Todos esperavam a qualquer minuto sentir a ferroada de um seta-órquica de penas negras. Mas agora estava muito escuro, até mesmo para os aguçados olhos noturnos dos gobelins; havia gobelins na margem, eles não tinham dúvida. Quando alcançaram o meio da correnteza, até onde podiam julgar, afastando-se do torvelinho de águas que entravam no canal estreito, Legolas largou o remo e, erguendo o arco que trouxera de Lórien, ajustou a corda e se virou, olhando na treva. Do outro lado da água ouviram-se gritos estridentes; mas não conseguiu ver nada. O inimigo disparava a esmo agora, e poucas flechas se aproximaram dos barcos: tinha ficado muito escuro: não havia nem sequer um brilho cinzento na superfície do rio, só aqui e ali um lampejo quebrado refletindo alguma estrela enevoada.

Conforme olhava no negrume na direção leste, as nuvens se desfizeram e a lasca branca da lua nova apareceu, erguendo-se lentamente no céu; [mas sua luz débil pouco fez para iluminar a margem oposta.][6] Sam ergueu os olhos surpreso para ela.[7] Quando o fez, um vulto escuro como uma nuvem, porém não uma nuvem, baixo e agourento, por um momento apagou o estreito crescente e adejou na direção deles, até que apareceu como uma forma negra alada contra o céu escuro.[8] Vozes selvagens o saudaram do lado oposto da água. Frodo sentiu um súbito ar gelado no coração, e em seu ombro havia um frio como a lembrança de uma antiga ferida: agachou-se no barco.

De súbito o grande arco de Legolas cantou. Ele ouviu uma flecha assobiar/zunir. Ergueu os olhos. O vulto alado deu uma guinada: ouviu-se um berro áspero e grasnante e ele pareceu cair, desaparecendo na escuridão da margem leste; o céu parecia limpo outra vez. Ouviram um tumulto como se de muitas vozes murmurando e lamentando [*escrito acima:* praguejando], e depois silêncio. Nenhuma outra seta veio na direção deles.

"Louvado seja o arco de Galadriel e o olho afiado de Legolas!", disse Gimli. "Foi um poderoso tiro no escuro."

"Mas o que ele atingiu, quem pode dizer", falou Boromir.

"Eu não posso", disse Gimli. "Mas gostei tão pouco daquele vulto quanto da sombra do Balrog de Moria."

A TRAIÇÃO DE ISENGARD

"Não era um Balrog", disse Frodo, ainda trêmulo. "Acho que era…" Não terminou.

"O que pensas?" perguntou Boromir rapidamente.

"Não sei", disse Frodo. "Não importa o que fosse, sua queda parece ter desesperado o inimigo."

"Assim parece", disse Troteiro. "Porém onde estão, quantos são e o que farão a seguir, isso não sabemos. Esta noite deve ser de vigilância!"

Por fim, os barcos foram trazidos novamente à margem oeste. Ali os amarraram juntos na beira. Não se deitaram no chão naquela noite, mas permaneceram nos barcos, com as armas à mão. Um sentava-se alerta e vigilante, observando ambas as margens, enquanto o outro [? *leia-se* os outros] cochilavam inquietos.

Sam[9] olhou para a lua outra vez, descendo agora rápida para o horizonte. "É muito estranho", murmurou sonolento. "O lua, suponho, não muda seus cursos nas Terras-selváticas, não é? Então devo estar enganado nos meus cálculos. Se você se lembra, o lua minguante estava quase no fim quando estávamos deitados no eirado em cima daquela árvore.[10] Bem, agora não consigo lembrar quanto tempo ficamos naquela região: três noites, com certeza, e parece que me lembro de várias outras — mas tenho certeza de que não foi um mês. Mas aqui estamos nós: sete dias depois de Lórien e lá surge um Lua Novo. Ora, qualquer um poderia pensar que viemos direto do Nimrodel sem parar uma noite e sem ver Caras Galadon. Que engaçado."

"E isso, Sam, está provavelmente perto da verdade", disse Troteiro. "Se estávamos no passado, ou no futuro, ou em um tempo que não passa, isso não sei dizer: mas, penso eu, foi só quando o Veio-de-Prata nos levou de volta para o Anduin que retornamos ao rio do tempo que flui através das terras mortais rumo ao Grande Mar. Pelo menos é o que acho: mas talvez eu esteja sonhando e falando tolices. Mas algum de vocês se lembra de ter visto a lua em Lórien, minguante ou crescente? Lembro-me só das estrelas de noite e do sol de dia."[11]

O texto, que vai se tornando mal-acabado no fim, agora se desfaz em notas a lápis acerca da continuação:

De manhã, Troteiro e Legolas seguem adiante para achar uma trilha. Escondem-se entre as rochas o dia todo e, ao anoitecer,

O GRANDE RIO

laboriosamente transportam os barcos até o fim das corredeiras. (Ouvem o som conforme passam). Não há movimentação na margem oposta. Abaixo das corredeiras, a torrente logo fica quieta e profunda de novo — mas menos larga. Eles se esgueiram pela margem oeste de noite. Adentram as ravinas de Sarn Gebir. Pinhais. Por volta do amanhecer do 10º dia, chegam a Eregon [*depois* > Tol Brandor *ou* -ir] e ouvem o rugido e [? espuma] de Rauros. Ilha inacessível alto pico muitos pássaros.[12]

> Na jornada pelo Anduin, neste estágio, a cronologia diferia em um dia em relação à de SA, pois o ataque na cabeceira das corredeiras se deu ao fim do sétimo dia (p. 412), e não do oitavo (SA, pp. 542-3), e muitos detalhes seriam alterados ou acrescentados: em particular, o incidente de Gollum, o "tronco com olhos", estava ausente. Essa história foi escrita em uma folha à parte enquanto o rascunho do capítulo ainda estava em andamento, e imediatamente chegou à forma final em quase todos os pontos. Naquela noite, alguns da Comitiva estavam dormindo na ilhota e alguns, nos barcos; e, depois de Frodo ver os olhos de Gollum e levar a mão ao cabo de Ferroada, o texto original continua:

Imediatamente eles [os olhos] se apagaram, e houve um borrifo suave, e uma forma escura partiu a toda, rio abaixo, no meio da noite. Nada mais ocorreu, até que a primeira luz cinzenta da manhã espiou no Leste. Troteiro despertou na ilhota e desceu para os barcos. Mas Frodo agora sabia que Sam não estava enganado; e também que devia avisar Troteiro.
"Então você sabe do nosso salteadorzinho, não é? [...]

> A partir do ponto em que se discute o Tempo em Lórien, o rascunho primário é extremamente rudimentar, parcialmente rabiscado de maneira tênue em papéis de prova, entre as linhas escritas por alunos, e não está inteiro e nem é completamente consecutivo. Neste caso, a cópia manuscrita passada a limpo, que se segue imediatamente ao rascunho primário, é o primeiro texto completo, e é muito conveniente voltar-me agora para esse manuscrito.
> Nessa versão, o Capítulo 21 teve uma sucessão de títulos escritos um após o outro a lápis: "Rumo ao Sul"; "A Comitiva se Dispersa"; "Sarn Gebir"; "Rompimento da Sociedade" e, por fim, "O Grande

A TRAIÇÃO DE ISENGARD

Rio" — esse último não foi riscado e, obviamente, surgiu quando meu pai decidiu que suas ideias originais para o 21 tinham se expandido tanto que precisavam de dois capítulos para completar a narrativa. Como de costume, em termos de expressão, a cópia limpa avança muito na direção de SA, embora uma grande quantidade de alterações na narrativa em si ainda estava por vir.

Meu pai fez a seguinte alteração e acréscimo à abertura original do capítulo (p. 410) no manuscrito do rascunho:

Sam o despertou. Estava deitado em um leito de cobertores e peles debaixo de altas árvores de tronco cinza perto da margem do Grande Rio, num canto de mata tranquila onde um pequeno rio (o Limclaro) desaguava, vindo das montanhas ocidentais.

Essa é a primeira menção ao Limclaro nos textos. Na cópia limpa, o capítulo se abre assim:

Frodo foi despertado por Sam. Descobriu que estava deitado, bem envolto, debaixo de altas árvores de casca cinza, num canto tranquilo das matas. [Ao lado deles, um rio descia correndo das montanhas ocidentais e juntava-se ao Grande Rio próximo ao acampamento deles] na margem oeste do Grande Rio Anduin.

A frase que coloquei entre colchetes foi riscada assim que escrita. O fato de terem passado a primeira noite de acampamento na jornada pelo Rio ao lado da confluência do Limclaro está de acordo com os mapas IV[B] e IV[C] (p. 374), onde o Limclaro, mostrado aí pela primeira vez, junta-se ao Anduin não muito ao sul do Veio-de--Prata (ver Mapa II, coordenada M 12); no mapa IV[D], a confluência é bem mais ao sul (p. 376).

Onde o rascunho diz "Rauros e à Ilha de Eregon" (p. 411), o novo texto diz "Rauros e à Ilha" (alterado depois para "à Ilha da Rocha-do-Espigão", como em SA). O método de Troteiro, deixando-os derivarem à vontade na correnteza, aparece; mas a cronologia permanece como no rascunho: "Não obstante, não viram sinal de nenhum[13] inimigo naquele dia. As monótonas horas cinzentas passavam sem ocorrência. À medida que o segundo dia da viagem avançava, o terreno mudava lentamente [...]". O "Descampado Seco" do rascunho se torna "os descampados secos" (o que foi então riscado). A falange de cisnes negros ainda está ausente.

417

Troteiro agora fala da latitude e do clima, da Baía de Belfalas e da distância até o Condado — mas aqui diz primeiro; "Duvido que você esteja a mais de sessenta léguas ao sul do Vau Sarn, na ponta meridional do seu Condado", o que foi imediatamente alterado para o texto de SA; e ele diz que "em pouco tempo chegaremos à foz do Limclaro" (ver acima),[14] definindo o Limclaro, assim como em SA, como a fronteira norte de Rohan. Mas aqui ele diz: "Outrora tudo o que ficava entre o Limclaro e o Entágua pertencia aos Mestres-de-cavalos" (SA: "tudo o que ficava entre o Limclaro e as Montanhas Brancas pertencia aos Rohirrim").

Na parte seguinte do capítulo (após o episódio de Gollum no rio), a história avança para a forma de SA, mas ainda era no fim do sétimo dia da jornada, e não do oitavo, que eles chegavam às corredeiras, e não há menção, neste ponto, ao tempo ou à Lua Nova, que em SA (p. 541) é vista pela primeira vez na sétima noite. Embora os penhascos cheios de pássaros de Sarn Gebir e as revoadas de aves circulando acima sejam descritos nas mesmas palavras de SA (p. 542), não há menção à águia vista ao longe no céu ocidental. Depois da menção aos pássaros, a nova versão continua assim:

Troteiro com frequência os havia observado duvidoso, pensando se Gollum estava aprontando alguma malícia. Mas agora estava escuro: o Leste estava nublado, mas, no Oeste, muitas estrelas brilhavam.

Depois de terem remado por cerca de uma hora, Troteiro falou para Sam se esticar para frente no barco e vigiar atentamente adiante. "Logo havemos de chegar aos portões de Sarn-Gebir", disse ele, "e o rio é difícil e perigoso ali, se me lembro bem. Corre em canais fundos e rápidos embaixo de despenhadeiros, e há muitas rochas e ilhotas na correnteza. Mas não conheço esses braços, pois nunca viajei pela água nessas regiões. Devemos parar cedo esta noite, se pudermos, e prosseguir à luz do dia."

Era quase meia-noite, e tinham passado algum tempo à deriva, descansando após um longo trecho remando, quando de repente Sam deu um grito.

Depois da repreensão de Boromir ("Essa é uma hora ruim do dia para passar pelas corredeiras!"), Troteiro, esforçando-se para virar e voltar com o barco, disse a Frodo: "Calculei mal. Não sabia que tínhamos vindo tão longe. Devemos ter passado os portões de Sarn-Gebir no escuro. As Corredeiras de Pensarn devem estar bem à frente" (as duas últimas frases foram riscadas, provavelmente na mesma hora). Não há indicação aqui do que seriam os "portões de Sarn-Gebir" (ver p. 420).

O ataque dos Orques na margem leste e o esforço para levar os barcos de volta à margem oeste seguem o rascunho bem de perto, com alguns detalhes alterados ou acrescentados: uma flecha atravessou o capuz de Troteiro, não seus cabelos; Frodo "deu um solavanco para frente com um grito". As frases obscuras sobre o tempo (nota 6) no rascunho se alteram: as nuvens no leste mencionadas anteriormente agora cobrem o céu quase inteiramente e, portanto, quando eles remaram de volta, "estava muito escuro, escuro até mesmo para os olhos noturnos dos orques". O mesmo se diz da Lua Nova, "erguendo-se lentamente no céu" em "um súbito rasgo na cobertura de nuvens no Leste", como no rascunho (ver nota 7); aqui ela é vista "passando atrás de ilhas escuras de nuvem e aparecendo em lagos negros de noite". Em SA (p. 542), ela se pusera horas antes.

As observações de Sam sobre o Tempo em Lothlórien permanecem quase exatamente como no rascunho (p. 415), assim como a resposta de Troteiro (em SA atribuída a Frodo), exceto que agora ele diz (como Frodo em SA): "Naquela terra, talvez, estávamos em um tempo que em outros lugares faz muito que já passou". E, então, Frodo diz:

"O poder da Senhora estava sobre nós", disse Frodo. "Há dias, e noites, e estações em Lothlórien; mas, enquanto ela mantém o anel, o mundo não envelhece no seu reino."

"Isso não deveria ter sido dito", murmurou Troteiro, erguendo-se um pouco e olhando na direção dos outros barcos; "não fora de Lórien, nem para mim."[15]

A manhã morna e nevoenta que se sucedeu à noite do ataque e a discussão entre Aragorn e Boromir sobre o curso a seguir foram rascunhadas de modo rudimentar e inicial, e a conversa se dá assim:

"Não vejo por que deveríamos passar pelas corredeiras ou seguir este Rio maldito mais adiante", disse Boromir. "Se Pensarn está à nossa frente, então podemos abandonar estas cascas de noz e avançar para o oeste, e assim dar a volta pelas encostas leste de Sarn-Gebir e atravessar o Entágua rumo à minha própria terra de Ondor."

"Podemos, se estivermos rumando para Minas Tirith", disse Troteiro. "Mas isso ainda não está combinado. E, mesmo assim, tal curso talvez seja mais perigoso do que parece. A terra é plana e desabrigada ao sul e ao leste [*leia-se* oeste] de Sarn-Gebir, e o [? primeiro] vau que cruza o Entágua está a grande distância no oeste.[16] Como o Inimigo tomou ... Osgiliath, aquela terra talvez esteja repleta de adversários: o que sabemos dos acontecimentos recentes em Rohan ou em Ondor?"

"Mas aqui o Inimigo marcha por toda a margem leste", disse Boromir. "E quando chegares a Rauros, o que farás? Deves então ou voltar para cá, ou cruzar as colinas de Gebir e pousar nos pântanos, e ainda terá o Entágua para atravessar."

"O Rio, pelo menos, é uma trilha que não se pode perder. No vale do Entágua, a neblina é um perigo mortal. Eu não abandonaria os barcos até sermos obrigados a isso", disse Troteiro. "E imagino que em algum lugar elevado acima das Cachoeiras consigamos ver algum sinal que nos direcione."

Já fora concebida a ideia de que um "lugar elevado" seria o cenário de um momento decisivo no desenrolar da história: o cimo da ilha no Rio de onde Frodo olhou ao longe (p. 382); mas não há sugestão nessas palavras de Troteiro de que tal "lugar elevado" seria um antigo posto dos homens de Ondor.

Na cópia manuscrita limpa, Boromir objeta: "Mas o Inimigo domina a margem leste. E mesmo que passes pelos portões de Gebir e chegues à Rocha-do-Espigão sem seres importunado, o que farás então? Descer das colinas e pousar nos pântanos?". Aqui, os "portões de Gebir" são os posteriores Portões das Argonath; portanto, as referências anteriores (pp. 418–9), em que Troteiro situa os "portões" antes das corredeiras, já tinham sido rejeitadas.

Há três versões da resposta que Troteiro dá à pergunta zombeteira de Boromir: um rascunho a lápis que começa desse ponto, e duas versões na cópia manuscrita passada a limpo. A primeira versão no manuscrito dá a seguinte resposta de Troteiro:

"Dize antes que desceremos das colinas até o sopé de Rauros e ali tomaremos os barcos de novo e esperaremos passar

A TRAIÇÃO DE ISENGARD

despercebidos subindo as fozes do Entágua — se formos para Minas Tirith. Escolhes ignorar a antiga trilha, Boromir, e o alto assento sobre Tol-Brandir que foram feitos nos dias de Valandil?[17] Eu ao menos pretendo me postar naquele lugar elevado antes de decidir meu trajeto. Quem sabe ali hajamos de ver algum sinal que nos direcione."

> Essa versão da resposta de Troteiro foi riscada, e o rascunho a lápis (que continua por alguma distância) parece ter sido escrito nesse momento. O rascunho começa:

"Não", disse Troteiro. "Escolhes ignorar, Boromir, a Escadaria do Norte e o alto assento sobre Tol-Brandir que foram feitos nos dias de Isildur? Eu ao menos pretendo me postar naquele lugar elevado antes de decidir meu trajeto. Quem sabe ali hajamos de ver algum sinal que nos guie. De lá talvez [possamos] descer pelo antigo caminho ao sopé de Rauros e tomar a água de novo; e os que forem para Minas Tirith poderão passar despercebidos subindo as fozes do Entágua."

> Por fim, a segunda versão do manuscrito está como em SA (p. 548), mas ainda com "nos dias de Isildur" e não "nos dias dos grandes reis", e o alto assento ainda fica no topo da ilha — que aqui é *Tol-Brandor*, e não *Tol-Brandir*, como nas versões anteriores. A ilha, portanto, não era inacessível; e isso é intrigante, porque a inacessibilidade de Tol Brandir se encontra tanto no esboço da p. 385 quanto no material preliminar do presente capítulo (p. 416).
>
> As palavras de Troteiro antes de ele e Legolas desaparecerem nas névoas para encontrar um caminho assumem essa forma (e são muito semelhantes no rascunho):

"Nenhuma estrada jamais foi construída ao longo desta margem pelos homens de Ondor: pois mesmo em seus dias de grandeza seu reino não passava de Sarn-Gebir, e o alto assento sobre a Rocha-do-Espigão era sua torre-de-vigia mais ao norte. Mas deve haver um caminho, ou os remanescentes de um caminho; pois barcos leves costumavam fazer a viagem vindos das Terras-selváticas, descendo até Osgiliath; e ainda o faziam até que Sauron voltou a Mordor."

O GRANDE RIO

"Mas ele voltou", disse Boromir; "e se fores em frente, é provável que te depares com algum perigo, quer encontres um caminho, quer não."

A história da exploração de Troteiro e Legolas, sua volta, o transporte dos barcos e da bagagem, e a partida da Comitiva na manhã seguinte chega, na cópia limpa, virtualmente ao texto de SA, mas o nome das corredeiras é *Pensarn* e não *Sarn Gebir*, e menciona-se os *Portões de Sarn-Gebir*, e não os *Portões das Argonath*. A partir de uma escrita dolorosamente difícil, pode-se extrair a descrição original dos Pilares dos Reis do rascunho inicial, da qual coloco o seguinte para exemplificar:

Os grandes pilares pareciam se erguer como gigantes diante dele conforme o rio o rodopiava como uma folha na direção deles. Então viu que [eles] eram esculpidos, ou tinham sido esculpidos há muitas eras, e ainda preservavam, depois dos sóis e das chuvas de muitos olvidados anos, as semelhanças que tinham sido cinzeladas neles. Sobre grandes pedestais alicerçados nas águas profundas elevavam-se dois grandes reis de pedra, olhando para o norte com olhos embaçados. A mão esquerda de cada um estava erguida ao lado da cabeça, com a palma para fora, em gesto de [? advertência] e recusa: na mão direita de cada um havia uma espada. Em cada cabeça havia um elmo e uma coroa esfacelados. Ainda havia um poder nesses guardiões silenciosos de um reino há muito desaparecido.

Na cópia limpa, praticamente se chega ao texto de SA por meio de uma boa quantidade de correções feitas durante a composição do manuscrito.

As palavras de Troteiro conforme eles passam pelo abismo ("'Não temais!', disse uma voz estranha atrás dele [...]") estão exatamente como em SA (p. 553), exceto por dois aspectos notáveis: "Na proa estava assentado Pedra-Élfica, filho de Elfhelm" — uma prova decisiva de que a visão expressa nas pp. 326–8 está correta: *Pedra-Élfica* havia reaparecido e suplantado *Ingold*; e "Sob a sombra deles Eldamir, filho de Eldakar, filho de Valandil, nada tem a temer."[18]

Parece mesmo muito improvável que se tratasse de outro Valandil a não ser o filho de Isildur: logo antes, Valandil foi mencionado em rascunho ("nos dias de Valandil", p. 421 e nota 17, substituído imediatamente por "nos dias de Isildur") e, no trecho correspondente de SA, Aragorn chama a si mesmo de "filho de Arathorn da Casa de Valandil, filho de Isildur". Contudo, se esse Valandil é filho de Isildur, neste estágio, portanto, Troteiro/Pedra-Élfica/Aragorn era o bisneto de Isildur; e o que então devemos deduzir dos Pilares dos Reis, esculpidos *há muitas eras*, preservados depois de sóis e chuvas de *muitos olvidados anos*, os guardiões silenciosos de *um reino há muito desaparecido*? Como explicar o assombro de Frodo no Conselho de Elrond, ao saber que Elrond se lembrava dos trajes na Última Aliança ("Mas pensei que a queda de Gilgalad aconteceu *muitas eras atrás*", p. 136), quando se trata de uma questão de quatro gerações de Homens Mortais? E Gandalf dissera a Frodo em Valfenda (p. 131, nota 3) que "ele é Aragorn, filho de Kelegorn, e descende, *através de muitos pais*, de Isildur, filho de Elendil". Pelo menos por ora não consigo jogar nenhuma luz no assunto.[19]

Após a descrição dos Pilares dos Reis, não há nenhum rascunho inicial, e o texto mais antigo, ou o mais antigo que sobreviveu, é a cópia do manuscrito passada a limpo, em que se aproxima muitíssimo da conclusão do capítulo "O Grande Rio" em SA. Troteiro, assim chamado no capítulo todo até se tornar "Pedra-Élfica, filho de Elfhelm" quando passam pelos Pilares dos Reis, é chamado de "Pedra-Élfica" quando aponta para Tol Brandir na extremidade oposta do lago (que não tem nome): ver pp. 434–5. E, depois de dizer "Contemplai Tol Brandir!", não diz nada além de "Antes que caia a sombra da noite havemos de chegar até lá. Ouço a voz infinda de Rauros que chama". A jornada levara nove dias; em SA, "O décimo dia de viagem terminara".

Nesse relato, tentei discernir a versão da cópia manuscrita limpa conforme meu pai a escreveu pela primeira vez; mas o texto foi trabalhado de modo muito pesado, e não é possível distinguir com certeza as correções feitas imediatamente das que foram feitas subsequentemente sem examinar de perto os papéis originais. Esse manuscrito, conforme emendado e expandido, na verdade chegou quase à forma final do texto; e, no entanto, um dos objetivos desta história é tentar determinar o modo e ritmo com que toda a estrutura veio a existir. Visto que alguns erros são inevitáveis, errei ao presumir, ainda que sem certeza, que uma correção era "posterior"

O GRANDE RIO

e não "imediata"; mas está claro que uma boa parte do desenvolvimento se deu durante a presente fase da escrita. Em particular, está claro que a seção inteira da narrativa desde o fim do episódio de Gollum até o escape da Comitiva das corredeiras tinha sido reescrita antes de meu pai chegar em "A Partida de Boromir", pois um esboço para a abertura desse capítulo (p. 445) faz menção a Troteiro ter visto uma águia "acima das corredeiras de Sarn Ruin",[20] e esse elemento (antes ausente, p. 418) é inseparável de todo o complexo de revisões que se deu nesse ponto do presente capítulo.

Essas revisões foram feitas em retalhos de papel inseridos, um dos quais é um relatório de comitê da Universidade de Oxford, datado de 10 de março de 1941. Esse relatório, é claro, só fornece um *terminus a quo* e não prova nada além do fato de que meu pai estava revisando este capítulo durante ou depois de março de 1941; outro retalho de papel semelhante, com a data 19 de fevereiro de 1941, usado para rascunhos iniciais de um ponto posterior do Capítulo 21 (isto é, correspondente a "O Rompimento da Sociedade" em SA), não prova nada diferente disso. Pode-se argumentar que ele dificilmente teria preservado esses relatórios de reuniões de comitê para usar muito tempo depois, e que essas revisões, portanto, são de 1941, mas isso é superficial demais para corroborar qualquer visão sobre datações externas. Ver adiante, p. 444.

A versão seguinte do capítulo foi um manuscrito que eu mesmo fiz, presumivelmente depois de 4 de agosto de 1942, a data que escrevi no final da minha cópia de "[O Espelho de] Galadriel" (pp. 308–9). Creio que essa cópia feita por mim fornece evidências exatas do estado deste capítulo quando meu pai saiu dele rumo a novas regiões da história e, portanto, agora me volto para ele, observando primeiramente certos nomes (da forma como os escrevi, é claro, antes das emendas feitas por meu pai).

Sarn-Gebir permanece na minha cópia, no lugar das posteriores *Emyn Muil*; os *Portões de Gebir* ou *Portões de Sarn-Gebir* no lugar de (*Portões das*) *Argonath*;[21] e *Ondor* no lugar de *Gondor*. *Troteiro* permanece *Troteiro* — pois meu pai não emendara isso no seu próprio manuscrito — até o fim do capítulo, quando a Comitiva passa sob os Pilares dos Reis e ele é chamado no primeiro manuscrito de "Pedra-Élfica, filho de Elfhelm": meu pai havia alterado para "Aragorn, filho de Arathorn", e minha cópia segue isso. Por outro lado,

424

A TRAIÇÃO DE ISENGARD

ele não corrigiu "Sob a sombra deles Eldamir, filho de Eldakar, filho de Valandil, nada tem a temer", e a minha cópia mantém isso. Poder-se-ia pensar que foi uma mera inconsistência sua na correção; mas esse evidentemente não era o caso, pois em *ambos* os manuscritos ele acrescentou um outra camada na genealogia: "Eldamir, *filho de Valatar*, filho de Eldakar, filho de Valandil". Como ele não riscou "Eldamir, filho de Eldakar, filho de Valandil" na minha cópia, mas, pelo contrário, aceitou a genealogia e ligeiramente a expandiu, deve-se presumir que *Eldamir*, além de *Aragorn*, foi intencional; ver SA (p. 553): "Sob a sombra deles Elessar, o Pedra Élfica, filho de Arathorn [...] nada tem a temer!", e ver *Eldamir > Elessar*, p. 346. O fato de meu pai preservar a genealogia, com o acréscimo de Valatar, também é notável pois mostra que ele ainda aceitava o breve lapso de gerações que separava Aragorn de Isildur.

Usando o critério de presença ou ausência na minha cópia do capítulo, percebe-se que a falange de cisnes negros foi acrescentada cedo. A cronologia permaneceu como estava, o ataque nas corredeiras se dava na noite do sétimo dia; e as referências à Lua Nova em SA (pp. 541–2) ainda estão ausentes. A Lua Nova ainda aparece pela primeira vez no decorrer do ataque, mas sua aparição foi alterada porque as nuvens através das quais o luar irrompeu agora estavam no Sul, e a Lua estava "atravessando" o céu e não "erguendo-se" nele (ver pp. 414, 419).

A conversa a respeito do Tempo em Lothlórien (p. 419) evoluiu em vários adendos concorrentes e sobrepostos, e quando chegou o momento de fazer a minha cópia, meu pai evidentemente me instruiu a colocar o trecho em formas variantes. As falas de abertura (de Sam e de Troteiro — essa última atribuída a Frodo em SA) permaneceram efetivamente inalteradas; Sam agora conclui com: "Ora, qualquer um poderia pensar que viemos direto e não passamos tempo nenhum na terra élfica".[22] A conversa que se segue contém dois pares de alternativas, que assinalo aqui com números: 1 a 1 ou 2 a 2 são alternativas e (dentro de 2), 3 a 3 ou 4 a 4 são alternativas.

[1] "O poder da Senhora estava sobre nós", disse Frodo. "Não creio que não havia tempo na sua terra. Há dias, e noites, e estações em Lothlórien; e sob a Sol todas as coisas finalmente devem se desgastar e acabar, cedo ou tarde. Mas lentamente, de fato, o

O GRANDE RIO

mundo se desgasta em Caras Galadon, onde a Senhora Galadriel controla o Anel Élfico."[1]

[2] Legolas mexeu-se em seu barco. "Não, creio que nenhum dos dois entendeu o assunto corretamente," falou. "Para os Elfos o mundo se move, e move-se ao mesmo tempo muito depressa e muito devagar. Depressa porque eles próprios mudam pouco, e tudo o mais passa fugaz: é um desgosto para eles. Devagar porque não contam[23] os anos correntes, não para si. As estações que passam são apenas ondulações na correnteza que flui/sem fim. Porém sob a Sol todas as coisas finalmente devem se desgastar e acabar."

[3] "Mas Lórien não é como os outros reinos de Elfos e Homens", disse Frodo. "O Poder da Senhora estava sobre nós. Lentamente para nós o tempo pode ter passado, enquanto o mundo se apressava. Ou em pouco tempo pudemos saborear muito, enquanto o mundo se detinha. Esse último era a vontade dela. Ricas são as horas e lento é o desgaste do mundo em Caras Galadon, onde a Senhora Galadriel controla o Anel Élfico."[3]

[4] "Mas Lothlórien não é como os outros reinos de Elfos e Homens", disse Frodo. "Ricas são as horas e lento é o desgaste do mundo em Caras Galadon. Por isso, todas as coisas ali são ao mesmo tempo imaculadas e jovens e, no entanto, velhas além da nossa contagem do tempo. Mesclada é a força da Juventude e da Velhice na terra de Lórien, onde Galadriel controla o Anel Élfico."[4, 2]

"Isso não deveria ter sido dito", murmurou Troteiro, erguendo-se um pouco e olhando na direção dos outros barcos; "não fora de Lórien, nem para mim."[15]

A noite passou em silêncio [...]

Ao fim do capítulo, o lago permanece sem nome na minha cópia, acrescentando-se aos dois manuscritos primeiro *Kerin-muil* e, depois, *Nen-uinel*; mas um acréscimo ao manuscrito de meu pai, no qual Aragorn fala de Amon Hen e Amon Lhaw, foi feito antes de a minha cópia ser escrita. O acréscimo é precisamente igual a SA (p. 554), exceto por ambos os manuscritos dizerem "Nos dias de Isildur" e não "Nos dias dos grandes reis" e, após "Amon Lhaw", em ambos há "[Larmindon]" e, após Amon Hen, "[Tirmindon]".

O rascunho original mostra que meu pai incluiu toda a narrativa até o fim de "A Sociedade do Anel" como Capítulo 21, e

A TRAIÇÃO DE ISENGARD

na cópia manuscrita passada a limpo também; mas é conveniente interrompê-lo no ponto em que a divisão (presente na minha cópia) entre 21 "O Grande Rio" e 22 "O Rompimento da Sociedade" foi feita subsequentemente.

NOTAS

[1] Assim como os textos que o acompanham — a última seção de "Adeus a Lórien" e "A História Prevista a Partir de Lórien" —, este foi escrito de modo muito legível para o padrão dos rascunhos iniciais de meu pai e, notavelmente, com pouca hesitação. Incorporei nesse texto publicado pequenas alterações feitas no momento da composição.

[2] Essa é a primeira ocorrência de *Rauros* em um texto *ab initio*. Para *Eregon*, ver p. 405, nota 3.

[3] Tentei expor a evolução das Terras Castanhas em relação ao Primeiro Mapa nas pp. 368–72. Nesse trecho aparece a descrição delas que sobreviveu com pouquíssima mudança em SA (pp. 535–6).

[4] Parece que esse acréscimo foi feito imediatamente. Ver nota 6.

[5] Meu pai escreveu aqui primeiro *Sarn*, depois *Pen*, riscando um por vez até chegar a *Pensarn* (ver as *Etimologias*, radicais PEN, SAR, V. 461, 468).

[6] Os colchetes estão no original. — A descrição do clima é obscura. Nessa versão mais antiga da narrativa, nada se diz realmente sobre o tempo durante a jornada descendo o Anduin até a noite do sétimo dia, quando o tempo estava aberto e frio, e estrelado (mas isso foi um acréscimo); agora, não muito depois, estava muito escuro, embora a água refletisse aqui e ali uma estrela enevoada. Depois, "Conforme Legolas olhava no negrume na direção Leste, as nuvens se desfizeram".

[7] "Sam ergueu os olhos surpreso para ela": como se poderia esperar, vendo "a lasca branca da lua nova" aparecer no Leste, "erguendo-se lentamente no céu". Há um estranho paralelo em VI. 401, em que, na noite que os Hobbits passaram com os Elfos na Ponta do Bosque, a lua foi descrita assim: "Acima das nevoas ao longe, no Leste, a fina casca prateada da Lua Nova apareceu e, erguendo-se célere e clara das sombras, ela se lançou brilhante no céu". Em SA (pp. 541–2), a lua nova é vista reluzindo no céu ocidental na noite anterior ao ataque dos Orques e, na noite do ataque, "o estreito crescente da Lua caíra cedo no pálido pôr do sol".

Conforme o texto foi escrito inicialmente, era Troteiro quem erguia "os olhos surpreso para ela". Isso foi alterado para Merry e depois para Sam. Ver nota 9.

[8] O vulto escuro "como uma nuvem, porém não uma nuvem" que momentaneamente cobriu o luar certamente recorda a sombra que cobriu as estrelas conforme a Comitiva saía de Azevim em "O Anel vai para o Sul" (VI. 518–9) e que Gandalf, sem convencer ninguém, sugeriu que talvez não passasse de

427

O GRANDE RIO

um fiapo de nuvem. Ali, Frodo também teve um calafrio, assim como aqui ele sentiu um "súbito ar gelado". Como observei (VI. 532), o incidente anterior foi mantido em SA, mas nunca foi explicado: o Nazgûl Alado ainda não tinha cruzado o Anduin. Mas parece-me provável que a sombra que passou diante das estrelas em Azevim era, na verdade, a primeira e precoce aparição de um Nazgûl Alado.

9 Novamente (ver nota 7), Sam é uma alteração de Merry, e Merry, uma alteração de Troteiro. De fato, a fala foi atribuída a Sam antes de acabar, como se vê por "'E isso, Sam, está provavelmente perto da verdade', disse Troteiro"; e a transição de um falante para outro se vê na passagem da frase pouco característica de Sam — "o lua, suponho, não muda seus cursos nas Terras-selváticas, não é?" para "e lá surge um Lua Novo".

10 Ver o rascunho original de "Lothlórien", p. 272: "A última casca fina da lua minguante reluzia fraca nas folhas".

11 Ver o comentário sobre o Tempo em Lórien escrito na cópia manuscrita limpa de "Adeus a Lórien", p. 338; e ver mais sobre esse assunto na "Nota sobre o Tempo em Lórien" a seguir.

12 Acerca do surgimento da ideia da inacessibilidade da ilha, ver p. 385.

13 O texto correto [em inglês] é *any enemy* [nenhum inimigo], e não *an enemy* [um inimigo] (SA, p. 535).*

14 Sessenta léguas (180 milhas [*c.*290 quilômetros]) ao sul do Vau Sarn está em harmonia com a confluência do Limclaro e do Anduin posicionada mais ao sul, no Mapa IV^D (p. 376).

15 Aragorn também diz isso ("nem para mim") em SA (p. 547); mas, neste estágio, ele não tinha nenhum conhecimento prévio de Lórien e, presume-se, não sabia nada, até este momento, do Anel de Galadriel.

16 Sem dúvida a primeira referência ao Vau Ent, que foi inserido a lápis no mapa IV^C e entrou no mapa IV^D (pp. 373, 374).

17 Valandil aparece como filho de Isildur em textos de "O Conselho de Elrond" (pp. 149, 157, 178).

18 Para uma ocorrência anterior de *Eldakar*, ver p. 326. Um retalho isolado (na verdade, o verso de um envelope) tem a seguinte nota:

Nomes de Troteiro
Elessar
Eldamir (= Pedra-Élfica) filho de Eldakar (= Elfhelm). Ou Eldavel = Mata-Élfica

No mesmo envelope está escrito, em palavras quase idênticas, o trecho a respeito dos pensamentos de Frodo sob o escrutínio de Galadriel que foi

---

* A correção de *an* para *any* foi feita na edição de 2004, base da tradução brasileira. [N.T.]

acrescentado ao manuscrito limpo do capítulo "Galadriel" (pp. 313–4, nota 32: "Nem Frodo [...]").

19 No verso da página anterior da cópia manuscrita limpa, meu pai rabiscou a primeira versão das palavras de Troteiro (em que não aparece nenhuma observação genealógica), e é curioso que ele tenha escrito aqui: "Como meu coração anseia por Minas Ithil [...]", alterando *Ithil*, provavelmente na hora, para *Anor*: ver p. 391 e nota 27. Também anotado aqui, com extrema pressa, estão ideias para a história imediatamente a seguir:

Frodo em Tol Brandir.
[? Forte] visão. Vê Minas Tirith e Minas Morgul opostas. Vê Mordor. Vê Gandalf. Subitamente sente o *Olho* e arranca o anel e se vê chorando, gritando Espera, espera!

20 Um nome passageiro para as corredeiras, que substituiu *Pensarn*, era *Ruinel*. *Sarn-Ruin* é o nome no mapa IV^C, p. 374. Ver *Dant-ruin*, *Dant-ruinel*, nomes antigos de Rauros (p. 337).

21 Uma forma passageira que meu pai inseriu em ambos os manuscritos antes de chegar a *Argonath* foi *Sern Aranath*.

22 Quando a cronologia foi alterada, com o ataque na cabeceira das corredeiras acontecendo na oitava noite e a Lua Nova sendo vista ao longe, no Oeste, na sétima e na oitava noite, as palavras de Sam foram expandidas (e inseridas em ambos os manuscritos), ainda que, depois, tenham sido em grande parte rejeitadas.

Ontem à noite eu o vi, estreito como uma apara de unha, e hoje à noite não estava muito maior. Bem, é assim que teria de ser se só tivéssemos passado mais ou menos um dia na terra élfica, ou mais de um mês. Ora, a gente poderia pensar que o tempo desacelerou lá dentro!

23 A frase, conforme meu pai a escreveu, era "because they *need* not count the running years" [porque não *precisam* contar os anos correntes], mas, ao copiar, eu pulei a palavra *need*. Olhando a minha cópia, mas sem consultar seu próprio manuscrito, ele inseriu *do*, e *do* sobrevive em SA (p. 546).[*]

Nota sobre o Tempo em Lórien

Os trechos narrativos que introduzem essa questão encontram-se nas pp. 337–8, 415, 419, 425–6 e na nota 22 acima. Esta nota se

---

[*] Isso foi corrigido na edição de 2004, base da tradução brasileira. Portanto, a ideia expressa no texto anterior era a de que os Elfos *não contam* os anos, quando, na verdade, a intenção de Tolkien era dizer que os Elfos *não precisam contar* os anos. [N.T.]

O GRANDE RIO

ocupa primariamente dos vários esquemas temporais que lhe dizem respeito, mas, para que sejam compreendidos, é preciso considerar a cronologia de forma um pouco mais ampla.

O primeiro esquema temporal a ser considerado aqui será chamado de "I"; para referências anteriores a ele, ver pp. 205, 256–7 nota 1, e 404. A seção de "Lothlórien" desse esquema pertence, obviamente, à fase do primeiro rascunho da história, e precedeu o surgimento da ideia de que havia um Tempo diferente na Floresta dourada. Aqui, as datas são:

Nov.	24	Deixam Valfenda
Dez.	6	Azevim (Lua Cheia)
	9	Neve em Caradras
	11	Chegam a Moria
	13	Fogem para Lothlórien (segundo quarto da Lua)
	14	Vão para Caras Galadon
	15	Noite em Caras Galadon
	16	Espelho de Galadriel
	17–21	Estadia em Caras Galadon (21 de dez. Lua Nova)

Isso está no pé de uma página, mas uma segunda folha, mesmo estando a lápis e não à tinta, é claramente a continuação:

| Dez. | 22–31 | Permanecem em Caras Galadon, partem no Ano-Novo (28 de dez. primeiro quarto da Lua) |
| Jan. | 1–4 | Sem observações nessas datas, exceto 4 de jan. Lua Cheia. |

Sobre a partida da Comitiva de Lórien no Dia de Ano-Novo, ver p. 300 e nota 28. Contudo, parece que neste ponto a ideia da disparidade temporal apareceu; porque, depois de 4 de jan., meu pai escreveu: "A partir de 15 de dez., o tempo em Caras não conta, portanto eles partem na manhã de 15 de dez." (ver p. 338: "caso Lórien seja atemporal [...] *nada* terá acontecido desde que entraram"). O restante do esquema foi baseado nessa cronologia (e está incluído na p. 404).

Inicialmente, a viagem pelo Grande Rio levaria apenas dois dias: "Dez. 17 Chegam a Tolondren. Dez. 18 Fuga de Frodo. Dez. 19 Frodo encontra Sam e Gollum". Isso foi riscado com a observação: "Levam dez dias para chegar a [Emris > Eregon >] Tolbrandir" (a respeito de Emris, ver p. 373 e nota 12 e p. 374). A Lua Nova

A TRAIÇÃO DE ISENGARD

que fez Sam levantar a questão do Tempo em Lórien ainda era em 21 de dez.; e eles chegaram a Tolbrandir no anoitecer de 25 de dez.

Outro esquema ("II") começa em 22 de dez., mas ele é baseado em uma data posterior da partida de Valfenda: 25 de dez., como em SA. Contudo, ainda não se havia chegado à cronologia de SA de Valfenda até Lothlórien por duas razões: a primeira é que a jornada até Azevim ainda levava onze dias, e não catorze (pp. 201, 205); e a segunda é que, em SA, há dois Dias-de-Iule depois de 30 de Preiule (dezembro), e o esquema II diz 31 de dez. Portanto, o esquema II está dois dias adiantado em relação a SA. As datas numéricas em II, quando a Comitiva partia de Valfenda em 25 de dez., logo se tornaram idênticas às de I, quando eles partiam em 24 de nov., simplesmente porque novembro tem 30 dias e dezembro, 31; assim, em I eles atravessaram o Veio-de-Prata pela ponte de corda e entraram no Gomo em 14 de dez. e, em II, em 14 de jan. Nesse ponto, o esquema em II diz:

Jan.   14   Cruzam o Veio-de-Prata
       O Tempo cessa
Jan.   15   Deixam Lórien

O esquema II continua baseado nisso por alguma distância, mas então acaba. São estas, portanto, as relações entre a cronologia antiga (I), a nova (II) e a de SA:

	I	II	SA
Deixam Valfenda	Nov. 24	Dez. 25	Dez. 25
Azevim	Dez. 6	Jan. 6	Jan. 8
Neve em Caradras	Dez. 9	Jan. 9	Jan. 11
Chegam a Moria	Dez. 11	Jan. 11	Jan. 13
Fogem de Moria	Dez. 13	Jan. 13	Jan. 15
Cruzam o Veio-de-Prata	Dez. 14	Jan. 14	Jan. 16
Deixam Lórien	[Jan. 1 >] Dez. 15	Jan. 15	Fev. 16
Chegam a Tol Brandir	Dez. 25	Jan. 25	Fev. 25
Fuga de Frodo	Dez. 26	Jan. 26	Fev. 26

Em II, a Lua Nova foi em 21 de jan., assim como em I foi em 21 de dez., e ao lado dessa data, em II, também está escrito: "Batalha com Orques?". Esse foi o sétimo dia da viagem no Anduin, assim como nos textos. Mas é estranho que, tanto em I quanto em II, a viagem tenha levado onze dias, embora nos textos tenha levado nove (pp. 423–4).

431

No pé da página em que está o esquema II, meu pai escreveu: "O Tempo cessa em Lórien ou vai mais rápido? De modo que possa ser primavera, ou quase". Compare isso com p. 426: "O Poder da Senhora estava sobre nós. Lentamente para nós o tempo pode ter passado, enquanto o mundo se apressava. Ou em pouco tempo pudemos saborear muito, enquanto o mundo se detinha. *Esse último era a vontade dela*".

Outra cronologia bem mais elaborada, feita depois das alterações introduzidas em outubro de 1944 (ver pp. 475–6), ainda se baseava na concepção de que o Tempo "exterior" parou em Lórien, pois ele começa assim:

Qui.	Jan.	19	Quinto dia de viagem
Sex.		20	Sexto dia
Sáb.		21	Sétimo dia. Sam observa a Lua Nova e fica confuso.

Por fim, outro esquema posterior de datas começa:

Passam o que parecem ser muitos dias em Lórien, mas saem de lá mais ou menos na mesma hora e data. [*Acrescentado:* Na verdade, um dia depois, o tempo se move 20 vezes mais devagar (20 dias = 1).]

Aqui a Comitiva novamente deixa Lórien em 15 de jan., mas a cronologia da jornada se aproxima da de SA: "Sam vê a Lua Nova baixa no Oeste, após o pôr do sol" em 21 de jan., mas, como em SA, o ataque dos Orques se dá na noite do oitavo dia, que aqui é 22 de jan.; e chegam a Tol Brandir no ocaso de 24 de jan. O esquema termina aqui; mas, ao longo da página, meu pai posteriormente escreveu essas notas separadas:

Por que ter qualquer diferença no tempo? Mover as datas um mês para frente.
Se o tempo de Lórien não é diferente, então não há necessidade de Sam ver a Lua.
Melhor que *não* haja diferença de tempo.

Um trecho no primeiro manuscrito de "O Cavaleiro Branco" (p. 508) pode ser mencionado aqui: Gandalf diz que, depois de seu

A TRAIÇÃO DE ISENGARD

resgate por Gwaihir do pico acima de Moria, ele chegou a Lothlórien e "demorou-se ali no longo tempo que, naquela terra, conta
como uma breve hora do mundo".

Fases da Lua

Seja quando o Esquema temporal I estava em curso, seja em
algum momento posterior, meu pai escreveu no alto da primeira
página dele: *As Luas seguem as de 1941–2 + 6 dias.* Ele alterou isso
para *+ 5 dias,* e acrescentou: *assim, a Lua Cheia de 2 de jan. é 7 de
jan.* As fases da Lua foram inseridas no esquema I com lápis vermelho, e é muito difícil saber se foram colocadas quando o esquema
foi feito ou depois. Muitas dessas datas foram bastante alteradas,
mas não surge nenhuma relação discernível com as fases da lua
em 1941–2, pois as datas no esquema variam entre dois e seis dias
depois. Contudo, as fases colocadas também a lápis vermelho no
esquema II, quando a partida de Valfenda se deu em 25 de dez., são
regularmente cinco dias depois daquelas de 1941–2, começando
com a Lua Nova em 23 de dez. e então o Primeiro Quarto em 30
de dez., Lua Cheia em 7 de jan., Segundo Quarto em 15 de jan.,
Lua Nova em 21 de jan. (ao lado está escrita a hora: 9.32), Primeiro
Quarto em 29 de jan. (hora 6.35), Lua Cheia em 6 de fev. É possível, portanto — ainda que longe de ser uma certeza —, que foi só
com o esquema II e com a decisão de adiar a partida de Valfenda
em um mês que meu pai decidiu ajustar o padrão das luas precisamente com as fases em 1941–2.

Ver-se-á em breve (p. 444) que meu pai estava trabalhando em
"A Partida de Boromir" no inverno de 1941–2. O adiamento da
partida de Valfenda é visto pela primeira vez em um esboço para a
história que se seguiu à cavalgada de Gandalf e seus companheiros
de Fangorn para Eodoras (p. 434 e nota 1; ver também pp. 422–3).

433

O ROMPIMENTO DA SOCIEDADE

Na parte que conclui o capítulo "21" original, o rascunho inicial e a "cópia limpa" eram parte de um processo contínuo. Até o ponto em que Sam interrompeu a discussão da Comitiva ao lado do rio com "com suas licenças, mas não acho que estão compreendendo o Sr. Frodo nem um pouco" (SA, p. 566), o rascunho está realmente muito mal-acabado, com trechos separados escritos em retalhos de papel, sem formar uma narrativa consecutiva, ao passo que a "cópia limpa" é por si só um sem-fim de correções e reformulações feitas no momento da composição. Alguns trechos causaram grande dificuldade ao meu pai, e ele experimentou muitas formas diferentes de ordenação e fraseado. Mas, a partir desse ponto, e evidentemente após a "cópia limpa" tê-lo alcançado, há um rascunho primário claro, em que a história, igual à de SA (pp. 566–71), "se escreveu sozinha", com base em um esboço preliminar. Daí em diante, a cópia limpa pode ser propriamente chamada assim. Nesse manuscrito, o texto de SA foi efetivamente alcançado por inteiro, mas a divisão de "21" em dois, com um novo capítulo "22 O Rompimento da Sociedade", não foi feita até depois de o texto estar completo.

De início, Troteiro é "Pedra-Élfica", sem correção, tanto no rascunho quanto na cópia limpa (ver p. 423), mas logo se torna "Troteiro" e passa a ser assim chamado em toda parte.

O rascunho começa assim:

Naquela noite, foram para a ribanceira e montaram acampamento em um gramado verde sob as encostas [*acrescentado:* de Amon Hen] do morro ocidental. Puseram guarda, mas não viam nenhum sinal de inimigo ou espião. Se Gollum achara um modo

A TRAIÇÃO DE ISENGARD

de segui-los, continuava invisível. "Não creio que ele enfrentaria a travessia dos Portões", disse Pedra-Élfica. "Mas ele pode ter viajado bem longe pelos morros enquanto estávamos detidos em Pensarn. A essa altura ele conhece bem a região, e adivinhará muitas coisas, demais, dos nossos propósitos divididos.[1] Pois temos conosco algo que ele possuiu por muito tempo, e isso sempre o atrai na nossa direção. 'Se eles viraram para oeste em Pensarn,' ele diria, 'então por um tempo não posso fazer nada mais. Cedo ou tarde vou descobrir, e então Gollum vai conseguir achar um caminho, mesmo até as muralhas de Minas-Tirith. Mas se eles não viraram para oeste, só há um destino na estrada-do-rio: Tol Brandir e Rauros, e a Escadaria do Norte. Ali vão precisar ir para o Oeste, ou para o Leste. Vou ficar no Leste vigiando'. É bem provável que ele nos espionou com seus olhos cruéis ao longe, nas margens orientais, ou de algum posto entre os morros."

O dia chegou como fogo e fumaça [...]

> Parece que *Amon Hen* foi acrescentado imediatamente, e é provavelmente a primeira ocorrência do nome. Um acréscimo ao rascunho introduz a conversa de Troteiro e Frodo à noite, com Frodo sacando Ferroada para ver o que a lâmina mostrava — um sinal de que o ataque dos Orques agora havia entrado; mas aqui é Frodo que sente "uma sombra ou uma ameaça", e é Frodo quem diz — com um tom de autoridade mais característico de Troteiro — "Era o que eu pensava. Há Orques por perto. Mas como eles cruzaram o rio? Nunca ouvi falar que eles vinham até essa região". Na cópia limpa, as suposições que Troteiro faz sobre as intenções de Gollum desaparecem, e a abertura do capítulo "O Rompimento da Sociedade" chega à forma de SA, exceto pelo fato de o gramado verde no pé de Amon Hen se chamar *Kelufain*, subsequentemente alterado para *Calenbel*.[2]
>
> A descrição de Tol Brandir conforme Frodo a viu naquela manhã, já no rascunho primário muito parecida com a versão em SA (p. 556), com os flancos escarpados subindo da água corrente (onde "não se podia ver nenhum desembarcadouro"), mostra que a ideia da inacessibilidade da ilha estava presente (ver p. 421). A conversa antes de Frodo se afastar sozinho da Comitiva foi em grande parte alcançada de uma vez só, mas, na cópia limpa, Troteiro diz: "Meu coração deseja ir a Minas-Tirith, mas isso é por mim, e não

O ROMPIMENTO DA SOCIEDADE

tem parte na sua Demanda". Isso foi rejeitado, provavelmente na mesma hora, e, em ambos os textos, em palavras muito semelhantes, ele diz: "Muito bem, Frodo, filho de Drogo. Você há de ficar só. Mas não deixe seus pensamentos ficarem sombrios demais. Porque, depois de escolher, você não estará sozinho. Não o deixarei se você decidir ir até os portões de Baraddur; e há outros que pensam igual, creio eu". Na cópia limpa, Frodo responde o seguinte: "Eu sei, e isso não auxilia minha escolha [> não me ajuda em nada]". O rascunho primário continua:

Os outros permaneceram atrás, perto da margem, mas Frodo se levantou e foi caminhando. Sam observou o patrão com grande preocupação. Depois, a Comitiva passou a debater outra vez o que poderiam fazer para auxiliar a Demanda, por menos esperançosa que parecesse [*riscado:* e se era mais sábio tentar pôr termo a ela rapidamente ou adiá-la]. Boromir falou com firmeza, instando sempre em favor da sabedoria de vontades resolutas, e armas, e traçava grandes planos para alianças, e vitórias do porvir, e a derrocada de Mordor.[3]

Sam se afastou sem ser notado. "Se há orques em algum lugar por perto", murmurou, "não vou deixar o Sr. Frodo perambulando sozinho. No estado que está sua cabeça, não veria nem um elefante chegando, ou poderia cair da beira de um precipício."

Entrementes, vagando sem destino, Frodo viu que seus pés o haviam conduzido para cima das encostas do morro.

A ideia de que Sam deixou a Comitiva nesse momento foi, evidentemente, logo abandonada.

O encontro com Boromir em Amon Hen evoluiu agora a partir da forma a que havia chegado no esboço em pp. 383–4, e com muita dificuldade chegou-se ao texto de SA. Incluo aqui o tanto que consegui decifrar dessa versão, na qual meu pai primeiro escreveu o que Frodo viu quando olhou de Amon Hen usando o Anel (para as breves sugestões nos esboços anteriores, ver p. 384 e nota 7, e p. 429, nota 19): sua letra aqui está no nível mais difícil, as marcações são muito tênues e a caneta parece flutuar ou deslizar no papel.

Olhou para o Norte, e o Grande Rio se estendia abaixo dele como uma fita, e as Montanhas Nevoentas, pequenas e duras

436

como dentes quebrados. Olhou para o Leste, para terras amplas e desconhecidas. Fitou o Oeste e viu pequenos cavaleiros galopando como o vento em amplas planícies verdes, e mais além estava a torre sombria de [Isengard >] Orthanc no anel de Isengard.

Olhou para o Sul . . . . . Ethir Anduin, o imenso delta do Grande Rio, e miríades de aves marinhas [como uma poeira de pontinhos brancos] rodopiando ... como uma poeira branca, e abaixo delas, um mar verde e prata, ondulando em moventes linhas infindas.

Mas onde quer que olhasse via sinais da guerra. As Montanhas Nevoentas eram como formigueiros na sua visão: orques [? se derramavam] de incontáveis [? buracos]. Sob os ramos de Trevamata havia combate mortal. A terra dos Beornings estava em chamas. Havia uma nuvem sobre o Vale do Riacho-escuros/os portões de Moria. A fumaça subia nas fronteiras de Lórien. [Dol Dúghul] Cavaleiros galopando alucinados no capim de Rohan, lobos arremetiam de Isengard. Dos cinzentos Portos [*ou* Do cinzento Porto] ao Sul vinha uma coluna infinda de Homens armados. Do selvagem Leste, Homens moviam-se em infindos espadachins [? reluzentes], [? lanceiros], arqueiros a cavalo; carruagens e carroças: povos inteiros. Todo o poderio do Senhor Sombrio estava em movimento.

Então, voltando-se outra vez para o sul, ele divisou Minas Tirith. Era distante e linda, de muralhas brancas, muitas torres, alta em seu assento montanhoso, poderosa ao sol: suas ameias rebrilhavam com aço e seus torreões estavam brilhantes com muitos estandartes . . . . estava Minas Morgul . . . . suas muralhas sombrias esculpidas com . . . formas, sua grande torre como um dente, seus estandartes negros, seus portões como bocas malignas e, para o leste, a Sombra da Morte, os [? portões] desesperançados de Gorgoroth. Então viu o . . . . Monte [da Perdição >] Dûm: a Colina de Fogo e . . . . Baraddur.

Então, repentinamente seu olhar parou. As [? névoas clarearam] e ele gritou de medo. Havia um olho em Baraddur. Ele não dormia. E subitamente tomara consciência do . . . . Havia ali uma avidez feroz . . . [? vontade] ... Ela saltou em sua direção, ele a sentiu quase como um dedo [? tateando] à procura dele. Em um minuto ela o localizaria, saberia [? exatamente] onde ele estava. Tocou Amon Lhaw, resvalou em Tol Brandir — ele se jogou do assento [? agachando-se, cobrindo] a cabeça com o capuz cinzento. Estava gritando, mas se exclamava Nunca vais me pegar, nunca, ou Deveras eu venho, eu venho a ti, não sabia dizer. [? Provavelmente] ambos.

O ROMPIMENTO DA SOCIEDADE

Então, como um lampejo de algum outro ponto de poder, veio
. . . outro pensamento. Tira-o. Tira-o. Ó tolo! Tira-o. Os dois
poderes digladiavam-se nele: por um momento, perfeitamente
equilibrado entre suas pontas . . . ele se contorceu. De repente
estava outra vez consciente de si.

> No manuscrito completo que se seguiu ao rascunho, com mui-
> tas correções adicionais e experimentações no fraseado conforme
> escrevia, meu pai chegou à forma final; mas descrição de abertura
> de Frodo no alto assento (para a qual não há rascunho anterior)
> neste manuscrito é muito interessante. Conforme inicialmente
> escrito, com muita correção no processo, o trecho diz:

De início pouco conseguia enxergar: parecia estar em um
mundo de névoa onde só havia sombras. O Anel o dominava.
[Então, a virtude (*escrito acima:* o poder) de Amon Hen operou
sobre ele] Depois, aqui e ali, a névoa cedeu e ele viu muitas coisas:
pequenas e nítidas, como se estivessem debaixo dele em uma mesa,
e no entanto remotas: o mundo parecia ter encolhido. [*Acrescentado:* Não ouvia som algum, vendo apenas imagens luminosas que
se moviam e se alteravam.][4] Olhou para o Sul e, sob seus próprios pés, viu o Grande Rio se curvar e dobrar como uma onda
desabando e despencar por cima das cataratas de Rauros em um
poço espumante: o vapor subia como fumaça e caía como chuva
iluminada por um reluzente arco-íris de muitas cores. Ainda mais
longe, para lá das lagoas rugientes, havia charcos e negras montanhas, muitos rios serpenteando como fitas brilhantes. Então a
visão mudou: nada havia além de água debaixo dele, uma ampla
planície ondulante de prata, e um murmúrio infindo de ondas
distantes em uma praia que não conseguia ver.
Ele olhou para o Oeste e viu cavaleiros galopando como o
vento: seus
Para além das cataratas seu olho vagou, ora cruzando charcos repletos de caniços, ora distinguindo as fitas serpentean-
tes de rios velozes que desciam saltando de pequenas e rijas
mo(ntanhas) negras.

> Nesse ponto, meu pai rejeito o trecho inteiro a partir das palavras
> "a virtude (o poder) de Amon Hen operou sobre ele", e recomeçou:

A TRAIÇÃO DE ISENGARD

De início pouco conseguia enxergar: parecia estar em um mundo de névoa onde só havia sombras. O Anel o dominava. [*Riscado na mesma hora:* Mas também estava agora sentado no assento da Visão que os Homens de Númenor fizeram.] Depois, aqui e ali, a névoa cedeu e ele viu muitas visões [...]

O novo texto então chega à forma de SA (p. 562); Frodo está sentado "no assento da Visão, em Amon Hen, o Morro do Olho dos Homens de Númenor".

Frodo "parecia estar em um mundo de névoa onde só havia sombras. *O Anel o dominava. Então, o poder de Amon Hen operou sobre ele*": e as névoas começaram a ceder. Ainda mais claro é o estágio seguinte da revisão: "[...] *O Anel o dominava. Mas também estava* agora sentado no assento da Visão que os Homens de Númenor fizeram. Depois, aqui e ali, a névoa cedeu [...]". Só uma interpretação parece possível: usar o Anel *inibia sua visão* — ele estava em um mundo de névoa e sombra; e, no entanto, estava sentado no Assento da Visão no Morro do Olho, e "o poder de Amon Hen operou sobre ele". Por outro lado, no último esboço, antes de este ponto na narrativa ser de fato alcançado, a ideia do "Assento da Visão" não tinha surgido (p. 384): Frodo estava "em cima das rochas" nas Colinas de Pedra quando Boromir tentou tomar o Anel. Ali se diz que, daquele lugar, a cordilheira das Montanhas de Sombra parecia um "borrão de cinza, e, atrás delas, uma vaga nuvem é iluminada por baixo ocasionalmente por uma luz vacilante"; mas, quando Frodo colocou o Anel, "não viu nada ao redor além de uma névoa cinzenta e informe, e bem longe (*mas negras, e nítidas, e rijas*) as Montanhas de Mordor: *o fogo parecia muito vermelho*". Originalmente, portanto, a clareza peculiar da visão de Frodo derivava apenas do fato de ele estar usando o Anel. Essa questão continuará a ser discutida adiante, p. 446.

Quando Frodo desceu do cimo de Amon Hen e, colocando o Anel outra vez, "desapareceu e foi-se colina abaixo como o farfalhar do vento", o rascunho primário continua: "O poder do Anel sobre ele fora renovado; e talvez o ajudou na escolha, atraindo-o para Mordor, atraindo-o para a Sombra, a sós".

Existe um esboço rudimentar para a última parte do capítulo em que a história se volta de Frodo para os membros da Comitiva sentados onde ele os deixara ao lado do rio. Foi escrito bem de leve, a lápis, e subsequentemente ele escreveu à tinta por cima.

Frodo não retorna em uma hora. A hora se transforma em duas, e o sol está a pino. Troteiro fica ansioso. Viu Boromir sair e voltar. "Viste Frodo?" "Não", disse Boromir, mentindo com uma meia verdade. "Procurei por ele, mas não pude vê-lo." [*Acrescentado:* ? "Sim", disse Boromir. "Mas fugiu de mim e não pude reencontrá--lo."] Troteiro decide que eles precisam procurar e culpa-se por ter deixado Frodo ir sozinho. Boromir retorna ?

Grande agitação e, antes que Troteiro os possa controlar, todos saem correndo para as matas. Troteiro manda Boromir atrás de Merry e Pippin. Ele mesmo corre na direção do Morro de Amon Hen, seguido por Sam. Mas, de súbito, Sam para e bate com a mão na cabeça. "Você é um tolo, Sam Gamgi. Sabe bem o que se passava na cabeça do Sr. Frodo. Ele sabia que precisava ir para o Leste — que era a intenção do velho Gandalf. Mas estava com medo, e com ainda mais medo de levar alguém com ele. . . . . . Ele fugiu, é isso — e . . . . barco."[5] Sam desceu correndo a trilha. O gramado do acampamento estava vazio. Ofegou ao atravessar correndo. Um barco estava rilhando nos cascalhos — aparentemente sozinho estava deslizando para dentro da água. Estava flutuando para longe. Com um grito, Sam correu para a ribanceira e disparou atrás dele. Errou por uma jarda e caiu na água funda. Afundou borbotando.

Conversa entre Sam e Frodo. Partem juntos.

Nesse estágio, meu pai não pretendia que o capítulo acabasse aqui, e seu esboço adentra a história do que se tornaria o primeiro capítulo de *As Duas Torres*, III. 1, "A Partida de Boromir"; mas adiarei o restante até o capítulo seguinte deste livro.

A discussão entre os membros da Comitiva durante a ausência de Frodo só foi atingida rascunho após rascunho[6] e, ainda que o conteúdo em si do que foi dito não diferisse muito da forma em SA (pp. 564–7), ele foi inicialmente atribuído em parte a personagens diferentes (portanto, na versão anterior, é Troteiro quem enfatiza — assim como Gimli o faz em SA — que nenhum membro da Comitiva, exceto Frodo, estava sob obrigação).

Notavelmente, aparecem nestes rascunhos as frases de SA: "o Senhor Denethor e todos os seus homens não podem esperar fazer o que Elrond declarou estar além do seu poder", e "Boromir retornará a Minas Tirith. Seu pai e seu povo necessitam dele". Foi aqui que o nome *Denethor* surgiu pela primeira vez, com o mínimo de hesitação inicial: meu pai escreveu um B, ou talvez R, e depois, *Denethor*.[7] Está claro que Boromir era filho de Denethor, e isso está explícito no esboço no início do capítulo seguinte; de toda forma, muito tempo antes já tinha sido falado que ele era filho do Rei de Ond (VI. 506–7).

Como afirmei, do ponto em que Sam interveio na discussão, a conclusão de *A Sociedade do Anel* foi praticamente alcançada no primeiro rascunho, e com pouquíssima hesitação, e há apenas duas questões a notar. Uma delas diz respeito à volta de Boromir para junto da Comitiva, quando ele inicialmente respondia à pergunta de Troteiro de maneira bem diferente (ver o esboço na p. 440):

"Então ele não retornou?", perguntou Boromir de volta.
"Não."
"Que estranho. Para falar a verdade, fiquei ansioso por ele, e fui procurá-lo."
"Encontraste-o?"
Boromir hesitou por um segundo. "Não pude vê-lo", respondeu, com meia verdade. "Chamei e ele não veio."
"Há quanto tempo foi isso?"
"Uma hora talvez. Talvez mais: depois disso fiquei vagando. Não sei! Não sei!" Pôs a cabeça entre as mãos e nada mais disse.
Troteiro o fitou surpreso.

Isso foi rejeitado de pronto e substituído pelo relato como em SA. O outro trecho a se notar é a descida de Sam das encostas de Amon Hen:

Chegou à beira do local aberto do acampamento[8] junto à margem, onde os barcos haviam sido puxados da água. Não havia ninguém ali. Parecia haver gritos e débeis toques de trompa nas matas atrás dele, mas ele não lhes deu atenção.

Antes de escrever isso, meu pai já rascunhara — na continuação do esboço cuja primeira parte coloquei na p. 440 — a história do

O ROMPIMENTO DA SOCIEDADE

ataque dos Orques e a morte de Boromir (p. 443). Ele agora abandonara elementos importantes na sua antiga visão sobre o curso da história após a desintegração da Comitiva: a jornada de Merry e Pippin subindo o Entágua, e os malfeitos de Boromir em Ondor (pp. 251–2, 387). Até onde o registro escrito alcança, foi só agora que ele percebeu que Boromir nunca mais voltaria a Minas Tirith.

NOTAS

[1] Creio que Troteiro quis dizer: "ele adivinhará muitas coisas, ademais, dos nossos propósitos divididos".

[2] Na verdade, a cópia limpa seguia o rascunho nas palavras de abertura, e o parágrafo com que "O Rompimento da Sociedade" começa em SA, descrevendo o gramado verde de *Parth Galen*, foi acrescentado. Da forma que o manuscrito foi feito inicialmente, o gramado verde não tinha nome. Ver nota 8 e p. 448.

[3] Há uma observação subsequente nesta frase: "Colocar na conversa dele com Frodo" (ver SA, p. 560).

[4] Quando isso foi acrescentado, a frase um pouco adiante, "um *murmúrio infindo* de ondas distantes em uma praia que não conseguia ver", não foi alterada.

[5] Escrito transversalmente nessa parte do texto, antes de a camada subjacente a lápis ser coberta com o texto à tinta, e muito difícil de ler, há o seguinte:

Seria um bom arranjo se Frodo, correndo morro abaixo, se deparasse com orques atacando Merry e Pippin e Boromir. Boromir tem consciência de sua presença. Quando Boromir cai, Frodo foge [para *ou* (no)] barco — porque Frodo não queria deixar Merry e Pippin nas mãos dos orques.

Não consigo entender a implicação dessa última frase.

[6] Um desses rascunhos está escrito em um relatório de comitê da Universidade de Oxford com a data de 19 de fevereiro de 1941: ver p. 424.

[7] Na Primeira Era, *Denethor* liderou os Elfos-verdes por sobre Eredlindon, rumo a Ossiriand. Acerca do nome, ver V. 221–2.

[8] Substituído a lápis na cópia manuscrita passada a limpo por "do gramado de Kelufain": ver nota 2.

19

A PARTIDA DE BOROMIR

Mencionei no último capítulo que o esboço do fim da história de "O Rompimento da Sociedade" (p. 440) na realidade adentra sem interrupção a narrativa do primeiro capítulo ("A Partida de Boromir") de *As Duas Torres* (daqui em diante, abreviado como DT).

Trompas e gritos súbitos nas matas. No morro, Troteiro se dá conta do problema. Desce correndo. Encontra Boromir sob as árvores, morrendo. "Tentei pegar o Anel", disse Boromir. "Lamento. Compensei da maneira que pude". Há pelo menos 20 orques mortos perto dele. Boromir está transpassado por flechas e ferimentos de espada. "Eles se foram. Os orques os levaram. Acho que não estão mortos. Volta para Minas Tirith, Pedra-Élfica, e ajuda meu povo. Fiz tudo o que pude". Ele morre. Assim morreu o herdeiro do Senhor de Minas Tirith. Troteiro está perdido. Legolas e Gimli (que rechaçaram um grupo menor) encontram-no parado, perplexo e tomado de sofrimento. Troteiro está perplexo. Será que Frodo era um dos hobbits? De toda forma, deveria segui--los e tentar resgatá-lo? Ou ir para Minas Tirith? Não pode partir sem enterrar Boromir, de todo modo. Com a ajuda de Legolas e Gimli, carrega o corpo de Boromir em um féretro de galhos e o depõe num barco, enviando-o para Rauros.

Troteiro agora descobre que há um barco faltando. Não há pegadas-órquicas no acampamento. Não é possível saber se os vestígios hobbitescos são velhos ou novos. Mas Sam desapareceu. Troteiro entende que ou Frodo e Sam, e Merry e Pippin, estavam juntos, ou Frodo (e Sam?) partiram. No segundo caso, agora há pouca ou nenhuma esperança de encontrar Frodo. Junto com Gimli e Legolas, ele decide seguir Merry e Pippin. "Em Amon Hen eu disse que talvez visse um sinal que nos guiasse! Encontramos uma confusão — mas nossos caminhos, pelo menos,

A PARTIDA DE BOROMIR

estão dispostos para nós. Vinde, resgataremos nossos companheiros ou então morreremos depois de matar todos os orques que conseguirmos."

Um acréscimo a esse texto, certamente da mesma época, diz:

Troteiro vê pela forma e pelos armamentos dos orques mortos que são orques do norte, das Montanhas Nevoentas — de Moria? Na verdade, são orques de Moria que escaparam dos elfos, + outros que são serviçais de *Saruman*. Relatam a Saruman que Gandalf está morto. Sua missão é capturar hobbits, *inclusive Frodo*, e levá-los até Isengard. (Saruman está fazendo um jogo duplo e quer o Anel).

No pé da página está escrito:

Troteiro tem alguma visão em Amon Hen? Se sim, que ele veja (1) uma Águia descendo. (2) Um velho, como Frodo [vê] no espelho. (3) Orques arrastando-se sob as árvores.

Enquanto trabalhava no livro, meu pai às vezes fazia umas "garatujas", frequentemente em uma escrita cuidadosa e até mesmo elaborada, escrevendo nomes ou frases de algum jornal que estivesse ao seu lado ou sobre o qual estivesse o papel. No verso da folha com esse esboço — um papel de prova, como a maior parte dos papéis que usava — ele escreveu várias dessas miscelâneas, tais como "bombardeiros chineses", "comboio no Mar do Norte"; e entre elas está "Rio Muar" e "ataque japonês na Malásia". Creio estar fora de questão que esses escritos no verso seriam de uma época diferente do texto no lado da frente. É certo, portanto, que agora estamos no inverno de 1941-2.[1]

Isso obviamente está em harmonia com a afirmação de meu pai no Prefácio da Segunda Edição de *O Senhor dos Anéis*: "cheguei a Lothlórien e ao Grande Rio no final de 1941". Ele afirmou que "quase um ano" se passara desde que ele parou junto ao túmulo de Balin em Moria; mas eu argumentei (VI. 562), creio que com boa razão, que na verdade ele parou no fim de 1939. Para que se mantenha essa visão, deve-se supor, é claro, que uns dois anos (1940-1) se passaram entre a interrupção em Moria e o ponto a que chegamos agora; mas parece não haver outras evidências sobre esse assunto.

Há duas versões preliminares de "Troteiro sobre Amon Hen", a primeira procedendo diretamente das sugestões ao final do esboço acima.

Troteiro subiu a colina às pressas. Vez por outra inclinava-se para o chão. Hobbits pisam leve, e suas pegadas não são fáceis de decifrar, nem mesmo para um caminheiro. [A maior parte da trilha era pedregosa, ou coberta de folhas velhas ainda amontoadas; mas em um lugar um regato a atravessava, e aqui, inclinando-se, Troteiro viu rastros na terra úmida, e mais adiante nas pedras viu traços tênues. "Adivinhei certo", disse. "Quando chegou ao cume ele viu ...][2] Mas não longe do topo um regato atravessava a trilha, e na terra úmida ele viu o que estava buscando. Rapidamente ele atravessou as lajes e subiu os degraus. "Ele esteve aqui", disse para si mesmo. "Não faz muito tempo seus pés molhados vieram por aqui [e subiram os degraus.] Ele subiu no assento. Pergunto-me o que ele viu."

Troteiro se ergueu e olhou em volta. O sol parecia estar obscurecido, ou então as nuvens no leste estavam se espalhando. Não conseguia ver nada naquela direção. Conforme seu olhar girou, ele parou. Sob as árvores, viu orques arrastando-se furtivos: mas quão perto estavam de Amon Hen, não conseguia adivinhar. Então, de súbito, viu ao longe uma águia, como a vira antes acima de Sarn Ruin.[3] Voava alto no ar, e a terra embaixo estava apagada. Circulava lentamente. Estava descendo. De súbito, precipitou-se e saiu do céu, e passou para baixo de sua [? visão].

Conforme Troteiro observava, a visão mudou. Descendo um longo caminho vinha um velho, muito curvado, apoiado em um cajado. Cinzento e maltrapilho parecia, mas, quando o vento agitava sua capa, vinha um lampejo branco, como se debaixo dos trapos estivesse vestido em trajes brilhantes. Então a visão esmaeceu. Não havia mais nada para ver.

No fim do texto, e creio que imediatamente, meu pai escreveu: "A segunda visão em Amon Hen está inartística. Que Troteiro seja interrompido pelo barulho dos orques e não veja nada."

A segunda versão continua com a rápida descida de Troteiro do cume, com ele achando Boromir e sua conversa com ele antes de

A PARTIDA DE BOROMIR

morrer. Ainda que escrito aqui do modo mais rudimentar, o texto
mal foi alterado depois, exceto em um aspecto: aqui (seguindo a
instrução no fim da primeira versão), Troteiro não chega a subir
no alto assento:

Troteiro hesitou. Desejava ir ele mesmo [sentar-se no Assento
da Visão >] ao alto assento, mas o tempo urgia. Enquanto estava
postado ali, seus ouvidos aguçados perceberam sons nas matas lá
embaixo e à sua esquerda, a oeste do Rio e do local do acampamento. Aprumou-se: havia gritos e, entre eles, receava que pudesse
distinguir as vozes ásperas de orques; débil e desesperada uma
trompa soava.

Na primeira versão, o poder do Assento da Visão em Amon Hen
de fato "opera sobre" Troteiro, mas as visões que tem são de cenas
isoladas, talvez de natureza mais semelhantes às visões na água do
Espelho de Galadriel do que ao vasto panorama de terras e guerra
que Frodo teve. No segundo esboço, ele não sobe até o alto assento
e, portanto, nada vê. Na cópia manuscrita limpa que se seguiu imediatamente, ele sobe, assim como em DT, mas, outra vez, não vê
nada exceto a águia descendo do céu: "o sol parecia obscurecido, e
o mundo, apagado e remoto". Por que isso teria acontecido? A des-
semelhança completa entre as experiências de Frodo e Aragorn no
Assento da Visão não é explicada. Afirmei (pp. 438–9) que, conforme meu pai rascunhou inicialmente o relato da visão de Frodo,
fica explícito que foi "o poder de Amon Hen", e não o uso do Anel,
que lhe concedeu a visão; e a primeira versão da subida de Aragorn
ao cume mostra isso ainda mais claramente (pelo próprio fato de
que ele também teve visões ali). O texto final da visão de Frodo
é menos explícito e, se isso for associado ao fato de que na versão
final Aragorn sobe, mas não vê nada, então talvez haja aí a sugestão
de uma relação mais complexa entre o poder de Amon Hen e o
poder do Anel, uma relação que não é esclarecida.

Como eu disse, o segundo dos rascunhos originais para a cena de
"Troteiro sobre Amon Hen"[4] continua até a morte de Boromir, e há
alguns detalhes dignos de nota: não se diz (assim como não se diz
na cópia limpa) que a clareira onde Boromir morreu ficava a uma
milha ou mais do acampamento (DT, pp. 624, 628); Troteiro diz

A TRAIÇÃO DE ISENGARD

"Assim passa o herdeiro de Denethor, Senhor da T[orre]" ("Senhor da Torre de Guarda" na cópia limpa, assim como em DT); e, muito estranhamente, Boromir diz "Adeus, Ingold!" — o que certamente não deve ter sido nada além de um retorno involuntário ao nome antigo, em vez de "Pedra-Élfica". Na cópia limpa, onde ele é chamado de "Troteiro" em todos os outros lugares, Boromir diz "Adeus, Aragorn"; e essa foi provavelmente a primeira vez que o nome "Aragorn" foi usado outra vez (exceto, é claro, pelas correções feita depois em pontos anteriores) depois de ter sido abandonado.

Um rascunho completo e razoavelmente legível começa só um pouco adiante, com a chegada de Legolas e Gimli à clareira, e há apenas diferenças muito pequenas em relação a DT (pp. 625–6), até "O Rio de Ondor cuidará de que nenhum inimigo desonre seus ossos" (fala atribuída a Legolas aqui). Nesse ponto, há pouco mais no rascunho manuscrito do que um esboço apressado, reproduzido na p. 449, que indica uma diferença (mesmo que imediatamente rejeitada) em relação à história posterior: Legolas voltou sozinho ao lugar do acampamento. No esboço se veem o regato que corria pelo relvado ali, e dois barcos remanescentes (o terceiro fora levado por Frodo) amarrados à margem, com Tol Brandir e Amon Lhaw adiante; o X marca o lugar em que Boromir morreu. Na margem está o barco que Legolas trouxe de volta, assinalando o local em que o corpo de Boromir foi colocado dentro dele.

No texto rascunhado, não se diz que encontraram os punhais "em forma de folha" dos hobbits (ver VI. 163 e SA, p. 226), e nem que Legolas apanhou flechas em meio aos mortos; o primeiro elemento também está ausente da cópia limpa. Então se segue:

"Estes não são orques de Mordor", disse Troteiro. "Alguns são das Montanhas Nevoentas, se é que sei alguma coisa dos orques e seus [equipamentos >] tipos; talvez tenham vindo de Moria. Mas o que são esses? Seus equipamentos não são todos de feitura gobelim". Havia vários orques de grande estatura, armados com espadas curtas, não com as costumeiras cimitarras curvas dos gobelins, e com grandes arcos, maiores do que lhes era usual. Nos escudos traziam uma divisa que Troteiro não tinha visto antes: uma pequena mão branca no centro de um campo negro. Na frente de seus bonés estava marcada uma runa Ⴈ feita em algum metal branco.[5]

447

A PARTIDA DE BOROMIR

"S é de Sauron", comentou Gimli. "Isso é fácil de ler."

"Não", disse Legolas. "Sauron não usa as Runas."

"Nem usa seu nome certo, nem permite que seja escrito ou falado", disse Aragorn. "E não usa branco. Os orques do seu serviço imediato usam o sinal do olho único". Parou pensativo por um momento. "S é de Saruman, eu creio", disse ele por fim. "Há mal sendo tramado em Isengard, e o Oeste não está mais a salvo. E digo mais: creio que alguns dos nossos perseguidores escaparam à vigilância de Lórien ou evitaram aquela terra, passando pelos sopés, e creio que Saruman também sabe agora de nossa jornada, e talvez da queda de Gandalf. Mas se ele está meramente trabalhando sob comando de Mordor ou fazendo algum jogo próprio, não consigo adivinhar."

"Bem, não temos tempo para ponderar enigmas", disse Gimli.

Compare isso com o trecho acrescentado ao esboço da p. 444. — Tanto Legolas quanto Gimli agora voltam ao relvado do acampamento, que é aqui chamado de *Kelufain*, corrigido para *Forfain*, e depois para *Calen-bel* (todas elas alterações feitas no momento da escrita),[6] mas eles retornam juntos em um único barco. Assim, em DT, em que trouxeram de volta os dois barcos restantes, os três companheiros foram em um deles puxando o outro barco que levava Boromir e desamarraram-no depois de passar por Parth Galen; aqui, Legolas conduziu o barco fúnebre até Calen-bel enquanto Troteiro e Gimli voltaram para lá a pé. Em Calen-bel, "Os três então subiram no barco que sobrou e puxaram o barco fúnebre para o rio corrente". Na cópia passada a limpo, a história final entrou conforme meu pai escrevia o texto.

Tirando isso, o relato da partida de Boromir é quase palavra por palavra igual a DT, exceto que seus cabelos são descritos como "castanho-dourados" (assim como na cópia limpa, alterado para "longos cabelos castanhos"; em DT, "escuros"); e ele termina assim:

Mas em Ondor registrou-se por muito tempo em canção que o barco-élfico superou a catarata e o abismo espumante e o levou rio abaixo através de Osgiliath, passando pelas muitas fozes do Anduin, e para o Grande Mar; e as vozes de mil aves marinhas lamentaram por ele nas praias de Belfalas.

A TRAIÇÃO DE ISENGARD

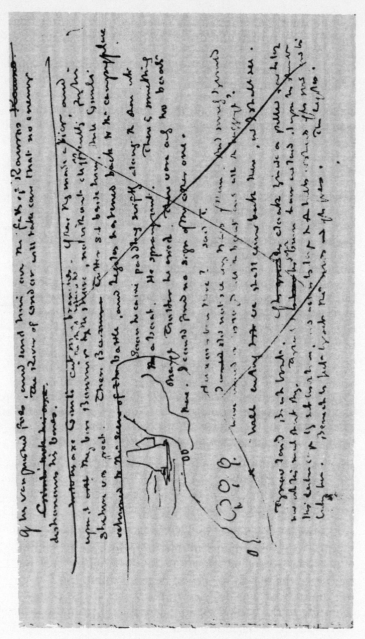

Croqui da cena do Rompimento da Sociedade

A PARTIDA DE BOROMIR

Não há sugestão, contudo, que um lamento tenha sido cantado para ele pelos companheiros; o rascunho aqui diz apenas:

Por certo tempo, os três companheiros ficaram seguindo-o com o olhar, então silenciosamente viraram e impeliram o barco de volta contra a corrente até Calen-bel.

"Boromir partiu em seu caminho", disse Troteiro. "Agora precisamos rapidamente determinar nosso próprio curso. [...]"

A cópia manuscrita passada a limpo é virtualmente igual. Contudo, o texto mais antigo que restou do lamento para Boromir (*Por Rohan, sobre brejo e campo* DT, pp. 629–30) encontrava-se com esses papéis de rascunho, e um texto belamente escrito foi inserido na cópia limpa. Em algum momento posterior, a prosa ao redor dele foi reescrita. A versão mais antiga está intitulada [*A Canção >*] *O Lamento de Denethor para Boromir*, e difere em poucos e pequenos elementos da versão em DT;[7] há uma página de trabalhos preliminares com o rascunho mais primitivo de frases para o lamento (incluindo o Vento Leste, que sopra "para lá da Torre da Lua"), e outra página preliminar para o Vento Norte (que parece ter chegado rapidamente à versão final).

Pode parecer, a julgar pelo título original *O Lamento de Denethor*, que a intenção inicial era mesmo que fosse a canção de luto do pai, não meramente na forma, mas também que fosse colocada em um ponto posterior da história. Mas contradizendo essa ideia estão as primeiras palavras na página de trabalhos preliminares, claramente da mesma época: "'Eles hão de olhar da torre branca e escutar o mar', disse Troteiro em voz baixa". De todo modo, a canção é o Lamento de Denethor. A ocorrência de "Troteiro" aqui sugere que o texto é dessa época, pois antes que muito mais da narrativa fosse escrito "Aragorn" substituiria "Troteiro" como o nome pelo qual geralmente se referiam a ele. Outro indício na mesma direção é um verso encontrado no trabalho preliminar: "O Vento Norte sopra de Calen-Bel", pois no decorrer da escrita da cópia manuscrita limpa, o nome muda de *Calen-bel* para *Calembel* (nota 6).[8]

De início, Troteiro estava menos seguro de suas observações e conclusões ao examinar o chão em Calen-bel; e não pensou em examinar a bagagem (assim como não o fez na cópia limpa).

A TRAIÇÃO DE ISENGARD

Cito integralmente a porção seguinte do texto, que neste ponto se torna muito mal-acabada:

"Nenhum orque esteve aqui", disse ele, por fim. "No mais, nada se pode dizer: todas as nossas pegadas estão aqui, e não é possível dizer se algum dos pés dos hobbits voltou desde que começou a busca por Frodo. Acredito, mas não tenho certeza, que um barco foi arrastado até a água neste ponto", falou, apontando para a margem próxima ao lugar em que regato da nascente escorria para o rio.

"Então como decifras este enigma?", perguntou Gimli.

"Creio que Frodo voltou do cimo do morro usando o Anel", disse Troteiro. "Talvez tenha encontrado Sam, mas acho que não: Frodo estava provavelmente usando o Anel. Acho que Sam adivinhou o que Frodo estava pensando: ele descobriu mais pelo amor do que nós pela sabedoria; e o alcançou antes que partisse."

"Mas foi um feito ruim, partir e nos deixar para trás sem palavra, mesmo que tivesse visto os orques e estivesse com medo", disse Gimli.[9]

"Não, acho que não", disse Troteiro. "Sam estava certo, creio. Ele não queria que fôssemos para a morte em Mordor, e não viu outro meio de evitar isso a não ser indo sozinho e em segredo. Não, acho que não," disse Troteiro. "Ele tinha um Algo   aconteceu no morro que o fez fugir. Não sei de tudo, mas isto eu sei. Boromir tentou tomar o Anel à força."

Exclamação de horror de Legolas e Gimli.

"Não penseis mal dele", disse Troteiro. "Pagou corajosamente e confessou."

Segue-se a lápis:

Não deixar Troteiro falar do malfeito de Boromir?

Trazem um barco. Partem para o oeste, atrás de orques. O plano de Troteiro é descer de Sarn Gebir na direção de Rohan e tentar conseguir notícias dos orques e *pegar cavalos emprestado*.

Legolas vê uma Águia de uma escarpa, descendo.

Encontram um velho subindo o morro para encontrá-los. Não o reconhecem, embora haja algo familiar. Suspeitam ser Saruman?

A história final da reaparição de Gandalf dá um passo adiante. No "Enredo" escrito antes de se chegar a Lothlórien (p. 251), era

451

A PARTIDA DE BOROMIR

Gimli e Legolas, voltando pelo Norte, que encontravam Gandalf, e Aragorn tinha ido com Boromir a Minas Tirith; e Gandalf então "apressa-se para o sul" com eles. Essa ainda era a história no esboço subsequente (p. 387). Agora, com a entrada da morte de Boromir, Troteiro, Gimli e Legolas — como na história final — estão seguindo o rastro de Merry e Pippin quando encontram Gandalf; mas eles haveriam de encontrá-lo antes de a jornada por Rohan começar, antes de colocarem os pés nas planícies verdes. A águia que Legolas viu descendo da escarpa de Sarn Gebir estava levando Gandalf (ver p. 465); e fica claro que a águia que Troteiro viu descendo ao solo conforme olhava do cume de Amon Hen no rascunho original (p. 445) foi a primeira aparição dessa ideia.[10]

Na cópia limpa, é incorporada a sugestão desse esboço de que Troteiro não contaria a Gimli e Legolas o que Boromir fizera:

"[...] Alguma coisa aconteceu depois de sair para tomar sua decisão: deve ter subitamente dominado seu medo e sua dúvida. Não acho que tenha sido um encontro com orques". O que acreditava ser, Troteiro não disse. Para sempre manteve em segredo as últimas palavras de Boromir.

Isso foi alterado, provavelmente de pronto, para o diálogo em DT (p. 631), mas ainda se diz que Troteiro "para sempre manteve em segredo as últimas palavras de Boromir" (em DT, "por muito tempo manteve em segredo").

O rascunho agora se transforma novamente em uma narrativa formada com as palavras de Troteiro que, em DT, são atribuídas a Legolas: "'Pelo menos uma coisa está clara', disse Troteiro. 'Frodo não está mais deste lado do Rio. Só ele poderia ter ou teria levado o barco. Quanto a Sam, deve estar ou com Merry, ou com Pippin, ou com Frodo, ou morto. De outra forma, a essa altura teria voltado'". As palavras de Gimli que se seguem, e as de Troteiro, expondo sua decisão de seguir os Orques, são bem parecidas com DT; e coloco integralmente o restante do rascunho, que é interrompido no fim:

Puxaram para cima o último barco e o carregaram até as árvores, e depositaram ao lado dele os bens de que não precisavam e que não conseguiam carregar. Partiram então para o oeste. O ocaso já estava caindo.

A TRAIÇÃO DE ISENGARD

"Vai com cautela", disse Gimli. "Estamos supondo que todos os orques foram embora depois de matarem Boromir e capturarem Merry e Pippin. Mas os que atacaram Boromir não eram os únicos. Legolas e eu encontramos alguns mais ao sul, nas encostas ocidentais de Amon Hen. Matamos muitos, atacando-os furtivamente entre as árvores: os mantos de Lórien parecem enganar sua visão. Mas muitos outros talvez tenham se demorado."

"Não temos tempo para cautela. Seguiremos o rastro saindo da clareira. É bom que Orques não andam como hobbits! Nenhuma gente, nem mesmo os Homens das cidades, pisoteia assim, e eles talham, e golpeiam, e abatem todos os seres que crescem conforme passam, como se o quebrar das coisas os deleitasse.

"O caminho que seguiram é claro — a oeste, perto da margem, mas não junto dela, mantendo-se nas árvores."[11]

"Mas os orques vão com rapidez", disse Gimli. "Precisaremos correr!"

"Se minha suspeita estiver correta", disse Troteiro, "e eles forem para Isengard, descerão das colinas rumo a Rohan. [*Riscado*: Ali, não se arriscarão a viajar exceto à noite — e me pergunto mesmo como atravessarão] Talvez consigamos cavalos em Rohan", disse Troteiro. "Se minha suspeita estiver correta e os orques estiverem indo para Isengard, eles

> Interrompo a narrativa aqui porque, embora meu pai não tivesse a intenção de parar, a partir desse ponto o rascunho inicial se perdeu (p. 390).
>
> O rascunho que começa com a chegada de Legolas e Gimli até a clareira (p. 458) está numerado em cada página com "23", e "23" continua por toda a história da perseguição através de Rohan; a cópia limpa começa igualmente com "23" em "Troteiro subiu a colina às pressas", com o título "Os Cavaleiros de Rohan", embora outro título aparentemente esteja por baixo deste. Mesmo que tudo isso tenha sido acréscimos a lápis nos manuscritos à tinta, acho muito provável que, a essa altura, as divisões dos capítulos do SdA tinham sido introduzidas: 21 "O Grande Rio", terminando depois de passarem pelos Pilares dos Reis e 22 "O Rompimento da Sociedade", terminando com a partida de Frodo e Sam, com 23 começando na subida de Troteiro até Amon Hen e continuando com as aventuras — seja lá quais fossem — que os três companheiros teriam ao saírem de Calembel no rastro dos Orques.

A PARTIDA DE BOROMIR

NOTAS

[1] Os japoneses invadiram a Tailândia e o nordeste da Malásia em 7–8 de dezembro de 1941. A travessia do Rio Muar se deu em 16 de janeiro de 1942. Essa informação me foi gentilmente fornecida pelo Sr. F.R. Williamson. — Evidência adicional provém do uso das fases da lua de 1941–2; ver p. 433.

[2] Esse trecho foi colocado entre colchetes no original, assim como "e subiram os degraus" logo em seguida.

[3] Sobre a águia vista ao longe na noite anterior à chegada da Comitiva às corredeiras de Sarn Ruin, ver pp. 423–4.

[4] No alto da página com esse texto estão muitos nomes élficos experimentais — *Llawhen, Amon Tirlaw, Lhawdir, Lasthen, Henlas, Hendlas* — todos riscados, exceto o primeiro e o último. Não sei explicá-los satisfatoriamente. Visto que tanto *Amon Hen* quanto *Amon Lhaw* aparecem em rascunhos primários e esboços que obviamente precederam este texto, é possível que esses nomes já estivessem na página antes de meu pai usá-la para o relato de Troteiro em Amon Hen. Se for assim, é possível — visto que todos são compostos por elementos que se referem à audição (*l(h)aw, las(t)*) ou à visão (*hen(d), tir*) — que eles tenham sido criados antes de os morros do leste e do oeste serem diferenciados como Morro da Audição e Morro da Visão.

[5] A runa anglo-saxônica S também está na cópia manuscrita passada a limpo, mas ali com os traços verticais feitos de modo muito curvado, a curva de cima aberta para a esquerda e a de baixo, para a direita. Naquele texto, os bonés dos Orques são "bonés de couro" ("elmos de ferro" em DT).

[6] O nome *Kelufain* para o gramado sob Amon Hen foi acrescentado à cópia limpa de "O Rompimento da Sociedade" e alterado para *Calenbel* em uma ocorrência (p. 435 e nota 2). Na cópia limpa do presente capítulo, o nome era *Calenbel* na primeira ocorrência, mas, subsequentemente, *Calembel* (e uma vez *Cálembel*).

[7] As diferenças são:

Estrofe 1:	verso 1	*Por passo montês, por Rohan* > *Por montes altos, por Rohan*
	5	por muitos rios
Estrofe 2:	2	Trazendo
	4	Por que tarda Boromir, o Belo? Por Boromir lamento.
Estrofe 3:	4	Onde anda Boromir, o audaz?
	5	*A trompa ouvi sob Amon Hen.*

Em todos os casos os versos foram substituídos, com uma letra cuidadosa, pelos versos de DT. Inicialmente, somente a terceira estrofe terminava com o dístico Ó *Boromir!*; mas, ao lado dela, meu pai escreveu: "Omitir? Ou colocar um dístico extra nas outras estrofes?", e então os colocou como na versão final. Algumas outras alterações foram feitas depois: ver nota 8.

A TRAIÇÃO DE ISENGARD

8   O texto do Lamento inserido na cópia limpa é o da versão final, embora esteja escrito em versos curtos. Uma página contígua coloca "Alternativas para a Canção de Boromir" que não foram usadas. Por meio dessas alterações, a estrofe 1, verso 3 mudava à noite para à aurora, o verso 4 se tornava *Viste Boromir, o Alto, ou ouviste a trompa a soar?*; e a estrofe 2, verso 3, trocava *ao relento?* por *no enoitar?*, e o verso 4 se tornou *Onde anda Boromir, o alto, sob astros ou luar?* Outra variante incluída aqui era a alteração da estrofe 2, verso 3, *ao relento?* por *nesta aurora?*, e a substituição do verso 4 por *Que vales ouvem a trompa? Onde o belo Boromir mora?* Essas alterações foram colocadas a lápis também no primeiro texto da canção. — No SdA, *Calembel* é uma cidade em Lamedon (mencionada no fim de "A Passagem da Companhia Cinzenta").

9   Ver o trecho na p. 442, nota 5.

10   Ambas as cenas em que se avistam as águias sobreviveram em DT: Aragorn, em Amon Hen, ainda vê uma descendo, e Legolas vê uma da escarpa ocidental das Emyn Muil (ver pp. 464–5).

11   Embora a fala "Não temos tempo para cautela [...]" não seja atribuída a ninguém, ela certamente é de Troteiro.

20

Os Cavaleiros de Rohan

Uma única página de notas extremamente rudimentares, encabeçada com "Esboço" e "23", foi escrita a lápis e parcialmente sobrescrita à tinta.

Crepúsculo. Noite. Rastro é mais difícil de seguir. Sarn-Gebir corre de Norte a Sul.[1] Prosseguem noite adentro. Amanhecer na crista — depois . . . . a escarpa. Legolas vê a águia ao longe. (Fangorn.)[2] Rica vegetação.

Veem as Montanhas Negras, 100 milhas [c. 161 quilômetros] para o sul. Entágua serpenteando. Encontram a trilha dos orques subindo o rio. Encontro com os Rohiroth. Cavalgam até Fangorn e ouvem notícias da batalha e da destruição de orques e do ancião misterioso que aniquilara orques. Ouvem que *nenhum* cativo foi resgatado. Desespero. O ancião aparece.

[*Acrescentado:* 25 e depois.] Acham que é Saruman. Revelação de Gandalf e seu relato de como escapou. Tornou-se um mago *branco*. "Esqueci a maior parte do que sabia.[3] Fiquei muito queimado ou *bem* queimado". Vão para Minas Tirith e entram.

O restante da guerra em que Gandalf e / em sua águia, de branco, lidera o ataque deve ser contado depois — em parte, um sonho de Frodo, em parte visto por ele (e Sam) e, em parte, ouviu dos orques. (? Frodo olha da Torre enquanto está preso).

Minas Tirith derrota Haradwaith. Atravessam em Osgiliath [*escrito acima:* Elostirion], derrotam orques e Nazgûl. Derrocada de Minas Morghul e avanço até *Dagorlad* (Planície da Batalha). Têm notícias da captura do Portador-do-Anel.

Agora Barbárvore.

Depois, Frodo outra vez.

Nos trechos em que o original foi coberto pelo texto à tinta, a escrita a lápis subjacente pode ser em grande parte decifrada, e vê-se que

A TRAIÇÃO DE ISENGARD

Haradwaith estava presente: aparece no Primeiro Mapa, traduzido como *Meridião*, o nome da grande região ao sul de Mordor e leste da Baía de Belfalas (Mapa III, p. 364).[4] Por outro lado, *Nazgûl*, que se encontra aqui pela primeira vez, não aparecia, e nem *Dagorlad* (o texto a lápis diz apenas Planície da Batalha); o Primeiro Mapa dizia *Dagras*, alterado para *Dagorlad* (p. 365). *Elostirion* acima de *Osgiliath* também foi um acréscimo no texto à tinta; sobre esse novo nome, ver p. 498. Há outras notas na página que não têm relação direta com esse esboço consecutivo, mas que podem ser incluídas aqui:

(1) Grisfax [> Scadufax]. Halbarad. Cavalo de Gandalf reaparece — enviado de Valfenda. Chega depois. Fica a 500–600 milhas [*c.* 805–965 quilômetros] de Valfenda, e Scadufax levaria 10–14 dias.

O nome *Halbarad* foi acrescentado ao mesmo tempo que *Grisfax > Scadufax*, e essas alterações parecem ter sido feitas de pronto. Na história de Gandalf na quinta versão de "O Conselho de Elrond", o cavalo que Gandalf obteve em Rohan também se chamava *Halbarad* e *Grisfax*, e ali *Grisfax* foi certamente alterado para *Scadufax* no momento da escrita. Naquele texto não se diz o que aconteceu com Scadufax depois de Gandalf chegar a Valfenda (ver p. 184); mas um retalho de papel isolado tem uma nota sobre isso (junto com um trecho de rascunho inicial de "O Rei do Paço Dourado"): "Deve-se fazer algum relato de 'Scadufax' na casa de Elrond, e de quais arranjos foram feitos em relação a ele. Ou ele simplesmente foi embora depois que Gandalf chegou a Valfenda? Como Gandalf o convocou?"

(2) Rohiroth são aparentados dos Homens-da-floresta e dos Beornings, antigos Homens do Norte. Mas falam gnômico — língua de Númenor e Ondor, assim como a língua [? comum].

(3) Troteiro deveria *conhecer* Eomer.

(4) Marhad   Marhath é o 2º Mestre. [*Escrito na margem:* Marhad Marhath Marhelm Marhun Marhyse Marulf]][5]

(5) Eowyn Brilho-élfico filha de Eomund?

No verso dessa página há um rascunho muito rudimentar da conversa com Eomer (p. 469), mas há também a nota: *Eowyn Brilho--élfico filha de Theoden.*

457

OS CAVALEIROS DE ROHAN

O manuscrito original de "Os Cavaleiros de Rohan" é um documento complicado e caótico, e sua história textual foi difícil de determinar. Nesse capítulo (numerado em todos os lugares com "23" e sem um novo título, ver p. 453), assim como nos que se seguem, meu pai adotou a prática — ocasionalmente vista nos capítulos anteriores — de *apagar* seu rascunho primário, ou porções substanciais dele, e escrever uma nova versão nas páginas onde ele estava. Nesse caso, o rascunho original a partir do ponto a que se chegou na p. 453 ("Se minha suspeita estiver correta e os orques estiverem indo para Isengard, eles") se perdeu por uma longa extensão devido ao apagamento e reutilização das páginas, embora aqui e ali alguns pedacinhos possam ser lidos. Contudo, o rascunho original, que chamarei de "A", surge no ponto da narrativa (correspondente a DT, p. 641) em que Aragorn, Legolas e Gimli se aproximaram dos morros baixos a leste do rio Entágua, e continua na história do encontro com os Cavaleiros; nesse ponto, meu pai o abandonou, percebendo que a história, da forma como a estava contando, "não era o que realmente aconteceu" (ver a carta citada na p. 482). Foi nesse momento que ele retornou ao início e começou um novo texto ("B"), usando as páginas apagadas de A até o ponto mencionado. Parece claro que tudo o que restou de A só sobreviveu porque foi em grande parte escrito à tinta e não a lápis. A estrutura do manuscrito é a seguinte:

A apagado	B escrito sobre A apagado
A não apagado; acaba porque foi abandonado	
	B continua de forma independente

É claro, a história textual da escrita do capítulo foi simplesmente A seguido de B.

As duas maneiras de apresentar o material têm suas desvantagens, mas, após muita experimentação, parece-me melhor examinar primeiro o que resta de A. Apresento esse texto na íntegra, com exceção apenas de em trecho.

[Suas capas-élficas se confundiam com o] fundo, e mesmo na fresca luz do sol, poucos olhos que não fossem élficos os teriam visto até que passassem bem perto, correndo ou andando rápido, incansáveis, com uma breve pausa a cada três horas, mais ou menos.

A TRAIÇÃO DE ISENGARD

Ao anoitecer, chegaram aos morros baixos. Uma faixa estreita de terra verde e úmida com umas dez milhas de largura jazia entre eles e o rio que serpenteava em moitas escuras de junça e caniço. Aqui o Entágua e a linha de morros se curvavam para o norte,[6] e a trilha-órquica podia ser vista claramente sob a proteção dos morros. "Esses sulcos foram feitos hoje", disse Troteiro. "O sol já estava alto antes de nosso inimigo passar. Talvez os tivéssemos vislumbrado na distância se houvesse algum terreno elevado que nos proporcionasse visão longínqua."

"Mas a todo momento aproximam-se das montanhas e da floresta, onde a esperança de ajudar nossos amigos há de faltar", disse Gimli. Instigados por esse pensamento, os companheiros apressaram-se outra vez pelo crepúsculo e avançaram muito noite adentro. Já haviam passado metade dos morros quando Troteiro pediu que parassem. A lua crescente brilhava forte. "Vede!", exclamou. "Mesmo os orques precisam de uma pausa às vezes." Diante deles havia um amplo círculo pisoteado, e os sinais de muitas pequenas fogueiras podiam ser vistos sob o abrigo de um morrinho baixo. "Eles pararam aqui por volta do meio-dia, creio eu", disse Troteiro. "Por quanto tempo ficaram não se pode dizer; mas agora não estão muitas horas à frente. Queria eu que não precisássemos parar; mas atravessamos muitas longas léguas desde que dormimos da última vez, e todos precisaremos de nossa força amanhã, talvez, se ao fim alcançarmos nossos inimigos."

Antes do amanhecer os companheiros retomaram a caçada. Assim que o sol se ergueu e a luz aumentou, subiram os morros e observaram. As encostas sombrias da floresta de Fangorn já podiam ser vistas e, atrás, rebrilhando, a cabeça branca de Methen Amon, o último grande pico das Montanhas Nevoentas.[7] Da floresta o rio fluía ao encontro deles. Legolas olhou em volta, voltando os olhos de oeste a sul. Ali seus aguçados olhos-élficos viram, como uma sombra no verde distante, um borrão escuro que se movia.

"Há pessoas atrás, assim como na frente", disse ele, apontando para lá do rio. Troteiro colocou a orelha no chão, e havia um silêncio nos campos vazios, só os ares se movendo na relva podiam ser ouvidos. "Cavaleiros", disse Troteiro, erguendo-se: "muitos cavaleiros apressados. Não há como fugir deles nesta terra nua e selvagem. O mais provável é que seja uma hoste dos Rohiroth que atravessou o grande Vau Ent.[8] Mas que parte os Mestres-de-cavalos

OS CAVALEIROS DE ROHAN

pretendem desempenhar, e a qual lado servem, não sei. Só podemos esperar pelo melhor."

Os companheiros apressaram-se até a ponta dos morros. Atrás deles agora conseguiam ouvir a batida de muitos cascos. Envolvendo-se em suas capas, sentaram-se na margem relvada perto da trilha-órquica e esperaram. Os cavaleiros aproximaram-se cada vez mais, cavalgando como o vento. Os gritos de vozes nítidas e fortes chegaram na brisa que seguia. Subitamente assomaram com um ruído de trovão: uma longa fileira cavalgando livre, muitos deles lado a lado, mas seguindo a trilha-órquica, ou assim parecia, pois os líderes cavalgavam abaixados, examinando o solo conforme aceleravam. Seus cavalos eram de grande estatura [...]

A descrição dos Cavaleiros e seus cavalos, embora mais rudimentar na expressão, é parecida com DT, p. 647, e a descrição neste rascunho original dos cavalos se refreando de súbito nunca foi alterada — exceto no detalhe de que "cinquenta lanças estavam apontadas para os estranhos", no lugar em que DT diz "um matagal de lanças" (Legolas contara cento e cinco Cavaleiros na p. 645).[9] — A conclusão do rascunho primário, com a conversa entre Eomer e Aragorn na versão mais antiga, é a seguinte:

"Quem sois vós e o que fazeis nesta terra?", perguntou o cavaleiro, usando a fala comum do Oeste, à maneira e com tom semelhante ao de Boromir e dos homens de Minas Tirith.

[*Rejeitado imediatamente:* "Sou Aragorn Elessar, (*escrito acima:* Pedra-Élfica) filho de Arathorn.][10] "Chamam-me Troteiro. Vim do Norte", ele respondeu, "e comigo estão Legolas [*acrescentado:* Verdefolha], o Elfo, e Gimli, filho de Glóin, o Anão de Valle. Estamos caçando orques. Capturaram outros companheiros nossos."

O cavaleiro abaixou a lança e saltou da montaria, e ficou esquadrinhando Troteiro com atenção e não sem espanto. Por fim falou outra vez. "De início pensei que éreis orques", disse, "mas não é assim. Deveras sabeis pouco deles se os ides caçar deste modo. São velozes e bem armados, e são muitíssimos, dizem. Tornar-vos-íeis, é provável, de caçadores a presas, se os alcançásseis. Mas há algo estranho em ti, Mestre Troteiro." Mais uma vez dirigiu os olhos claros e brilhantes para o caminheiro. "Isso não é nome de homem que me dás. E é também estranha tua veste — quase chega a parecer que brotastes da relva. Como escapastes à nossa visão?"

A TRAIÇÃO DE ISENGARD

"Dá-me teu nome, mestre de cavalos, e talvez eu te dê o meu, e outras notícias", respondeu Troteiro.

"Quanto a isso", disse o cavaleiro, "sou Eomer, filho de Eomund, Terceiro Mestre da Marca-dos-Cavaleiros. Eowin, o Segundo Mestre, vai adiante."

"Eu sou Aragorn Pedra-Élfica, filho de Arathorn Tarkil, herdeiro de Isildur, filho de Elendil de Ondor", disse Troteiro. "Não há muitos entre os homens mortais que sabem mais sobre os orques. Mas aquele que não tem cavalo anda a pé, e quando a necessidade o força, um homem não pode levar consigo mais amigos do que aqueles que tem por perto. Mas não estou desarmado". Puxou a capa para trás: a bainha-élfica reluziu e a clara lâmina de Branding brilhou como chama repentina quando a puxou para fora. "Elendil!", exclamou Troteiro. "Vês a espada que foi partida e agora foi forjada de novo. Quanto à nossa veste, atravessamos Lothlórien", disse ele, "e o favor da Senhora dos Galadrim vai conosco. Mas grande é nossa necessidade, assim como a necessidade de todos os inimigos de Sauron nestes dias. A quem serves? Não nos ajudarás? Mas escolhe depressa: as caçadas de nós dois estão atrasadas."

"Sirvo o Pai e Mestre da Marca-dos-Cavaleiros", disse Eomer. "Há desordem em todas as nossas fronteiras, e agora até mesmo dentro delas. O medo, que certa vez foi um estranho, anda entre nós. Mas não servimos a Sauron. Ele busca nos impor tributos. Mas nós — nós desejamos apenas ser livres e não servir a nenhum senhor estrangeiro. Acolheremos visitantes, mas o ladrão inesperado nos encontrará velozes e duros. Dizei [? brevemente] o que vos traz aqui."

Então, Troteiro contou-lhe em poucas palavras do ataque em Calenbel e da queda de Boromir. A consternação àquelas notícias era visível no rosto de Eomer e no de muitos dos seus homens. Parecia que entre Rohan e Ondor havia grande amizade. Admiração também havia nos olhos dos cavaleiros ao descobrirem que Aragorn e seus dois companheiros chegaram de Tolbrandir a pé desde o anoitecer do terceiro dia anterior.

"Parece-me que o nome Troteiro não foi tão mal dado", disse Eomer. "Está claro que falas a verdade, ainda que não toda a verdade. Os homens de Rohan não mentem, mas não são fáceis de enganar. Mas basta — agora há mais necessidade de velocidade do que nunca. Estávamos nos apressando apenas para auxiliar Eowin,

OS CAVALEIROS DE ROHAN

pois voltou notícia de que a hoste-órquica era grande e superava em número os perseguidores, apenas vinte e cinco que mandamos na frente. Mas se há cativos a resgatar, temos de cavalgar mais depressa. Só há um cavalo excedente que podes pegar, Aragorn. Os demais devem se arranjar na garupa dos meus dois escudeiros." Aragorn saltou no lombo de um grande cavalo cinzento que lhe deram.

> Aqui termina o rascunho primário A e, quando meu pai o interrompeu, observou:

Isso complica as coisas. Troteiro etc. devem encontrar Eomer *voltando* da batalha a norte das Colinas perto da floresta . . . . e Eomer deve [? negar] que houvesse algum cativo.
Troteiro descobre que a guerra com Saruman irrompeu [? mesmo] desde a fuga de Gandalf.[11]

> A partir de "Aragorn e seus dois companheiros chegaram de Tolbrandir a pé desde o anoitecer do terceiro dia anterior", a cronologia neste estágio pode ser deduzida:
>
> *Dia 1* Morte de Boromir. Saem de Calenbel; noite em Sarn Gebir.
> *Dia 2* Primeiro dia nas planícies de Rohan.
> *Dia 3* Segundo dia nas planícies de Rohan; chegam aos morros ao anoitecer.
> *Dia 4* De manhã, vão à ponta norte dos morros; encontram os Cavaleiros.
>
> Apesar da alteração radical na história que entrou agora (os Cavaleiros estavam voltando da batalha com os Orques, e não indo para ela), essa cronologia foi mantida por um longo tempo.

Chegamos agora à segunda versão, "B". Esse texto foi muito trabalhado depois, mas eu o incluo mormente na forma que foi escrito primeiro, a menos que alguma alteração pareça ter sido feita imediatamente. Foi agora que meu pai começou a usar "Aragorn" novamente, em vez de "Troteiro", como o nome usual da narrativa, embora de início ele ainda colocasse "Troteiro" aqui e ali, por hábito, antes de alterar imediatamente para "Aragorn".
No ponto de DT em que "A Partida de Boromir" termina e "Os Cavaleiros de Rohan" começa, o texto diz:

"Não temos tempo para cautela agora", disse Aragorn. "O anoitecer logo estará à nossa volta. Precisamos confiar nas sombras e nos nossos mantos, e esperar que a sorte vire". Adiantou-se com pressa, mal detendo as passadas para examinar o rastro, pois exigia pouco de sua habilidade para encontrá-lo.

"É bom que os orques não andam com o cuidado dos seus cativos", disse Legolas ao saltar levemente atrás. "Pelo menos um inimigo assim é fácil de seguir. Nenhuma outra gente pisoteia assim. Por que talham e abatem, ao passar, todos os seres que crescem? Deleita-os matar plantas e brotos que nem estão em seu caminho?"

"Parece que sim", respondeu [Troteiro >] Aragorn; "mas ainda assim seguem a grande velocidade. E não se cansam."

"Em ambas as coisas podemos nos mostrar seus iguais", disse Gimli. "Mas a pé não podemos esperar ultrapassar a vantagem deles, a menos que sejam obstados."

"Sei disso", disse Aragorn; "mas precisamos seguir da melhor maneira que pudermos. E pode ser que melhor sorte nos aguarde se chegarmos a Rohan. Mas não sei o que ocorreu naquela terra em anos recentes, e nem com que disposição os Mestres-de-Cavalos podem agora estar entre o traidor Saruman e a ameaça de Sauron. Por muito tempo foram amigos do povo de Ondor e dos senhores de Minas Tirith, apesar de não serem aparentados. Depois da queda de Isildur, saíram do Norte, além de Trevamata, e seu parentesco é mais com os Brandings, os Homens de Valle, e com os Beornings da floresta, entre os quais ainda se podem ver muitos Homens, altos e claros, como os Cavaleiros de Rohan. Pelo menos não amam os Orques nem os ajudam de bom grado."[12]

O anoitecer aprofundou-se. Atrás deles, nas árvores mais abaixo, a névoa se estendia [...]

Nesse ponto de DT, o capítulo "Os Cavaleiros de Rohan" começa, e esse que é o texto mais antigo já está bem parecido quanto à história da noite que passaram nas cristas e valas de *Sern-gebir* (como o nome está escrito nesse ponto), e à descoberta dos Orques mortos. Os Rohirrim ainda são chamados de *Rohiroth*, Gondor é *Ondor* e as Montanhas Brancas são as Montanhas Negras (descritas com as exatas palavras de DT, p. 635 e, assim como lá, "a trinta léguas ou mais" de distância).

OS CAVALEIROS DE ROHAN

A canção de Aragorn assumia essa forma:

(Aragorn canta uma estrofe)
Ondor! Ondor! Entre os Montes e o Mar
Vai vento e lua, e a luz na Árvore de Prata a brilhar
Nos jardins do antigo Rei cai qual chuva de agouro.
Brancos muros, belas torres, muitos pés no trono d'ouro!
Ó Ondor, Ondor! Verão a Árvore a brilhar?
Ou o Vento Oeste retornar entre o[s] Monte[s] e o Mar? A

É possível ver no texto primário apagado A que essa estrofe não estava presente, apenas as palavras de Aragorn que a precedem. Nessa forma mais antiga, *muitos pés no trono d'ouro* foi alterado, provavelmente bem cedo, para *coroa alada e trono d'ouro*, como em DT. Essas são as primeiras referências à Coroa Alada e à Árvore Branca de Gondor.[13]

Segue-se então (conforme originalmente escrito):

A crista descia íngreme diante de seus pés: estava vinte braças ou mais acima da plataforma larga. Depois vinha a beira de um penhasco escarpado: a Muralha Leste de Rohan. Assim acabava Sarn Gebir, e as planícies verdes dos Mestres-de-cavalos rolavam nos sopés como um mar de grama. Do terreno elevado caíam muitas torrentes e quedas d'água como fios, cascateando para alimentar o serpenteante Entágua, e esculpindo na rocha cinzenta da escarpa incontáveis fissuras e fendas estreitas. Os três companheiros ficaram parados por um breve instante, alegrando-se com o passar da noite, sentindo a primeira mornidão do sol nascente varar o frio dos membros.

"Agora vamos!", disse Aragorn, desviando os olhos saudosos do sul e voltando-os para o oeste e o norte, para o caminho que deveria trilhar.

"Vede!", exclamou Legolas, apontando para o céu pálido acima do borrão onde se estendia a Floresta de Fangorn pelas planícies. "Vede! A águia voltou. Vede! Está alto, mas descendo rapidamente. Está descendo! Vede!"

"Nem mesmo meus olhos conseguem vê-la, meu bom Legolas", disse Aragorn. "Deve estar muito longe nos próprios confins da floresta. Mas posso enxergar algo mais próximo e mais urgente […]"

Sobre referências anteriores à águia que descia, ver pp. 451–2. Subsequentemente, meu pai inseriu a lápis, ao lado dessa passagem:

A águia deveria estar voando *a partir* de Sarn Gebir, levando Gandalf de Tolbrandir, onde ele resistiu ao Olho e salvou Frodo? Se sim, substituir pelo seguinte:
"Vede!", exclamou Legolas, apontando para o céu pálido acima deles. "Ali está a águia de novo. Está muito alto. Agora parece estar voando de Sarn Gebir de volta para o norte. Está voltando para o norte. Vede!"
"Não, mesmo meus olhos não conseguem vê-la, meu bom Legolas", disse Aragorn. "Deve estar muito alto deveras. Pergunto-me qual será sua missão, se for a mesma ave que vimos antes. Mas vede! Posso enxergar algo"

> Esse é praticamente o texto em DT (p. 636); e é curioso ver qual era o sentido do trecho quando foi escrito pela primeira vez: que Gandalf estava passando bem alto acima da cabeça deles. A águia estava voando para Fangorn (e, portanto, para noroeste, não norte), ao passo que, em DT, Gandalf explica depois para Legolas (p. 731) que ele havia mandado a águia, Gwaihir, o Senhor-dos-Ventos, "para vigiar o Rio e reunir novas": Gwaihir lhe falara do cativeiro de Merry e Pippin.[14] Ao lado da sugestão aqui de que a águia estava levando Gandalf de Tol Brandir, "onde ele resistiu ao Olho e salvou Frodo", meu pai escreveu NÃO com letras grandes; compare com DT, p. 731: "estive sentado em um lugar alto e porfiei com a Torre Sombria; e a Sombra passou". No entanto, ele preservou o novo texto.

> Em DT (pp. 636–7), os três companheiros seguiram a trilha-órquica no rumo norte, ao longo da escarpa até a ravina onde uma trilha descia como uma escada, e seguiram por ela até a planície. No presente texto, a história é diferente:

[...] descia uma trilha grosseira, como uma escada larga e íngreme para a planície. No topo da ravina, Aragorn se deteve. Havia uma lagoa rasa como uma grande bacia, por cuja borda gasta a água se derramava: na beira da bacia, havia algo brilhando que atraiu seu olhar. Pegou-o e ergueu-o na luz. Parecia a folha recém-aberta de uma faia, bela e temporã na manhã de inverno.

OS CAVALEIROS DE ROHAN

"O broche de uma capa-élfica!", exclamaram juntos Legolas e Gimli, e todos tatearam o fecho nas próprias gargantas; mas nenhum dos seus broches estava faltando.

"Não é à toa que caem as folhas de Lórien", disse Aragorn solenemente. "Este fecho não traiu seu dono e não se perdeu por acaso. Foi jogado longe: talvez para assinalar o ponto onde os captores se viraram dos morros."

"Pode ter sido roubada por um orque e ter caído", disse Gimli.

"Verdade", disse Legolas, "mas, mesmo assim, isso nos diz que pelo menos um de nossa Comitiva foi levado, como Boromir disse."

"Talvez diga apenas que alguém de nossa Comitiva foi saqueado", respondeu Gimli.

Aragorn virou o broche. A parte de baixo da folha era de prata. "Tem marcas recentes", falou. "Foi riscado com algum alfinete ou ponta afiada.[15] Vede! Alguma mão arranhou nele ᛗᛪᚦ."

Os demais olharam as letras finas com avidez. "Então ambos estavam vivos até quele momento", disse Gimli. "Isso é encorajador. Não estamos perseguindo em vão. E pelo menos um deles tinha uma mão livre: isso é estranho, e talvez auspicioso."

"Mas o Portador-do-Anel não estava aqui", disse Aragorn. "Pelo menos isso podemos supor. Se é que aprendi algo desses estranhos hobbits, poderia jurar que, de outra forma, Merry ou Pippin teria colocado F primeiro, ou somente F, se não houvesse tempo para mais nada. Mas a escolha está feita. Não podemos voltar."

Os três companheiros desceram a ravina. No pé dela toparam de modo repentino e estranho com a relva de Rohan.

Creio ter sido aqui, surgindo deste momento na narrativa, que os broches de folha de Lórien foram concebidos; foram então inseridos na cópia manuscrita limpa de "Adeus a Lórien" (p. 337). Mas é estranho que Aragorn fale como se o broche fosse afinal uma evidência clara, mesmo que não completamente cabal, de que Frodo não fora capturado pelos Orques, pois no rascunho de "A Partida de Boromir" (p. 452) ele tinha dito: "'Pelo menos uma coisa está clara. Frodo não está mais deste lado do Rio. Só ele poderia ter ou teria levado o barco"; e é também estranho que ele ache necessário, diante dessa evidência, reforçar de alguma forma a decisão de perseguir os Orques. — O adiamento da descoberta do broche de Pippin para a posição em DT (p. 638) foi introduzida não muito tempo depois em um adendo: ver p. 478.

466

A TRAIÇÃO DE ISENGARD

Todo o relato em DT que vai do debate ao anoitecer no primeiro dia nas planícies de Rohan (27 de fevereiro: o segundo dia da perseguição) até partirem novamente na manhã seguinte (pp. 638–40) está ausente aqui. O texto diz:

[...] Não se podia mais enxergar sinal deles nas planícies uniformes. Quando a noite já estava muito avançada, os caçadores descansaram por um tempo, pouco menos de três horas. Então continuaram por todo o dia seguinte quase sem pausa. Muitas vezes agradeceram ao povo de Lórien pela dádiva do *lembas*; pois podiam comê-lo e encontrar novas forças mesmo enquanto corriam.

Conforme o terceiro dia [*isto é, da caçada*] passava, chegaram a encostas desprovidas de árvores onde o solo era mais duro e mais seco, e a grama, mais curta: o terreno subia, ora afundando, ora avolumando-se na direção de uma linha de morros baixos e lisos à frente. À esquerda, serpenteava o rio Entágua, um filamento de prata num piso verde. As moradias dos Rohiroth ficavam mormente bem longe ao [sul >] oeste,[16] cruzando o rio, embaixo dos sopés arborizados das Montanhas Negras, agora ocultas em neblina e nuvem. Mas Aragorn muitas vezes se admirou de não verem sinal de animal nem de homem, pois os Mestres-de-cavalos antigamente mantinham muitas coudelarias e manadas nessa região oriental (Eastemnet),[17] e muito haviam vagado, vivendo com frequência em acampamentos ou tendas, mesmo na época do inverno. Mas agora toda a região estava vazia, e havia um silêncio nela que não parecia ser a quietude da paz. Os caçadores passaram pela ampla solidão. Suas capas-élficas se confundiam com o fundo dos campos verdes [...]

É nesse ponto que o texto original A emerge (p. 458). A nova versão B — que ainda a substitui, mas não mais a destrói — avança bastante na direção do texto final, e por grandes extensões é quase idêntica. O esquema temporal original da p. 462 foi mantido: os três companheiros ainda chegavam aos morros no fim do terceiro dia de caçada (isto é, o segundo dia nas planícies de Rohan); Aragorn ainda dizia que os sulcos que encontraram no solo tinham sido feitos naquele dia; e ainda prosseguiam noite adentro, sem parar até que estivessem na metade dos morros, onde encontraram o acampamento-órquico. Na verdade, nesta versão os Orques

OS CAVALEIROS DE ROHAN

estavam menos à frente do que estavam em A: "'Eles pararam aqui no início da noite, creio", disse Aragorn". Foi nesse ponto que ele se deitou no chão, imóvel, por muito tempo (ver DT, pp. 640–1; mas aqui foi sob o luar, na noite seguinte ao "Dia 3" da caçada, e não na aurora do "Dia 3", e ainda muito mais a leste dos morros).

"O rumor da terra é indistinto e confuso", disse ele. "Muitos pés eu escutei ao longe; mas pareceu-me também que havia cavalos, cavalos galopando e, contudo, todos se afastando de nós. Pergunto-me o que está ocorrendo nesta terra. Tudo parece estranho. Desconfio do próprio luar. Só restam as estrelas para nos guiar, e elas estão fracas e distantes. Estou exausto como um Caminheiro nunca deveria estar com uma pista fresca; mas precisamos continuar, precisamos continuar."

Nessa versão, parece que não dormiram nada naquela noite: "quando a aurora chegou, tinham quase alcançado o final dos morros"; e "à medida que o sol se erguia no quarto dia de caçada e a luz aumentava, subiram na última elevação, um outeiro redondo erguendo-se sozinho na ponta norte dos morros" — em DT (pp. 643–4), eles descansaram na noite do quarto dia.[18]

A chegada dos Rohiroth agora atinge o texto de DT,[19] e a única diferença a mencionar é que Legolas, vendo-os ao longe, disse: "São cem menos três"; isso quase certamente indica, creio eu, que três Cavaleiros foram perdidos em um éored de 100 cavalos. Mas "cem menos três" foi alterado para "cento e cinco" antes do fim do capítulo, e Eomer subsequentemente diz a Aragorn que haviam perdido quinze homens na batalha. (Sobre a constituição de um éored, ver *Contos Inacabados*, p. 420).

A primeira parte da conversa de Aragorn com Eomer em B é, na verdade, uma terceira versão, pois foi escrita sobre um rascunho apagado a lápis até o ponto em que Gimli explica a Eomer o significado da palavra "hobbits" (DT, p. 651); e aqui chega-se à forma final, exceto por um ou dois detalhes: *Branding* como sendo o nome da espada de Aragorn, *Mestres* no lugar de *Marechais* da Marca. É aqui que aparece pela primeira vez *Theoden, filho de Thengel*: se houve nomes anteriores, perderam-se no texto apagado embaixo. Theoden não é chamado aqui de "Rei", mas de "o Primeiro Mestre".

A TRAIÇÃO DE ISENGARD

Para a porção seguinte do capítulo, resta algum material rascunhado de forma extremamente rudimentar, quase nada além de notas preliminares à composição de B. Nelas, meu pai não imaginava Gandalf como uma figura muito conhecida em Rohan e ainda pensava em outra tropa de Cavaleiros naquela região (destacada da hoste de Eomer?):

O ancião que disse que escapara de Orthanc em uma águia! E exigiu um cavalo e o obteve! Uns disseram que era um mago. E Scadufax . . . . [? voltou] há apenas um dia.

Eomer diz que alguns orques fugiram para o Descampado. Aragorn poderia encontrar outros Cavaleiros: Marhath, o Quarto Mestre [*ver p. 457*], está lá com alguns homens. Aragorn deseja continuar. Eomer lhe dá a insígnia para mostrar a Marhath. Aragorn dá sua palavra de que retornará a Theoden e vingará Eomer. Adeus.

Na parte do texto B que evoluiu a partir dessas notas, os hobbits são chamados de "Meios-altos", e não "Pequenos", como em DT: na referência de Gimli às "palavras que perturbaram Minas Tirith", ele diz "Falavam do Meio-alto", assim como na forma do poema na quinta versão de "O Conselho de Elrond" (p. 177).[20] A resposta de Aragorn à zombaria de Eothain — "Caminhamos em lendas ou na terra verde à luz do dia?" — assume a seguinte forma aqui: "Um homem pode fazer ambas as coisas; e essa última nem sempre é a mais segura" (acrescentado ao manuscrito: "Mas a terra verde é uma lenda vista sob a luz do dia"). As observações de Eomer sobre Gandalf, que chegaram à seguinte forma depois de um sem-fim de pequenas alterações, dizem:

"Gandalf?", disse Eomer. "Ouvimos falar dele. Um ancião com esse nome costumava aparecer às vezes em nossa terra. Ninguém sabia donde vinha ou aonde ia. Sua chegada era sempre arauta de estranhos eventos. Deveras desde sua última vinda tudo tem dado errado. Nossos apuros com Saruman começaram nessa época. Até ali considerávamos Saruman como amigo, mas Gandalf disse que o mal estava em ação em Isengard. Deveras, declarou que fora prisioneiro em Orthanc e escapara. Montado numa águia! E ainda assim nos pediu um cavalo! Que artes usou, não posso adivinhar,

OS CAVALEIROS DE ROHAN

mas Theoden lhe deu um dos *mearas*: os corcéis que só o Primeiro Mestre da Marca pode montar; pois conta-se que [descendem dos cavalos que os Homens de Ociente trouxeram por sobre os Grandes Mares >] seus antepassados vieram da Terra Perdida sobre o Grande Mar quando os Reis dos Homens saíram das Profundezas e chegaram a Gondor. Scadufax era o nome daquele cavalo. Perguntamo-nos se o mal se abatera sobre o ancião, pois sete noites atrás Scadufax voltou."[21]

"Mas Gandalf deixou Scadufax no Norte longínquo, em Valfenda", disse Aragorn. "Ou assim eu pensava.[22] Mas, seja lá como for, ai dele!, Gandalf tombou nas sombras". Aragorn então contou brevemente a história de sua jornada desde Moria. Ao seu relato de Lórien Eomer escutou com assombro. Por fim, Aragorn falou do ataque dos orques em Calen-bel e da queda de Boromir.

> Pouco antes, nesse texto, o nome ainda era *Ondor*. Como o nome é *Ondor* no rascunho e na cópia limpa de "Barbárvore", pode ser que a alteração na frase sobre os *mearas*, em que a forma *Gondor* aparece, tenha sido feita depois. Acerca da data real da alteração *Ondor* > *Gondor*, ver p. 498.
>
> No restante da conversa com Eomer há apenas estas diferenças a se notar em relação ao texto de DT (pp. 651–7). Língua-de-Cobra não está sugerido: Eomer não fala de "alguns, próximos ao ouvido do rei, que falam conselhos covardes". Ele diz que tem havido guerra com Saruman "desde o verão" ("por muitos meses" em DT); e observa sobre o próprio Saruman que "Caminha por aí como ancião; alguns dizem deveras que Gandalf era só o velho Saruman disfarçado: certamente são muito semelhantes de se olhar".[23] No relato de sua própria expedição, Eomer não se refere ao fato de ter partido sem permissão de Theoden:

"[...] Não sei como tudo terminará. Agora mesmo há combate no Westemnet sob a sombra de Isengard. Fomos poupados por pouco. Mas batedores nos avisaram [> avisaram Theoden] da hoste-órquica que descia da Muralha Leste três noites atrás: entre eles relataram que alguns traziam os emblemas de Saruman. Alcançamo-los ao cair da noite de ontem, não longe das beiras da Floresta. Cercamo-los e travamos batalha ao amanhecer. Perdemos quinze do meu *eored* e doze cavalos, ai deles!"

A TRAIÇÃO DE ISENGARD

Ver a *Nota sobre a Cronologia* no final deste capítulo. Eomer fala dos Orques que entraram pelo Leste, através do Grande Rio, e dos Orques de Isengard que saíram da Floresta. A narrativa do broche de Pippin ainda estava na posição anterior (pp. 465–6), como se vê por estas palavras de Aragorn: "No entanto nossos amigos não ficaram para trás. Tivemos um claro sinal de que estavam com os Orques quando desceram para a planície".[24]

No fim da conversa, Eomer diz:

"[...] Mas é difícil ter certeza de alguma coisa entre tantas maravilhas. Há de se perdoar Eothain, meu escudeiro. O mundo todo se tornou estranho. Anciões em cima de águias; e trajes enganando os olhos; e Elfos com arcos, e pessoas falaram com a Senhora da Floresta e não obstante vivem; e a Espada retorna à guerra, a que foi partida antes que os Pais dos Pais cavalgassem rumo à Marca! Como um homem há de julgar o que fazer em tempos tais? É contra nossa lei deixar estranhos perambulando à vontade em nossa terra, e duas vezes mais nestes tempos de perigo. Imploro-te que voltes honrosamente comigo, e não queres."

Em sua resposta, Aragorn diz (como em DT, p. 656) que estivera em Rohan, e falara com Eomund, pai de Eomer, e com Theoden, "e com Thengel, que foi Mestre antes dele". "Nenhum deles desejaria forçar um homem a abandonar seus amigos levados por orques enquanto a esperança, ou mesmo a dúvida, permanecesse". Eomer cede. Pede que Aragorn volte com os cavalos pelo Vau Ent até "... *torras* onde Theoden ora se assenta". Esse nome foi alterado imediatamente, ou logo, para *Meodarn*, *Meduarn* ("Salão-do-hidromel"), e depois para "*Winseld*" ["Salão-do-vinho"], a alta casa em Eodor". *Eodor* (singular, "cerca, cercado, habitação") se vê no Mapa IV^C (p. 374); *Eodoras* (plural) nos Mapas IV^{D-E} (p. 376). O desagrado de Eothain com o empréstimo dos cavalos não está presente. Os cavalos inicialmente receberam nomes em inglês moderno, o de Aragorn era "Windmane" [Crina-de-vento] e o de Legolas, "Whitelock" [Mecha-branca]; eles foram alterados para os nomes em inglês antigo de DT, *Hasofel* ("Manto-cinzento", compare com *Hasupada*, nota 21) e *Arod* ("Veloz").

Na última parte do capítulo, depois de os Cavaleiros terem ido embora, a história na maior parte chega imediatamente à forma

OS CAVALEIROS DE ROHAN

final; mas as palavras de Aragorn sobre Fangorn, o relato mais antigo dela que meu pai escreveu,[25] assumiam esta forma:

"Não sei que fábulas os homens fizeram a partir do conhecimento antigo", disse Aragorn. "E da verdade pouco se sabe agora, mesmo Keleborn. Mas ouvi dizer que, em Fangorn, agarrada aqui no lado leste das últimas encostas das Montanhas Nevoentas, as antigas árvores que certa vez marchavam sombrias e altivas sobre as amplas terras fizeram refúgio, antes mesmo de os primeiros Elfos despertarem no mundo. Entre o Baranduin e as Colinas--dos-túmulos há outra floresta de antigas árvores; mas não é tão grande quanto Fangorn. Uns dizem que ambas são apenas os últimos baluartes de uma imensa floresta, mais vasta que Trevamata, a Grande, que tinha sob seu domínio todas as regiões pelas quais correm agora o Griságua e o Baranduin; outros dizem que Fangorn não tem afinidade com a Floresta Velha, e que seu segredo é de outro tipo."

Isso foi rejeitado imediatamente e substituído por um trecho mais curto, parecido com as palavras de Aragorn em DT (p. 661), embora Elrond não seja citado como autoridade: "Uns dizem que as duas são afins, os últimos baluartes das imensas matas dos Dias Antigos onde os Elfos perambulavam quando primeiro despertaram."

No fim do capítulo, quando Gimli estava vigiando e tudo estava quieto exceto pelo farfalhar da árvore e "os cavalos, presos a estacas um pouco adiante, mexiam-se de vez em quando", o homem velho apareceu; e sua aparição e sumiço são contados exatamente como em DT, exceto que ele estava "envolto em trapos" e não em um grande manto, e seu chapéu era "surrado" e não "de aba larga". Mas o capítulo terminava de modo completamente diferente.

Não se achava nenhum vestígio dele por perto; e não ousaram ir muito longe — a lua estava escondida em nuvens, e a noite estava muito escura. [*Riscado:* Os cavalos permaneceram quietos, e pareciam não sentir nada de estranho.] ? Os cavalos estavam inquietos, puxando suas cordas, mostrando os brancos dos olhos. Levou algum tempo até que Legolas conseguisse acalmá-los.

Por algum tempo os companheiros discutiram o estranho evento. "Era Saruman, disso estou certo", falou Gimli. "Lembrai as palavras de Eomer. Ele voltará, ou nos trará mais apuro. Queria que o amanhecer não estivesse tão longe."

"Bem, não há nada que possamos fazer por ora", disse Aragorn, "nada a não ser descansar o quanto pudermos, enquanto ainda podemos descansar. Agora vigiarei por algum tempo, Gimli."

A noite passou devagar, mas nada aconteceu em nenhum dos turnos de duas horas. O velho não apareceu de novo.

Ainda que não passe de conjectura, suspeito que, quando meu pai escreveu isso, ele pensou que fosse Gandalf, e não Saruman, que apareceu tão brevemente à luz do fogo (ver o esboço da p. 456).[26]

NOTAS

[1] *Sarn-Gebir corre de Norte a Sul*: ver Mapa IV^C, pp. 373, 374.

[2] Isso significa que a águia foi vista na direção de Fangorn; ver p. 465.

[3] *Esqueci a maior parte do que sabia*: ver DT, p. 730.

[4] *Haradwaith* aqui é o nome de um povo: ver p. 512, e compare com *Enedwaith*, traduzido como *Marco-do-Meio* no Primeiro Mapa (Mapa II, p. 360), mas, posteriormente (ainda como nome de uma região), "Povo-do-Meio".

[5] Acerca dos nomes de Rohan começados com *Mar-* e *Eo-*, ver *Contos Inacabados*, p. 416 (nota 6) e p. 420 (nota 36). — Os nomes com *Eo-* nesse período não estão escritos com acento.

[6] Nenhuma das sucessivas variações no Primeiro Mapa ilustra isso.

[7] *Methen Amon*: o nome mais antigo do *Methedras* — aparece no Primeiro Mapa (Mapa IVE, p. 376). Acerca de *Methen*, ver as *Etimologias*, V. 451, radical MET: noldorin *methen* "fim"; e ver nota 18.

[8] Essa é a primeira ocorrência do nome *Vau Ent* nos textos: ver p. 428, nota 16.

[9] Aragorn (é claro) não grita "Que novas do Norte, Cavaleiros de Rohan?"; conta-se apenas que ele "os saudou em voz alta".

[10] Essa é a primeira ocorrência do nome *Arathorn* para o pai de Aragorn, substituindo *Kelegorn* (ver também *Eldakar*, p. 422, *Valatar*, p. 425).

[11] A fuga de Gandalf de Orthanc.

[12] Esse trecho é encontrado mais para frente em DT (p. 646). A referência que ali se faz a Eorl, o Jovem, está ausente aqui; e os *Brandings* de Valle (nomeados em homenagem ao Rei Brand, filho de Bain, filho de Bard) são em DT os *Bardings* (o que foi acrescentado ao Primeiro Mapa, p. 361). Ver nota 19.

[13] Em um desenho de meu pai para a capa de *O Retorno do Rei*, o trono aparece com quatro pés. Esse desenho, feito com branco, dourado e verde em um fundo preto mostra (como ele observou), "o trono vazio esperando pelo retorno do Rei" com asas abertas; a Coroa Alada; a Árvore com flores brancas e sete estrelas; e bem tênue, na escuridão, uma visão da queda de Sauron. Esse

OS CAVALEIROS DE ROHAN

desenho, de forma simplificada, foi usado na capa da edição em papel-bíblia de *O Senhor dos Anéis* publicada pela George Allen and Unwin em 1969.[*]

[14] No entanto, o próprio Gandalf estivera nessas regiões, ou passou sobre elas, ao que parece: "Não, não os encontrei. Havia uma escuridão sobre os vales das Emyn Muil, e não fiquei sabendo do seu cativeiro antes que a águia me contasse".

[15] Alterado depois para: "Foi riscado com o alfinete, que está quebrado". Pode-se mencionar aqui um erro no texto de DT. Aragorn não disse (p. 637) que Pippin era "menor que *o outro*" — ele não se referiria a Merry com esse tom distante —, e sim que ele era "menor que *os outros*", ou seja, Merry, Frodo e Sam.[†]

[16] *ao oeste*: subsequentemente revertido para *ao sul*.

[17] Essa é a primeira ocorrência, nos textos, do nome *Eastemnet*, que se encontra no Primeiro Mapa (Mapa IV^D, p. 376). *Westemnet* ocorre mais adiante nesse texto (p. 470).

[18] Aqui, conforme olhavam ao redor, viram à direita "os planaltos ventosos do Descampado de Rohan" e, além de Fangorn, o último grande pico das Montanhas Nevoentas (inicialmente chamado de *Methen Amon*, p. 459 e nota 7), *Methendol*, imediatamente alterado para *Methedras*.

[19] O trecho em que Aragorn diz a Gimli o que sabe sobre os Cavaleiros de Rohan (DT, p. 646), que no texto B aparece bem antes (p. 463), foi transferido depois para o lugar que ocupa em DT por meio de um adendo. Ele conserva praticamente com exatidão a forma escrita inicialmente, sem menção a Eorl, o Jovem, mas agora com *Bardings* no lugar de *Brandings*.

[20] No rascunho preliminar, a forma em inglês antigo é usada: *Halfheah* (*Halfheh*, *Healfheh*).

[21] Um adendo a lápis foi inserido no manuscrito posteriormente como substituição para sua fala: nele, a origem dos *mearas* permanece igual, mas em outros aspectos chega-se em grande medida ao texto de DT: alguns em Rohan murmuram que Gandalf (ainda não chamado de Capa-cinzenta) traz o mal, Theoden é chamado de Rei e aqui sua ira contra Gandalf por levar Scadufax e a selvageria do cavalo ao retornar aparecem. Num acréscimo ao adendo, Eomer diz: "Conhecemos o nome, ou *Gondelf* como dizemos". *Gondelf* é uma "anglo-saxonização" do nórdico *Gandalf(r)*. No pé da página está escrita a palavra em inglês antigo *Hasupada* ("Manto-cinzento") e, devido a um texto datilografado subsequente do capítulo, parece que isso se refere a Gandalf ("Capa-cinzenta"): "'Gandalf!', exclamou Eomer. "Conhemos o nome e o *witega* andarilho que

---

[*] E na capa da edição brasileira. Ver também *O Retorno do Rei*, HarperCollins Brasil, p. 1677. [N.T.]

[†] Esse erro foi corrigido na edição de 2004, texto-fonte da tradução brasileira. [N.T.]

o declara. *Hasupada* mormente o chamamos em nossa língua'" (inglês antigo *witega* "sábio, que tem conhecimento").

[22] Acerca de Scadufax em Valfenda e depois, ver pp. 457 e 516–7, nota 2.

[23] Eomer chama Saruman de "um mago de grande poder", alterado para "um mago e homem de astúcia", e isso, por sua vez, foi alterado para "um mago e muito astuto". Ao lado da palavra *wizard* [mago], está escrito, a lápis, *wicca* (inglês antigo "mago", que sobreviveu — pelo menos até recentemente — na palavra masculina *witch* [bruxo], sem distinção da forma *witch* que deriva do feminino *wicce* em inglês antigo).

[24] Essas palavras são, por si só, ambíguas, mas creio que a intenção de meu pai se demonstra por tê-las corrigido posteriormente no manuscrito para "Tivemos um claro sinal de que pelo menos um deles ainda estava com os orques, não longe da Muralha Leste". A história original ainda estava presente quando ele escreveu o esboço do capítulo seguinte.

[25] Se excluirmos as imagens muito antigas em que Barbárvore era um Gigante e sua floresta, igualmente gigantesca (VI. 474–7, 506).

[26] Outras evidências — que reconheço serem frágeis — para essa ideia são as afirmações de que o velho estava "envolto em trapos" (compare com a visão de Troteiro em Amon Hen, pp. 445–6); que ele usava um "chapéu surrado" (ver a canção de Frodo em Lórien, SA, p. 508: *um velho usando um chapéu bem surrado*); e o fato de que "os cavalos permaneceram quietos, e pareciam não sentir nada de estranho". É curioso que as palavras de Aragorn em DT, p. 663 (quando o ancião era certamente Saruman, DT, p. 735) — "Mas notei também que esse ancião tinha um chapéu, não um capuz" — tenham sido um acréscimo feito muito tempo depois.

Nota sobre a Cronologia

"Os Cavaleiros de Rohan" é incomum porque a narrativa passou por uma importante mudança na estrutura muito tempo depois de seus planos e propósitos terem sido finalizados.

Exponho abaixo a relação entre o esquema temporal do segundo texto (B) e o de *As Duas Torres*. O "Dia 1" é o dia da morte de Boromir.

Texto B		As Duas Torres
Dia 1	Orques descem para as planícies de Rohan à noite.	(26 de fev.) O mesmo.
Dia 2	Aragorn etc. descem para Rohan de manhã. Primeiro dia nas planícies.	(27 de fev.) O mesmo.

475

OS CAVALEIROS DE ROHAN

Dia 3	Segundo dia nas planícies. Aragorn etc. chegam aos morros ao anoitecer e prosseguem noite adentro. — Os Cavaleiros alcançam os Orques no cair da noite.	(28 de fev.)	Aragorn etc. aproximam-se dos morros ao anoitecer e param à noite. — Os Cavaleiros alcançam os Orques no cair da noite.
Dia 4	Batalha de Cavaleiros e Orques ao amanhecer. — Aragorn etc. chegam ao outeiro mais setentrional dos morros ao amanhecer. Encontram os Cavaleiros voltando de manhã.	(29 de fev.)	Batalha de Cavaleiros e Orques ao amanhecer. — Aragorn etc. chegam aos morros perto do meio-dia. Passam a noite no outeiro mais setentrional dos morros.
Dia 5		(30 de fev.)	Aragorn etc. encontram os Cavaleiros voltando de manhã.

Em B, Aragorn, Legolas e Gimli levaram dois dias e duas noites após descerem da "Muralha Leste" para alcançar o outeiro isolado na extremidade norte dos morros, onde encontraram os Cavaleiros; em DT, levaram três dias e duas noites para chegar a esse local, e passaram a terceira noite ali. Em B, encontraram os Cavaleiros voltando na manhã depois da batalha de madrugada; em DT, o encontro se deu no dia seguinte: os Cavaleiros haviam passado todo o dia seguinte e a noite nas beiras de Fangorn antes de partirem novamente rumo ao sul.

Essa alteração na cronologia, com grande reelaboração e reordenamento da escrita (DT, p. 638 e seguintes) do capítulo existente, foi introduzida em outubro de 1944. Em 12 de outubro, meu pai enviou uma carta à África do Sul para mim, em que dizia (*Cartas*, n. 84):

Comecei mais uma vez a tentar escrever (à beira do início do período letivo!) na terça, mas descobri um erro embaraçoso (um ou dois dias) na sincronização, m. importante neste estágio, dos movimentos de Frodo e dos outros, que custou trabalho e pensamento a respeito e exigirá pequenas alterações cansativas em muitos capítulos [...]

Quatro dias depois, escreveu novamente (*Cartas*, n. 85):

Tenho lutado com a cronologia deslocada do Anel, que se mostrou muito incômoda [...] Creio que finalmente a tenha resolvido

A TRAIÇÃO DE ISENGARD

com pequenas alterações no mapa e pela inserção de um dia extra de Entencontro, e dias extras na perseguição de Troteiro e na jornada de Frodo [...]

(Sobre o dia extra do Entencontro, ver p. 492).

Em um ponto, contudo, o texto de TT preserva um vestígio sem correção da história original. Éomer diz a Aragorn (p. 654) que "os batedores me avisaram da hoste-órquica que descia da Muralha Leste, *três noites atrás*", assim como no texto B (p. 470). Mas, em B, isso era dito na manhã do Dia 4, e a referência é à noite do Dia 1; em DT, isso foi dito na manhã do Dia 5. Portanto, não tinha sido três noites atrás, mas quatro, que os Orques desceram das Emyn Muil.

No *Conto dos Anos* do Apêndice B do SdA, as datas são:

26 de fev.	Éomer ouve falar da descida do bando de Orques das Emyn Muil.
27 de fev.	Éomer parte do Eastfolde por volta da meia-noite para perseguir os Orques.
28 de fev.	Éomer alcança os Orques.
29 de fev.	Os Rohirrim atacam ao nascer do sol e destroem os Orques.
30 de fev.	Éomer, voltando a Edoras, encontra Aragorn.

Portanto, não é possível explicar as "três noites atrás" mencionadas por Éomer em DT mesmo que ele estivesse se referindo ao dia em que ouviu falar da descida dos Orques para Rohan e não à descida em si.*

---

*Esse erro foi corrigido na edição de 2004, texto-fonte da tradução brasileira. [N.T.]

~ 21 ~

OS URUK-HAI

Para este capítulo existe, em primeiro lugar, o breve esboço a seguir:

Alguns querem ir para o Norte. Alguns dizem que devem ir diretamente para Mordor. Os grandes orques receberam ordens de ir para Isengard.

Carregam os prisioneiros. Nenhum dos dois é O prisioneiro. Não o têm. Matá-los. Mas são hobbits. Saruman disse que qualquer *hobbit* deveria ser trazido *vivo*. Maldito Saruman. Quem ele pensa que é? Um bom mestre e senhor. Carne de Homem para comer.

Irrompe uma briga. Orques mortos caem em cima de Pippin com a lâmina de fora. Pippin consegue cortar as amarras do pulso. Amarra-as frouxamente outra vez.

Isengardenses vencem. Orques de Mordor são mortos. Começam a marchar. [? Líder] chamado Uglúk [? os deixa]. Acordam Merry, dão-lhe a bebida; cortam as amarras dos tornozelos e instigam os hobbits com açoites. Noite escura. Pippin consegue soltar o broche sem ser visto.

Adentram a planície. Fazem Merry e Pippin correr até que desmaiam e caem. Os orques os carregam.

Pippin desperta ouvindo cavaleiros. Noite. . . . Terror dos orques. Correm a grande velocidade. Uglúk se recusa a deixar os hobbits serem mortos ou postos de lado. Os cavaleiros chegam. Uglúk se afasta furtivamente [? dos amigos agarrando] os hobbits. Mas um cavaleiro vai atrás dele. Pippin puxa Merry para baixo, de bruços, e o cobre com a capa, o cavaleiro passa por eles e atinge Uglúk com a lança. Merry e Pippin fogem para a floresta.

"Uglúk" aqui é evidentemente o Orque de Mordor posteriormente chamado Grishnákh. Percebe-se que Pippin ainda deixa o broche cair antes de descerem para a planície (p. 471 e nota 24).

A TRAIÇÃO DE ISENGARD

Não restou nenhum rascunho inicial de praticamente metade deste capítulo, e isso porque em grande parte meu pai, outra vez, assim como no capítulo anterior, escreveu uma nova versão à tinta sobre um rascunho a lápis apagado; ademais, parece que algum rascunho inicial feito em páginas separadas se perdeu. Portanto, até "'Muito bem', disse Uglúk" (DT, p. 673), o texto mais antigo que restou é essa segunda versão, ou "cópia limpa", na qual se chega à história contada em DT quase até os últimos detalhes, com pouquíssima correção e acréscimo subsequente. O manuscrito começa sem título, mas meu pai claramente o via como um novo capítulo, "24".[1] O título "Um Ataque-órquico" foi inserido depois.

A história posterior segundo a qual Pippin joga o seu broche depois de descerem para a planície agora tinha aparecido. Os nomes-órquicos estão todos presentes: *Lugbúrz, Uruk-hai, Uglúk* (líder dos Isengardenses), *Gríshnák* (assim grafado), *Lugdush*. Uglúk não usa a palavra *Pequenos* (DT, p. 666), chamando-os de *hobbits*. Ele diz: "Nós somos os serviçais *do velho Uthwit* e da Mão Branca" (ver DT, p. 667), do inglês antigo *ûpwita* "sábio, filósofo, alguém de grande conhecimento"; e chama a descida para a planície de Rohan de "o Escadote" (alterado para "a Escada": DT, p. 668). Gríshnák não fala do Nazgûl (DT, p. 667), dizendo "O alado nos espera mais ao norte, na margem leste".

No momento em que dão a Pippin a bebida-órquica, meu pai escreveu um breve esboço no corpo do texto:

Uglúk unta a ferida de Merry. Ele dá um grito. Os orques zombam. Mas não torturam a vítima. Merry se recupera.

Os orques tomam ciência da perseguição dos cavaleiros. Merry e Pippin não sabem dos cavaleiros, mas percebem que os orques estão com medo.

Gríshnák traz um pequeno bando de Orques-de-Mordor do Leste. Uglúk evidentemente não gosta. Pergunta por que o Nazgûl não veio ajudá-los. O Nazgûl ainda não tem permissão para cruzar o Rio: Sauron os está guardando para a Guerra — e para outra finalidade.

Grishnák traz um pequeno bando de Orques-de-Mordor do Leste. Em que apuros vocês se meteram! Fogem para a floresta.

Aventura com Barbárvore.

OS URUK-HAI

Do ponto em que Uglúk manda os "Nortistas" correrem para a Floresta (DT, p. 671), algum rascunho inicial restou, exceto por um trecho mais adiante em que meu pai voltou ao método de apagar e escrever uma nova versão por cima. O texto rascunhado a lápis, desbotado e extremamente difícil de decifrar, é impressionantemente parecido com a versão final. Coloco uma breve passagem como exemplo (DT, p. 676) em que o rascunho na verdade não é tão parecido com a forma final como é em outros lugares:

A Floresta estava se aproximando. Já haviam passado por algumas árvores isoladas. O terreno começava a formar um aclive, cada vez mais íngreme. Mas isso não deteve os orques, agora desesperadamente empenhando seus últimos esforços. Olhando para um lado, Pippin viu que cavaleiros chegando do Leste já estavam emparelhados com eles, galopando sobre a planície, o pôr do sol tocando as lanças e os elmos e seus pálidos cabelos ao vento. Estavam encurralando os orques, impelindo-os ao longo da linha do rio. Admirou-se muito de que tipo de gente seriam. Desejava ter aprendido mais em Valfenda, olhado mais mapas — mas naquela época a jornada estava toda em mãos mais competentes, ele não contara com estar isolado de Gandalf e Troteiro — e até de Frodo. Tudo o que podia recordar sobre eles era que ele [leia-se eles] tinham dado um cavalo a Gandalf. Isso [? soava] bem.

Se o rascunho original que sobreviveu for típico das partes em que não sobreviveu — o que parece muito provável — pode-se dizer que este capítulo chegou muito mais facilmente à forma final do que qualquer outra parte da história de *O Senhor dos Anéis* até agora.

A segunda versão da última parte do capítulo difere da forma final em retoques muito pequenos aqui e ali.[2] As fogueiras de vigia que os Cavaleiros fizeram foram um acréscimo posterior ao texto; Grishnákh (agora grafado assim) evidentemente tivera alguma experiência pessoal com Gollum, pois diz: "É isssso que ele quer dizer, é?" (ver DT, p. 680); e no ponto em que o capítulo acaba em DT, este texto diz apenas:

Ali foi finalmente abatido por Eomer, Terceiro Mestre de Rohan, que apeou e o combateu espada contra espada. Assim terminou o ataque, e nenhuma notícia dele jamais voltou a Mordor ou a Isengard.[3]

480

Meu pai não fez nenhuma interrupção no rascunho e nem no segundo texto, continuando para o capítulo seguinte em *As Duas Torres*, "Barbárvore".

NOTAS

[1] O manuscrito está numerado "24", assim como o rascunho (e os números foram escritos ao mesmo tempo que o texto).

[2] Os nomes-órquicos *Snaga* e *Mauhúr* já aparecem no rascunho preliminar.

[3] A expansão do fim do capítulo veio com a revisão cronológica feita em outubro de 1944 (ver pp. 475–7). Em notas sobre o assunto, meu pai disse que "no fim de 'Uruk-hai', o combate precisa durar mais — perseguição de fugitivos extraviados etc.", e que algo deveria ser dito sobre a incineração dos corpos.

BARBÁRVORE

Já houve muitas menções ao "Gigante Barbárvore" nos esboços espalhados pelos textos antigos de *O Senhor dos Anéis*, mas não há nada em nenhum deles que sirva de preparação para a realidade de quando ele finalmente haveria de aparecer. Meu pai disse, anos depois (*Cartas*, n. 180, 14 de janeiro de 1956):

Há muito deixei de *inventar* [...]: aguardo até que eu pareça saber o que realmente aconteceu. Ou até que a coisa se escreva sozinha. Desse modo, embora eu soubesse por anos que Frodo se depararia com uma aventura de árvores em algum lugar bem abaixo do Grande Rio, não tenho recordações da invenção dos Ents. Cheguei finalmente ao ponto e escrevi o capítulo "Barbárvore" sem qualquer lembrança de qualquer pensamento prévio: exatamente como o é agora.

Esse testemunho é completamente corroborado pelo texto original. "Barbárvore" realmente "se escreveu sozinho" em grande parte.

Primeiro, contudo, há uma página de notas a lápis, de muito interesse, mas com vários elementos intrigantes. Coloco esse texto aqui exatamente como está e discuto-o no fim.

O primeiro senhor dos Elfos fez o Povo-das-Árvores para entender, ou ao tentar entender, as árvores?

Gimli e Legolas devem ir com Troteiro e Boromir. Deve ser Merry e Pippin que encontram Gandalf.

Notas para *Barbárvore*.

Em alguns aspectos, bastante estúpido. Esses do Povo-das--Árvores ("Andantes-solitários") são *hnau* que se tornaram arvorescos ou árvores que se tornaram *hnau*?[1] Barbárvore

A TRAIÇÃO DE ISENGARD

poderia ser "imóvel" — mas aqui há algumas notas [? ou] [? sugestões] iniciais.

Restam pouquíssimos. Não há espaço o bastante. "Houve tempo em que um sujeito podia caminhar e cantar o dia todo e não ouvir mais do que o eco da própria voz nas montanhas".

Diferença entre *trols* — pedra habitada por espírito-gobelim, *gigantes-de-pedra*, e o "povo-das-árvores". [*Acrescentado à tinta*: Ents.]

Barbárvore está ansioso por notícias. Nunca ouve muita coisa. Mas fareja as coisas no ar. Prefere o alento do Sul e do Oeste, do Mar. Muito vento Leste nesses dias. Está perturbado com Saruman: um homem com mente de máquinas. Gosta mais de Gandalf. Muito chateado com a notícia de sua queda. O único dos magos que compreendia as árvores.

Fala de como os Mestres-de-cavalos se foram para o sul, deixando a terra vazia.

Restam só três de nós: eu, e Casca-de-Pele, e Mecha-de-Folha [*escrito acima, à tinta*: Fangorn Fladrib > Fladrif Finglas]. Saruman capturou Casca-de-Pele. Ele foi para Isengard um tempo atrás. Mecha-de-Folha se tornou "arvoresco". Raramente vem para as colinas: deu de ficar parado, meio adormecido durante todo o verão, com a relva alta dos prados em torno dos joelhos. Coberto de folhas ele está. Acorda um pouquinho no inverno. Talvez esteja por aí.

Barbárvore se oferece para levá-los através de Rohan, para Minas Tirith ou nessa direção. Barbárvore fareja a guerra.

Veem uma batalha de Cavalga-lobos (Saruman) com os Mestres-de-cavalos — cabelos esvoaçando e pequenos arcos.

Como encontram Gandalf? Deveria mesmo ser *Sam* ou Frodo a ter a visão no Espelho de Galadriel.

Um possível retorno de Gandalf seria como um velho pedinte curvado com um chapéu surrado vindo até os portões de Minas Tirith. Deixam-no entrar. Depois, na hora mais sombria do cerco, quando as muralhas exteriores caírem, ele joga a capa e se ergue — *branco*. Lidera a surtida. Ou chega com cavalos de Rohan, montado em [*riscado*: Arfaxed] Scadufax.

Outra possibilidade. Cortar o resgate de Frodo por Sam. Que Sam se perca e encontre Gandalf, e parta em aventuras levando-o até Minas Tirith. (Mas foi Frodo quem teve a visão

483

BARBÁRVORE

de Gandalf. Além disso, Sam teve uma visão de Frodo jazendo num penhasco sombrio, pálido, e uma visão de si mesmo em uma escada serpenteante.)

A escada serpenteante pode ter sido talhada na rocha e ela poderia subir de Gorgoroth para a torre-de-vigia. Cortar Minas Morgul.

Notas mais rudimentares foram acrescentadas:

Troteiro manda Legolas e Gimli com Boromir para Minas Tirith. Ele mesmo vaga à procura dos hobbits. Encontra Gandalf. É tentado, mas abandona sua ambição.

O que Barbárvore e os Ents vão fazer a respeito de Saruman. Buscar a ajuda dos Rohiroth?

É evidente que essa página não é da mesma época a que chegamos nos textos da narrativa, pertencendo a um estágio anterior, antes de a morte de Boromir entrar na história. Presumir algo diferente dependeria, é claro, da suposição de que as palavras "Gimli e Legolas devem ir com Troteiro e Boromir. Deve ser Merry e Pippin que encontram Gandalf" já estavam escritas nessa folha quando meu pai a utilizou posteriormente para escrever notas sobre os Ents, mas não há nada no aspecto da página que sugira isso. "*Deve ser Merry e Pippin* que encontram Gandalf" sugere a rejeição de alguma ideia anterior, e "Como encontram Gandalf?", um pouco adiante nessas notas, obviamente está relacionado a isso. Ademais, as notas no final, nas quais ainda há a ideia de que Boromir vai para Minas Tirith, parecem com certeza terem sido escritas depois do texto principal.

No esboço que chamei de "A História Prevista a partir de Moria", era Merry e Pippin que encontrariam Barbárvore, mas era Gimli e Legolas que presenciariam o retorno de Gandalf (p. 251); e isso se repetiu no esboço "A História Prevista a partir de Lórien" (p. 387). A referência ao corte de Minas Morgul e a substituição por uma torre-de-vigia (sobre essa questão, ver p. 403 e nota 39) é uma menção à história de Sam e Frodo em "A História Prevista a partir de Lórien". A morte de Boromir entrou num esboço para o fim de "O Rompimento da Sociedade", e "A Partida de Boromir" (pp. 440, 443). Levando-se isso em conta, portanto, essas notas

484

A TRAIÇÃO DE ISENGARD

pertencem à época do trabalho em "O Grande Rio" e "O Rompimento da Sociedade", e mostram meu pai ponderando sobre o caminho a seguir depois que a Comitiva se desmembrou acima das cachoeiras de Rauros.

A nota "Deveria mesmo ser *Sam* ou Frodo a ter a visão no Espelho de Galadriel" — à primeira vista incompreensível, pois nunca se sugeriu que haveria outra pessoa a olhar no Espelho — pode, creio, ser explicada assim: teria sido mais claro se meu pai tivesse escrito "Deveria *mesmo* ser Sam ou Frodo [...]", ou seja, a história do Espelho fala de Sam e Frodo, e deveria ser assim mesmo; não precisaria ser alterada. O que isso significa? Creio que meu pai estava mudando de direção durante a escrita — já duvidava se era a decisão certa fazer com que Merry e Pippin presenciassem o retorno de Gandalf; e isso, ao que parece, se deveu em grande parte às visões no Espelho. Por isso a sugestão (que implica a rejeição de toda a narrativa de Sam e Frodo em Mordor, conforme projetada em "A História Prevista a partir de Lórien") de que Sam seria aquele a encontrar Gandalf. Ainda assim, ele não estava disposto a alterar as visões de Frodo e Sam no Espelho para fazer com que Sam visse Gandalf descendo a longa estrada cinzenta (porque isso não seria o que "realmente aconteceu"). No fim, é claro, Gandalf acabou reaparecendo para membros da Comitiva que jamais olharam no Espelho de Galadriel. Talvez conectada a isso esteja a visão de Gandalf que Troteiro teve em Amon Hen (p. 445).

A ocorrência da palavra *Ents* acrescentada à tinta na nota sobre a diferença entre "trols" e o "povo-das-árvores" (com a surpreendente definição de "trols") talvez tenha sido a primeira vez com que foi usada nesse sentido novo e muito particular. Para seus usos anteriores em *Terras dos Ents*, *Vales Enteses*, ver p. 25, nota 14, e p. 82, nota 32. E ver também *Cartas*, n. 157, 27 de novembro de 1954:

Como de praxe comigo, eles [os Ents] foram antes desenvolvidos a partir de seu nome do que o oposto. Sempre tive a sensação de que algo deveria ser feito sobre a peculiar palavra anglo-saxã *ent* para um "gigante" ou pessoa poderosa de muito tempo atrás — a quem todas as antigas obras eram atribuídas.

A situação textual neste capítulo é, na essência, muito semelhante à do último, pois há rascunhos iniciais para parte do capítulo, mas,

BARBÁRVORE

no restante, o texto rascunhado foi apagado e a "cópia limpa" foi escrita por cima. Novamente aqui, e até mais, o primeiro rascunho está majoritária e extraordinariamente parecido com a forma final. Contudo, as palavras de meu pai na carta da p. 482 — "exatamente como o é agora" — precisam ser modificadas no que diz respeito a certos trechos em que a narrativa deixa a experiência imediata de Merry e Pippin e toca em temas mais amplos.

A separação de "Barbárvore" do Capítulo 24 ("Os Uruk-hai"), tornando-se "Capítulo 25", ocorreu conforme a cópia limpa era escrita.

Examinando primeiramente a parte do capítulo da qual resta algum rascunho da história original, ela vai do começo do capítulo em DT até "foram rodopiados de forma suave, porém irresistível" (p. 689) e, depois, de "'Há bastante coisa acontecendo', disse Merry" (p. 692) até a repreensão de Barbárvore a Saruman (p. 703). O texto do rascunho — escrito com tanta velocidade que seria totalmente ilegível se o texto posterior não fornecesse, geralmente, pistas o bastante — permaneceu em DT em todos os elementos essenciais da descrição, e por grandes trechos o vocabulário e o fraseado passou por alterações da menor natureza. Como no último capítulo, incluo apenas um pequeno trecho para exemplificar isso (DT, p. 697):

Nela não cresciam árvores. Barbárvore subiu quase sem diminuir o passo. Então eles viram uma larga abertura. Uma de cada lado, duas árvores cresciam como postes de portão viventes, mas não havia portão, exceto por seus ramos que se cruzavam e entreteciam; e, à medida que o Ent se aproximou, as árvores ergueram os galhos, e todas as suas folhas palpitaram e farfalharam. Pois eram árvores perenes, e suas folhas eram escuras e polidas como as folhas da azinheira.

Além das árvores havia um amplo espaço plano, como se o piso de um grande salão tivesse sido esculpido no flanco da colina. De ambos os lados, as paredes se inclinavam para o alto até atingirem cinquenta pés ou mais de altura, e aos pés delas cresciam árvores: duas longas filas de árvores que aumentavam de tamanho. Na extremidade oposta, a parede de rocha era íngreme, mas nela havia sido escavada uma concavidade rasa de teto arqueado: o único teto, exceto pelos ramos das árvores que faziam sombra

A TRAIÇÃO DE ISENGARD

a todo o chão, salvo por um corredor largo / uma trilha larga no meio. Um pequeno regato que escapava da nascente do Entágua muito acima e deixava o curso d'água principal descia tinindo pela face nua da parede de trás, derramando-se como uma clara cortina de gotas de prata diante da concavidade arqueada. Ela se reunia de novo em [uma] bacia de rocha verde, e dali fluía para fora, descendo o corredor / a trilha para se juntar ao Entágua em sua jornada através da floresta.

Todas as pequenas e meticulosas alterações de palavra e ritmo que diferenciam esse texto de DT foram introduzidas conforme a cópia manuscrita limpa era escrita.

Há alguns pontos particulares dignos de nota nessa primeira parte do capítulo. Na cópia limpa que corresponde a DT pp. 686–90 (o trecho não sobreviveu em rascunho independente), a altura de Barbárvore foi alterada de dez para doze pés, e depois para quatorze; ele diz que, se não tivesse visto os dois hobbits antes de ouvi-los, "eu vos teria simplesmente surrado com minha clava"; e sua exclamação "Raiz e ramo!" substituiu "Lasca-me o lenho!"[2]

Quando Merry (Pippin no rascunho) sugeriu que Barbárvore devia estar ficando cansado de erguê-los (DT, p. 693), ele respondeu, tanto no rascunho quanto na cópia limpa: "Hm, *cansado*? *Cansado*? O que é isso… ah, sim, eu me lembro. Não, não estou cansado"; e, mais adiante, quando eles chegam à casa-de-ent, diz que talvez "estejais isso que chamais de 'cansados'".

O primeiro grande desenvolvimento em relação ao texto original vem com o longo discurso reflexivo de Barbárvore sobre Lórien e Fangorn, conforme carregava Merry e Pippin pela floresta (DT pp. 694–7). Inicialmente, ele dizia:

"[…] Nem esta região, nem qualquer outro lugar fora da Floresta Dourada, é o que foi quando Keleborn era jovem. *Tauretavárea tumbalemorna Tumbaleaturea landataváre.*[3] É o que costumavam dizer. Mas mudamos muitas coisas". (Ele quer dizer que extirparam as árvores de coração podre como as da Floresta Velha).

Isso foi imediatamente alterado para:

"[…] As coisas mudaram, mas ainda é verdade em alguns lugares."
"O que queres dizer? O que é verdade?", indagou Pippin.

487

"Não tenho certeza de que sei, e tenho certeza de que não conseguiria explicá-lo a vós. Mas não há mais árvores más aqui (nenhuma que seja má de acordo com seu tipo e luz). [...]"

As observações de Barbárvore sobre as árvores acordando, "ficando entescas" e, em alguns casos, demonstrando ter "corações maus", são bem parecidas com DT; mas, à pergunta de Pippin "Como a Floresta Velha, queres dizer?", ele responde:

"Sim, sim, algo assim, mas não tão ruim. Aquela já era uma região muito ruim mesmo nos dias quando tudo era uma só floresta daqui até Lûn, e nós éramos chamados de Extremidade Leste. Mas havia algo estranho (algo deu errado) lá para aqueles lados: alguma feitiçaria antiga nos Dias Sombrios, imagino. Ah, não: as primeiras matas eram mais como as de Lórien, só que mais espessas, mais fortes, mais jovens. Que dias! Houve tempo em que um sujeito podia caminhar e cantar o dia todo e não ouvir mais do que o eco da própria voz nas montanhas. E o cheiro. Eu costumava passar semanas [? meses] só respirando."

Na cópia limpa, isso foi muito expandido, mas não para o texto de DT, em absoluto. Aqui, Barbárvore começa como no rascunho original (com *Montanhas de Lûn* em vez de *Lûn*) até "esta era apenas a Extremidade Leste", mas então continua:

"[...] As coisas deram errado lá nos Dias Sombrios [> Antigos]; alguma feitiçaria antiga, imagino [> alguma sombra antiga da Grande Treva jazia ali]. Dizem que até mesmo os Homens que vieram do Mar foram capturados nela, e alguns deles caíram na Sombra. Mas isso é só um rumor para mim. De todo modo, eles não têm pastores-de-árvores lá, ninguém para cuidar delas: faz muito, muito tempo desde que os Ents se afastaram das margens do Baranduin."

"Mas e quanto a Tom Bombadil?", perguntou Pippin. "Ele vive perto das Colinas. Parece compreender as árvores."

"Quanto a quem?", disse Barbárvore. "*Tombombadil? Tombombadil?* Então é assim que o chamais. Ah, ele tem um nome *muito* longo. Ele compreende as árvores, é verdade; mas não é um Ent. Não é um pastor. Ri e não interfere. Nunca desencaminhou nada, mas também nunca curou nada. Ora, ora, é a diferença entre andar nos campos e tentar cultivar um jardim; entre… entre passar o tempo de um dia com uma ovelha na encosta do morro, ou até quem sabe sentar-se e estudar as ovelhas até que se saiba o que elas sentem a respeito da grama, e ser um pastor. As ovelhas se tornam como os pastores, e os pastores, como as ovelhas, é o que dizem, muito devagar. Mas é mais rápido e mais próximo com Ents e árvores. Como alguns Homens e seus cavalos e cães, mas mais rápido e mais próximo até do que isso. Pois os Ents são mais como os Elfos: menos interessados em si mesmos que os Homens, melhores para penetrar o interior; e os Ents são mais como os Homens, mais mutáveis que os Elfos, mais rápidos para capturar o exterior; mas fazem ambas as coisas melhor que os dois: são mais estáveis e têm constância. [*Acrescentado:* Os Elfos começaram com isso, é claro: despertando árvores e ensinando-as a falar. Sempre quiseram falar com tudo. Mas então veio a Treva, e eles se foram por sobre o Mar, ou fugiram para vales longínquos e se esconderam. Os Ents passaram a pastorear árvores.] Algumas das minhas árvores podem caminhar, muitas falam comigo.

"Mas não era assim, é claro, no começo. Quando jovens, éramos como vosso Tombombadil. As primeiras matas eram mais como as matas de Lórien. […]"

A maior parte desse trecho, incluindo toda referência a Bombadil, foi posta entre colchetes para que fosse omitida,[4] e meu pai então riscou isso tudo e substituiu por uma nova versão em uma página separada. Fica claro que toda essa revisão pertence à época em que a cópia manuscrita foi passada a limpo.[5] Nessa nova versão, praticamente se chega ao texto de DT; mas Barbárvore diz o seguinte da Floresta Velha:

"[…] Não duvido que haja alguma sombra da Grande Treva jazendo lá para o Norte; e lembranças ruins são repassadas; pois aquela Floresta é velha, embora nenhuma das árvores seja realmente velha ali, não segundo o que eu chamo de velho. Mas há vales fundos nesta terra onde [a sombra >] a Treva jamais foi erguida […]."

A canção de Barbárvore (*Nos salgueirais de Tasarinan*) foi escrita no rascunho manuscrito em um rabisco desbotado que, contudo, chegou quase à forma final sem hesitação.[6]

BARBÁRVORE

Quando, no rascunho, Barbárvore chega à casa-de-ent (DT, p. 698), ele não faz nenhuma observação sobre a distância que percorreram e, na cópia limpa, diz: "Eu vos trouxe por três vezes doze léguas, ou algo assim, se é que medidas desse tipo valem na região de Fangorn", e "três" foi alterado para "sete" antes de as palavras serem rejeitadas e substituídas pelo cômputo em "passadas-de-ent". No rascunho, ele diz que o lugar se chama *Morro-da-fonte*, alterado para *Funtial*, de volta para *Morro-da-fonte*[7] e, por fim, "Parte do nome deste lugar poderia ser *Casa-da-Nascente* na vossa língua" (*Gruta-da-Nascente* na cópia limpa).

Barbárvore *inclinou-se* e ergueu dois grandes recipientes e os pôs sobre a mesa (isso meu pai escreveu na cópia limpa também, mas riscou imediatamente); e disse, antes de se deitar no leito ("só com a mais leve dobra na cintura"), "Acho melhor deitado".

O próximo desenvolvimento importante na evolução do texto vem nesse ponto, quando Merry e Pippin contam sua história a Barbárvore. Aqui, o rascunho diz:

Não seguiram nenhuma ordem, pois Barbárvore com frequência os interrompia, e voltava ou saltava adiante. Só se interessou por partes da história: pelo relato da Floresta Velha, por Valfenda, por Lothlórien e especialmente por tudo o que dizia respeito a Gandalf, e mais que tudo por Saruman. Os hobbits lamentaram não se lembrar mais claramente do que Gandalf relatara sobre aquele mago. Barbárvore voltava a ele repetidamente.

"Saruman esteve aqui por algum tempo; por muito tempo, vós diríeis. Por tempo demais, eu deveria dizer agora. No começo era muito quieto: nenhum trabalho para nenhum de nós. Eu costumava conversar com ele. Muito disposto a escutar naqueles dias, pronto para aprender sobre dias antigos. Contei-lhe muitas coisas que jamais teria sabido ou adivinhado de outro modo. Nunca. Ele nunca me restituiu — nunca me contou nada. E foi ficando mais desse modo: seu rosto se tornou mais como janelas num muro de pedra, janelas com cortinas (venezianas por dentro).

"Mas agora compreendo. Então ele está pensando em se tornar um Poder, não é? Não me ocupei com as grandes guerras: os Elfos não me dizem respeito, e nem os Homens; e é deles que os Magos se ocupam mais. Estão sempre ocupados com o futuro. Não gosto de me preocupar com o futuro. Mas vejo que precisarei começar.

490

A TRAIÇÃO DE ISENGARD

Mordor parecia muito longe, mas esses orques! E se Saruman começou a se meter com eles, estou com problema bem nas minhas fronteiras. Cortando árvores. Máquinas, grandes fogueiras. Não tolerarei isso. Árvores que eram minhas amigas. Árvores que eu conheci desde a noz e a bolota. Cortadas e abandonadas, às vezes. Trabalho-órquico.

"Andei pensando que devia fazer alguma coisa. Mas vejo que é melhor mais cedo do que mais tarde. Os Homens são melhores que os orques, especialmente se o Senhor Sombrio não chega neles. Mas os Rohiroth e a gente de Ondor, se Saruman atacar por trás, logo estarão em um . . . [? solitário]. Teremos [? hordas] do Leste e . . . [? enxame] de orques em cima de nós. Vou ser [? devorado] — e não haverá para onde ir. A enxurrada se erguerá até os pinheiros nas montanhas. Não acho que os Elfos achariam espaço para mim em um navio. Eu não poderia ir por sobre o mar. Haveria de definhar longe da minha própria terra.

"Se vierdes comigo, iremos a Isengard! Estareis ajudando vossos próprios amigos."

> Com as palavras "[? Dos] Ents e Entesposas", o rascunho inicial acaba aqui; mas nessas últimas linhas rabiscadas com pressa vemos a emergência de uma nova ideia e de uma nova direção importantes. O papel que Barbárvore desempenharia no rompimento do cerco de Minas Tirith (pp. 252, 387, e ver pp. 483–4) desapareceu, e tudo está subitamente claro: o papel de Barbárvore é atacar *Saruman*, que mora bem nas suas fronteiras.
>
> Para além disso, resta pouquíssimo rascunho inicial deste capítulo; quase tudo foi apagado e se perdeu embaixo da cópia limpa do texto. Há trabalhos rudimentares para a Canção do Ent e da Entesposa (ver p. 494); e há também um pequeno recorte de papel que mostra as primeiras ideias de meu pai quanto à marcha sobre Isengard:
>
> Ents entusiasmados. A Isengard!
> Hobbits veem árvores atrás. A Floresta está se movendo?
> Lenhadores-órquicos atacam os Ents. Horrível surpresa ao descobrir a mata viva. São destruídos. Ents pegam os escudos. Vão para Isengard.
> Fim do Cap. 25.

BARBÁRVORE

Mas parece-me muito improvável que essas partes do rascunho original que se perderam fossem menos parecidas com as da cópia limpa do que as partes que sobreviveram.[8] O texto da cópia manuscrita limpa na última parte do capítulo foi mantida em DT (pp. 698–720) sem o menor desvio de expressão por quase toda a extensão: os pensamentos de Barbárvore quanto a Saruman, o fato de ter se "esquentado demais", sua história das Entesposas, o Entencontro, o tempo que passaram com Bregalad, a marcha dos Ents e a percepção de Pippin das árvores se movendo atrás deles, até as últimas palavras: "'A noite jaz sobre Isengard', disse Barbárvore."

As exceções a isso são pouquíssimas.[9] Ao lado do trecho em que Barbárvore condena Saruman, esta nota (ela mal tem o estilo de Barbárvore) está escrita na margem (e foi subsequentemente riscada): "Talvez não seja mero acaso que *Orthanc*, cujo significado em élfico é 'um espigão de rocha', seja, na língua de Rohan, 'uma máquina'." Compare isso com "A Estrada para Isengard" (DT, p. 809): "Essa era Orthanc, a cidadela de Saruman, cujo nome (de propósito ou por acaso) tinha duplo significado; pois na fala élfica *orthanc* significa Monte Presa, mas na língua da antiga Marca é Mente Sagaz".

A alteração ao texto feita em 1944, que estendeu o Entencontro em um dia, já apareceu: ver p. 477. Até que a mudança fosse feita, o Entencontro terminava na tarde do segundo dia (compare com DT, p. 716):

A maior parte do tempo ficaram sentados em silêncio sob o abrigo da ribanceira; pois o vento estava mais frio, e as nuvens, mais próximas e cinzentas; havia pouca luz do sol. No ar, havia um sentimento de expectativa. Podiam ver que Bregalad estava escutando, apesar de para eles, no fundo do vale de sua casa-de-ent, o som das vozes-de-ents ser débil.

Veio a tarde, e o sol, rumando ao oeste na direção das montanhas, emitia longos raios amarelos [...]

Ao mesmo tempo em que isso foi reescrito, meu pai substituiu as palavras em entês (que apareceram primeiro na cópia manuscrita limpa) da canção dos Ents conforme marchavam do Encontro passando pela casa de Bregalad, mas não alterou no texto em DT, p. 717.[10]

492

A TRAIÇÃO DE ISENGARD

NOTAS

[1] A palavra *hnau* foi tirada de *Além do Planeta Silencioso*, de C.S. Lewis: no planeta Terra, só há um tipo de *hnau*, os Homens, mas em Malacandra há três raças totalmente distintas que são *hnau*.

[2] Uma nota a lápis na cópia limpa diz que "Lasca-me o lenho" foi "questionado por Charles Williams". A mesma alteração foi feita adiante no capítulo (DT, p. 701).

[3] Isso foi alterado para a forma de DT já no rascunho manuscrito, mas com *lómeamor* em vez de *lómeanor*, o que permaneceu incorreto na cópia limpa.

[4] Seria interessante saber por que o conhecimento e a avaliação de Barbárvore acerca de Tom Bombadil foram removidos. É concebível que meu pai sentisse que o contraste entre Bombadil e os Ents desenvolvido aqui confundisse o conflito entre os Ents e as Entesposas; ou talvez tenha sido precisamente esse trecho que originou a ideia daquele conflito.

[5] Isso se demonstra pelo fato de a nova versão ainda estar numerada no "Capítulo 24", ou seja, "Barbárvore" ainda não tinha sido separado em um capítulo novo, como foi feito conforme a cópia era passada a limpo (p. 486). Além disso, quando mais adiante os hobbits contaram sua história para Barbárvore, ele "interessou-se enormemente por tudo", e "tudo" inclui Tom Bombadil.

[6] Os nomes no rascunho têm as seguintes diferenças em relação a DT: *Dorthonion* é *Orod Thuin* (precedido de *Orod Thon*), que permaneceu na cópia limpa e no texto datilografado seguinte, alterado depois para *Orod-na-Thôn* (ver as *Etimologias*, V. 478); e, no lugar de *Aldalómë* aparece outro nome que não consigo ler com certeza: *His . . eluinalda*.

[7] O nome *Fonthill* [Morro-da-fonte] deriva especificamente de Fonthill no condado de Wiltshire, como se vê por *Funtial*, como o topônimo aparece em uma escritura do século X. O primeiro elemento do nome é provavelmente o inglês antigo *funta* "fonte, nascente", e o segundo é a palavra celta *ial* "planalto fértil"; mas meu pai sem dúvida queria que fosse entendida como se derivasse do inglês antigo *hyll*, "colina, morro".

[8] Isso é corroborado pelos pedacinhos de texto que podem ser decifrados até certo ponto onde o rascunho foi apagado, e por um rascunho independente feito como revisão do trecho sobre "Saruman". — O nome *Valearcano* pode ser visto no rascunho onde a cópia limpa diz *Valarcano*.

[9] Além dessas mencionadas no texto, pode-se notar que a resposta de Barbárvore quando Pippin pergunta sobre o pequeno número de Ents — "Morreram muitos?" — é mais curta aqui: "'Ah, não!', disse Barbárvore. 'Mas, para começar, já havia poucos, e não aumentamos muito em número. Não tem havido Entinhos [...]'".

Entre os nomes, *Angrenost* (Isengard) aparece agora; um espaço em branco foi deixado para o nome élfico do Vale de Saruman, e *Nan Gurunír* foi acrescentado; e Gondor permanece *Ondor* (ver p. 470).

493

BARBÁRVORE

[10] A forma original das palavras em entês era:

Ta-rūta dūm-da dūm-da dūm / ta-rāra dūm-da dūm-da būm /
Da-dūda rūm-ta rūm-ta rūm /ta-dāda rūm-ta rūm-ta dūm /

Os Ents estavam chegando: cada vez mais perto e alto ergueu-se sua canção.

Ta-būmda romba būmda-romba banda-romba būm-ta būm /
Da-dūra dāra lamba būm / ta-lamba dāra rūm-ta rūm!
Ta-būm-da-dom / ta-rūm-ta-rom / ta-būm-ta lamba dūm-da-dom //
ta-būm /ta-rūm / ta-būm-ta lamba dūm //

Isso foi alterado em 1944 para:

A! rundamāra-nundarūn tahōra-mundakumbalūn,
Tarūna-rūna-rūnarūn tahōra-kumbakumbanūn.

Os Ents estavam chegando: cada vez mais perto e alto ergueu-se sua canção:

Tarundaromba-rundaromba mandaromba-mundamūn,
tahūrahāra-lambanūn talambatāra-mundarūn,
tamunda-rom, tarunda-rom, tamunda-lamba-munda-tom.

A Canção do Ent e da Entesposa

Restam trabalhos rudimentares e um rascunho inicial completo; nele, as estrofes 1 e 3 estão como na forma final.

> 2 A Primavera envolve o trigo em flamas viridentes,
> E as flores jazem no pomar como neves viventes,
> Na terra quente a chuva cai e há no ar o aroma dela,
> Eu fico aqui, a ti não vou, pois minha terra é bela.

> 4 Aquece a fruta o Verão, e o arbusto enfeita,
> A palha é longa, alva é a espiga, na vila há colheita,
> Derrama o mel, incha a maçã, com ricos dias brinda.
> Eu fico aqui, a ti não vou, pois minha terra é linda!

> 5 O Inverno esfolha o ramo e faz cinzenta a relva em
> monte,
> As   e a treva cobre o horizonte,
> No temporal que o tronco racha e na chuva inclemente
> Hei de buscar-te e chamar-te; eu volto novamente.[A]

O espaço em branco nessa estrofe foi deixado assim no original. A estrofe 6 difere da versão final apenas no primeiro verso, repetindo *O Inverno vem, o Inverno vem*; e os versos conclusivos diferem apenas em *pelo caminho* no lugar de *pela estrada*. Uma versão preliminar do fim encontra-se escrita em prosa, assim:

Volto pra ti, para buscar-te, volto pra ti, pra consolar-te, e te encontrarei co'a chuva em toda parte. E iremos juntos pela terra, catando muda e semente, até uma ilha em que nós viveremos novamente.

23

NOTAS SOBRE TÓPICOS VARIADOS

Há três páginas de notas isoladas, heterogêneas no conteúdo e obviamente escritas em momentos diferentes, ainda que fosse na mesma página, mas cada uma delas tem ligações com as outras. Algumas das notas podem muito bem ser anteriores ao momento a que chegamos,[1] outras podem ser posteriores, mas em vez de separá-las e tentar encaixá-las sem certeza em outros lugares, parece melhor colocá-las todas juntas.

A página que incluo primeiro começa com a nota "Magos = Anjos", e essa nota se encontra também nas duas outras páginas. Considero que seja o primeiro registro escrito em que essa concepção aparece, isto é, a de que os Istari, ou Magos, eram *angeloi*, "mensageiros", emissários dos Senhores do Oeste: ver *Contos Inacabados*, p. 513 e seguintes, e especialmente a longa discussão de meu pai em *Cartas*, n. 156, de 4 de novembro de 1954. Ela então prossegue assim:

Gandalf reaparecerá. Como ele escapou? Isso talvez nunca seja completamente explicado. Ele passou pelo fogo — e se tornou *o* Mago Branco. "Esqueci muita coisa que sabia, e reaprendi muita coisa que havia esquecido". *Ele adquiriu assim algo do assombro e do terrível poder dos Espectros-do-Anel*, mas do lado bom. As coisas más fogem dele quando se revela — quando brilha. Mas via de regra ele não se revela.

Deveria haver uma disputa de força com Saruman. Será que o Balrog da Ponte poderia ser Saruman, na verdade?

Ou melhor? Como no esboço mais antigo. Saruman está muito afável.

A TRAIÇÃO DE ISENGARD

Compare isso com o esboço inicial de "Os Cavaleiros de Rohan", p. 456. A ideia extraordinária de que o Balrog de Moria poderia ser Saruman apareceu em uma nota escrita no verso de uma página da cópia manuscrita limpa de "Lothlórien", p. 281: "O Balrog não poderia ser Saruman? Fazer com que a batalha na Ponte seja entre Gandalf e Saruman?". A referência ao "esboço mais antigo" — "Saruman está muito afável" — é ao que está em "A História Prevista a partir de Moria", p. 253, em que, na jornada de volta, eles "Visitam Isengard. Gandalf bate à porta. Saruman sai, muito afável" etc.

A nota seguinte nessa página registra a decisão de meu pai de mover toda a cronologia da Demanda um mês para frente:

Esquema Temporal. Coisas demais se passam no *inverno*. Eles deveriam ficar mais tempo em Valfenda. Isso teria a vantagem adicional de dar muito mais *tempo* aos batedores e mensageiros de Elrond. Ele deve descobrir que os Cavaleiros Negros retornaram. Frodo não deve partir antes de, digamos, 24 de dez.

Parece provável que 24 de dezembro foi escolhido por ser "numericamente" um mês depois da data preexistente, 24 de novembro (p. 205), e que a alteração para 25 de dezembro foi feita de modo a harmonizar "numericamente" as novas datas com a estrutura temporal preexistente (pois novembro tem 30 dias, mas dezembro tem 31): ver p. 431. Não compreendo a afirmação de que "ele [Elrond] deve descobrir que os Cavaleiros Negros retornaram", pois o texto final de "O Anel vai para o Sul" já tinha sido alcançado com as palavras de Gandalf "É arriscado ter certeza demais, porém penso que agora podemos esperar que os Espectros-do-Anel foram dispersos e obrigados a retornar, da melhor maneira possível, a seu Mestre em Mordor, vazios e sem forma".

Outra nota nessa página — não escrita ao mesmo tempo — se refere ao "Capítulo 24: Abrir com a conversa dos Gobelins e sua querela. Como Merry e Pippin estão armados?"; e a última nota diz: "*Sarn-gebir* = Grailaw, ou Colinas de Graidon". Ambos os nomes significam "Colina(s) Cinzenta(s)": inglês antigo *hlāw*, "colina", inglês do norte e da Escócia *law*, e inglês antigo *dūn*, inglês moderno *down*.

A segunda página contém repetições exatas das notas encontradas nas outras páginas ou em esboços que já foram incluídos, e não

NOTAS SOBRE TÓPICOS VARIADOS

precisam ser citadas. Na terceira, o seguinte (apenas) foi escrito à tinta, e parece ser o elemento primário da página:

9 de fev. de 1942 Geografia
Ondor > *Gondor*
Osgiliath > *Elostirion. Ostirion* = fortaleza. *Lorn* = porto. *Londe* = golfo.

Acerca da data, ver p. 444, onde observei que, no verso de um esboço de "A Partida de Boromir" há uma indicação clara de que foi escrito no inverno de 1941–2. A data exata colocada aqui na alteração de *Ondor* para *Gondor* é notável; na cópia limpa de "Barbárvore", a forma ainda era *Ondor* (ver p. 470).

Elostirion foi escrito acima de *Osgiliath* no esboço de "Os Cavaleiros de Rohan" (p. 456). É claro que essa alteração não permaneceu, mas o nome *Elostirion* acabou sendo usado para a mais alta das Torres Brancas nas Emyn Beraid, onde a *palantír* foi posta (*Dos Anéis de Poder* em *O Silmarillion*, p. 382).[2] — Compare *lorn* "porto" com *Forlorn* "Porto do Norte" e *Harlorn* "Porto do Sul" no Primeiro Mapa (pp. 455, 456), no lugar dos posteriores *Forlond, Harlond*; mas nesse mapa *Mithlond* também aparece, os Portos Cinzentos (onde, contudo, é possível que *Mithlond* significasse na verdade "Golfo Cinzento").

As outras notas nesta página são heterogêneas e não necessariamente do mesmo período. A indicação "Geografia" foi estendida para "Geografia e Língua". Algumas dessas notas se ocupam de encontrar um novo nome para Sarn Gebir: nomes rejeitados são *Sern Lamrach; Tarn Felin; Trandorán*, até que (acrescentado muito depois na página) se chega a *Emyn Muil* (para *Muil*, ver as *Etimologias*, V. 453, radical MUY). Há também os nomes em inglês *Colinas de Graydon* e *Grailaws* [Colinas Cinzentas], assim como na primeira dessas páginas de notas, e *Hazowland*.[3]

Outro grupo de notas diz:

Língua do Condado = inglês moderno
Língua de Valle = nórdico (usado pelos Anãos daquela região)
Língua de Rohan = inglês antigo
O "inglês moderno" é a *língua franca* falada por todos os povos (exceto algumas gentes reclusas como Lórien) — mas pouco e mal pelos orques.

NOTAS

[1] É necessário lembrar que afirmações como "Gandalf reaparecerá" de modo algum implicam que foi em tal ponto que a ideia surgiu pela primeira vez: muitas vezes, precisam ser entendidas como reafirmações de ideias existentes, mas ainda não colocadas em prática.

[2] Uma nota completamente isolada e impossível de datar, em um recorte de papel, também evidencia insatisfação com o nome *Osgiliath*. O verso do recorte tem notas de assuntos não conectados que meu pai datou com "1940", o que pode ser ou pode não ser significativo. Pelo menos por ora não consigo explicar o teor dessa nota:

> Senhor dos Anéis
> *Osgiliath* não serve. O nome deveria = Nova construção "Newbold"
> Cidade reconstruída   *echain*   *Ostechain*

A palavra "construção" está muito obscura, mas é confirmada por "Newbold", um nome comum em inglês para vilas que significa "Nova construção", do inglês antigo *bold* (também *boðl*, *botl*), intimamente ligada a *byldan*, no inglês moderno *build* [construir]. A propósito, e sem relevância, acrescento que outro derivado da mesma fonte é *Nobottle* (em Northamptonshire), que meu pai me permitiu acrescentar no meu mapa do Contado feito em 1943 (VI. 136, item V), e que permanece no mapa publicado em *O Senhor dos Anéis* [em português, Tocanova]. Contudo, naquela época, eu tinha a impressão de que o nome significava que a vila era tão pobre e remota que não possuía nem sequer uma estalagem.

[3] *Hazowland* claramente deriva da palavra poética em inglês antigo *hasu* (flexionada *hasw-*) "cinzento, cinéreo"; ver *Hasupada* "Manto-cinzento", nome de Gandalf em Rohan (p. 474, nota 21), e *Hasofel* (*Hasufel*), de mesmo significado, o cavalo que Eomer empresta a Aragorn.

24

O CAVALEIRO BRANCO

A maior parte da evolução deste capítulo pode ser rastreada de modo muito claro. Rascunhos iniciais que não foram apagados nem sobrescritos, rascunhos mais desenvolvidos, porém descontínuos, e uma "cópia limpa" que passou ela mesma por correções constantes no ato da composição, tudo isso foi um processo contínuo, e a história de praticamente todas as frases pode ser acompanhada até perto do fim do capítulo. Ele foi numerado "26" desde um estágio inicial; um título foi acrescentado à "cópia limpa" posteriormente, primeiro *Sceadufax*, na grafia do inglês antigo, e depois "O Cavaleiro Branco". O processo de composição aqui foi contínuo e tudo é do mesmo período, de modo que "primeiro rascunho", "segundo rascunho", "cópia limpa" e "correções à cópia limpa" não podem ser tratados como entidades distintas em que uma estava completa antes do estágio seguinte.

Um exemplo dessa sobreposição pode ser visto de pronto. Na versão original da abertura, diante da insistência de Gimli de que o ancião junto ao fogo durante a noite era Saruman, Aragorn responde: "Fico a me perguntar. Os cavalos não mostraram sinais de medo". Na "cópia limpa" (mais precisamente chamada de "primeiro manuscrito coerente"), isso se tornou: "'Fico a me perguntar', disse Aragorn. 'O que ele parecia ser? Um ancião? Isso por si só já é estranho: que um ancião estivesse caminhando sozinho pelas beiras de Fangorn. Mas os cavalos não mostraram sinais de medo.'". Isso obviamente está relacionado à frase riscada no fim de "Os Cavaleiros de Rohan": "os cavalos permaneceram quietos, e pareciam não sentir nada de estranho", e me sugere que meu pai acreditava que o ancião seria Gandalf (ver p. 473 e nota 26). No entanto, no rascunho mais "primitivo", um pouco adiante no capítulo, o velho à noite certamente era Saruman (ver pp. 503-4).

A TRAIÇÃO DE ISENGARD

É claro que, como a cronologia posterior da perseguição por Rohan não estava presente (ver pp. 475–7), Aragorn observa que as pegadas perto do rio "têm um dia de idade"; Gandalf diz que os hobbits "subiram aqui ontem" e que ele próprio viu Barbárvore "três dias atrás": em DT, tudo isso foi ajustado para um dia antes, devido ao dia extra acrescentado em 1944. Em um ponto, contudo, a necessidade de correção escapou aos olhos de meu pai: Legolas diz que tinha visto a águia pela última vez "faz três dias, sobre as Emyn Muil" (DT, p. 731). Isso deveria ter sido alterado para "faz quatro dias": ver a tabela nas pp. 475–6, e ver o *Conto dos Anos* no SdA: "27 de fevereiro: Aragorn alcança o penhasco oeste ao nascer do sol" e (como fevereiro tem 30 dias) "1 de março: Aragorn encontra Gandalf, o Branco".*

A história do primeiro encontro com Gandalf foi esboçada em todos os pontos essenciais já no rascunho mais antigo. Quando os três companheiros viram o ancião andando pela mata abaixo deles, o horror de Gimli por Saruman foi inicialmente expresso de maneira mais assassina: "Atira, Legolas! Verga teu arco! Atira! É Saruman, ou coisa pior. Não o deixes falar e nem nos lançar um feitiço!". Isso foi mantido na cópia limpa; contudo, quando o trecho foi subsequentemente atenuado e ele apenas pede que Legolas se prepare para atirar, as palavras seguintes de Gimli foram mantidas: "Por que esperas? O que há contigo?". No rascunho mais antigo, o mago usava um "chapéu velho"; isso se tornou um "chapéu surrado" e, por fim, um "chapéu de aba larga" (ver p. 472).[1]

A abertura da longa conversa entre eles prossegue assim no rascunho mais antigo (compare com DT, pp. 730–1):

"[…] Na virada da Maré. A grande tempestade está chegando, mas a Maré virou neste mesmo momento. Passei pelo fogo e pela ruína e fiquei muito queimado, ou *bem* queimado. Mas vamos lá, agora contai-me sobre vós. Vi muitas coisas em lugares profundos e altos desde que nos separamos; esqueci muita coisa que sabia e reaprendi muita coisa que havia esquecido.[2] [Posso ver algumas coisas à distância e algumas que estão próximas; mas nem tudo

---

*Assim como em diversos pontos anteriormente, essa correção foi feita na edição de 2004 de *O Senhor dos Anéis* e, portanto, foi incorporada na tradução brasileira. [N.T.]

O CAVALEIRO BRANCO

consigo ver. *Alterado imediatamente para:*] Posso ver muitas coisas à distância, mas muitas coisas que estão próximas não consigo ver."

"O que desejas saber?", disse Aragorn. "Tudo o que aconteceu seria uma longa história. Não queres primeiro contar-nos as novas de Merry e Pippin? Encontraste-os e estão em segurança?

"Não, não os encontrei", disse Gandalf.[3] "Estive ocupado com assuntos perigosos, e não fiquei sabendo do seu cativeiro antes que a águia me contasse."

"A águia!", disse Legolas. "Vimos uma águia, alta e bem distante: a última vez faz três dias, sobre Sarn Gebir."

"Sim", prosseguiu Gandalf, "aquele era Gwaewar, o Senhor-dos--Ventos, que me resgatou de Orthanc. Mandei-o à minha frente para reunir novas, e vigiar o Rio. Sua visão é aguçada, mas ele não consegue ver tudo o que se passa em mata e vale. Mas há algumas coisas que eu consigo ver sem ajuda. Isto vos posso dizer: o Anel passou para além de meu auxílio, ou do auxílio de qualquer membro da nossa Comitiva original. Quase foi revelado ao Inimigo, mas não totalmente. Tive algum papel nisso. Pois sentei-me sobre as montanhas abaixo das neves do Methedras e porfiei com a Torre Sombria, e a sombra passou. Então fiquei cansado: muito cansado."

A história de que Gandalf estava em Tol Brandir quando Frodo se sentou em Amon Hen, e que ele foi levado através de Rohan pela águia (ver p. 465) foi abandonada; Gwaewar (Gwaihir) agora está no seu papel posterior como aquele que reúne as notícias da região do Anduin para Gandalf. Não fica claro, neste estágio, o que tinha acontecido com Gandalf, e parece que meu pai nesse momento não pretendia deixar claro. Deveríamos supor que ele foi para o sul, ao longo das montanhas, e assim chegou ao Methedras, onde se sentou "abaixo das neves e porfiou com a Torre Sombria", enquanto Frodo usava o Anel em Amon Hen? Uma frase isolada e interrompida diz "Gwaewar me encontrou andando nas matas. Dele eu", o que certamente significa que Gandalf foi do Methedras a Fangorn, e que depois de Gwaewar encontrá-lo, ele mandou a águia para o leste "para vigiar o Rio e reunir novas". Isso talvez sugira que a história em que ele tinha sido levado pela águia até Lothlórien não tinha surgido ainda.

Enquanto rascunhava o capítulo, meu pai de início não pensava, aparentemente, que Gandalf mostraria a Aragorn, Legolas e Gimli

A TRAIÇÃO DE ISENGARD

"uma parte dos seus pensamentos" (DT, p. 732) sobre as esperanças e os acasos da Guerra. Depois de dizerem a Gandalf que achavam que Sam tinha ido com Frodo a Mordor, ele diz: "Foi deveras? Isso é novo para mim, porém não me surpreende. Mas agora falarei sobre Merry e Pippin, pois não hei de ouvir vossa história antes que vos tenha contado deles."

Foi provavelmente neste ponto que meu pai dispôs um breve esboço sobre o que Gandalf poderia dizer agora:

A águia avista orques e hobbits. Saruman está por aí nas matas. Batalha-órquica. Barbárvore. Estão seguros, mas há alguma coisa ocorrendo. Revolta das árvores? Mas precisamos ir para o sul. A guerra está começando. Eles precisam aguardar com esperança e paciência para encontrar Merry e Pippin . . . — mas a amizade e devoção deles ao segui-los foi recompensada. A Comitiva agiu com nobreza e Gandalf estava satisfeito com eles. Perguntam o que lhe aconteceu — ele ainda não está disposto a contar.

Parece que o novo rumo da conversa ("Agora sentai-vos comigo e contai-me a história de vossa jornada", DT, p. 731) foi introduzido de imediato, levando ao relato de Gandalf sobre as intenções, desejos e temores do Senhor Sombrio e de Saruman. Esse foi um desenvolvimento característico em estágios, com expansão, refinamento da expressão e alguma reorganização da estrutura, mas todos os elementos essenciais do pensamento de Gandalf estavam presentes desde o primeiro rascunho. Contudo, nos estágios anteriores há algumas diferenças interessantes a serem registradas.

Foi mencionado no pequeno esboço acima que Saruman estava "por aí nas matas"; no primeiro rascunho, Gandalf diz (assim como em DT, p. 734) que ele não "pôde esperar em casa e saiu para encontrar seus cativos", mas que chegou tarde demais: a batalha estava terminada e, não sendo "nenhum mateiro", interpretou errado o que aconteceu. "Pobre Saruman!", acrescenta Gandalf. "Que queda para alguém tão sábio! Receio que [ele tenha começado tarde demais a ter resultados com a maldade >] ele tenha começado a corrida tarde demais. Parece não ter tido a sorte necessária na nova profissão. Ele pelo menos jamais se assentará na Torre Sombria."

503

O trecho acerca do Mensageiro Alado, ausente no rascunho, aparece na cópia limpa, em que Legolas diz que o derrubou do céu "acima de Sarn Ruin" (ver p. 424 e nota 20), e que "Encheu-nos a todos de medo, mas a ninguém tanto quanto a Frodo".

No primeiro rascunho, Gimli diz: "O ancião. Tu dizes que Saruman está por aí. Foi a ti ou Saruman que vimos na noite passada?" e Gandalf responde: "Se vistes um ancião na noite passada, certamente não vistes a mim. Mas como estamos tão parecidos a ponto de desejares fazer um talho incurável em meu chapéu, devo supor que vistes Saruman [ou uma visão >] ou algum espectro que ele criou. [*Riscado:* Não sabia que ele ficou por aqui tanto tempo]". Ao lado das palavras de Gandalf, meu pai escreveu na margem: *Visão do pensamento de Gandalf.* Isso é claramente uma pista importante para a curiosa ambiguidade envolvendo a aparição na noite anterior, se alguém soubesse como interpretá-la; mas essas palavras não estão perfeitamente claras. Obviamente representam uma nova ideia: aparecendo talvez com a sugestão de Gandalf de que, se não era Saruman em pessoa, era uma "visão" ou "espectro" que ele criou, a aparição agora emanaria do próprio Gandalf. Mas era uma visão de quem? O que viram foi uma "emanação" corpórea de Gandalf, vinda do próprio Gandalf? "Observo-lhe a mente infeliz e vejo sua dúvida e seu medo", diz Gandalf; parece mais provável, talvez, que por meio da sua profunda concentração em Saruman, ele "projetou" uma imagem de Saruman que os três companheiros conseguiram ver momentaneamente. Não encontrei nenhuma outra evidência para esclarecer esse curiosíssimo elemento da história; mas pode-se notar que, em um esquema temporal feito na época da escrita de "O Abismo de Helm" e "A Estrada para Isengard", meu pai observou quanto àquela noite: "Aragorn e seus companheiros passam a noite no campo de batalha e veem um 'ancião' (Saruman)".

A mais antiga dentre diversas versões da resposta de Gandalf à pergunta "Quem é Barbárvore?", feita por Legolas, é notável, embora extremamente difícil de ler:

"Ah!", disse Gandalf, "Agora pedes muito". Ele é Fangorn, isto é, Barbárvore, Barbárvore, o Ent: do que mais posso chamá-lo? O mais velho dentre os velhos, o Rei dos Barbárvores, os habitantes da Floresta. Velho como pedra, robusto como árvore, lento como

A TRAIÇÃO DE ISENGARD

caracol, forte como uma raiz que cresce. Queria que o tivésseis conhecido. Vossos amigos foram mais afortunados. Pois encontraram-no aqui, como Aragorn [? já] descobriu. Mas não deixam marcas, como ele deve ter descoberto ou logo descobriria. Mas aqui . . . marcas de [? um] [dos] pés de Barbárvore. Este era um lugar em que frequentemente vinha quando desejava estar sozinho e olhar para fora da Floresta. Ele levou os hobbits embora."

"Então estão seguros, visto que falas bem de Barbárvore?"

"Seguros? Sim, na medida dos Ents. Mas temos uma pressa [? terrível]". Gandalf lhes fala sobre os Ents. Diz que foi bom que Merry e Pippin [? chegaram ali]. Fizeram certo ao seguir. No entanto, encontrar os Ents não é tarefa deles. Tarde demais, de todo modo. Olha para o sol. "Usamos todo o tempo permitido para o encontro de amigos separados. Precisamos ir. Precisam de nós no Sul."

Em um rascunho mais desenvolvido, a resposta de Aragorn quando Gandalf menciona "os Ents" (DT, p. 735) diz:

"Os Ents!", exclamou Aragorn. "Então há verdade nas antigas lendas, [e os nomes que usam em Rohan têm um sentido! O Entágua e a Marca-Ent (pois é assim que eles chamam a Floresta)]

Acima de *Marca-Ent* está escrito *Floresta Ent*. Essas observações sobre os nomes contendo a palavra *Ent* foram postas entre colchetes para que fossem rejeitadas imediatamente, visto que o texto continua: "sobre os moradores das fundas matas e os gigantescos Pastores das Árvores", como em DT. Em um dos muitos rascunhos das palavras de Legolas neste ponto, ele diz: "Eu pensava que [Fangorn] era o nome da Floresta. Considerando-o agora, é um nome estranho para uma floresta."

As palavras "ele é o mais velho ser vivo que ainda caminha sob o sol nesta Terra-média" aparecem no rascunho, escritas exatamente assim, sem nenhuma hesitação. Sobre ter visto Barbárvore nas matas, Gandalf diz:

"[...] Passei por ele na floresta faz três dias; e não tenho dúvidas de que ele me viu, pois os olhos de Barbárvore deixam pouca coisa escapar [*escrito na margem:* e ele me viu, deveras chamou meu

O CAVALEIRO BRANCO

nome]; mas não falei, pois tinha muito em que pensar e não sabia naquele momento que Merry e Pippin tinham sido capturados."

Chega-se ao texto de DT na cópia limpa. No rascunho, ele diz que "acontecerá algo que não acontecia dede que os Elfos despertaram"; na cópia limpa, isso se torna "desde que os Elfos despertaram pela primeira vez", alterado para "desde que os Elfos nasceram" (em DT, p. 736, "desde os Dias Antigos"). Mas, quando Legolas diz: "O que vai acontecer?", Gandalf responde: "Não sei. Merry e Pippin talvez saibam a essa altura; mas eu não sei."

Quando insta Aragorn a não se arrepender da escolha dele "no vale de Sarn Gebir", Gandalf acrescenta (tanto no rascunho quanto na cópia limpa):

"[…] Também te digo que tua chegada a Minas Tirith será agora muito diferente do que teria sido se chegasses lá sozinho relatando que Boromir, filho do Senhor Denethor, tombou, enquanto tu viveste. […]"

No rascunho, diz a Aragorn que ele teria de ir agora para Winseld, alterado para Eodoras (ver p. 471): "A luz de Branding tem de ser agora revelada. Há batalha em Rohan e eles estão em apuros no Oeste, conforme a grande [? enxurrada] da guerra vem do Leste". Na cópia limpa, isso se torna "Há guerra em Rohan e as coisas vão mal com os mestres-de-cavalos": novamente (ver p. 470) não há indício de Língua-de-Cobra (compare com DT, p. 737: "Há guerra em Rohan *e mal pior: as coisas vão mal com Théoden*").

O desenvolvimento textual da última parte deste capítulo e a sua relação com o início do seguinte é complexa e duvidosa, pois o material manuscrito é muito difícil de interpretar, e não entrarei em detalhes sobre essa questão. Mas fica claro que pelo menos metade de "O Rei do Paço Dourado" tinha sido escrito antes que a conclusão de "O Cavaleiro Branco" chegasse perto da forma que tem em *As Duas Torres*; pois, como se verá (p. 525), Aragorn diz a Theoden em Eodoras que Gandalf *não lhes havia contado* "o que lhe aconteceu em Moria".

Não está inteiramente claro para mim como meu pai terminou "O Cavaleiro Branco" nesse estágio, mas parece provável que ele

A TRAIÇÃO DE ISENGARD

parou nas palavras de Gandalf sobre o Balrog (DT, pp. 738–9): "Não o nomeies!": "e por um momento pareceu que uma nuvem de dor lhe passou sobre o rosto, e ficou sentado em silêncio, parecendo velho como a morte". Ele teria então começado um novo capítulo (27) em "Gandalf então envolveu-se de novo em sua velha capa esfarrapada. Desceram depressa do alto patamar [...]" (DT, p. 742).

Não sei dizer qual foi o exato ponto em que meu pai decidiu que Gandalf na verdade contaria pelo menos alguma coisa do que lhe aconteceu depois da queda da Ponte de Khazad-dûm, mas deve ter sido no decorrer da escrita de "O Rei do Paço Dourado". No que é aparentemente o primeiro rascunho (mas escrito por cima de lápis apagado) da história de Gandalf da sua fuga de Moria,[4] os quatro companheiros já estão cavalgando para o sul de Fangorn quando ele conta:

No caminho, perguntam a Gandalf como ele escapou. Ele se recusa a contar toda a história, mas diz como passou pelo fogo (e água?) e chegou ao "fundo do mundo", e lá, por fim, derrotou o Balrog, que fugiu. Gandalf seguiu-o por um caminho secreto até a Torre de Durin no pináculo (? de Caradras). Lá travaram batalha — os que olhavam de longe pensaram que fosse uma tempestade com trovão e raios. Veio uma grande chuva. O Balrog foi destruído, e a torre se despedaçou e as rochas bloquearam a porta do caminho secreto. Gandalf foi deixado no topo da montanha. A águia Gwaihir o resgatou. Ele voltou então para Lothlórien. Galadriel o traja em vestes brancas antes de ele partir. Enquanto Gandalf estava no topo da montanha, viu muitas coisas — uma visão de Mordor etc.

Essa é a primeira vez que surge a forma *Gwaihir* (aqui inicialmente escrito *Gwaehir*, ao que parece) no lugar de *Gwaewar*, que ainda era o nome na parte inicial deste capítulo.

Há um rascunho muito rudimentar e inacabado para a versão final e o posicionamento da história de Gandalf ("Longamente caí, e ele caiu comigo [...]", DT, p. 739). Nele, Gandalf descreve o Balrog com o fogo extinto assim: "era uma criatura de lodo, forte como uma serpente estranguladora, lisa como gelo, maleável como uma tira, inquebrável como aço". Dos "seres sombrios e insabidos" que roem o mundo "abaixo das mais fundas escavações dos anãos" ele diz: "Somente Sauron talvez os conheça, ou alguém mais antigo que ele". E, depois das palavras "não trarei relato para manchar a luz do dia", o texto continua:

"[...] Pouca coisa eu supunha do abismo sobre o qual se estendia a Ponte de Durin."

"Não?", disse Gimli. "Eu poderia ter te contado, se houvesse tempo. Prumo nenhum jamais chegou ao fundo — deveras jamais se recuperou nenhum que tenha sido lançado ali."[5]

Na cópia manuscrita passada a limpo, quase se chega à versão da história de Gandalf presente em DT, mas ainda há algumas diferenças. Ele diz que, agarrado ao calcanhar do Balrog, "enfiei os dentes nele como um cão de caça, e senti o gosto do veneno"; e que a Torre de Durin estava "esculpida na rocha viva do próprio pináculo do rubro Caradras". Isso foi subsequentemente alterado para "a rocha viva [de] Zirakinbar,[6] o pináculo do Pico-de-Prata. Ali, no alto de Kelebras, havia uma janela solitária na neve [...]". Sobre esses nomes, ver pp. 210–1, notas 18, 21–2.

Gandalf não diz, como em DT (p. 740) "Nu fui mandado de volta — por breve tempo, até minha tarefa estar concluída", mas simplesmente "Nu retornei, e nu jazi no topo da montanha".[7] E de sua chegada a Caras Galadon, levado por Gwaihir, diz que "descobri que havíeis partido há três dias" e que se demorou "ali no longo tempo que, naquela terra, conta como uma breve hora do mundo" (em DT, "no tempo imutável daquela terra"): ver pp. 431–3.

Neste momento, as mensagens que trouxe de Galadriel para Aragorn e Legolas eram muito diferentes:

Pedra-Élfica, Pedra-Élfica, da pedra verde és dono
No sul verás a pedra verde acobertada em neve
Vê bem, Pedra-Élfica! Na sombra do escuro trono
E a hora que há muito te espera então chegará breve.

Verdefolha, Verdefolha, que o arco-élfico apresta,
Pra lá de Trevamata a terra árvores gesta.
Flechada a última flecha, hás de ir a estranha floresta![A]

Contudo, o diálogo que se segue entre Gimli, Legolas e Gandalf é precisamente como em DT, p. 741. Sobre a importância da estrofe dirigida a Aragorn, ver p. 528.

Com o acréscimo da história de Gandalf a esse capítulo, aquilo que originalmente era a abertura de "O Rei do Paço Dourado" (a partir de "Gandalf então envolveu-se de novo em sua velha capa esfarrapada", ver p. 507) foi incorporado a "O Cavaleiro Branco", que terminava agora nas palavras de Gandalf "Não mostrai arma, não dizei palavra altiva, aconselho a todos, até que tenhamos chegado diante do assento de Theoden" (DT, p. 746). A versão final da história da partida de Fangorn, a convocação dos cavalos, a grande cavalgada para o sul pelas planícies, com a visão da fumaça se erguendo longe no Desfiladeiro de Rohan, e a visão de Eodoras no sol nascente (DT, pp 742–6, que constituem o fim de um capítulo e o começo de outro) foi atingida quase até o último detalhe na cópia manuscrita limpa.[8] A essa altura, meu pai tinha alterado o fim de "Os Cavaleiros de Rohan" (p. 472) para a forma que assume em DT, p. 662 ("Os cavalos tinham ido embora. Haviam arrancado as estacas e desaparecido"), e mudado o início de "O Cavaleiro Branco", deixando-o como em DT, p. 721 ("'Tu os ouviste, Legolas? Para ti soaram como animais aterrorizados?' 'Não', respondeu Legolas. 'Ouvi-os claramente. [...] eu pensaria que eram animais animados por algum súbito contentamento'").

NOTAS

[1] Um pequeno recorte de papel usado para rascunhar o momento em que reconhecem Mithrandir (DT, p. 730) era uma página de um calendário de compromissos "para a semana que termina no sábado, 22 de fevereiro". 22 de fevereiro caiu num sábado em 1941, não 1942.

[2] A antecessora dessa frase apareceu no esboço da p. 456, assim como "Fiquei muito queimado ou *bem* queimado"; ver também as notas na p. 496. A sugestão de Gandalf de que ele agora "é" Saruman, no sentido de que é "Saruman como ele deveria ter sido", está ausente, mas aparece na cópia limpa conforme escrita de início.

[3] As palavras de Gandalf que se seguem em DT — "Havia uma escuridão sobre os vales das Emyn Muil" — estão ausentes no rascunho, mas encontram-se na cópia limpa (com *Sarn Gebir* em vez de *as Emyn Muil*).

[4] Para as notas mais antigas sobre a fuga de Gandalf de Moria, ver VI. 563–4 e pp. 251–2 deste livro.

[5] É interessante olhar para trás e ver as ideias originais de meu pai sobre o abismo nos trechos mencionados na nota 4: "provavelmente queda não é tão funda

O CAVALEIRO BRANCO

quanto parecia [...] e por fim seguindo o riacho subterrâneo no abismo ele encontrou a saída ", e "O precipício não era muito profundo (apenas uma espécie de fosso e estava cheio de água parada). Seguiu o canal e desceu para as Profundas."

6 A forma *Zirakinbar*, que precedeu *Zirakzigil*, encontra-se também em uma nota completamente isolada: "*Barazinbar, Zirakzinbar, Udushinbar*", junto com uma referência ao "Chifre-de-Prata e o Chifre de Nuvem".

7 Ver *Cartas*, n. 156 (4 de novembro de 1954):

> "'Nu fui mandado de volta — por breve tempo, até minha tarefa estar concluída'. Enviado de volta por quem, e de onde? Não pelos "deuses", cujo assunto é apenas com esse mundo personificado e com seu tempo; pois ele saiu "do pensamento e do tempo". Nu, infelizmente, não está claro. Isso foi pretendido simplesmente de maneira literal, "desnudo como uma criança" (não desencarnado) e, dessa forma, pronto para receber o manto branco do mais elevado. O poder de Galadriel não é divino, e sua cura em Lórien é pretendida como sendo não mais que a cura e o alívio físicos."

8 O rascunho inicial perdeu-se em grande medida pois se escreveu por cima dele. Os únicos pontos significativos em que o texto da cópia limpa difere do texto em DT, com exceção dos nomes, são que Theoden é o "Mestre de Rohan" e "senhor da Marca", onde em DT ele é chamado de "Rei" (ver p. 523); que Gandalf diz a Scadufax "Agora cavalguemos longe juntos, antes que nos separemos outra vez!", onde em DT ele diz "e neste mundo não nos separemos mais!"; e que "as montanhas do Sul" (as Montanhas Negras) são "de pontas negras e rajadas de branco", onde em DT elas são as Montanhas Brancas, "de pontas brancas e rajadas de preto": compare com a descrição anterior em "Os Cavaleiros de Rohan" (DT, p. 635), onde o texto original foi mantido: "subindo até picos de azeviche, encimadas de neves rebrilhantes".

Entre os nomes *Sarn Gebir* (no lugar de *Emyn Muil*), *Winseld* e *Eodoras* ainda estão presentes. No fim do capítulo, na frase de Gandalf "os Senhores-de-cavalos não dormem" (DT, p. 746), a forma *Rohir* (não *Rohiroth*) está escrita acima.

25

A História Prevista
a partir de Fangorn

Neste capítulo, incluo dois esboços de grande interesse, pois neles meu pai discutiu os problemas estruturais da história que ele previa nessa época. O primeiro foi evidentemente escrito quando "O Cavaleiro Branco" estava completo na forma mais antiga (ou seja, sem a história do Balrog que Gandalf conta, ver pp. 506–7); a cavalgada através de Rohan e a visão de Eodoras ao longe, ao amanhecer, pode ou não estar presente, mas essa questão não tem importância aqui.

27

Gandalf, Aragorn, Legolas, Gimli chegam a Eodoras na manhã de 31 de jan.[1] (Naquela tarde, Merry e Pippin vão com os Ents para Isengard).

Entram nos paços de Theoden. Theoden saúda Gandalf de forma dúbia — como arauto de problemas. Relatara-se que Scadufax vinha do Oeste pelo desfiladeiro e estava disparando para o norte.[2] Temiam que Gandalf voltaria. Então Eomer cavalgara de volta, com estranhas notícias acerca da queda de Gandalf. "Isso", disse Theoden, "parece que foi demasiado esperançoso; pois agora Gandalf retorna e notícias piores o seguem."

Ao lado desse parágrafo foi escrito na margem, ao mesmo tempo que o texto, "Um mensageiro de Minas Tirith está presente".

Há batalha nas fronteiras do Westemnet. Uma invasão de Orques de Saruman foi rechaçada (não sem perdas para os Rohiroth) na direção das margens do Rio Isen. Mas chegaram notícias de que orques estavam saindo de Isengard, e de que homens do Marco--do-Meio[3] (há muito sujeitados por Saruman) estavam chegando.

A HISTÓRIA PREVISTA A PARTIR DE FANGORN

"Não temos esperança de defender o rio por muito tempo", disse Theoden. "Eomer foi até lá com tais homens de que ainda se podia dispor. E agora, quando estamos cercados pelo Oeste, chegam notícias deveras ruins. Toda Rhûn, a Grande, o Leste sem fim, está se movimentando. Sob o comando do Senhor Sombrio de Mordor, movem-se do longínquo Norte para o Sul. Minas Tirith está cercada. Os ferozes homens escuros do Sul, os Haradwaith (Harwan Silhargs Homens da Terra-do-Sol-Harg Homens da Terra Harg) vieram em muitos navios e amontoam-se na Baía de Belfalas e tomar[am] a ilha de Tolfalas. Subiram o Anduin em muitas galés, e de Mordor saíram outros que atravessaram em Elostirion.[4] Uma maré de guerra rola sob as próprias muralhas de Minas Tirith. Mandaram-nos pedido urgente de auxílio. E não podemos prestá-lo. Mas, se Minas Tirith cair, a maré sombria assolará desde o Leste.

> Ao lado desse trecho a respeito de Minas Tirith foi escrito na margem, ao mesmo tempo que o texto, "Ainda não souberam da queda de Boromir". Mais adiante, todo o trecho a partir de "E agora, quando estamos cercados pelo Oeste" até esse ponto foi posto entre colchetes a lápis com a nota "Colocar depois do retorno vitorioso de Isengard". Theoden continua:

Chegaste no fim dos dias de Rohan. Não por muito tempo há de se manter o paço (que Brego, filho de Brytta [*alterado depois a lápis para* Eorl, filho de Eofor] construiu).[5] O fogo há de devorar o alto assento. O que podes dizer?"

Gandalf diz palavras de conforto. Tudo o que se pode fazer é uma coisa por vez, e prosseguir sem olhar para trás. Que ataquemos Saruman e depois, se a fortuna estiver conosco, viremos e encaremos o Leste. Há uma esperança. Algo talvez aconteça no Oeste (ele não fala abertamente dos Ents).

Gandalf implora por Scadufax como presente.

Theoden diz Sim — isso pelo menos assegurará que Gandalf escape quando tudo o mais cair. Gandalf não perde a calma. Diz que não haverá escape para ninguém. Mas ele quer como *presente*, pois levará Scadufax para grande risco: prateado contra negro.

A cerimônia da dádiva. Gandalf lança para trás as vestes cinzentas e se torna o Cavaleiro Branco. Pede que Theoden se arme, por mais velho que seja, e que siga com todos os que restaram que conseguem portar armas. O restante há de empacotar as coisas e se preparar para fugir para as montanhas.

Cavalgam sem descanso. Encontram mensageiros que relatam que o Segundo Mestre morrera e as forças de Rohan estavam quase cercadas, enquanto as forças de Saruman se fortaleciam continuamente.

Gandalf esporeia Scadufax e dispara no pôr do sol.

Com sua ajuda e de Aragorn, os Isengardenses são rechaçados. O acampamento dos Rohiroth. *Mas os Isengardenses estão do outro lado do rio.*

Pela manhã, despertam e olham assombrados. Uma *mata* estava ali onde antes não havia nada, entre os Isengardenses e o Oeste. Há clamor e confusão. Vastas colunas de vapor se veem subindo de Isengard, e o rumor de estranhos barulhos e estrondos. Os Isengardenses são empurrados para o rio. Os que atravessam são subitamente assolados pelas árvores que parecem ganhar vida. Só uns poucos escapam, fugindo na direção sul para as Montanhas Negras.

As forças vitoriosas sob comando de Eomer e Gandalf cavalgam para as portas de Isengard. Encontram-nas como uma pilha de pedregulho, bloqueadas por uma imensa parede de pedra. No topo da pilha estão sentados Merry e Pippin!

Encontro de Barbárvore e Gandalf.

Como os Ents dominaram Isengard? Abrir[am] as comportas na extremidade Norte e bloquearam a vazão perto do Grande Portão. Primeiro observaram a noite toda, vendo cada vez mais orques etc. arremeterem de Isengard. Depois, simplesmente abriram um caminho na extremidade Norte e espionaram, e descobriram que Saruman tinha sido deixado praticamente sozinho na torre. Quebraram a porta e a escadaria para a torre e então se retiraram. Na extremidade Norte, eles deixaram o Rio Isen entrar, mas bloquearam sua saída. Logo todo o chão do círculo estava inundado com muitos pés de profundidade. Então, enquanto alguns vigiavam, o restante foi para a retaguarda da batalha.

Aqui vem a cena em que deixam Saruman sair da torre, e ele tentando falar de modo amigável com Gandalf. "Ah, meu caro Gandalf! Estou tão contente em ver-te; nós, pelo menos (nós magos), compreendemos um ao outro. Essas pessoas parecem estar tão desnecessariamente furiosas.[6] Que bagunça está o mundo. De fato, tu e eu precisamos consultar um ao outro — homens como nós são necessários. Ora, e quanto às nossas esferas de influência?"

Gandalf olha para ele e ri. "Sim, eu te compreendo muito bem, Saruman. Dá-me o cajado", disse em uma voz de terrível comando. Pegou-o e o quebrou. "Eu sou o Mago Branco agora", falou. "Vê, estás trajado de muitas cores!". Viram-lhe a capa do avesso. Gandalf lhe dá um cajado tosco. [*Acrescentado subsequentemente:* Saruman deve partir sem cajado, e sem qualquer coisa de madeira para se escorar, por decreto de Barbárvore.] "Vai, Saruman!", disse ele, "e implora dos caridosos um lugar para passar a noite."[7] [*Acrescentado subsequentemente:* Ou colocar isso mais para o fim da história — no meio-tempo, entregar Saruman à guarda dos Ents. *Outro acréscimo:* Sim.]

[*Escrito na margem, ao mesmo tempo que o texto:* Melhor: o anel de Isengard é arruinado pelos Ents, mas Saruman se tranca em Orthanc e não pode ser atacado *ainda*, pois não há tempo.]

Outra maneira de contar a história seria continuar do fim do Capítulo 26 e relatar a vinda dos Ents para Isengard.[8] Como eles resolveram não invadir primeiro, mas vieram por trás do exército-órquico. Fazer Merry e Pippin verem os orques rechaçando os Homens de Rohan de volta por cima do Rio. Os Ents ficam de tocaia atrás deles. Então relatar a batalha do ponto de vista de Merry e Pippin — visão distante do cavaleiro branco em um cavalo brilhante. Reconhecem a espada e a voz de Aragorn, mas não sabem quem é o Cavaleiro Branco. Gandalf e Barbárvore se encontram depois da batalha — e então o ataque a Isengard por Gandalf e os Ents.

Retorno a Eodoras. Funeral de ————, o Segundo Mestre[9] [*Acrescentado acima:* Háma e Theodred]. Banquete em Winseld.[10] Eowyn, irmã de Eomer, serve os hóspedes. Descrição dela e de seu amor por Aragorn.

Chegam notícias ao banquete ou na manhã seguinte do cerco de Minas Tirith pelos Haradwaith.[11] [*Acrescentado subsequentemente:* trazidas por um gondoriano moreno como Boromir.[12] Theoden responde que não deve fidelidade — somente aos herdeiros de Elendil. Mas irá.] Os cavaleiros de Rohan vão para o Leste, com Gandalf, Aragorn, Gimli, Legolas, Merry e Pippin. Gandalf como

A TRAIÇÃO DE ISENGARD

Cavaleiro Branco. [*Acrescentado subsequentemente:* Eowyn vai como Amazona.] Visão de Minas Tirith ao longe.

Na parte desse esboço que diz respeito à história que se seguiria imediatamente, e com a qual este livro termina, ver-se-á que, ainda que Theoden não seja receptivo e esteja pouquíssimo bem disposto em relação a Gandalf, não passa disso: não há nenhum vestígio da situação desagradável em Eodoras que chegou com Língua-de--Cobra — nenhum traço da subjugação da mente e da vontade de Theoden, da desgraça de Eomer, da exibição triunfante do poder de Gandalf no paço de Winseld. Surge Eowyn, irmã de Eomer, e seu amor por Aragorn, mas só com o banquete fúnebre em Winseld depois da vitória.

A julgar pela abertura do segundo esboço, ele também pertence a essa época, mais ou menos:

Ordem da História.
Levar cada um dos grupos à crise. Ents interromper em "A noite jaz sobre Isengard". Terminar 26 com a visão longínqua do telhado dourado de Winseld (e visão da fumaça)[13] (Possivelmente veem homens de armadura estranha cavalgando do Leste para Eodoras).

Agora, voltar para Frodo e Sam. Encontro com Gollum. Traição de Gollum. Captura de Frodo no lado *oeste* de Kirith Ungol. Frodo aprisionado em uma torre[14] — porque (a) não está com nenhum anel, (b) Sauron está ocupado com a guerra e leva tempo para que lhe chegue mensagem.

Depois, voltar para Gandalf e a batalha do Isen, banquete da vitória, socorro a Minas Tirith, e a marcha do exército de Gandalf rumo a Dagorlad e aos portões de Kirith Ungol.
Depois, voltar para Frodo. Fazê-lo olhar na noite impenetrável. Então, usar o frasco, que escapou (agarrado na sua mão ou enrolado em um trapo). Com sua luz, ele vê as forças de libertação se aproximando e a hoste sombria saindo para encontrá-los.[15] Sofre por Sam — ou acha que ele o traiu também.
Os guardas-órquicos vêm até ele, e levam o frasco e tapam as janelas, e ele jaz no escuro e em desespero.

515

A HISTÓRIA PREVISTA A PARTIR DE FANGORN

Onde colocar negociação de Sauron e Gandalf? Se for depois da captura de Frodo, os leitores saberão que Frodo [*escrito acima*: Sauron] não tem o Anel. [*Acrescentado subsequentemente em dois estágios*: Não, não se você interromper com Frodo levado pelos Orques e antes de Sam resgatá-lo. / Mesmo se for contado que Sam levou o Anel,[16] você pode fazer Sam fugir entre as rochas, com Gollum (e orques) no seu encalço, e sua fuga parecer improvável.]

Provavelmente melhor como planejado originalmente — [? todo o relato] de Gandalf até Kirith Ungol — e depois voltar para Sam e Frodo.

Sam resgata Frodo e, enquanto a batalha se avoluma na boca de Gorgoroth, eles fogem rumo a Orodruin.

NOTAS

[1] A data posterior da partida da Comitiva de Valfenda, 25 de dezembro, agora havia entrado (ver p. 497): portanto "Dia 1" (dia da morte de Boromir) na tabela da p. 475 era 26 de janeiro (ver a tabela na p. 431), e Aragorn, Legolas e Gimli encontraram Gandalf em Fangorn em 30 de janeiro ("Dia 5").

[2] Na quinta versão de "O Conselho de Elrond" (p. 184), Gandalf não diz o que aconteceu com Scadufax, mas a nota isolada da p. 457 diz "Deve-se fazer algum relato de 'Scadufax' na casa de Elrond". Contudo, essa nota também questiona: "Ou ele simplesmente foi embora depois que Gandalf chegou a Valfenda?" e "Como Gandalf o convocou?". Em notas preliminares de "Os Cavaleiros de Rohan" (p. 457), conta-se que o "cavalo de Gandalf reaparece — enviado de Valfenda"; e, no texto daquele capítulo (pp. 469–70), Eomer diz a Aragorn que ele havia retornado sete dias antes, ao que Aragorn responde: "Mas Gandalf deixou Scadufax no Norte longínquo, em Valfenda. Ou assim eu pensava". No presente trecho, Scadufax havia recentemente voltado do Oeste pelo Desfiladeiro de Rohan, e então foi para o norte: o que certamente sugere que ele viera de Valfenda e estava indo para o norte, para Fangorn, obedecendo às convocações que Gandalf misteriosamente lhe comunicou.

O relato mais antigo que restou da convocação de Gandalf a Scadufax, com seus três assobios nítidos, e o retorno do cavalo pelas planícies até a beira de Fangorn junto de Arod e Hasofel, já está exatamente como em DT (ver p. 509); e isso parece se adequar à história no presente texto, pois Gandalf diz a Scadufax: "É um longo caminho de Valfenda, meu amigo; mas és sábio e veloz, e vens quando é preciso", e diz a Legolas "Dirigi meu pensamento a ele, pedindo-lhe que se apressasse; pois ontem estava longe, no sul desta terra". (Por outro lado, Legolas diz "Nunca vi igual antes", o que não sugere que Scadufax estivesse em Valfenda quando a Comitiva estava lá).

A história publicada no SdA é extremamente difícil de entender. Em "O Conselho de Elrond" (SA, p. 378), Gandalf diz: "Levei quase quatorze dias desde o Topo-do-Vento, pois não conseguia cavalgar entre as rochas dos morros dos trols, e Scadufax partiu. *Mandei-o de volta ao dono* [...]". Isso foi por volta de 4 de outubro. A informação seguinte que temos é em "Os Cavaleiros de Rohan", em que Eomer ainda diz a Aragorn que Scadufax voltara "sete noites atrás" (mas "agora o cavalo está selvagem e não deixa homem nenhum lidar com ele"), ao que Aragorn responde: "Então Scadufax encontrou seu caminho sozinho desde o Norte longínquo; pois foi ali que ele e Gandalf se separaram". Mas agora já era 30 de fevereiro, de modo que, quando voltou para o dono, fazia quase cinco meses que Gandalf o mandara embora no Topo-do-Vento! E então, no fim de "O Cavaleiro Branco" (DT, p. 743), há o trecho já citado: "É um longo caminho de Valfenda, meu amigo; mas és sábio e veloz, e vens quando é preciso". É difícil resistir à conclusão de que a alteração na história de Gandalf ao Conselho de Elrond não foi feita.*

3 *Marco-do-Meio*: Enedwaith, entre o Griságua e o Anduin. Ver Mapas II e III, pp. 360, 364.

4 Ver o esboço da p. 456: "Minas Tirith derrota Haradwaith". — Todos esses nomes (*Harwan, Silhargs; Terra Harg, Terra-do-Sol-Harg*) derivam do inglês antigo *Sigelhearwan*, "Etíopes". O artigo de meu pai intitulado *Sigelwara Land*, dividido em duas partes (*Medium Ævum* 1 e 3, dezembro de 1932 e junho de 1934), estudava a etimologia e o significado do nome *Sigelhearwan*, e concluía que, se o significado do primeiro elemento — *Sigel* — era certamente "Sol", não era possível descobrir o do segundo elemento — *hearwan*: "um símbolo [...] daquela grande parte da antiga língua inglesa e seu saber que agora desapareceu para além de qualquer recobro, *swa hit no wære* [como se nunca tivesse existido]". Compare esses nomes com *Sunlands* [Terras-do--Sol], *Swertings* [Tisnados], p. 368. — *Tolfalas* apareceu na porção original do Primeiro Mapa (ver p. 351 e Mapa III^A na p. 363). Sobre *Elostirion* em vez de Osgiliath, ver p. 498.

5 No SdA, o pai de Eorl era Léod, e Brego era filho de Eorl. Brytta foi décimo primeiro Rei da Marca, uns dois séculos e meio depois de Brego (ver SdA, Apêndice A (II)).

6 Essas observações de Saruman, a partir de "nós, pelo menos [...]", foram postas entre colchetes no momento da escrita.

7 Esse rascunho do Saruman "afável" e de Gandalf quebrando seu cajado tem origem em "A História Prevista a partir de Moria", p. 253; ver também p. 496.

---

*Ou seja, Christopher Tolkien sugere que seu pai pretendia alterar a história, de modo a fazer com que Scadufax tivesse levado Gandalf a Valfenda, e não partido no Topo-do-Vento, mas essa alteração nunca foi feita no "Conselho de Elrond". — Sobre a frase em que Gandalf menciona os "quatorze dias", como já se disse, isso foi corrigido para "quinze dias" na edição de 2004. [N.T.]

A HISTÓRIA PREVISTA A PARTIR DE FANGORN

[8] O Capítulo 26 é "O Cavaleiro Branco".

[9] O Segundo Mestre chamava-se inicialmente *Marhath* (p. 457; esse nome foi então dado ao Quarto Mestre, p. 469), e depois *Eowin* (pp. 461–2).

[10] Acerca do nome do Paço Dourado, ver p. 471.

[11] Portanto, o trecho em que Theoden, na sua conversa inicial com Gandalf, fala do ataque dos Haradwaith em Minas Tirith (pp. 511–2), e que foi posto entre colchetes com a nota de que deveria vir após o retorno vitorioso a Eodoras, já foi movido.

[12] Não encontrei uma explicação para o conceito que subjaz a isso. Possivelmente deve ser comparado às palavras de Gandalf em *O Retorno do Rei*, Capítulo 1, "Minas Tirith", p. 1105: "por algum acaso o sangue de Ociente corre nele quase puro; e também em seu outro filho, Faramir, *porém não em Boromir*, que ele mais amava". Mas isso foi escrito muitos anos depois.

[13] A fumaça vista no pôr do sol do dia anterior, na direção do Desfiladeiro de Rohan (p. 509).

[14] Quanto a terem levado Frodo para uma torre-de-guarda (e não Minas Morgul), ver p. 403 e nota 39, e pp. 483–4.

[15] A luz do Frasco de Galadriel deve ser vista aqui como algo de poder imenso, uma verdadeira estrela na escuridão.

[16] Não consigo acompanhar o pensamento aqui: porque, de todo modo, o fato de Sam pegar o Anel precisa ser contado antes de Frodo ser levado pelos Orques.

26

O Rei do Paço Dourado

A história textual deste capítulo é praticamente a mesma de "O Cavaleiro Branco": em certo sentido, o primeiro manuscrito coerente e legível também é o primeiro texto restante do capítulo, pois os rascunhos rudimentares foram escritos, seção por seção, conforme o manuscrito principal prosseguia. Em outras palavras, o manuscrito era o veículo do desenvolvimento da narrativa, e a distinção entre "rascunho" e "cópia limpa" não é, de forma nenhuma, uma distinção entre duas entidades manuscritas separadas, em que uma é finalizada por inteiro antes de a outra começar. Por praticamente toda a terceira e última parte do capítulo, contudo, não há nenhum rascunho independente, pois a conceção inicial a lápis foi sobrescrita à tinta.

Uma porção substancial do capítulo existia de alguma forma antes de a história de Gandalf sobre o Balrog ser acrescentada a "O Cavaleiro Branco" (ver pp. 506–7), e o ponto de separação entre "O Rei do Paço Dourado" (ainda sem esse título) e "O Cavaleiro Branco" foi alterado duas vezes.[1]

No estágio mais antigo da narrativa, abandonado antes de ir muito longe, Gandalf (com Gimli) deixa Aragorn e Legolas para trás antes de chegarem a Eodoras:

"Essas cortes são chamadas de Eodoras", comentou Gandalf, "e Winseld é aquele paço dourado. Ali habita Theoden,[2] filho de Thengel, senhor da marca de Rohan. Chegamos com o nascer do dia. Agora a estrada está fácil de se ver à vossa frente. Apressai-vos tanto quanto for possível!"

Então subitamente ele falou com Scadufax e, como uma flecha do arco, o grande cavalo disparou. Quando olharam, já tinha ido: um lampejo de prata, um vento na grama, uma visão que fugiu e esmaeceu diante dos olhos.

Rapidamente instaram seus cavalos a seguirem, mas, se estivessem a pé, teriam a mesma chance de alcançá-lo. Tinham percorrido apenas uma pequena parte do caminho quando Legolas exclamou: "Aquele foi um magno salto! Scadufax atravessou o riacho da montanha e já passou para cima da colina e saiu da minha visão."

A manhã estava luminosa e clara em torno deles, e pássaros cantavam, quando Aragorn e Legolas chegaram ao riacho; descendo veloz rumo à planície, curvava-se ao atravessar a trilha deles, virando-se para o leste para alimentar o Entágua bem longe à esquerda em seu leito pantanoso. Aqui havia muitos salgueiros, já nessa terra meridional corando rubros nas pontas dos galhos no presságio da primavera. Encontraram um vau, muito pisoteado em cada uma das margens pela passagem de cavalos, e atravessaram, e, por fim subiram cavalgando pela trilha verdejante até Eodoras.

Ao pé da colina, passaram pelo meio de sete morrinhos altos e verdes. Já estavam estrelados com pequenas flores pálidas e, no abrigo dos flancos ocidentais, a relva estava branca com flores balançantes como pequenos galantos. "Olha, Legolas!", disse Aragorn. "Estamos passando pelos morros onde dormem os antepassados de Theoden". "Sim", disse Legolas. "Há sete morros, e sete longas vidas de homens se passaram desde que os Rohiroth vieram do Norte até aqui. Duzentas vezes e mais caíram as folhas vermelhas em Trevamata, meu lar, desde então,[3] e isso nos parece pouca mudança. Mas para eles parece que faz tanto tempo que sua estadia no Norte é apenas uma lembrança em canção, e sua fala já se apartou dos parentes do Norte."

Os companheiros entraram pelos portões. Cavaleiros os guardavam, e os conduziram até o paço. Lá viram Theoden, o velho. Ao lado dele estava sentado Gandalf, e, aos seus pés, Gimli, o anão.

No pé da página, que é onde esse rascunho termina, está a nota: "? Notícias do ataque a Minas Tirith pelos Haradwaith em navios"; ver pp. 511–2, 514.

Seria interessante saber que ideia estava por trás da "entrada separada" em Eodoras; mas, seja lá qual fosse, a chegada até lá, e mesmo a entrada em Winseld, se deu, ao que parece, sem qualquer cerimônia, interrogatório ou deposição de armas. Não há sugestão de hostilidade, ou mesmo de desconfiança, em relação aos estranhos, e isso está de acordo com o primeiro esboço incluído no último capítulo (ver p. 515). Ver-se-á a seguir que a concepção inteira da situação em Eodoras surgiu durante a escrita de "O Rei do Paço Dourado".

Ainda que a história da entrada separada dos quatro companheiros tenha permanecido, uma recepção fortemente "beowulfiana" de Aragorn e Legolas aos portões foi introduzida de pronto em um rascunho revisado.[4]

[...] chegaram por fim às amplas muralhas varridas pelo vento e aos portões de Eodoras. Ali estavam sentados homens com brilhantes cotas de malha em altivos corcéis, e lhes falaram em uma língua estranha.

"Abidath cuman uncuthe! [*Rejeitado assim que foi escrito:* Hwæt sindon ge, lathe oththe leofe, the thus seldlice gewerede ridan cwomon to thisse burge gatum? No her inn gan moton ne wædla ne wæpned mon, nefne we his naman witen. Nu ge feorran-cumene gecythath us on ofste: hu hatton ge? hwæt sindon eower ærende to Theoden urum hlaforde?"[5] Aragorn compreendeu essas palavras] demandando seus nomes e sua missão. Essas palavras Aragorn compreendeu e a elas deu resposta. "Sou Aragorn, filho de Arathorn", disse ele, "e comigo está Legolas de Trevamata. Tais nomes talvez já ouvistes, e nossa chegada talvez já fosse esperada. Mas agora pedimos para ver Theoden, vosso senhor; pois viemos em amizade e pode ser que nossa chegada

Aqui o rascunho é interrompido. Não parece que a história segundo a qual Gandalf e Gimli iam na frente com Scadufax e entravam em Eodoras primeiro foi levada adiante. Contudo, é curioso que, quando a história foi alterada, meu pai parece ter se esquecido de Gimli: ele não é nomeado no encontro com a guarda nos portões, não há menção a ele entregando o machado nas portas da casa, e meu pai chegou até mesmo a escrever: "Agora os três companheiros avançaram" no paço de Theoden. Essas referências foram acrescentadas na "cópia limpa" manuscrita, e "três" foi alterado para "quatro"; e Gimli aparece conforme o texto era escrito, quando ele se adianta e é refreado por Gandalf, ao ouvir as palavras de Língua-de-Cobra sobre Lothlórien (DT, p. 755). Não creio que isso possa

O REI DO PAÇO DOURADO

ter qualquer importância narrativa; mas foi certamente um lapso estranho, e não é fácil explicá-lo.[6]

A história da chegada a Eodoras foi então revisada novamente. Gandalf está presente quando os viajantes são questionados nos portões, e os guardas, exclamando *Abidath cuman uncuthe*, são rebatidos por ele usando o idioma de Rohan.[7] As flores nos morros (ainda há sete deles) tornam-se *nifredil*, as flores de Lórien (ver nota 4, e pp. 278–9); e Aragorn entoa os versos *"Onde o cavalo e o ginete?"*,[8] referindo-se a "Eorl, o Velho", alterado imediatamente para "Eorl, o Jovem", "que cavalgou descendo do Norte", e à "sua montaria, Felaróf, pai de cavalos" (DT, p. 748). Mas nesse estágio Língua-de-Cobra ainda não tinha surgido, e a desconfiança e hostilidade dos guardas evidentemente são oriundas do simples desgosto e desconfiança que Theoden tinha por Gandalf;[9] além disso, Eomer não tinha retornado a Eodoras desde que Aragorn, Legolas e Gimli se separaram dele:

"[...] Então Eomer não retornou e avisou sobre nossa chegada?"

"Não", disse o guarda. "Não passou por estes portões. Por causa de mensageiros de Theoden, desviou-se e foi para o oeste, para a guerra, sem se demorar. Mas talvez, se o que dizeis for verdade, Theoden terá conhecimento disso. Irei ao meu senhor tomar ciência de sua vontade. Mas que nomes hei de relatar? [...]"

Com esse trecho, compare DT, p. 749. — No rascunho original da cena em que os viajantes precisam depor as armas antes de entrar na casa de Theoden, há uma breve descrição dela:

Antes do salão de Theoden havia um pórtico, com pilares feitos de enormes árvores cortadas nas florestas das regiões altas e entalhados com figuras entrelaçadas, folheadas a ouro e pintadas. As portas também eram de madeira, esculpidas à semelhança de muitos animais e aves com olhos engastados de joias e garras douradas.

É curioso que, na "cópia limpa" manuscrita, e de lá para texto final, não haja nenhuma descrição do exterior da casa, e creio que isso talvez tenha se perdido durante o complexo processo de rascunhar novamente e reordenar o material.[10]

Na escuridão junto às portas do salão, vendo em um dos panos suspensos a figura de um jovem montado em um cavalo branco

A TRAIÇÃO DE ISENGARD

(DT, p. 753), Aragorn disse: "Contemplai Eorl, o Jovem! Assim ele cavalgou vindo do Norte para a Batalha do Campo de Gorgoroth". Um rascunho muito difícil que precede esse diz "a Batalha de Gorgoroth na qual Sauron foi [? derrotado]", o que deixa claro que, neste estágio, meu pai imaginava que Eorl tinha ido para o sul, para a grande batalha na qual Gil-galad e Elendil foram mortos e Isildur tomou o Anel.[11]

No encontro com Theoden, a evidência manuscrita não é muito fácil de interpretar, mas parece certo que foi neste ponto que Língua--de-Cobra entrou na história; pois o que é obviamente a descrição mais antiga de Theoden, escrita com o rabisco mais desbotado, diz:

No extremo oposto do salão, além da lareira e dando para as portas, havia um tablado com três degraus, e no meio do tablado havia uma grande cadeira. Na cadeira estava sentado um homem tão encurvado pela idade que quase parecia um anão. Seu cabelo branco estava [? trançado] sobre os [? ombros], sua longa barba deitava-se nos joelhos. Mas os olhos ardiam com uma luz afiada que brilhava de longe. Atrás de sua cadeira havia duas belas mulheres. A seus pés, nos degraus, estava sentado um encarquilhado vulto [*riscado:* velho] de homem de rosto pálido e sábio. Fez-se silêncio.

Na "cópia limpa", o texto se move para perto do de DT (pp. 753–5), e aparece agora o "fino diadema dourado" de Theoden (que é subsequentemente chamado de "Rei" neste manuscrito); mas na testa ele tem "uma grande pedra verde" (não "um único diamante branco" como em DT: ver p. 528), e ainda havia "duas belas mulheres" atrás da sua cadeira.

Mas, embora Língua-de-Cobra estivesse presente, da forma que a cena foi rascunhada inicialmente ele não intervinha, e é Theoden quem fala da morte do Segundo Mestre da Marca, aqui chamado *Eofored*,[12] nas marcas ocidentais de Rohan, e é Theoden quem chama Gandalf de *Láthspell*, Más-notícias. Gandalf responde, como em DT, falando sobre as diferentes maneiras com que um homem pode trazer más novas, e outra vez é Theoden, e não Língua-de-Cobra, quem retruca "Deveras pode, ou ele pode ser de uma terceira espécie" e quem zomba da ideia de que Gandalf alguma vez trouxe auxílio a Rohan: "Pelo contrário, da última vez parece-me que foi meu auxílio que buscaste, e para que fosses embora de minha terra, surpreendi todos os meus homens e também a mim mesmo emprestando-te Scadufax".[13] Nesse estágio, a história de Eomer permanece como estava: "Eomer partiu a cavalo para lá [as marcas ocidentais] com todos salvo o último punhado dos meus cavaleiros".

Contudo, nesse ponto, antes de a conversa prosseguir, "o homem pálido sentado nos degraus do tablado" começou a desempenhar um papel; pois ele agora assumiu as observações de Theoden que lhe são atribuídas em DT. Mas é interessante observar que meu pai não o introduziu na casa de Theoden com a intenção consciente de que ele deveria ter o papel que veio a desempenhar: pois ele ainda diz, como Theoden dissera, "Agora Eomer partiu a cavalo para lá com todos salvo nosso último punhado de cavaleiros".[14]

Depois do triunfo de Gandalf sobre Língua-de-Cobra (que ainda não recebe nenhum outro nome), as duas mulheres auxiliam Theoden a caminhar pelo salão, e ele diz a elas: "Vai, Idis, e tu também, Eowyn, filha de minha irmã!".[15] Conforme elas se retiram, a mais jovem delas olhou para trás: "muito bela e esbelta parecia. Seu rosto estava repleto de gentil compaixão, e os olhos brilhavam com lágrimas não derramadas. Assim Aragorn a contemplou pela primeira vez à luz do dia, e depois de ela sair, ficou imóvel, fitando as portas escuras e pouco cuidando de outras coisas."

Ao olhar pelo terraço de sua casa com Gandalf, Theoden diz: "Agora não se manterá mais por muito tempo o alto paço que Brego, filho de Brytta, construiu" (ver p. 512 e nota 5; DT, p. 758, "Brego, filho de Eorl"); e Gandalf lhe pede, como em DT, que mande buscar Eomer. Foi nesse ponto da escrita do capítulo que entrou a história do aprisionamento de Eomer por conselho de Língua-de-Cobra, que recebe seu verdadeiro nome: *Frána* (*Gríma* não o substituiu até muito tempo depois).

Em DT, quando Gandalf falou a Theoden (p. 759), "sua voz era baixa e secreta, e ninguém, senão o rei, ouviu o que disse". Na versão antiga do capítulo, contudo, não era assim:

Sua voz era baixa e secreta, mas, para os que estavam ao lado, nítida e clara. Falou de Sauron, e da senhora Galadriel, e de Elrond em Valfenda, muito longe, do Conselho e da partida da Comitiva de Nove, e de todos os perigos da sua estrada. "Quatro apenas chegaram até aqui", disse ele. "Um se perdeu, Boromir, príncipe de Gondor. Dois foram capturados, mas estão livres. E dois partiram numa Demanda sombria. Olha para o leste, Theoden! Partiram para o coração da ameaça: duas pequenas pessoas, tais como vós em Rohan julgaríeis assunto de contos pueris. Mas a sina pende sobre eles. Nossa esperança está com eles — esperança, contanto que resistamos entrementes!"

Há muitos rascunhos desse trecho que precedem o da cópia limpa incluído acima, e em um deles há o seguinte:

Do Conselho e da partida da Comitiva de Nove. Assim chegou, por fim, às Minas de Moria e à Batalha sobre a Ponte.

"Então não era inteiramente falso o rumor que Eomer trouxe", disse Theoden.

"Não, deveras", disse Aragorn, "pois ele simplesmente repetiu o que eu lhe disse. E até essa hora na manhã passada, pensávamos que Gandalf caíra. Mesmo agora ele não contou o que lhe aconteceu em Moria. Ouviríamos de bom grado."

"Não", disse Gandalf. "O sol já ruma para o meio-dia."

Isso é clara evidência que meu pai alcançara pelo menos este ponto em "O Rei do Paço Dourado" *antes* de escrever a conclusão de "O Cavaleiro Branco" na versão posterior: ver pp. 506–7.

Depois do trecho acima, há um breve esboço:

Eomer retorna. *Wes thu Theoden hal.* Regozija-se ao ver Theoden tão melhor; mas implora perdão — salvo apenas por seu conselho de cavalgar para oeste. Diz como o atraso de um dia o afligiu.

Gandalf continua a história e expõe uma *esperança* (de Frodo no Leste). Mas eles precisam cavalgar para oeste.

Theoden lhes pede que fiquem e descansem. Mas Gandalf não se dispõe a ficar, exceto para comer . . . Theoden precisa tomar coragem e enviar todos os homens para oeste. Ele mesmo há de liderar seu povo para fora de Eodoras até o refúgio secreto [? os refúgios secretos] nas montanhas — mais defensáveis se tudo der errado.

Eomer pede que Língua-de-Cobra vá para oeste também. Scadufax. Partem. Gandalf dispara na frente.

Como já se disse, no último terço do capítulo, do ponto em que Legolas, olhando para longe, crê conseguir ver "um lampejo de

O REI DO PAÇO DOURADO

branco" e "uma minúscula língua de fogo" (DT, p. 759), há algum rascunho independente, com o manuscrito à tinta escrito por cima de um texto original a lápis. Mas fica claro que a história conforme contada em *As Duas Torres*, com o desmascaramento de Língua--de-Cobra, a reabilitação de Eomer, a refeição antes da partida, a dádiva de Scadufax, tudo isso foi alcançado quase sem hesitação.[16] Em um importante aspecto, contudo, meu pai concebeu as coisas de modo diferente no início.

Nessa primeira versão de "O Rei do Paço Dourado", o Segundo Mestre da Marca, morto no combate no Rio Isen, é Eofored, e ele não é filho de Theoden (p. 523 e nota 12).[17] Por outro lado, além de Eowyn (irmã de Eomer, p. 514; chamada por Theoden de "filha de minha irmã", p. 524), há outra dama relacionada a Theoden: Idis, sua filha. Ela está presente em toda essa porção do capítulo, mas jamais fala uma só palavra. Quando Gandalf pergunta a Theoden quem governará o povo em seu lugar quando ele partir para a Guerra, ele responde que Eowyn "há de ser a senhora em meu lugar"; e Gandalf diz "É uma boa escolha". Não há menção a Idis aqui; e, no entanto, ela ainda está presente, pois na refeição antes da cavalgada da hoste, "lá também servindo o rei estavam as senhoras Idis, sua filha, e Eowyn, irmã de Eomer". Foi Eowyn quem trouxe o vinho, e Idis novamente não é mencionada; mas Háma ainda diz, respondendo às palavras de Theoden de que Eomer é o último da Casa de Eorl (DT, p. 768): "Eu não disse Eomer. Ele não é o último. Há Idis, vossa filha, e Eowyn, irmã dele. São sábias e corajosas". Mas foi neste ponto que a breve existência de Idis acabou; pois as palavras seguintes que meu pai escreveu foram: "Todos *a* amam. Que *ela* seja como um senhor para os Eorlingas enquanto estivermos longe". Todas as referências a Idis foram então removidas do manuscrito.

Não sei dizer qual função na narrativa meu pai tinha em mente para Idis (e é notável que, no esboço original, p. 514, mencione-se somente Eowyn, irmã de Eomer, servindo os hóspedes no banquete em Winseld após a vitória); e menos ainda por que a filha do Rei (e mais velha do que Eowyn, p. 524) haveria de ficar tão calada e tão à sombra da sobrinha dele.

A importância do encontro de Aragorn e Eowyn, por outro lado, estava destinada a sobreviver, embora fundamentalmente transformada. Na primeira versão, em um trecho já citado (p. 524), depois de ela ter ido embora, ele "ficou imóvel, fitando as portas escuras e pouco cuidando de outras coisas"; durante a refeição antes da partida, "Aragorn estava silencioso, mas seus olhos seguiam Eowyn" (riscado); e, quando ela trouxe o vinho aos hóspedes, "por longo tempo ela olhou para Aragorn, e por longo tempo ele olhou para ela" — o que foi substituído por: "Parada diante de Aragorn, fez uma súbita pausa e olhou para ele, como se só agora o tivesse visto claramente. Ele baixou os olhos para ver seu belo rosto e seus olhos se encontraram. Por um momento ficaram assim, e suas mãos se encontraram quando ele tomou a taça dela. 'Salve, Aragorn, filho de Arathorn!', disse ela". Compare com o trecho que aparece neste lugar em DT (p. 767). E, depois das palavras de Theoden — "Mas [em Dunberg >] no Fano-da-Colina o povo poderá defender-se por longo tempo, e se a batalha tiver mau desfecho, irão para ali todos os que escaparem" (DT, p. 768) —, Aragorn diz: "Se eu viver, voltarei, Senhora Eowyn, e então quiçá cavalgaremos juntos". Então Eowyn "sorriu e inclinou a cabeça com gravidade".

Há uma lista isolada de assuntos "a serem explicados antes do fim" que, por conta do primeiro item, parece ter sido escrita bem nessa época. Só um outro item é relevante aqui, mas coloco a lista completa:

Fuga de Gandalf — colocar no fim de 26 [isto é, "O Cavaleiro Branco"]
O que acontece com Bill (o pônei)? [*Acrescentado:* Volta para Bri e é encontrado por Sam, que volta com ele para casa.]
Bill Samambaia.
Bri e os pôneis de Merry.
Barnabas Carrapicho [*acrescentado:* e os pôneis].
Galadriel.
Ents. Barbárvore. Entesposas.
Aragorn se casa com Eowyn, irmã de Eomer (que se torna Senhor de Rohan) e torna-se Rei de Gondor.
Banquete em Gondor. Jornada de volta para casa. Dão a volta em Lórien.[18]

Mas a história de Aragorn e Eowyn, no fim, seria bem diferente, é claro; e em outro breve grupo de notas, isoladas e impossíveis de datar, essa aliança matrimonial entre Rohan e Gondor foi rejeitada (e nenhuma outra foi prevista):

O REI DO PAÇO DOURADO

? Cortar a história de amor de Aragorn e Eowyn. Aragorn é velho demais, e nobre e austero. Fazer de Eowyn irmã gêmea de Eomund, uma amazona severa.

Se for assim, alterar a mensagem de Galadriel (26.17).

Provavelmente Eowyn deve morrer para vingar ou salvar Theoden.

Mas meu pai acrescentou, em um rabisco apressado, a possibilidade de que Aragorn amava mesmo Eowyn, e nunca se casou após a morte dela.

A referência a "26.17" é à página da "cópia limpa" de "O Cavaleiro Branco", onde aparece a mensagem de Galadriel para Aragorn, entregue por Gandalf (p. 508):

> *Pedra-Élfica, Pedra-Élfica, da pedra verde és dono*
> *No sul verás a pedra verde acobertada em neve*
> *Vê bem, Pedra-Élfica! Na sombra do escuro trono*
> *E a hora que há muito te espera então chegará breve.*[A]

A pedra verde no sul estava na testa de Theoden (p. 523), sob seus cabelos brancos, e era Eowyn quem estaria postada na sombra do escuro trono em seu salão.

NOTAS

[1] Começando originalmente em "Gandalf então envolveu-se de novo em sua velha capa esfarrapada" (p. 507; DT, p. 742), a abertura de "O Rei do Paço Dourado" foi depois movida para "A manhã estava luminosa e clara em torno deles" (p. 509; DT, p. 746). O segundo rearranjo, que levou à forma em DT, foi feito depois de "O Rei do Paço Dourado" estar completo.

[2] Nomes começados com *Theod-*, assim como *Eo-* (p. 473, nota 5), não levavam acento nessa época da escrita.

[3] Em DT, há dezesseis túmulos aos pés da colina de Edoras, e faz 500 anos desde que Eorl, o Jovem, saiu do Norte. Ver nota 11.

[4] As flores nos montes tumulares, "como pequenos galantos" no primeiro rascunho, tornam-se, no segundo, "pequenas flores asteriformes e frágeis". E, no segundo, Legolas diz: "Sete montes vejo, e faz sete longas vidas de Homens que foi construído o paço dourado. [*Riscado imediatamente:* E muitas vidas mais desde que os Rohiroth chegaram a esta terra pela primeira vez.]". É curioso que tal conhecimento da história dos Cavaleiros de Rohan seja atribuído a Legolas.

A TRAIÇÃO DE ISENGARD

5   "Parai, estranhos desconhecidos! Quem sois vós, amigos ou inimigos, que vindes assim trajados estranhamente cavalgando até os portões desta cidade? Ninguém pode entrar, pedinte ou cavaleiro, se não soubermos seu nome. Agora, vós que de longe chegais, declarai-nos rapidamente: como vos chamais? Qual é vossa mensagem a Theoden nosso senhor?" — Meu pai usou inicialmente a letra do inglês antigo "thorn" [þ], mas então alterou para *th* conforme escrevia.
    A passagem de *Beowulf* (versos 237–57) em que Beowulf e seus companheiros são abordados pelos guardas na costa da Dinamarca é distintamente ecoada aqui, assim como no trecho em inglês moderno em DT, p. 748 ("Quem sois vós que vindes imprudentes por sobre a planície [...]").

6   É concebível que tenha havido alguma confusão oriunda da ideia inicial em que Gandalf e Gimli entraram em Eodoras antes de Aragorn e Legolas: Gandalf foi inserido nas cenas nos portões e nas portas, mas Gimli, que tinha pouca função explícita nelas, foi negligenciado. "Os *três* companheiros avançaram" é decerto muito surpreendente, visto que a cena aqui parece ter sido expressamente visualizada sem Gimli; mas isso deve ter sido um mero descuido devido ao uso frequente de "os três companheiros" (Aragorn, Legolas e Gimli) nos capítulos anteriores.

7   Um dos guardas responde que "Ninguém é bem-vindo aqui em dias de guerra, salvo apenas os que vêm de [*riscado: Gemenburg*] *Heatorras Giemen Minas Tirith*", com *Mundbeorg* escrito na margem. Essas palavras em inglês antigo são *gēmen, gīemen* "cuidado, atenção, vigia"; *Hēatorras* "altas torres"; e *Mundbeorg* "colina-de-proteção", diferente de *Mundburg* no SdA. *Mundbeorg* ocorre em outro rascunho: "E eu sou Aragorn, filho de Arathorn [...] e é a Mundbeorg que viajo como sendo meu lar" (ver DT, p. 749, "e é a Mundburg que ele vai").

8   Um eco do poema anglo-saxão conhecido como *The Wanderer* [O Errante], verso 92: *Hwær cwom mearg? Hwær cwom mago?*

9   Talvez seja possível que a recepção "beowulfiana" nos portões tenha desempenhado algum papel na crescente hostilidade de Theoden antes mesmo de Língua-de-Cobra entrar na história.

10 Dois detalhes na cena diante das portas podem ser mencionados. Os guardas, virando o punho das espadas para os estranhos, exclamaram *Cumath her wilcuman!* Isso foi depois alterado para *Wesath hale, feorran cumene*, que aparece traduzido em DT (p. 751), "Salve os que vindes de longe!", e Gandalf diz a Aragorn com uma aspereza que foi posteriormente suavizada (DT, p. 751): "É desnecessária a exigência de Theoden, mas desnecessária também tua recusa, Aragorn".

11 No SdA, o lapso de tempo era, evidentemente, muitíssimo maior: de acordo com o Conto dos Anos, Eorl, o Jovem, saiu vitorioso no Campo de Celebrant e os Rohirrim se assentaram em Calenardhon (Rohan como província de Gondor) no ano de 2510 da Terceira Era, que era o número de anos após a derrota de Sauron por Gilgalad e Elendil. Compare essa afirmação com a genealogia que Aragorn fornece para si mesmo na travessia dos Pilares dos

Reis, segundo a qual ele estava separado de Isildur por apenas três (subsequentemente quatro) gerações (pp. 422–3).

É difícil explicar o nome "Batalha do Campo de Gorgoroth": no Primeiro Mapa, a Planície da Batalha (*Dagras*, depois *Dagorlad*) estava no lugar em que permaneceu: do lado de fora das cercas-montanhosas de Mordor e separada de Gorgoroth pelo grande passo, na época chamado Kirith Ungol (Mapa III, p. 364).

[12] Não se diz que Eofored é filho de Theoden. No esboço para este capítulo, o Segundo Mestre parece ter sido morto no fim da batalha do Rio Isen, e seu banquete fúnebre aconteceu depois do retorno a Eodoras (pp. 513, 514). Sua morte agora foi posta de volta no confronto antes da chegada de Gandalf.

[13] Theoden aqui diz que "há apenas alguns dias os homens me relataram que Scadufax tinha retornado do Oeste; mas ninguém lhe pôde colocar as mãos, pois partiu veloz rumo ao Norte". Ver p. 511 e nota 2. Isso então se tornou "os homens relataram que Scadufax fora visto outra vez, atravessando indômito a terra"; e, finalmente, como em DT, "ouvi que Scadufax retornara sem cavaleiro".

[14] Língua de Cobra ainda diz que "para o espanto de todos, meu senhor *te emprestou* Scadufax". Isso foi alterado subsequentemente para as palavras de DT: "meu senhor te deixou escolher qualquer cavalo que quisesses e que fosses embora; e para espanto de todos levaste Scadufax em tua insolência".

[15] No rascunho desse trecho, o texto diz "Vai [*riscado:* Eowyn, e tu também, Ælfæd Flæd] Idis, e tu também Eowyn". Compare com a palavra poética em inglês antigo *ides*, "mulher, senhora". Em notas antigas, Eowyn é "filha de Theoden" e "filha de Eomund" (p. 457).

[16] Até mesmo os nomes da espada de Theoden, *Herugrim*, e do seu cavalo, *Snawmana*: só no caso de *Dunharrow* [Fano-da-Colina] houve uma forma anterior: *Dunberg*. *Dunharrow* está assim nomeado no Mapa IVE, p. 376.

[17] No SdA, a genealogia é:

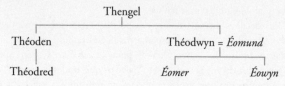

Perto do fim do capítulo, "Theodred" aparece: "'Vede! vou partir', disse Theoden. '[*Riscado imediatamente:* Theodred meu filho] Não tenho filhos. Nomeio Eomer, filho de minha irmã, como meu herdeiro'" (ver DT, pp. 766–7). Por outro lado, em uma segunda versão dessa passagem, Theoden diz: "Não tenho filhos. Theodred, filho de meu irmão, foi morto".

[18] A esse último item foi acrescentado o seguinte em algum momento posterior:

Não. Eles descobrem (em Valfenda?) que os Nazgûl arrasaram Lórien e Keleborn fugiu com alguns remanescentes para Trevamata.

Galadriel se perdeu ou foi escondida. Ou então Lórien deve lentamente desvanecer? Sim. Galadriel se separa de Keleborn, que escolhe ficar no mundo e nas [? matas]. Ela é vista por Frodo na velhice, quando ele e Sam veem Galadriel e Bilbo (e Elrond? Não — ele ainda tem uma [*escrito acima:* 3?] [*riscado:* era] vida de homens para governar em Valfenda).

Apêndice sobre as Runas

É notável que todas as referências a runas em *O Senhor dos Anéis* eram associadas a Gandalf até meu pai chegar às palavras gravadas no túmulo de Balin em Moria. Em *O Hobbit*, a escrita rúnica é quase inteiramente associada aos Anões (que, segundo o Capítulo 3, "Um Pouco de Descanso", inventaram as letras-da--lua), mas as runas eram um elemento da Terra-média desde muito cedo.* Em sua carta a G.E. Selby em 14 de dezembro de 1937, citada no Prefácio ao volume VI, *O Retorno da Sombra*, meu pai disse que preferia sua própria mitologia, "com sua nomenclatura consistente [...] e sua história organizada", a *O Hobbit*, e falou com bem-humorada depreciação dessa "turba de anões com nomes édicos tirados da Völuspá, a modernos hobbits e gollums (inventados numa hora ociosa) e *runas anglo-saxãs*". Como se verá, quando ele escreveu essas últimas palavras, estava pensando em seus próprios alfabetos rúnicos, altamente desenvolvidos já naquela época, e de nenhum modo associado particularmente aos Anões, se é que estavam associados a eles em absoluto. É concebível, acredito, que foi o Mapa de Thror, com uma escrita rúnica de grande importância na história de *O Hobbit*, que fez surgir essa associação próxima (embora os Anões tenham sempre permanecido como herdeiros, e não criadores, do *Angerthas*).

Parece que sobraram relativamente poucos escritos a respeito das runas do período a que chegamos neste livro, mas os papéis linguísticos de meu pai e seus trabalhos sobre escritas e alfabetos foram

---

*O primeiro documento rúnico relacionado à Terra-média de que tenho conhecimento é um pequeno pedaço de papel com a escrita antiga de meu pai, intitulado *Runas Gondolínicas*. Ele fornece um alfabeto em que o valor das runas é quase totalmente distinto do *Angerthas*, mas no qual os princípios de organização fonética em relação ao formato das letras são muito evidentes.

deixados em um estado tão caótico que é frequentemente impossível fornecer uma data com segurança, mesmo que ampla e relativa. Um problema central, como sempre acontece nesse contexto, jaz na existência de dois grupos de variáveis. O desenvolvimento muito divergente das escritas, assim como dos fonemas, entre povos diferentes era algo que existiu desde o começo; contudo, os detalhes dessas divergências estavam sujeitos a modificações incessantes na cabeça do seu criador. Quando os papéis (quase sempre sem data e frequentemente sem paginação consecutiva) ficam tão desordenados a ponto de se misturar materiais que poderiam muito bem estar separados por décadas, o risco de falsas conjunções e falsas construções é grande.

Incluo aqui, primeiramente, dois textos breves que me parecem, com grande probabilidade, pertencer a um período um pouco anterior ao começo de *O Senhor dos Anéis* — mais ou menos contemporâneos do *Quenta Silmarillion* e do *Lhammas* no volume V, *A Estrada Perdida e Outros Escritos*. Ambos são manuscritos claros à tinta, e meu pai fez acréscimos posteriores a lápis a ambos; incluo esses acréscimos, muito embora suspeite que sejam substancialmente posteriores. Ver-se-á que esses acréscimos dizem respeito à especial importância da escrita rúnica entre os Anãos, importância à qual não se faz menção nestes textos conforme escritos inicialmente.

(i)

Os Alfabetos Élficos

Tinham três formas principais: os alfabetos de Rúmil, de Fëanor e [de] Dairon; também chamados de letras valinorianas, túnianas e beleriândicas.

Os dois primeiros tipos são de origem noldorin e, em última análise, relacionados; o último tipo é distinto e tem origem ilkorin.

O mais antigo é o *Alfabeto de Rúmil*. É uma elaboração cursiva final das letras mais antigas dos Noldor em Valinor. Somente a finalização e o arranjo desse sistema foi obra mesmo de Rúmil de Túna; seu autor ou autores estão agora esquecidos. Apesar de se originar em Túna, é chamado de "valinoriano" porque era principalmente usado para a escrita do qenya, e depois foi suplantado entre os Noldor pelo alfabeto de Fëanor. Conta-se que ainda

APÊNDICE SOBRE AS RUNAS

é usado pelos Lindar de Valinor; mas não é de uso geral entre os Qendi.[*]

O *Alfabeto de Fëanor*, em parte, derivou deste e, em parte, foi uma criação nova para acomodar um sistema diferente de escrita (da esquerda para a direita). Seu autor real foi Fëanor — em todas as formas, exceto nas modificações posteriores que o adequaram às condições diferentes do noldorin depois do Exílio e que foram feitas após sua morte. Ele o construiu tanto como um alfabeto fonético geral, e criou arranjos especiais para acomodar as características do qenya, noldorin e telerin. Esse é o alfabeto geralmente usado para o qenya e para todos os propósitos dos Qendi que sobreviveram.

O chamado *Alfabeto de Dairon* era, na origem, uma escrita "rúnica" criada para inscrições, especialmente na madeira, que se originou entre os Ilkorins. Comumente se diz que surgiu em Doriath, e certamente lá se desenvolveu de maneira mais completa, chegando até mesmo a resultar em uma forma escrita. Contudo, sua real invenção provavelmente se deu com os Elfos danianos de Ossiriand (que, em última análise, eram de raça noldorin).[†] O nome "alfabeto de Dairon" se deve à preservação dessa escrita em fragmentos das canções de Dairon, o malfadado menestrel do Rei Thingol de Doriath, nas obras sobre as antigas línguas beleriândicas escritas por Pengolod, o Sábio de Gondolin. Os Noldor não usavam muito essa escrita, nem mesmo em Beleriand, embora Pengolod cite casos de inscrições em Nargothrond e na foz do Sirion que estão na língua noldorin. [*Acrescentado a lápis:* Mas este alfabeto rúnico se espalhou de Ossiriand para o leste e chegou aos Anãos, e era amplamente usado por eles.]

(ii)
O "Alfabeto de Dairon"

Os Ilkorins de Beleriand criaram um alfabeto de "runas", ou letras angulares usadas para inscrições. Ele se difundiu por Beleriand antes mesmo do exílio dos Noldor de Valinor, e exibia várias

---

[*]Compare esse trecho com o *Lhammas* em V. 203–5.
[†]Sobre os Elfos danianos, ou *Danas*, ver especialmente V. 206–7, 221–23.

A TRAIÇÃO DE ISENGARD

divergências de forma e uso em diferentes épocas e lugares. Sua elaboração principal se deu em Doriath, onde uma forma escrita se desenvolveu. Devido à ruína de Beleriand, agora não se encontra preservada nenhuma inscrição ou livro com essa escrita anterior à partida dos Noldor para Eressëa. O conhecimento sobre ela [*alterado a lápis para:* nenhuma inscrição ou livro élficos nessa escrita foram preservados. O conhecimento de seu uso pelos Elfos] agora está preservado apenas em livros em Eressëa — nas obras de Pengolod de Gondolin sobre as línguas beleriândicas e outros escritos semelhantes. Pengolod copiou e forneceu excertos de várias inscrições e livros que ainda existiam nos seus dias. Dos livros, ou da forma escrita, sua principal fonte era alguns fragmentos das canções do menestrel do Rei Thingol, Dairon. Desse fato deriva o [*riscado:* errôneo] nome: Alfabeto de Dairon.

A escrita provavelmente se originou em Ossiriand, entre os Elfos danianos, muitos dos quais radicaram-se em Doriath depois da vinda de Morgoth e da queda do seu rei, Denethor.[*] Os Elfos danianos eram, em última análise, de raça noldorin, e invenções desse tipo eram uma aptidão especial dos Noldor.[†] Ademais, um alfabeto relacionado estava em uso há muito tempo entre os Danianos do ramo oriental, além das Montanhas Azuis, de onde se difundiu para os Homens naquelas regiões, e se tornou a base para a *skirditaila* taliskana, ou "série rúnica". [*Acrescentado a lápis:* Alfabetos relacionados foram (> Um alfabeto relacionado foi) também tomado de empréstimo (tanto de Homens quanto de Elfos) pelos Anãos; os Anãos ocidentais logo o pegaram emprestado e adaptaram o "Alfabeto de Dairon" completo, e a maioria das inscrições nessa forma que sobreviveu à Grande Guerra em Eriador e alhures é de origem anânica, muito embora a língua raramente seja o idioma secreto dos Anãos.]

Esse alfabeto não era muito usado pelos Noldor exilados, mas, em certos casos — na ausência de pergaminho, ou para talhar na madeira, ou nos lugares, como na foz do Sirion, onde estavam mesclados com Ilkorins — empregaram essas letras durante o exílio e modificaram as formas ou aplicações para que se adequasse à sua

---

[*]Ver o *Quenta Silmarillion* em V. 313.
[†]Ver o *Ainulindalë* em V. 192.

535

APÊNDICE SOBRE AS RUNAS

própria língua. Pengolod dá alguns exemplos desse uso noldorin. [*Acrescentado a lápis:* A maior elaboração aconteceu em Eregion e Moria, onde, durante a Segunda Era, Elfos e Anãos viviam em harmonia. Essa forma posterior foi chamada de "Runas de Moria", pois permaneceu em uso entre os Anãos por longo tempo, e a maioria das inscrições que a empregam sobreviveu nos salões e câmaras de Moria.]

Compare essa visão da origem do nome *Alfabeto de Dairon* com o Apêndice E (II) de *O Senhor dos Anéis*: "Sua forma mais rica e mais ordenada era conhecida como Alfabeto de Daeron, visto que a tradição élfica dizia que fora inventado por Daeron, o menestrel e mestre-do-saber do Rei Thingol de Doriath".

A referência ao taliska (para o qual, ver V. 210, 226, 232: ""o idioma das três casas de Bëor, de Haleth e de Hador") é muito interessante pois prefigura uma relação entre as runas de Beleriand e as antigas runas germânicas; ver V. 332–3 sobre a palavra "indo-europeia" *widris* "sabedoria" na antiga língua do povo de Bëor. Parece claro que o segundo elemento da palavra taliskana *skirditaila*, "série rúnica" deve ser entendido como cognato da palavra em inglês antigo *tæl* (com o sentido de "número, contagem, série"; nórdico antigo *tal* etc., e compare com o inglês moderno *tale, tell* [conto, contar]); o primeiro elemento talvez possa ser associado à raiz germânica *sker-*, presente no nórdico antigo *skera* "cortar, entalhar", inglês antigo *sceran* (inglês moderno *shear* [tosquiar], e compare com as palavras em última análise relacionadas *shard* [caco, estilhaço] e *potsherd* [fragmento de cerâmica]).

Uma exposição detalhada, feita nessa época, das antigas runas élficas parece estar restrita a uma série de cinco páginas manuscritas que, de fato, são extremamente informativas. No estilo e no propósito, parece-me que pertencem à substancial elaboração da fonologia noldorin que certamente não antecedeu muito o início de *O Senhor dos Anéis*. Como seria extremamente difícil reproduzir essas páginas como parte do texto, e visto que não ficariam claras em fac-símile (e exigiriam muita explicação e anotação desnecessárias), eu as reescrevi e redesenhei em uma série de pranchas, numeradas de I a IV, no final deste Apêndice. Tentei manter-me bastante fiel aos originais, e editei-os apenas em alguns pontos menores que

A TRAIÇÃO DE ISENGARD

de maneira nenhuma alteram seu propósito; não tentei atenuar as muitas inconsistências de apresentação. Há pouquíssimas alterações a lápis que ignorei. No alto da primeira folha, meu pai escreveu: "Tudo isso foi revisado e reescrito. Ver Apêndices de *O Senhor dos Anéis*".

Na prancha V, reproduzi uma folha manuscrita separada, intitulada "Runas-anânicas para se escrever em inglês (fonético)", a que farei referência neste Apêndice como "E". Ela é obviamente muito distinta das outras páginas, mas ver-se-á que se harmoniza bem, no geral, com "o uso noldorin posterior" da prancha II (subsequentemente chamada de "N"), embora haja alguma diferença na aplicação dos sinais, especialmente os que representam as nasais e os sons em inglês š (*sh*), ž (como em *vision*), tš (*ch*) e dž (*j*, como ocorre duas vezes em *judge*),* sinais que, em N, ou são usados para sons diferentes ou não ocorrem. Em breve se verá que essa página evidentemente data da época em que meu pai retornou à história de Moria, como foi descrito neste livro. Curiosamente, *kw* (*qu*) está ausente em E, e a runa ᛥ para *kw* no uso noldorin e no de Doriath é atribuída ali a tš (*ch*). Em E, *h* é representado por ᚲ, mas por ᚦ nas outras.

No pé da prancha V, transcrevi a inscrição rúnica no túmulo de Balin ao fim do primeiro capítulo original de "Moria" no volume VI (ver p. 561 e nota 40). Como observado ali, foi nesse ponto que meu pai decidiu usar as Runas de Beleriand em vez das runas anglo-saxônicas, pois inicialmente fez a inscrição com estas, mas imediatamente a escreveu com aquelas também — em duas formas, as quais assinalei como (i) e (ii). As palavras *Runas de Anãos* na mesma página (VI. 562) sem dúvida têm alguma importância em relação a isso; ver também as palavras de Gandalf na segunda versão do capítulo ("O Senhor de Moria", p. 224): "Estas são runas-anânicas, como se usam no Norte". Sobre o nome *Burin* para o pai de Balin, ver VI. 543.

A versão (i) da inscrição tumular concorda com E (e com N) em todos os pontos, exceto um: o uso da runa ᚦ para *s* na palavra *son*

---

*Em português, esses fonemas poderiam ser representados, respectivamente, por *sh, j, tch, dj*. [N.T.]

APÊNDICE SOBRE AS RUNAS

[filho], em vez de 𝈋. Em E, 〉é usado para a vogal [ʌ] (como em inglês *cup*); ao passo que, em N, ela é usada para *h*.

A versão (ii) concorda com (i) na runa *s*, mas reverte de ō para ŏ em *lord* [senhor] e *Moria*, e, quanto à letra *l* em *lord*, (ii) usa 𝈌 em vez de 𝈍: aquela se encontra no uso noldorin e de Doriath. Em (ii), a runa 𝈎 é usada para a vogal em *son*, ao passo que em (i) a runa é 𝈏 (*o*), que não tem valor fonético. Em E, essa runa tem o valor de *ai*, em N, *ae* (posteriormente alterado a lápis para *ai*, em uma inversão dos valores de *ai* e *ae*).

A versão seguinte (a terceira) da inscrição tumular, no final da segunda versão do capítulo "O Senhor de Moria", está oculta por uma quarta versão colada por cima; mas Taum Santoski foi capaz de ler a inscrição subjacente iluminando a página por trás. Com *Fundin* no lugar de *Burin* (ver VI. 543), a escrita rúnica ali recuperada é praticamente a versão de (i), com a mesma runa 〉 para *s*; mas, muito curiosamente, essa mesma runa é usada para *o* em ambas as ocorrências da palavra *of* [de], embora 𝈏 para *o* apareça em *son*, *lord* e *Moria*. Além disso, as palavras anânicas *Balin Fundinul Uzbad Khazaddūm* foram acrescentadas embaixo, e a runa para *z* aparentemente é 𝈋, que em todos os alfabetos incluídos aqui é usada para *s*.

A quarta versão da inscrição, colada sobre a terceira, e a quinta, no final do texto datilografado que se segue, são idênticas em todas as formas; a última está reproduzida na p. 224. Até onde se pode dizer pelo breve texto, a concordância com E é completa aqui, com *s* sendo representado por 𝈋, *z* representado por 𝈋, e 〉 usado para a vogal [ʌ], que aqui aparece tratada de maneira fonética na palavra *son*.

Na prancha VI, redesenhei a escrita rúnica das duas ilustrações mais antigas de uma página queimada e enegrecida do Livro de Mazarbul. Essas reelaborações se propõem a mostrar as runas e sua posição relativa e nada mais. A versão mais antiga (i) encontra-se no verso da última página do capítulo original de "Moria" (ver VI. 561, 569). Não passa de um mero croqui, uma indicação do que poderia ser feito nessa direção: foi esboçado muito rapidamente, com a escrita rabiscada, e há pouca intenção de que seja verossímil, sendo que as porções ilegíveis da página são representadas por riscos muito rudimentares. Na minha reelaboração, o número de linhas ausentes é aproximado, conforme a minha impressão. O canto inferior direito é representado como um pedaço triangular destacado no qual apenas a palavra *Kazaddūm* está escrita. A segunda versão, (ii), é uma representação muito mais desenvolvida da folha talhada e desbotada, feita com lápis e giz colorido; mais uma vez representa-se o canto inferior como estando rasgado. (A evolução dessa página é uma miniatura emblemática do modo de trabalho de meu pai: a evolução dos detalhes na forma é progressiva e contínua. Na segunda versão, há dois furos do lado direito da página e um pedaço rasgado no alto; na terceira e na quarta versão, estes permanecem, mas o canto direito é colocado de volta, com um denteado em cima que continua na página como uma linha preta. Na forma final, reproduzida em *Pictures by J.R.R. Tolkien*, n. 23, o furo no meio é aumentado e movido para a esquerda, mas a linha preta permanece onde, originalmente, o canto aparecia rasgado e separado).[*]

As palavras do esboço original (i) estão incluídas em VI. 569, mas repito-as aqui grafadas de modo fonético:

1   Wē drouv aut *the* orks fro[m] . . . . gard
2   . . . [f]irst hōl. Wī slū meni ʌndr *the* brait sʌn
3   in *the* deil. Flōi woz kild bai ʌn arou . . . .
4   Wī did . . . .
9   Wī ha[v] okjupaid *the* twentifʌrst hōl ov
10   norþ end. Ðer ðr iz . . . .
11   . . . . šaft iz . . . .
12   [B]alin haz set ʌp hiz tšēr in *the* tšeimbr ov Mazar
13   bul . . . . Balin iz lord ov
14   Moria . . . .
18   Balin . . . .
20   Kazzaddūm

Aqui há uma concordância próxima, mas não completa com E. A runa *s* é ⅄, e não 〉, que é usada para [ʌ], assim como em E; mas há uma divergência na runa *w*, que é aqui Ɫ. Ela recebe em E o valor de *dž* (*dj*) e, em N, o valor de *gw*. O traço curto vertical usado

---

[*]A versão final do desenho em questão pode ser vista na edição brasileira de *A Sociedade do Anel*, Livro II, Capítulo 5, p. 455; e ver também a "Nota sobre as Ilustrações", p. 601. [N.T.]

APÊNDICE SOBRE AS RUNAS

em E como abreviação do artigo definido quando está em posição elevada, e como sinal da vogal [ə] quando em posição rebaixada, é aqui usado para o artigo definido na posição rebaixada, mas, em posição elevada, para o *h* (como nas palavras em inglês *have, has, his*): em ambas as ocorrências da palavra *hall*, o traço fica na posição rebaixada, mas isso pode não ter sido nada além de um descuido, pois as runas nesse croqui foram feitas muito rapidamente, e muitas foram escritas de maneira errada e depois corrigidas. As runas para a consoante inicial [š] em *shaft* e para [tš] em *chair, chamber* também têm valores diferentes daqueles que lhes são atribuídos em E. O uso da runa *m* para *v* em *we have occupied* (linha 9) só pode ter sido um deslize. Por fim, a vogal [ʌ] é empregada não apenas em *under, sun, up*, mas também em *an* (*arrow*) e em *first* (na segunda ocorrência).

Uma comparação com E mostra que a segunda versão da página do Livro de Mazarbul concorda com ele em todos os pontos e detalhes. A forma diferente da runa *l* em *Flói* (linha 4), com a barra descendo e não subindo à direita, é provavelmente apenas acidental (na terceira versão, o formato é normal nesse ponto).

A essa versão meu pai anexou uma transcrição fonética. Nela, interpretou *oukn* na linha 6 como *?broken*; *it* no fim da linha 10 como *?its*; e a palavra antes de *helm* na linha 17, como *(?sil)vr*, embora a última runa seja muito claramente *n*, e não *r* (na terceira versão, a runa *r* está escrita nesse ponto).

A sequência de desenvolvimento nesse trecho sobre o qual ele muito refletiu é provavelmente a seguinte. A forma original do texto que Gandalf leu primeiro no Livro de Mazarbul parece ser a do desenho mais antigo da página (prancha VI, i). Intimamente relacionada a ela está a forma na narrativa original da cena, escrita a lápis e que pode ser em grande parte decifrada sob o texto escrito à tinta por cima (ver pp. 229 e 245, nota 4). Ambas as versões diziam *the Orcs* [os Orques] em vez de apenas *Orcs*, e Balin tinha uma *chair* [cadeira] em vez de um *seat* [assento]. Mas, no texto original da narrativa, havia *we have found truesilver* [encontramos prata-vera], *well-forged* [bem-forjado] e *(To)morrow* Óin *is . . . lead . . . seek for the upp(er) armoury of the Third Deep* [Amanhã Óin ... liderar ...

A TRAIÇÃO DE ISENGARD

buscar os arsenais superiores da Terceira Profunda], e isso tudo está ausente no primeiro desenho da página.

O texto escrito por cima na primeira narrativa, que foi incluído na p. 229, é efetivamente o mesmo texto do segundo desenho da página (prancha VI, ii).

O terceiro desenho da página (que em outros aspectos é muito semelhante ao segundo e emprega exatamente o mesmo sistema rúnico) corresponde ao texto da cópia manuscrita limpa de "As Minas de Moria (ii)" incluído na p. 240.

Fica claro, portanto, que os três primeiros desenhos dessa página do Livro de Mazarbul pertencem todos à mesma época, e estão relacionados, passo a passo, com a reformulação do trecho do rascunho original até a primeira cópia limpa do capítulo narrativo; e também que o alfabeto rúnico disposto em E (prancha V), "Runas-anânicas para se escrever em inglês", também é desse período. Mas, quando a quarta versão dessa página foi feita, os valores das runas haviam se alterado.

Os primeiros desenhos das outras duas páginas do Livro de Mazarbul (a que foi feita por Ori com a escrita élfica, e a última página do livro, em runas) fazem conjunto e são da mesma época do terceiro desenho da primeira página; para os textos ali, ver p. 240.

APÊNDICE SOBRE AS RUNAS

I
Runas de Beleriand
Os sinais mais antigos parecem ter sido os sequintes:
Série (1) ᚠ . ᛒ . ᚳ . ᚷ . ᚹ . ᚱ . ᛄ . ᛉ .
(2) ᚦ . ᚨ . ᛝ . ᛇ . ᛏ . ᛁ . ᛋ . ᛘ . ᛦ .
(3) ᚺ . ᚻ . ᚤ . ᚥ . ᚥ . ᛕ . ᚼ . ᛎ .
(4) diversos ᛁ . ᛪ . ᚽ . ᚢ . ᚡ . ᛩ .

A distribuição desses sinais entre os valores exigidos diferia consideravelmente em momentos e lugares distintos, mas todas as variedades concordavam no fato de que a Série 1 era geralmente composta pelas <u>labiais</u> e a Série 2, pelas <u>dentais</u>, ao passo que também se observava comumente o princípio de que a inversão representava uma fricativa ᚠp ᚳ f e o acréscimo de traços, uma sonorização ᚦt ᚨd ᛝð.

A principal divergência ocorreu com a invenção e aplicação de sinais posteriores. Como é usual com runas, não havia barras horizontais na forma rúnica original; mas pode-se notar que a maioria das runas consistia em um traço vertical único com um apêndice lateral que nunca era colocado na base do traço (exceto como reduplicação de algum que já existia no topo). Elaborações posteriores criaram formas invertidas como ᛚ ᛝ, e aqui a aplicação era variada.

A ordem original das letras em Doriath, transcritas de modo fonético, era a sequinte:
(1) a . i . u . e . o.   (2) p . t . k.   (3) b . d . g.   (4) f . þ . s.
X(h).   (5) ƀ . ð . ʒ . l . r . z.   (6) m . n . n . ng.   (7) j . w.

Nessa ordem as letras foram tomas de empréstimo em Ossiriand e, assim, no daniano oriental e no taliska.

As runas associadas a esses valores fonéticos geralmente eram:

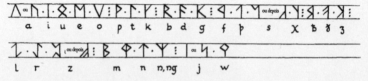

Essa série foi alterada com a intrusão de sinais para kw etc. (usava-se runas p ou k invertidas: ᛞ ou ᛚ) e com o uso de sinais para ditongos e encontros consonantais. Ademais fazia-se

II

uma diferenciação entre ŋ e ŋg, h e χ, e entre ē/e, ō/o (as outras vogais longas receberam diferenciação posteriormente).

A série longa especial de <u>Doriath</u>, portanto, ficou assim:

[tabela de runas]

(Os valores das runas entre parênteses são transcrições normais).

Notas:

1) o + o V + V > W, portanto M é entendido como Λ + Λ = ē longo. Mas também Λ = V invertido = o; portanto ʜ também era usado para o. 2) Normalmente, uma fricativa é representada invertida; portanto, quando > foi inventado como uma diferenciação de Y = χ e h, também surgiu < como variante de V = k, c.

O uso noldorin posterior.

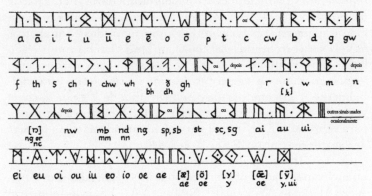

A ordem era variável. A ordem acima era comum. Os únicos ditongos que contavam como letras fixas eram ai, au, ui; o restante era usado apenas ocasionalmente em vez de se escrever com duas letras (aj, uj, aw, ow, ei, ej e assim por diante), o que era feito com frequência até mesmo com ai, au, ui.

III

Visto que posteriormente, em noldorin, mb, nd se tornaram m(m), n(n), surgiu uma confusão entre ᛒ ᗺ, e ambas as runas tendiam a ser usadas indiscriminadamente, ao passo que ✳ caiu em desuso exceto no emprego ocasional como nn. ng também se tornou ŋ e, portanto, ocorreram dois desenvolvimentos: (a) ᛝ era usado para ŋ (transcrito como ng), e X era usado para ŋk (transcrito como nc); ou (b) ᛝ era preterido e usava-se apenas X.

A forma escrita, ou "Alfabeto de [Pengolod >] Dairon"

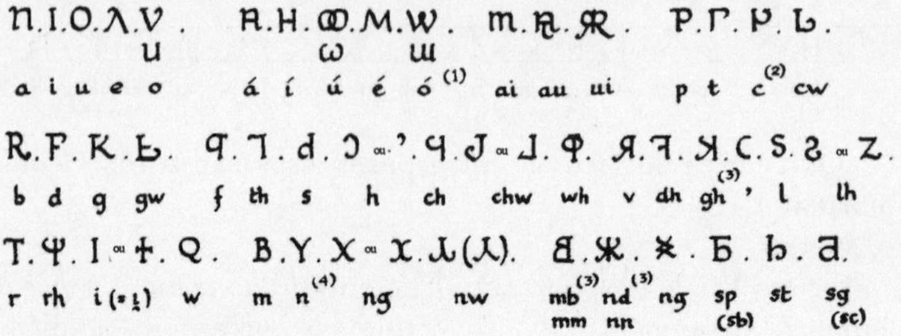

a i u e o á í ú é ó (1) ai au ui p t c (2) cw
b d g gw f th s h ch chw wh v dh gh (3) ' l lh
r rh i (= i̯) w m n (4) ng nw mb (3) nd (3) ng sp st sg
mm nn (sb) (sc)

Notas. (1) Essas letras (á, í, ú, é, ó) – originalmente longas – eram empregadas de maneiras variadas ao se representar o noldorin posterior. (2) Originalmente, C também era empregado como variante, mas, depois, passou a ser usado como sinal de hiato entre vogais e especialmente na posição frontal para representar um início vocálico depois da queda de ᛃ (gh, a partir da mutação do g). (3) Essas letras, embora empregadas regularmente apenas no noldorin antigo, foram mantidas no alfabeto e, às vezes, na ortografia – tal como em ꞁᛋᗺ = lamb, pronunciado lām (< *lambē), "língua"; mas X e ᛝ passaram a ser usados como formas meramente variantes de uma mesma letra. (4) Originalmente, Ψ era empregada como variante de Y = n (e ⅄ como variante de ⅄ = nw); mas, posteriormente, Ψ passou a ser usado para representar o r inicial surdo (rh) quando as duas formas de l se diferenciaram (S = l e S ou ꞁ = lh).

Outros sinais vocálicos também eram empregados com frequência, mas não contavam como letras separadas. Portanto, Ȃ ei = Al; Ȃ eo = ΛV; V̈ ou [RUNA] oe = VΛ; e havia as modificações: V̇ Ẇ = oe o monotongo [ö]; ◊, Ẇ = y

Os sinais a z, [RUNA] zd, [RUNA] ngw não foram preservados no alfabeto. De modo semelhante, [RUNA] (x, ks, hs), [RUNA] ou [RUNA] = hy eram usados apenas ao se representar palavras estrangeiras.

IV

As letras menores e mais cursivas eram as seguintes.

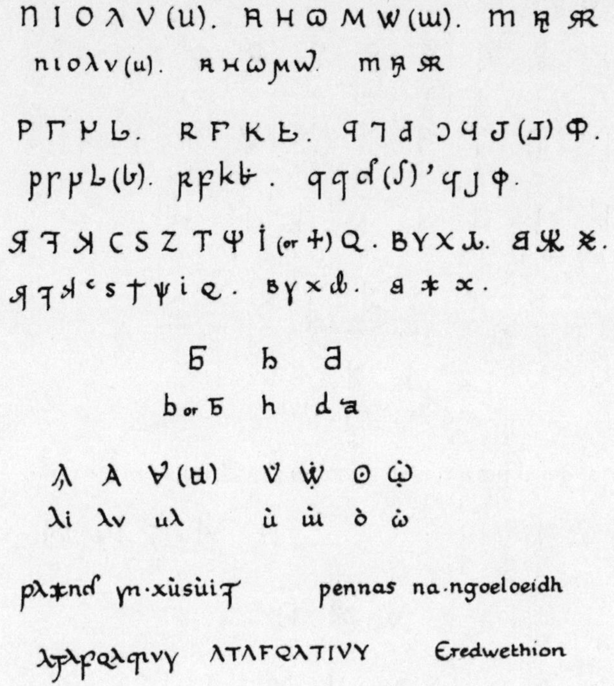
pennas na·ngoeloeidh
Eredwethion

—————— APÊNDICE SOBRE AS RUNAS ——————

V

Runas-anânicas para se escrever em inglês (fonético)

Sinal geral para nasais ⌃ como $\hat{R}$ = ◁, mas em $\hat{P}$ = mp

As formas mais antigas da inscrição no túmulo de Balin em Moria

VI

(i)

"Página do Livro de Balin"

```
 1                 ᛑᛗ ᚠᛚᚹᛆ ᛘᚱ ᛁᚢᛏᚤᛁ ᛆᛏᚢ ........ ᚲᚿᛏᚠ
 2    ....ᛆᛁᛏᛆᚿ ᛁᚹᛏ ᛑᚼ ᛆᛏᛉ ᛒᛆᚤᛁ ᚻᛉᛏ ᛁᚱᛏᛘᚱ ᛆᚻᛃ
 3    ᛁᛃᛁᚠᛘᛏ ᛆᛏᚹᛁ ᛑᚢᛆ ᚲᛁᛏᚠ ᚱᛗ ᚻᛃ ᚿᛏᚢ .
 4    ᛑᚼ ᚠᛁᚠ ........
 5    . . . . . . . . . .
 6    . . . . . . . . . .
 7    . . . . . . . . . .
 8    . . . . . . . . . .
 9        ᛑᚼ ᛁᚿᛒ ᚢᚲᚼᛉᛈᛗᚠ ᛁᚱᛑᚢᚤᚿᛆᛉᛏᚤᚱ ᛁᚹᛏ ᚢᛆ
10        ᚤᚢᛏᛁ ᚢᛉ ᛆᛘᛏ ᛆᛏ ᛁᛆ . . . . . . . . . . . .
11    . . . . . . . . . . . ᛆᚿᛆᚱ ᛁᛆ
12    ᚿᛏᛁᚤ ᛁᚿᛆ ᛆᚢᚱ ᚻᛈ ᛁᛆ ᛆᛘᛏ ᛁᚤ ᛁᚤᛘᛆᛏ ᚢᚲ ᛒᚿᛆᚿᛏ
13    ᚱᛉᛏ . . . . . . . . . . . ᚱᚿᛏᛁᚤ ᛁᛆ ᛏᚢᛏᚠ ᚻᛆ
14    ᛒᚢᛏᛁᚿ . . . . . . . . . . .
15    . . . . . . . . . . . . . . . .
16    . . . . . . . . . . . . . . . .
17    . . . . . . . . . . . . . . . .
18    ᚱᚿᛏᛁᚤ . . . . . . . . . . . . . .
19    . . . . . . . . . . . . . . . .
20    . . . . . .              ᚲᚿᛆᚿᚠᚠᛉᛒ
```

(ii)

"Uma página do Livro de Moria"

```
 1           ᛈᚼ ᚠᛏᚹᛆ ᛘᚱ ᚢᛏᚤᛁ ᛆᛏᚢ ........ ᚲᚿᛏᚠ ....
 2      ᛆᛁᛏᛆᚿ ᚲᚹᛏ ᛈᚼ ᛆᛏᛉ ᛒᛆᚤᛁ ᚻᛉᛏ ᛁᚱᛏᛘᚱ ᛆᚻᚤ
 3    ᛁᚤᛁᚠᛘᛏ ᛆᛏᚹᛁ ᛈᚢᛆ ᚲᛁᛏᚠ ᚱᛗ ᚻᛃ ᛆᛏᚹ ᚲᚼ
 4    ᛆᛏᛉ . . . . . . . . . . . . . . . ᛆᛏᚹᛁ
 5    . . . . . . . . . . . . . . . ᚤᛘᛒ
 6    . . . . . . . . . . . . . . . ᚢᚲᚤ
 7    . . . . . . . . . . . . . . .
 8    . . . . . . . . . . . . . . .
 9    ᛈᚼ ᚲᛆᛆ ᚢᚲᚼᛉᛈᛗᚠ ᛁᚱᛉᛆᚤᚿᛆᛁᛏᛆᚱ ᚲᚹᛏ ᛆ ᚤᚢᛏᛁ
10    ᚢᛉ ᛆᛘᛏ ᛆᛏ ᛁᛆ . . . . . . . . . . . ᛁᚱ
11    . . . . . . . . . . . . . . .
12    . . . . . . ᚨᛆᚱ ᛁᛆ
13    . . . . . . . . . . . . . . . . ᛆᚠ
14    ᛒᚿᛏᛁᚤ ᚲᚿᛆ ᛆᚢᚱ ᚻᛈ . . ᛆ ᛆᚿᚱ ᛁᚤ ᛁᛚᛘᛆᛏ ᛆ ᛒᚿᛆ
15    ᚿᛏᚱᛉᛏ . . . . . . . . . . . . .
16    ᚲᚢᛏᚠ . . . . . . . . . . . . .
17        ᚠᛉᛏᛁᚤᛆ ᚿᛆ . . . . . ᛆᚤ ᚲᛆᛏᛒ
18    ᚱᚿᛏᛁᚤ ᛏᚢᛏᚠ ᛆ ᛒᚢᛏᛁᚿ . . . . . . .
19        . . . . -ᛁ- . . -ᛁ- . . . .
20        . . . . . . . ᛈᚼ ᛆᛘᚼ ᛏᛏᛉᛆᛁᛏᛆᛏ .
21    . . . . . . . . . . ᚢᛏ ᛆᚢᛏᛒᚠ .
22    ᛏᚼᚠ . . . . . ᛆᚼᚠ ᛆᚢᛏ ᛁᚻᛈᛈ ᛏ ᚿᛏᛒᛉᛏᛁᛆ ᚴ
23    ᛏᛏᛆᚤ ᛉᛏᛁ ᚱᛁᛁᛏᚠ ᚠᛘᛈᛏ . . . . . ᛒᛁᛏᛁ . . . . .
24    ᛈᛁᛚ . . . . . . . . . . . . . .
25    ᛈᚢᛆᚱ . . . . . . . . . ᚿᛏᛁᚤ . . . . . .
```

Índice Remissivo

Como no Índice de *O Retorno da Sombra*, reduzi ligeiramente o número de referências no caso de nomes que ocorrem com muita frequência empregando a palavra *passim*, querendo dizer que o nome está ausente em uma única página aqui e ali em uma sequência longa, no mais ininterrupta.

O grandioso número de nomes que ocorrem neste livro e que foram logo rejeitados e substituídos estão quase todos em verbetes separados que remetem ao nome primário; as exceções são os casos em que tal nome recai imediatamente antes ou depois do nome primário (assim, embora *Dolamarth* tenha um verbete separado de *Amon Amarth*, *Amarthon* não tem), além de certos nomes puramente experimentais (como os nomes rejeitados de *Amon Hen/ Amon Lhaw*). Nomes em *Vida Errante* estão todos indexados no verbete *Vida Errante*.

Nomes que aparecem nos mapas redesenhados, nas reproduções de páginas dos textos de *O Senhor dos Anéis* e nas páginas manuscritas ao final do *Apêndice sobre as Runas* não estão indexados.

Abismo de Helm 377

Abutres Montarias dos Nazgûl alados. 249, 255, 403

Adivinhas 33, 34, 37, 50

Adurant, Rio Em Ossiriand. 320

Aelinuial "Lagos do Crepúsculo". 345

Água Silente, A 115

Água, O 51

Águia(s) 94–95, 143, 160, 164, 169, 184, 456, 469; águia vista ao longe 418, 424, 444–5, 452, 454–6, 465, 473, 501. Ver *Gwaewar*.

Ainulindalë A Música dos Ainur. 535

Aldalómë Fangorn. 493

Alfabetos 533, 535

Alqualondë 379; noldorin *Alfobas* 379

Altos-Elfos 157, 217, 218; língua alto-élfica 105; alto-élfico 118

Amaldor, Ammalas Ver *Amroth*.

Amon Amarth Monte da Perdição. 408. Nomes antigos *Amarthon, Dolamarth* 403

Amon Hen 9, 255, 373, 426, 434– 436, 438– 441, 443– 446, 452– 455, 475, 485, 502. Nomes rejeitados para Amon Hen/ Amon Lhaw 452. Visões no Amon Hen 437–9, 447–7

Amon Lhaw 373, 426, 437, 447, 454; *Larmindon* 426

Amrath Ver *Andrath*.

Amroth 266–267, 279, 281, 284, 288, 352. Nomes antigos *Ammalas* 266, 269, 270, 284, 288; *Amaldor* 266

A TRAIÇÃO DE ISENGARD

Anânico 129, 210, 223, 245, 286; a
Porta-anânica de Moria 215, 230, 245
Anãos Em Bolsão 28–29; das Montanhas
Azuis 355; da Montanha Solitária 144,
172, 188, 193, 498; de Moria 173, 189,
199, 202, 211, 215, 218, 219–24, 226,
260, 268, 293, 311, 355, 508, 535;
outras referências 33, 141, 154, 173, 185,
191, 193, 196, 206, 218, 253, 271, 275,
204, 324. Guerra dos Anãos e Orques
(Gobelins) 173; *Anãos ocidentais* 535;
Cidades-anânicas, Estrada-anânica 355;
Porta-anânica (de Moria) 230, *Portas-
anânicas* 225; língua 144, 218, 223–224,
536; runas dos Anãos 224, 240, 533–541.
Ver *Sete Anéis.*
Anárion 147, 151, 155, 168, 175, 177; reino
de 333; nome da região 365, 375
Andon Ver *Anduin.*
Andrath Lugar próximo ao Caminho Verde.
99, 349, 359. Forma anterior *Amrath* 85,
87–89, 92, 99, 349, 359
Anduin 151–152, 168, 175, 184, 189–190,
248, 251–252, 254, 256–257, 260, 264,
275, 278, 280, 283, 316, 318, 335,
339–344, 347, 349, 352, 359, 362,
366–367, 370–373, 375, 377–378, 380,
387, 395, 397, 406, 411, 413, 415–417,
427–428, 431, 448, 502, 512, 517; *Fozes*
362, 366; *Vale do Anduin* 344. Nomes
antigos *Beleghir* 150; *Sirvinya* 147, 150,
153, 352; *Andon* 349, 352, 359. Ver *Ethir
Anduin, Grande Rio.*
Anéis 31–32, 35, 49–50, 138, 144, 159, 161,
168, 181, 188, 302, 307; *Anéis de Fëanor*
303; *Anel de Saruman* 163, 168; "*anel de
Mazarbul*" 250, 257
Anéis de Poder 30, 38, 168, 175, 177, 301,
302, 307–308; *os Grandes Anéis* 30. *Dos
Anéis de Poder* em *O Silmarillion* 168,
175–77, 308. Ver *Três Anéis, Sete Anéis,
Nove Anéis.*
Anel da Terra O Anel de Galadriel. 299, 308,
309, 313, 330; outras referências 300,
314, 419, 426, 428. *Anel do Mar* 302. *Anel
do Céu* 302.
Anel Regente, O 32, 38, 138, 179, 188, 192,
300–302, 307, 314
Anel, O 59–12, 15, 22, 25, 27, 29, 32–8, 49,
50, 65, 69, 79, 85, 88–9, 96, 98, 101–4,
136–8, 141, 145, 155–6, 158–9, 166,
170, 172–4, 178–80, 185–92, 195–9,
210–3, 228–9, 245–6, 248–51, 253–5,
257–8, 260 *passim*, 282, 286–7, 299–302,
307–9, 313–4, 317, 320, 330, 342–4,

349, 382–5, 388–401 *passim*, 405, 407,
426–8, 436, 438–9, 441, 443–4, 446,
451, 476, 497, 502, 516, 518, 523,
539. O Anel confere a compreensão da
fala-órquica 390, 396, 399; o Anel usado
em Amon Hen 438–9; *o Anel* como título
da obra 476
25, 34, 98, 140, 170, 172, 173, 185, 186,
189, 195, 197, 198, 199, 210, 212, 213,
228, 245, 246, 254, 257, 282, 286, 287,
342, 343, 344, 349, 393, 427, 438, 439,
497
Anel, O Um 35, 179, 186, 282, 302, 307, 308;
o Um Tesouro 396, *o Grande Anel* 187. Ver
Anel Regente.
Anfalas 365
Angerthas 532. Ver *Runas.*
Angmar 48, 74
Angrenost Isengard. 493. Nome antigo
Angrobel "Pátioferro" 90, 159, 169
Angrobel Ver *Angrenost.*
Ângulo (de Lothlórien) 247–248, 254, 260,
268, 275, 281, 283, 286, 289–290, 303,
309, 316, 318, 331, 332, 340–341, 382.
Discussão do significado de Ângulo 340;
ver (*O) Gomo.*
Annerchion "Portão dos Gobelins". 140
Annúminas 150, 175, 358. Ver *Tarkilmar,
Torfirion, Morada Ocidental.*
Anórien 365, 375
Anos de Trevas 174
Aotrou e Itroun, Balada de 405
Arafain Ver *Keleborn.*
Aragorn 13–14, 16–17, 24, 64–66, 80–81,
96–99, 101– 105, 131, 137, 139, 143,
147–148, 158–159, 165, 167, 177– 180,
184, 190, 196–198, 200, 204, 207, 213,
225, 235, 239, 243, 246, 248, 250– 253,
256, 258, 261, 265, 268–269, 271–272,
274– 276, 280–281, 283–284, 288–289,
304–306, 308, 310, 313, 326– 328, 343,
346, 383–384, 419, 423, 425–426, 428,
446– 448, 450, 452, 455, 458, 460– 477,
499– 502, 504–506, 508–509, 511,
513– 517, 519– 529. Sua ancestralidade e
história 12–15, 143, 148, 178, 422–425;
casa-se com Éowyn 527–8; Rei de Gondor
527. Ver *Pedra-Élfica, Ingold, Tarkil,
Troteiro.*
Aramir Ver *Arathorn.*
Aran Ver *Keleborn.*
Aranhas (no poema *Vida Errante*) 110, 134;
(em *O Hobbit*) 132
Aranhas de Kirith Ungol 249, 255, 389, (393),
407

549

ÍNDICE REMISSIVO

Arathorn Pai de Aragorn. 423– 425, 460–461, 473, 521, 527, 529. Nome original *Aramir* 13, 80; e ver *Elfhelm, Ingrim, Kelegorn.*

Archet Na região de Bri. 58

Arfaxed Ver *Scadufax.*

Argonath, Portões das 420, 422. Nomes antigos *Portões de (Sarn) Gebir* 421, 424; *Sern Aranath* 429. *Pilares dos Reis* 422–4, 453.

Arod "Veloz", o cavalo de Legolas de Rohan. 471, 516. Nome antigo "Mecha-branca" 471.

Aros, Rio Em Beleriand. 345

Artífice do Anel, O 34

Arvernien Terras costeiras a oeste do Sirion. 124, 128– 130

Árvore Branca de *Gondor* 464; Árvore de Prata 464

Árvore-raio, Árvore do Raio 117–119, 124

Arwen 103, 105

Assento da Visão Em Amon Hen. 439, 446.

Athelas Planta curativa. 263

Azanulbizar Vale do Riacho-escuro. 173, 199; *Azanûl* 221

Azevim 152–153, 189, 201, 203, 205, 215–216, 245, 427–428, 430–431. Ver *Eregion.*

Azog Orque, assassino de Thrór. 173, 174, 189

Baía-de-Gelo de Forochel Ver *Forochel.*

Bain Filho de Bard, Rei em Valle. 473

Bair am Yru Moradias dos Galadrim. 288

Balada Breve de Eärendel Ver *Eärendel.*

Balada de Leithian 134

Balin 103, 143–144, 172, 187–188, 191, 195, 208, 212, 224–225, 228– 231, 233–234, 240, 245, 292, 304, 444, 532, 537– 540, 546–547; *Balin, Senhor de Moria* 224, 229–230, 240, 539; seu túmulo 83, 195, 212, 228, 233, 444; inscrição no túmulo 225, 532, 537

Balrog(s) (quase todas as referências são ao Balrog de Moria) 173, 224, 227, 236– 239, , 246, 251–252, 281, 292–293, 304, 310–311, 414–415, 496–497, 507–508, 511, 519; o Balrog descrito 236, 238, 243

Balsa de Buqueburgo (incluindo referências à *Balsa*) 20, 22, 86–88

Banquete após a vitória final 252, 404, 527

Barad-dûr 214, 248, 249, 254, 390, 392, 395, 400, 403. Ver *Torre Sombria, (O) Olho*

Barahir 285

Baranduin 82, 160, 322, 341, 472, 488; *Branduinen* 152; *Branduin* 77, 82, 175. Nome transitório *Malevarn* 82. Ver *Brandevin.*

Barangils Homens do Harad, Sulistas. 368

Barazinbar Caradras. 201, 210, 510; *Baraz* 210

Barba-de-Bode, Harry Porteiro em Bri. 53, 54, 58, 78, 91, 92; Ned seu irmão (?) 54

Barbárvore 613, 16, 88, 90, 102, 160, 167, 250–252, 255–256, 258, 296, 387, 398, 403, 456, 470, 475, 479, 481–484, 486–493, 498, 501, 503– 505, 513–514, 527. Referências a Barbárvore como *gigante* 16, 90, 102, 250, 387, 475, 482; e seus *Gigantes-árvores* 250. *Rei dos Barbárvores* 504; *o mais velho ser vivo* 505. Canção de Barbárvore 489. Ver *Fangorn.*

Bard Rei em Valle. 473

Bardings Homens de Valle. 349, 361, 473, 474. Ver *Brandings.*

Batalhas Grande Batalha (no fim dos Dias Antigos) 150, 152. *Batalha dos Cinco Exércitos* 31, 174, 189. Última batalha da Guerra do Anel 249; última batalha de Gorgoroth 252. No fim da última Aliança: *Batalha de (do Campo de) Gorgoroth* 523, 530; *Planície da Batalha* 365, 456–7, 530 (ver *Dagorlad).*

Beirágua 299

Beleghir Ver *Anduin.*

Belegost Cidade-anânica em Eredlindon. 355

Beleriand 134, 136, 150– 152, 167, 284, 345, 534–535; *Letras beleriândicas* 533, *línguas* 535; runas de Beleriand 536–7

Belfalas 365, 378, 448. *Baía de Belfalas* 153, 175, 351, 352, 418, 457, 512. Nome antigo *Baía de Ramathor, Ramathir* 147, 153

Bennas O Ângulo de Lothlórien. 283, 286, 340

Bëor (casa de, povo de) 536

Beorhtnoth 132, 133

Beorn 168, 294, 312, 339

Beornings 278, 294, 312, 341–342, 437, 457, 463

Beowulf 82, 529

Beren 73, 209, 320, 388

Bergristerra Ver *Vales Etten.*

Biblioteca Bodleiana 133, 226

Bilbo Bolseiro Ver *Bolseiro.*

Bill, o pônei Ver *Samambaia, Bill.*

Blackwater, Rio Em Essex. 132; inglês antigo *Panta* 132–3

Boca-ferrada 255

Boffin (família) 41

Boffin, Folco 40–42

Boffin, Peregrin (1) Troteiro. 14–6, 19, 24, 27, 29–30, 40–42, 101. (2) Amigo de Frodo

A TRAIÇÃO DE ISENGARD

Bolseiro. 15–6, 19, 30, 40–2; chamado *Perry* 15, 19

Bolg Orque, filho de Azog. 173, 189

Bolger (família) 41, 94, 195; *Olo* – 42; *Odovacar* – 29; *Rollo* – 29

Bolger, Fredegar (também *Freddy*) 16, 40, 42, 43, 50, 69, 94

Bolger, Hamílcar (também *Ham*) 16, 20, 30, 40, 42, 43, 47, 50–51, 68–70, 73, 83–5, 89, 92– 94, 137, 166, 184

Bolger, Odo 12, 15–6, 41–3, 47–48, 50, 52, 55–6, 64, 67, 93, 103, 208; originalmente *Odo Tük* 42

Bolsão 15, 24, 29– 30, 39– 41, 66, 78, 88– 90, 100, 396, 399

Bolseiro (sobrenome) 14, 22, 24, 34, 41– 43, 48, 53, 55–61, 70, 78, 84–85, 88– 91

Bolseiro, Bilbo 12– 17, 24–25, 27–38, 49–50, 56, 60, 78, 80– 82, 101, 103–6, 113, 118–9, 132, 136–7, 142–5, 154, 158–9, 167, 178–80, 185, 196–8, 200, 204–5, 209, 223, 226, 229–30, 241, 253, 263, 308, 312, 339, 345, 531. Seu(s) livro(s) 12, 81, 103, 142; escreveu *O Gato e a Rabeca* 52; sua canção em Valfenda 112 e seguintes; 345; sua cota de malha (*malha-élfica, malha-anânica* etc.) 27, 167, 209, 223, 226, 263, 264, 389

Bolseiro, Bingo 10, 42, 45, 74, 137, 150, 151, 167, 191

Bolseiro, Drogo 232, 436

Bolseiro, Frodo 7–9, 12–20, 22–5, 28–33 *passim*, 35, 37–66, 69–72, 76–82, 84–6, 88– 92, 94–6, 99–105, 131, 136, 139–42, 144, 148–49, 154–55, 158–60, 162, 164–5, 167, 169–70, 178, 180, 183, 185, 189, 190, 195–6, 200, 204–5, 207–9, 214, 219, 223, 229–33, 235–6, 238, 241, 248–55, 257, 260–4, 266, 268, 270–5, 278–9, 282–3, 285–8, 291–300 *passim*, 306–8, 312–4, 317–8, 320, 325, 329–30, 332, 335, 338–9, 378, 381–401, 403–8, 410, 412–20 *passim*, 423, 425–6, 428–31, 434–6, 438–40, 442–4, 446–7, 451–3, 456, 465–6, 474–7, 480, 482–5, 497, 502–4, 515–6, 518, 525, 531. Sua espada 18, 25, 142, 167, 209. Ver *Bolseiro, Sonho da Torre*.

Bombadil Ver *Tom Bombadil*.

Boromir 136, 138–41, 143, 147–9, 153–9, 166, 168, 178, 183, 187, 189, 192, 196, 201, 204–7, 211, 213–4, 231, 232–3, 239, 243, 245–6, 248, 250–6 *passim*, 258, 260, 268, 275, 284, 286, 288, 293, 301, 305, 309, 311, 313–4, 316–20, 322–3, 325,

329, 333, 344–5, 366, 382–7, 405, 412–5, 418–24, 433, 436, 439, 440–55 *passim*, 460–2, 466, 470, 475, 482, 484, 498, 506, 512, 514, 516, 518, 524; Lamento para Boromir 450

Bowra, Maurice 112, 133

Brand Rei em Valle. 145, 473

Brandebuque (família) 40–42, 184

Brandebuque, Meriadoc (também *Merry*) 12, 15, 29–30, 40, 42, 47, 54, 62, 67, 71–3, 84, 117, 120, 139, 141–2, 196–7, 199, 202, 207–8, 211, 231, 250–2, 255, 258, 270, 272, 275, 280, 296, 312–3, 320, 323, 325, 329, 337, 339, 385, 387–8, 398, 403, 405–6, 408–9, 412–3, 427–8, 440, 442–3, 452–3, 465–6, 474, 478–9, 482, 484–7, 490, 497, 502–3, 505–6, 511, 513–4, 527; seus pôneis 71, 527

Brandevin, Rio (incluindo referências ao *Rio*) 20, 68, 77, 82, 86, 152, 153. Ver Baranduin.

Branding Espada de Aragorn. 200, 241, 323, 326, 342, 461, 468, 506, (514). Ver *Elendil, Espada que foi Partida*.

Brandings Homens de Valle. 463, 473–474. Ver *Bardings*.

Brandor Ver *Tol Brandir*.

Branduin Ver *Baranduin*.

Bregalad Tronquesperto, o Ent. 492

Brego Construtor do Paço Dourado. Filho de Brytta 512, 517; no SdA, filho de Eorl, o Jovem 517, 524

Bri 11, 13, 16–17, 19–20, 22, 44, 46–49, 51–3, 55–8, 62–7, 69–71, 74–5, 78–9, 81, 84–6, 88– 92, 95, 99, 101, 104, 131–32, 161–62, 165, 184, 200, 209, 235, 289, 339, 343, 349, 527; *Colina-de-Bri* 53; *região de Bri* 58; *habitantes de Bri* 165

Bruinen, Rio 25, 74, 81, 348, 352; *Vau do Bruinen* (incluindo referências ao *Vau*) 72, 167, 208. Ver *Ruidoságua*.

Brytta Pai de Brego. 512, 524; no SdA, décimo primeiro Rei de Rohan 517

Bundu-shathûr Uma das Montanhas de Moria (Cabeça-de-Nuvem). 210; *Shathûr* 210. Nome antigo *Udushinbar* 510

Burin (1) Filho de Balin. 208, 245. (2) Pai de Balin. 537–538

Buzundush Nome anânico do rio Raiz Negra (= Veio-de-Prata). 202, 286

Cabeça-de-Nuvem Fanuidhol. 210. Nome anterior *Chifre de Nuvem*. 210, 510.

Cachoeira da Escada Cachoeira no Riacho-do-Portão de Moria. 214

ÍNDICE REMISSIVO

Cachoeiras de Rhain, Cachoeiras de Rosfein Ver *Colinas de Rhain, Rosfein.*

Calacirian O Passo da Luz. 123, 126; *Carakilian* 117, 119; *Kalakilya* 119

Calembel (1) Cidade em Lamedon. 454. (2) Ver *Calenbel.*

Calenardhon Rohan como província de Gondor. 529

Calenbel Relvado sob Amon Hen (posteriormente *Parth Galen*). 435, 454, 461, 462; *Calembel* 450, 453–55. Nomes antigos *Kelufain* 435, 442, 448, 454; *Forfain* 448

Calendil, Calennel Ver *(A) Língua.*

Calenhir, Rio Em Gondor. 367–8

Caminheiro(s) 17, 61, 71, 72, 79, 94, 95, 98, 103, 190, 468

Caminho Verde 58, 85, 87–88, 92, 99, 161; *Encruzilhada do Caminho Verde, a Encruzilhada* 74, 80; *a antiga Estrada do Norte* 198

Campo Alagado 316, 318, 332, 334, 340, 370– 372, 377–378, 386. Ver *Nindalf.*

Campo-celeste 117, 119

Campos da Ponte Na Quarta Leste. 43, 51

Campos de Lis 268, 294, 362. Ver *Palath-ledin.*

Campos de Pelennor, Batalha dos 190

Campos-Poentes, campos Poentes 117, 121, 134; *Montes-poentes* 134

Canção da Sombra Banida Ver *(A) Sombra.*

Canção de Frodo e Sam Lamento por Gandalf. 312

Canção do Ent e da Entesposa Ver *Ents.*

Caradras 195, 199, 202, 206, 208, 210, 226, 256, 292, 304, 349, 359, 430–431, 507–508; *Caradhras* 201– 205, 210–211. Ver *Barazinbar, Chifre-vermelho, Chifre-rubro*

Carakilian Ver *Calacirian.*

Caras Galadon 277, 287, 290, 295–296, 303, 306, 309, 313, 330, 337, 341, 415, 426, 430, 508; *Caras Galadhon* 279; *Caras* 430

Carn Dûm 48

Carpenter, Humphrey Biografia 82, 255; em *Cartas* 113; *The Inklings* [livro] 132

Carrapicho, Barnabas 17–18, 45, 48–9, 52, 55, 57–63, 78–9, 91, 96, (164), 84, 527; *Barna*, 60; nome posterior *Cevado* 95

Carrocha a "carrocha" de Beorn 339, 362; *a Grande Carrocha* (Tolondren) 316, 317, 318

Cartas de J.R.R. Tolkien, As 82, 112, 132, 210, 352, 371, 476, 482, 485, 496, 510; outras cartas 112, 133, 532

Carta do Papai Noel 409

Casa-de-ent 487, 490, 492; *Entencontro* 477, 492; *Passadas-de-ent* 490; *Vozes-de-ent* 492

Casadelfos 116, 121–122, 125. Ver *Eldamar.*

Casca-de-Pele Ent. 483. Ver *Fladrif.*

Cavaleiro Branco, O Ver *Gandalf.*

Cavaleiros (1) Ver *Cavaleiros Negros.* (2) Cavaleiros de Rohan. 453, 456, 458, 462–463, 473– 475, 497, 500, 509– 510, 516–517, 528

Cavaleiros Negros (também *Cavaleiros, cavaleiros negros* etc.) 12–3, 16–7, 20, 22, 25, 43–5, 47–48, 55, 57–8, 62, 66–70, 73, 78–81, 84–94, 97, 99, 102, 131, 140, 160–61, 164–165, 179, 183–84, 248–50, 252–53, 255–57, 383, 387, 393, 437, 453, 456, 458–60, 462–3, 468–9, 471, 473–6, 480, 497, 500, 509–10, 516–7, 520, 528; montados em abutres, ver *Abutres. Rei, Capitão, Chefe, dos Cavaleiros (dos Nove)* 16, 20, (44–5), 86–9, 92, 143, 162, 165, 181; *Capitão Negro* 99. Ver *Nazgûl, (Os) Nove, Espectros-do-Anel, Magos.*

Cavalga-lobos 483

Celebdil Pico-de-Prata. 210–11, 341, 359. Nome antigo *Celebras, Kelebras* (o Branco) 210, 359, 508

Celeborn Ver *Keleborn.*

Celebrant, Kelebrant 211, 280, 287, 341; *Campo de Celebrant* 529. Nomes antigos *Celebrin, Celeb(rind)rath* 287. Ver *Veio-de-Prata* (2), *Kibil-nâla.*

Celebras, Kelebras Ver *Celebdil.*

Celebrimbor 226

Celebrin, Cele(rind)rath Ver *Celebrant.*

Celegorn (1) Filho de Fëanor; também *Celegorm*. 80. (2) Pai de Aragorn; ver *Kelegorn.*

Celos, Rio Ver *Kelos.*

Celta 493

Cerin (Kerin) Amroth 277, 278, 279, 288, 290, 306; *Coron Amroth* 279

Chão Sombrio (também *chãos ensombrados, terra escura*) 114, 117, 121, 123, 127. *Lago-sombra* 115, 117, 119, 121, 123–6; 345; *Lagos-sombra* 336, 345

Chifre de Nuvem Ver *Cabeça-de-Nuvem.*

Chifre-de-Prata Ver *Pico-de-Prata.*

Chifre-rubro Caradras. 203

Chifre-vermelho Caradras. 201. *Portão do Chifre-vermelho* 199, 285; *Passo do Chifre-vermelho* 199, 210, 285; *Passo Vermelho* 195

Cidade-do-Lago 225

Cinzalin, Rio Um nascedouro do Anduin. 362

A TRAIÇÃO DE ISENGARD

Cirith Gorgor 377

Cirith Ungol, Escadarias de (sentido posterior) 255; ver *Kirith Ungol.*

Colinas A leste do Entágua. 375, 459, 462, 467, 476. Ver *Colinas-dos-túmulos.*

Colinas da Fronteira 316, 318, 332, 370, 371, 372. Ver *Emyn Rhain.*

Colinas das Torres 45, 355. Ver *Emyn Beraid, Torres Brancas.*

Colinas de Ferro 349, 361

Colinas de Graidon, Grailaws Ver *Sarn Gebir* (1)

Colinas de Rhain Ver *Emyn Rhain. Cachoeiras de Rhain* 317–318, 370; ver *Rhosfein.*

Colinas do Norte 349, 354, 358

Colinas do Sul 99

Colinas Verdes (próximo ao curso médio do Anduin) 318– 320, 322–323, 337, 370– 372, 383; *Ravinas Verdes* (?) 317–318

Colinas-de-pedra 278, 295–6, 312, 318, 339, 383, 439

Colinas-dos-túmulos (incluindo referências às *Colinas*) 19, 25, 48, 99

Comitiva (do Anel), A 83, 139–40, 195–201 *passim*, 203–6, 208–9, 212–7, 219, 226, 229, 231, 238, 241–2, 244, 248, 251, 253–4, 256–8, 260–2, 266, 268–9, 274–275, 277, 280–1, 283, 286–7, 290, 292–3, 303–4, 306, 313, 316–23 *passim*, 326, 329–30, 332–3, 335, 337–8, 340–45, 366, 370–1, 381–8, *passim* 405, 410–12, 416, 422, 424, 427, 430–2, 434–6, 439–42, 454, 466, 485, 502–3, 516–7, 524–5. Escolha da Comitiva 139–42, 196, 198–9, 208–9

Condado, O 13–4, 16, 18, 20, 22, 24, 34, 42, 45, 49, 51, 53, 56, 59–60, 62–4, 79, 85, 87– 92, 97, 100, 102, 160, 161, 164–5, 169, 196, 223, 232, 253, 257, 263, 276, 292–3, 295–6, 299, 313, 339, 352, 418, 498. *Registro do Condado* 17; *povo do Condado* 154, 185; língua 498; mapas do, ver *Mapas.*

Conselho Branco 31, 32, 49, 161, 168, 179, 181, 293, 305

Conselho de Elrond 18–20, 23–5, 38, 43, 49, 80, 101, 131, 136, 151–4, 167, 171, 175, 179, 187–8, 191–2, 195, 197–8, 200, 208–9, 213, 226, 245, 247, 255, 257, 301, 308, 342–4, 352, 358, 361, 365–6, 423, 428, 457, 469, 516–7

Contos Inacabados 99, 167, 328, 344, 352, 355, 362, 375, 379, 468, 496

Coroa Alada de Gondor 464, 473

Corredio, Rio Afluente do Anduin. 349. Nomes élficos *Rhibdath, Rhimdad, Rhimdath* 349

Cousas-tumulares 185

Covanana Moria. 201, 210, 219, 224

Cram 72, 321

Crebain corvos avistados em Azevim. 203

Cricôncavo 15– 20, 22, 24, 44, 46–8, 51, 67, 69–70, 80, 84– 89, 92–94, 137, 165, 184, 209

Crina-de-Vento Ver *Hasofel.*

Cris-caron Passo sob Caradras. 213

Cronologia (1) Dentro da narrativa. 18–23, 44, 47–8, 60, 62–3, 70, 77–9, 84–9, 96–100, 140, 142, 190, 198–200, 205, 208, 247, 256, 282, 299, 313, 404, 416–8, 423–4, 428–33, 461–2, 467, 470, 476, 492, 497, 500, 511, 529. (2) Anos da Terra-média. 17. (3) Da composição (datação externa) 17, 52, 83, 86–7, 98, 120, 309, 424, 444, 476, 493, 497, 500

Cuiviénen As Águas do Despertar. 222, 344

Daedeloth (1) Ver *Ephel Dúath.* (2) *Dor-Daedeloth*, reino de Morgoth. 205

Daeron Ver *Dairon.*

Dagorlad Planície da Batalha. 365, 456–7, 515, 530. Nome antigo *Dagras* 365, 457, 530

Dáin (Pé-de-Ferro) 144–5, 172–4, 245; *Dáin das Colinas de Ferro* 174

Dairon Menestrel de Doriath. 534; alfabeto rúnico, canções de 533–536. Forma posterior *Daeron* 224, 536 (runas de).

Danianos, Elfos danianos Elfos-verdes. 152, 535; Danas 534

Dant-ruin Cachoeiras no Anduin. 334, 337, 379, 429; *Dant-ruinel* 2337, 379, 429. Ver *Colinas de Rhain, Rhosfein, Rauros.*

Deagol (1) Gollum. 32; forma antiga *Dígol* 32. (2) Amigo de Gollum. 32, 33, 36, 37, 50

Deldúath (1) Ver *Ephel Dúath.* (2) Taur-na-Fuin. 205, 211

Demanda, A 142, 294, 317–19, 341, 387, 436, 497, 525

Denethor (1) Rei dos Elfos-verdes. 442, 535. (2) Senhor de Minas Tirith 441–442, 447, 506; *Lamento de Denethor* 450

Descampado de Rohan 373, 375, 474

Descampado Seco As Terras Castanhas. 411, 417

Desfiladeiro de Rohan 181, 204, 213, 214, 348, 375, 377, 509, 516, 518

Deuses 510. Ver *Governantes do Mundo.*

Dias Ancestrais 302, 306

ÍNDICE REMISSIVO

Dias Antigos 146, 165, 172, 174, 176, 182, 184, 205, 292, 310, 320, 472, 506

Dias de Fuga 304

Dias de Trevas, Trevas Ver *Grande Treva.*

Dias Médios 182

Dias Recentes 182

Dias-de-Iule 431; *Preiule* 431

Dígol Ver *Deagol.*

Dior Herdeiro de Thingol. 136, 166

Distâncias 72, 263, 283, 333, 362, 403, 418, 463, 490

Dol Amroth 365, 368

Dol Dúgol Habitação do Necromante em Trevamata Meridional (ver 349). 278, 287, 289, 349, 351, 361. Substituído por *Dol Dúghul* 349, 361, 391, 411, 437; e este substituído por *Dol Guldur* 344

Dol Guldur Ver *Dol Dúgol.*

Dolamarth Ver *Amon Amarth.*

Dolereb Ver *Erebor.*

Dolmed, Monte Nas montanhas Azuis. 355

Doriath 136, 152, 389, 534–538; runas de Doriath 542–543

Dorthonion 285, 493. Ver *Orod-na-Thôn.*

Dragão Verde Taverna em Beirágua. 39

Dragão, Dragões 38, 207; referindo-se a Smaug 31, 172, 193; fogo dos dragões 38

Du-finnion Troteiro. 77

Duath Ver *Ephel Dúath.*

Duil Rewinion Morros dos Caçadores. 339

Duin Morghul Riacho no Vale Morgul (no SdA, *Morgulduin*). 367. Também chamado *Ithilduin* 367

Dúnadan, O (sobre Aragorn). 104. *Dúnedain* 343. Ver *Tarkil.*

Durin 172–174, 193, 217, 218, 221–2, 224, 227, 244, 278, 281; *povo, clã de Durin* 189, 292; *machado de ~* 229, 240; *coroa de ~* 262; *pedra de ~* 244, 262; *torre de ~* 507–8; *ponte de ~* 508

Eärendel 114, 118–20, 124, 127, 134, 136, 314, 343; *Eärendil* 113, 119, 129, 314, 343; *estrela de Eärendel* 325, *a Estrela Vespertina* 298; *A Balada Breve de Eärendel: Eärendillinwë* 128, 129 (desenvolvimento da "versão de Valfenda" de *Vida Errante,* 112–131).

Eastemnet 373, 467, 474

Eastfolde 375, 477

Echuinen Ver *Nen Echui.*

Edda Poética 245; 532; *Völuspá* 532

Edoras Ver *Eodoras.*

Egladil Em *Lothlórien.* 332, 340–1

elanor Flor dourada de Lothlórien. 288, 336

Elbereth Varda. 82, 131; canções a Elbereth 105, 392, 394

Eldakar "Elfhelm" pai de Eldamir ("Pedra-Élfica"). 326, 422, 425, 428, 473; avô de Eldamir 425

Eldamar Casadelfos. 336

Eldamir Pedra-Élfica (Aragorn). 326, 331, 346, 422, 425, 428. Nomes transitórios: *Eldavel* 428, *Eledon* 326, *Qendemir* 326

Eldar 344

Elendil 16–7, 64, 97, 131, 136–37, 146–52, 155–56, 158, 167, 171, 174–75, 178, 184, 189, 232, 241, 329, 391, 423, 461, 514, 523, 529. Trompa de Elendil (*Lançavento*) 404, 409; Espada de Elendil 158, 200, 246, 342; ver *Branding, Espada que foi Partida.*

Elentári "Rainha das Estrelas", Varda. 336

Elessar (A) Pedra-Élfica. 328, 346, 425, 428, 460

Elfhelm Pai de Pedra-Élfica (Aragorn). 99, 131, 178, 200, 325–7, 422–4, 428. Ver *Eldakar.*

Élfico (língua e escrita) 16, 25, 77, 115, 119, 122, 138, 140, 146, 153–4, 157, 175–6, 188, 200–1, 203, 222–3, 229, 267–9, 280–2, 286, 321–2, 327, 329, 331–2, 337, 340–4, 401, 408, 448, 454, 457–9, 493, 508, 535; e conferir o verbete *-élfico.* Citações em élfico 205, 225–6, 336, 487; palavras élficas sem verbetes próprios 140, 209, 218, 226, 269, 277, 284, 286–8, 309, 340, 366, 379, 474, 492. (com outra referência) 119, 289, 306, 320, 345, 352, 389, 403, 426; *Elficidade* 288

élfico *Amigo-dos-Elfos* 151 (Elendil), 271, 327 (Aragorn), 271 (Gimli); *Anéis-élficos,* ver *Três Anéis; fala-élfica* 201; *artífices-élficos* 307; *letras-élficas* 230; *língua-élfica* 105, 270; *Porta-élfica,* ver *Moria; Portos-élficos,* ver *Portos Cinzentos; Rei-élfico* 137 (Gil-galad), (Amroth) 267; *o Rei-élfico* (em Trevamata) 146; *Reis-élficos* 138, 146, 188, 267, 301; *Sábios-élficos* (Noldor) 203; *Senhores-élficos* (de Valfenda) 200; *Torres-élficas,* ver *Torres Brancas;* outros compostos 115, 122, 127, 223, 268, 304, 321, 328, 332, 337, 403, 448, 459–61, 466

Elfos da companhia de Gildor 18–19, 20, 44, 77, 93, 143, 257, 392, 427; de Azevim 152, 203, 215–6, 455; de Lórien (referências gerais, e ver *Elfos-da-floresta*) 202, 247, 251–254, 265, 268, 282–284, 297, 264, 312, 340, 387, 444; de

554

A TRAIÇÃO DE ISENGARD

Trevamata (e ver *Elfos-da-floresta*) 180, 197, 282, 287; de Valfenda 22, 103, 105, 152, 157, 178.

Outras referências: 18–22, 81, 94, 119, 121, 138, 149, 151, 154, 156–7, 163, 167, 175, 178, 185, 217, 222–3, 247, 251, 253, 259, 264, 277, 316, 319–24, 327, 329, 337–40, 344, 349, 370, 387, 426, 429, 442, 471, 482, 489, 506, 534–6; e os Anéis 138, 188, 192, 301, 307; *Elfos ocidentais* 285, *Elfos do Oeste* 301–2, 307; *primeiro senhor dos Elfos* 482

Elfos Silvestres 289; *povo Silvestre* 270. Ver *Elfos-da-floresta*.

Elfos-da-floresta (tanto de Trevamata quanto de Lothlórien) 37, 145, 167, 179, 180, 190, 260, 264; *povo da floresta* 273, 312; língua 266, 271, 285, 297. Ver *Elfos Silvestres*.

Elfos-verdes 442. Ver *Danianos*.

Elostirion (1) Ver *Osgiliath*. (2) Torre Branca nas Emyn Beraid. 498

Elrond 13–4, 17, 22–3, 63, 77, 79, 103–4, 119, 136–48, 150–1, 155–60, 165–6, 168, 172, 174, 176–7, 179–81, 184, 186–9, 191–2, 195–201, 205, 208–9, 268, 271, 278, 282, 286, 298–9, 301, 304, 313, 329, 339, 358, 383, 423, 441, 457, 472, 497, 516–7, 524, 531. *Filhos de Elrond* 197–198. Ver *Conselho de Elrond*, *Meio-Elfo*.

Elwing 125, 127–8, 130, 136, 166; *Ave-Elwing* 127

Ely 133

Emris, Ilha de Nome antigo de Tol Brandir. 373, 379, 430

Emyn Beraid. As Colinas das Torres. 160, 498

Emyn Muil 377, 424, 455, 474, 477, 498, 501, 509–10. Ver *Sarn Gebir* (1)

Emyn Rhain (Rain) As Colinas da Fronteira. 318, 332, 370–2, 383; *Colinas de Rhain* 318, 318, 370

Enedwaith "Marco-do-Meio" 349, 358–9, 473, 517; "Povo-do-Meio" 473

Entágua, Rio (incluindo referências ao *Rio*) 2250–1, 255, 258, 295–6, 316–8, 332–4, 341, 348, 371–2, 375, 377–8, 387, 418, 420–1, 442, 456, 458–9, 464, 467, 487, 505, 520; *fozes* 348, 372, 378; *vale do Entágua* 420. Ver *Ogodrûth*.

Ents 17, 22, 25, 74, 82, 86, 184, 198, 256, 296, 361, 482–5, 488–9, 491–4, 505, 511–5, 527; *Entinhos* 493; *Canção do Ent e da Entesposa* 491, 494; *Entês* 492, 494 (canção de marcha). Chamados de *Andantes-solitários* 482, *Pastores das Árvores*

505, *Povo-das-Árvores* 482–3, 485, *pastores-de-árvores* 488; ver *gigantes-árvores* 258

Eodoras 375, 433, 471, 506, 509–11, 514–15, 518–22, 525, 529–30; forma antiga *Eodor* (singular) 373, 471, forma posterior *Edoras* 477, 528

Eofor Pai de Eorl, o Jovem. 512. Ver *Léod*.

Eofored Segundo Mestre da Marca. 523, 526, 530

Éomer Terceiro Mestre da Marca 457, 460–2, 468–71, 473–5, 480, 511–17, 522, 524–7, 530; *Senhor de Rohan* 527

Éomund Pai de Éomer e Éowyn. 457, 461, 471, 527–8, 530

éored Grupo de cavalaria em Rohan. 468

Eorl, o Jovem 473–4, 522, 523, 528–9; *Eorl, o Velho* 522; *Casa de Eorl* 526; *Eorlingas* 526

Eothain Escudeiro de Éomer. 469, 471

Éothéod Nome original dos Cavaleiros de Rohan. 362

Eowin Segundo Mestre da Marca. 461, 518

Éowyn Irmã de Éomer. 457, 514–5, 524, 526–8, 530; "*Brilho-élfico*" 457

Ephel Dúath 176; anteriormente *Duath* 365, 403, 404, 408. Nomes transitórios *Deldúath, Daedeloth* 205

Erceleb Ver *Mithril*.

Erebor A Montanha Solitária. 172, 189, 193, 361. Nome antigo *Dolereb* 361

Ered Orgoroth (Gorgoroth) 176. Ver *Montanhas de Terror*.

Ered Lithui As Montanhas de Cinza. 254, 379, 408

Ered Luin As Montanhas Azuis. 355. Ver *Eredlindon*.

Ered Myrn Ver *Montanhas Negras*.

Eredhithui As Montanhas Nevoentas. 152–3. Outro nome proposto *Hithdilias* 152–3

Eredlindon As Montanhas Azuis. 150, 152, 153, 167, 442. Ver *Ered Luin*.

Eredvyrn Ver *Montanhas Negras*.

Eredwethion Montanhas de Sombra. (1) Nos Dias Antigos. 152. (2) Montanhas cercando Mordor no Noroeste. 152, 383, 405, 408; substituído por *(Ephel) Duath*.

Ereg, Rio Ver *Erui*.

Eregion Azevim. 30, 152, 153, 209, 536. Nome antigo *Nan-eregdos* 201

Eregon, Ilha de "Pináculo de Pedra", nome antigo de Tol Brandir. 337, 379, 405, 411, 416–7, 427, 430

Eressëa A Ilha Solitária. 151, 535

Erestor "*Meio-Elfo*" Parente de Elrond. 138, 185–6, 191, 196, 208

Eriador 359, 535

ÍNDICE REMISSIVO

Erion Ver *Tom Bombadil.*

Erkenbrand Ver *Pedra-Élfica.*

Erui, Rio Em Gondor. 367. Forma antiga *Ereg* 367

Esboço da Mitologia 119

Escada do Riacho-escuro (1) O passo sob Caradras. 199, 202, 204, 208, 210, 271, 280, 285. *Passo do Riacho-escuro* 199, *o Passo* 203. (2) Sentido posterior, trilha do Vale do Riacho-escuro até o Passo. 199, 280

Escadaria do Norte Caminho de varação ao lado de Rauros. 421, 435

Escári Aldeia na Quarta Leste. 51

Espada Partida, A Ver *A Espada que foi Partida.*

Espada que foi Partida, a Espada Partida 97, 143, 147, 149, 153, 159, 167. Ver *Elendil.*

Espectros Ver *Espectros-do-Anel.*

Espectros-do-Anel (também *Espectros*) 63, 90, 97, 160, 191, 196, 249, 250, 300, 393, 496–97. Carregados por abutres, ver *Abutres*; o *Mensageiro Alado* 504. Ver *Cavaleiros Negros, Nazgûl, (Os) Nove.*

Espelhágua 202, 222, 229, 244, 260, 262, 282, 359. Ver *Nen Cenedril, Nen Echui*

Espelho, O Do Rei Galdaran 295; de Galadriel (Galadrien) 222, 259, 279, 290, 296–7, 299–300, 303, 306, 308, 313–4, 321, 341, 424, 430, 446, 483, 485

Estalagem Abandonada A leste de Bri. 349

Estrada 9, 22–3, 40, 55, 67, 72, 74, 77, 85–6, 88–9, 91, 99, 103, 106, 349; *Estrada Leste* 16, 20, 22, 25

Estrada do Norte 198. Ver *Caminho Verde.*

Estrada Leste Ver *(A) Estrada.*

Estrada Segue Sempre Avante, A 106

Estrado Na região de Bri. 54, 71

Estrela Vespertina 298; *Eärendil, a Estrela Vespertina* 314

Estrelas Na Porta Oeste de Moria 218 (ver 474); *Estrela da Casa de Fëanor* 218

Estrelas, 147, 155, 175, 298

Ethir Anduin 362, 366, 437. Forma antiga *Ethir-andon* 351–2

Etimologias, As No volume V. 16, 82, 154, 208, 277, 283–4, 286–7, 309, 339–40, 367, 379, 427, 473, 493, 498

Etíopes 517

Exílio, O (dos Noldor) 534

Extremidade Leste Fangorn. 488

Fala comum 266, 285, 289, 327, 346, 460; *Idioma comum* 289; *Língua comum* 289; *língua franca* 498; *falar ordinário, língua ordinária* 271, 289

Falas 128, 129; = *Harfalas* 152

Fangorn (1) Barbárvore. 88, 90, 483, 504. (2) Floresta de Fangorn (incluindo referências à *Floresta*) 18, 25, 88, 90, 137, 179, 202–3, 251, 255–8, 295–6, 318, 333, 341, 345, 387, 406, 433, 456, 459, 464–5, 472–4, 476, 483, 487, 490, 500, 502, 504–5, 507, 509, 511, 516. Chamada de *Floresta-sem-Copa* 203, 250, 257; e ver *Extremidade Leste, Marca-Ent, Floresta Ent.* Árvores se movendo 491–492, 513

Fano-da-Colina 375, 527, 530. Nome antigo *Dunberg* 527, 530

Fanuidhol Cabeça-de-Nuvem 210; *Fanuidol* 359. Nome antigo *Fanuiras (o Cinzento)* 210, 359

Faramir 15, 518

Fëanor 80, 127, 153, 302–3, 307, 533–4. Filho(s) de Fëanor 80, 127; Casa de 218; Alfabeto de 533–4; Anéis de 303. *Fëanorianos* 128, 130

Felagund Ver *Finrod* (2).

Felaróf Cavalo de Eorl. 522

Fenda(s) da Perdição 12, 13, 38

Fero Inverno 68

Ferroada 18, 25, (164), 167, 196, 231, 232, 273, 285, 389, 390, 394, 396, 416, 435

Festa, A 12, 18, 27, 30, 78

Fim do Mundo 118, 122, 124, 126; *borda do mundo* 338

Fim, O 38, 103

Finarfin 311

Finduilas Ver *Galadriel.*

Finglas Ent ("Mecha-de-Folha"). 483

Finrod (1) Terceiro filho de Finwë, posterior *Finarfin* 151, 153. (2) *Finrod Felagund*, filho de Finarfin. 311; *Felagund* 151, 153; *Inglor* 152–153

Fionwë Filho de Manwë. 237

Fladrif Ent ("Casca-de-Pele"). 483; nome antigo *Fladrib* 483

Flói Companheiro de Balin em Moria. 229, 240, 245

Floresta Chet 19, 349

Floresta Dourada 281, 283, 288, 338, 487

Floresta Velha 12, 18, 47, 85, 90, 137, 185, 472, 487–90

Floresta-sem-Copa, A Ver *Fangorn.*

Fogo Branco O fogo de Gandalf, em contraposição ao Fogo Vermelho do Balrog. 237, 243; *Chama Branca* 243

Fogo Vermelho O fogo do Balrog. 243; *a chama vermelha* 237

Fontegris, Rio 17, 23, 25, 74, 86, 184, 198; nascentes do Fontegris 77. Ver *Mitheithel.*

A TRAIÇÃO DE ISENGARD

Fontelonga, Rio Um nascedouro do Anduin. 362

Forfain Ver *Calenbel*.

Forlond O Porto do Norte no Golfo de Lûn. 355, 498; forma antiga *Forlorn* 355, 498

Forn Ver *Tom Bombadil*.

Fornobel Ver *Fornost*.

Fornost (Erain) Norforte (dos Reis). 154, 358. Nomes antigos *Osforod, a Norfortaleza* 148–9, 154, 158, 178, 358; *Fornobel, a Fortaleza do Norte* ou *Norteforte* 178, 190, 349, 358

Forochel, Baía-de-Gelo de 355, 379; *Cabo de Forochel* 354

Forodwaith "Terra-do-Norte". 349, 355, 358, 359

Foster, Robert The Complete Guide to Middle-earth [O Guia Completo da Terra-média]. 199, 341

Frána Língua-de-Cobra. 524. (Substituído por *Gríma*).

Frár (1) Companheiro de Glóin em Valfenda. 245. (2) Companheiro de Balin em Moria. 230, 245

Frodo Bolseiro Ver *Bolseiro*.

Frumbarn Ver *Tom Bombadil*.

Fundin Pai de Balin. 224, 230, 538

Galadriel 259–60, 278–79, 282, 290–96, 300–1, 303–19, 321, 323–36, 338–46, *passim*,389, 401, 414, 424, 426, 428–30, 446, 483, 485, 507, 508, 510, 518, 524, 527–8, 531; *A Senhora* (também a *Senhora de Lothlórien, dos Galadrim*) 224, 287, 297, 299, 299, 300, 303, 305, 311, 313, 316, 318–9, 324, 324, 328, 330, 338, 342, 389, 419, 425–6, 432, 461 (*Senhora da Floresta*). Anel de Galadriel, ver *Anel da Terra*; suas dádivas de despedida 316, 323, 331, 333–35, 337–8 (e ver *Pedra-Élfica* (2)); seu frasco ou "vidro de luz" 325, 389–90, 394–395, 515; suas canções 330, 332, 335, 338; como esposa de Elrond 282. Ver *(O) Espelho*. Nomes antigos *Finduilas* 295, 309; *Rhien* 295–6, 309–10; *Galdrin* 310, *Galdrien* 295–96, 310, *Galadhrien* 295, *Galadrien* 295–8

Galadrim "Povo-das-Árvores". 268, 269, 278, 282, 284, 288, 291, 303, 305, 318, 321, 323, 324, 329, 342, 461. Nome antigo *Ornelië* ("Gente-das-Árvores") 284

Galathir, Galdaran Ver *Keleborn*.

Galdor (1) Um senhor de Gondolin. 208. (2) Elfo de Trevamata (substituído por *Legolas*). 141–2, 144, 145–6, 154–5,

158–9, 171, 174, 179–80, 190, 196. (3) Elfo dos Portos Cinzentos. 159

Galdrien Ver *Galadriel*.

Galeroc Cavalo de Gandalf. 85, 87, 98, 169, 181. Ver *Narothal*.

Gamgi, Feitor 39, 43, 50, 295

Gamgi, Sam 9, 12, 15, 17, 36, 40–1, 54, 55, 58–60, 62, 63–7, 71–4, 78–9, 86, 88–9, 94–9, 103, 114, 117, 120–1, 134, 141, 154, 171, 195, 198, 203, 207–9, 219, 222, 231–3, 238–9, 241, 248–57, 262–3, 268, 270, 272, 282–3, 288, 293, 299–300, 308, 312–4, 317, 322–3, 325, 329, 331, 339, 342, 378, 381–2, 385–401 *passim*, 403–10 *passim*, 412–9, 425–32, 434, 440–1, 443, 450–3, 456, 468, 483–5, 503, 513, 515–6, 518, 527, 531. Suas canções 71, 75–76, 81, 398; seu tio Andy 280

Gandalf 11–20, 22–5, 27–33, 35–40, 42–52, 55–57, 60–79, 81, 83–104, 131, 136–141, 143, 146, 154–5, 158–60, 162–92 *passim*, 195–209, 213–19, 222–48 *passim*, 251–3, 256, 261, 264, 271, 277–8, 281, 285, 289, 292–3, 295, 297–8, 305, 312–4, 317, 320, 329, 342, 351, 365–6, 387, 406, 423, 427, 429, 432–3, 440, 444, 448, 451–2, 456–7, 462, 465, 469–70, 473–74, 480, 482–5, 490, 496–7, 499–530, 532, 537, 540
Nomes em Rohan: *Gondelf* 474, *Hasupada* 471, 474–5, 499, *Láthspell* 523; chamado O *Cinzento* (94), 102, 163, etc. (ver especialmente 166), *Capa-cinzenta* 474; trajado de branco 256, 281, 295, 298, 445, 483, 506, 510 *Gandalf, o Branco* 501, *o Cavaleiro Branco* 512, 514; ver *Saruman, Mago Branco, Mithrandir*. Cartas de Gandalf citadas 62–63, 79, 96; sua história no Conselho Elrond 159–166, 180–185

Gato e a Rabeca, O 52

Gelo Estreito 124

Gente Pequena, povo pequeno Hobbits. 293–4

Germânico 536

Gigantes-de-pedra 483. Ver *Trols*.

Gil-galad 71, 81, 137, 168, 175, 523. Descendente de Fëanor 153; filho de Inglor Felagund 151–3. *A Queda de Gilgalad* 81

Gildor 77; ver *Elfos*.

Gilraen Mãe de Aragorn. 343

Gilrain, Rio Em Gondor. 367. Ver *Lameduin*.

Gilthoniel Varda. 82

ÍNDICE REMISSIVO

Gimli 141–2, 196, 201–2, 205–8, 210, 214, 217–9, 221–2, 224–5, 227, 232–4, 237, 239–41 *passim*, 243, 245, 250–2, 256, 258, 260, 262–4, 268–9, 275–6, 278, 281–3 *passim*, 292, 294, 304, 311, 316, 321, 324–5, 327–8, 330, 340–3, 387–8, 406, 410, 414, 440, 443, 447–8, 451–3, 458–60, 463, 466, 468–9, 472–4, 476, 482, 484, 500–2, 504, 508–9, 511, 514, 516, 519–22, 529. Sua canção em Moria 221; chamado de *Amigo-dos-Elfos* 271. Ver *Pedra-Élfica* (4).

Glamdring Espada de Gandalf 226, 231, 237, 245

Glóin 101, 103, 138–9, 141–4, 146, 155, 158, 171, 174, 187–8, 191–2, 196, 226, 245, 292, 312, 460

Glorfindel 22, 23, 77, 94, 138, 139, 143, 185, 186, 191, 208

Gnomos 152, 154, 191, 303. *Gnômico* 390; élfico-gnômico 343

Gobelins 34, 172, 173, 189, 219, 497; *espírito-gobelim* 483. Sobre Gobelins e Orques, ver 239, 245. *Portão dos Gobelins* 140 (ver *Annerchion*), *Porta dos Gobelins* 140. Ver *Anãos, Orques.*

Gollum 13, 16, 18, 24, 32–38, 50, 104, 137, 144–6, 155, 158–9, 164, 167, 179–80, 190, 248–51 *passim*, 253–5, 257, 261, 268, 285, 295, 308, 313, 386, 388–90, 398, 403–4, 406, 416, 418, 424, 430, 434–5, 480, 515–6. Ver *Deagol* (1), *Smeagol.*

Gomo, O (de Lothlórien) 275, 280–1, 287, 289, 309, 340, 431. Ver Ângulo; *Bennas, Naith, Narthas, Nelen, Nelennas.*

Gondelf Ver *Gandalf.*

Gondolin 136, 208, 534; *Runas Gondolínicas* 532

Gondor 177, 256, 362, 367–8, 373, 378–9, 424, 463–4, 470, 493, 498, 524, 527, 529; *Gondoriano* 514; *Gondor do Sul* (*Harondor*) 362. Ver *Ond, Ondor.*

Gorgoroth 175–7, 248–9, 252, 254–5, 368, 388, 391, 397, 403–4, 406, 408–9, 437, 484, 516, 523, 530; *Brecha de Gorgoroth* 248, 255, 368, 398, 407; boca de 516; vale (planície) de 175–7, 254, 368; Torres-de-guarda órquicas 248, 255, (365), 404, 409, 484, 516 (ver *Gorgos, Nargos*). Ver *Batalhas.*

Gorgos "Castelo-horrendo", torre-de-guarda oriental em Kirith Ungol. 403–5, 409. Ver *Nargos.*

Governantes do Mundo Os Valar. 302. *Os* 510.

Grã-Cava 54, 223; *a Cova Municipal* 54; *o Museu, Casa-mathom* 223

Grande Batalha Ver *Batalhas.*

Grande Batalha, 150, 152

Grande Guerra A Guerra do Anel. 535; *Grandes Guerras* (dos Dias Antigos) 136

Grande Jornada (dos Eldar) 344

Grande Mar, Grandes Mares; o Mar, os Mares 12, 24, 44–7, 102, 117–9, 121–3, 125, 127–8, 130, 133, 135, 138, 150–3, 167, 186, 188, 191, 213–4, 250, 253, 257, 276–7, 286, 289, 293, 302, 305, 312–4, 322, 336, 344, 349, 351, 361, 366, 368, 379, 407, 415, 420, 444, 450, 464, 470, 473, 483, 488–9, 491, 511; *Mar do Oeste* 147, 151, 175

Grande Rio (incluindo muitas referências ao *Rio*) 17, 22, 25, 74, 83, 85, 114, 117, 121, 132, 150–3, 155–6, 161, 168, 175, 202, 254, 275, 279, 289, 309, 315, 317–9, 322, 323, 331–7, 342, 343–4, 349, 358, 361, 366, 370–3, 381, 382, 385, 387, 391, 405, 410, 413, 417, 419–20, 423, 427, 430, 436–8, 444, 446–7, 452, 453–4, 465–6, 471, 479, 482, 485, 502, 511, 513–4, 526, 530. Ver *Anduin.*

Grande Treva 488, 489; *a Treva* 489; *os Dias Sombrios* 488

Grandes Terras 146

Grendel (em *Beowulf*) 82

Gríma Língua-de-Cobra. 524. Ver *Frána.*

Grimbeorn, o Velho Filho de Beorn. 294, 312

Griságua, Rio 74, 198, 333, 341, 358, 359, 366, 368, 472, 517. Chamado de *o Sétimo Rio* 333, 366. Ver *Gwathlo, Odothui, Sete Rios.*

Grisfax Ver *Scadufax.*

Grishnákh Orque de Mordor. 478, 480; forma antiga *Gríshnák* 479

Groenlândia 257; *uma terra verde* 253, 257

Gruta-da-Nascente A casa de Barbárvore. 490. Nomes antigos *Morro-da-fonte, Funtial* 490, 493; *Casa-da-Nascente* 490

Gwaewar (o Senhor-dos-Ventos) 164–5, 169, 184, 502, 507; *Gwaiwar* 184. Nome posterior *Gwaihir* 169, 184, 433, 465, 502, 507, 508; *Gwaehir* 507

Gwathlo, Rio O Griságua. 358, 367, 368

Hador (casa de) 536

Halbarad (1) Ver *Scadufax.* (2) Caminheiro, alferes de Aragorn. 190

Haldir Elfo de Lórien, guia da Comitiva. 280–2, 285–6, 291–2, 303, 309, 330, 337–8, 340–1; *Halldir* 291, 309. Nome antigo *Hathaldir* 271–281, 285–7, 289, 296, 297, 309–10, 340; originalmente *Haldir* 285, 309

Haleth (casa de) 536

Háma Cavaleiro de Rohan. 514, 526

Harad O Sul. 368, 391

Haradwaith "Meridião" 359, 368, 456–7; povo do Harad 473, 512, 514, 517, 518, 520. Ver *Terra Harg.*

Harfalas Regiões costeiras do Sul. 152, 167; *Falas* 152

Harlond O Porto do Sul no Golfo de Lûn. 355, 498; forma antiga *Harlorn* 355, 498

Harnen, Rio 359

Harondor Gondor do Sul. 362

Harwan Ver *Terra Harg.*

Hasofel "Manto-cinzento", cavalo de Rohan de Aragorn. 471, 499, 516; *Hasufel* 499. Nome antigo *Crina-de-vento* 471

Hasupada "Manto-cinzento", ver *Gandalf.*

Hathaldir (1) Hathaldir, o Jovem, companheiro de Barahir. 285, 286. (2) Ver *Haldir.*

Hazowland Ver *Sarn Gebir* (1).

Herugrim Espada de Théoden. 530

Hildi "Os Seguidores", Homens. 16

Himling (*Monte de*) Que permaneceu como uma ilha. 152–3, 168, 355; *Himring* 167

Hithdilias Ver *Eredhithui.*

hnau Ver 482, 493

Hobbit, O 37, 39, 50, 74, 166–8, 172–4, 188–9, 192–4, 208, 225–6, 349, 532

Hobbits (referências genéricas) 19, 20, 47, 48, 53, 54, 90, 105, 196, 263, 316, 411, 413, 427, 445, 491. Ver *Meios-altos, Pequenos.*

Homens do Norte 13, 147, 157, 191, 457, 463; do Leste 339, 437, 535; do Sul 437, 512; do Oeste, ver *Númenóreanos, Ociente.* Outras referências 105, 140, 153–4, 156, 163, 175, 184, 191, 196, 218, 222, 224, 338, 343, 383, 389, 426, 453(Homens das cidades), 463, 489–490, 535, 395

Homens-da-floresta (de Trevamata Ocidental) 457

Hoste do Oeste 173, 311

Iaur Ver *Tom Bombadil.*

Idis Filha de Théoden. 524, 526, 530. Nome sugerido *Ælflæd* 530.

Ilha Solitária 119, 121, 125. Ver *Eressëa.*

Ilha Verde Ver *Tol Galen.*

Ilha(s) Encoberta(s), A(s) 115, 119

Ilhota-de-pedra Ver *Tolondren.*

Ilkorins 152, 534, 535; *ilkorin* (adjetivo) 533

Ilmandur Filho mais velho (?) de Elendil. 147, 150

Ilmarin (*Colina de*) Taniquetil. 115, 119, 121, 125, 135, 345

Ilmen Região das estrelas. 150

Imladris Valfenda. 150, 154, 177. Formas antigas *Imlad-ril* 147, 153; *Imladrist* 151–2

Indo-europeia 536

Inglês antigo 25, 82, 132, 182, 191, 289, 296, 341–2, 349, 409, 471, 474–5, 479, 493, 497–500, 517, 529–30, 536; *Anglo-Saxão* 474, 485, 529

Inglês médio 82

Inglor Felagund. Ver *Finrod* (2), *Gil-galad.*

Inglorel Ver *Nimrodel.*

Ingold Nome que, por um tempo, substituiu Aragorn, Pedra-Élfica (ver 328). 99, 281, 289, 292, 304–5, 308, 310, 313, 316–7, 319–23, 325, 327–8, 333, 342, 344–6, 422, 447

Ingrim Pai de Ingold. 292, 304, 310, 327

Inimigo, O 64, 66, 80, 97, 104, 145–6, 149, 158, 161, 165, 178, 180–1, 186–7, 189, 205, 275–6, 289, 299, 301–3, 319–21, 342, 383, 387, 414–5, 420, 459, 502

Inklings, Os 106–107

Ipswich 132

Iren, Rio Ver *Isen.*

Isen, Rio 213–4, 225, 286, 349, 351, 358–9, 366–8, 391, 511, 513, 515, 526, 530; *Vau do Isen* 375; *Batalha do Isen* 515. Forma antiga *Iren* 225, 349, 351, 359

Isengard 47, 90, 162, 169, 181, 184, 195, 213, 252–3, 256, 258, 348, 375, 406, 437, 444, 448, 453, 458, 469–71, 478, 480, 483, 491–3, 497, 504, 511–5; sua localização original 162, 169, 181; *Grande Portão* 513. Nome antigo *Pátioferro* (Angrobel) 88, 90, 159–60, 169. Ver *Angrenost.*

Isengardenses 478, 479, 513

Isildur 35, 64, 131, 147, 149–51, 155–8, 174–9, 421–3, 425–6, 428, 461, 463, 523, 530

Istari Magos. 496

Ithil Ver *Mithril.*

Ithildin "Lua-estrela". 217–8, 223, 225–6. Nome antigo *Thilevril* 226

Ithilduin Ver *Duin Morghul.*

Ithilien 375

Kalakilya Ver *Calacirian*

Keleborn 291–4, 303–4, 310–1, 315–6 *passim*, 318–23, 325–6, 329–30, 332–3, 335,

ÍNDICE REMISSIVO

337, 341–3, 345, 370–2, 377, 472, 487, 530–1; *Celeborn* 260, 309; *O Senhor* (também o *Senhor de Lothlórien, dos Galadrim*) 278–9, 282, 291, 305, 318, 342. Outros nomes: *Tar* 295, 309; *Aran* 295, 309–310; (*Rei) Galdaran* 295–96, 310 (*Espelho do Rei Galdaran* 295); *Galathir* 295, *Arafain* 303

Kelebrant Ver *Celebrant.*

Kelebras Ver *Celebdil.*

Kelegorn Pai de Aragorn 96, 99, 102, 131, 178, 200, 327, 423, 473. Ver *Arathorn.*

Kelos, Rio Em Gondor. 367; Celos 379

Kelufain Ver *Calenbel.*

Kerin Amroth Ver *Cerin Amroth.*

Kerin Muil Ver *Nen-uinel.*

Khazad-dûm 7, 174, 223, 224, 228, 239, 242, 243, 315, 355, 507; *Kazadd*ûm 539; a Ponte de Khazad-dûm 224, 228, 239, 242–3, 315, 507 (*Ponte de Durin* 508). Ver *Covanana, Moria.*

Kheled-zâram Espelhágua. 202, 210, 222, 229, 244, 260, 262, 282, 343, 359

Khuzdul 210

Kibil-nâla Veio-de-Prata. 210, 211, 286, 343

Kiril, Rio Em Gondor. 367, 368

Kirith Ungol O grande passo para Moria (ver 391, 403). (255), 334, 337, 365, 368, 377, 378, 386, 388, 404, 406–9, 515–6, 530; *Kirith* 403; portões de 515; traduzido como *Vale da Aranha* 388. Ver *Cirith Ungol.*

Kópas Alqaluntë 379

Kôr 119

Lamben Ver *(A) Língua.*

Lamedon Região de Gondor. 367, 455

Lameduin, Rio Em Gondor. (Posteriormente *Gilrain.*) 367

Lançavento Ver *Elendil.*

Larmindon Ver *Amon Lhaw.*

Láthspell "Más-notícias". Ver *Gandalf.*

Lebennin "Terra das Cinco/Sete Torrentes". 365–7, 375, 378

Leeds, Universidade de 74

Lefnui, Rio Em Gondor. 351, 362, 366, 368; anteriormente *Lhefnui* "quinto" 367–8

Legolas (1) Legolas Verdefolha de Gondolin. 208. (2) Elfo de Trevamata. 158, 171, 179–80, 190, 196, 203–8, 217–8, 231–2, 236–7, 239, 243, 250–3, 256, 258–60, 262, 264–78 *passim*, 282–5, 287, 291–2, 294, 297, 304–5, 311, 316, 319, 322–3, 329, 341–4, 387–8, 406, 414–5, 421–2, 426–7, 443, 447–8, 451–3, 455–6,

458–60, 463–6, 468, 471–2, 476, 482, 484, 501–2, 504–6, 508–9, 511, 514, 516–7, 519–22, 525, 528–9; chamado *Verdefolha* 460, 508

Lembas "pão-de-viagem". 321, 329, 467

Léod Pai de Eorl, o Jovem. 517. Ver *Eofor.*

Lewis, C.S. 106, 493 (*Além do Planeta Silencioso*)

Lhammas, O 168, 533–4

Lhefneg, Rio Ver *Lefnui.*

Lhûn "Rio Azul" (124). 151–53, 175; escrito *Lûn* 354, 355, 488. Golfo de Lhûn 151; escrito *Lûn* 355. *Montanhas de Lûn* 488. Ver *Lindon.*

Limclaro, Rio 373, 375, 377, 417, 418, 428

Lindar O Primeiro Clã dos Elfos. 534

Lindir Elfo de Valfenda. 105

Lindon 150, 151; *Lindon do Norte e do Sul* 152 (*Forlindon* e *Harlindon* no Primeiro Mapa, 356). *Golfo de Lindon* 175

Linglor, Linglorel Ver *Nimrodel.*

Linglorel, 266, 268, 269, 270, 282, 284

Língua antiga Quenya. 104; *antigo idioma* 104

Língua-de-Cobra 256, 470, 506, 522, 523, 524, 525, 529. Ver *Frána.*

Língua, A (em Lothlórien) 330–2, 337, 340, 343, 381, 388, 410, 523. Outros nomes: *Calendil, Calennel* 316, 341; *Pontal Verde* 316; *Ponta-verde* 316, 341; *Lamben* 331; Ângulo, *Naith* usado com esse sentido 289, 316, 331, 340–1 também *Nelen* 316, 340–1

Lithlad "Planície de Cinzas". 248, 254, 368

Livro dos Contos Perdidos 287, 379; contos individuais 119, 208

Livro Vermelho (do Marco Ocidental) 119

Lofar Anão que permaneceu em Bolsão. 29

Longes-Montes, Sr. Nome assumido por Frodo em Bri. 48, 99. Ver *Sotomonte, Verde.*

Lóni Companheiro de Balin em Moria. 230, 245

Lórien Ver *Lothlórien. Nelen-Lórien* 278, 281, 289; (*?) Naith-Lórien* 316, 340; (a antiga) *Floresta de Lórien* 332, 334, 344

Lórinand Lórien. 344

Lothlann (1) Grande planície a norte das Marcas de Maidros nos Dias Antigos. 368. (2) Região ao sul de Mordor. 368

Lothlórien (incluindo referências a *Lórien*) 83, 202, 210, 224, 239, 241–2, 244, 246–7, 251, 253–4, 256–7, 259–60, 263–8, 271, 278–80, 282–3, 286–7, 290–2, 295–300 *passim*, 303, 306, 309, 311, 313, 315, 319, 321–22, 327, 335, 340–1, 343–5, 370, 387, 391, 403, 408, 412, 419,

560

A TRAIÇÃO DE ISENGARD

425–6, 428, 430, 431, 444, 451, 461, 490, 497, 502, 507, 521. Referências ao Tempo em Lothlórien 335–338, 416–7, 419, 425, 429–433, 508. Mantos de Lothlórien 291, 317, 321, 329, 337, 403, 408, 453, 463, 472, 510; broches em formato de folha 321, 337, 466; confecção de cordas 297, 331

Lua-estrela 225. Ver *Ithildin.*

Lua, A 48 115–118, 122, 126 336; no desenho do Portão Oeste de Moria 217–8, 225; fases da Lua 167–168, 216–7, 225, 262, 272, 300, 403, 414, 419, 425, 427–33, 459; as fases da Lua em 1941-2, 433; letras-da-lua rúnicas 532

Lugbúrz A Torre Sombria. 479

Lugdush Orque de Isengard. 479

Lûn Ver *Lhûn.*

Lúthien 73, 136, 150, 166, 209, 320

Mago Branco 253, 496, 514

Mago(s) (excluindo referências expressas a Gandalf) 90, 196, 253, 496, 514; em referência ao Rei dos Espectros-do-Anel 16, 161, *o Rei Mago* 143

Magote, Fazendeiro 18

Mais-velho Ver *Tom Bombadil.*

Malacandra Em *Além do Planeta Silencioso,* de C.S. Lewis. 493

Maldon, Batalha de 132

Malevarn Ver *Baranduin.*

Mallorn, árvores-mallorn 259, (261), 270, 273, 278, 284, 290, 297, 331, 343; plural *mellyrn* 277; casca de mallorn 297

Manwë 237

Mão Branca Emblema de Saruman. 479

Mapas Em *O Hobbit*: Mapa de Thrór 192–3, 532; das Terras-selváticas 208, 349. Mapas do SdA: do Condado 51, 352, 498; o Primeiro Mapa 82, 167, 176, 190, 208, 254, 283, 340, 347–80, 408, 427, 457, 473–4, 498, 517, 530, descrição 347–8, 352–3; Mapa de 1943 352–5, 358, 359–60, 361, 365, 368–370, 373, 377–9, 408; mapas posteriores 355, 361, 367, 378; mapas publicados 354–5, 362, 378, 498. Primeiro mapa do *Silmarillion* 339, segundo 355

Mar de Rhûn, Mar de Rhûnaer Ver *Rhûn, Rhûnaer.*

Mar do Norte (da Terra-média) 355

Mar do Oeste Ver *Grande Mar. Mar do Ocidente* 312, 314

Mar(es), O(s) Ver *Grande Mar.*

Marca-dos-Cavaleiros, A 165, 169, 179, 184, 411, 461. Ver *Terra-dos-Ginetes, (A) Marca, Rohan.*

Marca-Ent, Floresta Ent Fangorn. 505

Marca, A Rohan. 468, 470, 492, 510, 517, 523; *Senhor da Marca* 510, 517; *Rei da Marca* 517. Ver *Marca-dos-Cavaleiros.*

Marco-do-Meio , 349, 358, 359, 473, 517; *Homens do Marco-do-Meio* 511. Ver *Enedwaith.*

Marechais da Marca 468

Marhath (Marhad) Segundo Mestre da Marca. 457, 469; Quarto Mestre 469, 518. Outros nomes em *Mar-* não utilizados 457, 469

Marquette, Universidade 26, 52, 67, 118, 129, 166, 226, 246

Matterhorn 211

Mauhúr Orque de Isengard. 481

Mazarbul Livro de ~ 153, 228, 240, 241, 245, 257, 538, 540, 541. *Câmara de ~* 83, 227–230, 234, 238–242, 282, 292, 304; *Câmara dos Registros* 240

Meandros, Os No Anduin. 375, 377

Mearas Cavalos mais nobres de Rohan. 470, 474

Mecha-branca Ver *Arod.*

Mecha-de-Folha Ent. 483. Ver *Finglas.*

Meduarn, Meodarn Ver *Wínseld.*

Meio-alto, Meios-altos Hobbits. 149, 153, 157, 177, 276, 289, 469; inglês antigo *Halfheah* etc.

Meio-Elfo 147, 157 (Elrond); 196, 208 (Erestor)

Melian 313

Melineth 116, 119, 124

Meriadoc Brandebuque, Merry Ver *Brandebuque.*

Meridião 359, 368, 457. Ver *Haradwaith.*

Meril-i-Turinqi A Senhora de Tol Eressëa. 287

Merryburn 114, 121, 123

Mestres da Marca 470. *Primeiro Mestre* (Théoden) 470; *Segundo Mestre*: Marhath 457, Eowin 461, 518, sem nome 530, Eofored 523, 526, 530; *Terceiro Mestre* (Éomer) 461, 480; *Quarto Mestre* (Marhath) 469, 518. *Mestre de Rohan* (Théoden) 510. Ver *Marca, Marca-dos-Cavaleiros.*

Mestres-de-cavalos 411, 418, 459, 464, 483. *Reis-de-cavalos; Senhores-de-cavalos* 204; *Cavaleiros (de Rohan)* 250, 387, 453, 456, 458, 462–3, 473–5, 497, 500, 509–10, 516–7, 528

Mestres-do-Saber 35

561

ÍNDICE REMISSIVO

Methedras 375, 377, 473–4, 502. Nomes antigos *Methen Amon* 459, 473–74; *Methendol* 474

Minas Anor 147, 149, 151, 153, 155, 156, 158, 175, 176, 177, 352, 391, 407 (errôneo, correto *Ithil*), 347, 366; *Torre do Sol* 147, *do Sol Poente* 147, 175; *Cidade do Sol* 391

Minas Ithil 147, 149, 151, 153, 155, 156, 175, 176, 177, 352, 407, 429 (errôneo, correto *Anor*); *Torre da Lua* 147, 450, *da Lua Nascente* 147; *Cidade da Lua* 391; *Senhor de Minas Ithil* (Aragorn) 253

Minas Morgol 143, 147, 149, 153, 157, 176–7, 184, 249, 252–3, 255, 351–2, 362, 365; *Minas Morghul* 177–8, 456; *Minas Morgul* (também *Morgul*) 168, 365, 378, 390–1, 393–4, 398–9, 402, 403–5, 407–8, 429, 437, 484, 518; a Cidade descrita 391.

Cidade de Feitiçaria 401, *Torre de Feitiçaria* 156; *a Torre Alta* 392, *a Torre Repugnante* 395, 397, 401, e ver 437; *Capitão de Morgul* 397; encanto de Morgol 157; *o Portão* 50, 399–400, 402, *as Sentinelas* 395–9, 399, 401

Minas Tirith 142, 148–9, 153–4, 156–8, 177–8, 183, 187, 190, 196, 200, 213, 214, 248, 250–4, 256, 258, 293, 305, 316, 319–20, 329, 333, 340, 342, 351–2, 362, 365–6, 375, 378–9, 387–8, 395, 404, 407, 420–1, 429, 437, 441–3, 452, 456, 460, 463, 469, 483–4, 491, 506, 511–2, 514–5, 517–8, 520, 529. Nomes antigos *Minas-berel* 142, *Minas-ond* 142, *Minas Giliath* 143, *Minas rhain* 143, 340, *Othrain* 143

Torre de Guarda 447; *a torre branca* 45; *Senhor de Minas Tirith* 157, 251, 443, *Senhores de* 443; história mais antiga de 143, 146–9, 156; profecias em, versos proféticos 143, 147, 150, 153, 156–158, 177, 469. Ver *Mundbeorg*.

Mindolluin, Monte 365, 378

miruvor Cordial de Elrond. 205

Mitheithel, Rio 23, 25, 74, 352; *Ponte do Mitheithel*, Última Ponte 22, 23, 74. Ver *Fontegris*.

Mithlond Os Portos Cinzentos (ver 423). 355, 498

Mithrandir Gandalf. 297, 312, 509

Mithril 122, 126, 130, 167, 222–3, 226, 229, 240, 251; colete de mithril, cota de, anéis-de- 263, 394; chamado de *prata-de-Moria* 223, 226, *prata-vera* 223, 229, 240,

540. Nomes antigos *Erceleb* 222, *Ithil* 222, *Thilevril* 222, 226

Moita de Hera Taverna na estrada de Beirágua. 39

Montanha de Fogo 248, 250, 252, 254, 292, 397, 398, 403; *a Montanha* 216; *Colina de Fogo* 437; *o Fogo* 186. Ver *Orodruin*.

Montanha Solitária (também *a Montanha*) 12, 38, 103, 144, 172, 192, 193, 248–249, 253, 293, 310, 403; *Rei sob a Montanha* 192–4. Ver *Erebor*.

Montanhas Azuis 355, 535; *as Montanhas* 152; *Montanhas de Lûn* 488. Ver *Eredlindon, Eredluin*.

Montanhas Brancas Nome posterior das Montanhas Negras. 153, 214, 284, 378, 510

Montanhas Cinzentas 361

Montanhas de Cinza Ver *Ered Lithui*.

Montanhas de Lûn Ver *Lhûn*.

Montanhas de Mordor 351, 439; *cercas-montanhosas de Mordor* 530

Montanhas de Moria 201, 210, 282, (244, 261), 341, 359

Montanhas de Sombra Cercando Mordor pelo Oeste. (Incluindo referências às *Montanhas*) 175, 176, 205, 365, 368, 379, 391, 405, 407, 408, 439. Ver *Eredwethion* (2).

Montanhas de Terror Ao norte de Doriath. 388. Ver *Ered Orgoroth*.

Montanhas de Trevamata 146

Montanhas de Valinor Ver *Valinor*.

Montanhas do Oeste As Montanhas de Valinor. 311

Montanhas do Sul Ver *Montanhas Negras*.

Montanhas Negras (incluindo referências às *montanhas*) 162, 169, 175, 181, 204, 206, 213, 284, 286, 333, 366, 372, 375, 377, 379, 380, 463, 467; *Montanhas do Sul* 510; nomes élficos *Ered Myrn, Eredvyrn, Mornvenniath* 152. Substituído por *Montanhas Brancas*.

Montanhas Nevoentas (incluindo referências às *Montanhas*) 17, 25, 137, 152, 153, 169, 181, 183, 201, 208, 293, 310, 311, 351, 375, 391, 406, 411, 437, 444, 447, 459, 472. Ver *Eredhithui*.

Monte da Perdição 249, 403, 404, 408, 409; grafado *Monte Dûm* 437. Ver *Amon Amarth*.

Monte Presa Orthanc. 492

Morada Antiga Ver *Morada Ocidental*.

A TRAIÇÃO DE ISENGARD

Morada Ocidental Annúminas. 175, 349, 358. Também *Morada Antiga* 190; e ver *Tarkilmar, Torfirion.*

Morannon 255; *o Portão Negro* 378

Mordor 7, 17, 85, 89–90, 137, 145, 149, 151, 155, 158, 160, 165–6, 169, 175–6, 179–80, 200, 205, 224, 245, 249–52, 254, 255–57, 292, 310–11, 333–4, 337, 342, 351, 365, 368, 377–79, 381, 382, 388, 391, 397, 403–4, 406–7, 409, 412, 421, 429, 436, 439, 447–8, 451, 457, 478–80, 485, 491, 497, 503, 507, 512; *o País Negro* 151, 175; *passos de Mordor* 333–4, 337, 368, 377, 412, *portões de Mordor* 337, 377, 381; a hoste de Mordor saindo de lá 249, 255, 404. Ver *(O) Senhor, Montanhas de Mordor.*

Morgoth 150, 173, 211, 303, 307, 535

Moria (incluindo referências às *Minas de Moria, Minas*) 9, 11, 18, 25, 83, 98, 141–2, 144, 153, 158, 172–4, 187, 188–9, 191, 193, 195, 201–4, 210, 212–16, 219, 220–4, 226, 228–31, 239, 240–2, 244–7, 252, 256–7, 260–1, 263–4, 268, 271, 280, 282, 285–7, 292–3, 296, 304, 311–2, 314, 329, 331, 339, 343, 359, 366, 382, 391, 408, 414, 430–1, 433, 437, 444, 447, 470, 484, 497, 506–7, 509, 518, 525, 532, 536–9, 541, 546. *Precipício Negro, Abismo Negro* 201, 210. *Senhores de Moria* 215; *Runas de Moria* 240, 536. Ver *Balin; Khazad-dûm; Mithril; Montanhas de Moria*

Portões (Portas) de Moria: 244, 246, 261, 437. No Oeste: 215, 219, 256; duas entradas, a Porta-élfica e a Porta-anânica 215, 230, 245. No Leste: 173, 214, 229, 238, 241, 244, 262–5, 283, 437; *Portão do Riacho-escuro* 219; *Grande(s) Portão(ões)* 229, 238. Desenho do Portão Oeste 218, 225–6. Para a Ponte em Moria, ver *Khazad-dûm. Profunda(s) de Moria* 229–30, 233, 251, 510; *Terceira Profunda* 229, 240, 540

Morro da Audição Amon Lhaw. 454

Morro da Visão Amon Hen. 454; *Morro do Olho* 439

Morro-da-Fonte, Funtial Ver *Gruta-da-Nascente.*

Morros dos Caçadores Ver *Duil Rewinion.*

Morthond, Rio Raiz Negra. (1) Nome antigo do Veio-de-Prata. 202, 260, 265, 274–5, 280, 282, 365–8, 372. (2) Rio de Gondor. 365–7, 372. Ver *Raiz Negra.*

Morvenniath Ver *Montanhas Negras.*

Mundbeorg Nome de Minas Tirith em Rohan (*Mundburg* no SdA). 529. Outros nomes sugeridos *Heatorras, G(i)emenburg* 529

Muralha Leste (de Rohan) 464, 470, 475–7; *penhasco oeste* 501; descida até a planície: *o Escadote, a Escada* 479. Ver *Sarn Gebir* (1).

Náin (1) Náin I, filho de Durin. 173–4. (2) Pai de Dáin. 173–4

Naith (de Lórien) Com aplicações variadas (ver 340). 289, 316, 331, 340, 341

Náli Companheiro de Balin em Moria. 245

Namárië 336

Nan Gurunír Vale de Saruman. 493

Nan Tathren Terra dos Salgueiros. 119. Compare com *Lago(s) do Salgueiro* 114, 118, 119, 121. Ver *Tasarinan.*

Nan-eregdos Ver *Eregion.*

Nandorin Élfico-verde. 344

Nanduhirion Vale do Riacho-escuro. 202, 210; forma antiga *Nanduhiriath* 210

Não rebrilha tudo que é ouro 55, 63–4, 66, 96, 97, 100, 167, 178

Nargos Torre-de-guarda ocidental em Kirith Ungol. 403, 409. Ver *Gorgos.*

Nargothrond 534

Narog, Rio 339

Narothal Cavalo de Gandalf. 87. Ver *Galeroc.*

Narthas O Gomo de Lórien. 280–1, 289, 340

Narvi Anão de Moria. 226; *Narfi* 226

Nazgûl 181, 255, 428, 456–7, 479, 530. Ver *Cavaleiros Negros, os Nove, Espectros-do-Anel, Abutres.*

Necromante, O 62, 104, 179, 187, 188, 192, 279, 289, 302

Neldoreth (1) A floresta setentrional de Doriath. 379. (2) Floresta às margens do Mar de Rhûnaer. 361

Nelen, Nelen-Lórien O Gomo de Lórien (e outras aplicações) 275, 278, 280–1, 287, 288–9, 309, 316, 340–1

Nelennas O Gomo de Lórien. 278, 280, 286–7, 290, 309, 340; nome de Caras Galadon (?) 277, 287, 309

Nen Cenedril Espelhágua. 222

Nen Echui (1) Cuiviénen. 222. (2) Espelhágua. 222; também *Echuinen* 222

Nen fimred Ver *Terra(s) dos Ents.*

Nen-uinel O grande lago no Anduin a norte de Tol Brandir (no SdA, *Nen Hithoel*). 426; outro nome *Kerin-muil* 426

Nenuial Lago sob as Colinas de Vesperturvo. 355

Nenvithim Ver *Terra(s) dos Ents.*

ÍNDICE REMISSIVO

nifredil Flor verde e pálida de Lothlórien. 277, 279; flores nos montes tumulares de Eodoras. 522

Nimbrethil Faiais em Arvernien. 124, 129

Nimladel, Nimlorel, Nimlothel Ver *Nimrodel.*

Nimrodel (referências à Elfa de Lórien e ao rio) 266, 273–5, 277, 280–1, 284–5, 306, 313, 349, 415. Nomes antigos *Inglorel* 266, *Linglor* 265, 284; *Linglorel* 266, 268–70, 282, 284; *Nimladel* 266, 284; *Nimlorel* 266, 284; *Nimlothel* 266–7; e ver *Taiglin.* Primeira menção ao rio, sem nome 264; a ponte 264–5

Nindalf O Campo Alagado. 332, 334, 362, 371–2. Nome antigo *Palath Nenui* 316, 340, 370

Nob Criado no *Pônei Empinado.* 59, 62

Nogrod Cidade-anânica em Eredlindon. 355

Noldor 203 (os Sábios-élficos), 311, 533–5

Noldorin (língua e escrita) 209, 222, 283, 287, 340, 367, 379, 473, 533–8; com outra referência 543–4

Nórdico antigo 168, 245, 361, 474, 498, 536

Norforte dos Reis; Fortaleza do Norte, Norteforte Ver *Fornost.*

Nortistas Vikings. 132

Nove Anéis (dos Homens) 161, 181

Nove, Os (Cavaleiros, Espectros-do-Anel) 64, 90–1, 143, 161–2, 165, 181, 183–4, 196, 213, 307, 365–6. Chefe dos Nove, ver *Cavaleiros Negros.*

Númenor 102, 104, 132, 146, 150–1, 156, 174, 191; *Númenórë* 152; Homens de Númenor na Terra-média 191, 439; língua de Númenor 457; *A Queda de Númenor* (título) 137, 150–151, 167, 355. Ver *Terra Perdida, Ociente.*

Númenóreanos 104, 144, 148, 152, 175; *Homens do Oeste* 104, 148, 190, *Homens que vieram do Mar* 488. Reinos númenóreanos na Terra-média 144, 148, 175

O mundo era jovem, alta a montanha 221

Ociente (1) Númenor. *Homens de, raça de Ociente* 104, 117, 118, 123, 127, 131, 132, 146, 156, 176, 177, 518. (2) as Terras do Oeste (ver o mapa em IV. 345). *O Porta-Chama de Ociente* 117–8, 123, 127, 131

Odothui Sétimo Rio (Griságua); alterado de *Odotheg.* 368. Ver *Griságua.*

Oeste, O Com várias aplicações (Oeste sobre o Mar, Númenor, o Oeste da Terra-média, do Condado). 136, 151

(*o Verdadeiro Oeste*), 127, 186, 269, 295, 329, 334, 435, 437–8, 448, 513. *Hoste do Oeste* 173, 311; *Senhores do Oeste* 496; para *Homens do Oeste,* ver *Númenóreano(s).*

Ogodrûth, Rio Entágua. 295–6, 317–8, 341

Óin Companheiro de Balin em Moria. 103, 144, 172, 229, 230, 240, 540

Oiolossë Taniquetil. 336

Olho, O (na Torre Sombria) 248, 253, 261, 269, 278, 300, 308, 313, 384, 403, 405, 429, 436–9, 465

Ond Nome original de Gondor. 136, 142–4, 149, 155–7, 177–8, 189–90, 213, 225, 258, 286, 351, 362, 366, 373; *Rei de Ond* 258, 441

Onde o cavalo e o ginete? 522

Ondor Substituiu *Ond.* 151, 175, 177–8, 189, 190, 225, 319, 322–3, 329, 342, 345, 362, 373, 391, 420–1, 424, 442, 447–8, 457, 461, 463–4, 470, 491, 493, 498; *Ondor! Ondor! Entre os Montes e o Mar* 464; língua de Ondor 457; trono de Ondor 464, 473; nome alterado para *Gondor* 498. Ver *Pétreaterra.*

Orald, Oreald, Orold Ver *Tom Bombadil.*

Orfalas 134

Orfin Ver *Orofin.*

Ori Companheiro de Balin em Moria. 103, 144, 172, 240, 241, 541

Ornelië Ver *Galadrim.*

Orod-na-Thôn Dorthonion. 493. Anteriormente *Orod Thon, Orod Thuin* 493

Orodruin 38, 249, 293, 310, 311, 368, 516; *Orodnaur* 50. Ver *Montanha de Fogo.*

Orofin Elfo de Lórien, companheiro de Hathaldir (Haldir). 280, 330, 337; forma antiga *Orfin* 271, 273, 280; no SdA, *Orophin,* 280. Nomes antigos desse Elfo, *Rhimdir, Rhimlath* 285

Orques (em muitos casos usado atributivamente como *flecha*-órquica, *chefe-, bebida-, pegadas-, trilha-, obra-* etc.) 88, 146, 173, 218–9, 222, 229, 231–2, 240–3, 245, 250, 255, 260–4, 268, 272, 286, 389–92, 394–5, 397, 401, 403, 406–7, 409, 411, 414, 419, 427, 431–2, 435, 442–4, 452–4, 459–60, 462–3, 465–7, 470–1, 475–9, 481, 491, 403, 511, 514–516, 518, 540; *orch,* plural *yrch,* 273

Com referência ao lugar de origem (Isengard, Mordor, Moria) 442, 447, 470, 479, 511; e ver *Isengardenses. Orques negros* 231, 241,

A TRAIÇÃO DE ISENGARD

406; *grandes Orques* 478; língua 218, 242, 395, 498. Ver *Anãos, Gobelins*.

Orthanc 47–8, 131, 160, 162–4, 169, 181–2, 184, 437, 469, 473, 502, 514; sobre o nome, ver 492.

Osforod Ver *Fornost*.

Osgiliath 147, 150, 153, 155–6, 168, 175–6, 178, 252, 320–1, 342, 351, 362, 378, 420–1, 448, 456–7, 498–9, 517. *Pontes de Osgiliath* 315–16. Nome alterado para *Elostirion* 456–7, 498, 512, 517; e para *Ostechain* 499

Ossiriand 152, 320, 367, 442, 534–5, 542

Ostechain Ver *Osgiliath*.

Othrain Ver *Minas Tirith*.

Oxford Oxford English Dictionary 80; *Oxford Magazine* 108, 111–12, 132, 134; *Universidade de Oxford* 83, 133, 424, 442

Paço Dourado 519, 528; descrito 522. Ver *Winseld*.

palantír 498

Palath Nenui Ver *Nindalf*.

Palath-ledin Os Campos de Lis. 140

Pântano, O 295

Pântanos dos Mosquitos 19, 57, 71

Pântanos Mortos 18, 137, 179, 248, 316, 334, 351, 359, 365, 377–8, 388, 406, (412); *Pântano Morto* 179

Parth Galen Relvado sob Amon Hen. 442, 448. Ver *Calenbel*.

Passo Alto Pelas Montanhas Nevoentas. 140

Passo de Narghil (Nargil) Nas montanhas meridionais de Mordor. 365

Passolargo 52, 71, 80, 198

Pastores das Árvores Ver *Ents*.

Pátioferro Ver *Isengard*.

Pedra Arken, A 193–4

Pedra Fincada Nas Colinas-dos-túmulos. 53

pedra verde de Galadriel, ver *Pedra-Élfica* (2); de Théoden 508, 523, 528

Pedra-Élfica (1) A pedra-élfica na Última Ponte. 74. (2) A Pedra Élfica de Galadriel. 323–9, 342, 508; *Pedra-Élfica, Pedra-Élfica, da pedra verde és dono* 508, 528. (3) Nome de Aragorn (ver 328). 99, 131, 200, 213, 244, 281, 284, 289, 296–7, 308, 310, 312–3, 321, 323–9, 331, 333, 342–6, 422–4, 428, 434–5, 443, 447, 460–1, 508, 528; *Elfstan* 326. Nomes transitórios: *Erkenbrand* 99; *Amigo-dos-Elfos, Lago-Élfico, Lança-Élfica* 327; *Mata-Élfica* 428. Ver *Eldamir, Elessar*. (4) Como nome de Gimli. 324–27

Pelóri As Montanhas de Valinor. 119

Pengolod de Gondolin 535

Pensarn As corredeiras no Anduin. 419, 422, 427, 429, 435. Substituído por *Ruinel* 429. Ver *Sarn Ruin, Sarn Gebir* (2).

Pequenos Hobbits. 289, 469, 479

Peregrin Tûk, Pippin Ver *Tûk*.

Pétreaterra Ondor. 373

Pico-de-Prata Celebdil. 210, 341. Nome antigo *Chifre-de-Prata* 210, 510

Pictures by J.R.R. Tolkien 539

Pilares dos Reis Ver *Argonath*.

Pinnath Gelin Morros a oeste de Gondor. 368

Poço de fogo, poço de fogo de Sauron 249, 409

Pônei Empinado, O (incluindo referências a *O Pônei* e *a estalagem*) 19, 22, 25, 44, 47, 52, 54, 55, 62, 79, 91, 99, 143

Ponta do Bosque 19, 44, 257, 427

Ponta-verde Ver *(A) Língua*.

Pontal Verde Ver *(A) Língua*.

Ponte do Brandevin (incluindo referências à *Ponte*) 20, 70, 72, 81, 88, 89

Poros, Rio "Fronteira". 367

Portador-do-Anel 204, 313, 384, 386, 390, 391, 393, 396, 404, 406, 407, 456, 466; *o Portador* 397

Portão do Riacho-escuro Portão Leste de Moria. 219

Portão Negro Ver *Morannon*.

Porto de Cobas Baía a norte de Dol Amroth. 367–8, 379

Porto do Norte 356, 498. Ver *Forlond*.

Porto do Sul 356, 498. Ver *Harlond*.

Portões de Moria Ver *Moria*.

Portos (1) Portos do Sirion. 127 (e ver *Sirion*). (2) Portos do Norte e do Sul no Golfo de Lûn, ver *Forlond* e *Harlond*. (3) Ver *Portos Cinzentos*. (4) Porto(s) no Sul. 437

Portos Cinzentos 159, 191, 355, 498; *Portos no Golfo de Lhún* 151; *Portos dos Altos Elfos* 289, *Portos-élficos* 175; *Portos de Escape* 152, 276, 289; *(os) Portos* 186, 203, 276, 280, 289, 339. Ver *Mithlond*.

Povo-das-Árvores Ver *Ents*; *Galadrim*.

Povos Livres 196

Precioso, O O Anel. 390

Precipício Negro, Abismo Negro Ver *Moria*.

Primeira Era 311, 379, 442

Primeiro Mapa Ver *Mapas*.

Pudda Precursor de Torhthelm (Totta) em *O Regresso de Beorhtnoth*. 132–3

Qendemir Ver *Eldamir*.

Qendi 534

Quando o inverno vibra o açoite 198

Quarta Leste 51

565

ÍNDICE REMISSIVO

Quenta Quenta Noldorinwa 119. *Quenta Silmarillion* 80, 119, 142, 168, 303, 533, 535. Ver *(O) Silmarillion*.

Quenya 211, 287, 343, 366–7, 379; *Qenya* 533–4. Ver *Língua antiga*.

Radagast 91, 95, 97, 99, 160–2, 164, 166, 168–9, 181, 198, 209, 213, 253, 365; *o Cinzento* 161, 166, *o Castanho* 162, 166, 209

Raiz Negra, Rio (1) Nome antigo do Veio-de-Prata, substituiu *Via-rubra*. 202, 210, 214, 225, 228, 230, 248, 254, 257, 260, 263–5, 269, 274–5, 280, 283–6, 340, 349, 351, 359, 362, 366. (2) Rio de Gondor. 213, 225, 286, 351, 359, 365. Sobre a transposição dos nomes, ver 280, 286; e ver *Buzundush, Celebrant, Morthond*.

Ramathor, Ramathir Ver *Belfalas*

Rápido, Rio 349, 361

Rateliff, John 192

Rauros "Chuva-veloz" ou "Chuva-rugidora" (337). 348, 372–3, 379, 405, 411, 416–7, 420–1, 423, 427, 429, 435, 438, 443, 485. Para nomes anteriores, ver *Colinas de Rhain, Rhosfein, Dant-ruin*.

Regresso de Beorhtnoth, O Versão antiga em rimas. 132–3

Reino do Norte Arnor. 74; *Terra do Norte* 148

Reis de além do Mar 102; *Reis dos Homens* 223, 470

Rhibdath, Rio Ver *Corredio*.

Rhien Ver *Galadriel*.

Rhimbron Elfo de Lórien, companheiro de Hathaldir (Haldir). 271, 274, 280, 285, 286. Substituído por *Rhomrin, Romrin* 280, e finalmente, por *Rúmil* 286

Rhimdad, Rhimdath, Rio Ver *Corredio*.

Rhimdir, Rhimlath Ver *Orofin*.

Rhomrin ver *Rhimbron*.

Rhosfein, Rosfein, Cachoeiras de No Anduin. (*Rosfein*) 323, (333), 337, 371; *cataratas de Rhosfein* 334, 337. Ver *Dant-ruin, Colinas de Rhain, Rauros*.

Rhosgobel Lar de Radagast em Trevamata 181, 198, 199, 209, 349, 361. Ver *Sebe-castanha*.

Rhovanion Terras-selváticas. 349; *Rhovannion* 373

Rhûn O Leste. 361, 391, 407; *Rhûn, a Grande* 512. *Mar de Rhûn* 349, 361

Rhûnaer, Mar de 349, 351, 359, 361, 407. Sobre *Rhûn* e *Rhûnaer* ver 361

Riacho-do-Portão Sirannon. 214, 225

Rían Mãe de Tuor. 309

Ringlo, Rio Em Gondor. 366–8

Rio Corredio, 349

Rio da Fenda, Rio Valfenda 74

Rio da Floresta 322–3, 349

Rio de Lis 198, 208

Rocha-do-Espigão, A Tol Brandir. 337, 341, 417, 420–1; o assento elevado ali, 421

Rohan 85, 87–8, 90, 98, 159, 165–6, 169, 175, 179, 184, 213–4, 251, 253, 255–6, 276, 333–4, 345, 366, 379, 411, 418, 420, 437, 450–4, 457, 461–4, 466–7 *passim*, 469, 471, 473–5, 477, 479–80, 483, 498–9, 501–2, 505, 506, 511–4, 519, 522–3, 525, 527, 529. *Mestre de Rohan* 480; língua de Rohan 492, 498, 521. Ver *Terra-dos-Ginetes, (A) Marca, (A) Marca-dos-Cavaleiros; Desfiladeiro de Rohan, Descampado de Rohan*.

Rohiroth Forma antiga de *Rohirrim*. 165, 169, 184, 406, 456–7, 459, 463, 467–8, 484, 491, 510–1, 513, 520, 528; *Rochiroth* 169; *Rohir* 510. Ver *Mestres-de-cavalos, Cavaleiros* (2).

Rohirrim 255, 418, 463, 477, 529

Romrin Ver *Rhimbron*.

Rosfein Ver *Rhosfein*.

Rota da Bota, A A "Canção do Trol" original. 74, 82

Rua do Bolsinho 39, 299

Ruidoságua, Rio 74, 81, 348. Ver *Bruinen*.

Ruína de Durin 174, 223, 224, 227, 243, 304

Ruína de Isildur 158–9, 178–9

Ruinel Ver *Pensarn*.

Ruinnel Ver *Via-rubra*.

Ruivões (da Vila-dos-Hobbits) 257; *Ted Ruivão* 299

Rúmil (1) Ver *Rhimbron*. (2) O alfabeto de Rúmil de Túna. 533

Runas 71, 77, 97, 115, 122, 126, 129, 224, 227, 448, 532, 536–7, 541–2, 546

Sábios, os 103

Sacola-Bolseiros 12, 15, 29, 165, 339; *Lobélia* 43; *Cosimo* 43, 257, 295

Salão do Fogo Na casa de Elrond. 209

Sam Gamgi Ver *Gamgi*.

Samambaia, Bill 54, 59, 88; seu pônei, chamado *Bill*, 17, 200, 207, 209, 217, 527 chamado *Samambaia* 209

Sammath Naur As Câmaras de Fogo em Orodruin. 409

Santoski, T.J.R. 118, 189, 192, 218, 538

Sarn Gebir (1) As regiões altas posteriormente chamadas de *Emyn Muil*. 372–3, 375, 377, 382, 405, 413, 416, 418, 422,

566

451–2, 462, 464–5, 498, 502, 506, 509–10; *colinas de Gebir* 420; *Sern Gebir* 334; e ver *Muralha Leste*. *Portões de (Sarn) Gebir* 418 (de sentido obscuro), 421, 424 (= *Portões das Argonath*, q.v.), *os Portões* 424. Nomes propostos *Colinas de Graidon, Grailaws* 497; *Hazowland* 498–9; *Sern Lamrach, Tarn Felin, Trandóran* 498. (2) As corredeiras no Anduin. 375, 422. Ver *Pensarn, Sarn Ruin*.

Sarn Ruin As corredeiras no Anduin. 377, 424, 445, 454, 504. Ver *Pensarn, Sarn Gebir* (2)

Saruman 32, 83, 87, 90, 94, 143, 159–71 *passim*, 181–4, 187, 190, 204, 213, 250–3, 256, 258, 281, 295, 298, 339, 365, 387, 391, 444, 448, 451, 456, 462–3, 469, 470, 472–3, 475, 478, 483–4, 486, 490–3, 496–7, 500–1, 503–4, 509, 511–4, 517–8; formas antigas *Saramond, Saramund* 87–8, 90, 94, 131; chamado *O Cinzento* 87, 162, 166, 168, 170, *o Branco* 87, 162, 166, 168, 170, 181, 210, 501; identificação sugerida com o Balrog de Moria 281, 497; seu anel 162, 168; confundido com Gandalf 456, 470, 472, 475, 500

Sauron 68, 70, 81, 88–90, 138–9, 143, 147–9, 151, 155–6, 158, 160, 163–5, 167, 169–70, 175–7, 180, 182, 186–9, 191, 214, 222, 226, 248–50, 252, 293, 300–2, 306–7, 310, 313, 339, 341, 351, 378, 387, 394, 404, 407, 409, 421, 448, 461, 463, 473, 479, 508, 515–6, 523–4, 529; *Sauronitas* 92; *Poço de fogo de Sauron* 249, 409. Ver *Senhor Sombrio, (O) Senhor*.

Sayer, George 75, 82

Scadufax 184, 457, 469–70, 474–5, 483, 510–13, 519–1, 524–6, 530; inglês antigo *Sceadufax* 500; seu retorno do Norte 516–7. Nomes antigos: *Arfaxed* 483; *Grisfax* 165–66, 184, 457; *Halbarad* 184, 457

Sebe Alta A Sebe da Terra-dos-Buques. 17, 209

Sebe-castanha Rhosgobel, lar de Radagast. 199, 209

Anel-da-Sebe Cricôncavao. 209

Segunda Era 536

Sempredia 116, 120, 124; *Sempremanhã* 114, 117–8, 121, 123; *Semprenoite* 116, 121–2, 124–6, 336, 345; *Sempretarde* 116, 345

Senhor Sombrio 12–13, 18, 103, 136, 145, 183, 185, 214, 298, 302, 313, 391, 437, 491, 503, 512. Ver *(O) Senhor*.

Senhor, O Sauron. 138, 163, 183, 188, 310, 319, 396, 400; *Senhor do Anel, dos*

Anéis 166; *Senhor de Mordor* 145, 411; *o Poderoso* 391. Ver *Senhor Sombrio*.

Senhores do Oeste 496

Sentado junto ao fogo eu penso 200

Sern Aranath Ver *Argonath*.

Sern Lamrach Ver *Sarn Gebir* (1).

Serni, Rio Em Gondor. 367

Sete Anéis (dos Anãos) 138, 307; outras referências aos Anéis dos Anãos 145, 187, 191

Sete Rios 162, 168, 213, 365–6. *País, Terra das Sete Torrentes*, região entre as Montanhas Negras e o Mar 213, 322, 342, 364–6. *Terra dos Sete Rios*, Ossiriand, 367

Sétimo Rio Ver *Griságua*.

Shathûr Ver *Bundu-shathûr*.

Sigelwara Land (artigo de J.R.R. Tolkien no periódico *Medium Ævum*) 517

Silhargs Ver *Terra Harg*.

Silmaril, A 125–8, 130–1; *Silmarils* 303

Silmarillion, O 119, 168, 175, 177, 284, 308, 311, 339, 355, 368, 405, 498. Ver *Mapas, Quenta*.

Sindarin 210, 343

Sirannon 225. Ver *Riacho-do-Portão*.

Sirion 119, 284, 345; *Portos do Sirion* 127; *foz do Sirion* 534–35. *Novo Sirion*, ver *Sirvinya*.

Sirith, Rio Em Gondor. 367, 379

Sirvinya "Novo Sirion". Ver *Anduin*.

Smeagol Gollum. 32–3, 37, 145, 180

Snaga Orque batedor. 481. (Ver SdA Apêndice F, III, p. 1611.)

Snawmana Cavalo de Théoden. 530

Sobremonte Aldeia na Quarta Oeste. 40

Sociedade, Rompimento da 255, 399

Sol, O 48, 116, 118, 122, 126, 147, 175, 200, 206–7, 293, 311, 391, 425–6

Sombra, A 62, 149, 175, 205, 211, 243, 269, 276–7, 282, 312, 408, 437, 439, 465, 488, 532; *Canção da Sombra Banida* 253

Songs for the Philologists [livro] 82

Sonho da Torre de Frodo 19, 43–4, 46. Ver *Torre do Oeste*.

Sotomonte, Sr. Nome assumido por Frodo em Bri. 38, 62, 95. Ver *Longes-Montes, Verde*. *Os Sotomontes de Estrado* 54

Sulista (em Bri) 54, 58, 89. Homens do Sul em Bri 89, 92

Swann, Donald 106, 134

Taiglin, Rio (1) Em Beleriand. 284. (1) Nome mais antigo de Nimrodel. 265, 284

talan Eirado, plataforma sobre um mallorn. 270–271

ÍNDICE REMISSIVO

Taliska Língua dos Pais dos Homens. 536; *taliskano* 536

Taniquetil 119

Tar Ver *Keleborn*.

Tarkil Númenóreano. 16, 103, 104, 105, 132, 143, 144, 167, 178 (de Aragorn); 461 (de Arathorn).

Tarkilmar Nome mais antigo de Annúminas. 175–6, 189, 358. Ver *Torfirion, Morada Ocidental*.

Tarmenel "Céu Alto". 121, 123, 125, 130, 134

Tarn Felin Ver *Sarn Gebir* (1).

Tasarinan Terra dos Salgueiros, *Nan Tathren*. 489

Taur-na-Fuin 176, 211; *Taur-nu-Fuin* 168. Ver *Tol Fuin*.

Tavrobel 209

Telerin (língua) 534

Tengwar 226

Terceira Era 17, 175, 177, 529

Terra da Sombra Mordor. 211, 214

Terra das Cinco Torrentes Ver *Lebennin, Sete Rios*.

Terra de cá 117, 121. *Costa(s) de Cá* 336

Terra Harg, Homens da Haradwaith. 512. Outros nomes *Harwan, Silhargs, Homens da Terra-do-Sol-Harg* 512, 517

Terra Parda 203, 375, 377

Terra Perdida Númenor. 470

Terra-do-Norte 358. Ver *Forodwaith*.

Terra-do-Sol-Harg Ver *Terra Harg*.

Terra-dos-Buques 12, 20, 22, 41, 42, 67–70, 85, 89, 165, 295; *Toque-de-Trompa da Terra-dos-Buques* 68

Terra-dos-Ginetes Rohan, 87; *Marca-dos-Ginetes* 184

Terra-média 102, 130, 138, 144, 151–2, 156, 158, 174–5, 186, 191, 195, 217, 286, 293, 296, 298, 302, 305, 307, 311, 313, 347, 505, 532; *a Terra-média* 127, 152, 175, 302

Terra(s) dos Ents 22, 25, 74, 82, 296, 352, 360–1, 485; *Vale Entês, Vales Enteses* 22, 25, 74, 77, 82, 296, 485. Nome antigo *Valegris, Valesgrises* 17, 25, 140, *Nen fimred* 17, *Nenvithim* 140, *Vale-lobo* 17; e ver *Vale do Riacho-escuro, Vales Etten*.

Terras Castanhas 372, 411, 427. Ver *Descampado Seco*.

Terras Desalentadas A leste do Topo-do-Vento. 23

Terras-de-Ninguém Também *Terra de Ninguém*; *Terras de Ninguém*. 332, 334, 365, 377–8, 382, 405. Ver *Úvanwaith*.

Terras-do-Sol 368

Terras-selváticas 146, 175, 208, 312, 314, 349, 412, 415, 428. Mapa das Terras-selváticas, ver *Mapas*.

Thangorodrim 136, 173, 237, 293, 310–11

Tharbad 99, 198, 208, 333, 344, 352

Thengel Pai de Théoden. 468, 471, 519, 530; chamado *Mestre* (ou seja, de Rohan) 471

Theoden 468, 469–71, 474, 506, 509–12; 515, 518–31. *Pai e Mestre da Marca-dos-Cavaleiros* 461, *Primeiro Mestre* 470; chamado de *Rei* pela primeira vez 523

Théoden, 7, 506, 530

Théodred No SdA, filho de Théoden. Ver 530

Théodwyn Irmã de Théoden. 530

Thilevril Ver *Ithildin, Mithril*.

Thingol 136, 534–6

Thor 132

Thorin (Escudo-de-carvalho) 172–4, 187, 188, 191–3, 223

Thorongil Nome de Aragorn em Gondor. 190

Thráin (1) Thráin, o Velho, Thráin I. 193. (2) Filho (ou pai) de Thrór (ver 192). 166, 172–4, 187–8, 191–3, 214

Thranduil Rei dos Elfos de Trevamata. 197, 304

Thrihyrne Os três picos acima do Abismo de Helm. 375. Nome antigo *Tindtorras* 375

Thrór Pai (ou filho) de Thráin (ver 192). 166, 172, 173, 187–9, 191–2, 214; Mapa de Thrór, ver *Mapas*.

Tibba Precursor de Tídwald (Tída) em *O Regresso de Beorhtnoth*. 132–3

Tindtorras Ver *Thrihyrne*.

Tintallen "A Inflamadora", Varda. 336

Tirion 115, 117, 119, 121, 123–7, 336, 345 Ver *Tûn*.

Tirmindon Ver *Amon Hen*.

Tisnados Homens do Sul. 368, 517

Tocanova Aldeia na Quarta Oeste. 499

Tol Brandir 339, 341, 421, 423, 429, 431, 432, 435, 437, 447, 465, 502; o assento elevado ali, 359. Para nomes antigos, ver *Tolondren*; também *Brandor* 337, 379, 421; *Tol Brandor* 337, 379, 416. Ver *(A) Rocha-do-Espigão*.

Tol Fuin Ilha afastada da costa Noroeste, certa vez Taur-na-Fuin. 153, 168, 355

Tol Galen (1) A Ilha Verde em Ossiriand. 320. (2) Ver *Tolondren*.

Tolfalas Ilha na Baía de Belfalas. 351, 512, 517

Tolharn, Tollernen Ver *Tolondren*.

Tolondren Nome antigo para Tol Brandir (também *Tol Ondren, Tollondren*; formas originais *Toll-ondu, Toll-onnui* 316). 317–8, 334, 337, 339, 370–2, 379, 383,

A TRAIÇÃO DE ISENGARD

405, 430. Outros nomes antigos: *Tol Galen* 320; *Tolharn* 381, 405; *Tollernen* 405, 410; *Ilhota-de-Pedra* 381, 405; e ver *Carrocha, Emris, Eregon, Tol Brandir.*

Tom Bombadil (incluindo referências a *Tom* e *Bombadil*) 13, 17, 20, 25, 47, 48, 49, 54, 80, 89, 90, 93, 99, 138, 159, 169, 488, 493; "Ab-Orígine" 48. Outros nomes: *Mais-velho* 154; *Erion* 1154, 185, 191; *Forn* 154, 185, 191; *Frumbarn* 191; *Iaur* 154, *Yárë* 154, 191; *Orald, Oreald, Orold* 191. *As Aventuras de Tom Bombadil* 106, 112, 118, 120, 134

Topo-do-Vento 13–4, 18–9, 22–4, 42, 51, 57, 71, 77–8, 80–1, 85–7, 89, 95, 98–9, 184, 190, 517

Torfir Troteiro. 77

Torfirion Nome antigo para Annúminas; substituiu *Tarkilmar.* 175–6, 349, 358. Ver *Morada Ocidental.*

Torre de Guarda Ver *Minas Tirith.*

Torre do Oeste A torre em que Gandalf foi cercado. (Incluindo referências à *Torre*) 17, 19, 44, 46, 47, 57, 90, 169; *Torre Branca* 45. Ver *Sonho da Torre, Torres Brancas.*

Torre Sombria 166, 175, 304, 351, 393, 396, 397, 401, 503; *a Torre* 257. Ver *Barad-dûr, (O) Olho.*

Torres Brancas 355, 498; *as Torres* 186; *Torres Oeste* 51; *Torres-élficas* 45, 51. Ver *Torre do Oeste.*

Torres Oeste 51. Ver *Torres Brancas.*

Trandóran Ver *Sarn Gebir* (1).

Três Anéis (dos Elfos) 138, 139, 188, 192, 300, 301, 302, 307, 339; *Anéis-élficos* 282, 313; o Anel de Galadriel, ver *Anel da Terra.*

Trevamata 132, 137, 141–2, 144–6, 154, 160, 161, 168, 174, 179, 197, 214, 251, 274, 282–3, 312, 322, 347, 351, 353, 359, 388, 391, 437, 463, 508, 520–1, 530; chamada de *a Grande* 349, 472; *Trevamata Meridional* 279, 349, 360, 411. Ver *Montanhas de Trevamata.*

Trols 17, 23, 74, 76, 246, 296, 361; *Crista-dos-Trols* 23, *terras dos Trols* 296, *Morros-dos-Trols* 361; *Trol-das-cavernas* 241; Canção do Trol 74, 82, 392. *Gigantes-de-pedra* 483

Trono de Gondor 464, 473

Troteiro 12–8, 20, 23–4, 27, 29, 41–2, 44–5, 47–8, 51, 54–5, 57–9, 61–7, 70,-4, 77–82, 87, 89–91, 94, 95–8 *passim*, 101–2, 104, 131, 137, 139, 141, 145, 147–9, 177, 195, 198, 200, 203–8, 211, 213–4, 230–3, 235–7, 243–6, 260,

262–4, 281, 321, 323, 325–9, 331, 343, 345, 385, 387, 406, 411–429, 434–5, 440–8, 450–5, 457, 459–3 *passim*, 475, 477, 480, 482, 484–5

Tûk, Adelard 29. Ver *Uffo Tûk*

Tûk, Faramond 23, 30, 40–3, 50, 139, 141, 142, 201; apelidado *Far* 15. Ver especialmente 40–3.

Tûk, Folco 12, 16, 23–4, 29, 30, 40–3, 47, 54, 60, 64–6, 70, 72–4, 78, 81, 208. Ver especialmente 40–3.

Tûk, Frodo 42, 43, 50

Tûk, Odo Ver *Bolger, Odo.*

Tûk, Peregrin (também *Pippin*) 14–6, 17, 19, 24, 27, 29–30, 40–3, 54, 60, 64–66, 70, 72–74, 101, 103, 137, 139, 141–2, 196–7, 199, 201, 203, 206–7, 211, 215, 219, 231, 250–2, 255, 258, 270, 272, 274, 276, 280, 289, 296, 299, 312–3, 320–1, 323, 325, 329, 337, 339, 385, 387–8, 398, 403–9, 412, 440, 442–3, 452–3, 465–6, 471, 474, 478–80, 482–8, 490, 492–3, 497, 502–3, 505–6, 511, 513–4

Tûk, Uffo 29. (Substituído por *Adelard Tûk*).

Tûks 14, 42; Toca de Tûk (nome do clã) 50

Túmulos 25; as espadas dos hobbits obtidas nos 25, 447

Tûn, Túna 119; *Rúmil de Túna* 533; *letras túnianas* 533. Ver *Tirion.*

Tuor 23, 309

Túrin 13, 23

Udûn Entre o Morannon e a Boca-ferrada. 255

Udushinbar Ver *Bundu-shathúr.*

Uglúk (1) No papel de Grishnákh. (2) Líder dos Isengardenses no ataque-órquico. 478–80

Última Aliança 150, (151), 155, 168, 175, 176, 177, 423. Ver *Batalhas.*

Última Ponte Ver *Mitheithel.*

Ungoliant 116, 119, 124

Unwin, Rayner 112,

Uruk-hai 479; *Uruks* 245

Uthwit, O velho Saruman. 479

Uvanwaith As Terras-de-Ninguém. 332, 334, 377

Valandil (1) Irmão de Elendil. 152–3. (2) Filho de Elendil. 149. (3) Filho de Isildur. 149–52, 157–8, 178, 421–3, 425, 428

Valandur Filho de Isildur (?). 148, 150

Valão Na região de Bri. 58

Valarcano Local do Entencontro. 493. Nome anterior *Valearcano* 493.

ÍNDICE REMISSIVO

Valatar Pai de Eldamir (Pedra-Élfica). 425, 473

Vale do Riacho-escuro (1) Sentido original, região de Trols ao norte de Valfenda. 17, 25, 74, 140; ver *Terra(s) dos Ents.* (2) Sentido posterior (incluindo referências ao *Vale*) 17, 25, 173, 229, 238, 240, 244–5, 254, 257, 260, 269, 283, 299, 330, 338, 437. Ver *Nanduhirion.*

Valegris, Valesgrises Ver *Terra(s) dos Ents.*

Valelobo Ver *Terra(s) dos Ents.*

Vales Etten 74, 82, 296; *Charneca Etten* 74, 82, 296, 361. Nome antigo *Bergristerra* 361; ver *Terra(s) dos Ents*

Valfenda 11–2, 14–5, 17, 22–3, 27, 42, 63, 72, 74, 77–9, 81–2, 84–5, 87, 89–90, 94–5, 99, 101, 103–4, 106, 113, 119, 143, 147, 152–4, 156–7, 160, 164, 166, 170, 177, 184–6, 189, 190–1, 195, 198, 200–1, 205, 209, 219,253, 264, 266, 283, 292, 294, 296, 301, 306, 312, 331, 339, 342, 345, 366, 423, 430–1, 433, 457, 470, 475, 480, 490, 497, 516–7, 524, 530–31. Ver *Imladris.*

Valimar Cidade dos Valar em Valinor. 337

Valinor 125, 303, 311, 313, 533–4; *Baía de* 121, 125; *Montanhas de Valinor* 119, *Montanhas do Oeste* 311, *as Montanhas* 311, 313; *Ocultação de* 311; *letras valinorianas* 533

Valle 103–4, 145, 240, 294, 312, 349, 460, 463, 473, 498; runas de 240; Homens de 463; língua de, = nórdico, 498.

Varda 336

Vau Budge Na Quarta Leste. 43, 51

Vau do Bruinen Ver *Bruinen.*

Vau do Isen Ver *Isen.*

Vau Ent 373, 375, (420), 428, 459, 471, 473

Vau Sarn 16, 25, 88, 97, 160, 352, 418, 428

Veio-de-Prata, Rio (1) Nome antigo do Raiz Negra, ver 214, 225, 286, 351, 359, 362. (2) Celebrant. 209–1, 213–4, 225, 228, 254, 280, 283, 285–6, 330–1, 340, 343, 349, 351, 359, 362, 366, 415, 431

Velho Salgueiro 47

Verde, Sr. Nome assumido por Frodo em Bri. 48, 54, 55, 56, 62. Ver *Longes-Montes, Sotomonte.*

Vesperturvo, Colinas de 354, 358

Via-rubra, Rio Nome original do rio que fluía do Vale do Riacho-escuro. 140, 199, 202, 209, 228, 254, 349, 359; ver *Raiz Negra, Veio-de-Prata.* Nome élfico *Ruinnel* 140

Vida Errante 105–6, 108, 112–4, 118, 131–2, 134; descrição da métrica e da natureza 106, 112. Ver *Eärendel.* Nomes em *Vida Errante: Eéria* 110, 119; *Belmarie* 110, 119; *Derion* 112; *Derrilyn* 108, 119; *Feéria* 110; *Fantasie* 110; *Lerion* 112; *Osráige* 107; *Thellamie* 110, 119

Vigia na Água, O (216), 230, 241

Vila-do-Bosque 19

Vila-dos-Hobbits 12–5, 18–20, 56, 84, 87, 91, 97, 100, 103, 143, 159; o moinho 295, 299; a Colina 312, 314

Voltavime, Rio 47

Völuspá Ver *Edda Poética.*

Wargs 214, 216, (256)

Westemnet 373, 470, 474, 511

Westfolde 375 (nas Montanhas Nevoentas); *Vale do Westfolde* 375

Westron 289, 341

Williams, Charles 493

Winseld O Paço Dourado em Eodoras. 471, 506, 510, 515, 519–20, 526. Nomes antigos *Meduarn, Meodarn* 471

Yárë Ver *Tom Bombadil*

Yrch Ver *Orques.*

Zirakzigil Uma das Montanhas de Moria (Pico-de-Prata) 210, 510; *Zirak* 210 (e *Zirik*). Nome antigo *Zirakinbar* 508, 510

Poemas Originais

3. A Quarta Fase (2): De Bri até o Vau de Valfenda

[A] p. 63:
All that is gold does not glitter,
all that is long does not last,
All that is old does not wither,
not all that is over is past.

[B] p. 64:
All that is gold does not glitter;
all that is long does not last;
All that is old does not wither;
not all that is over is past.

[C] pp. 75–6:
A troll sat alone on his seat of stone,
And munched and mumbled a bare old bone;
For many a year he had gnawed it near,
And sat there hard and hungry.
Tongue dry! Wrung dry!
For many a year he had gnawed it near
And sat there hard and hungry.

Then up came John with his big boots on.
Said he to the troll: 'Pray, what is yon?
For it looks like the shin o' my nuncle Jim,
As went to walk on the mountain.
Huntin'! Countin'!
It looks like the shin o' my nuncle Jim,
As went to walk on the mountain.'

'My lad,' said the troll, 'this bone I stole;
But what be bones that lie in a hole?
Thy nuncle were dead as a lump o' lead,
Before I found his carkis.
Hark'ee! Mark'ee!
Thy nuncle were dead as a lump o' lead,
Before I found his carkis.'

Said john: 'I doan't see why the likes o' thee
Without axin' leave should go makin' free

571

POEMAS ORIGINAIS

With the leg or the shin o' my kith and my kin,
So hand the old bone over!
Rover! Trover!
So give me the shin o' my kith and my kin,
And hand the old bone over!'

'For a couple o' pins,' says the troll, and grins,
'I'll eat thee too, and gnaw thy shins.
A bit o' fresh meat will go down sweet,
And thee shall join thy nuncle!
Sunk well! Drunk well!
A bit o' fresh meat will go down sweet,
And thee shall join thy nuncle.'

But just as he thought his dinner was caught,
He found his hands had hold of naught;
But he caught a kick both hard and quick,
For john had slipped behind him.
Mind him! Blind him!
He caught a kick both hard and quick,
For John had slipped behind him.

The troll tumbled down, and he cracked his crown;
But John went hobbling back to town,
For that stony seat was too hard for feet,
And boot and toe were broken.
Token! Spoken!
That stony seat was too hard for feet,
And boot and toe were broken.

There the troll lies, no more to rise,
With his nose to earth and his seat to the skies;
But under the stone is a bare old bone
That was stole by a troll from its owner.
Donor! Boner!
Under the stone lies a broken bone
That was stole by a troll from its owner.

4. De Hamílcar, Gandalfe Saruman

[A] p. 96:
All that is gold does not glitter,
not all those that wander are lost;
All that is old does not wither,
and fire may burn bright in the frost;
Not all that have fallen are vanquished,
not only the crowned is a king;
Let blade that was broken be brandished,
and Fire be the Doom of the Ring!

A TRAIÇÃO DE ISENGARD

[B] p. 97:

All that is gold does not glitter,
not all those that wander are lost;
All that is old does not wither,
and bright may be fire in the frost.
The flame that was low may be woken;
and sharp in the sheath is the sting;
Forged may be blade that was broken;
the crownless again may be king.

[C] p. 100:

All that is gold does not glitter;
not all those that wander are lost.
All that grows old does not wither;
not every leaf falls in the frost.
Not all that have fallen are vanquished;
a king may yet be without crown,
A blade that was broken be brandished;
and towers that were strong may fall down.

5. A canção de Bilbo em Valfenda: vida errante e Eärendillinwë

[A] pp. 107–8:

There was a merry passenger,
a messenger, an errander;
he took a tiny porringer
and oranges for provender;
he took a little grasshopper
and harnessed her to carry him;
he chased a little butterfly
that fluttered by, to marry him.
He made him wings of taffeta
to laugh at her and catch her with;
he made her shoes of beetle-skin
with needles in to latch them with.
They fell to bitter quarrelling,
and sorrowing he fled away;
and long he studied sorcery
in Ossory a many day.
He made a shield and morion
of coral and of ivory;
he made a spear of emerald
and glimmered all in bravery;
a sword he made of malachite
and stalactite, and brandished it,
he went and fought the dragon-fly
called wag-on-high and vanquished it.
He battled with the Dumbledores,
and bumbles all, and honeybees,
and won the golden honey-comb,
and running home on sunny seas,
in ship of leaves and gossamer

POEMAS ORIGINAIS

with blossom for a canopy,
he polished up and burnished up
and furbished up his panoply.
He tarried for a little while
in little isles, and plundered them;
and webs of all the attercops
he shattered, cut, and sundered them.
And coming home with honey-comb
and money none – remembered it,
his message and his errand too!
His derring-do had hindered it.

[B] pp. 108–11:   *There was a merry passenger*
a messenger, a mariner:
he built a gilded gondola
to wander in, and had in her
a load of yellow oranges
and porridge for his provender;
he perfumed her with marjoram
and cardamom and lavender.

He called the winds of argosies
with cargoes in to carry him
across the rivers seventeen
that lay between to tarry him.

He landed all in loneliness
where stonily the pebbles on
the running river Derrilyn
goes merrily for ever on.
He wandered over meadow-land
to shadow-land and dreariness,
and under hill and over hill,
a rover still to weariness.

He sat and sang a melody
his errantry a-tarrying;
he begged a pretty butterfly
that fluttered by to marry him.
She laughed at him, deluded him,
eluded him unpitying;
so long he studied wizardry
and sigaldry and smithying.

He wove a tissue airy-thin
to snare her in; to follow in
he made a beetle-leather wing
and feather wing and swallow-wing.

A TRAIÇÃO DE ISENGARD

He caught her in bewilderment
in filament of spider-thread;
he built a little bower-house,
a flower house, to hide her head;
he made her shoes of diamond
on fire and a-shimmering;
a boat he built her marvellous,
a carvel all a-glimmering;
he threaded gems in necklaces –
and recklessly she squandered them,
as fluttering, and wavering,
and quavering, they wandered on.

They fell to bitter quarrelling;
and sorrowing he sped away,
on windy weather wearily
and drearily he fled away.

He passed the archipelagoes
where yellow grows the marigold,
where countless silver fountains are,
and mountains are of fairy-gold.
He took to war and foraying
a-harrying beyond the sea,
a-roaming over Belmarie
and Thellamie and Fantasie.

He made a shield and morion
of coral and of ivory,
a sword he made of emerald,
and terrible his rivalry
with all the knights of Aerie
and Faërie and Thellamie.
Of crystal was his habergeon,
his scabbard of chalcedony,
his javelins were of malachite
and stalactite – he brandished them,
and went and fought the dragon-flies
of Paradise, and vanquished them.

He battled with the Dumbledores,
the Bumbles, and the Honeybees,
and won the Golden Honeycomb;
and running home on sunny seas
in ship of leaves and gossamer
with blossom for a canopy,
he polished up, and furbished up,
and burnished up his panoply.

POEMAS ORIGINAIS

He tarried for a little while
in little isles, and plundered them;
and webs of all the Attercops
he shattered them and sundered them –
Then, coming home with honeycomb
and money none, to memory
his message came and errand too!
In derring-do and glamoury
he had forgot them, journeying,
and tourneying, a wanderer.

So now he must depart again
and start again his gondola,
for ever still a messenger,
a passenger, a tarrier,
a-roving as a feather does,
a weather-driven mariner.

[C] p. 111:   *There was a merry messenger,*
a passenger, an errander;
he gathered yellow oranges
in porringer for provender;
he built a gilded gondola
a-wandering to carry him
across the rivers seventeen
that lay between to tarry him.

He landed there in loneliness
in stoniness on shingle steep,
and ventured into meadow-land
and shadow-land, and dingle deep.

He sat and sang a melody, &c.

[D] p. 111:   *for ever still a-tarrying,*
a mariner, a messenger,
a-roving as a feather does,
a weather-driven passenger.

[E] p. 111:   *He landed all in loneliness*
in stoniness on shingle steep,
and wandered off to meadowland,
to shadowland, to dingle deep.

[F] p. 112:   *He landed all in loneliness*
where stonily on shingle go
the running rivers Lerion
and Derion in dingle low.

576

A TRAIÇÃO DE ISENGARD

He wandered over meadow-land
to shadow-land and dreariness, &c.

[G] pp. 113–4:

There was a merry messenger
a passenger a mariner:
he built a boat and gilded her,
and silver oars he fashioned her;
he perfumed her with marjoram
and cardamon and lavender,
and laded her with oranges
and porridge for his provender.

[H] pp. 114–7:

There was a gallant passenger
a messenger, a mariner:
he built a boat and gilded her
and silver oars he fashioned her;
her sails he wove of gossamer
and blossom of the cherry-tree,
and lightly as a feather
in the weather went she merrily.

8

He floated from a haven fair
of maiden-hair and everfern;
the waterfalls he proudly rode
where loudly flowed the Merryburn;
and dancing on the foam he went
on roving bent for ever on,
from Evermorning journeying,
while murmuring the River on

16

to valleys in the gloaming ran;
and slowly then on pillow cool
he laid his head, and fast asleep
he passed the Weepingwillow Pool.

The windy reeds were whispering,
and mists were in the meadow-land,
and down the River hurried him
and carried him to Shadowland.

24

The Sea beside a stony shore
there lonely roared, and under Moon
a wind arose and wafted him
a castaway beyond the Moon.

He woke again forlorn afar
by shores that are without a name,
and by the Shrouded Island o'er
the Silent Water floating came.

POEMAS ORIGINAIS

32 *He passed the archipelagoes*
where yellow grows the marigold,
and landed on the Elven-strands
of silver sand and fallow gold,
beneath the Hill of Ilmarin
where glimmer in a valley sheer
the lights of Elven Tirion,
the city on the Shadowmere.

40 *He tarried there his errantry,*
and melodies they taught to him,
and lays of old, and marvels told,
and harps of gold they brought to him.
Of glamoury he tidings heard,
and binding words of sigaldry;
of wars they spoke with Enemies
that venom used and wizardry.

48 *In panoply of Elvenkings,*
in silver rings they armoured him;
his shield they writ with elven-runes,
that never wound did harm to him.
His bow was made of dragon-horn,
his arrows shorn of ebony,
of woven steel his habergeon,
his scabbard of chalcedony.

56 *His sword was hewn of adamant,*
and valiant the might of it;
his helm a shining emerald,
and terrible the light of it.

His boat anew for him they built
of timber felled in Elvenhome;
upon the mast a star was set,
its spars were wet with silver foam;
64 *and wings of swans they made for it,*
and laid on it a mighty doom
to sail the seas of wind and come
where glimmering runs the gliding moon.

From Evereven's lofty hills,
where softly spill the fountains tall,
he passed away, a wandering light
beyond the mighty Mountain-wall;
72 *and unto Evernight he came,*
and like a flaming star he fell:
his javelins of diamond
as fire into the darkness fell.

A TRAIÇÃO DE ISENGARD

Ungoliant abiding there
in Spider-lair her thread entwined;
for endless years a gloom she spun
the Sun and Moon in web to wind.

80   *His sword was like a flashing light*
as flashing bright he smote with it;
he shore away her poisoned neb,
her noisome webs he broke with it.
Then shining as a risen star
from prison bars he sped away,
and borne upon a blowing wind
on flowing wings he fled away.

88   *To Evernoon at last he came,*
and passed the flame-encircled hill,
where wells of gold for Melineth
her never-resting workers build.
His eyes with fire ablaze were set,
his face was lit with levin-light;
and turning to his home afar,
a roaming star at even-light

96   *on high above the mists he came,*
a distant flame, a marineer
on winds unearthly swiftly borne,
uplifted o'er the Shadowmere.
He passed o'er Carakilian,
where Tirion the Hallowed stands;
the sea far under loudly roared
on cloudy shores in Shadowland.

104   *And over Evermorn he passed,*
and saw at last the haven fair,
far under by the Merry-burn
in everfern and maidenhair.
But on him mighty doom was laid,
till moon should fade and all the stars,
to pass, and tarry never more
on hither shore where mortals are,

112   *for ever still a passenger,*
a messenger, to never rest,
to bear his burning lamp afar,
the Flammifer of Westernesse.

[I] p. 117:   *on roving bent from hitherland,*
from Evermorning journeying,
while murmuring the River ran
to valleys in the Gloaming fields

POEMAS ORIGINAIS

[J] pp. 117–8:

The seven-branchéd Levin-tree
on Heavenfield he shining saw
upflowering from its writhen root;
a living fruit of fire it bore.
The lightning in his face was lit,
ablaze were set his tresses wan,
his eyes with levin-beams were bright,
and gleaming white his vessel shone.

From World's End then he turned away
and yearned again to seek afar
his land beneath the morning light
and burning like a beacon star
(on high above the mists he came, &c.)

[K] p. 118:

to sail the windy skies and come
behind the Sun and light of Moon.

[L] p. 120:

the haven fair,
far under by the Merry-burn
in everfern and maidenhair.

[M] pp. 120–3:

There was a merry messenger,
a passenger, a mariner:
he built a boat and gilded her,
and silver oars he fashioned her;
her sails he wove of gossamer
and blossom of the cherry-tree
8
and lightly as a feather in
the weather went she merrily.

He floated from a haven fair
of maidenhair and ladyfern;
the waterfalls he proudly rode
where loudly flowed the Merryburn;
and dancing on the foam he went
on roving bent from Hitherland
through Evermorning journeying,
16
while murmuring the river ran
to valleys in the Gloaming-fields;
then slowly he on pillow cool
let fall his head, and fast asleep
he passed the Weeping-willow Pools.

The windy reeds were whispering,
and mists were in the meadowland,
and down the river hurried him,

A TRAIÇÃO DE ISENGARD

24 *and carried him to Shadowland.*
He heard there moan in stony caves
the lonely waves; there roaring blows
the mighty wind of Tarmenel.
By paths that seldom mortal goes
his boat it wafted pitiless
with bitter breath across the grey
and long-forsaken seas distressed;
32 *from East to West he passed away.*

Through Evernight then borne afar
by waters dark beyond the Day
he saw the Lonely Island rise
where twilight lies upon the Bay
of Valinor, of Elvenhome,
and ever-foaming billows roll;
he landed on the elven-strands
40 *of silver sand and yellow gold*
beneath the Hill of Ilmarin,
where glimmer in a valley sheer
the lights of towering Tirion,
the city on the Shadowmere.

He tarried there from errantry,
and melodies they taught to him,
and lays of old and marvels told,
48 *and harps of gold they brought to him.*
Of glamoury he tidings heard,
and binding words of wizardry;
they spoke of wars with Enemies
that venom used and sigaldry.

In panoply of Elven-kings,
in silver rings they armoured him;
his shield they writ with elven-runes
56 *that never wound did harm to him.*
His bow was made of dragon-horn,
his arrows shorn of ebony,
of mithril was his habergeon,
his scabbard of chalcedony.
His sword of steel was valiant;
of adamant his helm was wrought,
an argent wing of swan his crest;
64 *upon his breast an emerald.*

His boat anew they built for him
of timber felled in Elvenhome;

POEMAS ORIGINAIS

upon the mast a star was set,
her spars were wet with driven foam;
and eagle-wings they made for her,
and laid on her a mighty doom,
to sail the windy skies and come
72   behind the Sun and light of Moon.

From Evereven's lofty hills,
where softly silver fountains fall,
he passed away a wandering light
beyond the mighty Mountain Wall.
From World's End then he turned away,
and yearned again to seek afar
his land beneath the morning-light;
80   and burning like a beacon-star
on high above the mists he came,
a distant flame, a marineer,
on winds unearthly swiftly borne,
uplifted o'er the Shadowmere.

He passed o'er Calacirian,
where Tirion the hallowed stands;
the Sea below him loudly roared
88   on cloudy shores in Shadowland;
and over Evermorn he passed
and saw at last the haven fair
far under by the Merryburn
in ladyfern and maidenhair.

But on him mighty doom was laid,
till Moon should fade, an orbed star
to pass and tarry never more
96   on Hither Shores where mortals are;
for ever still a passenger,
a messenger, to never rest,
to bear the burning lamp afar,
the Flammifer of Westernesse.

[N] p. 123:   The Sea beside a stony shore
there lonely roared; and wrathful rose
a wind on high in Tarmenel,
by paths that seldom mortal goes
on flying wings it passed away,
and wafted him beyond the grey
and long-forsaken seas distressed
from East or West that sombre lay.

A TRAIÇÃO DE ISENGARD

[O] pp. 124–7:

Eärendel was a mariner
that tarried in Arvernien;
he built a boat of timber felled
in Nimbrethil to journey in;
her sails he wove of silver fair
of silver were her lanterns made,
her prow he fashioned like a swan,
8   *and light upon her banners laid.*

Beneath the moon and under star
he wandered far from northern strands,
bewildered on enchanted ways
beyond the days of mortal lands.
From gnashing of the Narrow Ice
where shadow lies on frozen hills,
from nether heat and burning waste
16   *he turned in haste, and roving still*
on starless waters far astray
at last he came to night of Naught,
and passed, and never sight he saw
of shining shore nor light he sought.
The winds of wrath came driving him,
and blindly in the foam he fled
from West to East, and errandless,
24   *unheralded he homeward sped.*

As bird then Elwing came to him,
and flame was in her carcanet,
more bright than light of diamond
was fire that on her heart was set.
The Silmaril she bound on him
and crowned him with a living light,
and dauntless then with burning brow
32   *he turned his prow, and in the night*
from otherworld beyond the Sea
there strong and free a storm arose,
a wind of power in Tarmenel;
by paths that seldom mortal goes
his boat it bore with mighty breath
as driving death across the grey
and long-forsaken seas distressed;
40   *from East to West he passed away.*

Through Evernight then borne afar
by waters dark beyond the Day,
he saw the Lonely Island rise,
where twilight lies upon the Bay
of Valinor, of Elvenhome,

POEMAS ORIGINAIS

and ever-foaming billows roll.
He landed on forbidden strands
48 *of silver sand and yellow gold;*
beneath the Hill of Ilmarin
a-glimmer in a valley sheer
the lamps of towering Tirion
were mirrored on the Shadowmere.

He tarried there from errantry
and melodies they taught to him,
and lays of old and marvels told,
56 *and harps of gold they brought to him.*
In panoply of Elven-kings,
in serried rings they armoured him;
his shield they writ with elven-runes
that never wound did harm to him,
his bow was made of dragon-horn,
his arrows shorn of ebony,
of silver was his habergeon,
64 *his scabbard of chalcedony;*
his sword of steel was valiant,
of adamant his helmet tall,
an argent flame upon his crest,
upon his breast an emerald.

His boat anew they built for him
of mithril and of elven-glass;
the Silmaril was hanging bright
72 *as lantern light on slender mast;*
and eagle-wings they made for her,
and laid on her a mighty doom,
to sail the shoreless skies and come
behind the Sun and light of Moon.

From Evereven's lofty hills,
where softly silver fountains fall,
he rose on high, a wandering light
80 *beyond the mighty Mountain Wall.*
From World's End then he turned away,
and yearned again to seek afar
his land beneath the morning-light,
and burning like a beacon-star
on high above the mists he came,
a distant flame, a marineer,
on winds unearthly swiftly borne,
88 *uplifted o'er the Shadowmere.*

He passed o'er Calacirian

A TRAIÇÃO DE ISENGARD

> *where Tirion the hallowed stands;*
> *the sea below him loudly roared*
> *on cloudy shores in Shadow land;*
> *and over Middle-earth he passed,*
> *and heard at last the weeping sore*
> *of women and of Elven-maids*

96   *in Elder Days, in years of yore.*

> *But on him mighty doom was laid,*
> *till Moon should fade, an orbéd star,*
> *to pass, and tarry never more*
> *on Hither Shores where mortals are;*
> *for ever still on errand, as*
> *a herald that should never rest,*
> *to bear his shining lamp afar,*

104   *the Flammifer of Westernesse.*

[P] p. 128:   *In wrath the Fëanorians*
> *that swore the unforgotten oath*
> *brought war into Arvernien*
> *with burning and with broken troth;*
> *and Elwing from her fastness dim*
> *then cast her in the roaring seas,*
> *but like a bird was swiftly borne,*
> *uplifted o'er the roaring wave.*
> *Through hopeless night she came to him*
> *and flame was in the darkness lit,*
> *more bright than light of diamond*
> *the fire upon her carcanet.*
> *The Silmaril she bound on him (&c.)*

[Q] p. 128:   *Her woven sails were white as snow,*
> *as flying foam her banner flowed;*
> *her prow was fashioned like a swan*
> *that white upon the Falas goes.*

[R] pp. 129–31:
Stanza 1   *Eärendil was a mariner*
> *that tarried in Arvernien:*
> *he built a boat of timber felled*
> *in Nimbrethil to journey in.*
> *Her sails he wove of silver fair,*
> *with silver were her banners sewn;*
> *her prow he fashioned like the swans*
> *that white upon the Falas roam.*

Stanza 2   *His coat that came from ancient kings*
> *of chainéd rings was forged of old;*

his shining shield all wounds defied,
with runes entwined of dwarven gold.
His bow was made of dragon-horn,
his arrows shorn of ebony,
of triple steel his habergeon,
his scabbard of chalcedony;
his sword was like a flame in sheath,
with gems was wreathed his helmet tall,
an eagle-plume upon his crest,
upon his breast an emerald.

Stanza 3   *As in FR, but with winds of fear for winds of wrath in line 13*
of the stanza.

Stanza 4   *In might the Fëanorians*
that swore the unforgotten oath
brought war into Arvernien
with burning and with broken troth;
and Elwing from her fastness dim
then cast her in the waters wide,
but like a mew was swiftly borne,
uplifted o'er the roaring tide.
Through hopeless night she came to him,
and flame was in the darkness lit,
more bright than light of diamond
the fire upon her carcanet.
The Silmaril she bound on him,
and crowned him with the living light,
and dauntless then with burning brow
he turned his prow at middle-night.
Beyond the world, beyond the Sea,
then strong and free a storm arose,
a wind of power in Tarmenel;
by paths that seldom mortal goes
from Middle-earth on mighty breath
as flying wraith across the grey
and long-forsaken seas distressed
from East to West he passed away.

Stanza 5   *As in FR.*

Stanza 6   *As in FR, but with a difference in the twelfth line:*

for ever king on mountain sheer;

Stanza 7   *A ship then new they built for him*
of mithril and of elvenglass

A TRAIÇÃO DE ISENGARD

> with crystal keel; no shaven oar
> nor sail she bore, on silver mast
> the Silmaril as lantern light
> and banner bright with living flame
> of fire unstained by Elbereth
> herself was set, who thither came (&c. as in FR)

Stanza 8   As in FR.

Stanza 9   As in FR except at the end:

> till end of Days on errand high,
> a herald bright that never rests,
> to bear his burning lamp afar,
> the Flammifer of Westernesse.

[S] pp. 132–3:

Pudda	*Come, hurry. There may be more. Let's get away* *Or have the pirate pack on us.*
Tibba	*Nay, nay.* *These are no Northmen. What should such come for?* *They are all in Ipswich drinking to Thor.* *These have got what they deserved, not what they* *sought.*
Pudda	*God help us, when Englishmen can be brought* *By any need to prowl like carrion-bird* *And plunder their own.*
Tibba	*There goes a third* *In the shadows yonder. He will not wait,* *That sort fight no odds, early or late,* *But sneak in when all's over. Up again!* *Steady once more.*
Pudda	*Say, Tibba, where's the wain?* *I wish we were at it! By the bridge you say –* *Well, we're nearer the bank. 'Tis more this way,* *If we're not to walk in Panta, and the tide's in.*
Tibba	*Right! here we are.*
Pudda	*How did they win* *Over the bridge, think you? There's little sign* *Here of bitter fight. And yet here the brine* *Should have been choked with 'em, but on the planks* *There's only one lying.*
Tibba	*Well, God have thanks.* *We're over! Gently! Up now, up! That's right.* *Get up beside. There's a cloth; none too white,* *But cover him over, and think of a prayer. I'll drive.*
Pudda	*Heaven grant us good journey, and that we arrive!* *Where do we take him? How these wheels creak!*

POEMAS ORIGINAIS

Tibba   *To Ely! Where else?*
Pudda   *A long road!*
Tibba   *For the weak.*
            A short road for the dead – and you can sleep.

[T] p. 133:   *So now he must depart again*
and start again his gondola,
a silly merry passenger,
a messenger, an errander,
a jolly, merry featherbrain,
a weathervane, a mariner.

[U] p. 133:   *he wrought her raiment marvellous*
and garments all a-glimmering

[V] p. 134:   *She caught him in her stranglehold*
entangled all in ebon thread,
and seven times with sting she smote
his ringéd coat with venom dread.

[W] pp. 134–5: *He heard there moan in stony caves*
the lonely waves of Orfalas;
the winds he heard of Tarmenel:
by paths that seldom mortals pass
they wafted him on flying wings
a dying thing across the grey
and long-forsaken seas distressed;
from East to West he passed away.

6. O Conselho de Elrond (1)
[A] p. 157:   *Seek for the Sword that was broken:*
in lmlad-rist it dwells,
and there shall words be spoken
stronger than Morgol-spells.
And this shall be your token:
when the half-high leave their land,
then many bonds shall be broken,
and Days of Fire at hand.

7. O Conselho de Elrond (2)
[A] p. 177:   *This sign shall there be then*
that Doom is near at hand:
The Halfhigh shall you see then
with Isildur's bane in hand.

8. O Anel vai para o sul
[A] p. 209:   *But all the while I sit and think*
I listen for the door,

A TRAIÇÃO DE ISENGARD

> *and hope to hear the voices come*
> *I used to hear before.*

9. As minas de Moria (1): O Senhor de Moria

[A] p. 221:

> *The world was young, the mountains green,*
> *No mark upon the moon was seen,*
> *When Durin came and gave their name*
> *To lands where none before had been.*
> *nameless lands had been.*

> *The world was fair, the mountains tall,*
> *With gold and silver gleamed his hall,*
> *When Durin's throne of carven stone*
> *Yet stood behind the guarded wall.*

> *The world is dark, the mountains old,*
> *In shadow lies the heapéd gold;*
> *In Durin's halls no hammer falls,*
> *The forges' fires are grey and cold.*

> *When Durin woke and gave to gold*
> *its first and secret name of old*

> *When Durin came to Azanûl*
> *and found and named the nameless pool*

12. Lothlórien

[A] pp. 266–7:

> *A wind awoke in Northern lands*
> *and loud it blew and free,*
> *and bore the ship from Elven-strands*
> *across the shining sea.*

> *Beyond the waves the shores were grey,*
> *the mountains sinking low;*
> *as salt as tears the driving spray*
> *the wind a cry of woe.*

> *When Amroth saw the fading shore*
> *beyond the heaving swell*
> *he cursed the faithless ship that bore*
> *him far from Nimlothel.*

> *An Elven-lord he was of old*
> *before the birth of men*
> *when first the boughs were hung with gold*
> *in fair Lothlórien.*

POEMAS ORIGINAIS

[B] p. 267:
An Elven-lord he was of old
when all the woods were young
and in Lothlórien with gold
the boughs of trees were hung.

[C] p. 267:
The foam was in his flowing hair,
a light about him shone;
afar they saw the waves him bear
as floats the northern swan.

13. Galadriel

[A] p. 312:
When morning on the Hill was bright
across the stream he rode again;
beside our hearth he sat that night
and merry was the firelight then.

[B] p. 312:
A shining sword in deadly hand,
a hooded pilgrim on the road,
a mountain-fire above the land,
a back that bent beneath the load.

[C] p. 312:
Of Moria, of Khazaddûm
all folk shall ever sadly tell
and now shall name it Gandalf's tomb
where hope into the Shadow fell.

14. Adeus a Lórien

[A] p. 336:
I sang of leaves, of leaves of gold, and leaves of gold there grew:
Of wind I sang, a wind there came and in the branches blew.
Beyond the Sun, beyond the Moon, the foam was on the Sea,
And by the strand of Tirion there grew a golden Tree.
Beneath the stars of Evereve in Eldamar it shone,
In Eldamar beside the walls of Elven Tirion.
But far away and far away beyond the Shadow-meres
Now long the golden leaves have grown upon the branching
        years.
And Lórien, O Lórien! the river flows away
And leaves are falling in the stream, and leaves are borne away;
O Lórien, too long I dwell upon this Hither Shore
And in a fading crown I twine the golden elanor.
But if a ship I now should sing, what ship would come to me,
What ship would bear me ever back across so wide a sea?

[B] p. 345:
beneath the hill of Ilmarin
where glimmer in a valley sheer
the lights of Elven Tirion
the city on the Shadowmere

A TRAIÇÃO DE ISENGARD

20. Os cavaleiros de Rohan

[A] p. 464:
Ondor! Ondor! Between the Mountains and the Sea
Wind blows, moon rides, and the light upon the Silver Tree
Falls like rain there in gardens of the King of old.
O white walls, towers fair, and many-footed throne of gold!
O Ondor, Ondor! Shall Men behold the Silver Tree
Or West Wind blow again between the Mountain[s] and the Sea?

22. Barbárvore

[A] p. 494:
When Spring is in the sprouting corn and flames of green
*   arise,*
When blossom like a living snow upon the orchard lies,
When earth is warm, and wet with rain, and its smell is in the
*   air,*
I'll linger here, and will not come, because my land is fair.

4
When Summer warms the hanging fruit and burns the berry
*   brown,*
When straw is long and ear is white and harvest comes to town,
When honey spills and apple swells and days are wealthiest,
I'll linger here, and will not come, because my land is best.

5
When winter comes and boughs are bare and all the grass is
*   grey,*
When   and starless night o'ertakes the sunless day,
When storm is wild and trees are felled, then in the bitter rain
I'll look for thee, and call to thee, I'll come to thee: again.

24. O cavaleiro Branco

[A] p. 508:
Elfstone, Elfstone, bearer of my green stone,
In the south under snow a green stone thou shalt see.
Look well, Elfstone! In the shadow of the dark throne
Then the hour is at hand that long hath awaited thee.

Greenleaf, Greenleaf, bearer of the elven-bow,
Far beyond Mirkwood many trees on earth grow.
Thy last shaft when thou hast shot, under strange trees
*   shalt thou go!*

26. O Rei do Paço Dourado

[A] p. 528:
Elfstone, Elfstone, bearer of my green stone,
In the south under snow a green stone thou shalt see.
Look well, Elfstone! In the shadow of the dark throne
Then the hour is at hand that long hath awaited thee.